脊椎脊髄病学
第3版

PRINCIPLES OF SPINAL DISORDERS
THIRD EDITION

大阪労災病院整形外科 主任部長
岩﨑幹季
Iwasaki Motoki

金原出版株式会社

第3版の序

　第2版が出版されてから後，COVID-19（新型コロナウイルス）によるパンデミック，ロシアによるウクライナへの軍事侵攻と目まぐるしく世界情勢が悪化した。特に，COVID-19では改めて医師として医療を考えさせられることとなった。継続的にこの改訂版で追加や変更すべき内容を意識しながら，学会での発表を傾聴し論文を拝読してきた。第2版では骨粗鬆症性椎体骨折と成人脊柱変形の項目を追加した。さらに，この数年でlateral interbody fusion（LIF），頚椎人工椎間板置換術やコンドリアーゼを用いた椎間板内酵素注入療法などの新技術が広がってきた。また頚椎後弯症や腰椎変性側弯症も頚椎や腰椎の変形がある局所の評価をするだけでは不十分で，これら脊柱変形は脊柱全体の矢状面アライメント（global sagittal alignment）や冠状面や回旋変形を考慮して病態評価や治療方針を立てる必要がある。今回の第3版ではこれらの内容も新たに追加した。

　加えてその上で重視したことは，「不易流行」なる医療であり，新技術というよりも普遍的な診断と治療選択の考え方である。「不易流行」とは松尾芭蕉が奥の細道を旅する中で見出した俳諧理念である。いつまでも変わらないもの，変えてはならない本質的なもの（不易）と目まぐるしく変わる新しい時流の両方が欠かせないもので，両者をバランスよく両立させることが重要である。新しい技術（特に，術式）は外科医にとって興味深く機会があれば試してみたくなるものである。そこで常に外科医が自問自答すべきは，この新技術が従来の治療法よりも短期的にも長期的にも優れているか，安全に施行できるか（自分の技量や施設を考慮して），ということである。

　学問の面白さは創造であるが，それは梅原猛先生が述べられているように今まで誰も明らかにしていない「真理」を発見することである（梅原猛著作集14『思うままに』小学館，2001年）。そして，また今まで通説とされてきたものに懐疑心を持ち，覆す新事実を発見することで通説を旧説に変えてしまう醍醐味がある。

　本書では初版から一貫して自論に言及することはできるだけ避け，診断・治療選択における多様性を重要視してきた。

　さらに，最も重きを置いている総論でも図・本文の変更や追加を行った。どんな情勢の時代となろうとも医療は変わらず患者のために決断して挑み続けることが必要で，本書が脊椎脊髄病に興味がある学生や研修医，脊椎脊髄外科医にとって自ら診断と治療を検討する上で手助けになることを心より願っている。

令和4年3月吉日
岩﨑幹季

初版の序：要点把握術

　「坂の上の雲」で司馬遼太郎氏は，秋山真之の特徴について次のように述べている。彼の発想法は，物事の要点はなにかということを考える。そして，その要点の発見法は，過去のあらゆる型を見たり聞いたり調べることであった。医学，特に外科学においてもあらゆる経験と知識の蓄積によって要領・要点を把握することが要求される。しかし，自らの経験だけでその習得は不十分で，さまざまな文献や書物，先輩から知識や技術を素直に学び続ける必要がある。そして，ある一定レベルの年齢あるいは役職に就くと学ぶ姿勢に加えて，人を教育していくことが求められる。人を教育するためには自分自身がさらに勉強し準備する必要があり，その過程の中で自らが学んできたことを自身の言葉や文章により記憶に定着させ，さらにその思考や発想を発展させることができる。したがって，本書では分担執筆ではなく私自身が定着させた記憶あるいは発展させた思考に基づいて「脊椎脊髄病学」をとらえるため，あくまでも一人での執筆にこだわった。

　本書は，私が大阪大学と大阪労災病院整形外科を通じて研修医や整形外科病棟医向けに脊椎外科のマニュアルとして配布してきた「脊椎外科クルズス」が原点である。当初は必要最低限の簡単なマニュアルであったものが，後輩の要望や協力によって毎年増やしていった。各論では日常の診療で遭遇する疾患をほぼ網羅できるように考えたが，その疾患群や内容に関してはいずれ変化していくものと思われる。しかし，総論ではなるべく普遍的な要点を把握できるよう全力を傾けた。したがって，本書は臨床神経学に興味がある学生にとっても，脊椎脊髄病を専攻しようとしている整形外科専門医にとっても，「脊椎脊髄病学」に興味を呼び起こす内容になっていると信じている。

平成 22 年 3 月吉日
岩﨑 幹季

CONTENTS
目 次

序 章

- The Clinical Approach to the Patient　3
- 扶氏醫戒之略　4
- はじめに　8
- 患者に接するときの留意点　10
- インフォームド・コンセント　11
- 脊椎・脊髄病における研修項目　11
- 病棟主治医の Do's & Don'ts　14

I 総論

1 術前評価　16
- 1-1. 合併症チェック　16
- 1-2. 問診　17
- 1-3. 診察　17
- 1-4. 評価・検査　19
  1. 頸椎疾患のX線評価　19
  2. 腰椎疾患の評価　22
  3. 脊柱変形の評価　22
  4. 靱帯骨化症の評価　23
  5. リウマチ頸椎の評価　23
  6. 膀胱機能の評価　23
  7. 骨粗鬆症の評価　23
- 1-5. 一般的注意　26
- 1-6. 神経学的検査　28
  1. 筋トーヌス　28
  2. 筋力評価　28
  3. 深部腱反射　43
  4. 表在反射　46
  5. 病的反射　47
  6. 感覚障害の診かた　47
  7. 冠名徴候　49
- 1-7. 造影検査・ブロック注射　50
  1. 硬膜外ステロイド注射　50
  2. 脊髄造影　50
  3. 腰椎神経根造影・ブロック　51
  4. 頸椎神経根ブロック　52
  5. 椎間板造影・椎間板穿刺　52
- 付. 公費負担医療制度に関して　55

2 脊椎・脊髄疾患の局在診断　56
- 2-1. 高位診断　56
  1. 高位診断の概要　56
  2. 高位診断の実際　57
- 2-2. 横位診断　60
  1. 横位診断の概要　60
  2. 横位診断の実際　62

3 術前準備　64
- 3-1. 合併症再確認　64
- 3-2. 貯血準備　64
- 3-3. 病歴整理　65
- 3-4. 手術準備　65

4 術後管理　67
- 4-1. 術後疼痛管理　67
- 4-2. 術後感染予防　67
- 4-3. 術後全身管理　68
- 4-4. 術後神経症状のチェック　69
- 4-5. 術後血腫の処置　69
- 4-6. 術後髄液漏の処置　70
- 4-7. 胸腔ドレーンの管理　71
- 4-8. halo vest の管理　71
- 4-9. 脊髄浮腫の予防・治療　72
- 4-10. 糖尿病患者の周術期管理　72

- 4-11. 術後せん妄への対応　73
- 4-12. 静脈血栓塞栓症の診断・治療　73

5 退院・M＆Mカンファレンス　75
- 5-1. 退院時にするべきこと　75
- 5-2. 退院サマリー　75
- 5-3. 退院後の経過観察　75
- 5-4. M＆Mカンファレンス　76

6 術後感染症対策　77
- 6-1. 術後感染予防　77
- 6-2. MRSA感染症　77
  1. MRSA感染症の治療薬　77
  2. MRSA感染症治療の具体例　79
- 6-3. 褥創処置の基本　79

7 痛み関連の症状に対する薬物療法　81
- 7-1. NSAIDsの副作用　81
  1. NSAIDs潰瘍の予防と対策　81
  2. その他の副作用・併用注意　81
- 7-2. オピオイドと鎮痛補助薬　81
  1. オピオイド　82
  2. 鎮痛補助薬　82
- 7-3. 難治性疼痛　83
  1. neuropathic pain：神経障害性疼痛　83
  2. psycogenic pain：心因性疼痛　83

8 神経内科的疾患概要　87
- 8-1. 運動ニューロン疾患　87
  1. 運動ニューロン疾患と脊椎疾患の鑑別　87
  2. 筋萎縮性側索硬化症　90
  3. 脊髄性筋萎縮症　91
  4. 球脊髄性筋萎縮症　91
- 8-2. 家族性痙性対麻痺　92
- 8-3. 多発ニューロパチー　92
  1. Charcot-Marie-Tooth病　92
  2. Guillain-Barré症候群，急性炎症性脱髄性多発ニューロパチー　92
  3. 慢性炎症性脱髄性多発根神経炎　92
  4. その他のニューロパチー　93
- 8-4. 多発性硬化症　93
- 8-5. パーキンソン病　93
- 8-6. 多発筋炎　94
- 8-7. リウマチ性多発筋痛症　94
- 8-8. 進行性筋ジストロフィー　94
- 8-9. 周期性四肢麻痺　94
- 8-10. 神経痛性筋萎縮症　95
- 8-11. 急性横断性脊髄炎　95
- 8-12. 急性散在性脳脊髄炎　95
- 8-13. 脊髄サルコイドーシス　95
- 8-14. 脊髄梗塞　96
- 8-15. 脊髄出血　97
- 8-16. 亜急性連合性脊髄変性症　97
- 8-17. HAM　98
- 8-18. 正常圧水頭症　98
- 8-19. 好酸球性多発血管炎性肉芽腫症　98
- 8-20. めまいの鑑別診断　98
- 8-21. 延髄部病変の症候　99
  1. 延髄外側症候群（Wallenberg症候群）　99
  2. 延髄頚髄移行部・延髄交叉部の障害　99

9 脊椎手術の基本と実際　101
- 9-1. 脊椎手術の基本　101
- 9-2. 脊椎前方アプローチ　101
  1. 頚椎前方　101
  2. 頚胸椎移行部　102
  3. 上位胸椎　102
  4. 中下位胸椎　102
  5. 胸腰椎移行部　102
  6. 腰椎　103
  7. 腰仙椎移行部　103
- 9-3. 術式別の概要　103
  1. 頚椎前方固定術　103
  2. 頚椎人工椎間板置換術　104
  3. 椎弓形成術（脊柱管拡大術）　105
  4. 腰椎後方手術（PLIF，髄核摘出術，開窓術など）　105

5. 腰椎前方固定術　106
6. 胸椎後方手術（椎弓切除術，後方固定術など）　106
7. 胸椎前方固定術（人工椎体を含む）　106
8. 短縮矯正骨切り術　108

9-4. 脊椎インストゥルメンテーション　109
1. 頚椎インストゥルメンテーション　109
2. 胸椎～腰仙椎・骨盤インストゥルメンテーション　110
3. anterior screw　113

9-5. 骨移植　113
1. 骨癒合を期待しない脊椎固定　113
2. 脊椎外科で通常利用する採骨部位　113

9-6. 術式別の術後管理・術後安静度　115
1. 頚椎前方固定術　115
2. 椎弓形成術・脊柱管拡大術　115
3. 腰椎後方手術（PLIF or PLF, 髄核摘出術，開窓術など）　116
4. 腰椎前方固定術　116
5. 胸椎後方手術（椎弓切除術，後方固定術，側弯矯正手術など）　117
6. 胸椎前方固定術（人工椎体を含む）　117

10 緊急手術と術後合併症による再手術　121

10-1. 脊椎変性疾患に伴う緊急手術　121
1. 緊急手術の適応　121
2. 術式選択とその考え方　122
3. 急性麻痺の画像診断　122
4. 急性麻痺の鑑別診断　122

10-2. 脊椎疾患術後合併症による緊急再手術　123
1. 術後合併症による再手術の適応と対策　123
2. 術後麻痺の画像診断　129
3. 術後麻痺の鑑別診断　129
4. 脊椎レベルに応じた各論　129

II 各 論

1 脊椎の発生と頭蓋頚椎移行部奇形　138

1-1. 脊椎の発生　138
1-2. 頭蓋頚椎移行部奇形　140
1. 頭蓋環椎癒合症　140
2. 環椎形成不全症　140
3. 頭蓋陥入症　140
4. 歯突起骨　140
5. Klippel-Feil 症候群　141

1-3. ダウン症候群における頭蓋頚椎移行部異常　141
1. 環軸椎不安定性　141
2. 後頭骨・環椎間不安定性　142
3. 歯突起および環椎の奇形　144
4. 手術療法　144

1-4. 特殊な疾患による上位頚椎病変　145
1. 脊椎骨端骨異形成症　145
2. Morquio 症候群　145
3. I-cell 病（mucolipidosis II）　145
4. Marshall-Smith 症候群　147

2 頚椎後弯症・頚椎変形　150

2-1. 定義・概念　150
1. 先天性の頚椎後弯症　150
2. 神経線維腫症　151
3. 頚椎後方除圧術後の頚椎後弯症　151
4. 思春期特発性の頚椎後弯症　152
5. 原因不明の頚椎後弯症（いわゆる"首下がり"）　153

2-2. 症状　153
2-3. 検査　153
1. X線　153
2. CT　153
3. MRI　153
4. 内分泌検査　153

2-4. 後弯変形の進行予測　154
1. 先天性の頚椎後弯変形　154
2. 外傷性の頚椎後弯変形　154

3. 頸椎後方除圧術後の頸椎後弯変形　154
　　4. 思春期および成人の頸椎後弯変形　155
2-5. 後弯変形の予防　155
2-6. 治療　155
　　1. 保存療法　155
　　2. 手術療法　155
2-7. 合併症と予後　157

3 頸部脊髄症（頸髄症）　159
3-1. 疾患の概説　159
3-2. 病態　159
　　1. 頸部脊髄症の発生機序　160
　　2. 頸部脊髄症の症状・所見　160
3-3. 診察　161
　　1. 問診上のポイント　161
　　2. 理学所見上のポイント　161
　　3. 錐体路障害としての myelopathy hand　162
3-4. 診断　163
　　1. 頸部脊髄症の高位診断　163
　　2. 画像診断のポイント　166
3-5. 保存療法　169
　　1. 保存療法の適応と限界　169
　　2. 頸部脊髄症の自然経過　169
　　3. 一般的に選択される保存療法　169
3-6. 手術療法　170
　　1. 手術適応　170
　　2. 脊柱管拡大術（椎弓形成術）　170
　　3. 脊柱管拡大術（椎弓形成術）の限界　171
　　4. 前方除圧固定術　172
　　5. 頸椎人工椎間板置換術　173
　　6. 脊柱管拡大術と前方除圧固定術の比較検討　173
　　7. 頸椎アライメントと椎弓形成術　175
3-7. 頸部脊髄症の予後因子　176
3-8. 頸部脊髄症の客観的評価　176

4 頸椎神経根症　188
4-1. 疾患の概説　188
4-2. 病態　188
4-3. 症状　189
4-4. 診断　189
　　1. 鑑別診断　190
　　2. 筋力テストと腱反射　191
　　3. 画像診断のポイント　191
4-5. 保存療法　192
　　1. 保存療法の適応とプロトコール　192
　　2. 一般的に選択される保存療法　193
4-6. 手術療法　195
4-7. 椎間板ヘルニアの退縮　196

5 頸椎後縦靱帯骨化症・脊柱靱帯骨化症　198
5-1. 疾患の概説　198
5-2. 疫学　198
　　1. 頸椎 OPLL の X 線学的形態分類　199
　　2. CT 画像による頸椎 OPLL の新しい分類　199
　　3. 病理・病態　200
　　4. OPLL の病因　200
5-3. 症状　201
5-4. 診断　201
　　1. 補助的画像診断　201
　　2. 頸椎 OPLL の自然経過　202
5-5. 頸椎 OPLL の治療　202
　　1. 保存療法　203
　　2. 手術療法　203
　　3. 治療成績に影響する因子　208
　　4. 術後患者の満足度調査　210
5-6. 頸椎 OPLL の手術合併症　210
5-7. 頸椎 OPLL の骨化進展　210
5-8. 胸椎 OPLL　211
5-9. 黄色靱帯骨化症　211
付. びまん性特発性骨増殖症　211
　　1. 疾患概念　211
　　2. 診断　212
　　3. 疫学　212
　　4. 症状　212
　　5. 鑑別　212
　　6. 合併症　212

6 腰椎椎間板ヘルニア　221
- 6-1. 疾患の概説　221
- 6-2. 病態　221
- 6-3. 症状　222
- 6-4. 診察・診断　222
  1. 診察のポイント　222
  2. 診断手順　223
  3. 画像診断のポイント　226
- 6-5. 治療選択　227
  1. 腰椎椎間板ヘルニアの自然経過　230
  2. 腰椎椎間板ヘルニアの消退　231
- 6-6. 一般的に選択される保存療法　232
  1. 安静　232
  2. 装具療法　232
  3. 薬物療法　232
  4. 神経ブロック　232
  5. 牽引療法　233
  6. 運動療法　233
  7. 物理療法　233
  8. 生活指導　233
- 6-7. 手術療法　234
  1. 髄核摘出術（椎間板切除術）　234
  2. 椎間板内酵素注入療法　234
  3. 固定術　235
- 6-8. 腰椎椎間板ヘルニアに対する手術療法と保存療法との比較検討　236
- 付．くも膜嚢腫，髄膜嚢腫，仙骨嚢腫　237
  1. 定義　237
  2. 分類　237
  3. 診断・治療　237
  4. 症例　237

7 腰部脊柱管狭窄症・腰椎すべり症　243

7-A. 腰部脊柱管狭窄症　243
- 7-A-1. 疾患の概説　243
- 7-A-2. 病態　243
  1. 静的因子　243
  2. 動的因子　243
- 7-A-3. 分類　243
  1. Kirkaldy-Willis らの分類　244
  2. Arnoldi らによる国際分類　244
  3. 症状・所見からみた分類　245
- 7-A-4. 症状　246
  1. 腰痛　246
  2. 下肢の痛み・しびれ　246
  3. 間欠跛行　246
- 7-A-5. 診断　246
  1. 問診のポイント　246
  2. 他覚所見　247
  3. 画像診断　247
  4. 鑑別診断　250
  5. 自然経過　250
- 7-A-6. 保存療法　251
  1. 牽引療法　251
  2. 薬物療法　251
  3. 装具療法　251
  4. 神経ブロック　251
- 7-A-7. 手術療法　251
  1. 適応　252
  2. 術式選択　252
- 7-A-8. 脊柱管内嚢腫性病変　253
- 7-A-9. 今後の課題　254

7-B. 腰椎すべり症　258
- 7-B-1. 疾患の概説　258
  1. 画像評価　258
  2. 手術療法　259
- 7-B-2. 分離症・分離すべり症　259
  1. 病態・頻度　259
  2. 自然経過　259
  3. 治療法　260
- 7-B-3. 変性すべり症　262
  1. 病態・頻度　262
  2. 自然経過　262
  3. 症状・所見　262
  4. 手術療法　262

8 骨粗鬆症性椎体骨折・椎体圧潰　275
- 8-1. 疾患の概説　275
- 8-2. 診断　275

- 8-3. 保存療法　275
- 8-4. 手術療法　279

9 脊椎・脊髄損傷　286
- 9-1. 治療の概説　286
- 9-2. 部位別各論　286
  1. 頚椎損傷　286
  2. 胸腰椎損傷　294
  3. 仙骨骨折　295
- 9-3. 麻痺に関して　298
- 9-4. 脊椎・脊髄損傷の診断　302
  1. 神経学的診断　302
  2. 画像診断　303
- 9-5. 脊椎・脊髄損傷の治療　304
  1. 全身管理　304
  2. 損傷脊椎に対する治療　305
  3. 損傷脊髄に対する治療　305
  4. 損傷脊髄に対する手術療法　305
- 9-6. 脊髄損傷患者における注意すべき合併症　306
  1. 早期合併症　306
  2. その他の合併症　306
- 9-7. リハビリテーション　306
  1. 呼吸器リハビリテーション　307
  2. 拘縮予防　307
- 9-8. 外傷後脊柱変形　307
- 9-9. 外傷性脊髄空洞症　308
- 9-10. Charcot spine　308
- 9-11. 非骨傷性脊髄損傷　308
  1. 疾患の概説　308
  2. 神経症候　310
  3. 画像診断　310
  4. 治療　310
- 9-12. 胸腰椎移行部の破裂骨折　311
  1. 分類　311
  2. 評価　312
  3. 治療　312
  4. 合併症　318

10 関節リウマチに伴う頚椎病変　323
- 10-1. 病態　323
  1. 環軸関節亜脱臼（AAS）　323
  2. 軸椎垂直亜脱臼（VS）　323
  3. 軸椎下亜脱臼（SS）　323
- 10-2. X線計測法　323
  1. AASの評価　323
  2. VSの評価　323
  3. SSの評価　324
- 10-3. 自然経過　324
  1. 上位頚椎病変　324
  2. 中下位頚椎病変　326
- 10-4. 症状　326
  1. 局所症状　326
  2. 神経症状　326
  3. 椎骨動脈不全症状　326
  4. 関節症状　327
  5. 全身症状　327
- 10-5. 画像検査　327
  1. X線　327
  2. MRI　327
  3. CT（MPR）　328
- 10-6. 治療　328
  1. 保存療法　328
  2. 手術療法　329
- 10-7. 治療成績　332
- 10-8. 合併症　332
  1. 全身合併症　332
  2. 隣接椎間障害　332
  3. 開口障害・嚥下障害　332

11 脊柱変形・側弯症　336
11-A. 総論　336
- 11-A-1. 疾患の概説　336
- 11-A-2. 形態解剖・分類　336
- 11-A-3. 用語の解説　338
- 11-A-4. 診断　339
  1. 側弯症の初期診断における腹壁反射の重要性　339
  2. 除外診断　340
- 11-A-5. 各種計測　340
  1. 肋骨隆起あるいは腰部隆起の計測　340

 2. 側弯症のX線計測　340
 3. 側弯の程度（重症度）　341
 4. 骨成熟の評価　341
 5. 頂椎回旋の評価　341
 6. 冠状面評価　342
 7. 矢状面評価　343
11-A-6. 骨盤の前傾・後傾・仙骨傾斜角と脊柱アライメント　343
11-A-7. MRI検査の意義　345
11-B. 特発性側弯症　347
11-B-1. 病態・病因　347
11-B-2. 乳幼児側弯症　348
 1. 進行の予測　348
 2. 治療　349
11-B-3. 学童期側弯症　349
 1. 進行の予測　350
 2. 脊柱および胸郭の成長　350
11-B-4. early-onset scoliosis の手術療法　350
 1. 成長抑制　350
 2. 骨移植なしの脊椎固定術　350
 3. 脊椎固定術　351
11-B-5. 特発性側弯症（胸椎部側弯）の King 分類　351
 1. King type Ⅰ　351
 2. King type Ⅱ　351
 3. King type Ⅲ　353
 4. King type Ⅳ　353
 5. King type Ⅴ　353
11-B-6. Lenke による特発性側弯症の新しい分類法　353
 1. Lenke type 1　355
 2. Lenke type 2　357
 3. Lenke type 3　357
 4. Lenke type 4　357
 5. Lenke type 5　357
 6. Lenke type 6　362
11-B-7. 側弯症の進行予測　362
11-B-8. 側弯症の基本的治療方針　362
 1. 装具療法　363
 2. 手術適応　364

11-C. 先天性側弯症・先天性後側弯症　371
11-C-1. 先天性側弯症　371
 1. 分類　371
 2. 理学所見のポイント　372
 3. 画像検査のポイント　372
 4. 進行予測　372
 5. 装具療法　373
 6. 手術適応　373
11-C-2. 先天性後側弯症　377
 1. 先天性後側弯症の分類　377
 2. 先天性後弯症の手術適応　377
11-D. 症候性側弯　381
11-D-1. 神経線維腫症　381
 1. NF-1 の診断基準　381
 2. 病態　381
 3. 治療　381
 4. 症例　382
11-D-2. Marfan 症候群　382
 1. 診断　384
 2. 治療　385
 3. 症例　386
11-D-3. Ehlers-Danlos 症候群　386
 1. 臨床症状　386
 2. 治療　386
 3. 症例　386
11-D-4. 神経・筋原性側弯症　386
 1. 病態　387
 2. 症例　387
11-D-5. デュシェンヌ型筋ジストロフィー　387
 1. 病態・臨床症状　388
 2. 治療　388
 3. 症例　389
11-D-6. キアリ奇形・脊髄空洞症　389
 1. 診断　389
 2. 症状・所見（Ⅰ型）　390
 3. 治療　390
 4. 症例　390
11-E. 成人脊柱変形　396
11-E-1. 病態と分類　396

11-E-2. 評価　397
　1. 立位・歩行バランス　397
　2. 股関節の屈曲拘縮・伸展筋力低下の有無　397
　3. X線評価　397
　4. その他の評価　402
11-E-3. 疫学と進行予測　402
11-E-4. 装具療法　403
11-E-5. パーキンソン病に伴う脊柱変形　403
11-E-6. 手術療法　404
　1. 手術の基本方針　405
　2. 術式選択　406

12　脊椎腫瘍　419

12-1. 原発性脊椎腫瘍　419
　1. 疾患の概説　419
　2. 画像診断　419
　3. 鑑別診断　421
　4. 原発性良性脊椎腫瘍の治療　421
　5. 原発性良性脊椎腫瘍の再発　422
12-2-A. 原発性脊椎腫瘍各論─良性腫瘍　422
　1. 骨軟骨腫，骨軟骨性外骨腫　422
　2. 動脈瘤様骨嚢腫　422
　3. 巨細胞腫　423
　4. ランゲルハンス細胞組織球症・好酸球性肉芽腫　425
　5. 血管腫　426
　6. 骨芽細胞腫・類骨骨腫　428
12-2-B. 原発性脊椎腫瘍各論─悪性腫瘍　428
　1. 多発性骨髄腫・孤立性形質細胞腫　428
　2. 骨肉腫　430
　3. 悪性リンパ腫　432
　4. 脊索腫　432
　5. 軟骨肉腫　434
12-3. 転移性脊椎腫瘍　436
　1. 疾患の概説　436
　2. 症状　436
　3. 診断　437
　4. 治療　438
　5. 各論　447

13　脊髄腫瘍　453

13-1. 疾患の概説　453
13-2. 症状　453
13-3. 診断　453
13-4. 脊髄腫瘍各論　461
　1. 神経鞘腫　461
　2. 髄膜腫　461
　3. 砂時計腫　463
　4. 髄内腫瘍　463

14　脊椎感染症　470

14-1. 化膿性脊椎炎　470
　1. 疾患の概説　470
　2. 病態　470
　3. 臨床症状　471
　4. 診断　472
　5. 治療　473
14-2. 結核性脊椎炎（脊椎カリエス）　474
　1. 疾患の概説　474
　2. 病態　474
　3. 症状　474
　4. 診断・画像所見　475
　5. 治療　476

15　透析脊椎症・破壊性脊椎関節症　481

15-1. 病態　481
　1. X線所見の特徴　481
　2. 症状　481
　3. 鑑別診断　481
15-2. 治療　481
　1. 保存療法　481
　2. 手術療法　481
　3. 周術期管理　482

Surgical Anatomy　483
あとがき　492
索引　495

PRINCIPLES OF SPINAL DISORDERS
脊椎脊髄病学 第3版

序　章

He is first and foremost humane.

He is constantly observant.

He uses a systematic approach.

He knows and understands basic principles.

He uses reason in all his actions.

He is aware of the limitation of his own knowledge and of knowledge in general.

He respects the informations that comes from the patients.

He is a perpetual student.

—The Clinical Approach to the Patient—

William L. Morgan Jr. and George L. Engel, WB Sanders, 1969

とりわけ君がいつくしみ深い人であってほしい。

診察というのは不断の観察です。

きまぐれや思いつきでなく、治療には体系を忘れないこと。

基本には忠実でなければなりません。

言行にはつねに一貫した道理をもとうではありませんか。

知識？　一体、なにをどこまで君がわきまえているというのでしょうか。

君が謙虚に耳を傾けるものといったら、患者さんの訴え以外に、何がありますか？

なによりも大切なこと、それはいくつになっても学ぶ気持ちです。

（訳）大阪大学名誉教授　小野啓郎

扶氏醫戒之略

　「扶氏」とはベルリン大学医学部内科学教授フーフェランド（Christoph Wilhelm Hufeland, 1762-1836）の略称で，彼の著書 Enchiridion Medicum（醫学必携の意）（1836）のオランダ訳書を緒方洪庵（1810-1863）が「扶氏経験遺訓」として翻訳した。その中の「醫師の義務」の項を抄訳して十二箇条に要約し，門人たちの教えとしたのが，この「扶氏醫戒之略」である。緒方洪庵が 1838 年大阪に設立した蘭学塾「適塾」は大阪大学の起源の一つとされており，また「扶氏醫戒之略」は医師にとって現在でも貴重な教えを与えてくれるため下記に転載する。

一、医の世に生活するは人の為のみ、おのれがためあらずといふことを其業の本旨とす。安逸を思はず、名利を顧みず、唯おのれをすてて人を救はんことを希ふべし。人の生命を保全し、人の疾病を復治し、人の患苦を寛解するの外他事あるものにあらず。

一、病者に対しては唯病者を視るべし。貴賤貧富を顧ることなかれ。長者一握の黄金を以て貧士双眼乃感涙に比するに、其心に得るところ如何ぞや。深く之を思ふべし。

一、其術を行うに当ては病者を以て正鵠[1]とすべし。決して弓矢となすことなかれ[2]。固執に僻せず、漫試を好まず、謹慎して、眇看細密ならんことをおもふべし。

一、学術を研精するの外、尚言行に意を用ひて病者に信任せられんことを求むべし。然りといへども、時様の服飾を用ひ、詭誕の奇説を唱へて、聞達を求むるは大に恥るところなり。

一、毎日夜間に方て更に昼間の病按を再考し、詳に筆記するを課定とすべし。積で一書を成せば、自己の為にも病者のためにも廣大の裨益あり。

一、病者を訪ふは、疎漏の数診に足を労せんより、寧ろ一診に心を労して細密ならんことを要す。然れども自尊大にして屡々診察することを欲せざるは甚悪むべきなり。

一、不治の病者も仍其患苦を寛解し、其生命を保全せんことを求むるは、醫の職務なり。棄てて省みざるは人道に反す。たとひ救ふこと能はざるも、之を慰するは仁術なり。片時も其命を延べんことを思ふべし。決して其不起を告ぐべからず。言語容姿みな意を用ひて、之を悟らしむることなかれ。

一、病者の費用少なからんことを思ふべし。命を与ふるとも、命を繋ぐの資を奪はゞ、

亦何の益かあらん。貧民に於ては茲に斟酌なくんばあらず。

一、世間に対しては衆人の好意を得んことを要すべし。学術卓絶すとも、言行厳格なりとも、斎民の信を得ざれば之を施すによしなし[3]。周く俗情に通ぜざるべからず。殊に醫は人の身命を依托し、赤裸を露呈し、最密の禁秘をも白し、最辱の懺悔をも状せざること能はざる所なり。常に篤実温厚を旨として、多言ならず、沈黙ならんことを主とすべし。博徒、酒客、好色、貪利の名なからんことは素より論を俟たず。

一、同業の人に対しては之を敬し、之を愛すべし。たとひしかること能はざるも、勉めて忍ばんことを要すべし。決して他醫を議することなかれ。人の短をいふは、聖賢の堅く戒むる所なり。彼が過を挙げるは、小人の凶徳なり。人は唯一朝の過を議せられて、おのれ生涯の徳を損す。其得失如何ぞや。各醫自家の流有て、又自得の法あり。漫に之を論ずべからず。老醫は敬重すべし。少輩は親愛すべし。人もし前醫の得失を問ふことあらば、勉めて之を得に帰すべく、其治法の当否は現症を認めざるに辞すべし。

一、治療の商議は会同少なからん事を要す。多きも三人に過ぐべからず。殊によく其人を撰ぶべし。只管病者の安全を意として、他事を顧みず、決して争議に及ぶことなかれ。

一、病者曽て依托せる醫を舎て、ひそかに他醫に商ることなりとも、漫りに其謀に与かるべからず。先其醫に告げて、其説を聞くにあらざれば、従事することなかれ。然りといへども、実に其誤治なることを知て、之を外視するは亦醫の任にあらず。殊に危険の病に在ては遅疑することあることなかれ。

安政丁巳[4]春正月

公　裁[5]　誌

注1) 弓の的の中央の黒点（司馬遼太郎：花神　上巻，p395，新潮文庫，2002. より）

注2) 病者を試験台にするなということ（司馬遼太郎：花神　上巻，p395，新潮文庫，2002. より）

注3)「医師というのはあまりに変人であってはいけない。世間に対して衆人の好意を得なければ，たとえ学術卓絶し言行厳格なる医師であっても病者の心を得ることができず，従ってその徳をほどこすことができない」というくだりになったとき，村田蔵六（のちの大村益次郎）はふと，「この一項にかぎって，わたしは医たる者にむいておりません」と，小さくつぶやいたという。（司馬遼太郎：花神　上巻，p395，新潮文庫，2002. より）

注4) 安政4年（1857年）

注5) 洪庵の字

扶氏醫戒之略（現代語訳）

一、人の為に生きることは医業の真の姿である。安逸に遊び暮らすことを望まず、名誉や利益を顧みず、ただ自分を捨てて人を救うことのみを望むべきである。人の生命を守り、その疾病を回復させ、苦痛を和らげることのみである。

一、患者に対してはただ患者を診るべきである。その患者の身分や経済状態で診察を変えてはならない。富裕者がさし出す金品ごときと貧しき人々の感謝の涙は比べるべきものではなく、その重みを熟慮すべきである。

一、治療を行うにおいては患者を対象として、決して医学の道具と思ってはならない。自らの知識に固執せず、むやみに患者を実験台にせず、常に謙虚な姿勢で細心の注意をもって治療すべきである。

一、医学を学び研究するだけではなく、言行にも注意し患者に信頼されるように努めるべきである。時流に流され思いつきの奇説を唱えて、世間に自分の名を売ろうとすることは大いに恥ずべきことである。

一、夜には昼間に診た患者の病態について再考し、詳細に記録することを日々の日課とすべきである。これを積み重ねて一冊の本にまとめれば、自分のためにも、患者のためにも大変有益である。

一、患者の診察は何度も訪れて雑に診るよりも、一診をゆっくり丁寧に細心の注意を払って診ることが大切である。しかしながら、自尊心の強さから診察を断るようでは、それは医師として最悪である。

一、不治の病気を患っている患者であっても、その病苦を緩和し命をできる限り永らえるよう追求することは医師の職務である。見捨てて省みないことは人道に反する。たとえ救うことができなくても、その患者を慰めることが仁術である。片時もその命を延ばすことに務め、決して死について告げず、言葉遣い、行動・表情から決して悟らせないようにしなければならない。

一、患者の医療費をできるだけ少なくすべきである。たとえ命を救えても、生活費を奪うようでは患者のためとはいえない。特に貧しい人においては、一層この点に配慮しなければならない。

一、世間のすべての人々から好意を得られるよう心がけるべきである。学術に優れ、言行が厳格であっても、皆の信用を得なければ治療することはできない。殊に医者は、人の生命をあずかり、患者の恥ずべきことを聞き、その秘密までも知り、最も悔まれる懺悔の念も聞かねばならないことがある。そのため、医師は常に篤実温厚でいるよう意識し、多言せず、むしろ沈黙を守るべきである。賭けごと、大酒、好色、利益に欲深いなどということは言語道断である。

一、同業の医師に対しては敬意を持って誉めるべきである。たとえそれができかねる時でも、あえて努めるべきである。決して他の医師を批判してはならない。人の短所を指摘するのは聖人君子のするべきことではない。他人の過ちを言うことは人の道にそむく行為であり、一つの過ちを批判することは自分自身の生涯の徳を損なうことになる。それがどれほどの損失か。治療や手術にはそれぞれの医師のやり方があり、また自身で会得した独特の方法がある。むやみにこれらを批判してはならない。特に年を重ね経験の多い医師には敬意を払い、教えを喜んで受けるべきである。もし前にかかった医師の治療について尋ねられた時は、努めてその治療の良かった点を伝えるべきである。その治療法を続けるかどうかについては、現在症状がないときは一旦止めるべきである。

一、治療についての相談は、小人数で行うほうがよい。多くても三人以下で、その人選も重要である。患者の安全を最優先して、決して患者を無視して争いをしてはならない。

一、患者が前医に内緒で他医に治療を求めてきたときは、まず前医に通知して了解を受けなければ治療をしてはならない。しかし、その治療が誤っていることがわかれば、それを放置することも、また医道に反することである。特に、病状が危険であれば迷っている時間はない。

はじめに

"医学の最も基本的な原則は愛である"(Paracelsus, 1493-1541)

　医師を目指したからには，より一層の嵩みとなる目標，いやもっとシンプルに理想をかかげ，自らをいましめながら病んでいる人（病者）と向き合い，救いの手をさしのべることが大切である。これはそう容易なしろものではなく，筆者自身も理想と現実の隔りに苦悩することがある。では，医師がかかげる理想とは何かを筆者なりに示してみよう。それは理想でありながら，しっかりとした理念に基づいた基本的倫理でなければならない。医師としての能力は，専門的な医学的知識と技術，それを病者にきちんと説明できる能力に裏付けされた"professionalism"であることはいうまでもないが，最も重要視すべき基本的倫理とは，以下のことである。

　「**人間愛**」とは，人という存在に対する熱い関心とその幸福を願う優しさを意味するが，医師に求められるのは特に病んでいる人（病者）に対する愛と理解である。そして，目の前の病者のさまざまな障害や問題点を整理し，治療上何が最も優先されるかを医学的だけでなく，病者や家族とともに総合的に考えていかなくてはならない。つまり，病者の症状と臨床所見から重要な問題点を抽出・評価し，他の医師や専門職の間，病者と家族の間で相談し意思疎通（コミュニケーション）を保ちながら問題を解決していく処理能力と高い志が医師には求められる。医学的に結論が出せない場合は，患者と共に迷い，悩むことで問題点を共有し解決策を一緒に見つけていくこともある。

　「**良心**」は，人が生まれながらに持っている基本的な精神規範のことで，宗教や道徳を通じて発展させるべき倫理意識である。「**思いやり**」は他者の立場に立って考え，相手の気持ちをくむ感性（共感性）であり，人の辛さや痛みがわかる優しい心をもつことで安心感と希望を与えることができる。他者への「**共感性**」は幼い頃から家族や周りの人々からの「**思いやり**」を受けて育つことによって養われていく感性である。病者は肉体的および精神的に弱者であり，経済的にも弱者であることが少なくない。したがって，医師は「**良心**」に「**正直**」に生き，弱者である病者に「**思いやり**」を持って接すると同時に謙虚で「**誠実**」に救いの手をさしのべることで病者に希望を与え，信頼される性格の持ち主になるように己の心を磨かなければならない。

　脊椎外科医は専門医として脊椎・脊髄の障害を外科的に治療するだけではなく，心と

身体の両面から病者に接して，医師としてその病者に最も適切な治療に配慮すべきである。残念ながら医師は病者の病気を必ず癒せる（cure）とは限らないが，「**時に癒し，よく和らげ，常に慰める（care）**」姿勢は常に心がけなければならない。例えば，転移性脊椎腫瘍による疼痛や難治性疼痛を完全に除痛することは難しいが，疼痛による不安や苦痛を放射線療法や薬剤あるいは手術療法により多少なりとも緩和させ希望を持たせることは患者の痛みがわかる心をもてば可能である。

　外科医は，新しい医学的知識や外科的技術を身につけることに当然精進しなければならないが，その探究心には「**素直**」さと「**誠実**」さを併せ持つことが要求される。つまり，病者に対して思いやりや人間愛を抱き，病者への共感とともに病気を少しでも軽くしたいという専門的行動と職業意識から，当然医療に対する技術愛と謙虚な向学心が芽生えてくる。自分の興味を満たすためだけや自分の優越性を誇示するために勉強するものではなく，自分が得た知識や技術を病者のために役立てるために医師としての誇りと高い志を持って学び続ける情熱が重要である。病者に対する「**誠実**」な思いが，より良い医療を行いたいという熱意につながり，それが優れた医学・医療技術を習得したいと思う探究心の力源になって「**知性**」へと発展していく。知性的な技術習得と医学の発展には，もちろん「**観察力**」「**思考力**」「**判断力**」がバランスよく必要である。

知性の発展に必要な能力	◆「観察力」 ◆「思考力」 ◆「判断力」

　医師は人格者になるべく幅広い教養を養い，人生にとって最も大切なものはいかなるもので，いかに生くべきかを先輩医師の経験やさまざまな分野の達人，書物，宗教，歴史などから学んでいく必要がある。そのためには，時間的かつ精神的な余裕が必要となってくるが，さらに医師としてさまざまな臨床経験を積み重ね，多くの病者や人との出会いが医師自身の考え方や人間としての生き方を変えていくこともある。したがって，人間としての基本的倫理に基づいて病者の苦しみや訴えに「**誠実**」に耳を傾け続けることが医師としての務めとなる。驕ることなく「**素直**」で「**誠実**」な優しい人格の持ち主となって病者および他の医師から信頼されるよう人格や徳の向上を真面目に探求し続けなければならない。そして，その高い志が人の幸福に貢献することの喜びを我々に与えてくれるはずである。

参考文献
1) 吉松和哉：医者と患者，岩波書店，2001.
2) 永井友二郎，永野 賢，阿部正和：医療とことば（永井友二郎，阿部正和 編），中外医学社，1988.
3) 岩﨑幹季：人間愛とユーザー志向の医療．脊椎脊髄 20：767-768，2007.
4) 日野原重明：私が内科医として多年行ってきた臨床医学のエッセンス（2008年6月第1回睡眠と心臓血管研究会　特別講演録）．日本医事新報 4432：93-98，2009.

患者に接するときの留意点

- ◆ 基本的マナー
  - 自己紹介から始め,挨拶を忘れないようにする
  - 患者の言うことによく耳を傾けて素直に聴く
  - 患者の顔や目を見て真面目に話す(目の高さをできるだけ合わせる)
  - 外見に気を配る(清潔感のある服装・髪型,爪切り)
    - ・話をしたくないと思わせない
    - ・長袖の白衣は袖口が汚れやすいので,診察時は半袖白衣が望ましい
    - ・ネクタイはあまり洗濯されないので,診察時の着用は推奨されていない
  - 診察前後の手洗い実行
- ◆ コミュニケーション
  - 丁寧で,優しく,わかりやすい言葉遣いと説明
  - 患者の立場を弱者として思いやり,人間として理解しようと努力する
  - 患者の信頼感を得るよう精進し,謙虚な姿勢を意識する
  - 質問の機会を与え,誠実に答える
  - 質問に対する回答は,まずは「はい」と返事をして質問内容を「復唱」する
  - 間違いは素直に謝り訂正する
  - 偽りを言わず,わからないことは後で調べて必ず返事する
  - 私的感情のコントロール:私心を抑え,理性に基づいた判断
- ◆ 病気・病人に共感し,表情で共感を伝えることで安心感を与える
- ◆ 患者の「心の声」を聴く
  - 実際の訴えだけでなく,非言語的メッセージを感じる
- ◆ 驕りのない素直さ
  - 看護師やコ・メディカルの患者に対する意見や忠告に素直に対応する

インフォームド・コンセント（IC：informed consent）

インフォームド・コンセントは「説明と同意」と和訳されているが，医療者側が患者に必要な情報を丁寧に説明することと患者および家族との信頼関係を築き同意を得ることが重要である。そのためには，次の条件が必要である。1)患者に意思決定能力がある。2)患者(あるいは家族)に真実を十分説明する。2)患者がその説明内容を理解し，納得する。3)患者が自由意志の下に同意する。可能であれば説明した日時と同意取得の日時は異なることが望ましいが，急ぐ状況下ではその限りではない。

① 診断（鑑別診断および暫定的診断を含む）
② 予定している検査の内容および予期される合併症とその危険性
③ 治療内容（短期・長期）および予期される合併症とその危険性
④ 他の選択肢の有無…あればその予後比較
　※手術を受けない，あるいは何もしない(watchful waiting)という選択肢もある

脊椎・脊髄病における研修項目

以下の基本能力を磨くべく，経験豊富な専門医からトレーニングを受けることが肝心である。特に重要なポイントを以下に挙げる。

- ◆ コミュニケーションとチームワーク能力：患者・家族あるいは医療スタッフ
- ◆ 診察・診断における基本的臨床評価能力
- ◆ 手術療法の必要性や適応・目的を理解し，適切な術式を選択できる能力
- ◆ 基本的手術手技の習得と向上：剥離・凝固止血，ノミ，エアートーム
- ◆ 解剖の3次元的把握：surgical anatomy を理解すること（骨はもちろん神経や血管の走行も）
- ◆ 予期せぬトラブルや合併症に対応できる能力

●学ぶべき基本能力の各論
  1）患者や家族とのコミュニケーション技術
      ■インフォームド・コンセントの実際：上級医の手術説明に同席
  2）脊椎・脊髄病患者の初診対応
      ■問診
      ■一般的診察法
      ■カルテ記載の目的と実際
  3）X線・CT/MRI読影：画像所見の解釈と高位診断
      ■通常撮影（脊椎および胸部）の読影ポイント
      ■前後屈撮影や立位（あるいは座位）長尺撮影の必要性と意義
      ■CT/MRIの使い分け：何を見たいか
  4）基本的検査法の習得
      ■神経学的検査：深部腱反射・筋力検査・知覚検査
      ■ミエログラフィ，神経根造影，椎間板造影
      ■椎間板穿刺・椎体生検：透視下あるいはCTガイド下にて行う穿刺
  5）非手術的治療法の習得
      ■鎮痛薬・抗菌薬・ステロイド・オピオイド製剤・抗うつ薬の使用法と副作用
      ■腰部硬膜外ブロック・神経根ブロックの習得と合併症
  6）脊椎・脊髄手術の適応・目的と術式選択の考え方
      ■手術の必要性と他の選択肢（保存治療や他の術式選択）について理解すること
      ■手術の危険性や予想される合併症を理解すること
      ■手術の術前計画と準備（器械や体位など）を理解すること
      ■緊急手術の適応と対応
  7）術前プレゼンテーション
      ■的確かつ端的に他の医師に要点を伝えるコツ
  8）術中・術後管理
      ■一般病棟業務：介達牽引，頭蓋直達牽引，halo vest装着など
      ■麻酔科ローテーション・ICUでの重症全身管理（特に，呼吸・循環管理）
      ■他科へのコンサルテーションとチーム医療の実践
  9）手術室での清潔操作・基本的手術手技の習得
      ■脊髄モニタリングの基本と設置
      ■体位の確認とレベル確認：手術レベルの確認は複数で声を出して行うこと
      ■顕微鏡の調整やエアードリルの基本操作
 10）教育：学生や後輩研修医への教育・能力の向上によって得られる教える喜び
 11）研究会・学会など院内外でのプレゼンテーション技術：新しい知見を得る喜び
      ■文献検索法：MEDLINE・医学中央雑誌刊行会（医中誌）など

■ 画像取り込み・プレゼンテーション作成
■ Grand round（症例検討会）
■ 学会発表・論文作成
・目的は，他の医師から評価や知識を得ることと診断・治療などの公表にある
・質疑応答や peer-review から論理的整理と主張の仕方を学んでいく

病棟主治医の Do's & Don'ts

　前述の学ぶべき基本能力にも関連するが，入院中の患者に対して病棟主治医として「やるべきこと(Do's)」と「やってはいけないこと(Don'ts)」を十分認識することが重要である。

●Do's（やるべきこと）
1) 患者情報の収集：病歴情報(問診)，全身所見と整形外科的身体所見，検査情報
　■思いやりを持って傾聴し，問題点を明確にする
2) Problem list の作成と鑑別診断
　■見逃してはならない疾患の鑑別診断と診断計画
3) 診断・治療計画：論理に基づいた，説得性のある治療選択肢を検討する（判断・決断）
4) Follow-up（経過観察）
　■結果の確認と報告
5) コンサルテーション
　■患者情報をまとめ診断や治療法に関して，他科の専門的な助言を求める
　■緊急性を明確に！
　■必要に応じて情報を交換し，他科あるいはチーム間の相互理解を築く
6) 術後管理をし随時術者に報告する
　■患者の訴えをよく聞き，謙虚に考える
　■その週および前の週に手術した患者は毎日朝と夕方に回診する
　■創部処置：創部の確認と適切な処置
7) 術後合併症や問題・疑問が生じれば，正直に必ず報告する
　■Morbidity and Mortality Conference（合併症・死亡症例検討会）：反省点の整理
8) 退院後の計画を立て再診日を予約する
9) 退院サマリーの作成と紹介医への入院経過報告，画像資料(他院も含め)の整理
10) 症例報や合併症について文献を検索し，的確に報告できるようにする

●Don'ts（やってはいけないこと）
1) Do No Harm !!
2) 自分一人で決定しない。必ず入院指示者かスタッフに相談する

PRINCIPLES OF SPINAL DISORDERS
脊椎脊髄病学 第3版

I 総論

1 術前評価

1-1. 合併症チェック

a. 現在服薬中の薬の確認

- 服薬続行の必要性と各処方薬の副作用や併用禁忌を把握する。
- 特に抗血栓薬は担当医に確認し、休止可能かどうかコンサルトが必要である。表I-1-1に抗血栓薬の術前休止時期を示すが、中断によって脳梗塞や心筋梗塞などの血栓性疾患の危険性が増すことを説明して同意を得る必要がある。プロトロンビン時間(PT)＜60％はコンサルトが必要である。
- ワルファリン(半減期40時間前後)投与中の患者は、必ず処方医あるいは循環器科にコンサルトすることが必要で、以下の点に注意する。
  - 硬膜外ブロックは原則禁忌である。
  - PT(PT-INR)でワルファリンのコントロール状態を確認し、手術3～4日前には投与を中止するのが基本だが、抗凝固療法の継続が必要なら半減期の短い(半減期60分)ヘパリン(10,000～15,000単位/日)に変更し、活性化部分トロンボプラスチン時間(APTT)が正常対照値の1.5～2.5倍に延長するよう投与量を調整する。手術の4時間前にヘパリンを中止するか、手術直前に硫酸プロタミンで中和する。いずれも手術直前にAPTTを確認する。術後速やかにヘパリンを再開するが、その時期に関しては循環器専門医に相談する。
  - 危険な出血でPT-INRが延長している場合には、ビタミンK_2 10～20 mgを緩徐静注(1 mg/分)する。
- 非ステロイド性抗炎症薬(NSAIDs)は手術日が決定したら、7日前を目標に中止を考慮する。

b. 合併症の確認

- 糖尿病：コントロール不良(空腹時血糖＞200 mg/dL または過去1～2カ月の血糖値の指標となる HbA1c＞8.0％)であれば内科医にコンサルトする。
- 高血圧：心電図異常や胸部X線で心拡大があれば、心機能評価のため心エコーを施行しておく。
- 虚血性心疾患：既往があるか、心電図で異常所見があれば少なくとも負荷心電図(歩行困難なら心筋シンチグラフィ)と心エコーを施行して循環器内科にコンサルトする。
- 呼吸器疾患：間質性肺炎を疑う場合は、KL-6あるいはSP-A・SP-Dなどの血液マーカーをチェックして呼吸器内科にコンサルトする。

表I-1-1 抗血栓薬・抗凝固薬の術前休止時期

薬剤	休止時期
パナルジン®(塩酸チクロピジン)，プラビックス®(クロピドグレル)	10～14日前
バイアスピリン®・バファリン®(アスピリン)，エパデール®・ロトリガ®(イコサペント酸エチル)	7日前
ワルファリン	5日前
プレタール®(シロスタゾール)	2～3日前
プラザキサ®(ダビガドラン)，イグザレルト®(リバーロキサバン)，エリキュース®(アピキサバン)，リクシアナ®(エドキサバン)	24～48時間前
アンプラーグ®(塩酸サルポグレラート)，ペルサンチン®・ジピリダモール，プロレナール®・オパルモン®(リマプロストアルファデクス)，ドルナー®・プロサイリン®(ベラプロスト)	1～2日前

1-2. 問診

脊椎疾患の主訴は痛みか歩行障害が多い。以下のa.～e.は特に重要事項なので必ず記載するように心がける。

a. 痛みのOPQRST[1)]

Onset：突然出現したか，徐々に出現したか，初発症状とその出現時期，その契機，外傷の有無とその内容

Provocation/**P**alliative factor：増悪/寛解因子

Quality：性状

Region/**R**adiation/**R**elated symptoms：部位/放散/関連症状

Severity：強さ，特に，いままでにもあった痛みか，いままでに経験したことのない痛みか

Temporal characteristics：持続時間や経時的変化・日内変動

- 安静時痛や夜間痛の有無が特に重要である。
- 動作時痛のある場合は，どのような運動で痛みがでるか。
- 数分以内に治まる胸痛・背部痛は狭心症も念頭に置く。
- Time course：経時的に悪化しているか，改善傾向にあるか。
- 痛みの客観的評価：部位については患者自身による pain drawing を用いる。程度については Visual Analog Scale (VAS) または Numerical Rating Scale (NRS) を用いる。

▷ 背部痛・腰痛

ありふれた主訴だが，落とし穴も多いので注意する。特に，①急性発症，②いままで経験したことがない，③悪化傾向を認める背部痛や腰痛，は要注意である。激痛ならばまず脊椎炎（化膿性・結核性）と腫瘍を除外する必要がある。背部痛が激痛ならばそれらに加えて解離性大動脈瘤など血管性疾患も念頭に置く必要がある（移動する痛みや高血圧・四肢の血圧差なども参考にする）。特に，non-mechanical な夜間痛や焼けるような激痛 (burning pain) は **red flags** として対処する。

b. 歩行障害の有無とその自覚時期

- 歩き始めが困難か，徐々に歩きにくくなるのかは脊髄由来の歩行障害か腰椎由来の間欠跛行かを知る手がかりとなる。

c. 受診までの治療内容

- 牽引，薬剤，ブロック治療とその効果や効果持続時間を尋ねる。
- 手術歴とその前後の症状推移について尋ねる。

d. 既往歴，合併症の有無と重症度

- 特に後縦靱帯骨化症（OPLL）の場合は糖尿病の有無と治療内容を確認する。

e. 家族歴

- 先天性疾患や脊柱変形およびOPLLでは家族歴が重要である。

1-3. 診察

視診→聴診→打診→触診に基づいた全身所見による review of systems (ROS) の把握を行う。そのうえで，脊椎疾患は，**視診→歩容観察→可動域検査→触診→神経学的検査→特殊検査**の順で診察を行う。

a. 立位評価

- 立位バランス，片脚起立，立位での脊柱可動域を確認する。
- Trendelenburg 徴候（図Ⅰ-1-1）の有無を確認する。
- Romberg 徴候 (p49) の確認や Mann 試験を行う。

Mann 試験：踵とつま先を前後に付けて立ち，閉眼させる。深部知覚障害あるいは平衡障害で陽性となる Romberg 徴候よりも鋭敏だが，高齢者では立位すら保持できず偽陽性者も多いのが難点である。この場合は足を前後に半歩ずらした姿勢 (semi-tandem stand) で行う。

b. 歩容観察

- 患者の歩き方をよく観察する。
- 杖，歩行器などの支持について，どの程度必要かを記載する。
- つぎ足歩行 (tandem gait) ができるかどうか観察する。脊髄症で痙性歩行がはっきりしない軽症でも，つぎ足歩行をさせると不安定性が目立つことがある。
- つま先歩きと踵歩きをさせることで，ある程度の筋力低下の評価は可能である。
- 平地だけでなく階段を使えるならば階段昇降

もよく観察する。

跛行に関しては，痛みのための跛行か，麻痺による跛行かを区別することが重要である。以下に病態別の跛行タイプをまとめる。

1) 疼痛回避歩行(antalgic gait)
2) 下肢長差による跛行
3) 筋力低下や麻痺による跛行

---

① **Duchenne(Trendelenburg)跛行**

Guillaume Benjamin Amand Duchenne(1806-1875)，フランスの神経内科医。

患側立脚時に骨盤と肩が健側に落ち込み，健側立脚時には立脚側の肩が下がるような歩容で，股関節の障害や中殿筋麻痺・ポリオの患者で特徴的な跛行である。

② **Trendelenburg 徴候(図 I-1-1)**

患側の片脚起立で健側の足を挙げさせると健側骨盤が下がる現象(中殿筋筋力低下)。

(留意点)C7 plumb line が起立側の足の外側を通るほど体幹を曲げないように注意する。

③ **steppage gait(鶏歩)**

下腿を高く持ち上げる歩行で，前脛骨筋麻痺による下垂足に特徴的である。原因は，
・L5 神経根(L4/5 間)・髄節(T11/12-T12/L1 間)の圧迫病変
・腓骨神経麻痺(腓骨頭部の圧迫)
・Charcot-Marie-Tooth 病
・全身性血管炎(結節性動脈周囲炎など)による虚血性ニューロパチー
・その他の多発性ニューロパチー(糖尿病性，薬剤性，中毒性)

などである(p43 参照)。

---

4) 関節拘縮・変形による跛行
5) 痙性歩行(spastic gait)

膝を伸展し床から足を挙げずに狭い歩幅で歩く。下肢内旋，足部は内反尖足位を呈する。下肢内転が強いと脳性麻痺にも認められるはさみ脚歩行(scissors gait)を呈する。アヒルの歩容に似る(goose gait, waddling gait)。鑑別診断については表 I-1-2 参照。

6) 失調性歩行(ataxic gait)

後索障害または小脳障害による。後索障害の場合 Romberg 徴候陽性となる。

7) 間欠跛行(intermittent claudication)

休憩により下肢症状(痛み・しびれ・脱力)の改善を認める。下肢動脈閉塞性疾患による血管性，あるいは腰椎由来の馬尾性との鑑別が必要である。安静時に有意な所見がなければ，歩行

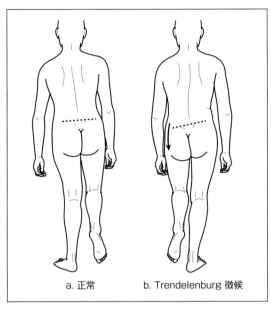

図 I-1-1 Trendelenburg 徴候
a：左脚で片脚起立したとき，左股関節外転筋が正常であれば，骨盤は水平もしくは遊脚側(図では右側)が少し上がる。b：遊脚側(図では左側)の骨盤が沈下している場合は，対側(図では右側)の中殿筋の筋力低下を意味する。股関節疾患の関与が否定されれば L5 神経麻痺の重要な徴候である。

表 I-1-2 痙性対麻痺の鑑別診断

・脳病変	両側傍正中葉の病変(大脳鎌の髄膜腫など)
・脳性麻痺(CP)	痙直型では両股屈曲・内転・内旋，両膝屈曲，両足内反尖足位を示す
・脊髄病変	脊髄損傷・変性疾患・腫瘍・動静脈奇形・脊髄空洞症・Arnold-Chiari 奇形
・脊髄小脳変性症	家族性痙性対麻痺(familial spastic paraplegia：FSP)：緩徐進行性の両下肢の痙性と軽い筋力低下を主徴とする遺伝性疾患
・多発性硬化症(MS)または筋萎縮性側索硬化症(ALS)	
・その他(亜急性連合性変性症，HTLV-1 関連痙性対麻痺(HAM)，白質ジストロフィー)	

させてから痛み・しびれの部位や神経学的検査を行う。

c. 神経学的検査
- 深部腱反射，知覚，筋力検査・筋萎縮（肩周囲の観察，大腿・下腿周径の計測）の有無を検査する（p28「神経学的検査」参照）。

d. Tinel 徴候
- しびれや根性の放散痛を訴えている場合，支配神経に沿って遠位から中枢に向かい圧痛あるいは叩打による放散痛を調べていく。神経過敏な部分やビリビリ感の強い部位があれば，その部分の腫瘍（腕神経叢や坐骨神経の神経鞘腫）や絞扼性神経障害（entrapment neuropathy）を念頭に置いて検査を進めていく必要がある。

e. 神経伸張テスト
- 頚椎に対しては Spurling テスト，水野テストを行う（p189 参照）。
- 腰椎に対しては下肢伸展挙上（SLR）テスト，大腿神経伸展テスト（FNST）を行う。

f. 手の巧緻性評価
- myelopathy hand（p162 参照）：小指離れ（finger escape sign：FES），10 秒テスト（trick motion の有無も）を評価する。

g. 筋萎縮の有無
- 筋萎縮がある場合は限局性か広範囲か，片側性か両側性かについて調べる。

h. 脊柱の可動域評価（図 I-1-2）
- 頚椎前屈：chin-chest distance（顎と前胸部との距離で計測する）。
- 腰椎前屈：finger-floor distance（膝伸展位で指先と床との距離を計測する）。

i. 全身状態の把握（review of systems：ROS）
- 食欲，睡眠，便通，体重変化など全身状態の評価は，高齢者の術前評価や悪性腫瘍を除外したいときには必須である。

1-4. 評価・検査

基本的には入院指示者と相談し，検査計画を立てる。重要な評価・検査計測を以下に示す。

1 頚椎疾患の X 線評価（図 I-1-3～11）

頚椎側面中間位で脊柱管前後径（developmental segmental sagittal diameter：DSSD, spondylotic segmental sagittal diameter：SSSD），アライメントを計測する。

前後屈側面で不安定性の有無，dynamic canal stenosis（後屈位で計測）の有無を計測する。

a. 環椎歯突起間距離（atlanto dental interval：ADI, atlanto dental distance：ADD）（図 I-1-3）

側面像で環椎前弓後面中央と歯突起前面との距離。小児の正常値は 4 mm 以下，成人は 3 mm 以下である。歯突起骨（II-1-2「頭蓋頚椎移行部

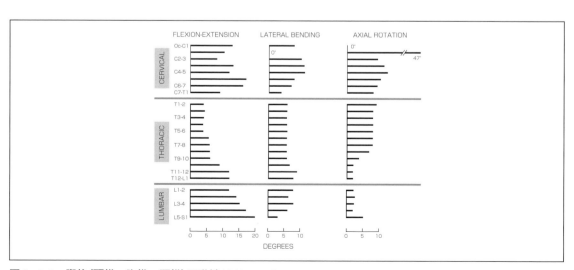

図 I-1-2 脊柱（頚椎・胸椎・腰椎）可動性（文献 2 より）
左から前後屈，側屈，回旋可動域

奇形」)や RA 頸椎(Ⅱ-10「関節リウマチに伴う頸椎病変」)の場合に計測する。

b. 有効脊柱管前後径(space available for spinal cord：SAC)(図Ⅰ-1-3)

側面像で椎体後面から椎弓前面までの距離。
10 mm 未満は脊髄症状の危険性が高い。13～14 mm 未満でも不安定性が加われば危険である。

c. Ranawat 値(図Ⅰ-1-4)

軸椎垂直亜脱臼(VS)，軸椎歯突起上方移動の計測値。側面像で環椎の前弓と後弓の中心を結ぶ線と，軸椎椎体部の椎弓根陰影の中心点との距離。成人の正常値は男性で 13～21 mm，女性で 12～21 mm である。この距離は頸椎の肢位にかかわらず一定である。値が 12～13 mm 未満を歯突起上方亜脱臼と判定する。RA 頸椎(Ⅱ-10)の場合に計測する。

d. Redlund-Johnell 値(図Ⅰ-1-5)

側面像で McGregor 線(硬口蓋後縁と後頭骨最下縁を結ぶ線)と軸椎椎体下縁の中点との距離。成人の正常値は男性 31～50 mm，女性 29～45 mm。RA 頸椎(Ⅱ-10)の場合に計測する。

e. 頸椎脊柱管前後径(sagittal diameter)(developmental segmental sagittal diameter：DSSD, spondylotic segmental sagittal diameter：SSSD)(図Ⅰ-1-6)

頸椎側面像で椎体後縁中央部と椎弓内側縁の距離。日本人成人正常値は 14 mm 以上，ボーダーラインは 13～14 mm，12 mm 以下を発育性脊柱管狭窄と判定する。頸髄症(Ⅱ-3)の場合に計測する。

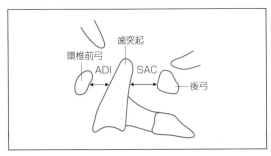

図Ⅰ-1-3 ADI と SAC(文献 3 より)

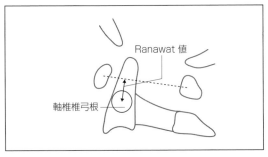

図Ⅰ-1-4 Ranawat 値(文献 3 より)

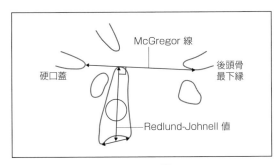

図Ⅰ-1-5 Redlund-Johnell 値(文献 4 より)

	男 性	女 性
C1	22.7±2.3 mm	21.2±2.1 mm
C2	19.5±2.6	18.1±1.7
C3	17.3±1.8	16.5±1.5
C4	16.8±1.4	15.8±1.5
C5	16.7±1.4	15.8±1.4
C6	16.8±1.4	16.0±1.3
C7	16.9±1.4	16.1±1.2

(文献 5 より)

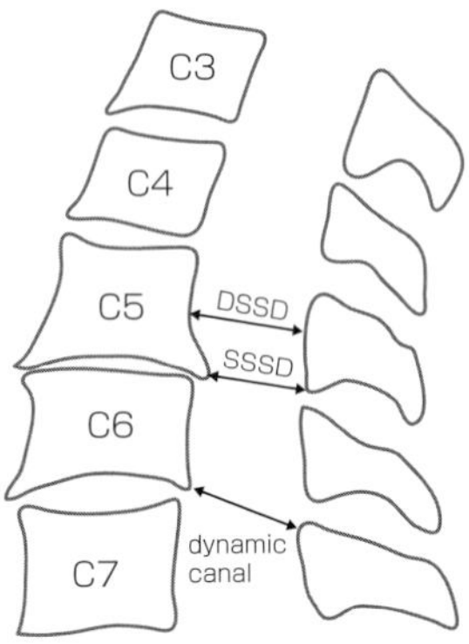

(文献 6 より)

図Ⅰ-1-6 頸椎側面像における脊柱管前後径の計測
DSSD：developmental segmental sagittal diameter, SSSD：spondylotic segmental sagittal diameter

f. dynamic factor（図Ⅰ-1-7）

　後屈位頸椎側面像で上位椎体後下角と下位椎弓先端との距離（dynamic canal）。12 mm 以下では pincers mechanism により脊髄圧迫の危険性があり，dynamic canal stenosis があると判断してよい。

> ▷ **pincers mechanism**
> 　頸椎後屈時に椎間板が後方へ，黄色靱帯が前方へ膨隆して前後方向から硬膜管や脊髄がはさみ込まれ圧迫されること[8]。

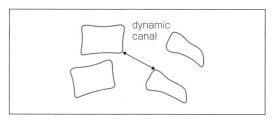

図Ⅰ-1-7　dynamic factor（文献 7 より）

g. 頸椎前弯（図Ⅰ-1-8）

　頸椎中間位側面像で歯突起後面と C7 椎体後下縁を結ぶ前弯の頂点との距離。

h. 頸椎弯曲指数（図Ⅰ-1-9）

　頸椎中間位側面像で C2，C7 後下角間の切線（A）に対する C3～6 の後下角からの垂線（a1～a4）の長さの総和を A の長さで除し，100 を乗じた数。頸椎弯曲指数 = $\Sigma a_i / A \times 100$。

i. 頸椎矢状面アライメント（図Ⅰ-1-10, 11）

　頸椎中間位側面像で C2 椎体下縁と C7 椎体下縁で Cobb 角を計測する。前弯型：10°以上，直線型：0～10°，後弯型：0°以下である。

　頸椎アライメントを計測する場合，図Ⅰ-1-10 のように椎体上・下縁で評価する方法と図Ⅰ-1-11 のように椎体後縁で評価する方法があり，後者のほうが誤差が少ないとされている。

j. 頭蓋頸椎移行部の重要なパラメータ（図Ⅰ-1-12）

　上位頸椎あるいは後頭骨・頸椎間を固定する頭蓋頸椎移行部奇形（Ⅱ-1-2）や RA 頸椎（Ⅱ-10）

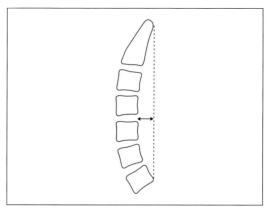

図Ⅰ-1-8　頸椎前弯の評価（文献 9 より）

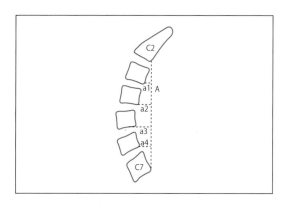

図Ⅰ-1-9　頸椎弯曲指数（文献 10 より）

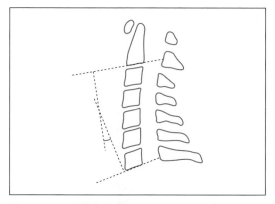

図Ⅰ-1-10　頸椎矢状面アライメントの評価
（文献 11 より）

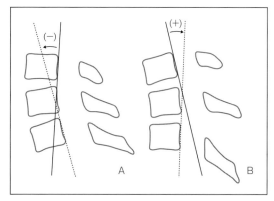

図Ⅰ-1-11　頸椎側面像における局所前弯・後弯計測法

などの評価に必要となる．

- O-C2角：McGregor線と軸椎椎体終板下縁のなす角で，屈曲位に固定されると嚥下困難や呼吸困難をきたす危険性があるため注意すべき指標である[13〜15]（p127：図Ⅰ-10-7参照）．
- O-EA角：McGregor線と，外耳道と軸椎尾側終板中央部を結ぶ線のなす角で，頸椎中間位ではほぼ90°である[16]．O-C2角がC2に対する頭蓋や下顎骨の後方移動を反映していない点を補う指標とされている[17,18]．

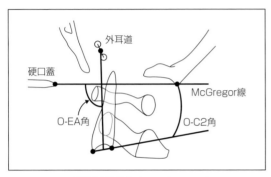

図Ⅰ-1-12 頭蓋頸椎移行部のパラメータ

2 腰椎疾患の評価

腰椎側面中間位（立位）でのすべりの程度（%slip）と前後屈でのすべりの変化，後方開大角（角度）を計測する．側弯あるいは後弯がある場合は，必ず立位長尺X線撮影での評価が必須となる．

3 脊柱変形の評価（p342〜344参照）

全脊柱長尺正面・側面（股関節と膝関節伸展位の自然な立位姿勢と臥位）をX線で撮影する（図Ⅰ-1-13）．これらのX線評価は脊柱変形（特に成人脊柱変形［Ⅱ-11-E］）だけでなく，腰椎固定術（特に多椎間固定や隣接椎間障害［Ⅱ-7-B-3］）の場合に計測する．

a. 冠状面（coronal balance）の評価（立位）

C7中央線（C7 plumb line：C7PL）と仙骨中央線（central sacral vertical line：CSVL）の距離を計測し，4 cm以上のcoronal imbalanceは疼痛や機能障害と関連する[19]．

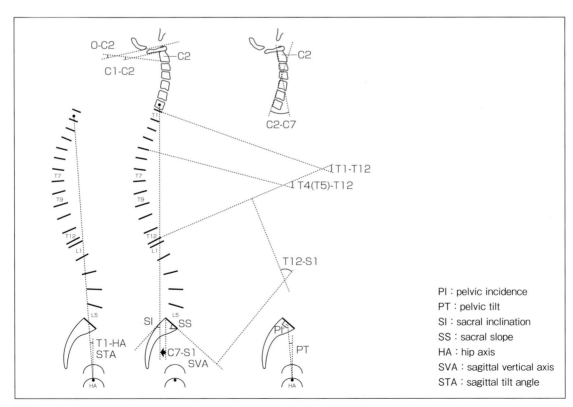

図Ⅰ-1-13 全脊椎立位長尺側面像における矢状面アライメントの計測法（文献12より）

b. 矢状面（sagittal balance）の評価（立位）[55,56]

C7椎体中央からの垂線（C7 plumb line）と仙骨後縁の距離を sagittal vertical axis（SVA）として計測する。SVAはおよそ－5～＋5 cmである。この矢状面バランスが臨床上重要な因子で，前傾姿勢が強くなる（SVA＞5 cm）と疼痛や機能障害悪化につながっていく[19]。つまり，前傾姿勢が悪化すると骨盤を後傾させて代償していき，それが腰痛や機能障害に関連する（Ⅱ-11-E「成人脊柱変形」参照）。

- 胸椎の後弯：T4椎体上縁からT12椎体下縁までの角度（後弯はプラスで表記）
  T4-12：＋41°（1 SD＝11）
- 腰椎の前弯：T12下縁か，L1上縁からL5下縁もしくはS1椎体上縁の角度（前弯はマイナスで表記）
  T12-S1：－62°（1 SD＝11）
  L1-5：－44°（1 SD＝11）

4 靱帯骨化症の評価（p201参照）

全脊椎をみて後縦靱帯骨化症（OPLL）のレベルと黄色靱帯骨化症（OLF）のレベルを評価する。単純撮影でわかりにくいときは必ずCT（MPR）にて評価する（特に頚胸椎移行部と胸腰椎移行部）。

OPLLではその骨化分類，骨化占拠率，有効脊柱管前後径（SAC），強直性脊椎骨増殖症（ASH），びまん性特発性骨増殖症（DISH）の有無を調べる。糖尿病の有無も調べる。

5 リウマチ頚椎の評価（p323参照）

関節リウマチ（RA）では上位頚椎が単純撮影でわかりにくいときは必ず断層撮影かCT（MPR）を依頼する。歯突起のerosion, attenuation, 消失や棘突起のerosionや短縮に注意する。

- **環軸関節亜脱臼（atlantoaxial subluxation：AAS）**：前後屈のADIとSACで評価する。
- **垂直性亜脱臼（vertical subluxation：VS）**：中間位のRanawat値，Redlund-Johnell値，McGregor線から歯突起先端までの距離で評価する。
- **軸椎下亜脱臼（subaxial subluxation：SS）**：すべり（mm数）で評価する。

6 膀胱機能の評価

頚椎疾患あるいは腰椎疾患でも患者が排尿障害を訴える場合は，泌尿器科で評価してもらう前に残尿測定を行う（自尿量と残尿量を両方記録する）。男性高齢患者の場合は直腸診を行い，前立腺を硬く触れるなら前立腺特異抗原（prostate specific antigen：PSA）などの腫瘍マーカーも測定しておく。

（注意）急激に尿閉など高度な排尿障害が出現することは脳病変では相当広範囲な障害でないとあり得ないので，重症な馬尾あるいは脊髄障害を疑い緊急精査を要する。

7 骨粗鬆症の評価（表Ⅰ-1-3，図Ⅰ-1-14）

画像上，骨粗鬆症と考えても，骨軟化症や副甲状腺機能亢進症などの骨代謝疾患，多発性骨髄腫や転移性脊椎腫瘍などの腫瘍疾患，脊椎炎などの感染疾患を必ず念頭に置いて鑑別する（p275：Ⅱ-8-2参照）。これらの鑑別には，血清CaとP，ALP値，PTH値や尿中Ca/Cr比（0.3以上がCa排泄亢進），25-(OH)ビタミンDをチェックし，場合によっては，赤沈・甲状腺ホルモン・蛋白免疫電気泳動を検査する。血清Pまたは血清Ca値の低下，高ALP血症，PTH高値などを認めれば，くる病・骨軟化症を鑑別することも重要である。さらに，低リン血症性くる病・骨軟化症や腫瘍性骨軟化症（tumor induced osteomalacia）の鑑別には，リン利尿ホルモンである fibroblast growth factor 23（FGF23）測定が有用である（後述の症例提示参照）。FGF23は腎機能低下によっても上昇するが，腎機能が正常で血清Pが低下している場合は，FGF23関連低リン血症性くる病を疑うことが重要である（成人では高率に膝・股関節のOA変化やOPLLなどを伴う）。

- **dual-energy X-ray absorption（DXA）**
  骨粗鬆症診断にはDXAを用いて腰椎（L1～L4またはL2～L4）と大腿骨近位部の2部位の骨密度を測定し，より低い％値またはSD値を採用する。ただし，高齢者において脊柱変形や脊椎固定術後で評価が困難な場合は大腿骨近位部と

頚部の骨密度のうち低値の方を採用する。骨粗鬆症の診断基準（表Ⅰ-1-3）はyoung adult mean（YAM）の70％以下または−2.5 SD以下で，−2.5 SDより大きく−1.0 SD未満の場合は骨量減少［low bone mass（osteopenia）］とする。

■X線検査による椎体骨折評価

骨粗鬆症性椎体骨折は通常X線像にて診断可能だが，早期診断にはMRIが有用である。また，胸椎部の骨粗鬆症性椎体骨折でも腰殿部痛を訴えることが多いので，腰殿部痛が主訴でもX線撮影は必ず胸椎と腰椎両方の検査が必要である[23]。また，仰臥位と立位（あるいは座位）での側面X線像による椎体楔状化の変化は，新鮮骨折の診断だけでなく不安定性評価としても重要である[24]。

■MRIによる診断

X線検査で形態変化を認めない椎体骨折の早期診断や新旧骨折の判定ではMRIが有用である。新鮮骨折はT1強調画像で低信号，short-T1 invention-recovery（STIR）画像では高信号となる。また，偽関節発生のMRI上の危険因子[25]も報告されており，予後判定に有用である。

■骨代謝マーカー

骨吸収マーカー：破骨細胞に特異的な酸ホスファターゼ活性（酒石酸抵抗性酸ホスファターゼ：TRACP-5b）のほか，コラーゲン分解物であるデオキシピリジノリン（尿中）あるいはⅠ型コラーゲン架橋N-テロペプチド（NTX）やⅠ型コラーゲン架橋C-テロペプチド（CTX）を用いる。

骨形成マーカー：骨型アルカリホスファターゼ（BAP）Ⅰ型プロコラーゲン-N-プロペプチド（P1NP）を用いる。

骨マトリックス関連マーカー：低カルボキシル化オステオカルシン（ucOC）はビタミンK不足の評価のため用いる（ただし，ワルファリン服用下では上昇するので注意を要する）。

■ステロイド性骨粗鬆症に対してビスホスホネート製剤は椎体骨折を有意に抑制するため，グルココルチコイド（プレドニン®など）を投与する場合は，骨粗鬆症の予防の観点からカルシウム（1,500 mg/日）やビタミンD（800～1,000 IU/日）の補充とビスホスホネート製剤の処方が推奨されている[57〜61]。ビスホスホネート製剤は骨移植を予定していても，骨癒合を障害しないので投与を中止する必要はない[26]。

■以下の薬剤は二次性骨粗鬆症の原因となる可能性があるので，特に注意する。

・抗痙攣薬，向精神薬：高プロラクチン血症による性腺機能不全の危険性がある。

・タモキシフェン（抗エストロゲン薬，閉経前），thyroxine（過剰量）

■糖尿病，慢性腎臓病（CKD），慢性閉塞性肺疾患（COPD），副甲状腺機能亢進症，甲状腺機能亢進症，アルコール多飲（依存症）も続発性骨粗鬆症の原因となり得る。

表Ⅰ-1-3 原発性骨粗鬆症の診断基準（2012年度改訂版）（文献20, 21より）

Ⅰ．脆弱性骨折（注1）あり 　1．椎体骨折（注2）または大腿骨近位部骨折あり 　2．その他の脆弱性骨折（注3）があり，骨密度（注4）がYAMの80％未満
Ⅱ．脆弱性骨折なし 　　骨密度（注4）がYAMの70％以下または−2.5 SD以下
YAM：若年成人平均値（腰椎では20～44歳，大腿骨近位部では20～29歳）
注1　軽微な外力によって発生した非外傷性骨折。軽微な外力とは，立った姿勢からの転倒か，それ以下の外力をさす。
注2　形態椎体骨折のうち，3分の2は無症候性であることに留意するとともに，鑑別診断の観点からも脊椎X線像を確認することが望ましい。
注3　その他の脆弱性骨折：軽微な外力によって発生した非外傷性骨折で，骨折部位は肋骨，骨盤（恥骨，坐骨，仙骨を含む），上腕骨近位部，橈骨遠位端，下腿骨。
注4　骨密度は原則として腰椎または大腿骨近位部骨密度とする。また，複数部位で測定した場合にはより低い％値またはSD値を採用することとする。腰椎においてはL1～L4またはL2～L4を基準値とする。ただし，高齢者において，脊椎変形などのために腰椎骨密度の測定が困難な場合には大腿骨近位部骨密度とする。大腿骨近位部骨密度には頸部またはtotal hip（total proximal femur）を用いる。これらの測定が困難な場合は橈骨，第二中手骨の骨密度とするが，この場合は％のみ使用する。
付記 　骨量減少（骨減少）［low bone mass（osteopenia）］：骨密度が−2.5 SDより大きく−1.0 SD未満の場合を骨量減少とする。

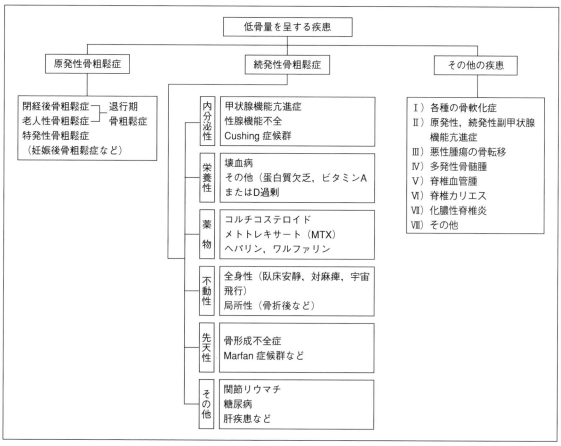

図Ⅰ-1-14　低骨量を呈する疾患(文献22より)

- くる病・骨軟化症の原因はビタミンD作用不足あるいはリン再吸収不全による低リン血症である。小児のくる病(骨・軟骨の石灰化障害)は，O脚やX脚などの下肢変形や跛行，脊柱変形，成長障害を契機に診断されることが多いが，成人の骨軟化症(骨石灰化障害)は，筋力低下や腰痛・下肢痛(骨痛)などの非特異的症状の所見を呈することが多い。X線検査で骨粗鬆症と鑑別することは困難なので，血清Pまたは血性Ca値の低下，高ALP血症，PTH高値などを認めれば，血清25-(OH)ビタミンDやFGF23の測定も考慮する(図Ⅰ-1-15)。

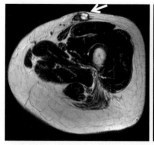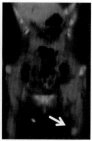

図Ⅰ-1-15　症例：腫瘍性骨軟化症(55歳女性)
左：大腿部MRI，右：PET-CT
　主訴は，体幹四肢におよぶ全身の疼痛・筋力低下。生化学検査で血清Pの低下(血性Ca値は正常)，高ALP血症を認め，DXAでは骨密度の異常低値を認めた。骨シンチグラフィでは多数の肋骨と脊椎に多発骨折を疑う集積を認めた。検査所見からは骨軟化症を疑ったが，MRIにて左大腿部に有痛性の軟部皮下腫瘤(左図の白矢印)を認め，PET-CTでの異常集積(右図の白矢印)およびFGF23の異常高値などから腫瘍性骨軟化症(tumor-induced osteomalacia：TIO)と診断し軟部腫瘤を摘出した(柏井将文先生より提供)。

1-5. 一般的注意

a. 貧血

平均赤血球容積(MCV)が低下している場合は慢性出血などによる鉄欠乏性貧血(赤血球の寿命は120日なので，鉄欠乏状態は4カ月以上前から存在したことになる)を考えるが，正球性の貧血の場合は急性出血か溶血性(溶血性では乳酸脱水素酵素(LDH)が上昇する)または小球性，大球性の混合性貧血で見かけの正球性となっている病態しか考えられないので，緊急を要する場合がある。血圧・脈拍あるいは末梢循環(冷や汗，手足の冷たさ)を調べ，消化管出血の有無をチェックする。出血の回復期に網赤血球が増えるとMCVも上昇するが通常110を超えることはなく，それ以上の大球性貧血ではビタミンB_{12}欠乏などの慢性貧血を疑う[27]。

b. 発熱

感染症を疑う場合は，最低限以下の検査を行うべきである。特に菌血症や化膿性脊椎炎の除外診断では血液培養が必須検査である。
- 血液培養：好気性および嫌気性の各ボトルを2ないし3セット提出すべきである。
- 尿検査・尿培養
- 胸部X線撮影

c. 筋萎縮

頸部周囲筋力低下や舌の線維束攣縮(fasciculation)の有無を見て，神経内科的疾患をまず除外する。筋電図(障害筋とその反対側，下肢，後頸部)やその他の電気生理学的検査が必要となる。

- **筋電図(EMG)**

  安静時：脱神経電位(denervation potential)には，線維自発電位(fibrillation potential)と陽性鋭波(positive sharp wave)がある。神経支配を失って神経のWaller変性が完了する頃から出現し始めるので，末梢神経切断なら5～7日後，前角細胞障害時には2週後に現れ，3週ないし1～2カ月後になると広範かつ活発にfibrillation potentialがみられる。

  弱収縮時：多相性電位(polyphasic potential)やgiant spikeは脱髄を意味する。

  最大収縮時：干渉の程度を調べる。

d. 甲状腺疾患

甲状腺機能亢進症で多い症状は，多汗，手の震え，動悸，体重減少であり，機能低下症では冷え(寒がり)，便秘，体重増加，浮腫，関節痛，うつ状態(認知症)，めまい，嗄声などである。いずれも内科的疾患ではあるが，整形外科を受診する頻度は高いと考えられる。したがって，原因不明の関節痛や筋肉痛，手の震え(振戦)などを見た場合は，甲状腺疾患も必ず念頭に置くよう心がける。特に四肢麻痺は若年者の甲状腺機能亢進症では比較的多いので，必ず甲状腺機能を調べる必要がある(e. 参照)。

e. 原因不明の麻痺(筋力低下)

以下の諸検査を行うことで鑑別していく。

- 頭部MRIあるいはCT：歩行障害，脱力などでは，まず頭部疾患を除外すべき。
- Na, K, Cl等の電解質検査：**低カリウム血性周期性四肢麻痺**
- CPK，アルドラーゼ等の筋原性酵素検査：ミオパチー，筋ジストロフィー
- 甲状腺機能(TSH, FT3, FT4)検査：甲状腺機能亢進症または低下症に伴うミオパチー
- 副腎機能(ACTH，コルチゾール)検査：脱力や全身倦怠感，うつ症状の鑑別に必要
- ビタミンB_{12}：亜急性連合性脊髄変性症
- 抗アセチルコリン受容体抗体：重症筋無力症
- 末梢血好酸球増加：**好酸球性多発血管炎性肉芽腫症**(旧名称：アレルギー性肉芽腫性血管炎またはChurg-Strauss症候群)。喘息発作あるいはアレルギー性鼻炎が先行し，末梢血好酸球増加と多発性単神経炎が必発する。

※非器質的またはヒステリー性運動麻痺の鑑別
- **Hoover徴候**(図I-1-16)
- **外転徴候**(図I-1-17)
- **spinal injuries center(SIC)test**[30]

  ベッド上仰臥位で他動的に患者の膝を持ち上げて膝立を維持させる。何気なく検者の手を離すと，自力で膝立が不能な麻痺患者は膝立を維持できないが，ヒステリー患者の場合，膝立を維持できる(SIC test 陽性)。

f. 感染予防

他院からの転院患者や重症糖尿病，重症肝障害，ステロイド長期投与中などの患者(compromised host)はメチシリン耐性黄色ブドウ球菌

（MRSA）などによる難治性感染症を併発する危険が高いので、鼻腔・咽頭、腋窩、尿、創がある場合は創部などの細菌培養をして、compromised hostの有無とチェックを行っておく。MRSA 感染症の危険性が高い患者や保菌者は、ムピロシン（バクトロバン®）鼻腔用軟膏やクロルヘキシジンによる除菌を術前から術後にかけて行うことも検討する[31]。

g. 小児に対する鎮静・麻酔

事前に小児科または麻酔科にコンサルトするのが望ましい。表 I -1-4 によく使用する薬剤を示す。

塩酸ケタミン（ケタラール®）は呼吸抑制や循環抑制が少なく鎮痛作用は強いので使いやすいが、唾液や気管分泌を増やすことと脳圧亢進作用に注意する。分泌亢進対策には硫酸アトロピ

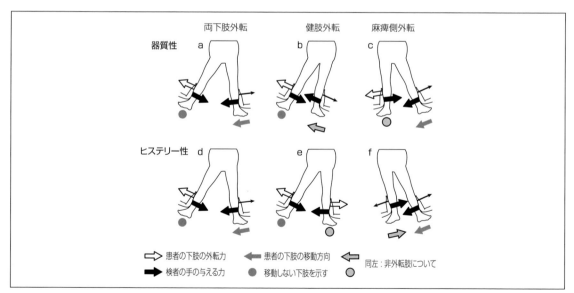

図 I -1-16　Hoover 徴候（文献 28 より改変）

Hoover 徴候は通常、非挙上肢を地面に押しつける力を、踵の下に置いた検者の手で感じることで判定する。しかし、ここで検者が挙上肢を上から押さえつけるのと同程度の力で、非挙上肢を下から押し上げるようにすると、非挙上肢がそのまま床に押しつけて固定されているか、床から浮き上がってしまうかで、目に見える結果として判定できる。

健肢を挙上する Hoover 徴候 1 では、器質性麻痺で麻痺側の大殿筋が弱い場合には、非挙上肢である麻痺肢が浮き上がってしまう(a)。ヒステリー性では、健肢を挙上するという協働運動の総体が正常であるため、非挙上肢の浮き上がりは生じない(c)。ただし、器質性でも大殿筋に筋力低下がなければ、この浮き上がりはやはり生じない。麻痺肢を挙上する Hoover 徴候 2 では、器質性では、健肢の大殿筋は正常なため、非挙上肢である健肢の押しつけは正常だが(b)、ヒステリー性では麻痺肢を挙上するという協働運動の総体が弱くなるため、非挙上肢である健肢も浮き上がってしまう(d)。

図 I -1-17　外転徴候（文献 29 より改変）

両下肢を同時に外転させると、器質性でもヒステリー性でも同様に、麻痺肢が検者の抵抗に負けて内転してしまう(a, d)。一側肢のみを外転するように命じた場合に違いが出てくるもので、非外転肢の動きに注目する。器質性では、健肢外転でも麻痺肢外転でも、抵抗に負けて内転してしまうのは麻痺肢である(b, c)。

ヒステリー性では、健肢を外転する協働運動の総体が正常のため、このときの非外転肢である麻痺肢も抵抗に抗して動かない(e)。しかし、麻痺肢を外転する動作は総体として弱くなるため、非外転肢である健肢も、検者の抵抗に負けて過内転方向に動いてしまう(f)。

表 I-1-4 小児に対する鎮静・麻酔薬

	薬剤名(剤形:容量)	用量(体重あたり)
睡眠薬	トリクロリール®(シロップ:100 mg/mL) 無効ならエスクレ®,抱水クロラール(注腸用:500 mg)	0.5～0.8 mL/kg(総量 20 mL を超えないこと) 30～50 mg/kg
麻酔薬	ケタラール®(静注用:200 mg 20 mL) ケタラール®(筋注用:500 mg 10 mL)	1～2 mg/kg,1～2 mL/10 kg 5～10 mg/kg,1～2 mL/10 kg

ンの投与(0.01 mg/kg)が望ましい。

1-6. 神経学的検査

1 筋トーヌス

古典的だが,筋力・深部腱反射・知覚を評価することにより,かなりの疾患が鑑別可能である。例えば,脱力(筋力低下)を訴える患者が知覚障害を伴っているかどうか,鑑別診断のプロセスとして重要である。知覚障害も伴い,深部腱反射が低下していれば末梢神経障害をまず疑う。知覚障害がなく,深部腱反射がすべて亢進していれば,まず筋萎縮性側索硬化症(ALS)を疑い,深部腱反射が低下していれば,脊髄前角障害,神経筋接合部障害,筋原性の疾患などを疑う。

a. 筋緊張亢進(hypertonus)
骨格筋の筋緊張亢進状態は痙縮(痙直)と強剛(固縮)に分けられる。

■ 痙縮(痙直)spasticity
筋緊張状態の筋は選択的で,抵抗は一方向のみに特に大きくなる。錐体路障害によって出現する現象で,他の錐体路症状を伴っている。

■ 強剛(固縮)rigidity
他動的に関節を動かしたときに感じられる抵抗から評価する。肘関節では,屈伸で同様の抵抗があるのは筋強剛(rigidity)で,肘を屈曲するときには抵抗はなく伸展しようとすると抵抗があるものは筋痙縮(spasticity)である。rigidity は他動的運動を素早く行っても緩徐に行っても運動の最初から最後まで同じ程度の抵抗を感じるのに対して,spasticity の場合には緩徐な運動では抵抗が少なくはっきりしなくなる。パーキンソン病に特徴的なのは歯車様強剛(cog-wheel rigidity)で,手関節において観察されやすく,ガタガタした断続的な抵抗を感じる。

b. 筋緊張低下(hypotonus)
■ 弛緩性(flaccid)
筋緊張の低下状態を指し,脊髄損傷でも初期(spinal shock 時期)は筋トーヌスが低下する。

2 筋力評価(表 I-1-5)

徒手筋力テスト(manual muscle testing:MMT)(表 I-1-6)によって行う。表 I-1-7 に主な筋節を示す。

● 頚部筋力評価
a. 頚部屈曲
胸鎖乳突筋(sternocleidomastoideus)(XI:副神経脊髄根と C2,3)と**斜角筋**(scalenus)(C3-8)。胸鎖乳突筋/起始:胸骨柄と鎖骨内側,停止:後頭骨の乳様突起外側面。斜角筋/起始:頚椎横突起,停止:前・中斜角筋は第 1 肋骨,後斜角筋は第 2 肋骨。

ALS などの鑑別に重要である。仰臥位で正常では頚部屈曲を 2～3 分維持できる。1 分以下しか維持できなければ明らかに異常と判断してよい。

● 上肢筋力評価
a. 肩甲骨の挙上(図 I-1-18)
僧帽筋(upper trapezius)と**肩甲挙筋**(lavator scapulae)(XI:副神経脊髄根と C3,4)。僧帽筋/起始:外後頭隆起,C7 と T1-12 棘突起,停止:鎖骨外側 1/3,肩峰,肩甲棘。
肩をすくめる動作。

b. 肩甲骨の内転(図 I-1-19)
僧帽筋(中部線維)と大菱形筋,小菱形筋,広背筋,**菱形筋**(rhomboideus)(C5:肩甲背神経)。菱形筋/起始:上位胸椎棘突起,停止:肩

表 I-1-5　MMT 評価表

	Muscle	Function	Peripheral nerve		Spine	MMT rt. lt.
頚部	Neck flexor					
	Neck extensor					
肩	Deltoid	肩関節［外転］	腋窩神経	Axillaris	C5, 6	
上腕	Biceps	肘関節［屈曲］	筋皮神経	Musculocutaneous	C5, 6	
	Triceps	肘関節［伸展］	橈骨神経	Radialis	C6, 7, 8	
前腕	Wrist extensor	手関節［伸展］	橈骨神経	Radialis	C6, 7, 8	
	extensor carpi radialis longus/brevis					
	extensor carpi ulnalis					
	Wrist flexor	手関節［屈曲］	正中神経	Medianus	C6, 7, 8	
	flexor carpi radialis/palmaris longus					
	flexor carpi ulnaris					
	Forearm pronator	前腕［回内］	正中神経	Medianus	C6, 7	
	pronator teres					
	pronator quadratus					
	Extensor digitorum communis	第 2-5 指［伸展］	橈骨神経	Radialis	C7, 8	
	Abductor pollicis longus	母指［外転］	橈骨神経	Radialis	C7, 8	
	Flexor digitorum superficialis	第 2-5 指・PIP［屈曲］	正中神経	Medianus	C8, T1	
	Flexor digitorum profundus	第 2, 3 指・DIP［屈曲］	正中神経	Medianus	C8, T1	
		第 4, 5 指・DIP［屈曲］	尺骨神経	Ulnaris	C8, T1	
手	Opponens pollicis/digiti minimi	母指/小指［対立］	正中/尺骨神経	Medianus/Ulnaris	C8, T1	
	Adductor pollicis	母指［内転］	尺骨神経	Ulnaris	C8, T1	
	Interossei palmares	第 2-5 指［内転］	尺骨神経	Ulnaris	C8, T1	
	Interossei dorsales	第 2-5 指［外転］	尺骨神経	Ulnaris	C8, T1	
	Abductor digiti minimi	小指［外転］	尺骨神経	Ulnaris	C8, T1	
	Grip Power					kg kg
殿部	Iliopsoas	股関節［屈曲］	大腿神経	Femoralis	L2-3	
	Adductor femoris	股関節［内転］	閉鎖神経	Obturatorius	L2-4	
	Gluteus medius	股関節［外転］	上殿神経	Gluteus Superior	L4, 5, S1	
	Gluteus maximus	股関節［伸展］	下殿神経	Gluteus Inferior	L5, S1, 2	
大腿	Quadriceps	膝関節［伸展］	大腿神経	Femoralis	L2-4	
	Hamstrings	膝関節［屈曲］	坐骨神経	Ishiadicus	L4-S3	
下腿	Tibialis anterior	足関節［背屈］	深腓骨神経	Peroneus Profundus	L4, 5	
	Extensor hallucis longus	母趾［背屈］	深腓骨神経	Peroneus Profundus	L4, 5	
	Extensor digitorum longus	足趾［背屈］	深腓骨神経	Peroneus Profundus	L4, 5	
	Gastrocnemius	足関節［底屈］	脛骨神経	Tibialis	S1, 2	
	Flexor hallucis longus	母趾［底屈］	脛骨神経	Tibialis	S1, 2	
	Flexor digitorum longus	足趾［底屈］	脛骨神経	Tibialis	S1, 2	

甲骨内縁。

　肘屈曲で手を腰に当て，肘と手を後方へ押すように指示する。腕神経叢の上神経幹(upper trunk)を形成する近位の枝(肩甲背神経)支配で C5 根のみから出る。

c. 肩甲骨の外転(図 I-1-20)

　前鋸筋(serratus anterior)(C5, 6, 7：長胸神経)。起始：第 8, 9 肋骨までの肋骨，停止：肩甲骨内縁肋骨面。

　肘を伸ばして手で前方の壁を肩よりやや低い位置で強く押す。前鋸筋の麻痺(翼状肩甲，図 I-1-21)は C7 根麻痺の診断に重要である。前鋸筋を支配する長胸神経は腕神経叢には加わらないので，C7 障害による下垂手をみた場合，前鋸筋の下部筋束が侵されていれば腕神経叢神経幹(p487「Surgical Anatomy」図 SA-5 参照)よりも近位側の障害であると診断できる。これを調べるには，上肢を斜め下方に伸展して腰ほどの高さで壁を強く押すようにすればよい。

d. 肩関節の外転(図 I-1-22)

　三角筋(deltoid)(C5＞C6：腋窩神経)と棘上筋(supraspinatus)(C5＞C6：肩甲上神経)。三

表 I -1-6　徒手筋力テスト（文献 62 より作成）

5 = Normal		強い抵抗に抗して完全に動かせる（患者の肢位持続力に対抗しきれない）
4 = Good		ある程度の抵抗に抗して可動域全体に動かせる
3^+		重力に抗して全可動域で動かせるうえに，軽い抵抗に抗してその肢位を取り続け得る
3 = Fair		重力に抗して全可動域で動かせるが，抵抗を加えれば動かせない
3^-		重力に抗して動かせるが，可動域が 50〜100%
2^+		重力に抗して動かせるが，可動域が 50% 以下
2 = Poor		重力の影響を最小にした肢位でなら全可動域を完全に動かせる
2^-		重力の影響を最小にした肢位でなら動かせるが，可動域が 50〜100%
1^+		重力の影響を最小にした肢位でなら動かせるが，可動域が 50% 以下
1 = Trace		筋収縮は目で見えるか手で触知し得るが動かない
0 = Zero		筋収縮が全く触知できない

（注意）・近位の関節をしっかり固定して検査する。
・＋/−を付けるのはあまり勧められないが，例外は 3^+ と 2^- である。
・2〜5 はあくまで全可動域を動かせての評価だが，便宜上動かせる可動域で段階を付ける（主に肩関節の外転，肘関節の屈曲，股関節の屈曲，膝関節の屈曲）。
・可動域が 50〜100% ならマイナス，可動域が 50% 未満なら 1 段階低いランクのプラス評価とする。しかし，全可動域を動かせるかどうかはあまり重要ではなく，抵抗に抗するかどうかのほうが重要である。

　手関節・足関節以遠の関節運動では重力の影響はほとんどないので，MMT2 と 3 を分けることは現実的ではない。特に固有手筋では，MMT3 を「抵抗がなければ全可動域を動かすことができる」（通常の 2），MMT2 を「可動域の一部を動かすことができる」（通常の 2^-）という別の定義を用いている[32,33]。

表 I -1-7　主な筋節

C3-4	横隔膜
C5	三角筋（肩関節の外転）
	上腕二頭筋（肘関節の屈曲）*
C6	腕橈骨筋（肘関節の屈曲）
	手関節の伸展*
C7	上腕三頭筋（肘関節の伸展）*
	手指の伸展，手関節の屈曲
C8	指の屈曲*
T1	手指の外転
L1-2	腸腰筋（股関節の屈曲）
L3-4	大腿四頭筋（膝関節の伸展）*
L4<L5	前脛骨筋（足関節の背屈）*
L5	母趾伸筋（母趾の背屈）*
	中殿筋（股関節の外転）
S1 :	母趾屈筋（母趾の屈曲）
	腓腹筋（足関節の底屈）*

＊: key muscles

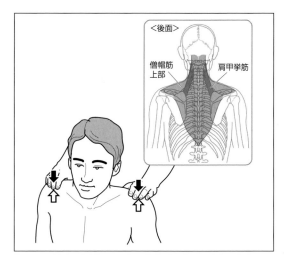

図 I -1-18　肩甲骨の挙上
　➡：検者が抵抗を加える方向，⇨：患者に動かしてもらう方向（矢印は図 I -1-18〜49 まで同じ意味を表す）

角筋／起始：鎖骨外側 1/3，肩峰，肩甲棘，停止：上腕骨。棘上筋／起始：肩甲骨棘上窩，停止：上腕骨，肩関節包。

　肩関節の外転は 70〜80% が三角筋の関与で，棘上筋の関与は 10〜20% とされている。上腕を回外し手掌を上にして挙上させると上腕二頭筋も働く。三角筋のみの筋力をみるためには上腕を回内位で手掌を下に向けて検査しなくてはならない。60° 以内の挙上では基本的には肩甲骨の動きはないが，肩甲骨の位置は確認しておく。肩甲骨外転の代償なく 90° まで挙上できれば筋力 3 以上と判断する。棘上筋は肘を伸展させて最初の 30° 程度の外転で棘上部の筋収縮を確認する。上腕二頭筋を使って代償しようとする場合には肩関節を外旋かつ肘関節を屈曲しようとする。

（ポイント）棘上筋と棘下筋を支配する肩甲上神経は腕神経叢の upper trunk から出て烏口突起根部で後方に回り肩甲切痕を通る（棘下筋（infraspinatus）（C5＞C6）は肘を屈曲位で肩を外旋させながら棘下部の筋収縮を調べる）。一方，三角筋を支配する腋窩神経は腕神経叢の posterior cord（肩甲下神経よりも遠位）から出て上腕近位外側の腕章部分の知覚にも関与する（p487「Surgical Anatomy」図 **SA-5** 参照）。

e．肩関節の外旋（図Ⅰ-1-23）

棘下筋（infraspinatus）（C5＞C6：肩甲上神経）と小円筋（teres minor）（C5-6：腋窩神経）。棘下筋／起始：肩甲骨棘下窩，停止：上腕骨大結節と肩関節包。小円筋／起始：肩甲骨腋窩縁背側面，停止：上腕骨大結節と肩関節包。

肩関節の外旋は 60～70％ が棘下筋の関与で，続いて小円筋が 10～20％，三角筋が約 10％ 関与するとされている。

f．肩関節の内旋（図Ⅰ-1-24）

肩甲下筋（subscapularis）（C5-6：肩甲下神

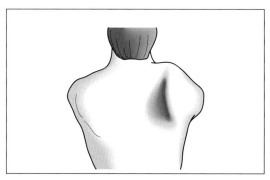

図Ⅰ-1-21　右長胸神経損傷による前鋸筋麻痺（翼状肩甲）

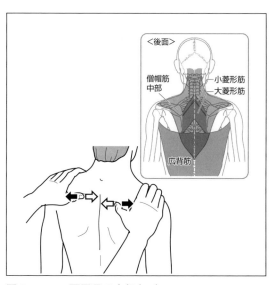

図Ⅰ-1-19　肩甲骨の内転（C5）

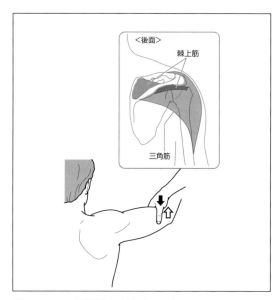

図Ⅰ-1-22　肩関節の外転（C5-6）

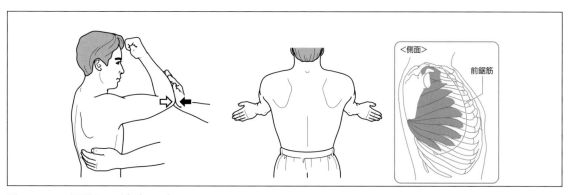

図Ⅰ-1-20　肩甲骨の外転（C5-7）

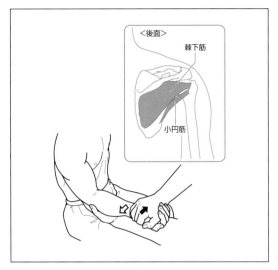

図Ⅰ-1-23　肩関節の外旋（C5-6）

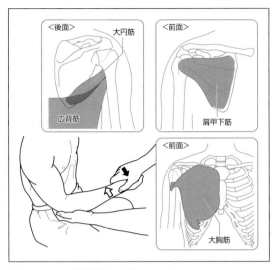

図Ⅰ-1-24　肩関節の内旋（C5-7）

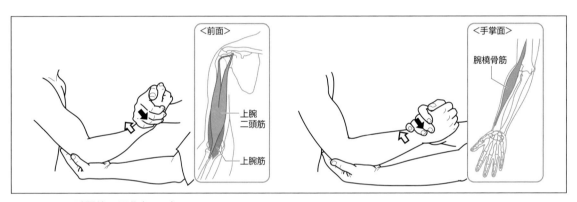

図Ⅰ-1-25　肘関節の屈曲（C5-6）
左：回外位での検査（上腕二頭筋と上腕筋），右：回内-回外中間位での検査（腕橈骨筋）

経），**大胸筋**（pectoralis major）（C5-7：胸筋神経），**広背筋**（latissimus dorsi）（C6＜C7：胸背神経），**大円筋**（teres major）（C5-6：肩甲下神経下部）。肩甲下筋／起始：肩甲下窩，停止：上腕骨小結節，肩関節包。大胸筋／起始：鎖骨胸骨側，胸骨から第7肋骨，停止：上腕骨結節間溝。広背筋／起始：T7-12棘突起，腸骨稜，停止：上腕骨結節間溝。大円筋／起始：肩甲骨下角背側面，停止：上腕骨結節間溝。

g. 肘関節の屈曲（図Ⅰ-1-25）

上腕二頭筋（biceps brachii）（C5＞C6：筋皮神経）と**腕橈骨筋**（brachioradialis）（C6＞C5：橈骨神経）。上腕二頭筋／起始：肩甲骨烏口突起（短頭），関節上結節（長頭），停止：橈骨粗面。腕橈骨筋／起始：上腕骨外側顆上縁近位2/3，停止：橈骨茎状突起。

上腕二頭筋筋力は前腕回外位で肘関節の屈曲を調べる。それに対して腕橈骨筋筋力は，回内外中間位からの屈曲を調べる。腕橈骨筋は上腕下部から分岐した橈骨神経支配であるため上腕中央部で生じる橈骨神経麻痺の下垂手（下記▷印参照）では腕橈骨筋の麻痺を伴う。しかし，C7麻痺による下垂手では腕橈骨筋の麻痺はみられない（Duchenne徴候）。

▷**橈骨神経麻痺によるdrop hand（下垂手）**
上腕中央部で生じる橈骨神経麻痺は，肘の伸展筋力は正常だが腕橈骨筋の麻痺により肘の屈曲筋力は低下する。前腕の回内（正中神経支配）には問題ないが，回外は困難となる。手関節と中手指節間（MP）関節の伸展はできないが，手関節とMP関節を固定すれば指節間（IP）関節は伸展可能（正

中神経と尺骨神経支配の虫様筋：C8-T1）である。また，尺骨神経支配の指の外転も可能（背側骨間筋と小指外転筋：C8-T1）である。

h. 肘関節の伸展（図Ⅰ-1-26）

上腕三頭筋（triceps brachii）（C6-8，主にC7：橈骨神経）。起始：肩甲骨（長頭），上腕骨（内外側頭），停止：肘頭。

通常の上肢を内転した肢位では長頭が弛緩してしまうので，できれば上腕を側方挙上した肢位で肘を伸展させる。

i. 前腕の回外（図Ⅰ-1-27）

回外筋（supinator）（C6：橈骨神経）。起始：上腕骨外顆，停止：橈骨近位1/3。

筋皮神経支配の上腕二頭筋（biceps brachii）（C5）も回外に関与する。

j. 前腕の回内（図Ⅰ-1-28）

円回内筋（pronator teres）（C6-7）と方形回内筋（pronator quadratus）（C6-8：正中神経）。円回内筋／起始：上腕骨内側上顆と尺骨鉤状突起，停止：橈骨の外側面。方形回内筋／起始：尺骨掌側面，停止：橈骨掌側面。

その他，橈側手根屈筋FCRも関与する。

k. 手関節の背屈（図Ⅰ-1-29）

長・短橈側手根伸筋（extensor carpi radialis longus（brevis）：ECRL, ECRB）（C6＞C7：橈骨神経）と尺側手根伸筋（extensor carpi ulnaris：ECU）（C7＞C8：橈骨神経）。ECR／起始：上腕骨外側顆，停止：ECRLは第2中手骨，ECRBは第3中手骨。ECU／起始：上腕骨外側上顆，停止：第5中手骨。肘関節の屈曲にも働く。

C6髄節の麻痺の場合，ECRL群のみ残存することがある。そのときには手関節背屈時に橈側

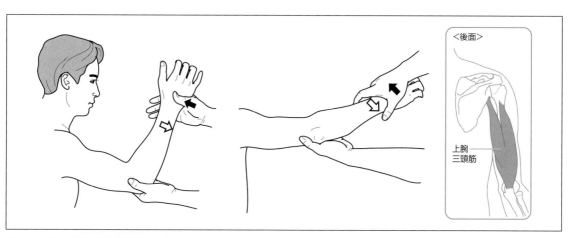

図Ⅰ-1-26　肘関節の伸展（C6-8）
通常左図のように調べるが，正しくは肩関節外転位で調べる。

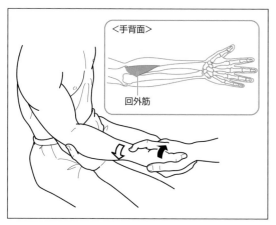

図Ⅰ-1-27　前腕の回外（C6）

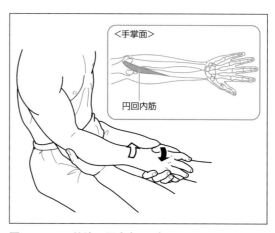

図Ⅰ-1-28　前腕の回内（C6-7）

偏位が起こるのは，ECRL が ECU よりもかなり強力であることを意味する。

l. 手関節の掌屈（図 I -1-30）

橈側手根屈筋（flexor carpi radialis：FCR）(C6-7：正中神経)，尺側手根屈筋（flexor carpi ulnaris：FCU）(C8：尺骨神経)。FCR／起始：上腕骨内側上顆，停止：第2,3中手骨。FCU／起始：上腕骨内側上顆，停止：豆状骨，有鉤骨，第5中手骨。

正中神経麻痺では FCU のみが働いて手関節が尺側偏位するのに対して，尺骨神経麻痺では FCR が働くため手関節は橈側に偏位する。手指を伸展させて掌屈させようとすると長掌筋（palmaris longus）(C7-8)も働く。

▷ **後骨間神経**（posterior interosseous n.）**麻痺**

橈骨神経の運動枝である後骨間神経は，肘前面で知覚枝である浅枝と分かれた後に回外筋浅層の線維性腱弓（arcade of Frohse）に入り回外筋浅層と深層の間を走行する。ガングリオンなどによる圧迫で後骨間神経が麻痺すると，ECRL は後骨間神経分岐の近位から出ているため手関節背屈は可能であるが，母指の橈側外転・伸展と示指〜小指MP関節の伸展が不能となる（APL，EPB，EPL，EDCの麻痺）。したがって，後骨間神経麻痺では知覚障害を伴わない指の伸展不全，いわゆる"drop finger"が特徴的である（PIP，DIP関節の伸展は手内在筋により可能）。手関節背屈は可能だが，ECRBと尺側手根伸筋（ECU）は障害される。臨床的には，示指と小指の伸展が可能なこともある（longhorn sign）。

また，後骨間神経の不全麻痺で環指・小指の伸展が不能になった状態では尺骨神経麻痺によるclaw hand と似ているため，pseudoulnar claw hand と呼ばれることがある。

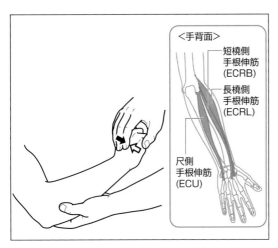

図 I -1-29　手関節の背屈（伸展，C6-8）

m. 中手指節間（MP）関節の伸展（図 I -1-31）

指伸筋（総指伸筋）（extensor digitorum：EDまたは extensor digitorum communis：EDC）(C7-C8：橈骨神経)。起始：上腕骨外側上顆，停止：示〜小指指節骨。

手関節を背屈位にし遠位指節間（DIP）関節および近位指節間（PIP）関節をともに屈曲位に保持したまま MP 関節を伸展させる。PIP/DIP関節は虫様筋・背側骨間筋でも伸展できるが，これらに MP 関節の伸展作用はない。したがっ

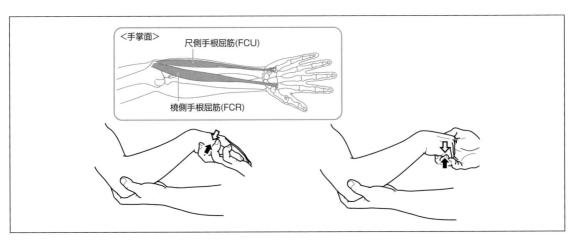

図 I -1-30　手関節の掌屈（屈曲，C6-8）
　手指を伸展させて掌屈させようとすると長掌筋も関与する。

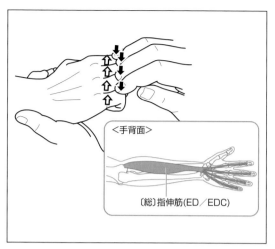

図 I-1-31　MP 関節の伸展（C7-8）

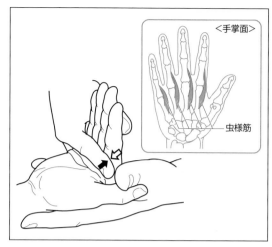

図 I-1-32　MP 関節の屈曲（C8-T1）

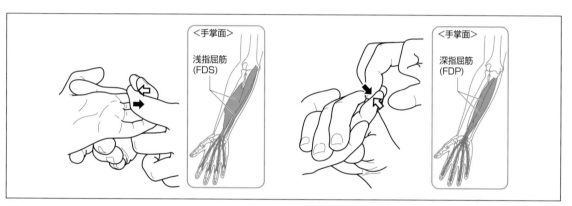

図 I-1-33　手指の屈曲（C8-T1）
左：FDS は PIP での屈曲に関与，右：FDP は DIP での屈曲に関与

て，IP 関節の肢位にかかわらず基節遠位部に抵抗を加えれば，EDC の筋力を評価することが可能である（手関節背屈位の方が MP 関節を伸展させにくい）[34]。

▷ **drop finger（下垂指）**
手関節背屈は可能で，MP 関節を完全に伸展できない状態（IP 関節は屈曲位を保持して）。前述の後骨間神経麻痺，C7 あるいは C8 神経根（髄節）障害で起こる。田中らは頚椎神経根による下垂指は，ほとんどが C8 神経根障害であったと報告している[35]。

n．MP 関節の屈曲（図 I-1-32, 33）

虫様筋（lumbricales）（C8-T1：示指・中指は正中神経，環指・小指は尺骨神経）。

PIP 関節および DIP 関節を伸展させ MP 関節を屈曲させる（浅指屈筋（FDS），深指屈筋（FDP）による作用を除去するため）。虫様筋はPIP 関節および DIP 関節を伸展させる作用もある。

o．母指の伸展（図 I-1-34）

長・短母指伸筋（extensor pollicis longus（brevis）：EPL, EPB）（C8：橈骨神経）。EPL／起始：尺骨後面，停止：母指橈骨。EPB／起始：橈骨後面，停止：母指基節骨。

EPB は MP 関節の伸展，EPL は指節間（IP）関節の伸展を行うので，母指の中手骨を固定して，母指の基節あるいは末節に抵抗を加える。

（ポイント）anatomical snuff box（図 I-1-35）：母指を伸展しようとしたときに，手関節橈側にできるくぼみで近位部は橈骨茎状突起，内側は EPL，外側は EPB と APL の腱によって境界されている。

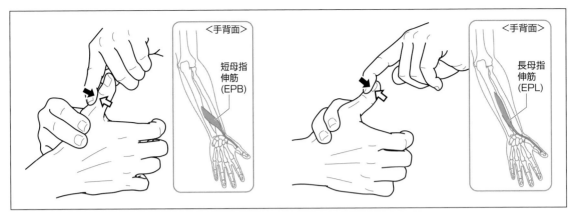

図Ⅰ-1-34　母指の伸展（C8）
　左：短母指伸筋（EPB），右：長母指伸筋（EPL）

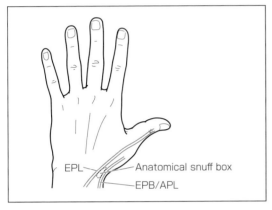

図Ⅰ-1-35　snuff box

p. 母指の外転（図Ⅰ-1-36）

手掌面に平行に外転する運動と，垂直に母指を立てる運動（掌側外転）がある。

1）手掌面に平行に外転：**長母指外転筋**（abductor pollicis longus：APL）（C7＜C8：**橈骨神経**）。起始：尺骨後面，橈骨の後面，停止：第1中手骨。

母指IP屈曲位でEPBによる代償を防ぎ，CM関節を外転させる。

2）手掌面に垂直に母指を立てる：**短母指外転筋**（abductor pollicis brevis：APB（C8＜T1：**正中神経**）。起始：舟状骨，大菱形骨，停止：母指基節骨。

ChibaらはC8神経根症や胸郭出口症候群の筋電図所見から，APBはT1支配が優位と報告している[36]。

▷**前骨間神経（anterior interosseous n.）麻痺**

正中神経の運動枝である前骨間神経は円回内筋高位で正中神経の後面あるいは橈側から分岐して深層部を走行する。FPL・示指FDP，方形回内筋を支配する前骨間神経の麻痺では，母指IP関節と示指・中指のDIP関節の屈曲障害のため物をうまくつかめなくなるが，正中神経のうち母指球に向かう枝は侵されないので母指の対立や母指手根中手（CM）関節は屈曲可能，また環指・小指のFDPは尺骨神経支配なので侵されない。また，皮枝は出さないので感覚障害は伴わない。

▷**perfect O テスト**

母指と示指でうまく「○」を作ろうとしても，母指IP関節と示指DIP関節の屈曲が不能なため"涙のしずく"のような形になる。

（注意）Perfect Oテストに必要な筋力は，正中神経支配の長母指屈筋（FPL），APB，FDP（示指），短母指屈筋（FPB，浅），尺骨神経支配の母指内転筋，背側骨間筋，短母指屈筋（FPB，深），橈骨神経支配のAPL，EPLなのでいずれの神経障害があっても完全な「○」を作ることはできなくなる。

q. 手指の内転（図Ⅰ-1-37）

掌側骨間筋（palmar interossei）（C8-T1：尺骨神経）。

r. 手指の外転（図Ⅰ-1-38）

背側骨間筋（dorsal interossei：IOD）と小指外転筋（abductor digiti minimi：ADM（C8-T1：尺骨神経）。

＊手指内在筋の神経支配は，C8-T1である。正中神経支配である短母指外転筋（APB）と示指・中指の虫様筋（MP関節屈曲とPIP・DIP関節伸

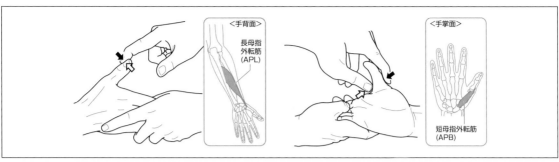

図I-1-36 母指の外転(C7-T1)
左：橈側外転→長母指外転筋(APL：C7-8)，右：掌側外転→短母指外転筋(APB：C8-T1)

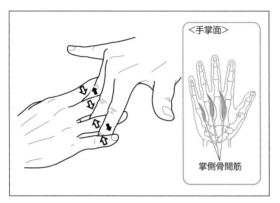

図I-1-37 手指の内転(C8-T1)

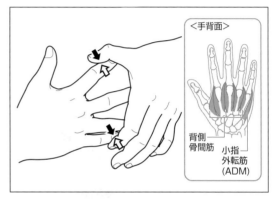

図I-1-38 手指の外転(C8-T1)

展)および尺骨神経支配である第一背側骨間筋の両方が低下している場合は，C8麻痺(神経根または髄節)かALSなどの運動ニューロン疾患を疑う(谷　俊一先生私信)。

▷**ALSにおけるsplit hand**
　第一背側骨間筋や母指球(APB)の筋萎縮に比して小指球(ADM)の筋萎縮が比較的保たれている所見はsplit handとされ，ALSを疑う重要な所見である[37,38]。C8-T1髄節→尺骨神経支配である第一背側骨間筋とADMが解離して障害されることは通常ない。しかし，ALSでは解剖学的に説明できない筋間での萎縮の差が認められることから，第一背側骨間筋やAPBの萎縮が目立ちADMの萎縮が比較的保たれるという，手内筋間での筋萎縮の解離が認められる[39](p91 参照)。

▷**尺骨神経麻痺によるclaw hand(鷲手)**
　尺骨神経単独麻痺(橈骨神経が効いていれば)によるclaw handは，環指・小指のMP関節が過伸展位となる(IP関節は屈曲位)。それに対して，頸椎由来の場合はMP関節が軽度屈曲位となるのが

特徴(pseudo-pseudo-ulnar claw hand)となる。また，C8髄節は母指球筋も支配しているため，この髄節(または神経根)障害では母指球筋も侵される。さらに，尺骨神経麻痺では高位麻痺であっても通常前腕内側の感覚は保たれていることも重要な所見となる(内側前腕皮神経は腕神経叢の内側神経束から尺骨神経となる近位側で分岐するため)。

●**頸椎神経根症と末梢神経障害との鑑別ポイント(表I-1-8，図I-1-39)**

◎**橈骨神経支配であってC7支配でない筋**
　腕橈骨筋，回外筋(主にC6支配)

◎**尺骨神経支配であってC8支配でない筋**
　尺側手根屈筋はC7にも支配されるが，基本的には尺骨神経支配であってC8支配でない筋はない(ただし，前腕内側の感覚は腕神経叢の内側神経束から分岐する内側前腕皮神経支配のため尺骨神経麻痺でも保たれている)。

◎**C7支配であって橈骨神経支配でない筋**
　円回内筋＞橈側手根屈筋(正中神経支配)

◎ C8 支配であって尺骨神経支配でない筋

上腕三頭筋，尺側手根伸筋（橈骨神経支配）
橈側手根屈筋，長母指屈筋（FPL）（正中神経支配）
（ポイント）手の内在筋はほとんど尺骨神経支配だが，次の筋（下図 B〜E）は正中神経支配（C8-T1 支配）：APB（短母指外転筋），FPB（短母指屈筋：浅頭），母指対立筋，示指・中指の虫様筋

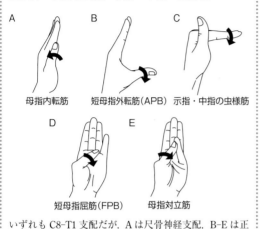

いずれも C8-T1 支配だが，A は尺骨神経支配，B-E は正中神経支配

● 下肢筋力評価

a. 股関節の屈曲（図 I -1-40）

腸腰筋（iliopsoas）（L2-4：腸骨筋（iliacus）は大腿神経，大腰筋（psoas major）は大腿神経になる近位）。腸骨筋／起始：腸骨，停止：小転子。大腰筋／起始：T12-L5 横突起，停止：小転子。

座位で膝を挙上させる。仰臥位では股関節・膝関節 90°屈曲位で，股関節を屈曲させる。縫工筋の代償では股関節の外旋と外転が起こる。一方，大腿筋膜張筋の代償では股関節に内旋と外転が起こる。

b. 股関節の伸展（図 I -1-41）

大殿筋（gluteus maximus）（L5, S1, S2：下殿神経）。起始：仙骨および寛骨の背側面，停止：腸脛靭帯と大腿骨。

腹臥位，膝屈曲位で股関節を伸展させる。仰臥位では下肢挙上位から股関節を伸展させる。仰臥位で両膝を立て腰を浮かせることができれば筋力 3 以上はあると考えてよい。膝関節伸展位では大腿屈筋群（hamstrings）も股関節伸展に

表 I -1-8 頚椎神経根（髄節）と末梢神経・筋との関係

	〈末梢神経〉	〈筋：機能〉	〈神経根または髄節〉				
			C5	C6	C7	C8	T1
腋窩神経	axillaris	deltoid：肩関節 ［外転］	C5	○			
筋皮神経	musculocutaneous	biceps：肘関節 ［屈曲］	C5	○			
橈骨神経	radialis	triceps：肘関節 ［伸展］		○	C7	○	
		brachioradialis：肘関節 ［屈曲］	○	C6			
		ECRL & B：手関節 ［伸展］		C6	○		
		supinator：前腕 ［回外］		C6			
	後骨間神経	EDC：第 2-5 指・MP ［伸展］			C7	C8	
	後骨間神経	ECU：手関節 ［伸展］			C7	C8	
	後骨間神経	APL：母指 ［橈側外転］			○	C8	
	後骨間神経	EPL/EPB：母指 ［IP/MP 伸展］			○	C8	
	後骨間神経	Ext. indicis：示指 ［伸展］			○	C8	
正中神経	medianus	pronator：前腕 ［回内］		C6	C7		
		palmaris longus：手関節屈曲・母指外転補助			C7	C8	
		FCR：手関節 ［屈曲］		○	C7		
	前骨間神経	FDP：第 2, 3 指・DIP ［屈曲］				○	T1
		FDS：第 2-5 指・PIP ［屈曲］				○	T1
	前骨間神経	FPL：母指 IP ［屈曲］				○	T1
		APB：母指 ［掌側外転］				○	T1
		opponens pollicis：母指 ［対立］				C8	○
尺骨神経	ulnaris	FCU：手関節 ［屈曲］			○	C8	
		FDP：第 4, 5 指・DIP ［屈曲］				C8	
		ADM：小指 ［外転］				C8	T1
		interossei：第 2-5 指 ［内外転］				C8	T1
		adductor pollicis：母指 ［内転］				○	T1

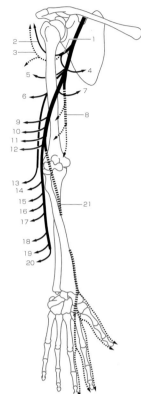
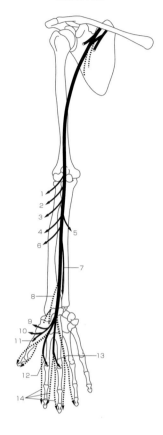
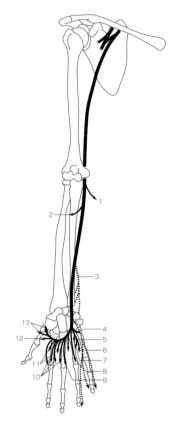

a. 橈骨神経　　b. 正中神経　　c. 尺骨神経

1：axillary nerve 腋窩神経
2：deltoid 三角筋
3：cutaneous branch to shoulder 外側上腕皮神経
4：teres minor 小円筋
5：triceps（long）上腕三頭筋（長頭）
6：triceps（lateral）上腕三頭筋（外側頭）
7：triceps（medial）上腕三頭筋（内側頭）
8：medial cutaneous branch 後上腕皮神経
9：brachioradialis 腕橈骨筋
10：extensor carpi radialis longus 長橈側手根伸筋
11：extensor carpi radialis brevis 短橈側手根伸筋
12：supinator 回外筋
13：anconeus 肘筋
14：extensor digitorum communis 総指伸筋
15：extensor digitorum to the fifth digit 第5総指伸筋
16：extensor carpi ulnaris 尺側手根伸筋
17：abductor pollicis longus 長母指外転筋
18：extensor pollicis brevis 短母指伸筋
19：extensor pollicis longus 長母指伸筋
20：extensor indicis proprius 示指伸筋
21：anterior sensory branch 後前腕皮神経

1：pronator teres 円回内筋
2：palmaris longus 長掌筋
3：palmaris brevis 短掌筋
4：flexor digitorum superficialis 浅指屈筋
5：flexor digitorum profundus to second and third digits 第2, 第3深指屈筋
6：flexor pollicis longus 長母指屈筋
7：pronator quadratus 方形回内筋
8：palmar cutaneous branch 掌側皮神経枝
9：abductor pollicis brevis 短母指外転筋
10：superficial branch to the flexor pollicis brevis 短母指屈筋（浅頭）
11：opponents pollicis 母指対立筋
12：first lumbrical 第1虫様筋
13：second lumbrical 第2虫様筋
14：collateral nerves（sensory）側副神経

1：flexor carpi ulnaris 尺側手根屈筋
2：flexor digitorum profundus supplying the fourth and fifth digits 深指屈筋（環小指）
3：dorsal cutaneous branch 背側皮神経
4：palmar cutaneous 掌側皮神経
5：abductor digiti minimi 小指外転筋
6：opponens digiti minimi 小指対立筋
7：flexor digiti minimi 小指屈筋
8：fourth lumbrical 第4虫様筋
9：third lumbrical 第3虫様筋
10：palmar interossei 掌側骨間筋
11：dorsal interossei 背側骨間筋
12：deep branch to the flexor pollicis brevis 短母指屈筋（深頭）
13：adductor pollicis 母指内転筋

図Ⅰ-1-39　上肢の末梢神経支配（文献40より改変）
橈骨神経（a），正中神経（b），尺骨神経（c）。知覚神経は点線で図示。

働く。

c. 股関節の外転（図Ⅰ-1-42）

中殿筋・小殿筋（gluteus medius & minimus）（L5, S1：上殿神経）。起始：腸骨，停止：大腿骨大転子。

※股関節屈曲位では大腿筋膜張筋（L4-L5）が代償する。下垂足をみたとき，この筋力が弱いかどうかがポイント！

d. 膝関節の屈曲（図Ⅰ-1-43）

大腿屈筋群（hamstrings）〔大腿二頭筋（biceps femoris），半膜様筋（semimembranosus），半腱様筋（semitendinosus）（L5-S2：坐骨神経）〕。起始：坐骨結節，停止：腓骨頭と脛骨外側顆（biceps femoris），脛骨内側顆。大腿二頭筋短頭のみが一関節筋で，それ以外は二関節筋。

e. 膝関節の伸展（図Ⅰ-1-44）

大腿四頭筋（quadriceps femoris）（L2-L4：大腿神経）。

内側広筋はL4根との関連が大きい。

f. 足関節の背屈（図Ⅰ-1-45）

前脛骨筋（tibialis anterior：TA）（L4＜L5：深腓骨神経）。起始：脛骨外側，停止：第1楔状骨，第1中足骨。

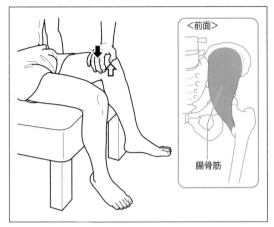

図Ⅰ-1-40　股関節の屈曲（L2-4）

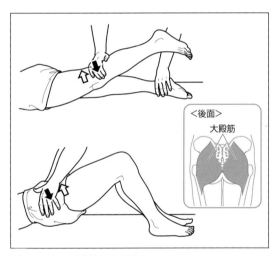

図Ⅰ-1-41　股関節の伸展（L5-S2）

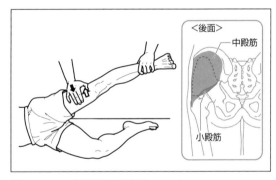

図Ⅰ-1-42　股関節の外転（L5-S1）

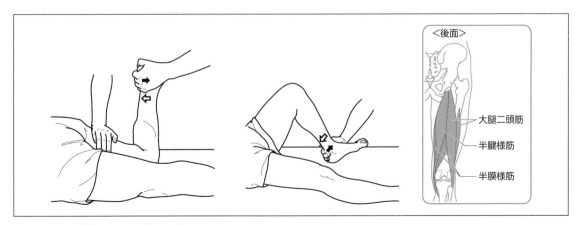

図Ⅰ-1-43　膝関節の屈曲（L5-S2）
左：腹臥位での調べ方，右：仰臥位での調べ方

座位で足関節を内反位で背屈させる。筋力2以下だと特徴的な鶏歩(steppage gait)を呈する(p42「腓骨神経麻痺」参照)。

(注意)TA筋力は重力の影響がほぼないので，筋力3を評価するのは現実的には困難である。座位で足関節背屈が不可でも仰臥位で動かすことができた場合の筋力は2か2⁻と評価する。仰臥位でも抵抗に抗して足関節の背屈が可能であれば，全可動域が動かなくとも筋力4と評価してよい。

g. 足の内がえし(inversion)(図Ⅰ-1-46)

後脛骨筋(tibialis posterior：TP)(L5-S1：脛骨神経)。起始：脛骨後面，腓骨内側，停止：舟状骨，全楔状骨，第2-4中足骨。

座位で足関節を底屈位に固定し，前足部の内側縁に抵抗を加え，足を内反(内がえし)させる。必ず内果と舟状骨の間で腱を触知する。臥位では足関節底屈位で両側の足底部を合わせるように指示する。**腓骨神経麻痺の場合，後脛骨筋の筋力は保たれているはずである**(p42「下垂足」参照)。

(注意)長母趾屈筋や長趾屈筋による代償が起こり得るので足趾の屈筋の力は抜かせる。

h. 足の外がえし(eversion)(図Ⅰ-1-47)

長・短腓骨筋(peroneus longus & brevis)(L5-S1：浅腓骨神経)。長腓骨筋／起始：腓骨の外側近位2/3，停止：第1楔状骨，第1中足骨。短腓骨筋／起始：腓骨の外側遠位2/3，停止：第5中足骨基部。

足関節を中間位に固定し，中足骨頭レベルに抵抗を加え，足を外反(外がえし)させる。臥位では両側の足底を合わせた状態から外側の中足部を持って足底から第5趾を離すように指示する。腱は外顆の後方に触知できるが，長腓骨筋

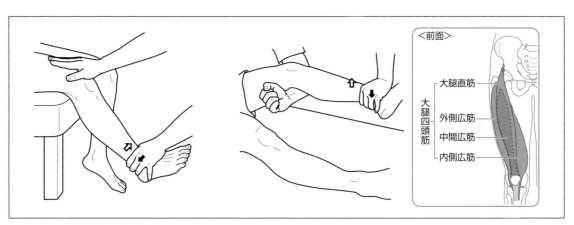

図Ⅰ-1-44　膝関節の伸展(L2-4)
左：座位での調べ方，右：仰臥位での調べ方

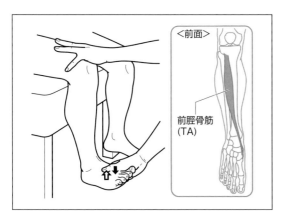

図Ⅰ-1-45　足関節の背屈(L4-5)

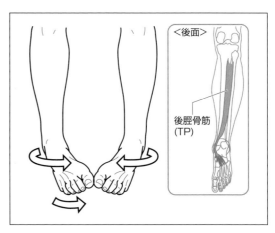

図Ⅰ-1-46　足の内がえし(L5-S1)

は短腓骨筋腱の後ろに触れる。長腓骨筋の筋腹は腓骨頭のすぐ尾側，下腿外側上1/3で，短腓骨筋（停止は第5中足骨底基部）の筋腹は下腿遠位部の腓骨外側面に触知できる。

（注意）足底屈を伴う外がえし運動は短腓骨筋によるもので，長腓骨筋の主な運動は第1中足骨頭を下に下げる動作である。外がえしに伴う足背屈は主に趾伸筋による。

i. 足関節の底屈（図Ⅰ-1-48）

腓腹筋（gastrocnemius）と**ヒラメ筋**（soleus）（S1-2：脛骨神経）。腓腹筋／起始：大腿骨内側および外側顆，停止：踵骨（アキレス腱）。ヒラメ筋／起始：腓骨と脛骨，停止：踵骨（アキレス腱）。

片側起立で膝関節を伸展させたままつま先立ちを20回以上繰り返すことができて初めて筋力5である。**片側起立でつま先立ちができなければ3⁻以下である**。仰臥位での最高筋力は2⁺までである。ヒラメ筋のみを検査したければ膝を半屈曲位で調べる。

j. 母趾の背屈（図Ⅰ-1-49）

長母趾伸筋（extensor hallucis longus：EHL）（L5：深腓骨神経）。起始：腓骨の前面中部1/3，停止：母趾の末節骨。

母趾のMP関節かIP関節の伸展。

▷**腓骨神経麻痺**（図Ⅰ-1-50）

深腓骨神経：前脛骨筋→長趾伸筋→長母趾伸筋→（第3腓骨筋）→短趾伸筋への筋枝のあと第1-2趾間背側の知覚を司る。浅腓骨神経：長腓骨筋→短腓骨筋の筋枝と下腿外側から足背にかけての知覚を司る。

▷**下垂足（drop foot）**

底屈位に拘縮した尖足（equinus foot/talipes equinus）と区別する。腰椎由来の麻痺との鑑別は，股関節の外転と足関節の外がえしおよび足趾の底屈筋力がポイントである。つまり，**腓骨神経麻痺では腓骨筋力も低下し，かつ後脛骨筋と中殿筋の筋力は保たれているはずである**。逆に，腰椎由来の下垂足の場合は後脛骨筋や足趾の屈筋も軽度低下していることが多い。確定診断は伝導速度による。

・L4/5＞L3/4レベルの障害が多い
・L5/Sの外側病変でも起こり得る
・腓骨神経麻痺（腓骨頭部の圧迫）
・胸腰椎移行部病変-円錐上部（epiconus）障害（T11/12〜T12/L1レベル）

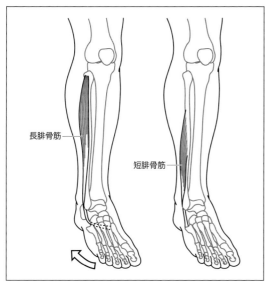

図Ⅰ-1-47 足の外がえし（L5-S1）

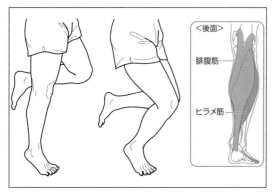

図Ⅰ-1-48 足関節の底屈（S1-2）
左は腓腹筋とヒラメ筋を同時に調べ，右はヒラメ筋のみ調べている。

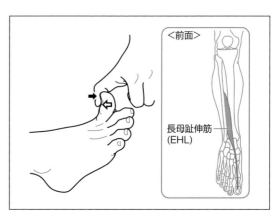

図Ⅰ-1-49 長母趾伸筋（EHL）（L5）

▷ 下垂足の鑑別診断
- Charcot-Marie-Tooth 病（p92 参照）
- 結節性動脈周囲炎などによる虚血性ニューロパチー
- 多発性ニューロパチー（糖尿病性，薬剤性，中毒性）
- 脳血管障害

● 筋力低下の用語

麻痺（plegia）は，一般的には筋力低下が高度な場合に用いられ，それ以外は不全麻痺（paresis）を用いる。

- **単麻痺（monoplegia）**：1つの体節（片側の上肢または下肢）に限局する麻痺
- **片麻痺（hemiplegia）**：体の片側に限局する麻痺
- **対麻痺（paraplegia）**：両側下肢の麻痺
- **両麻痺（diplegia）**：ある体節の両側を対称性に侵す麻痺で脳性麻痺でよく用いられる
- **四肢麻痺（tetraplegia または quadriplegia）**：両側上下肢の麻痺
- **pentaplegia**：四肢麻痺＋呼吸筋麻痺

3 深部腱反射[63,64]

腱をハンマーで叩くことにより筋が伸張され，筋紡錘から Ia 求心線維を介してインパルスが脊髄後根から脊髄前角に入り，同一筋の α 運動ニューロンを刺激し筋が収縮する（単シナプス性反射）。この筋収縮とそれによる関節の動きを観察することが深部腱反射の所見である。

- **臨床的意義**：反射が亢進していれば反射中枢より上位の運動ニューロン障害・錐体路障害を考え，反射が減弱・消失していれば反射弓の障害すなわち髄節障害かその末梢性の障害を考える（表 I-1-9）。すべての反射が亢進している場合には，下顎反射の有無を観察し運動ニューロン疾患（motor neuron disease），特に筋萎縮性側索硬化症（amyotrophic lateral sclerosis：ALS）を念頭に置いて鑑別することが重要である。
- **反射の評価**：反射の評価に絶対的な基準はなく，患者個人の傾向や左右差をとらえることが臨床上重要である。上肢であれば対側の手を握る，下肢であれば Jendrassik 法などの両手に力を入れる増強法を行い，筋収縮すら観察できなければ消失と判断する。反射が亢進していれば筋腹を叩いても反射が誘発されるが，神経回路を介さない idiomuscular con-

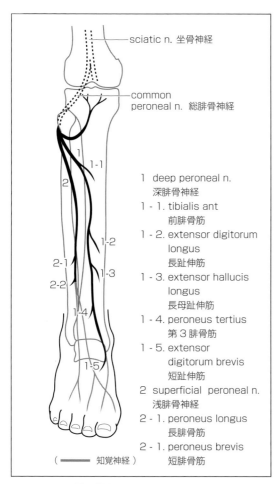

図 I-1-50　腓骨神経

表 I-1-9　腱反射異常の臨床的意義

反射の亢進　　　→反射中枢より上位の運動ニューロン障害・錐体路障害
反射の減弱・消失→反射弓の障害＝髄節障害かその末梢性の障害
脊髄レベルであれば反射中枢レベルの髄節障害または馬尾障害
末梢神経障害，多発性神経炎

traction をみている可能性があるので注意する。
- ■ 手順：所見をとるに際して適当な肢位は通常その関節の可動域の中間点であるが，アキレス腱反射のように，ときには腱に他動的に緊張を加えることで反射が誘発されやすい状態を作ることができる。また，出したい反射の腱を必ず指で触れるか筋収縮を目で確認するよう心がけることも重要である。
- ■ 道具：使用するハンマーの種類は重要で，先が円盤状の適度な重さをもったゴム製で弾性のある柄の長いクインスクエア型のものが使いやすい。

a. 下顎反射（jaw jerk）

求心路・遠心路は三叉神経，反射中枢は橋（pons）。

手順／軽く開口させ，顎の緊張をとるように命じ，下顎に検者の指を乗せその上をハンマーで叩く。

評価／正常ではほとんど認められない反射で，下顎が上昇すれば亢進と判定する。橋の三叉神経核より中枢の障害を示すもの。

b. 肩甲上腕反射（scapulohumeral reflex：SHR）[41]

C1-C4 髄節。

手順／座位で上腕を下垂位とし，肘関節を軽度屈曲位とする。肩甲棘中央部および肩峰をすばやく尾側へ向かって叩いて，僧帽筋上中部線維と肩甲挙筋を伸張させる。

評価／応答する肩甲骨挙上または肩関節外転（これは Deltoid = C5 髄節の腱反射亢進を意味する）を認めた場合のみ亢進と判断する。

c. 上腕二頭筋反射（biceps tendon reflex：BTR）（図 I -1-51, 52）

C5 髄節あるいは神経根。

手順／検者の前腕の上に患者の前腕を乗せ，肘窩の上で二頭筋の腱を母指で押さえ，その上からハンマーで叩く。

評価／二頭筋腱を叩いて三頭筋が収縮し肘が伸展する反射の逆転は拮抗筋の腱反射が亢進していることを示し，C5 髄節障害であることがわかる。

（注意）前腕の動きと同時に二頭筋腱の動きを母指で感知することと，必ず二頭筋の筋収縮を目で確認するか触れてみることが重要である。上腕二頭筋の収縮は認められないのに肘関節の屈曲が強く認められ，一見 BTR が亢進しているようにみえることがある。これは腕橈骨筋反射（BRR）が亢進しているときに認められる現象（BTR の偽亢進）で C5 髄節の単独障害（C6 髄節が障害されていない）の可能性が高い（主に C3/4 レベルの障害）。

d. 腕橈骨筋反射（brachioradialis reflex：BRR）（図 I -1-53, 54）

C6 髄節あるいは神経根。

手順／前腕を回内外中間位かやや回内位とし，手関節やや上の橈側を叩打し，肘の屈曲を観察する。橈骨の近位 1/3 付近で腕橈骨筋を叩打してもよい。前腕が回外すると同時に屈曲する。

評価／橈骨の近位 1/3 付近で叩打するときに手関節の背屈を伴うことがあるが，肘の屈曲が観察されなければ C6 髄節の障害の可能性が高い。

（注意）この反射を検査するときに肘の屈曲は

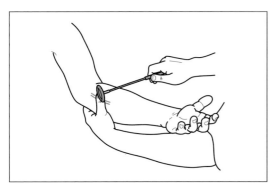

図 I -1-51　上腕二頭筋反射（BTR）の調べ方

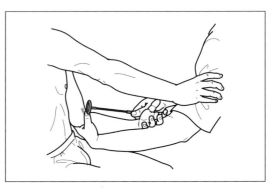

図 I -1-52　上腕反射増強法

みられず，手指の屈曲が生じることがある（腕橈骨筋反射の広汎化 diffusion, 図Ⅰ-1-52）。これは手指屈曲反射の亢進を表しているが，C6髄節の障害と同時にC8髄節が障害されていない（主にC4/5あるいはC5/6レベルの障害）ことを意味し髄節症候と索路症候を同時にとらえることができ診断価値は高い。

e. 上腕三頭筋反射（triceps tendon reflex：TTR）（図Ⅰ-1-55）

C7髄節あるいは神経根。

手順／座位の場合は，患者の手を腰に当てさせた肢位で検査するか，患者の後ろに立ち，上腕骨を持ち上げて前腕の重みによって肘関節を軽度屈曲させるとよい。ベッドに患者を腹臥位で寝かせ，前腕だけをベッドの端から下垂させた状態で検査するのも筋緊張を除去するのには有用である。

評価／この反射を検査するときに肘関節の伸展ではなく屈曲が生じることがある。この逆転現象はC7髄節の障害と同時にC5-6髄節が障害されていない（主にC5/6レベルの障害）ことを意味し，BRRの広汎化と同様に診断価値は高い。

f. 手指屈曲反射（finger flexion reflex）（図Ⅰ-1-56）

C8髄節。

手順／Trömner反射やHoffmann反射はMP関節や手関節の背屈を強めると出現しやすい。

評価／正常者では出にくいので，一般的には病的反射として扱っているが両側陽性のときは必ずしも病的とはいえない。**Wartenberg反射＞Trömner反射＞Hoffmann反射**の順に閾値が低いのでHoffmann反射陽性は病的意義は大きい。

g. 膝蓋腱反射（patellar tendon reflex：PTR）（図Ⅰ-1-57）

L4髄節あるいは神経根。

手順／座位でベッドから下腿を下垂させて調べる。

評価／反射が低下している場合は内側広筋，大腿直筋，外側広筋などを分けて触れ，収縮に差がないかを観察する。

h. アキレス腱反射（Achilles tendon reflex：ATR）（図Ⅰ-1-58）

S1髄節あるいは神経根。

手順／座位で検査するか，腹臥位で膝を90屈曲させ足関節を軽度背屈させながらアキレス腱を叩く。

評価／この反射弓は人体の単シナプス反射のうち最長のもので，多発性ニューロパチーで最も侵されやすい。70歳以上の高齢者では反射が消失していることが多く，正常に出現していれば，むしろ病的亢進を疑うべき場合が少なくない。

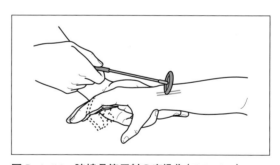

図Ⅰ-1-54　腕橈骨筋反射の広汎化（diffusion）

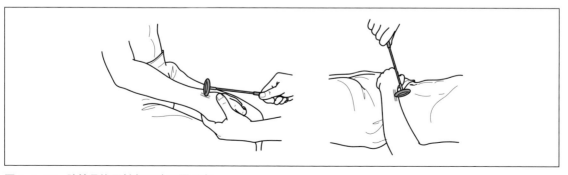

図Ⅰ-1-53　腕橈骨筋反射（BRR）の調べ方
左：座位での調べ方，右：臥位での調べ方

4 表在反射

皮膚の刺激で大脳皮質を介して起こる反射で，上位運動ニューロンの多シナプス性反射である。これに対して深部腱反射は下位運動ニューロンの反射で大脳から過度の反応を抑制されている。したがって，表在反射の消失を伴う深部腱反射の亢進は，大脳または上位運動

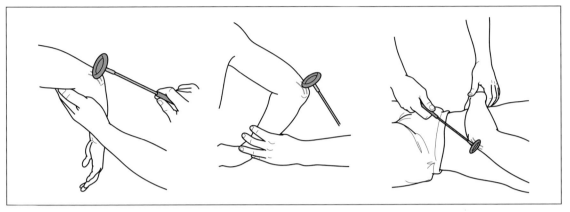

図 I -1-55　上腕三頭筋反射（TTR）の調べ方

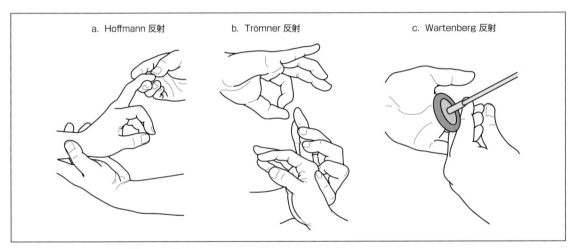

図 I -1-56　手指屈曲反射の調べ方

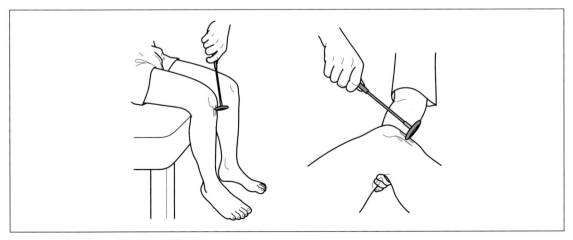

図 I -1-57　膝蓋腱反射（PTR）の調べ方

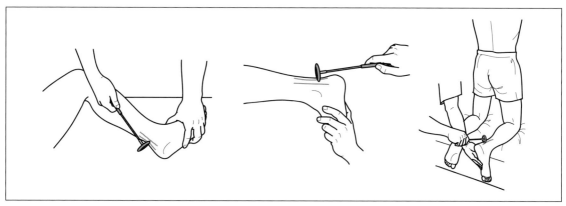

図 I-1-58 アキレス腱反射(ATR)の調べ方

ニューロンの病変を考える。

a. 腹壁反射(abdominal reflex)

求心路・遠心路はT7-12胸神経，反射中枢はT7-12髄節であるが，上部はT7-10(臍高位はT9-11)，下部はT10-12の支配。

手順／腹部をピンなどで外側からこする。

評価／臍が刺激のほうに動くのが正常である。脊柱変形を示す小児では，左右差や消失は脊髄空洞症を疑う重要な初診所見となる(p339参照)。

b. 挙睾筋反射(cremasteric reflex)

求心路は大腿神経，反射中枢はL1-2髄節で，遠心路は陰部大腿神経。

手順／大腿内側をピンなどで上から下にこする。

評価／睾丸が上方に引かれれば正常である。

c. 肛門反射(anal reflex)

求心路・遠心路は陰部神経，反射中枢はS3-5髄節。

手順／肛門周囲の皮膚を刺激する。

評価／肛門括約筋の収縮をみる。

d. 球海綿体反射(bulbocavernosus reflex：BCR)

求心路は陰部神経，反射中枢はS2-4髄節，遠心路は陰部神経あるいは骨盤部交感神経である。

手順／p303：図II-9-29参照

評価／脊髄レベルの術直後に両下肢筋力がゼロになった場合，BCRが陽性なら脊髄損傷によるspinal shockではない可能性が高く，回復を期待できる。

5 病的反射

a. 口尖らし反射(snout reflex)

手順／上唇の中央を指かハンマーで叩く。

評価／唇が突出し唇に皺ができる。陽性の場合は異常で，脳での両側錐体路障害を意味する。

b. Babinski反射[65,66]

Joseph François Felix Babinski(1857-1932, フランスの神経内科医。両親はポーランド人)

求心路は足底神経(L5-S1)，反射中枢はL3-S1髄節，遠心路はL4-5。

手順／仰臥位で，膝関節伸展位で足首を上方から押さえながら足底部外縁を踵側から足趾側にかけてこする。

評価／陽性は伸展型だが，陰性でも屈曲型や無反応(indifferentあるいはsilent)という記載が望ましい。はっきりしない場合は，equivocalと表現し後日再現性を調べる。

(参考)圧迫性頸髄症における錐体路徴候としての感度はおよそ50%だが，典型的な母趾伸展型の出現に関しては歩行障害の重症度と相関する。つまり，歩行障害が重症なほどBabinski反射の陽性率が高くなる[42]。

6 感覚障害の診かた(図I-1-59)

表在感覚(触覚，温痛覚)や深部感覚(振動覚，位置覚など)を調べるが，自覚的な異常感覚(ピリピリ感，ジンジン感)も重要である。後索病変では手指(特に指腹)や足部(特に足趾と足底)に異常感覚をきたすことが多く，亀山[43,44]は「後索病変＝識別感覚(複合感覚)障害」と位置づけ

ている。
　ここでは脊椎脊髄病で重要なポイントを記す。

a. 診察時に注意すること

- 対照部位と検査部位とを比較して，「同じように感じるかどうか？」を答えさせる。弱いか，強いかを問うと，患者はどちらか答えなくてはならないように思ってしまうので避ける。
- 温痛覚に左右差がある場合は，必ず筋力（あるいは自覚的脱力）に左右差があるかどうかを確認する必要がある。逆に上下肢の筋力に左右差がある場合も，温痛覚に左右差があるかどうかを確認することが脊髄半切症候群（Brown-Séquard 症候群）を見落とさないポイントである。
- 痛覚は通常のピンや針による表在痛覚だけでなく深部痛覚（deep pain）も重要である。deep pain は，僧帽筋の筋腹をつまみ，それを対照に他の筋腹をつまみ比較する。

b. 評価のポイント

　脊髄症で訴える感覚障害の分布は，多くは手袋・靴下型で多発性神経障害（多発ニューロパチー：polyneuropathy）の分布と同じである。腱反射が低下あるいは消失している場合は，**polyneuropathy** を呈するアミロイドーシス，糖尿病，ビタミン欠乏症（B_1，B_6，B_{12}），膠原病，甲状腺機能低下症，中毒などを念頭に置く。また，polyneuropathy は通常，両側性の感覚障害を呈し，上肢よりも下肢が優位に障害される（末梢神経の長さに由来）。

▷痛覚に関する用語

- **hyperpathia**：刺激に対して異常な痛み反応を示す状態。通常の強さの刺激では痛覚鈍麻（hypoalgesia）を伴っているのに，強い疼痛刺激で極めて不快な長く尾を引く疼痛が，刺激した部位だけでなくその側の半身に広がって感じられる現象で，視床病変に特徴的である。
- **allodynia**：通常痛みを誘発しない刺激に対し

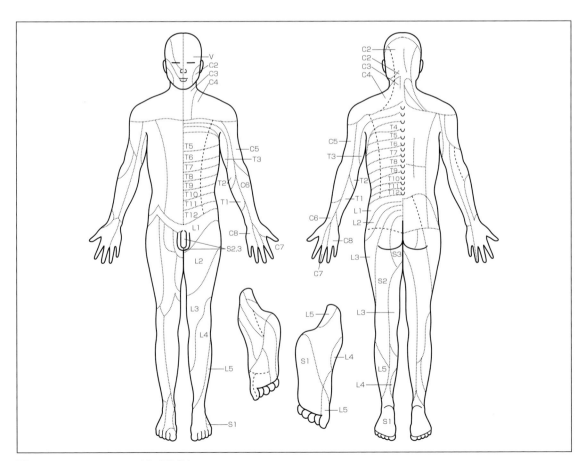

図 I -1-59　dermatome（皮膚分節）

て痛みを生じる状態。触れるだけで痛みを感じる状態で上行路遮断性疼痛(deafferentation pain)に特徴的である。
- hyperalgesia(痛覚過敏)：痛みを誘発するような刺激に対して反応の亢進した状態。
- dysesthesia：自発的に，あるいは誘発されて生じる不快な異常感覚。
- paresthesia：自発的に，あるいは誘発されて生じる異常感覚。

c. 感覚の伝導路

- 温痛覚：脊髄後角で二次ニューロンに中継され，外側脊髄視床路によって視床，皮質に伝わる。温痛覚過敏や自覚的異常感覚は，後索病変で生じることがあるので留意する[45]。
- 触覚：light touch は脊髄後角で二次ニューロンに中継され前脊髄視床路によって視床に伝わる。
- 深部知覚：振動覚，関節位置覚などは脊髄後索を通って延髄の後索核に送られ，ここで二次ニューロンに中継され，内側毛帯を介して視床に伝わる。母指探し試験(下記)は上肢において有用である。

d. 脊椎脊髄病学で有用な感覚所見

- 母指探し試験：閉眼下に他動的に動かした後に一側の母指を空間上に固定し，他方の手でその母指をつかませる。位置覚を中心にした深部感覚のスクリーニングに適している[46]。
- cervical line：胸部の中央あたりから頭側に軽くピンなどでこすると，痛みを強く感じる部位が上胸部から背部にかけて帯状に認められることがある。これは C5，C6 髄節障害のときに皮膚髄節が C4 から胸髄節に飛ぶためである。患者によっては自発的に胸部に帯状の痛みを訴えることもある。

▷上位頚椎病変で顔面を囲むような分布の感覚障害

　顔面の表在覚を伝える三叉神経脊髄路は橋，延髄の外側を下行し脊髄路核で線維を変え対側に交叉して三叉神経視床路として上行する。脊髄路核は C2 椎体下部(C3-4 髄節移行部)まで下行しているので，上位頚椎病変で顔面を囲むような分布の感覚障害を呈することがある。ただし，下顎角は三叉神経領域ではなく C2 領域なので知覚障害の境界が下顎縁になることは解剖学的にはない。

7 冠名徴候

a. Romberg(ロンベルグ)徴候
Moritz Heinrich Romberg(1795-1873，ドイツ人)

- 両足を揃えて起立させ，ふらつかないことを確認してから，眼を閉じさせると直ちに身体の動揺が増強してバランスが保てなくなる。
- 深部感覚障害の指標で，主に脊髄後索性運動失調による。もともとは脊髄癆(tabes dorsalis)における徴候である[67]。
- 脊髄癆，多発性硬化症，亜急性連合性脊髄変性症(ビタミン B_{12} 欠乏)などの脊髄後索障害と前庭(迷路)障害で認められる。糖尿病や CIDP などの末梢神経障害でも認められる(p92 参照)。
- 小脳性平衡障害では閉眼でふらつきが増強することはない。
- Walking Romberg Test：開眼で 5 m 歩かせてから，次に閉眼で歩かせることで陽性率が高くなる(もちろん転倒には十分配慮する必要がある)[47]。
- Mann test(前述)：両足を縦に一直線に揃えて行う Romberg 試験(tandem Romberg test)だが，正常人でもふらつくことがあり高齢者では立位すら保持できず偽陽性者も多いのが難点である。この場合は足を前後に半歩ずらした姿勢(semi-tandem stand)で行う。

b. Hoover(フーバー)徴候[68]
Charles Franklin Hoover(1865-1927，アメリカ人，クリーブランドの呼吸循環専門医)

- 片側の下肢筋力低下の場合，仰臥位において片足を挙上するときには，必ず反対側の足を下方に押しつけるような健常者と同様の反向運動が生じ，逆に片足を下方に押しつけようとするときには反対側の足を挙上する方向の反向運動が生じる。
- 詐病やヒステリーによる下肢麻痺の場合はこのような麻痺側の足の挙上に伴って健側の足に認められるべき反向運動が欠如する(p26「原因不明の麻痺(筋力低下)」参照)。

c. Lhermitte(レルミット)徴候[69]
Jacques Jean Lhermitte(1877-1959，フランスの神経内科医)

- 仰臥位で頚を他動的に前屈させると電撃痛が項部から脊柱に沿って生じ，下肢末梢や上肢

に放散するもの。
- 脊髄後索の障害による刺激症状であるが，外側脊髄視床路の障害によっても起こり得る．多発性硬化症でも認められるが，その他の脊髄脱髄疾患や頚椎疾患でも認められる．

d. Beevor（ビーバー）徴候[70]

Charles E. Beevor（1854-1908, イギリス人）

- T10-11 胸髄節に病変があるときに腹直筋の下半分に脱力が起こるため，臥位で患者に臍を見るように頭を挙上させると臍が上方に移動する．

e. Lasègue（ラセーグ）徴候[71,72]

Ernest Charles Lasègue（1816-1883, フランス人）

- 仰臥位で膝関節を伸展させて下肢を挙上させると坐骨神経に沿った痛みが誘発されるが，膝関節を屈曲させて股関節を屈曲させても疼痛が誘発されない．この2つの手技がオリジナルである．

1-7. 造影検査・ブロック注射

1 硬膜外ステロイド注射

- **適応**／根性腰痛症：椎間板ヘルニア，広義の腰部脊柱管狭窄症
- **適応禁忌・注意**
  - 凝固系の異常（肝硬変，ワルファリン治療中）や感染症
  - 糖尿病症例では，血糖値の上昇（ステロイド使用時）と感染に注意する．
  - 外来レベルで局所麻酔薬を使用する場合は，仙骨裂孔から刺入する仙骨ブロックが有用であるが，本書では腰部での硬膜外穿刺手技について記載する．
- **手技**
  準備：スパイナル針，10 mL 注射器，生理食塩水，リンデロン® 2 mg
  ① 患側を下側になるように側臥位にし，両手で膝を抱え背部を前屈させ，頚部は前屈させる．
  ② 診断にて病巣周辺の椎体間から穿刺部位を決定し，穿刺部位を中心に幅広く消毒する．
  ③ Jacoby 線を確認し，穿刺部位を改めて確認する．
  ④ 穿刺針を両手で持ち刺入していく．
  ⑤ 2～3 cm 刺入した穿刺針に生理食塩水を入れた注射器を挿入し，生理食塩水を圧入しながら穿刺針を深く穿刺していくと，抵抗なく生理食塩水を圧入できる部位に到達する（loss of resistance）．
  ⑥ ここで穿刺針を止め注射器を穿刺針から抜き，髄液の流出がないことを確認する．
  ⑦ 薬剤を入れた注射器に変えて穿刺針から注入する．
- **合併症・副作用**
  - 糖尿病症例でインスリンの必要量が高まり，血糖値が上昇することがある．
  - 硬膜穿刺（2.5%）
  - 頭痛（2.3%）：SG 顆粒® が有効なことがある．
  - 硬膜外血腫
  - 感染：硬膜外膿瘍（たいていは糖尿病で起こる），髄膜炎
  - 局所麻酔薬を追加するときは，くも膜下穿刺による血圧低下や呼吸筋麻痺に十分注意する．仙骨裂孔からの刺入のほうが無難である．あるいはエピネフリン入り局所麻酔薬をテストドーズとして2～3 mL 注入して，経過をみてから局所麻酔薬を追加する．
- **効果**：文献毎に結論はさまざまだが，長期・短期でもステロイド群がプラセボ群より有効である．ただし，1年以上の長期での効果は薄い．腰椎穿刺と仙骨穿刺での差はない[48]．結論としては，ステロイドの効果は不明で[49]，特に腰部脊柱管狭窄症では局所麻酔薬単独に比してステロイドの効果は見出されていない[50]．

2 脊髄造影（myelography）

脊髄造影（myelography）は MRI 検査により必須の検査ではなくなりつつあるが，立位や前後屈で動態評価ができるため脊椎外科の術前精査としてはいまだ重要な地位を占めている[51]．金属固定されている症例や後側弯変形を認める場合は特に有用な検査である．

抗血栓薬服用の有無を問診し，プロトロンビ

ン時間(PT)や血小板数をチェックする。ワルファリン投与中の患者はPT(PT-INR)でコントロール状態を確認し，検査前に中止してヘパリンに変更してから検査を行うか，中止せずに検査前にビタミンK$_2$の緩徐静注で中和して行うかは，処方医あるいは循環器科にコンサルトすることが必要である(p16「術前評価」参照)。

■**検査手順**

準備：脊髄造影用造影剤，穿刺針，注射器。

(注意)くも膜内に注入する造影剤は，必ず自分で確認して注射器を引くよう心がける。間違わないように造影剤以外の注射液は吸わないことがリスク回避に有用である。

① 体位は側臥位または腹臥位とする。高度な脊柱管狭窄や手術歴のある患者は，正中穿刺を逃さないため最初から腹臥位で透視下に椎弓間の正中を目標に穿刺するほうが容易である。
② 広い範囲を消毒する。
③ 穿刺部位の確認：カルテまたは画像にて圧迫部位を確認したら，基本的にはその上位から穿刺する。後弯がある場合は，前弯部よりも後弯部のほうが穿刺しやすい。ただし，L1/2より上位の脊髄レベルは注意する。
④ X線プロテクターを着用し，穿刺部位の棘間から正中を逃さないように針を進めていき，黄色靱帯，硬膜を貫く感覚を確かめながら髄液の流出を確認する。
⑤ 術後麻痺や腫瘍など特殊な場合はQueckenstedt検査をするが，それら以外はバックフローを適宜確かめながら造影剤を注入していく(透視でも確認)。このとき針が動かないように片方の手で針を押さえ手関節を患者の背部に固定しておく。髄液のバックフローを確認しても注入時に針先が動くと硬膜外や硬膜とくも膜の間に注入されることがあるので，疑わしいときは透視で適宜確認する。
⑥ 基本的な撮影体位は1)立位正面・側面，2)前屈・後屈側面，3)両斜位(片側の根症状の場合は患側を下にした側臥位正面も有用)，4)胸腰椎移行部側面・正面，5)胸椎正面・頸椎正面，6)頸椎での通過性が悪ければ頸椎側面を追加する。

■**注意**

① **後頭下穿刺法**：側臥位で透視下に後頭骨に針先をいったん当てて沿わせるようにして後頭骨・環椎間を穿刺する。正中を逃さないことと，環椎後弓を目標とすれば容易に穿刺可能である。
② 占拠率の高い靱帯骨化症や脊髄腫瘍の症例では，検査後に神経症状の悪化や痙性あるいは疼痛の増強を認めることがあるが，通常はメチルプレドニゾロンやデキサメタゾンを適量静注することにより改善する。
③ 検査後の頭痛に関しては，検査後20時間安静を保たせた場合の頻度が8.9%で，すぐに座位をとらせた場合や歩かせた場合の頻度が14.4%と有意差がなかったとの報告がある(ただし女性に頭痛の頻度は多い)[52]。また，検査後の頭痛に対してSG顆粒®が有効なことがある。

3 腰椎神経根造影・ブロック(radiculography, nerve root block)

■**適応**

1) 複数の神経根症状：責任病巣の検索
2) L5/SでのL5神経根症状

■**検査手順**(斜位直接刺入法[53]が容易である)

準備：脊髄用造影剤2〜3 mL，ブロック針(9-10 cm 22-23 G)，小児用延長チューブ(内腔0.3 mL)，局所麻酔薬1〜1.5 mL

① 体位は，患側を上にした45°程度の斜位とする。
② 透視しながら目的レベルの椎弓根が見えるように管球を頭側へ傾ける。
③ 椎弓根の直下を穿刺目標として，管球に平行にまっすぐ刺入する。放散痛を確認した後，小児用延長チューブを連結し造影剤を注入する(正面，斜位を主に撮影する)。
④ 局所麻酔薬(キシロカイン® 1%)1〜1.5 mL＋治療目的の場合はリンデロン® 0.5 mLを注入する。延長チューブの内腔を考慮し，総量1.5 mL程度にとどめる。
⑤ ブロック後はすぐに知覚検査と筋力検査を施行し，歩行や痛みを誘発させる体位をとらせて効果を判定する。

■注意

S1神経根穿刺：腹臥位でまず管球を頭側に傾け，S1後仙骨孔を確認した後，20°程度の斜位をとらせる．正面像では前仙骨孔のほうが見えやすい．後仙骨孔は仙骨後外側から前内側に向いているため，L5/S椎間板が抜ける角度まで頭側に管球を傾けてやや斜位にすることにより後仙骨孔は固定しやすくなる．

4 頚椎神経根ブロック

■目的

頚椎神経根症の障害神経根の確認と治療

■検査手順

◎前方刺入：頚部を刺入反対側に回旋させておき，指で胸鎖乳突筋と頚動脈鞘を外側に避けて透視下に目的神経根の椎弓根と横突起をねらって22Gの針を刺入する（C6根の場合は，C6椎体椎弓根と横突起のすぐ頭側が目標）．必ず吸引テストの後に局所麻酔薬1～2mLを注入する．

◎側方刺入：乳様突起の先端とChassaignac結節（C6前結節）を結ぶ線を想定し，その直線上または0.5cm後方を刺入点とする．目的の神経根の1椎体頭側横突起を指で触れ針を刺入し，横突起先端に当てた後に前方にずらして放散痛を確認する．被験者に斜位をとらせて椎間孔をみながら針を進めてもよい．

◎エコーガイド下刺入：最近ではエコーガイド下により安全に刺入できるようになってきた．

■**合併症**：椎骨動脈穿刺，局所麻酔薬のくも膜下腔注入，気胸などが考えられる．5～10分は意識や呼吸に注意する．気胸の場合は，1～2時間後に呼吸困難が出現することもある．

5 椎間板造影（discography）・椎間板穿刺

■適応

1) 外側ヘルニア（extra-foraminal）
2) L5/SでのL5神経根障害
3) 椎間板性腰痛（discogenic pain）の診断・治療
4) 脊椎炎（化膿性・結核性）を疑う場合は当該レベルの穿刺目的に行う

■検査手順（斜位直接刺入法[54]が容易である）

準備：造影剤，穿刺針（21G，12cmがなければPTC穿刺針），注射器．生検目的の場合はオスティーカットが有用である．

① 体位は患側を下にした斜位とする．
② 透視下に上関節突起前縁が目的椎間板の中央やや後方に位置するよう斜位を調節する．
③ 椎間板間隙がよく見えるように管球を頭側へ傾ける．
④ 穿刺部位は椎間板の中央で上関節突起の前方部分とする．
⑤ 線維輪を貫通した感覚を得てから約2cm進め，針先を側面像と正面像で確認した後に，造影剤を注入し撮影する（撮影は，正面と側面）．
⑥ 検査後は，CTを撮影し，感染予防のため検査後と検査翌日に抗菌薬を静注する．

■注意

胸椎椎間板穿刺[54]：T9/10よりも頭側の椎間では肋骨頭が椎間板をまたいで上下の椎体に停止している．したがって，刺入した針は肋骨頚部の後面，横突起の上縁を通り，椎間関節と肋骨頭の間から椎間板に達することになる．T10/11よりも尾側では肋骨頭が下位椎体の上部後方にのみ停止する．したがって，肋骨による刺入の制約はなく腰椎同様に行うことができる．

体位は透視をみながら斜位像で肋骨頭と椎間関節との間隙が椎間板の中央線上に位置するように斜位角を調節する．椎間板間隙が最もよく写るように管球を頭尾側方向に傾ける．そこで肋骨頭と椎間関節との間隙で椎間板中央部を穿刺部位とする．

引用文献

1) 生坂政臣：めざせ！外来診療の達人．日本医事新報社，pp60，2006．
2) White AA, Panjabi MM：The basic kinematics of the human spine. Spine 3：12-20, 1978.
3) Ranawat CS, O'Leary P, Pellicci P, et al：Cervical spine fusion in rheumatoid arthritis. J Bone Joint Surg Am 61：1003-1010, 1979.
4) Redlund-Johnell I, Pettersson H：Vertical dislocation of the C1 and C2-vertebrae in rheumatoid arthritis. Acta Radiol Diagn 25：23-28, 1984.
5) 肥後　勝，酒匂　崇，鈴木悠史，他：頚部脊柱管狭窄症の脊柱管前後径に関するX線学的検討．臨整外

19：361-366，1984.
6) Edwards WC, La Rocca H：The developmental segmental sagittal diameter of the cervical spinal canal in patients with cervical spondylosis. Spine 8：20-27, 1983.
7) 片岡　治，栗原　章，円尾宗司：頚椎症性脊髄症における dynamic canal stenosis について．臨整外 10：1183-1143，1975.
8) Taylor AR：The mechanism of injury to the spinal cord in the neck without damage to the vertebral column. J Bone Joint Surg Br 33：543-547, 1951.
9) Borden AG, Rechtman AM, Gershon-Cohen J：The normal cervical lordosis. Radiology 74：806-809, 1960.
10) 石原　明：正常人の頚椎弯曲に関するX線学的検討．日整会誌 42：1033-1044，1968.
11) Kawakami M, Tamaki T, Iwasaki H, et al：A comparative study of surgical approaches for cervical compressive myelopathy. Clin Orthop 381：129-136, 2000.
12) Kuntz C 4th, Levin, LS, Ondra SL, et al：Neutral upright sagittal spinal alignment from the occiput to the pelvis in asymptomatic adults：a review and resynthesis of the literature. J Neurosurg Spine 6：104-112, 2007.
13) Miyata M, Neo M, Fujibayashi S, et al：O-C2 angle as a predictor of dyspnea and/or dysphagia after occipitocervical fusion. Spine 34：184-188, 2009.
14) Ota M, Neo M, Aoyama T, et al：Impact of the O-C2 angle on the oropharyngeal space in normal patients. Spine 36：E720-E726, 2011.
15) Izeki M, Neo M, Takemoto M, et al：The O-C2 angle established at occipito-cervical fusion dictates the patient's destiny in terms of postoperative dyspnea and/or dysphagia. Eur Spine J 23：328-336, 2014.
16) Morizane K, Takemoto M, Neo M, et al：Occipital and external acoustic meatus to axis angle as a predictor of the oropharyngeal space in healthy volunteers：a novel parameter for craniocervical junction alignment. Spine J 18：811-817, 2018.
17) Izeki M, Neo M, Ito H, et al：Reduction of atlantoaxial subluxation causes airway stenosis. Spine 38：E513-E520, 2013.
18) Morizane K, Takemoto M, Neo M, et al：Occipital and external acoustic meatus to axis angle：a useful predictor of oropharyngeal space in rheumatoid arthritis patients with atlantoaxial subluxation. J Neurosurg Spine 32：534-541, 2019.
19) Glassman SD, Berven S, Bridwell K, et al：Correlation of radiographic parameters and clinical symptoms in adult scoliosis. Spine 30：682-688, 2005.
20) 日本骨代謝学会，日本骨粗鬆症学会合同原発性骨粗鬆症診断基準改訂検討委員会：原発性骨粗鬆症の診断基準(2012年度改訂版)．Osteoporos Jpn 21：9-21, 2013.
21) Soen S, Fukunaga M, Sugimoto T, et al：Diagnostic criteria for primary osteoporosis：year 2012 revision. J Bone Miner Metab 31：247-257, 2013.
22) 折茂　肇，林　泰史，福永仁夫，他：原発性骨粗鬆症の診断基準(2000年度改訂版)．日骨代謝誌 18：76-82，2001.
23) Friedrich M, Gittler G, Pieler-Bruha E：Misleading history of pain location in 51 patients with osteoporotic vertebral fractures. Eur Spine J 15：1797-1800, 2006.
24) Toyone T, Tanaka T, Wada Y, et al：Changes in vertebral wedging rate between supine and standing position and its association with back pain：a prospective study in patients with osteoporotic vertebral compression fractures. Spine 31：2963-2966, 2006.
25) Tujio T, Nakamura H, Terai H, et al：Characteristic radiographic or magnetic resonance images of fresh osteoporotic vertebral fractures predicting potential risk for nonunion. Spine 36：1229-1235, 2011.
26) Xue Q, Li H, Zou X, et al：The influence of alendronate treatment and bone graft volume on posterior lateral spin fusion in a porcine model. Spine 30：1116-1121, 2005.
27) 生坂政臣：めざせ！外来診療の達人，日本医事新報社．pp68-69, 2006.
28) Hoover CF：A new sign for the detection of malingering and functional paresis of the lower extremities. JAMA 51：746-747, 1908.
29) Sonoo M：Abductor sign：A reliable new sign to detect unilateral non-organic paresis of the lower limb. J Neurol Neurosurg Psychiatry 75：121-125, 2004.
30) Yugue I, Shiba K, Ueta T, et al：A new clinical evaluation for hysterical paralysis. Spine 29：1910-1913, 2004.
31) Yamada K, Abe H, Higashikawa A, et al：Evidence-based Care Bundles for Preventing Surgical Site Infections in Spinal Instrumentation Surgery. Spine 43：1765-1773, 2018.
32) Hislop HJ, Montgomery J：Daniels and Worthingham's Muscle Testing：Techniques of Manual Examination 7th ed, WB Saunders, Philadelphia, 2002.
33) 園生雅弘：筋力低下　徒手筋力テストについて．脊椎脊髄 27：8-16，2014.
34) 園生雅弘：頚椎症性筋萎縮症と下垂指．脊椎脊髄 30：101-106，2017.
35) 田中靖久，国分正一，小澤浩司，他：下垂指(drop finger)を来す頚部神経根症．臨整外 39：475-480, 2004.
36) Chiba T, Konoeda F, Higashihara M, et al：C8 and T1 innervation of forearm muscles. Clin Neurophysiol 126：837-842, 2015.
37) Kuwabara S, Sonoo M, Komori T, et al：Dissociated small hand muscle atrophy in amyotrophic lateral sclerosis：frequency, extent, and specificity. Muscle Nerve 37：426-430, 2008.
38) Wilbourn AJ：The split hand syndrome. Muscle Nerve 23：138, 2000.
39) 桑原　聡：脊髄・脊椎疾患における手の症候学：筋萎縮性側索硬化症における Split Hand．脊髄外科 25：248-251，2011.

40) Tubiana R : The Hand, WB Saunders, p281, 285, 289, 1981.
41) 清水敬親, 島田晴彦 : Scapulohumeral Reflex—その臨床的意義と検査手技の実際. 臨整外 27 : 529-536, 1992.
42) Chikuda H, Seichi A, Takeshita K, et al : Correlation between pyramidal signs and the severity of cervical myelopathy. Eur Spine J 19 : 1684-1689, 2010.
43) 亀山 隆 : 圧迫性頸髄症における手指のしびれ（自覚的異常感覚）の責任病巣はどこか？ —日常の臨床的観察からの考察. 脊椎脊髄 25 : 971-980, 2012.
44) 亀山 隆 : 頸椎症性脊髄症の感覚障害 脊髄の感覚症候学の新しい考え方. 脊椎脊髄 30 : 117-125, 2017.
45) 亀山 隆 : 感覚障害. 脊椎脊髄 27 : 25-34, 2014.
46) 平山惠造 : 母指さがし試験—関節定位覚障害の検査—. 臨床神経 26 : 448-454, 1986.
47) Findlay GFG, Balain B, Trivedi JM, et al : Does walking change the Romberg sign? Eur Spin J 18 : 1528-1531, 2009.
48) Watts RW, Silagy CA : A meta-analysis on the efficacy of epidural corticosteroids in the treatment of sciatica. Anaesth Intensive Care 23 : 564-569, 1995.
49) Koes BW, Scholten RJ, Mens JM : Efficacy of epidural steroid injections for low back pain and sciatica : a systemic review of randomized clinical trials. Pain 63 : 279-288, 1995.
50) Friedly JL, Comstock BA, Turner JA, et al : A randomized trial of epidural glucocorticoid injections for spinal stenosis. N Engl J Med 371 : 11-21, 2014.
51) Morita M, Miyauchi A, Okuda S, et al : Comparison between MRI and myelography in lumbar spinal canal stenosis for the decision of levels of decompression surgery. J Spinal Disord Tech 24 : 31-36, 2011.
52) Murata Y, Yamagata M, Ogata K, et al : The influence of early ambulation and other factors on headache after lumbar myelography. J Bone Joint Surg Br 85 : 531-534, 2003.
53) 佐藤哲朗, 平田 晋, 金淵隆人 : 腰仙部神経根穿刺に対する斜位直接刺入法. 臨整外 25 : 221-225, 1990.
54) 佐藤哲朗, 平田 晋, 金淵隆人 : 腰椎, 胸腰椎間板穿刺のための斜位直接刺入法. 臨整外 24 : 1439-1447, 1989.

参考文献

55) Jackson RP, Peterson MD, McManus AC, et al : Compensatory spinopelvic balance over the hip axis and better reliability in measuring lordosis to the pelvic radius on standing lateral radiographs of adult volunteers and patients. Spine 23 : 1750-1767, 1998.
56) Jackson RP, Kanemura T, Kawakami N, et al : Lumbopelvic lordosis and pelvic balance on repeated standing lateral radiographs of adult volunteers and untreated patients with constant low back pain. Spine 25 : 575-586, 2000.
57) Cohen S, Levy RM, Keller M, et al : Risedronate therapy prevents corticosteroid-induced bone loss : a twelve-month, multicenter, randomized, double-blind, placebo-controlled, parallel-group study. Arthritis Rheum 42 : 2309-2318, 1999.
58) Reid DM, Hughes RA, Laan RF, et al : Efficacy and safety of daily risedronate in the treatment of corticosteroid-induced osteoporosis in men and women : a randomized trial. European Corticosteroid-Induced Osteoporosis Treatment Study. J Bone Miner Res 15 : 1006-1013, 2000.
59) Saag KG, Emkey R, Schnitzer TJ, et al : Alendronate for the prevention and treatment of glucocorticoid-induced osteoporosis. Glucocorticoid-Induced Osteoporosis Intervention Study Group. N Engl J Med 339 : 292-299, 1998.
60) Adachi JD, Saag KG, Delmas PD, et al : Two-year effects of alendronate on bone mineral density and vertebral fracture in patients receiving glucocorticoids : a randomized, double-blind, placebo-controlled extension trial. Arthritis Rheum 44 : 202-211, 2001.
61) Suzuki Y, Nawata H, Soen S, et al : Guidelines on the management and treatment for glucocorticoid-induced osteoporosis of the Japanese Society for Bone and Mineral Research : 2014 update. J Bone Miner Metab 32 : 337-350, 2014.
62) 津山直一, 中村耕三 訳 : 新・徒手筋力検査法 原著第8版, 協同医書出版社, pp2-9, 2008.
63) 冨士武史, 加藤泰司 編 : 整形外科研修なんでも質問箱 145, 南江堂, pp92-94, 2007.
64) 岩田 誠 : 神経症候学を学ぶ人のために, 医学書院, pp186-192, 1994.
65) Babinski J : Sur le réflexe cutané plantaire dans son certaines affections organiques du système nerveux central. C R Soc Biol (Paris) 3 : 207-208, 1897.
66) Babinski : Du phénomène des orteils et de sa valeur sémiologique. Semaine Méd 18 : 321-322, 1898.
67) Romberg MH : Lehrbuch der Nervenkrankheiten des Menschen, Alexander Duncker, Berlin, 1846.
68) Hoover CF : A new sign for the detection of malingering and functional paresis of the lower extremities. JAMA 51 : 746-747, 1908.
69) Lhermitte J, Bollack J, Nicolas M : Les douleurs à type de décharge électrique consécutives à la flexion céphalique dans la sclérose en plaques : un cas de forme sensitive de la sclérose multiple. Rev Neurol 39 : 56-62, 1924.
70) Beevor CE : The Croonian Lectures on Muscular Movements and Their Representation in the Central Nervous System. Br Med J 2 : 12-16, 1903.
71) Forst J-J : Contribution à l'étude clinique de la sciatique. Thése 33 : 1-52, 1881.
72) Lasègue C : Considérations sur la sciatique. Arch Génde Méd 2 : 558-580, 1864.

付．公費負担医療制度に関して

特定の病気や小児を対象として診療費の全額または一部を公費で負担する制度がある．具体的な助成内容や自己負担額に関しては収入によって異なるので，病院事務係にて相談する．

（注意）更生医療，育成医療，精神治療医療は平成18年4月から障害者自立支援法に基づく自立支援医療費に移行した．更生医療，育成医療は自己負担額が原則1割だが，世帯の収入などにより月額上限額が決まる．

a．更生医療

身体障害者手帳を持っている患者（18歳以上）が手術などの治療で障害の快復が見込まれる場合，更生医療で補助を受けることができる．申請先は市役所の障害福祉課である．

（注1）1～2級の身体障害者手帳所持者は**障害者医療**の対象となるが，所得額により障害者医療証の交付が受けられないことがある．

b．育成医療

身体に障害がある児童（18歳未満）が手術などの治療で障害の快復が見込まれる場合が対象で，**申請先は保健所**である．

（注2）大阪府では，脊椎の先天奇形など小学校就学以前の児童の場合，独自に**乳幼児医療**の助成制度がある．

（注3）1～2級の身体障害者手帳所持児童は**障害者医療**の対象となる（所得額により障害者医療証の交付が受けられないこともある）．

c．特定疾患医療（http://www.mhlw.go.jp/stf/seisakunitsuite/bunya/0000084783.html）

厚生労働省が指定している難病が対象で，**申請先は保健所**である．特定疾患受給者証の有効開始日は保健所が申請を受理した日からとなる．整形外科関係では下記が主な対象となる．

① 特発性大腿骨頭壊死症
② 後縦靱帯骨化症（頚椎および胸椎）
③ 黄色靱帯骨化症
④ 広範囲脊柱管狭窄症（通常の腰部脊柱管狭窄症ではない）
⑤ 神経線維腫症（症候性側弯あるいは腫瘍など）

d．小児慢性特定疾患（http://www.shouman.jp/medical/）

18歳未満（18歳時点で継続治療が必要な場合，20歳未満）で下記の慢性疾患が主な対象となる．**申請先は保健所**である．

① 悪性新生物：病理診断が確定するまでは育成医療で申請することが可能である．
② 膠原病（若年性特発性関節炎，好酸球性多発血管炎性肉芽腫症など）
③ 内分泌疾患（軟骨無形成症，骨形成不全症，Prader-Willi症候群など）
④ 先天性代謝異常（ムコ多糖症，Ehlers-Danlos症候群，大理石骨病など）
⑤ 神経・筋疾患（Rett症候群，筋ジストロフィー，先天性ミオパチーなど）
⑥ 血液・免疫疾患（血友病など）

e．高額療養費制度

病院への支払いが一定額を超えた場合，申請により超過分が払い戻される制度．国民健康保険では，希望者には国民健康保険から直接病院へ高額医療費を払い込む制度（高額療養費受領委任払制度）を利用できる場合もある（社会保険でも貸付制度がある）．

2 脊椎・脊髄疾患の局在診断

　脊椎・脊髄の病変を考える場合，病変がどこにあるかの局在診断が必要である．脊髄の局在診断は，病変部位の頭尾側の高さを同定する高位診断と脊髄横断面での病変部位の分布を同定する横位診断に分けられる．

2-1. 高位診断[14]

1 高位診断の概要[15]

　脊椎・脊髄疾患の診断は神経学的症候学により高位診断がある程度可能である．患者の症状と神経学的所見から局在診断を行ったのち，推測される高位の画像診断で病変を発見し，その病変で症状と所見を説明できて初めて臨床的な確定診断に至る．つまり，画像所見における圧迫の有無で臨床診断が確定するものでは決してない．さらに，最近では後方から広範囲に脊柱管を拡大する術式が安全かつ容易に行えるようになり，神経学的高位診断を疎かにする傾向が一部の外科医に見受けられる．「画像上で圧迫所見が認められた場合，圧迫部位を広範囲に除圧すれば高位診断が曖昧でもよいではないか」という外科医側の間違った思考回路が誤診につながっていくので，常に高位診断について考慮することが重要である．

a．髄節（spinal segment）（図 I -2-1）

　脊髄の両側から神経根が分岐し，その各神経根に対応する脊髄の部位を髄節と呼ぶ．脊椎は，7個の頸椎，12個の胸椎，5個の腰椎，癒合した1個の仙尾椎からなっているが，髄節は頸髄から8対(C1-8)，胸髄から12対(T1-12)，腰髄から5対(L1-5)，仙髄から5対(S1-5)，尾髄から1対の神経根が分岐しており計31の髄節

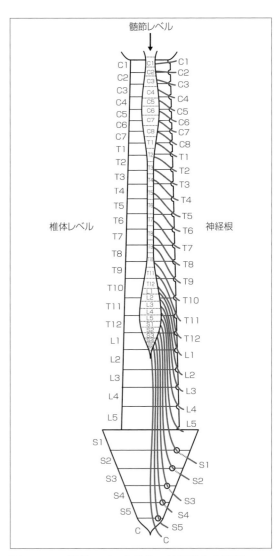

図 I -2-1　椎体レベルと髄節・神経根との関係
（文献1より）

　椎体レベル（左側）と各脊髄髄節（中央），神経根（右側）とのずれに注目．

が存在する。成人では頸椎と頸髄の位置関係は1〜1.5椎ほどずれが存在し、C3/4椎間板高位がC5髄節、C4/5椎間板高位がC6髄節、C5/6椎間板高位がC7髄節、C6/7椎間板高位がC8髄節にほぼ対応する。脊髄下端は通常L1椎体下端の高さにあり（生下時はL3椎体レベル）、腰髄および仙髄はT10/11椎間板高位からL1/2椎間板高位の間に密集している（epiconus〜conus）。L2椎体以下には通常脊髄は存在せず、その部位の神経根は馬尾（cauda equina）と呼ぶ。

b. 筋節（myotome）(p28「筋力評価」参照)

各前根に支配されている骨格筋単位を筋節と呼ぶが、それぞれ1対1対応ではなく複数の前根に支配されていることが多い。ただし、三角筋（C5）や前脛骨筋（L5）のように主に1つ（あるいは優位）の前根によって支配されている骨格筋も存在し高位診断に有用である。病変が前角であるか前根であるかの鑑別は臨床的には困難である。

c. 皮膚分節（dermatome）(p47「感覚障害の診かた」参照)

各後根に対応する皮膚の感覚分布を皮膚分節と呼ぶ。主なポイントを以下に挙げる。
- 頭頂部のほぼ正中が三叉神経第1枝とC2の境界にあたる。
- 上胸部ではC5とT1あるいはC4とT2が境界をなしており、cervical lineと呼ぶ。
- 体幹では、乳頭がT4、剣状突起がT7、臍がT10に支配されている。
- 鼠径靱帯付近はT12とL1が境界をなし、下肢はL1からS2に支配されている。
- 膝はL3、下腿外側から第1趾背側はL5、会陰部・肛門周囲はS3以下に支配されている。

d. 反射（reflex）(p43「深部腱反射」参照)

脊髄病変部位を反射中枢とする腱反射は消失し、それ以下の腱反射は亢進する。

2 高位診断の実際

a. 頸髄障害（Ⅱ-3「頸部脊髄症」参照）

基本的には上肢症状・所見を伴っているが、C6/7椎間板高位以下の病変ではそれらが欠如し胸髄障害との鑑別が困難なことがある。高位診断は上下肢の腱反射、知覚障害、筋力低下から判断する（表Ⅰ-2-1）。

b. 胸髄障害

胸髄病変では前角障害の評価による高位診断は困難で、後角障害すなわち皮膚分節の同定が高位診断に最も重要である。T10-11胸髄レベルの病変の場合、Beevor徴候（p50参照）も有用なことがある。

c. 胸腰椎移行部障害[5,16〜19]

胸腰椎移行部は、脊髄・L4-S2髄節を含む円錐上部（epiconus）とS3以下の髄節を含む脊髄円錐部（conus medullaris）・馬尾が近接するため、高位診断が難しい[16]。

主な病態は1）脊柱靱帯骨化症（胸腰椎移行部に多いのは黄色靱帯骨化症）、2）骨粗鬆症性椎体骨折（p275参照）、3）脊椎症あるいは椎間板ヘルニアで多彩な神経所見を呈する。

脊髄円錐部高位には多少の個体差があるが、一般的には図Ⅰ-2-2のような横断的位置を理解しておくことが高位診断に役立つ。

脊髄円錐先端部は、L1椎体頭側からL2/3間に位置することが多い（L2椎体中央からL1椎体尾側が多い）が、高齢者ではややその位置は低い傾向がある（図Ⅰ-2-3）。

表Ⅰ-2-1 圧迫性頸髄症の高位診断指標

椎間高位	髄節	腱反射	知覚障害	運動
C3/4	C5髄節	BTR亢進（偽性亢進も含む）	上腕以下	三角筋筋力低下
C4/5	C6髄節	BRR（>BTR*）低下とそれ以下の腱反射亢進	手関節以遠 橈側手指	腕橈骨筋 手関節背屈
C5/6	C7髄節	TTR低下と下肢腱反射亢進	尺側手指	上腕三頭筋
C6/7	C8髄節	上肢反射正常 下肢腱反射亢進	上肢に認められないか、あっても小指のみ	

*：C6髄節はBTR低下よりもBRR低下の可能性のほうが高い。

▷T10/11 椎間
　T11, 12 根と脊髄が存在し，アキレス腱反射（ATR），膝蓋腱反射（PTR）ともに亢進していることが多い（約80%）。

▷T11/12 椎間
　T12-L3 根と円錐上部（epiconus：L4>5 髄節）が存在し，ATR, PTR 亢進を認めることもあれば，L4 髄節あるいは硬膜内 L4 神経根障害が生じれば PTR が低下することもある。症状としては，前方・後方からの圧迫によらず腰痛（上位腰椎神経根障害の可能性）と前方からの圧迫であれば下肢痛が特徴的である[4]。

▷T12/L1 椎間
　L1-5 根と円錐部（conus medullaris：S3 以下の髄節，または L4<5 髄節）が存在し，下腿以下の筋力低下と筋萎縮，膀胱直腸障害が特徴的である。ATR は消失する。前方からの圧迫では，PTR 低下（L4 髄節障害）と下垂足（L5 髄節障害）が特徴的である[4]。

▷L1/2 椎間
　円錐先端部の周囲に S1-5 根が内側に，外側には L2-5 根の馬尾が存在し，大腿部や膝外側の激しい疼痛が特徴的である。

　腱反射からみると，T11/12 椎間より頭側では ATR, PTR ともに亢進していることが多いが，T12/L1 椎間では ATR の低下を示すことが多いので，下位腰椎部疾患と鑑別が困難な例がある。円錐部のみ（pure conus：S3 以下の髄節）の障害であれば，対称的な肛門周囲（perineal）の知覚障害を示すが運動障害はみられない。円錐上部の障害は，錐体路障害に加えて下垂足や下腿筋萎縮などの前角障害が混在する。

　上記の記載は解剖学的レベルで調べたものだが，実際には脊髄円錐部の位置は個人差があり，また椎体圧潰などで変化する。したがって，CT ミエログラフィおよび MRI にて最大圧迫部位と脊髄円錐先端高位の距離を計測し，その距離が 1 椎体未満を円錐群，1 椎体以上 2 椎体未満を円錐上部群，2 椎体以上を胸髄群と分類した。その結果，**表 I-2-2** のような特徴的神経学的所見が得られた[5,6]。

　下垂足と診断した場合，腰椎部以外に T11/12-T12/L1 の病変を必ず念頭に置く。

　下垂足は，脊髄円錐下端から 1〜1.5 椎体程度（平均 3.5 cm）上位での圧迫で起こる。また，麻痺の程度に比べて筋萎縮が高度でないときがあり，そのような場合は，除圧により回復する可能性が期待できる。病態としては，骨粗鬆症性椎体圧潰による下垂足は，高齢であっても手術療法による改善率が極めて良好である[7]。末梢での電気刺激による足関節の動きや M 波の振幅（amplitude）は予後判定に有効なので，術前に施行しておくべき検査である[8]。

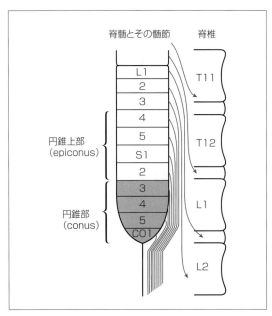

図 I-2-2　胸腰椎移行部の脊髄高位（文献 2 より）
　円錐部は S3 以下の髄節からなり，円錐上部の尾側に位置し，馬尾につながる。円錐部には，下肢筋群を支配する髄節は含まれない。円錐上部と円錐部には，脊髄と馬尾が混在する形となる。

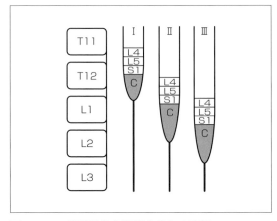

図 I-2-3　脊髄髄節と脊椎高位との関係（文献 3 より）
　I：最頭側偏位，II：標準，III：最尾側偏位

■ 円錐上部(epiconus)

L4-S2髄節を含む部位で，およそ第12胸椎高位に存在する。円錐上部障害では下腿以下の筋力低下や筋萎縮が生じるが，L4の関与が少ない腸腰筋や大腿四頭筋の筋力は比較的保たれる。PTRはやや低下することが多いが，ATRはさまざまである。L5髄節が障害されると(T11/12間～L1椎体レベル)下垂足が出現する。排尿中枢はS2-4に存在するため，円錐上部に限局した障害では排尿障害は前面に出ないことが多い。馬尾の圧迫がなければ，下肢痛を伴わないことや知覚障害が軽いことも多い。

▷ L4髄節
　T11椎体尾側からT12/L1間(T12椎体中央が多い)

▷ L5髄節
　T11/12間からL1椎体中央(T12/L1間が多い)

▷ S1髄節
　T12椎体頭側からL1椎体尾側(T12/L1間からL1椎体頭側が多い)

■ 円錐部(conus medullaris)

S3以下の髄節で，およそ第1腰椎高位に存在する。脊髄円錐部は下肢の筋を支配する髄節を含まないので，円錐部周囲に存在するL2以下の神経根障害を伴わない限り運動障害は出現しない。肛門周囲にサドル型の感覚障害を認める。排尿中枢が直接障害されるために高度の核下型排尿障害を呈することが特徴的である。痛みは理論的にはないが，馬尾の圧迫も同時に起こるため殿部から下肢の疼痛を訴えることが多い。

d. 腰部神経根障害・馬尾障害(図Ⅰ-2-4，表Ⅰ-2-3，Ⅱ-6「腰椎椎間板ヘルニア」参照)

L2以下の神経根がさまざまに障害される。神経根症状(radiculopathy)は，神経支配に一致する知覚障害，筋力，反射の低下や下肢痛である。症状と臨床所見だけである程度の高位診断が可能だが，痛みの部位だけでは障害神経根まで特定することは通常困難である。また，L2-4など上位神経根障害では，腹痛の鑑別や股関節，膝関節疾患と紛らわしい場合がある。高位診断は，下肢の腱反射，知覚障害，筋力低下などか

表Ⅰ-2-2　胸腰椎移行部の圧迫部位による神経学的所見の特徴(文献5より改変)

最大圧迫部位と脊髄円錐先端の距離	円錐群 (1椎体未満)	円錐上部群 (1-2椎体)	胸髄群 (2椎体以上)
膀胱直腸障害	80%で重度	±	±
腱反射：PTR 　　　　ATR Babinski反射	傾向なし 低下(70%) 陰性(60%)	低下(45%) 傾向なし 陰性(70%)	亢進(70%) 亢進(70%) 陽性(70%)
筋力低下：近位筋 　　　　　遠位筋 　　　　　(TA，EHL)	＋ ＋ (軽度)	＋＋ 重度(L5，S1髄節)	＋ ± (軽度)
下肢痛 感覚障害	＋＋ saddle type or 根性	＋ 下肢前面	± 下肢全体～stocking type
歩行能力	低下	やや低下	痙性跛行

表Ⅰ-2-3　下肢神経学的検査(L4，L5，S1)

	深部腱反射	運動	知覚
● L4神経根	膝蓋腱反射(PTR)	膝関節伸展(大腿四頭筋)	膝周囲～下腿内側
● L5神経根	なし	足関節・母趾背屈(前脛骨筋・長母趾伸筋)	下腿外側～足背
● S1神経根	アキレス腱反射(ATR)	足関節・母趾底屈(腓腹筋・長母趾屈筋)	足趾外側～足底

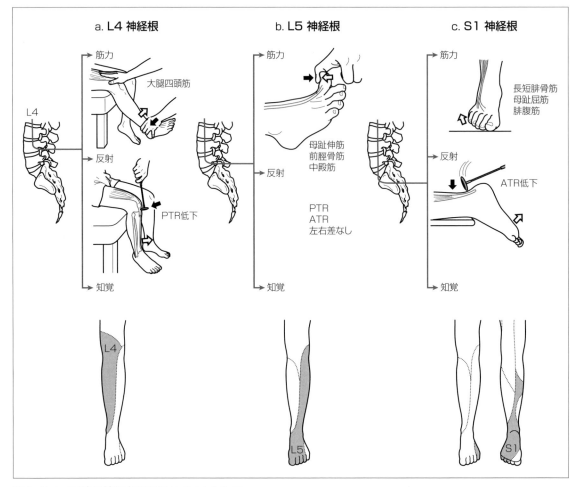

図 I -2-4　下肢の神経学的所見(文献9より改変)

ら障害神経根はある程度同定可能だが，難しいのは椎間孔狭窄(foraminal stenosis)である。例えば，神経学的な障害神経根を L5 根と判断した場合，多くは L4/5 椎間板高位での圧迫だが，ときには L5/S1 椎間板高位での脊柱管外側病変(外側ヘルニアまたは椎間孔狭窄)による圧迫があり得ることに留意して画像を見ることが重要である。

馬尾症状(cauda equina symptom)は両下肢，会陰部の異常知覚(perineal numbness)や膀胱直腸障害で，L5 神経根以下の多根性障害を示すことが多い。

2-2. 横位診断

1 横位診断の概要(表 I -2-4)

a. 索路徴候(long tract sign)

脊髄白質の下行性運動線維束である錐体路や上行性感覚線維束である後索および脊髄視床路の障害を総称して索路徴候(long tract sign)と呼ぶ。

■ **錐体路徴候(pyramidal sign)**

病変部位と同側の筋力低下(通常，筋萎縮を伴わない)，痙性，腱反射亢進が認められる。錐体路は，下部脊髄に向かう線維ほど脊髄表面に近い部位に存在する。このため頸髄が表面から障害される場合は腰髄や仙髄の支配筋の錐体路徴候から始まることがある。

■後索障害

脊髄後索は振動覚，関節位置覚，二点識別覚などの深部感覚の上行性線維が通る線維束である．下肢の深部感覚障害ではRomberg徴候(p49参照)が陽性となる．

後索病変では手指(特に指腹)や足部(特に足趾と足底)に異常感覚(ピリピリ感，ジンジン感)をきたすことが多く，亀山[10,11]は「後索病変＝識別感覚(複合感覚)障害」と位置づけている．

■脊髄視床路障害

脊髄視床路は温痛覚などの表在感覚が上行する経路である．温痛覚は後根から脊髄に入り後角でニューロンを変えて同側を1〜2髄節上行し，脊髄中心管の前方で交叉して対側の脊髄視床路に入る．触覚の求心路は複数あるため，一側の脊髄視床路病変では触覚障害は認められない．それに対して一側の後角・後根障害では温痛覚と同様に触覚も障害されるため，触覚障害の有無(温痛覚と触覚の解離障害)は局在診断で有用である．

錐体路と同様，頚髄では脊髄外側から順に仙髄，腰髄，胸髄，頚髄からの脊髄視床路が配列する．したがって，髄内病変では脊髄外側の仙髄からの脊髄視床路が障害されにくく会陰部や肛門周囲の温痛覚が保たれることがある(sacral sparing)．逆に脊髄が外部から圧迫されると感覚障害が下肢から上行する．この層構造は，脊髄を高層ビル，エレベーターの乗客を神経線維に例えるとわかりやすい[12]．

出入り口は脊髄，すなわち高層ビルの内側を向いている．求心路は上行するので昇りのエレベーターで，下から乗ってきた人(すなわち下位からの線維)はエレベーターの奥のほう，つまり脊髄外側へ押しやられ，上の階の乗客は出入り口側に位置する．錐体路は下行線維なので，下りのエレベーターと考える．上の階で先に降りる人は出口近くにいたほうが合理的なので，錐体路も下方に分布する神経ほどエレベーターの奥，すなわち脊髄の外側に位置している．このように錐体路(下りのエレベーター)も脊髄視床路(昇りのエレベーター)も下肢から，あるいは下肢への神経線維が外側に位置すると交通整理しやすいわけである．

表I-2-4　索路徴候と髄節徴候（文献20より作成）

●索路徴候(long tract sign)
白質の脊髄伝導路(図I-2-5)の遮断症状・所見．
　a. 錐体路症状・所見(pyramidal tract sign)
　　・筋萎縮を伴わない痙性麻痺・対麻痺：上肢の巧緻障害や起立歩行障害
　　・深部反射亢進
　　・病的反射出現
　b. 後索症状・所見
　　・深部知覚(位置覚，振動覚)障害
　　・識別性知覚障害
　c. 脊髄視床路症状・所見
　　・温痛覚障害(外側脊髄視床路)
　　・触覚障害(前脊髄視床路)
　　・膀胱直腸障害
●髄節徴候(segmental sign)
障害レベルの灰白質の異常．
髄節性の分布を示す弛緩性麻痺や筋萎縮，線維束攣縮を生じる．ただし，前角細胞の障害か神経根の障害かは，識別困難である．

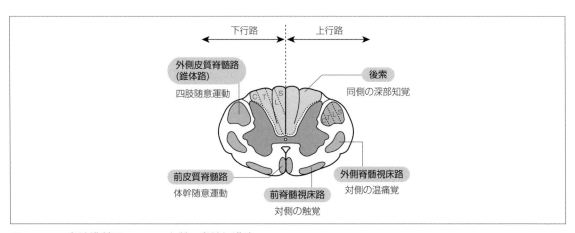

図I-2-5　脊髄横断面における白質の脊髄伝導路

b. 髄節徴候（segmental sign）

前角・前根には下位運動ニューロンが存在し，その障害では髄節に一致する筋力低下（弛緩性麻痺），筋萎縮，線維束性収縮（fasciculation）を生じる。後述する上位運動ニューロン障害（錐体路障害）とは神経学的所見で異なる。後角・後根障害では皮膚分節に一致する感覚障害，疼痛を生じる。

2 横位診断の実際

a. Brown-Séquard 症候群（図 I-2-6）

Charles Edouard Brown-Séquard（1817-1894，イギリスの生理学者。父親はアメリカ人，母親はフランス人）

脊髄半側の病変によって，病変側の錐体路徴候と後索障害，健側の脊髄視床路障害（温痛覚障害）が認められる[21]。Brown-Séquard 症候群における感覚障害は病変レベルの 1-2 髄節下位から認められ，病変側の感覚過敏に引き続き対側の温痛覚脱出が出現するが，理論的には触覚は保たれる。Brown-Séquard 症候群は血管障害，脊髄炎，腫瘍，外傷などで生じるが頚髄や胸髄のヘルニアでも起こり得る。T1-2 胸髄病変では病変側の節前性交感神経障害が生じる。典型的には Horner 症候群で，病変と同側の縮瞳（瞳孔散大筋障害），眼瞼下垂，顔面発汗低下が特徴である。

b. 前脊髄動脈症候群（anterior spinal artery syndrome）

前脊髄動脈は後索・後角を除く脊髄の前方 2/3 を支配しており，病変部以下の両側の錐体路徴候（通常は対麻痺），解離性感覚障害（温痛覚は障害されるが，深部知覚は保たれる），膀胱直腸障害が特徴的である。多くは血管障害で疼痛や帯状の締めつけ感とともに急激に発症する。

c. 脊髄中心症候群（central cord syndrome）

脊髄中心部の病変によって両側の脊髄視床路の交叉線維（中心管の前方を交叉）が障害される。両側の温痛覚障害が生じるが通常は錐体路徴候や後索障害などの索路徴候は認められず，宙吊り型感覚障害と呼ばれる特徴的な障害分布となる。触覚も保たれる。原因には脊髄空洞症や髄内腫瘍が挙げられる。

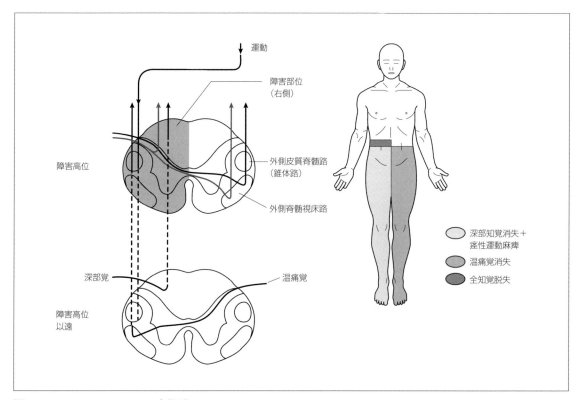

図 I-2-6 Brown-Séquard 症候群（文献 13 より改変）

引用文献

1) Oliver J, Middleditch A, eds：Functional Anatomy of the Spine. Butterworth-Heinemann, Oxford, England, p208, 1991.
2) 白土　修，吉本　尚：脊髄円錐高位の脊椎外傷．脊椎脊髄 15：283-291，2002.
3) 佐藤勝彦，菊地臣一：胸腰椎移行部における脊椎と脊髄の高位差に関する解剖学的研究．日整会誌 69：S1598, 1995.
4) Takenaka S, Kaito T, Hosono N, et al：Neurological manifestations of thoracic myelopathy. Arch Orthop Trauma Surg 134：903-912, 2014.
5) 北　圭介，宮内　晃，岩﨑幹季，他：胸腰椎移行部圧迫性脊髄障害例の神経学的症候．整形外科 56：373-378, 2005.
6) 明石健一，宮内　晃，奥田真也，他：骨粗鬆症性胸腰椎椎体圧潰に伴う脊髄麻痺症例の神経学的所見．中部整災誌 44：1057-1058, 2001.
7) 三輪俊格，岩﨑幹季，宮内　晃，他：骨粗鬆症性椎体圧潰による下垂足．日脊会誌 19：416, 2008.
8) Miwa T, Iwasaki M, Miyauchi A, et al：Foot drop caused by a lesion in the thoracolumbar spine. J Spinal Disord Tech 24：E21-E25, 2011.
9) Klein JD, Garfin SR：History and physical examination. Essentials of the Spine（ed by Weinstein JN et al）, Raven Press, New York, pp71-95, 1995.
10) 亀山　隆：圧迫性頚髄症における手指のしびれ（自覚的異常感覚）の責任病巣はどこか？―日常の臨床的観察からの考察．脊椎脊髄 25：971-980, 2012.
11) 亀山　隆：頚椎症性脊髄症の感覚障害　脊髄の感覚症候学の新しい考え方．脊椎脊髄 30：117-125, 2017.
12) 生坂政臣：めざせ！外来診療の達人．日本医事新報社．pp132-133, 2006.
13) 長本行隆，岩﨑幹季：Section 1 脊椎・脊髄の構造と機能．カラーアトラス脊椎・脊髄外科（山下敏彦 編著），中外医学社，p13, 2013.

参考文献

14) 伊藤彰一，服部孝道：脊髄障害の局在診断　高位診断と横位診断．脊椎脊髄 17：383-391, 2004.
15) 岩﨑幹季，奥田真也：運動ニューロン疾患と脊髄疾患の鑑別　外科医からみた鑑別ポイント．脊椎脊髄 23：1069-1073, 2010.
16) Wall EJ, Cohen MS, Abitbol J, et al：Organization of intrathecal nerve roots at the level of the conus medullaris. J Bone Joint Surg Am 72：1495-1499, 1990.
17) 德橋泰明，松﨑浩巳，上松義直，他：胸腰椎移行部椎間板ヘルニアの症候学．臨整外 36：449-456, 2001.
18) 種市　洋：胸腰椎移行部障害の神経症候．日脊会誌 12：510-515, 2001.
19) 安藤哲朗：脊髄円錐高位の解剖と症候学．脊椎脊髄 15：266-271, 2002.
20) 小野啓郎：圧迫性脊髄症の臨床と病理．日整会誌 60：103-118, 1986.
21) Brown-Séquard CE：De la transmission croisée des impressions sensitives par la moelle épinière. C R Soc Biol 2：33-34, 1850.

3 術前準備

3-1. 合併症再確認

　内科的合併症(特に循環器系と呼吸器系)があれば、それらの精査をしたりコンサルトを依頼したりすることはもちろん、その他の問題が生じる可能性があれば、入院前に麻酔科にコンサルトを行う。抗血栓薬服用の有無と休止時期の確認も重要である(Ⅰ-1「術前評価」参照)。間質性肺炎などを疑う場合は、KL-6やSP-Dなどを調べておく。糖尿病の場合、HbA1cを調べ、コントロール不良ならば念のため頸動脈エコーやMRIによる脳血流評価も行う。

3-2. 貯血準備

　800 mL以上出血する可能性がある手術(特に腰椎の固定術と側弯症)は術前に貯血とエリスロポエチン製剤を用いた増血を図る。貯血には有効期限があるので手術日を決めてから行うが、予定が延びたら戻し輸血をする。

●自己血貯血手順

- **基本事項**／アデニン入りのCPDA液(テルモBB-SCD407J01)の有効期限は採血後35日なので、側弯の矯正など待機可能な手術や手術日が未定のときには手術の34日前から貯血を開始する。800〜1,000 mL程度の予想出血であれば、通常400 mLの2回貯血で十分対処できる。思春期側弯症手術の場合は800〜1,200 mLの貯血を準備するのが望ましい。
- **検査**／Hb 11 g/dL以上が望ましいが、それ以下の場合は術者と相談したうえで決定する。Hb 13 g/dL以上の場合は採血した日にエリスロポエチン製剤を使用するが、Hb 13 g/dL未満の場合は採血予定日の1週前に一度エリスロポエチン製剤を皮下注する。
- **除外項目**／①37℃以上の発熱、②下痢・抜歯後3日以内、③抗菌薬服用中
上記に該当しないかどうか問診する。
- **手順**／患者および家族に自己血輸血について十分に説明し、文書による同意を得てから以下の手順で行う。
① 体温・血圧のチェック
② 採血前に患者を確認し、ID、採血日、血液型などを用紙に記入する。可能ならば患者自身に名前を署名してもらう。
③ 採血部位の消毒：ポビドンヨードで2回・クロルヘキシジンアルコール1回(血管が見やすいので)。痛がる場合は採血前に27 G針にて局所麻酔をする。
④ 採血：400 mL採血の場合は総重量480〜500 gまでとする。
⑤ 採血後、速やかに血液を冷蔵庫か輸血部に運び保管する。
⑥ 輸液：生理食塩水500 mL＋鉄剤(省略可能)を用いる。
⑦ エリスロポエチン製剤：エリスロポエチン製剤を週1回皮下注(Hb 13 g/dL未満は初回採血1週前から)する。
⑧ 経口鉄剤処方を術後貧血が改善するまで服用してもらう。
- **貯血が少なかった場合**／許容量は±10%となっているが、400 mL採血用バッグで200 mLしか採れなかったとしても問題なかったという文献はある(ただし、クエン酸中毒に注意して輸血スピードは遅くする必要がある)。
- **特殊例**
・小児の場合は、体重×8〜10 mLを目安に採血

する。採血にはテルモ社の小児採血用バッグ（BB-SCD200J81）が便利である。
・戻し輸血による貯血にはテルモ社のコネクター付き採血用バッグ（BB-SCD400J8）が便利である。

3-3. 病歴整理

「主訴」「現病歴」「既往歴」「アレルギー歴」「服用薬剤」「社会歴/喫煙・飲酒歴・職業・同居者」「家族歴」「review of system（ROS）」「身体所見」「検査所見」の書式に沿って書き上げ（図I-3-1），最後に「評価・計画（Assessment & Plan：A/P）」を仕上げる。

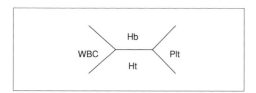

図I-3-1　検査データの記載法（例）

3-4. 手術準備

① 予防的抗菌薬の準備：手術開始前の投与と長時間手術の場合は，追加投与分も準備する（p77：I-6「術後感染症対策」参照）。体重80 kg以上の患者は1回投与を2倍量にすることも忘れないようにする。

② 出血対策：ある程度の出血が予想される手術では，術中・術後出血を有意に減少させる効果が期待できるトラネキサム酸（トランサミン®）の執刀前投与を検討する[1]。

③ 輸血準備：貯血だけで不十分な場合は自己血回収装置も準備する。

④ 剃毛部位の指示：創部感染の予防から基本的には不要である。ただし頚椎後方手術では術野にかかる髪の毛はバリカンで短くしてもらい，それ以上の剃毛は手術前に行う。

⑤ 手術で使用予定の特殊材料・固定金属材料の準備を行う。

⑥ 術後必要な装具の採寸：術後に使用する装具（頚椎の場合はフィラデルフィアカラーかソフトカラー，腰椎の場合はダーメンコルセットが多い）を術者に確認して，必要ならば術前に採寸してもらう（表I-3-1）。

halo vestが必要な症例では，頭囲と胸囲を計

表I-3-1　頚椎装具の各可動域における制限率（%）（文献2より）

Orthosis	%MOTION RESTRICTION					Cost*
	Flexion	Extension	Total Sagittal Motion	Lateral Bending (1 direction)	Axial Rotation (1 direction)	
Soft collar	26	26	10	8	17	$19.00
Philadelphia collar	74	59	46	25	29	$94.00
Aspen collar	59	64	62	31	38	$94.00
Miami collar	85	75	73	51	65	$94.00
Malibu collar	57	40	—	41	61	$229.00
Nec-Loc collar	—	—	62	43	62	$94.00
Stiffneck collar	73	63	70	50	57	$94.00
SOMI	93	42	87	66	66	$264.00
Minerva	—	—	—	—	—	$398.00
Halo	—	—	96	96	99	$1916.00

*：Prices are based on Medicare allowables year 2001（A）．—：not tested, SOMI：sterno-occipital mandibular immobilizer

測し注文する。届いたらまずvestの部分だけ患者に合わせてみて強すぎもせず緩すぎることもない程度の数値を覚えておく。

　手術に使用する予定の特殊材料は前もって確認しておき注文・納入など抜かりのないようにする（ダブルチェック）。

引用文献

1) Kushioka J, Yamashita T, Okuda S, et al：High-dose tranexamic acid reduces intra-and postoperative blood loss in posterior lumbar interbody fusion. J Neurosurg Spine 26：363-367, 2017.
2) Anderson DG, Vaccaro AR, Gavin KF：Cervical Orthoses and Cranioskeletal Traction. The Cervical Spine 4th edition, Lippincott Williams & Wilkins, pp110-121, 2005.

4 術後管理

　脊椎外科は脊椎(椎骨)という骨のみならず，脊髄あるいは神経根という易損性の高い組織を扱うことが多い．脊髄はいったん損傷を受けるとその回復は困難である．術中に脊髄をいかに愛護的に扱おうと，ずさんな術後管理を行うとそれまでの努力はすべて無駄になる．術後も術中同様に脊髄は危険な状態にあることを念頭に置き，神経症状を経時的にチェックし，もし異常があれば直ちに術者に報告し適切な処置を行うことが重要である．

　術式別の術後管理はⅠ-9-6「術式別の術後管理・術後安静度」(p115)で詳述し，ここでは概論をまとめる．

4-1. 術後疼痛管理

　術後疼痛に対してはアセトアミノフェン(小児 10 mg/kg 屯用，成人 500～1,000 mg を 4～6 時間毎で 1 日最大 4 g まで)かオピオイドを使用する．

　NSAIDs(非ステロイド性抗炎症薬)を処方する場合でも少量を短期間だけ使用する．大量の NSAIDs は骨癒合に影響する可能性があるので，骨移植術後の疼痛に対してルーティンに処方することは控える．

　オピオイドを静注する場合は，PCA(patient controlled analgesia)ポンプの利用が簡便かつ有用である．通常フェンタニルを使用するが，過剰投与量による呼吸抑制には注意を要する．副作用として頻度の高いのは嘔気・嘔吐だが，フェンタニル・ドロペリドール混合液を使用したり，制吐剤を使用しても完全には予防できない．また，ドロペリドールや制吐剤による錐体外路症状にも注意を要する．デキサメタゾンが術後の嘔気・嘔吐予防に有効であったとの報告[1]があるので，ステロイド投与が許容される場合は使用を検討する．この報告の対象は特発性側弯症手術(10～19 歳)で，麻酔導入時に 0.15 mg/kg のデキサメタゾンを 1 回静注することで嘔気・嘔吐を有意に予防できたとしている．

●骨癒合に影響する薬剤

　NSAIDs：インドメタシン，ケトロラックなどの鎮痛薬では骨癒合に対する阻害作用が報告されている[2〜4]．

　フェニトイン(アレビアチン®)：抗痙攣薬

　※シクロオキシゲナーゼ(COX)-2 阻害薬：セレコキシブなどの COX-2 阻害薬では骨癒合への悪影響は指摘されていない[5]．

4-2. 術後感染予防

　予防的抗菌薬は，アレルギー歴がなければ第一選択薬は第一世代セフェム系のセファゾリン(CEZ：1 g 静注時の半減期 1.7 時間，尿中排泄 8 時間で 89％)である[6]．セファゾリンは椎間板への移行も良く，椎間板炎に対する予防効果のエビデンスも確立している[7,8]．**手術直前(執刀 30～60 分前)に 1～2 g と術中は eGFR≧50 であれば 2～4 時間毎(抗菌薬半減期のおよそ 2 倍が目安)あるいは出血 1,000～1,500 mL 毎に追加投与する**[9]．術後は 8～12 時間毎に投与する．肥満や糖尿病では感染の危険性が高いので[10]，**体重 70～80 kg 以上の患者は 1 回投与を 2 倍量(セファゾリンで 2 g，体重 120 kg 以上で 3 g)にすることも必要である**[11]．投与期間に関しては，術中あるいは手術日だけで十分との報告があるが，菌交替現象やさまざまなデータから術

後48時間までが適当と考える。通常，その後の経口抗菌薬投与は不要である。

セファゾリンに対するアレルギー歴がある患者やMRSA感染の危険性が高いと考える場合は，バンコマイシン（15～20 mg/kg）を使用する（代替薬としてはクリンダマイシン600 mgが推奨されている）[12]。

重要なことは，漫然と投与するのではなく術後4～5日目の検査でCRPが15～20よりも大きくなる場合か38.5℃を超える発熱が持続する場合は深部感染を疑って対処することを怠ってはならない（**一般的にCRP値のピークは術後3～4日目である**）[13]。創部の治癒が遅れる場合には，組織移行性が良好なクリンダマイシン（CLDM）などを追加することも考慮すべきである（静菌性なので併用が望ましい）。また，後述の偽膜性大腸炎に注意する。

また，術後いったん下降したCRPが有意に上昇するか発熱が再燃してくれば必ず術者に報告する。予防的抗菌薬が効かなかったのだから，**同じ抗菌薬を再度使用することは絶対にしてはならない**。高齢者や糖尿病，ステロイド投与中の患者などはMRSA感染をまず念頭に置き，バンコマイシン＋ミノサイクリンまたはST合剤などに変更するほうが無難である。38.5℃以上の高熱や悪寒を伴う発熱は菌血症も念頭に置き，血液培養と尿培養・胸部X線検査を怠ってはならない。

術後抗菌薬投与中に激しい下痢と発熱が続けば，**偽膜性大腸炎**を念頭に置いて便の細菌検査（*C. difficile*：嫌気性菌）と*C. difficile*毒素検査を行う。また，術前に鎮痛薬やステロイドを長期服用しているか長時間手術が予想される場合にはストレス潰瘍予防のため術前後にプロトンポンプ阻害薬の点内静注や服薬を予定しておく。

▷**術者または脊椎外科スタッフへの報告事項**
1) 神経症状の悪化：特に著明な筋力低下が認められる場合は緊急を要する
2) 術後4日目以降CRPが10～15以上，38.5℃以上の発熱が持続する場合（特に夕方）
3) 術後いったん下降したCRPが有意に上昇した場合
4) 術後の画像診断でアライメントや移植骨に変化が認められる場合

▷**術後感染症に対する処置**

創部が開いて膿が出てくれば再手術をためらうことはないが，CRP上昇・発熱だけでは一般的に術者は再手術を躊躇してしまいがちである。深部感染を疑う場合は，まず創部を穿刺することが大切である。造影CTやMRIなど画像診断はあくまでも補助診断なので，血腫か膿かがはっきりしないときには，可能なら透視下で疑わしい部位を穿刺し膿が引ければ再手術に踏み切る。たとえ膿が引けなくても，創部痛やCRP上昇・発熱（特に夜間）などが持続すれば，創部を展開して深部感染の有無を確認し洗浄することをためらうべきではない。内固定に使用した金属などを抜去するかどうかは，創部の状態や菌種にもよるが，一般的にはMRSA感染の場合は金属の抜去を要することが多い。

4-3. 術後全身管理

麻酔からの覚醒，呼吸状態，出血に伴う循環動態，水分バランスなど一般的な全身管理を決して怠ってはならない。

a. 呼吸状態

神経症状の悪化に伴い横隔膜，肋間筋麻痺が生じ呼吸状態が悪化し，また気道閉塞の危険性もあるので，胸郭の動きや呼吸数をまず目視で確認することが大切である。また側臥位手術の際，下になっていた肺の無気肺なども術後頻度の高い合併症であるので，胸部の聴診を忘れてはならない。血液ガスデータはあくまでもそれら臨床所見を確認する数値にすぎない。halo vestを装着している場合，気道確保や心肺蘇生法（CPR）が非常に困難なので早期に患者の状態を把握し先手に対処していくことが重要である。特に頚椎前方手術では術後気道閉塞が懸念される。施設の事情が許せば，術後はICU/HCUでの管理が望ましい。一般病棟での頚椎前方術後の管理については，緊急時に適切に対応できるよう術後管理に係わる医師や看護師全体への教育も重要である（詳細はp115「頚椎前方固定術」を参照）。

抜管後は強制吸気時の異常音や鼻詰まり気味のようなこもり声などがないか確認し，認める場合は気道狭窄を疑い緊急に気道確保できる環

境を整えるか，時間的余裕があれば耳鼻咽喉科へのコンサルトが必要である。

特に，頚椎前方手術後の気道閉塞(p115参照)と後頭骨・頚椎間固定術の呼吸障害(p126〜128，図I-10-6, 7参照)には十分な知識と準備が必要である。

b. 循環動態

循環バランスは血液と水分を分け，術後から経時的に計算し，その値から輸血や輸液の量，スピードを決定する。血液は術中出血と持続吸引量，ガーゼ汚染のあるときはその血液量を合計しマイナスバランスとする(術中自己血回収を行った場合，出血量はヘパリン生食などを差し引く必要がある)。水分は術中のバランスに輸液の総量をプラスし，尿量，胃管チューブなどからの吸引量をマイナスバランスとする。整形外科で頻度が高いのは，出血による低血液量症(hypovolemia)か輸液過剰による水分過剰症(overhydration)である。高齢者，腎排泄機能障害，心不全患者では特に水分バランスがプラスになりすぎて肺水腫や心不全の悪化をきたしかねないので注意する。頚椎前方手術でもoverhydrationは喉頭浮腫の危険因子であるので，水分バランスは絞り気味のほうがよい。

> ▷第XIII因子
> 術後の血腫持続や創傷治癒遅延では第XIII因子欠乏症を念頭に置く必要がある。中年以後発症の後天性では第XIII因子抑制因子の存在が問題で，PT・出血時間など通常の検査は正常で第XIII因子を測定しなければ確定診断は得られない。この疾患の存在を疑い，第XIII因子を測定することが重要である。確定診断できれば，第XIII因子補充療法が有効である。

4-4. 術後神経症状のチェック

術後の脊髄機能を知る唯一の手段である。手術当日は2〜3時間毎に，夜間は少なくとも1回は患者を起こして，上下肢の動き(10秒テストの回数，下肢伸展挙上テスト(SLRT)，膝立てや足関節の動きなど)をチェックし必ず経時的に記載する。神経症状の悪化を思わせる際にはさらに頻回に観察する。神経症状の悪化が認められれば必ず術者もしくは専門医に連絡し指示を受けるようにする。CTやMRIなどで脊髄圧迫の有無を緊急に確認すべきことが多い。

なお，頚椎椎弓形成術後は術前にはなかった肩の痛みや上肢挙上困難や肘，手指の伸展困難といった上肢麻痺が出現することがあるので，各神経根領域の疼痛や異常知覚に注意する。また，三角筋，二頭筋，三頭筋などの筋力低下がないかよく観察する。筋力が低下した場合，頚椎の前弯を弱め中間位か軽い前屈位にもっていく。それでも筋力の低下が著しい場合は，MRIかCTM(CTミエログラフィ)にて脊髄・神経根の状態を検査する必要がある。

4-5. 術後血腫の処置

持続吸引の吸引量も経時的にチェックする必要がある。創部からの出血が続いているにもかかわらず吸引されない場合は，血腫が形成され脊髄が圧迫される可能性がある(頻度はおよそ0.5%)。もし血腫により脊髄症状が悪化する場合は，緊急に血腫除去術を行う適応である。したがって，術後持続吸引が急に引かなくなった場合は特に入念に神経症状をみることが重要である。

術後血腫による神経症状が出現しやすいのは，術後2〜8時間前後の早期と術後10〜14日前後である。診断はMRIが最も診断価値が高いが，CTでも診断は可能である。MRIでは血腫の状態またはその時間的経過により，信号強度に違いが出てくることを知るべきである(図I-4-1, 表I-4-1)。早期(術後数時間以内)では血腫内の酸素化ヘモグロビン(oxyHb)の反磁性のため等輝度からやや高輝度を示すか，血腫周辺にT1強調像で低輝度，T2強調像で高輝度を示すことがある。術後8時間〜2日後では脱酸素化ヘモグロビン(deoxyHb)のためT2強調像で低輝度を示し(周囲に浮腫が存在する場合はT2強調像で高輝度)，3〜10日後にはメトヘモグロビン(metHb)のためT1強調像で周辺から中心に向かって高輝度となってくる(MRIの磁場が強いほどこの変化は遅れる)。T2強調像でもT1

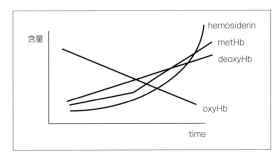

図 I-4-1　血腫における各ヘモグロビン含量の推移

表 I-4-1　MRI における血腫輝度変化の時間的推移

	<6 hr	1〜3d	3〜7d	>7d	14d
T1 強調像	↓	↓	↑	↑	→
T2 強調像	↑	↓	↓	↑	↓

強調像に遅れて高輝度となるが，2週目頃から周辺部が低輝度になってくる．その後ヘモジデリンとなれば，T2強調像で低輝度を示すようになるが，これはgradient echo法で増強されてくる．

■ 持続吸引

　一般には感染予防のため術後48時間以内にドレーンを抜去するが脊椎外科手術後ではそれにこだわる必要はない．髄核摘出術や頸椎前方固定術のように術後出血がほとんど認められない術式なら吸引量に応じて手術翌日にでもドレーンを抜去することは可能である．しかし，それ以外の脊髄レベルの手術では血腫が形成されて脊髄を圧迫することが最も危険なので，血液を吸引している限りはドレーンを留置することが基本である．チューブ内が漿液性で，かつ1日30〜50 mL以下になれば抜去の目安であるが，腫瘍，胸椎の除圧術や腰椎でも major surgery など死腔が多くなる可能性がある術式では3〜5日は留置したほうが無難なこともある．抜去する時期に関して不安なときは抜去せずに必ず術者もしくは専門医の指示を仰ぐ．38.5℃以上の発熱（特に夜間）がある場合や留置が長くなった場合は，念のためドレーン先端を細菌培養に提出する．

4-6. 術後髄液漏の処置

　術中に髄液漏を認めたときには，硬膜を可能な限り縫合し，筋膜も密に縫合し（非吸収糸のほうがよいと思われる）皮下に漏出しないようにすることが大切である．術中に硬膜損傷に気付かなくても術後に100 mL以上の無色透明または希血性液が大量に増加しているときには髄液漏を疑い，ドレーンの吸引圧を下げる（あるいは自然落下）．ドレーンを早期に抜去すると創部から漏出する危険性はあるが，筋膜を密に縫合できていれば24時間程度で通常通りに抜去して構わないという意見が多い．髄液かどうか疑わしいときは糖の濃度が1つの指標となり得る（血糖の約2/3）．髄液漏がはっきりすれば陰圧吸引から自然落下吸引に変更し，手術創が閉鎖する3〜7日頃に抜去する．髄液漏による低髄液圧が続くと，小脳出血[14,15]や硬膜下出血など頭蓋内出血の合併症が報告されているので，頭痛や意識障害，運動失調には要注意である．術後の安静度は，発熱や頭痛・嘔気などの症状がなければ特に変更する必要はないが，念のため髄液移行の良好な抗菌薬投与は継続させる．これで治まらなければ，**腰部から経皮的くも膜下ドレナージを行う**[16,17]．硬膜外麻酔用のカテーテルをくも膜下に留置し，閉鎖式の逆流防止弁付き脳室ドレナージキット（トップ社製）に排液させる．1日の排液量の目安は100〜300 mLとする．カテーテルからの逆行性感染の危険性から，留置期間は5〜10日間を目途にする．最も注意すべき合併症は髄膜炎なので，髄膜刺激症状や所見（頭痛・項部硬直）の有無と定期的な細菌学的検査は必須である．細菌学的検査が陰性でも，髄液中の糖低下（髄液糖/同時血糖値比≦0.4）を認める場合は，細菌性髄膜炎を強く疑い抗菌薬の早期投与を検討すべきである．

▷**髄液（cerebrospinal fluid：CSF，脳脊髄液）**

　側脳室，第3脳室，第4脳室の脈絡叢（choroid plexus）で80〜95％が産生され（残りは脳実質の間質液由来），静脈洞内に突出したくも膜顆粒より圧依存性に静脈系に排出される（循環に4〜7時間を要する）．総量はおよそ150 mL（脳内50％，脊

髄くも膜下腔50％）で，1日当たり成人，小児ともに，500〜750 mL（20〜30 mL/時）程度産生される。

4-7. 胸腔ドレーンの管理

　開胸手術後は必ず胸腔ドレーンを挿入する。ドレーンは持続吸引器にて10〜15 cmH₂Oの水圧で吸引する。手術当日はミルキングを適時行い詰まらないようにする。吸引量は定期的に測定し，増量しなくなれば必ずチューブの閉塞を疑いチェックする。原則として手術翌日胸部X線を撮り，肺の膨らみ状態をチェックする。翌日の胸部X線で開胸側に問題があれば，多くは無気肺か血胸である。喀痰の吸引や体位ドレナージを試みることと，ドレーンに閉塞がないかチューブチェックとミルキングを行う。チューブ内に貯留した液は患者の呼吸で前後に動くが，もしチューブ内に空気が入っていればその貯留液は徐々に吸引器側に移動していく（3連式の吸引器ではエアーリークがあれば真中のレーンから持続的に泡が出てわかるようになっている）。エアーリークを認める場合は，まだ抜去できる時期ではない。エアーリークがなく（つまり気胸になる危険がなく），術後48時間以降で排液が漿液性（100〜150 mL/12時間以下）になってくれば抜去の時期と判断する（通常，術後3〜6日後）。

　エアーリークがなく排液も漿液性になっているにもかかわらず，排液量が1日に200 mL以上あるときには，3〜4時間毎の間欠的吸引にする（夜間は吸引器の電源をオフ）。その後1日量200 mL以下になれば，自然陰圧（吸引器の電源をオフ）にし翌日チューブクランプし胸部X線を撮影する。

●胸腔ドレーン抜去の手順

　以下に，胸腔ドレーン抜去の基本的な手順を記載する。
① 肺損傷によるエアーリークを疑う場合は，朝胸部X線を撮影してからチューブをクランプし午後に半座位で胸部X線を再度撮影し，朝の画像と比較して気胸や胸水貯留がなければ，クランプを開放し十分に排液させる（術中に肺損傷がなくエアーリークもなければ，上記を省略することは可能である）。
② 吸気の最終か呼気中に息を堪えさせて（Valsalva maneuver：胸腔内を陽圧にする），ドレーンを抜去し巾着縫合する。小児で協力が得られない場合は，刺入時に皮下トンネルを通して抜去時にはガーゼと指で刺入部を押さえながら抜去する。抜去直後に必ず呼吸音を聴診し確認する。
③ 髄液漏がある場合は髄液ドレナージを準備する。また抜去後も胸腔穿刺が必要なことがあるので留意しておく。

4-8. halo vest の管理

　多椎間固定や術後安静が保ち難い場合はhalo vestを装着させる。

■装着の注意点
・ピンの刺入部は，前方は眉毛の1〜2 cm上で眉毛の外側1/3，後方は耳の2 cm上の線上で前方の対側に近い部分とする。
・ピンを4本刺入する時の推奨されるトルクは8ポンドである。
・肩の部分が浮かないように，ベスト部分を尾側に引きながら支柱を締めるようにする。

■安静度・安静期間
・安静度，安静期間は個々の症例により異なるので術者に相談すること。

■固定のポイント
・前弯を保つ場合は，ポールに固定するベルトが有用なことがある。

■halo vestの固定力
・halo vestの固定力を過信してはならない。
・3椎間以上の固定ではある程度の固定力はあるが，1〜2椎間ではhalo vestを装着していても頚椎はある程度動くものである。

■緩み対策
・管理上留意すべきことは頭蓋刺入ピンと連結部の緩みである。
・ピンは基本的には装着後1〜2日後と7〜10日後で一度トルクレンチを用いて6〜8ポンドで対角線上に締め上げる。
・このトルクで締める限り締めすぎて頭蓋内板

を貫通することは成人ではほとんどないが，抵抗なく締まる場合は止めてピンに垂直になるようX線撮影を行う(4本なら4方向)．
- 連結部のナットを締めるレンチはどこでもすぐに使えるようにしておく．
- トルクレンチは必ず病棟の決まった場所に置いておく．

■ 注意事項
- もしピン刺入部のガーゼが水様の液で濡れるなら，髄液漏なのでピンを抜去し刺入部位を変更する．

■ 小児患者への対応
- 小児は頭蓋内板を貫通しやすいので締めるトルクには注意する(小児では2～4ポンド)．
- 3歳以下の場合は4本以上ピンを刺入するほうがよい(10～12本程度まで2ポンドのトルクで)．
- 2歳未満の小児は頭蓋縫合部が開いているので基本的にはピン刺入は禁忌だが，どうしても必要な場合，ピンは8本刺入する．

■ その他
- halo vest装着中でもピン刺入部に感染徴候がなければ，洗髪を許可する．
- CTガイド下でのピン刺入も選択肢としてあり得る．

4-9. 脊髄浮腫の予防・治療

　脊椎手術後や放射線療法後の脊髄浮腫に対する薬物療法は確立したものはないが，脳浮腫や頭蓋内圧亢進症に対する治療に準じて行う．腫瘍による浮腫ではステロイドのほうが有用である．

　デキサメタゾン(デカドロン®)かベタメタゾン(リンデロン®)4～6 mgを1日3～4回静注する．

　※経口摂取可能になれば，4～8 mg/日から漸減し3～7日で中止する．

4-10. 糖尿病患者の周術期管理

a. 糖尿病の診断
1) 随時血糖値：200 mg/dL以上
2) 早朝空腹時血糖値：126 mg/dL以上
3) 75gOGTTで2時間値：200 mg/dL以上

上記いずれかが2回以上確認される場合，糖尿病と診断する．

b. 糖尿病の周術期管理
　糖尿病患者は術後感染の危険性が高くなるだけでなく，さまざまな合併症リスクが増し術後成績に影響するので，周術期管理には特に配慮する必要がある．

- ■ 食事制限：糖尿病食，1日総カロリーを25～30 kcal/kgとする．
- ■ 毎食前に血糖値をチェックし，食前血糖200 mg/dL程度を目標とする．
- ■ 空腹時血糖値が200 mg/dL未満または経口血糖降下薬による治療患者：術後輸液は生理食塩水かブドウ糖を含まない輸液を使用する．
- ■ 空腹時血糖値が200 mg/dL以上またはインスリン治療患者：基本的には内科にコンサルトする．インスリンを使用しブドウ糖も加える．
- ■ HbA1cが8.0%以上の場合はコントロール不良と考え，術前に内科にコンサルトのうえ，心臓・脳血管の評価が必要(できれば頚動脈エコーも)となる．
- ■ 術後48時間までの血糖値を150～200 mg/dL以下に保つことが術後の感染予防目的上重要とされている．
- ■ 術後初期のインスリン注入量は通常術前の1日当たりのインスリン需要量を目安に，20単位未満の場合は0.5単位/時，20～50単位未満の場合は1.0単位/時，50単位以上の場合は1.5単位/時に，インスリン初期注入速度を設定するのが一般的である．術後30分～数時間単位で血糖値をモニターするが，点滴ボトル内にインスリンを混入して管理する場合には，6～8時間毎に速効型あるいは超速効型インスリンの皮下注射を併用する．術前のインスリン需要量が不明の場合は，点滴中のブドウ糖5～10 gに対してインスリン1単位を目安に投与を開始する．別ルートで持続注入するほうが管理しやすいが，その場合はsliding

表 I-4-2　インスリン静脈内注入の一般的指示（sliding scale）

血糖値(MG/DL)	インスリン注入速度(単位/時)設定
～120	0.2～0.8 単位減量
200～249	0.1～0.2 単位増量
250～299	0.2～0.4 単位増量
300～399	0.3～0.6 単位増量
400～	0.4～0.8 単位増量

※30分～数時間毎に血糖値をモニターする

scale（表 I-4-2）にて血糖調節を行う。

4-11. 術後せん妄への対応

75歳以上の高齢者では，手術当日または翌日の夜間に不隠状態に陥ることがしばしばある。几帳面で高学歴の男性高齢者は要注意である。多くは精神的ストレスと不眠が引き金になっているが，まずは脱水，電解質異常の補正を行う。さらに，薬剤（ベンゾジアゼピン，オピオイド，ステロイド，H2ブロッカー，抗コリン薬，抗パーキンソン薬など）が引き金になっている可能性もあるので，不要な薬剤は中止する。薬物治療のターゲットは過活動型せん妄である。
- 夕方から夜間にかけて不眠や興奮が目立つときは，糖尿病がなければ抗不安・催眠効果の強いクエチアピン（セロクエル®またはクエチアピン錠）1錠（12.5 mg）を使用する。糖尿病があればリスペリドン（リスパダール®またはリスペリドン液）1包（0.5 mg）を使用する（ただし，腎機能低下時は適宜減量を考慮）。
- 日中にせん妄が悪化するときは，リスペリドン（リスパダール®またはリスペリドン液）1包（0.5 mg）を使用する（せん妄増悪時は，1包追加可）。
- 経口不可や静脈ルートが確保されているときは，ハロペリドール（セレネース®）1/2 A（2.5 mg）静注で対処する（最大10 mgまで）。催眠作用目的でアタラックス®-P注の併用は効果的である。

（注意）
1) 錐体外路症状の出現に注意する。
2) 睡眠の持続が困難なときは睡眠導入薬（ゾピクロン®錠またはアモバン®錠，ロゼレム®錠）を併用するが，単独では用いない（安易なベンゾジアゼピン追加は症状が悪化する危険性あり）。

4-12. 静脈血栓塞栓症の診断・治療[18]

a. 深部静脈血栓症（deep vein thrombosis：DVT）

■診断

下肢の疼痛，腫脹，暗赤色への色調変化など典型的な症状に加え，**Homans徴候**（足関節を背屈させると腓腹部に疼痛が誘発される）陽性であればまずDVTを疑うことが重要である。血液検査では，凝固線溶系のマーカーとして**D-dimer**の有用性が高い。つまり，D-dimerが高値であってもDVTの診断はできないが，正常値であればDVTは否定される。D-dimerは術後1週後のカットオフ値10 μg/mLが比較的鋭敏であるが，術直後はD-dimerが高値になるため診断は困難である。超音波検査は，骨盤内の血栓が診断できないことと感受性（大腿部で約60%，下腿部で約30～50%）が問題である。造影高速CTは同時に肺動脈も検索できるため肺血栓塞栓症（PTE）を疑った場合に有用な検査である。

■治療

DVTと診断すれば，抗凝固療法または血栓溶解療法を行う。急性期はヘパリンやウロキナーゼを用い，その後ワルファリンに移行するのが一般的であったが，直接作用型経口抗凝固薬の登場により最近は治療戦略が変化してきた（5日以上ヘパリンを投与する場合，ヘパリン起因性血小板減少症の危険がある）。大腿部より近位の浮遊血栓はPTEの危険性が高いため下大静脈フィルター留置などに関して，循環器内科にコンサルトする。

■予防

脊椎外科手術における予防策としては，弾性ストッキング装着かフットポンプなどによる間

欠的空気圧迫法が推奨されているが，間欠的空気圧迫法を行う場合はDVTのないことが条件なので術中から行うのが望ましい．安静臥床中は終日装着し，積極的な下肢自動運動を指導する．離床してからも十分に歩行ができるようになるまで臥床時には装着を続ける．

b. 肺血栓塞栓症（pulmonary thromboembolism：PTE/PE）

PTEの発生時期は術後3週以内（股関節術後で平均9日）が多く，排尿・排便やリハビリテーション時が要注意である．呼吸困難と胸痛が最も多い自覚症状で，他覚的には頻呼吸と頻脈が認められるがいずれも非特異的である．体動時の息切れは，予兆として重要である．まず行うべき検査は，胸部X線（肺野の透過性亢進：Westermark sign），心電図（右側誘導での陰性T波，右脚ブロックなどの右心負荷所見），動脈血ガス分析（頻呼吸のためPaO_2，$PaCO_2$ともに低下），心エコー検査（右心負荷所見）である．血液検査では，LDH上昇，ビリルビン上昇，GOT正常をWackerの三徴というが診断的価値は低い．D-dimerは血栓の存在下で高値となるが，これが正常であればDVTやPTEは否定できる．術後の患者がショックを起こし，心電図や心エコー上右心負荷所見が認められればPTEとして早急の治療が必要である．PTEの診断がつかず時間的余裕があれば，肺血流シンチグラフィおよび肺造影CTは行うべき検査である．

■ 治療

急性PTEの死亡率は高いので，早期に診断し適切に治療することが重要である．急性PTEの治療は薬物的抗血栓療法が中心になるが，重症の場合は，経皮的体外循環装置（PCPS）を早急に装着しないと救命困難な場合が多い．したがって，PTEが疑われた時点で循環器内科に至急コンサルトすることが重要である．

引用文献

1) Wakamiya R, Seki H, Ideno S, et al：Effects of prophylactic dexamethasone on postoperative nausea and vomitting in scoliosis correction surgery：a double-blind, randomized, placebo-controlled clinical trial. Sci Rep 9：2119, 2019.
2) Riew KD, Long J, Rhee J, et al：Time-dependent inhibitory effects of indomethacin on spinal fusion. J Bone Joint Surg Am 85：632-634, 2003.
3) Glassman SD, Rose SM, Dimar JR, et al：The effects of postoperative nonsteroidal anti-inflammatory drug administration on spinal fusion. Spine 23：834-838, 1998.
4) Dimar JR, Ante WA, Zhang YP, et al：The effect of nonsteroidal anti-inflammatory drugs on posterior spinal fusions in the rat. Spine 21：1870-1876, 1996.
5) Reuben SS, Ekman EF：The effect of cyclooxygenose-2 inhibition on analgesia and spinal fusion. J Bone Joint Surg Am 87：536-542, 2005.
6) Antimicrobial prophylaxis for surgery. Treat Guidel Med Lett 4：83-88, 2006.
7) Walters R, Rahmat R, Shimamura Y, et al：Prophylactic Cephazolin to Prevent Discitis in an Ovine Model. Spine 31：391-396, 2006.
8) Walters R, Moore R, Fraser R：Penetration of Cephazolin in Human Lumbar Intervertebral Disc. Spine 31：567-570, 2006.
9) Polly DW Jr, Meter JJ, Brueckner R, et al：The effect of intraoperative blood loss on serum cefazolin level in patients undergoing instrumented spinal fusion. A prospective, controlled study. Spine 21：2363-2367, 1996.
10) Olsen MA, Nepple JJ, Riew D, et al：Risk factors for surgical site infection following orthopaedic spinal operations. J Bone Joint Surg Am 90：62-69, 2008.
11) Bratzler DW, Houck PM：Surgical infection Prevention Guideline Writers Workgroup. Antimicrobial prophylaxis for surgery：an advisory statement from the National Surgical Infection Prevention Project. Am J Surg 189：395-404, 2005.
12) 整形外科感染対策における国際コンセンサス 人工関節周囲感染を含む筋骨格系感染全般，田中保仁・宗本充 編，ICM翻訳プロジェクトチーム，p272, 2019.
13) Aono H, Ohwada T, Kaneko N, et al：The post-operative changes in the level of inflammatory markers after posterior lumbar interbody fusion. J Bone Joint Surg Br 89：1478-1481, 2007.
14) Sakaura H, Hosono N, Mukai Y, et al：Multiple cerebellar hemorrhagic infarctions following surgery for a huge atlantoaxial neurinoma. Spine J 6：86-89, 2006.
15) Konya D, Ozgen S, Pamir MN：Cerebellar haemorrhage after spinal surgery：case report and review of the literature. Eur Spine J 15：95-99, 2006.
16) Kitchel SH, Eismont FJ, Green BA：Closed subarachnoid drainage for management of cerebrospinal fluid leakage after an operation on the spine. J Bone Joint Surg Am 71：984-987, 1989.
17) 徳橋泰明，松崎浩巳：術後髄液漏に対する経皮的くも膜下ドレナージ．脊椎脊髄術中・術後のトラブルシューティング，三輪書店，pp100-103, 2003.

参考文献

18) 藤田 悟：深部静脈血栓症と肺血栓塞栓症の診断と治療．日整会誌 78：15-19, 2004.

5 退院・M&Mカンファレンス

5-1. 退院時にするべきこと

以下の3点を行うことを忘れない。

> 1) 再診予約
> 2) 紹介医への報告
> 3) 資料の保存(キー画像の整理・選択)

- 退院・転院は必ず入院指示者の指示を受け、患者にその旨報告する。退院後の再診の日時も知らせ、予約をとる。
- 術前・術後の重要な画像資料を保存しておくと便利である。
- **簡単な入院経過サマリーを紹介医に診療情報として提供する。**
- 転院の場合は、転院先に依頼することと次の再診日を予約する(転院時のサマリーは退院サマリーをコピーして添付してもよい)。

5-2. 退院サマリー

退院が決定したら、退院サマリーを作成し必ず入院指示者のチェックを受ける。
退院サマリーは他院への報告書や紹介医への返事にも用いる。
他院への紹介状や退院サマリーをみれば、担当医の素質が評価できる!
おおむね以下の順序で作成するようにする。

① 主訴
② 既往歴、アレルギー歴
③ 現病歴
　1) 初発症状と出現時期、契機、外傷の有無とその内容
　2) 歩行障害の有無とその自覚時期
④ 現症
　1) 痛みの部位と程度、持続的な痛みか間欠的な痛みか
　2) 神経学的検査:反射、知覚、筋力・筋萎縮
　3) 神経伸張テスト
　4) 巧緻性評価:10秒テスト、握力
　5) 歩容・歩行能力:間欠跛行の有無と距離、時間
　6) 膀胱・直腸障害の有無
⑤ それぞれの疾患での判定基準の各点数
⑥ 麻痺のある症例では、Frankel分類やASIA分類
⑦ 検査の内容と主な所見、それぞれの疾患での重要な計測値(特にミエログラフィや入院後の検査での手術部位以外の圧迫所見)
⑧ 術式選択肢と選択した術式
⑨ 術中・術後の合併症とその内容(特に神経合併症では経過をまとめる)
⑩ 術後経過の概要(予定通りの経過であったかどうか、他科コンサルトの有無と経過)
⑪ 他疾患の合併と入院中の経過
⑫ 退院時処方

5-3. 退院後の経過観察

退院後の予約を必ずとり、経過を観察する。転院の場合、フォローから漏れることが多いので数カ月後に予約をとり、本人が来院できない場合は家族だけでも経過報告に来てもらうように説明する。**骨移植や金属を使用している場合は必ず骨癒合を確認するまでフォローすべきで、X線ではっきりしない場合は術後6カ月や12カ月の時点でCTにて骨癒合と金属の位置や**

緩みなどを再評価する。

5-4. M & M カンファレンス

筆者の施設では，発生した術前・術後合併症，死亡例を列挙し，研修指導医に報告し，M & M カンファレンス(morbidity and mortality conference：合併症・死亡症例検討会)ですべて症例を提示している。M & M カンファレンスの目的は合併症や患者の死を次に生かすこと―「どうしたらよかったのか」を前向きに議論することで，決して個人を責めることではない。

6 術後感染症対策

6-1. 術後感染予防

　予防的抗菌薬は，アレルギー歴がなければ第一選択薬は第一世代セフェム系のセファゾリン(CEZ：1g静注時の半減期1.7時間，尿中排泄8時間で89％)である[1]。**手術直前(執刀30～60分前)に1～2gと術中はeGFR≧50であれば2～4時間毎(抗菌薬半減期のおよそ2倍が目安)あるいは出血1,000～1,500 mL毎に追加投与**する[2]。術後は8～12時間毎に投与する。肥満や糖尿病では感染の危険性が高いので[3]，**体重70～80 kg以上の患者は1回投与を2倍量(セファゾリンで2g，体重120 kg以上で3g)にすることも必要である**[4]。投与期間に関しては，術中あるいは手術日だけで十分との報告があるが，菌交替現象やさまざまなデータから術後48時間までが適当と考える。通常，その後の経口抗菌薬投与は不要である。

　セファゾリンに対するアレルギー歴がある患者やMRSA感染の危険性が高いと考える場合は，バンコマイシン(15～20 mg/kg)を使用する(代替薬としてはクリンダマイシン600 mgが推奨されている)[5]。

　重要なことは，漫然と投与するのではなく術後4～5日目の検査でCRPが15～20よりも大きくなる場合か38.5℃を超える発熱が持続する場合は深部感染を疑って対処することを怠ってはならない(一般的にCRP値のピークは術後3～4日目である)[6]。創部の治癒が遅れる場合には，組織移行性が良好なクリンダマイシン(CLDM)などを追加することも考慮すべきである(静菌性なので併用が望ましい)。また，前述(p68)の偽膜性大腸炎に注意する。

　また，術後いったん下降したCRPが有意に上昇するか発熱が再燃してくれば必ず術者に報告する。予防的抗菌薬が効かなかったのだから，**同じ抗菌薬を再度使用することは絶対にしてはならない**。高齢者や糖尿病，ステロイド投与中の患者などはMRSA感染をまず念頭に置き，バンコマイシン＋ミノサイクリンまたはST合剤などに変更するほうが無難である。38.5℃以上の高熱や悪寒を伴う発熱は菌血症も念頭に置き，血液培養と尿培養・胸部X線検査を怠ってはならない。

　術中の洗浄も感染予防では重要である。生食による洗浄が基本だが，povidone-iodine(PVI)希釈液による洗浄がより有効とされている[7～10]。具体的には，インプラント挿入前や創部閉鎖前にPVI希釈液を創部に30秒以上浸してから生食にて洗浄する(希釈濃度は0.35％の報告が多い：生食200 mLに10％PVIを7 mL)。

6-2. MRSA感染症

1 MRSA感染症の治療薬

　MRSAに対してはペニシリン系やセフェム系，カルバペネム系を含むすべてのβ-ラクタム薬は単剤では無効である。抗MRSA薬は，バンコマイシン(VCM)とテイコプラニン(TEIC)，アルベカシン(ABK)，リネゾリド(LZD)，ダプトマイシン(DAP)，テジゾリド(TZD)がある。VCMとTEICは細胞壁合成阻害薬で殺菌的作用を有するが，分子量が大きく気道粘液などへの移行性も低い。また，ABKとLZD・TZDは蛋白合成阻害薬で，前者は殺菌的作用を有するが後者は静菌的作用である。DAPは新規の環状リポペプチド系抗菌薬でMRSAを含むグラム陽性菌の細胞膜に結合し殺菌的に

作用する。抗MRSA薬以外にもリファンピシン（RFP）とスルファメトキサゾール・トリメトプリム（ST合剤）は移行性良好で効果が期待できる。

● 注射薬

a. バンコマイシン（VCM）

細胞壁合成阻害（殺菌的作用）／成人は1回0.5gを6時間毎，または1gを12時間毎に点滴静注（小児は1日40 mg/kgを2〜4回に分割投与）

- 1回の点滴時間を1時間以上かけて緩徐に投与する。急速静注で血中ヒスタミンが上昇し，全身性の紅斑性発疹，血圧・脈拍低下をみることがある（red man・red neck症候群）。ヒスタミン遊離が関与しているためH1およびH2ブロッカーが有用とされている。
- 腎機能（Ccr＜50 mL/分）に注意する。血中トラフ（最低）濃度を10〜20（重症例では15〜20）μg/mLに維持する。
- 分子量が大きく脂溶性が低いため，皮下軟部組織や骨・骨髄への組織移行性は低い。骨組織は血中濃度の約10〜15%しか移行しないとされている。

b. テイコプラニン（TEIC）

細胞壁合成阻害（殺菌的作用）／1回400 mg点滴を初日に12時間空けて2回，以後24時間毎

- VCMに比して腎機能障害が少ないが，腎機能の低下例ではCcrを参考に投与間隔を延長する。血中トラフ（最低）濃度を20〜30 μg/mLに維持する。
- VCMに比して脂溶性が高く，良好な組織移行が期待できる。

c. アルベカシン（ABK）

蛋白合成阻害（殺菌的作用）／150〜200 mg分1〜2，7〜14日

- 1回の点滴時間は1時間と長くする。1日2回投与よりも1日1回投与が有効かつ副作用も少ないとされる。
- 骨や皮下組織への移行が不良で，単剤ではほとんど効果を期待できない。アミノグリコシド系のため，緑膿菌などグラム陰性桿菌にも有効なことが特徴である。

d. リネゾリド（LZD）

蛋白合成阻害（静菌的作用）／ザイボックス®1,200 mg分2（注射薬と経口薬がある）

- 肺胞，骨髄，皮膚，筋肉，骨や膿瘍などへの移行性が良好である。
- 骨髄への移行性も良いため血小板減少など骨髄抑制には注意を要する。

e. ダプトマイシン（DAP）

MRSAをはじめとするグラム陽性菌の細胞膜と結合して殺菌作用を有する／キュビシン®4〜6 mg/kgを1日1回静注

- 皮膚や骨への組織移行性は良好だが，肺サーファクタントと結合するためMRSA肺炎には使用できない。
- 血中濃度などの薬剤モニタリングが不要である。腎機能への安全性は高い。

f. テジゾリド（TZD）

LZDと同じオキサゾリジノン系の新しいMRSA抗菌薬。蛋白合成阻害（静菌的作用）／シベクトロ®200 mg分1（注射薬と経口薬があり1日1回投与）

- LZDに比して骨髄抑制がないのが特徴である。
- 皮下組織，筋肉などへの組織移行性が良好である。

g. スルファメトキサゾール（SMX）・トリメトプリム（TMP）（ST合剤，バクトラミン®）

5〜6 mg/kg/日分2〜3，1時間かけて点滴（60 kgの成人で4〜5A/日，分2〜3），7日

- 本来ニューモシスチス（旧カリニ）肺炎用治療薬でMRSA感染症への保険適用はないが，感染初期や併用で有効である。
- サルファ剤過敏症，妊婦，新生児では禁忌である。

● 経口薬

a. リファンピシン（RFP）

450〜600 mg分1朝食前，5〜7日

- 組織移行性に優れ，ブドウ球菌以外に肺炎球菌を含むレンサ球菌，嫌気性菌に抗菌力を示すが，日本ではMRSA感染症に対する保険適用がない。
- 耐性の獲得が早いので，感受性を有するST合剤，LZD，TEIC，DAPなどと併用する。

b. スルファメトキサゾール（SMX）・トリメトプリム（TMP）（ST合剤，バクタ®）

4g分2，7日

- 注射薬と経口薬がある。
- 臓器移行性に優れているが，日本ではMRSA感染症に対する保険適用がない。

c. ミノサイクリン（MINO）

100〜200 mg 分2，7〜14日
- 注射薬と経口薬がある。
- 組織移行性が良いが，テトラサイクリン系薬剤過敏症に注意する。
- 骨形成抑制作用があるので，8歳未満の小児には原則使用できない。

2 MRSA感染症治療の具体例

病院および対象臓器により治療方針が異なるため，感染症専門医または感染制御チーム（infection control team：ICT）に随時コンサルトすることが必須である。特にMRSAによる脊椎インストゥルメンテーション手術後深部感染症あるいは化膿性脊椎炎は難治性である。したがって，骨・筋肉・皮膚などへの組織移行性に優れたLZD，DAP，RFP，ST合剤，CLDMなどの早期併用治療が重要である。以下は，浅利誠志氏の勧めるプロトコールを参考にした[11]。

a. 2剤併用で感染拡大を防止すると同時に膿瘍の存在と組織掻爬の必要性を知る

MRSA感染症では，膿瘍や組織移行性の良い抗菌薬の選択が予後を左右する。抗MRSA薬単独よりも，初期から病巣部への移行性の良い抗MRSA薬（LZDまたはDAP）とバイオフィルム形成を抑制するRFPなど，2剤併用することがポイントである。2剤併用でCRPが順調に陰転化すれば膿瘍形成は少ないと考えられる。

- 組織移行性を考慮し，薬剤を選択する。また，患者によってはMINOやST合剤＋RFPでも治療可能である（尿路感染の場合など）。

RFP（450〜600 mg 分1）＋MINO（100〜200 mg 分2）またはRFP（450〜600 mg）＋ST合剤（4 g 分2）

- RFPはステロイド，ワルファリンなどの併用薬剤の代謝を亢進させるため注意する（併用薬剤の増量を考慮する）。
- 組織掻爬が必要か否かの判断

抗菌薬のみの治療で十分か，組織掻爬が必要なのかの判断は上記薬剤投与開始後3日間の感染症メルクマール（発熱，白血球，CRP）の推移によって行う。2剤併用でCRP値が陰転化する場合は膿瘍はわずかで早期治癒を望める。しかし，CRP値が陰転化せず3日間以上ほぼ同じ値で遷延し，微熱とわずかな白血球の増加が継続している場合が要注意である。このような場合には，可能な限り外科的掻爬・洗浄を優先させて不良肉芽や腐骨のデブリドマンを行う（CTやMRIで膿瘍は確認できないことが多い）。

b. 外科的掻爬

上記2剤併用治療でCRP値が3.1以上の場合は，膿瘍形成が大きいため外科的掻爬を優先させる。しかし，組織掻爬ができない場合は2剤併用にさらに組織透過性亢進作用を有するCLDMを追加し，LZD＋RFP＋CLDMまたはST合剤＋RFP＋CLDMに変更する。それでもCRPが陰転化しない場合はCLDMの投与量を600〜2,400 mgまで増量する。

- 治療終了の判定

最低でも6〜8週間の治療を必要とする。治療終了の判定は，CRPの完全陰転化，白血球数，体温の正常化した状態を少なくとも4週間以上維持することが重要である。難治性骨髄炎・脊椎炎の患者では，さらに経口薬（ST合剤，MINO，CLDM，RFPなど）で長期（3〜6カ月）フォローする必要がある。

6-3. 褥創処置の基本

実験的には，**約200 mmHgの圧を2時間かけると褥創が形成される**ため，

1) 基本的には，局所の除圧（2時間毎の体位変換）と栄養管理が最も重要である。
2) 滲出液が少ないとき（1日1回の創処置で対処可）はスルファジアジン銀（ゲーベン®）を使用する。
3) 滲出液が多いとき（1日2回以上の創処置が必要）は滲出液を吸収する白糖・ポビドンヨード（ユーパスタ®）かカデキソマーヨウ素（カデックス®）を使用する。
4) 壊死組織やポケットがあるときは，デブリドマンか洗浄が必要である。デブリドマンを行うときは出血に注意する（輸血と電気凝固を準備する）。洗浄は原則として生理食塩水を

用いるが,刺激性の少ない100倍希釈ポビドンヨード液(イソジン®原液10 mLに対して生理食塩水1,000 mL)を用いることもある。

引用文献

1) Antimicrobial prophylaxis for surgery. Treat Guidel Med Lett 4:83-88, 2006.
2) Polly DW JR, Meter JJ, Brueckner R, et al:The effect of intraoperative blood loss on serum cefazolin level in patients undergoing instrumented spinal fusion. A prospective, controlled study. Spine 21:2363-2367, 1996.
3) Olsen MA, Nepple JJ, Riew D, et al:Risk factors for surgical site infection following orthopaedic spinal operations. J Bone Joint Surg Am 90:62-69, 2008.
4) Bratzler DW, Houck PM:Surgical infection Prevention Guideline Writers Workgroup. Antimicrobial prophylaxis for surgery:an advisory statement from the National Surgical Infection Prevention Project. Am J Surg 189:395-404, 2005.
5) 整形外科感染対策における国際コンセンサス 人工関節周囲感染を含む筋骨格系感染全般,田中保仁・宗本充 編,ICM翻訳プロジェクトチーム,p272, 2019.
6) Aono H, Ohwada T, Kaneko N, et al:The post-operative changes in the level of inflammatory markers after posterior lumbar interbody fusion. J Bone Joint Surg Br 89:1478-1481, 2007.
7) Fournel I, Tiv M, Soulias M, et al:Meta-analysis of intraoperative povidone-iodine application to prevent surgical-site infection. Br J Surg 97:1603-1613, 2010.
8) Cheng MT, Chang MC, Wang ST, et al:Efficacy of dilute betadine solution irrigation in the prevention of postoperative infection of spinal surgery. Spine 30:1689-1693, 2005.
9) Chang FY, Chang MC, Wang ST, et al:Can povidone-iodine solution be used safely in a spinal surgery? Eur Spine J 15:1005-1014, 2006.
10) Yamada K, Abe H, Higashikawa A, et al:Evidence-based Care Bundles for Preventing Surgical Site Infections in Spinal Instrumentation Surgery. Spine 43:1765-1773, 2018.
11) 浅利誠志:MRSA難治性感染症の新たな治療法.実践から学ぶ!治せるMRSA感染症,最新医学社,pp149-165,2014.

7 痛み関連の症状に対する薬物療法

痛みは，1)外傷や術後疼痛などの急性痛，2)がん性疼痛，3)慢性疼痛を含めた非がん性疼痛の3つに分けて考え対処法を決める[1]。

ここでは，痛みに対して一般的に主に使用する非ステロイド性抗炎症薬(NSAIDs)の副作用とがん性疼痛や難治性疼痛に対する薬物療法について概説する。

7-1. NSAIDsの副作用

1 NSAIDs潰瘍の予防と対策

経口非ステロイド性抗炎症薬(NSAIDs)は高率に胃粘膜傷害を引き起こすことがわかっている。胃潰瘍の既往，65歳以上の高齢者，高用量のNSAIDsまたは多剤の併用，ステロイドの併用，抗凝固薬の併用を行っている場合などハイリスク患者では抗潰瘍薬の併用を考慮すべきである。

消化性潰瘍診療ガイドライン(改訂第2版)[2]によると，NSAIDs潰瘍予防に有効性が確認されているのは1)プロスタグランジン(PG)製剤(ミソプロストール)，2)プロトンポンプ阻害薬(PPI)，3)常用量の倍量H2受容体拮抗薬(ガスター® 80 mg/日)である。いずれも潰瘍の一次予防における投薬は保険適用となっていないが，NSAIDs潰瘍再発予防に対してPG製剤とPPIは認められている。ミソプロストールは下痢などの副作用が高頻度(10～20％)に認められるのと，若い女性や妊娠の可能性がある場合は流産を起こす危険性があるので禁忌となっている。常用量の倍量H2受容体拮抗薬は通常の消化性潰瘍でも現時点では使用が認められていないので現状では処方が困難である。PPI併用投与はNSAIDs潰瘍やその再発抑制に対して他の2剤に比べて同等以上の治療効果を示すことが報告されていることから第一選択薬として推奨されている[3,4]。

2 その他の副作用・併用注意

その他の副作用として，Na保持あるいは腎性よる高血圧，GFR低下による腎障害や浮腫(特に高齢者)，血小板凝集能低下，心血管系障害，肝障害，喘息などが挙げられ，注意が必要である。以下に併用禁忌，併用注意を示す。

1)ニューキノロン系抗菌薬(バクシダール®，タリビッド®など)との併用では痙攣に注意する。
2)メトトレキサート(MTX)：毒性亢進の危険性がある。
3)ワルファリン：出血時間延長に注意する。
4)経口糖尿病薬(トルブタミドなど)との併用による低血糖発作に注意する。
5)リチウム：リチウム中毒に注意する。

7-2. オピオイドと鎮痛補助薬

がん性疼痛の治療は，オピオイドの使用が中心になるが，最近では非がん性慢性疼痛に対して使用することも多くなってきている。後述するneuropathic pain(神経障害性疼痛)に対しては以前はオピオイド抵抗性とされてきたが，有効との報告もある。

非がん性慢性疼痛に対するオピオイドの使用方法はがん性疼痛に対するものと基本的異なることを理解しておく必要がある。非がん性疼痛に対しては，モルヒネ換算で1日60 mg(最大で

も90 mg)以下にすることが推奨されている。慢性疼痛に対する薬物療法は用量依存的に鎮痛効果が期待できる反面，副作用も出現しやすい。したがって1カ月程度で維持用量を設定し，その後3カ月程度で効果判定する。効果がなければ，多剤併用はなるべく避け効果のない薬剤は中止していくことも検討すべきである。

1 オピオイド

オピオイドの徐放製剤として，MSコンチン®，モルペス®，アンペック®坐剤とオキシコドンの徐放製剤として，オキシコンチン®がある。また，最近では慢性疼痛に対して，より使いやすい弱オピオイドが使用される機会が増えてきている［トラマドール（トラマール®）］，トラムセット®（トラマドール 37.5 mg とアセトアミノフェン 325 mg の配合剤）。

● モルヒネとの用量換算

経口モルヒネ 60 mg ≒ トラマドール 300 mg
経口モルヒネ 60 mg ≒ オキシコドン徐放錠 40 mg
経口モルヒネ 60 mg ≒ フェントステープ® 2 mg
経口モルヒネ 60 mg ≒ デュロテップ®MTパッチ 4.2 mg

● オピオイドに対する副作用対策

オピオイドの副作用として多いのは，初期の**眠気と嘔気，便秘**である。呼吸抑制も注意すべき副作用だが，適正使用している限り起こることはほとんどない。

a．眠気

傾眠傾向が持続すれば減量するか投与回数を増やすかで対処するが，通常3～7日で眠気は消失する。

b．嘔気

50～60％の患者で出現するが，ほとんどが数日以内に耐性が生じるので，制吐薬の予防投与は通常不要である（高齢者に投薬する場合は，副作用としての錐体外路症状に注意）。数日の予防投与や嘔気出現時には以下の薬剤で対処する。

- プロクロルペラジン（ノバミン®）：1回 5 mg，1日3～4回あるいはメトクロプラミド（プリンペラン®）：10 mg，1日3～6回
- ドンペリドン（ナウゼリン®）：坐剤 60 mg，8～12時間毎
- ハロペリドール（セレネース®）：0.75～1.5 mg，1日2～3回または就寝前
- 上記が無効または効果不十分の場合は，チミペロン（トロペロン®）：0.5～1.0 mg，1日2～3回，その他オランザピン（ジプレキサ®），リスペリドン（リスパダール®）なども有効である。
- 体動性の吐き気や乗り物酔いに類似した嘔気の場合は，ジフェンヒドラミン（トラベルミン®）または抗ヒスタミン薬を投与する（2～3回/日）。

c．便秘

投与量と下剤の必要量は通常相関しない。
- 塩類下剤による水分保持と便軟化：酸化マグネシウム 1.5～2.0 g 就寝前あるいは分 2～3
- 大腸刺激性下剤による蠕動運動亢進
  1) センナ製剤（プルゼニド®）：2～4錠就寝時。2日経っても便通がなければ徐々に増量（4→6→8錠）
  2) ピコスルファート（ラキソベロン®）：10～20滴就寝時。便通がなければ徐々に増量（40→60→80滴）

いずれも下痢を生じたら半量に減量する。
- 末梢性μオピオイド受容体拮抗薬（スインプロイク®）
オピオイド誘発性便秘症に対する新しい薬剤で効果を期待できる。

d．錯乱・幻覚，せん妄

ハロペリドール（セレネース®）：1.5～5.0 mg/日。リスペリドン（リスパダール®）も有効である。

2 鎮痛補助薬

a．抗うつ薬（p84 参照）

b．抗痙攣薬

神経障害部位での発作性異常放電の抑制や神経の過興奮を抑制する。
- プレガバリン（リリカ®）：50～150 mg（眠前あるいは分 2）から，ふらつき等に注意しながら徐々に増量する。高齢者や腎機能低下患者で

は用量に注意が必要で，25 mg/日から開始し，クレアチニンクリアランス値を参考に投与量を調節する。
- カルバマゼピン（テグレトール®）：1回100〜200 mg，眠前
- クロナゼパム（リボトリール®）（GABA作動薬）：1回0.5〜1 mg，眠前から漸増する。遺残疼痛やしびれに有効なこともある。

c. 抗不整脈薬

神経障害によって引き起こされた異所性神経興奮を抑制する。
- メキシレチン（メキシチール®）：1回50〜150 mg，1日3回
- リドカイン（キシロカイン®）：30〜50 mg/時，持続皮下注入

d. NMDA受容体拮抗薬

侵害刺激を伝達する興奮性アミノ酸作用を媒介するNMDA受容体の拮抗作用が特徴である。
- ケタミン（ケタラール®）：100〜200 mg/日，持続皮下注入，持続点滴

e. コルチコステロイド

抗浮腫作用とプロスタグランジン産生抑制による抗炎症作用が特徴である。
- ベタメタゾン（リンデロン®）かデキサメタゾン（デカドロン®）：通常1〜2 mg朝1回/日から開始し増量していくが，脊髄圧迫では最初から4〜8 mg朝・昼分2で投与し漸減させる。

7-3. 難治性疼痛[1,8,9]

非がん性疼痛で治療に難渋する難治性疼痛は，主に1）神経障害性疼痛（neuropathic pain）と2）心因性疼痛（psychogenic pain）である。いずれもペインクリニック（麻酔科）や心療内科（精神科）などと連携し，"cure"だけでなく"care"することに努めていく必要がある。疼痛をゼロにすることも目標にするのではなく，ADL改善を目標とする。

1 neuropathic pain：神経障害性疼痛

痛覚伝導路（pain pathway）が遮断されており，特徴としては痛みの閾値上昇を伴ったhyperpathia, allodynia, painful dysesthesia（ピリピリ，ジリジリした痛み）などが挙げられる。
- 複合性局所疼痛症候群（complex regional pain syndrome：CRPS）
    Type Ⅰ：RSD（reflex sympathetic dystrophy），allodynia
    Type Ⅱ：明らかな神経損傷を伴うcausalgia
- 求心路遮断性疼痛症候群（deafferentation pain syndrome）
    視床痛，脊髄損傷後疼痛，phantom pain（幻肢痛），腕神経叢引抜き損傷後疼痛

● 神経障害性疼痛に対する薬物療法

NSAIDsやオピオイドには通常抵抗性で，先述した鎮痛補助薬が中心となる。

2 psychogenic pain：心因性疼痛[10]

原因となる器質的疾患が見出されないか，存在してもその身体的所見以上の強さで訴えられる疼痛である。あくまでも除外診断だが，心理的要因の関与が大きいと考えられる疼痛を指す。ここでは，精神科的疾患の鑑別については多くを述べることはできないが，実際の外来診療で困惑するのは精神・心理的要素が強い患者の扱い方である。さまざまな部位の痛みや到底脊椎由来では考えられない症状を止めどなく訴える場合，精神・心理的な問題が関与していると疑う。そのような場合は腕の痛みや足の痛み，胸痛や腹痛，頭痛などこちらから尋ねれば患者は多くの症状を肯定する。局所所見あるいは画像所見が陰性でも，患者の痛みを否定する発言は絶対に避けるべきで，「この痛みは相当辛くて大変でしょうね」と痛みに苦しんでいる患者に共感しねぎらう基本姿勢を忘れてはならない（p8「はじめに」参照）。また，主訴あるいは疼痛部位が常に一貫していれば何らかの病因から精神的にうつ的状態になっている可能性があり，悪性腫瘍の転移か骨髄腫など全身的疾患を鑑別すると同時に局所の精査を怠らないように先入観を排除すべきである。そして，疼痛のためにできないことが多くても，できないことを悲しむのではなく何かできることを見つけ出し，できることの喜びと幸せを知ってもらうこ

とが重要である。

> ▷ 基本的応答のポイント[5]
> a. 患者の疼痛の訴えや辛い感情を聞き，医療者側の言葉でその感情を言い表す。次に，その感情を言い換えたり，繰り返す。
>   ・「眠れないほど痛いのですね」「痛みで眠れないというのは，相当辛いでしょうね」
> b. 共感
>   ・「眠れないほど痛い，というのはとっても辛いことですね」
>   ・「あなたがおっしゃりたいのは～ということですね？」
> c. 質問
>   ・「差し支えなければ～について，もう少し（詳しく）教えていただけませんか？」
>   ・「日中痛みが和らいで，何かできることはありませんか？」

● うつ病の診断

疼痛がうつ状態をもたらすのか，うつ病の身体症状の1つとしての難治性疼痛かはなかなか判断が難しい。うつ病は，感情・気分，意欲，思考・認知の障害を基本とする精神症状と肩や首の凝り，関節痛，しびれ感など多彩な身体症状からなる。さまざまな部位の痛みや訴えが複数ある場合には，うつ病を念頭に置く必要がある。こちらから「ここは痛くないですか？ ○○はどうですか？」などと質問を投げかけ，同調して痛みやしびれを訴える場合は精神的要素が強いと考えてよい。食欲減退（ときに過食症状がみられることあり），全身倦怠感や易疲労性もうつ病の主要な症状である。インターフェロン製剤やステロイドはうつ状態の原因となり得る代表的薬剤であるので注意する。簡単なスクリーニングテストとして以下の"two question 法"がある。

> ▷ two question 法
> 1. この1カ月間，気分が沈んだり，憂うつな気持ちになったりすることがありましたか？
> 2. この1カ月間，物事に対して興味がわかないとか，楽しめない感じがよくありましたか？

これはDSM大うつ病の2つの基本症状（抑うつ気分と興味・関心・喜びの消失）に対応する症状があるかどうかを調べる質問で，2項目を満たすときの大うつ病の診断感度は88％とされている。また，いずれかの質問に「はい」と答えた場合を陽性とすると，うつ病に対する感度は97％，特異度は67％となる[6]。

「いっそ消えてなくなりたいと思うことはありませんか」という質問に対して肯定するか，自殺企図を示唆する言動があれば早急に専門的治療が必要だが，精神科医への紹介にあたっては患者の精神科受診への抵抗を十分考慮しながら，以下のような心遣いが必要である。

> ○ 患者が見捨てられたという感覚を持たないように配慮すること。
> ○ 問題を具体的に取り上げながら，その問題を専門家に相談してみることを勧める。
>   例えば，多くの場合不眠や不安があるので，「睡眠障害（あるいは不安障害）の専門家に診てもらいましょう」とか「よく眠れるように専門家に睡眠薬を処方してもらいましょう」などと説得するのがよいであろう。そのとき，具体的に自分が信頼できる専門医の名前を挙げて受診を勧めることが相手に安心感を与える。
> ○ 問題が解決した後に患者が希望すれば再度治療を引き受けることを伝える。

● 抗うつ薬

a. 作用機序

神経終末においてノルアドレナリンやセロトニンの再取り込みを阻害することでこれらの作用を強め，侵害刺激の伝達を抑制する。

b. 選択

痛みや不安，不眠やうつ状態などをターゲットに使用するが，鎮痛効果が以前から確認されてきたものは以下の三環系抗うつ薬である。

一般的には，鎮痛補助薬として使用する場合は副作用に対する認容性が優れているノリトレン®が推奨されているが，抑うつ気分や絶望感が強い場合はトフラニール®やクロミプラミン（アナフラニール®）を使用し，焦燥感や取り越し苦労が強い場合はトリプタノール®を用いる。

■ ノリトリプチリン（ノリトレン®）：比較的副作用が少なく，神経障害性疼痛に対する第一選択薬として推奨されている。

■ アミトリプチリン（トリプタノール®）：鎮静効果が強く，焦燥感が強いときに使用する。

- **イミプラミン(トフラニール®)**：気分明朗化作用が強く，不安感が強いときに使用する。

c. 副作用

抗コリン作用(口渇，尿閉，便秘，頻脈，起立性低血圧)が挙げられる。抗うつ薬を大量(2,000 mg以上)に服用すると心伝導系障害を起こし死亡する危険性がある。パーキンソン病などに投与するMAO阻害薬は併用禁忌で，β-遮断薬，テオフィリン，ワルファリン，抗てんかん薬など併用注意の薬剤をチェックすることが重要である。

d. 使用法

ノリトレン®は10〜20 mgを就寝前から開始し，2週間毎に漸増し50〜100 mg程度まで増量する。トフラニール®やトリプタノール®は，就寝前25 mgから開始(高齢者では10 mg)し，数日毎に10〜25 mgずつ増量する。その後75〜100 mgの維持量まで25 mgずつ増量する(分3または就寝前)。最大効果が得られてから1カ月経過すれば維持量を漸減することができる。3〜6カ月の緩解が得られれば，緩徐に減量し休薬を試みる。

最近では選択的セロトニン再取り込み阻害薬(selective serotonin reuptake inhibitor：SSRI)やセロトニン・ノルアドレナリン再取り込み阻害薬(serotonin noradrenaline reuptake inhibitor：SNRI)が開発され抗コリン作用による副作用が少なく高齢者にも使いやすい。しかし，疼痛緩和に関してSSRIは治療効果が低いようである[7]。

- **パロキセチン(パキシル®)**，SSRI：10〜20 mgから開始し1週毎に10 mgずつ40 mgまで増量する(夕食後1回)。作用持続時間が長く眠気や性機能障害などの副作用に注意する。不安・焦燥感が強いときやパニック障害に使用しやすい。18歳未満は禁忌となっている。
- **デュロキセチン(サインバルタ®)**：5-HTおよびNA再取り込み阻害能を有するSNRI。20 mg分1から徐々に増量し40〜60 mgまで増量する。三環系抗うつ薬よりも副作用が少なく，基本的には肝臓代謝のため腎機能が低下している高齢者にも使いやすい。2016年慢性腰痛症，そののち変形性関節症に伴う疼痛に対しても適応が認められ，糖尿病性神経障害や線維筋痛症に伴う疼痛にも使用されている。

●抗不安薬(表I-7-1, 2)

用いるのはベンゾジアゼピン系が多いが，抗不安作用に加えて筋弛緩作用や抗痙攣作用も有する。ベンゾジアゼピン系の注意点としては，抗不安作用の強いエチゾラム(デパス®)などを使用するときの依存性である。中断すると不安が再燃する危険性があるので，漸減するかSSRIやSNRIなど副作用が少ない抗うつ薬に切り替えていくことを考慮する。また，抗真菌薬との併用禁忌(ハルシオン®)や抗結核薬であるリ

表I-7-1 ベンゾジアゼピン系睡眠薬(作用時間での分類)

薬剤(半減期)	超短期型	短期型	中間型
	アモバン®(4時間) マイスリー®(2.3時間)	レンドルミン®(7時間) リスミー®(10.5時間) エバミール®(10時間)	ベンザリン®(22時間) ユーロジン®(24時間) サイレース®(7〜24時間)

表I-7-2 ベンゾジアゼピン系抗不安薬(作用効力での分類)

抗不安作用	作用時間	薬剤名	半減期
弱	短	クロチアゼパム(リーゼ®)	4〜5時間
	長	メダゼパム(レスミット®)	2〜5時間
		クロルジアゼポキシド(コントール®)	7〜28時間
中	短	アルプラゾラム(コンスタン®)	14時間
	長	ジアゼパム(セルシン®)	27〜28時間
強	短	エチゾラム(デパス®)	6時間
	長	クロキサゾラム(セパゾン®)	11〜21時間

ファンピシン(RFP)と併用すると代謝が促進され効果が減弱することも留意すべき点である。

睡眠薬として用いる場合は，半減期を考慮して睡眠障害のパターンに応じて処方するが，高齢者に処方する場合は，夜間に覚醒してトイレに行くときに転倒しやすいので十分な注意を要する。

引用文献

1) 柴田政彦：痛みの診断，評価法．痛みの診療．克誠堂出版．pp47-51, 2000.
2) 日本消化器病学会 編：消化性潰瘍診療ガイドライン2015 改訂第2版，南江堂，pp121-130, 2015.
3) Yeomans ND, Tulassay Z, Juhász L, et al：A comparison of Omeprazole with Ranitidine for ulcer associated with nonsteroidal anti-inflammatory drugs. N Engl J Med 338：719-726, 1998.
4) Hawkey CJ, Kaarrasch JA, Szczepañski L, et al：Omeprazole compared with misoprostol for ulcers associated with nonsteroidal anti-inflammatory drugs. N Engl J Med 338：727-734, 1998.
5) 梁　勝則：末期がん患者・家族とのコミュニケーション技法(4)実践編　応答の基本：情緒的反応への応答(1)．医事新報 4733：41-43, 2015.
6) Aroll B, Khin N, Kerse N：Screening for depression in primary care with two verbally asked questions：cross sectional study. BMJ 327：1144-1146, 2003.
7) Staiger TO, Gaster B, Sullivan MD, et al：Systematic review of antidepressants in the treatment of chronic low back pain. Spine 28：2540-2545, 2003.

参考文献

8) Gilron I, Bailey JM, Tu D, et al：Morphine, gabapentin, or their combination for neuropathic pain. N Engl J Med 352：324-334, 2005.
9) Siddall PJ, Cousins MJ, Otte A, et al：Pregabalin in central neuropathic pain associated with spinal cord injury：A placebo-controlled trial. Neurology 67：1792-1800, 2006.
10) 真下　節，福井弥已郎，柴田政彦：慢性疼痛．痛みの診療．克誠堂出版，pp68-74, 2000.

8 神経内科的疾患概要

脊椎・脊髄病の診断および手術適応を決定する際，神経内科的疾患との鑑別診断がときに重要になってくる。信頼できる神経内科医へのコンサルトが必要であるが，神経内科的疾患の概要を下記にまとめた[13]。

脊椎・脊髄病疑いで紹介受診あるいは外来初診する患者で神経内科的疾患との鑑別を要する頻度が比較的高いのは，筋萎縮性側索硬化症（ALS）を含めた運動ニューロン疾患，Parkinson症候群，ニューロパチー，脊髄炎および脊髄梗塞，筋ジストロフィーやミオパチーである。多発性硬化症（MS）は中枢神経の症状が前面にでることが多く，脊椎・脊髄病外来を受診することは少ないようである。

8-1. 運動ニューロン疾患

運動ニューロンは上位運動ニューロン（錐体路，皮質脊髄路）と下位運動ニューロン（脊髄前角細胞以下の末梢神経）に分けられ，下位運動ニューロンのみが障害を受けるものが脊髄性筋萎縮症（spinal muscular atrophy：SMA），両者ともに障害を受けるものが筋萎縮性側索硬化症（amyotrophic lateral sclerosis：ALS）である。

① 上位運動ニューロン徴候（錐体路徴候）
　痙縮，深部反射亢進，病的反射出現
② 下位運動ニューロン徴候（前角徴候）
　筋萎縮，筋力低下，線維束性収縮
③ 球麻痺症状
　構語障害，嚥下障害，舌麻痺，舌萎縮，舌の線維束攣縮

1 運動ニューロン疾患と脊椎疾患の鑑別

脊椎外科医にとって運動ニューロン疾患（motor neuron disease：MND）は常に鑑別診断として念頭に置くべき疾患である。しかし，実際にはMNDが初期の場合，診断が困難な場合が多く，脊椎外科術後に顕在化する場合もある。まず気をつけなければならないのは，MNDの存在を疑うことである。頚椎における脊柱管拡大術（椎弓形成術）や腰椎開窓術（椎弓切除術）は脊椎外科手技として比較的安全な術式として確立しているため，画像所見で圧迫が確認されれば安易に施行される傾向にある。しかし，神経学的高位診断と画像所見を照らし合わせるという基本作業を手術療法の決定前に怠っていると，手術症例の中に術後経過で悪化し術後にMNDと診断される症例が必ず出てくることを強調しておきたい。これは患者にとっても外科医にとっても不幸な経過であるので，以下の鑑別ポイントを念頭に置いて適切に手術療法の適応を決定していく必要がある[14～17]。

▷運動ニューロン疾患の鑑別ポイント
・神経学的高位診断と画像所見の合致
　たとえ広範囲除圧でも神経学的高位診断と最大圧迫高位が合致するかを確認すること。
・運動ニューロン疾患を疑うこと
・四肢腱反射の確認
　上腕二頭筋反射以下すべての腱反射が亢進している場合はALSを疑い，逆にすべての腱反射が消失している場合は，polyneuropathyか，筋萎縮を伴っていればSMAを疑う。
・筋力低下や筋萎縮の範囲の確認
　3～4髄節以上にわたる広範囲な筋力低下や胸鎖乳突筋筋力低下には要注意。

- **感覚障害の有無と程度の確認**
  自覚的しびれを含め感覚障害がないときは要注意。
- **特徴的な症状・所見を見逃さないこと**（体重減少，舌の萎縮，嚥下障害，構音障害，舌運動障害）。
- **罹病期間と経過観察**
  通常の頚髄症や腰部脊柱管狭窄症とは何か違うと考えたら careful watching。

a. 神経学的高位診断と画像所見の合致

脊椎疾患の診断は神経学的症候学により高位診断がある程度可能である。患者の症状と神経学的所見から局在診断を行ったのち，推測される高位の画像診断で病変を発見し，その病変で症状と所見を説明できて初めて臨床的な確定診断に至る。つまり，画像所見における圧迫の有無で臨床診断が確定するものでは決してない。さらに，最近では後方から広範囲に脊柱管を拡大する術式が安全かつ容易に行えるようになり，神経学的高位診断を疎かにする傾向が一部の外科医に見受けられる。「画像上で圧迫所見が認められた場合は，圧迫部位を広範囲に除圧すれば高位診断が曖昧でもよいではないか」という外科医側の間違った思考回路が誤診につながる。

b. 運動ニューロン疾患を疑うこと

脊椎変性疾患の場合，どの程度の圧迫病変があれば症状に関与しているかの定量的な診断は難しく，さらに腰椎変性疾患では動的因子が関与することも多い。つまり，腰椎すべり症などでは静的圧迫が軽度であっても動的因子の関与が大きければ，固定術により動的因子を除去すれば症状が改善することを我々脊椎外科医はしばしば経験する。脊椎疾患による症状と思われても，画像上圧迫病変がないか，あっても軽度で症状が説明困難であれば，手術療法を勧めることはないし，手術療法を決定すべきではない。問題は何らかの圧迫病変や動的因子に関与する不安定性を認めたときに，それを外科医側が症状や神経学的所見に都合よく結びつけるかどうかの判断である。その時，MND との鑑別を常に念頭に置いていれば，それを疑う作業が手術療法の決定に先行する。外傷などがなければ通常緊急手術を要することは少ないので，手術療法の決定前に信頼できる神経内科医に相談することが解決の糸口になる。

c. 四肢腱反射の確認

上腕二頭筋反射（BTR）を含め，それ以下のすべての腱反射が亢進している場合は ALS を疑い，逆にすべての腱反射が消失している場合は，polyneuropathy か，筋萎縮を伴っていれば SMA を疑う。C3/4 高位の頚髄症では BTR が一見亢進しているようにみえることがあるが（BTR の偽亢進：p44「上腕二頭筋反射」参照），それよりも下位の圧迫病変では通常，上下肢すべての腱反射が亢進することはない。したがって，BTR 以下の腱反射が亢進している場合は，それよりも上位の中枢をもつ肩甲上腕反射（SHR）や下顎反射を調べる。"腱反射の亢進"といっても，検者間でその解釈に差があることはあるが，手指屈曲反射のなかでも Hoffmann 反射は閾値が高いので，Hoffmann 反射陽性の病的意義は大きい。圧迫性頚髄症で多い C4/5-C5/6 高位に有意な圧迫所見がなく Hoffmann 反射陽性なら上位運動ニューロン徴候が陽性で，MND を疑う重要な所見である。また，頚椎由来の根あるいは髄節障害では萎縮筋の腱反射は消失する。萎縮している筋での腱反射が残存あるいは亢進している場合は，上位運動ニューロン病変を疑う重要な所見である[1]。

d. 筋力低下や筋萎縮の範囲の確認

両側および広範囲に筋力低下（3⁺以下）を認める場合は MND を疑う重要な所見である。頚椎疾患，特に頚椎症性筋萎縮症（CSA）では近位型（C3/4-C4/5 高位での C5-6 髄節障害か C4/5 高位で C5 前根障害）であれば主に C5-6 髄節支配の筋力低下，遠位型（C5/6-C6/7 高位での C7-T1 髄節障害）であれば主に C7-T1 髄節支配の筋力低下を認めるが，近位部から遠位部に及ぶ筋力低下を認めることは頚椎変性疾患では通常ない。3～4 髄節以上にわたる広範囲な筋力低下は ALS や SMA などの MND を疑い舌筋や僧帽筋・胸鎖乳突筋も含めた筋電図などの電気生理学的検査が必須となる。

胸鎖乳突筋（SCM）は副神経と C2-3 支配なので，上位頚椎病変以外で筋力が低下することは通常の頚椎変性疾患では起こりえない。仰臥位で頚部屈曲を 2～3 分維持できなければ異常と考え，MND を疑う（p28 参照）。

e. 感覚障害の有無と程度の確認

感覚障害の存在をもって MND を否定することはできず，感覚障害がないからといって脊椎疾患を否定することはできない。CSA の場合，知覚障害が存在しないか，あっても軽いしびれ感のみであることはしばしば経験する。知覚障害が存在しない，あるいは歩行障害・巧緻性障害や筋力低下などが他の神経学的所見に比較して軽度な場合は MND を必ず念頭に置いて鑑別を進める姿勢が重要である。

f. 特徴的な症状・所見を見逃さないこと

手の広範囲な筋力低下や筋萎縮，頸部屈曲筋力低下は前述したように ALS や SMA に特徴的な所見である。舌の萎縮は初期には認められないことも多いが，短期間での急激な体重減少は初期の ALS に特徴的とされるので問診で聞き逃さないことが重要である。

嚥下障害，構音障害，舌運動障害などの球麻痺症状は ALS に特徴的な症状であるが，頸椎疾患には起こりえない症状である。画像上，頸椎の圧迫病変があったとしても，上記のような球麻痺症状を呈する場合には必ず ALS を念頭に置いて鑑別を進める必要がある。

g. 罹病期間と経過観察

臨床経過観察だけでは MND の鑑別は困難であるが，Yashor らによると脊椎手術を受けた ALS 患者の場合，症状出現から確定診断までの期間が優位に長いと報告している[2]。

つまり，進行が緩徐で広範囲な筋萎縮や球麻痺症状が出現する以前に痙性や筋力低下が出現し，画像上，圧迫所見が存在すれば手術に至る症例が少なからず存在することになる。したがって，前述したように"神経学的所見と画像所見がどうも合わない""通常の圧迫性頸髄症や腰部脊柱管狭窄症とは何か違う"と考えた時点で，MND を疑い信頼できる神経内科医にコンサルトすることが重要である。

図 I-8-1, 2 に 62 歳男性, 71 歳男性の症例を示す。

症例1：62歳男性（図 I-8-1）

腰痛および腰椎変性疾患にて紹介受診した。紹介受診時の主訴は歩行障害であったが，よく問診すると腰痛はあるものの立位で骨盤が後傾して息苦しくなる，という症状であった。夜間痛や安静時痛はなく，立位や独歩は可能であっ

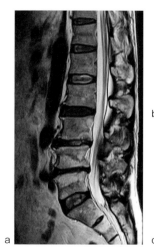
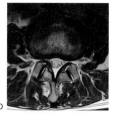
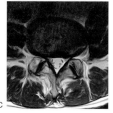

図 I-8-1 腰痛および腰椎変性疾患にて紹介受診した症例（62歳男性）

a：腰椎 MRI T2 強調矢状断像，b：腰椎 MRI T2 強調横断像（L3/4），c：腰椎 MRI T2 強調横断像（L4/5）

画像所見では有意な圧迫所見は認められないが，体重減少，Hoffmann 反射陽性，CPK 上昇が認められた。

た。Romberg 徴候は陰性で，問診で食欲不振による体重減少（10 カ月で 10 kg）を確認した。舌の萎縮および上下肢の明白な筋萎縮は認めなかった。上肢の訴えはなかったが，書字は軽度困難とのことであった。腱反射は上下肢において亢進を認め，Hoffmann 反射陽性であったが足間代は認めず，Babinski 反射は陰性であった。腰痛の訴えはあったが，持参した MRI には特に有意な圧迫病変を認めなかった（図 I-8-1）。腰椎 X 線前後屈像でも有意な不安定性は認めず，さらに Hoffmann 反射陽性のため追加依頼した頸椎 MRI でも有意な所見を認めなかった。血液検査所見では MCV の軽度上昇（100.1 fl：正常値 84.0～98.0 fl）と CPK の上昇（539 U/L：正常値 54～286 U/L）を認めたのみであった。以上から，当初は筋原性疾患を疑い神経内科に紹介したが，結果は ALS との診断が返ってきた。CPK 上昇は ALS で特徴的な所見ではないが，通常の脊椎変性疾患では訴えることが少ない主訴と検査所見の異常がなければ，神経内科に紹介したかどうか疑わしい。この症例では画像所見での圧迫所見がないため手術に至る可能性はないと考えるが，初診時点では適切な診断ができなかった反省症例である。

症例2：71歳男性（図 I-8-2）

右上肢挙上と右肘屈曲困難を主訴に来院し

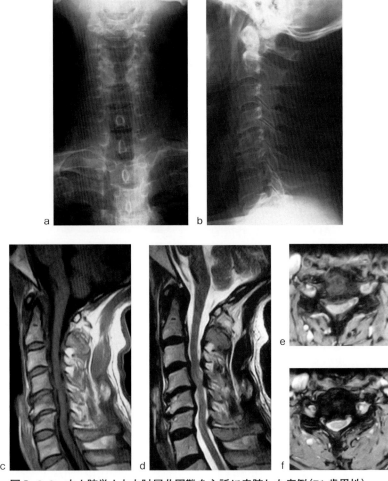

図 I-8-2　右上肢挙上と右肘屈曲困難を主訴に来院した症例（71歳男性）
a：頚椎X線正面像，b：頚椎X線側面像，c：頚椎MRI　T1強調矢状断像，d：頚椎MRI　T2強調矢状断像，e：頚椎MRI　T2強調横断像（C4/5），f：頚椎MRI　T2強調横断像（C5/6）
C4/5とC5/6レベルで右優位の圧迫所見を認めるも，頚部前後屈を含め広範囲に筋力低下を認めた。

た。診察所見では，右三角筋および上腕二頭筋筋力が2レベルに低下しているだけでなく，その遠位筋力も両側性に4レベルと軽度の筋力低下を認めた。また，頚部前後屈の筋力低下も認めた。知覚障害は認めず，腱反射は上下肢すべてにおいて消失していた。頚椎X線ではC4/5-C5/6レベルで頚椎症性変化を認め，MRIではC4/5-C5/6レベルで右優位の圧迫所見を認めた。この症例は有意な圧迫所見を症状側の右優位に認めたため手術に至る可能性が高い症例であった。しかし，外来主治医が両側性の筋力低下とC5-6髄節以外の支配筋力が軽度低下している所見を見逃さず，適切に神経内科に紹介でき MNDの診断がなされた。実際にはこのような症例が術後に改善しないか悪化してMNDと診断される典型例と考えられる。

2 筋萎縮性側索硬化症（amyotrophic lateral sclerosis：ALS）

原因不明の運動ニューロン疾患で，有病率は人口10万人当たり5〜10人程度で男性にやや多い。発症年齢は中年以降で50〜70歳代に多い。慢性の経過をたどり全身の筋力低下と筋萎縮に加えて嚥下困難，呼吸筋麻痺などの球麻痺をきたす。頚部筋力（SCM）や僧帽筋筋力の低下と陰

性徴候（他覚的感覚障害，膀胱直腸障害，褥創，眼球運動障害，錐体外路徴候）が重要である。左右差が存在する。頸部・左右上下肢の筋電図で広範囲に神経原性変化が出現する。発症期の体重減少，下顎反射の亢進，舌の広範囲の萎縮や線維束攣縮が診断上重要である。腱反射は病初期には亢進する。腱反射が広範囲に亢進していて，知覚障害や排尿障害がない場合は，ALSを疑うことが重要で，知覚障害を伴わない頸髄症やKeegan型頸椎症（頸椎症性筋萎縮症）では必ずALSを除外しておく必要がある。第一背側骨間筋や母指球（APB）の著明な筋萎縮に比して，小指球筋（ADM）の筋萎縮が比較的保たれていることはALSに特徴的な所見（split hand）である[3,4]（p37参照）。

3 脊髄性筋萎縮症（spinal muscular atrophy：SMA）

下位運動ニューロン（脊髄前角細胞）のみが障害される運動ニューロン疾患で，上位運動ニューロン徴候を伴わないことが，ALSと異なる点である。また発症時期は生後から成人までと幅広く，腱反射は低下する。病因遺伝子であるSMN（survival motor neuron）1の解析で確定診断され，近年アンチセンス核酸の髄腔内投与など遺伝子治療が行えるようになってきた。

a. SMA Ⅰ型（Werdnig-Hoffmann病）
重症型，急性乳児型。

出生後6カ月までに発症し，四肢近位部優位の筋萎縮，筋緊張低下，筋力低下を示す。腱反射は初期には認められるが，後に消失する。筋緊張低下が著しいとfloppy infantと呼ばれる。通常進行性の経過をとり生命予後も不良だが，人工呼吸管理を行えば成人に達する患児もいる。

b. SMA Ⅱ型
中間型，慢性乳児型。

1歳6カ月までに発症し，座位保持は可能だが生涯起立歩行は不可能である。舌の線維束攣縮や萎縮，手指振戦がみられ，腱反射は低下する。側弯変形に注意が必要である。

c. SMA Ⅲ型（Kugelberg-Welander病）
軽症型，慢性型。

児童期から思春期にかけて下肢近位筋の筋力低下で発症する。自立歩行は獲得するが，次第に転びやすい，歩きにくいなどの症状が出現し，筋萎縮，筋力低下，腱反射消失を主徴とする。後に上肢の挙上も困難になり，進行性で運動機能が低下する。早期から歩行困難に陥るが，就学，社会生活は10～20年の長期にわたり可能な場合がある。一見筋ジストロフィーに類似するが，神経原性の筋萎縮を示す。クレアチンキナーゼ（CPK）は軽度上昇する。

d. 狭義の脊髄性進行性筋萎縮症（spinal progressive muscular atrophy：SPMA）

孤発性で成人から老年にかけて発症し，緩徐に進行する。多くの場合上肢遠位に始まる筋萎縮，筋力低下，筋線維束性収縮，腱反射低下がみられる。これらの症状は，徐々に全身に広がり，運動機能が低下する。四肢の近位，特に肩甲帯の筋萎縮で初発する場合もある。ALSとの鑑別が困難なこともあるが，本症は経過が長く末期になっても球麻痺症状や呼吸障害は目立たない。SMAとSPMAは基本的には同じ病気を指すため，最近ではSPMAのPを省くことが多い。

4 球脊髄性筋萎縮症（spinal and bulbar muscular atrophy：SBMA, Kennedy-Alter-Sung disease）

成人男性に発症する，遺伝性下位運動ニューロン疾患である。四肢の筋力低下および筋萎縮，球麻痺を主症状とし，女性化乳房など軽度のアンドロゲン不全症や耐糖能異常，脂質異常症などを合併する。筋力低下の発症は通常30～60歳頃で，経過は緩徐進行性である。確定診断のためには，X染色体にあるアンドロゲン受容体の遺伝子異常（CAGリピート数の異常伸長）の有無を調べる。神経症候としては，下位運動ニューロンである顔面，舌，および四肢近位部優位の筋萎縮および筋力低下と筋収縮時の著明な筋線維束性収縮が主症状である。深部腱反射は低下し，上位運動ニューロン徴候はみられない。手指の振戦や筋痙攣が筋力低下の発症に先行することがある。深部感覚優位の軽微な感覚障害が特に下肢遠位部でみられることもある。長期予後は良好であるが，進行すると嚥下障害，呼吸機能低下などがみられ，呼吸器感染を

繰り返すようになる。睾丸萎縮，女性化乳房，女性様皮膚変化などの軽度のアンドロゲン不全症候がみられる。血液検査では，CK 高値を示すことが多く，耐糖能異常，脂質異常，軽度の肝機能異常を合併することも多い。

8-2. 家族性痙性対麻痺

家族性痙性対麻痺（familial spastic paraplegia：FSP）は，緩徐進行性の両下肢の痙性，Babinski 徴候，軽い筋力低下（尖足）を主徴とする遺伝性疾患で，発症年齢は 10 歳〜成人までと幅広い。錐体路の変性が主体とされ，排尿障害は認められない。家族歴が決め手で，多くは常染色体優性遺伝である。

8-3. 多発ニューロパチー

糖尿病，アルコール，抗がん剤などによるニューロパチーが頻度としては多いが，血管炎に伴う虚血性ニューロパチー（結節性多発動脈炎や好酸球性多発血管炎性肉芽腫症：後述）や自己免疫性ニューロパチー（Guillain-Barré 症候群や慢性炎症性脱髄性多発根神経炎）も念頭に置く必要がある。また，多発ニューロパチー（polyneuropathy）は通常，両側性の感覚障害を呈し，かつ上肢よりも下肢が優位に障害されることが多い（末梢神経の長さに由来）。

1 Charcot-Marie-Tooth 病

Jean-Martin Charcot（1825-1893，フランスの神経内科医），Pierre Marie（1853-1940，フランスの神経内科医），Howard Henry Tooth（1856-1925，イギリスの内科医）

下腿筋（特に TA と EHL）が左右対称性に萎縮し，遅れて上肢の筋萎縮も出現する。歩行は下垂足による steppage gait（p41 参照）を呈する。感覚障害は筋萎縮よりも遅れて現れる。遺伝様式は単純ではない。

2 Guillain-Barré 症候群，急性炎症性脱髄性多発ニューロパチー（acute inflammatory demyelinating polyradiculoneuropathy：AIDP，acute motor axonal neuropathy：AMAN）

Georges Charles Guillain（1876-1961，フランス人），Jean Alexandre Barré（1880-1967，フランス人）

発症年齢は小児から若年者が多い。下肢から筋力低下が始まり急速に上肢へと進行する。両側の末梢性顔面神経麻痺がしばしば認められ，この所見は特徴的所見として重要である。両側の SLRT が陽性で，特に小児では顕著である（神経根の炎症によるか？）。麻痺は弛緩性で Babinski 徴候は認められない。初期症状はピリピリ感などの四肢異常感覚が多いが，明白な感覚低下は欠くことが多い。発症から 1〜2 週間経過すると，髄液検査で細胞数は増加しないが蛋白量が増加する（蛋白細胞解離）。重症例は急速に呼吸筋麻痺をきたすので呼吸管理が必要になる（しびれ感から麻痺発症までが早いほど呼吸筋麻痺を発現する危険が高い）。治療は，血漿交換やヒト免疫グロブリン大量療法を速やかに開始する。

Fisher 症候群は，急性発症の歩行失調，外眼筋麻痺，深部腱反射消失を呈する Guillain-Barré 症候群の亜型と考えられている。経過はおおむね良好である。

3 慢性炎症性脱髄性多発根神経炎（chronic inflammatory demyelinating polyradiculoneuropathy：CIDP）

四肢のしびれ感と脱力が緩徐（通常 2 カ月以上）に進行するニューロパチーで成人では ALS と，小児では Charcot-Marie-Tooth 病との鑑別が重要である。1）両側下肢に症状が同時に起こることが多く，2）錐体路徴候がない，3）感覚障害がある，4）神経伝導速度での伝導障害（conduction block）所見がある，5）髄液の蛋白上昇，などの特徴がある。治療はステロイドの大量療法（隔日 100 mg など）やメチルプレドニゾロンによるパルス療法，γ-グロブリン大量療法，免

疫抑制療法，二重濾過プラズマフェレーシス（血液透析）などがある。

4 その他のニューロパチー

a. ビタミン欠乏によるニューロパチー
　B_1，B_6，B_{12} など。
b. 内分泌性ニューロパチー
　糖尿病，甲状腺機能低下症など。
c. 中毒性ニューロパチー
　ヒ素，鉛，アルキル水銀，有機溶剤，イソニアジド，ビンクリスチンなどの抗がん剤。

8-4. 多発性硬化症

多発性硬化症（multiple sclerosis：MS）は，脳，脊髄，視神経など中枢神経系に2カ所以上の脱髄巣（空間的多発性）が出現し，寛解と再発（時間的多発性）を繰り返す特徴をもつ中枢神経系白質の炎症性脱髄性疾患である。病理学的にはリンパ球，マクロファージが血管周囲に浸潤し髄鞘が障害されるが，軸索は相対的に保たれる。15～50歳で発症するのがほとんどで，平均発症年齢は約30歳である（若い女性に多く40歳以下の発病が約80％）。対麻痺などの運動麻痺，しびれなどの感覚障害，眼症状（視野欠損，視力低下，複視，眼振，眼球運動障害），小脳症状，精神症状（多幸症，情緒不安定）など症状がmultifocalであることが重要である。背部に放散する電撃痛（Lhermitte徴候）は脊髄後索障害を意味し，MSに特異的ではない。MRI T2強調像での高輝度（丸みを帯び頭尾側に広がる傾向にあり，脊髄の腫大を伴うことが多い。ステロイドに反応して縮小する）は特徴的所見だが，phased-array coilとfast spin echo pulseを用いることが検出率を高める。髄液検査では軽度～中程度の細胞増多（多くは50/μL以下の単核球増多）・蛋白増加を示す。髄液中のCD4やoligoclonal band，塩基性蛋白（myelin basic protein）の出現は参考所見となるが，日本人では出現率は30～40％と低い。大脳誘発電位（体性感覚誘発電位，視覚誘発電位，聴性脳幹誘発電位）は診断に有用である。急性期治療としては，メチルプレドニゾロンによるパルス療法が一般的である（1,000 mg iv/日を3日連続して4日休薬という投与法を3～4クール行う）。

8-5. パーキンソン病

James Parkinson（1755-1824，イギリス人）

α-シヌクレインという脳内蛋白質の異常蓄積により，中脳黒質のドパミンニューロンが変性することによって起こるとされている。発症年齢は50～70歳が多く，近親者が罹患していることもあるため遺伝が関与している可能性がある。一側上肢の振戦（resting tremor）や歩きにくさが初発症状のことが多い。振戦や筋強剛（rigidity）は左右いずれかの一側から始まる。錐体外路症状として何らかの痛みを訴えることも多く，緩徐に進行する左右差のある痛み，仮面様顔貌，抑うつ症状や便秘，睡眠障害，嗅覚低下などがあれば鑑別すべき疾患である。脳血管性（大脳基底核を中心にした多発性のラクナ梗塞など）や薬剤性［フェノチアジン系やセレネースなどのブチロフェノン系などの向精神薬，スルピリド（ドグマチール®），プリンペラン®］のパーキンソン症候群では動作緩慢などが主に下肢から両側同時に出てくることが特徴で，安静時の振戦はあまりみられない。三大症状を以下に挙げる。

1）振戦：安静時に認め手指の場合，丸薬を丸めるような運動あるいは4～8回/秒とリズミカルな手指の動きが特徴的である。

2）rigidity：手関節が多いが，他の関節あるいは項部にも出現する。鉛管様硬直あるいはプラスチック硬直と表現される。対側で随意運動を反復させながら他動運動を行うと筋強剛が明確になりやすい。また，下肢では足関節を他動的に背屈させると前脛骨筋が収縮して膨隆してみえる（paradoxical muscle contraction：pseudotibialis-phenomenon）。

3）運動緩慢あるいは無動：表情は少なくなり仮面様顔貌を示す。随意運動の開始が困難になり歩行も歩幅が狭く小刻み歩行を呈する。

ドパミントランスポーターSPECT検査（DaT Scan®）やMIBG心筋シンチグラフィが鑑別に

▷ **進行性核上性麻痺(progressive supranuclea palsy：PSP)**

パーキンソン病に初期症状が似ているため、鑑別を要する疾患である。40歳以降の中年(平均60歳代)で発症するが安静時振戦は稀で、歩行時の易転倒性(すくみ足、姿勢保持障害)が特徴的である。注意力や認知力が低下するため、転倒を繰り返す。下方視障害も特徴の1つだが、発症初期には認められないことが多い。動作の開始障害(無動、無言)、終了の障害(保続)などもよくみられる。

8-6. 多発筋炎

多発筋炎(polymyositis：PM)は、発症の多くは40〜60歳で女性に多い。主訴は、両腕が挙がらない、歩行困難などが一般的である。胸鎖乳突筋の筋力低下と筋萎縮は必発所見である。筋痛や筋の把握痛がみられることもある。手指や下肢遠位筋の筋力はかなり保たれる。約30〜40％の症例は特徴的な皮膚症状を伴い、**皮膚筋炎(dermatomyositis：DM)**と呼ばれる。heliotrope rashは両側眼瞼部の浮腫状の紫紅色の皮疹で、日光曝露で増悪する。Gotton's signは手指関節背側面の落屑性紅斑で糖尿病(DM)に特異的とされる。血清CPK値やアルドラーゼなどの筋酵素活性が異常高値を示す。多発筋炎では抗Jo-1抗体(出現頻度20〜30％)、皮膚筋炎ではMi-2抗体(出現頻度10％)などが診断に有用である。約40〜50％の症例に間質性肺炎を合併するため、定期的な胸部X線と血液検査(LDH、KL-6、SP-D)が重要である。患者の約10％(高齢者では20％)に悪性腫瘍の合併がみられるので全身的な検索も必要である。治療はステロイドが第一選択である。

8-7. リウマチ性多発筋痛症

リウマチ性多発筋痛症(polymyalgia rheumatica：PMR)は、高齢者に発症する、主に頸部・肩あるいは腰周囲の筋痛を主訴とする炎症性疾患で発病から2週間以内に症状が完成するのが特徴である。疼痛のため肩関節挙上困難を呈することはあるが、明白な筋力低下や筋原性酵素の上昇は認められない。検査所見では、赤沈(40 mm/時以上)およびCRPなどの炎症反応が強陽性で、赤沈が100 mm/時以上になることもある。全身症状として、発熱、食欲不振、体重減少、全身倦怠感、抑うつ症状がみられることがある。注意すべきは、側頭動脈炎(temporal arteritis：TA)の合併で、頭痛、視力障害などの症状が多く、眼科医へのコンサルトを要する。少量のステロイド薬(プレドニン® 10〜15 mg/日)が著効することも治療的診断として有用である。

> 赤沈100 mm/時以上は
> PMRか多発性骨髄腫を疑う！

8-8. 進行性筋ジストロフィー

進行性筋ジストロフィー(progressive muscular dystrophy：PMD)は、小児期に発症するデュシェンヌ型(Duchenne type)やベッカー型(Becker type)は特徴的な臨床症状に加え、血清CPK値が著明に増加する。しかし、小児から青年期(多くは20歳頃まで)に発症する顔面肩甲上腕型筋ジストロフィー(FSHD)では、血清CPK値は正常〜軽度上昇する程度で予後は一般的に良い。

8-9. 周期性四肢麻痺

周期性四肢麻痺(periodic paralysis)は、若い男性に多く、甲状腺機能亢進症に伴って起こる低カリウム血性が日本では多い。急性に発症する四肢の運動麻痺で、両下肢に張ったような痛みを認めることが多い。前日の過食や激しい運動が誘因となって麻痺をきたすことがある。両下肢の対麻痺が多いが、ある程度時間が経過していると四肢麻痺のこともある。治療により麻

痺は数時間以内に回復する。その他、四肢麻痺をきたす低カリウム血症の原因として、長期にわたるサイアザイド系降圧薬、利尿薬の服用、繰り返す下痢がある。漢方薬では甘草を含むものにも注意する。

発作時の治療はアスパラカリウムを用いて60 mEqのカリウムをジュースに混ぜて飲ませるか、40〜60 mEqのKCLを500 mLの点滴に入れて数時間かけて点滴静注する（濃度は60 mEq/L以下で、1時間に40 mEq以下）。周期性四肢麻痺は血清CPK値が上昇することはないが、麻痺が数日から数週間持続し血清CPK値が著明に上昇している場合は、**低カリウム性筋症**を考える。

8-10. 神経痛性筋萎縮症

神経痛性筋萎縮症（neuralgic amyotrophy, brachial plexus neuritis）は、中年以降の男性に多く、一側の肩にうずくような痛みで急性に発症する。1〜2週間のうちに痛みは次第に消失するが、その後、三角筋の筋力低下と筋萎縮が認められる（両側罹患もある）。腕神経叢の炎症と考えられているが、原因は不明のことが多い。予後は良好で半年から1年で筋力は回復してくる。急性期には鎮痛薬とステロイド（プレドニン® 1 mg/kgの1週間内服から漸減）投与を行う。

8-11. 急性横断性脊髄炎

急性横断性脊髄炎（acute transverse myelitis）は、比較的若年者に多く、数時間から1日程度の急性に発症する弛緩性対麻痺が特徴的である。風邪などのウイルス性先行感染が明らかな場合やワクチン接種後に発症するものがあるが要因のない場合も多い。胸髄レベルでの炎症が多いので、体幹下肢の弛緩性対麻痺とすべての感覚障害、尿閉などの排尿障害をきたす。両側のBabinski徴候が陽性になることが多い。ときにはBrown-Séquard症候群（p62参照）を呈することもある。髄液検査で軽度から中程度の細胞増多（単核球）・蛋白増多を認める。治療はMSに準じてステロイドを用いるが早期治療で予後は比較的良い。

8-12. 急性散在性脳脊髄炎

急性散在性脳脊髄炎（acute disseminated encephalomyelitis：ADEM）は、中枢神経白質を急性単相性に侵す脱髄性疾患で、病理学的には静脈周囲性リンパ球浸潤とその周囲の脱髄巣が多発性に認められる。1）SLE, Sjögren症候群, Behçet病に伴うもの、2）麻疹, 風疹, 水痘・帯状疱疹, ムンプス, EB, コクサッキー, インフルエンザなどの先行感染を伴うもの、3）ワクチン接種1〜2週後に発症するものがある。通常は発熱、頭痛、倦怠感に続いて急性に運動麻痺、感覚鈍麻、膀胱直腸障害、運動失調、痙攣、意識障害を呈する。末梢血で白血球増多（64％）や赤沈亢進（35％）を認めることが多く、髄液検査でも約60％に細胞増多（単核球）・蛋白増多を認める。脳MRIでT2高信号の散在性白質病巣を認めることが多い。

8-13. 脊髄サルコイドーシス

サルコイドーシス（sarcoidosis）は全身を障害する原因不明の肉芽腫性疾患で両側肺門リンパ節、肺、眼、皮膚が障害されやすい[5,6]。両側肺門リンパ節腫脹、縦隔リンパ節腫脹や肺実質病変を含む胸郭内病変は全サルコイドーシスの約80〜90％に認められるが、多くは無症候性である[6]。眼病変はサルコイドーシス発見時の自覚症状として最多で、霧視、視力低下などの訴えが多い[6]。皮膚病変は胸郭内病変、眼病変に次いで多く、結節性紅斑、結節型皮膚サルコイド（紅色隆起性皮疹）、瘢痕浸潤（膝などの古い傷痕が赤く腫れる）などがある[7]。

脊髄サルコイドーシスは、中下位頸髄と中下位胸髄の頻度が高く、MRI上T1強調像で脊髄の腫大、T2強調像で高信号を示す。多くは頸椎症性変化を伴い脊髄の腫大によって相対的な脊

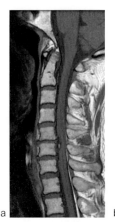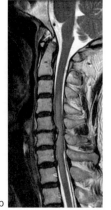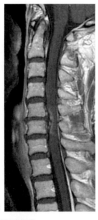

図 I -8-3 脊髄サルコイドーシスの症例（60歳男性）
a：頚椎 MRI T1 強調矢状断像，b：頚椎 MRI T2 強調矢状断像，
c：Gd 造影後頚椎 MRI T1 強調矢状断像
胸部 X 線像および FDG-PET による肺門リンパ節腫大と経気管支鏡的肺門リンパ節生検により，非乾酪性類上皮細胞肉芽腫およびランゲルハンス巨細胞を認めたことからサルコイドーシスと診断した．頚椎 MRI T2 強調像での広範囲な髄内高輝度変化(b)や Gd による脊髄腹側髄膜に沿った線上造影像(c)が特徴的である．

柱管狭窄をきたすため，圧迫性脊髄症との鑑別が臨床上問題となる[8]．脊髄除圧術後に脊髄症状が悪化して初めて本症と診断されるケースもあり，圧迫性脊髄症の鑑別診断として念頭に置くべき疾患である．典型的な髄液所見は，リンパ球優位の細胞増多，蛋白上昇である．血清 ACE 値の上昇が参考となるが，脊髄病変のみの症例では ACE 値が正常のことが多い．髄液中の ACE 値測定も有用である．胸部 X 線，ガリウムシンチグラフィや FDG-PET, CT での両側性肺門部リンパ節腫大（BHL）や経気管支肺生検での非乾酪性類上皮細胞肉芽腫が特徴である．ステロイド治療が有効とされている．

脊髄サルコイドーシスの治療に関して，世沢らはステロイド治療を行っても十分な神経症状の改善が得られない場合には除圧術の意義はあるとしている[9]．一方 Oe らは，脊髄サルコイドーシスを合併した頚髄症 3 例に除圧術を施行したところ術後全例が悪化したと報告し，圧迫があってもステロイド治療を第一選択とすべきとしている[10]．酒井らも，頚髄症の診断にて除圧術施行後に脊髄サルコイドーシスと診断された 12 例を検討し，術後 41％では一過性改善を認めたものの全例が再増悪したことを報告し，生検目的以外では除圧術の適応はないと結論し

ている[11]．このように脊髄圧迫を伴う脊髄サルコイドーシスに対する除圧術の適応については，一定の見解が得られていないのが現状である．

図 I -8-3 に 60 歳男性の症例を示す．

8-14. 脊髄梗塞

前脊髄動脈は，左右の前根動脈が合流して形成され前正中列を縦走する．前脊髄動脈は多くの中心（溝）動脈への分枝を出しており，これらは前正中裂を通って左右どちらか一方の灰白質に侵入し，脊髄断面では腹側 2/3 の血流を担っている．この前脊髄動脈は後方に比べ側副血行路が少ないため，虚血が発生しやすい．前脊髄動脈領域で脊髄梗塞を生じると中心（溝）動脈の終枝は左右どちらかへ分岐して終わることが多いため，症状は左右非対称であることが多い．また梗塞は中心部で生じることが多いため，脊髄の最外側に肛門周囲の感覚が侵されず "sacral sparing" を呈することが多い[18〜20]．

急激な膀胱直腸障害と下肢麻痺で発症し，MRI 上，急性期では梗塞巣とその周囲の浮腫に

よりT1強調像で等信号と腫脹のみ，T2強調像で高信号を認め（典型的には前脊髄動脈支配域と一致した髄内腹側2/3にみられる），亜急性期ではT1強調像で低信号，Gdによる増強効果は7〜21病日まで認められ，それ以後消失するとされている。上位胸椎と胸腰椎移行部がvascular borderzoneのため好発部位である。特に胸腰椎移行部の前脊髄動脈は細く，**第9肋間動脈から第2腰椎動脈までに通常起始するAdamkiewicz動脈**（anterior radiculomedullary artery）は脊髄虚血に大きく関与していると考えられている。典型的な**前脊髄動脈症候群**の場合，温痛覚は障害されるが深部覚は障害が軽度か残存している。突然の胸痛に伴って発症した場合には，解離性大動脈瘤が原因になっていることもあるので注意する。予後としては，解離性大動脈瘤などに発症した横断性麻痺では回復は困難なことが多いが，索路症候としての膀胱直腸障害と下肢麻痺の回復は良好な場合が多い。治療は急性期の脊髄浮腫に対する治療を行う。グリセリン（グリセオール®）200 mL/2時×2〜4回/日，メチルプレドニゾロン（ソル・メドロール®）50〜100 mg bolus/日，デキサメタゾン（デカドロン®）4 mg bolus×4回/日などを3〜5日間行い，その後1週程度で斬減・中止する。

図I-8-4に62歳女性の症例を示す。

8-15. 脊髄出血

海綿状血管腫や動静脈奇形（AVM：p454参照）に起因する。若年者に多く，急性発症の局所的な痛みを伴った脊髄症状が突発する。MRI所見は脳出血と同様，以下の所見を認める。

1）急性期の脊髄腫大とT2強調像での髄内高信号（浮腫）
2）急性期のT2強調像での血腫中央部の無信号域（deoxy-Hb, met-Hb）
3）亜急性期以降のT1強調像およびT2強調像での血腫腔の高信号域（溶血後met-Hb）
4）亜急性期・慢性期のT2強調像での血腫周辺部無信号域（食細胞内hemosiderin）

治療としては，急性期で脊髄浮腫を認める場合には抗浮腫療法を行う。

8-16. 亜急性連合性脊髄変性症

ビタミンB$_{12}$欠乏による脊髄後索と錐体路の変性が特徴である。痙性対麻痺とRomberg徴候陽性の後索性運動失調を認め，大球性高色素性貧血を認める。MRI T2強調像で，後索を中

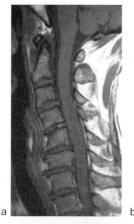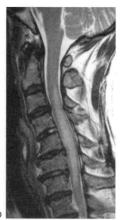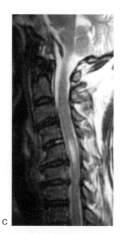

図I-8-4 脊髄梗塞の経時的MRI像（62歳女性）
a：発症時の頚椎MRI T1強調矢状断像，b：発症時の頚椎MRI T2強調矢状断像（脊髄の腫脹と広範囲な輝度変化を認める），c：2週間後の頚椎MRI T2強調矢状断像（脊髄腫脹と輝度変化は縮小している）

胸痛および左頚部から左手にかけての痛み・しびれが急に出現し，その後突然左上下肢の脱力で歩行不能となった。神経学的には左側優位の上下肢筋力低下と右側優位の温痛覚低下，尿閉を呈していた。

心として高輝度変化を示すことがある．胃切除歴があれば本症を疑う根拠になるが，手術歴がなくても胃粘膜萎縮などでも発症する可能性はあるので原因不明の痙性麻痺では血清ビタミンB_{12}の定量は欠かせない．

8-17. HAM

HAM（HTLV-1 associated myelopathy）では，緩徐に進行する痙性対麻痺，膀胱直腸障害（陽性率94%），下半身の感覚障害（陽性率56%）といった脊髄症の所見を呈する．髄液および血清中に抗HTLV-1抗体が陽性である．治療は通常1～2 mg/kgのステロイドホルモンの経口投与を行うが，インターフェロンαや血液浄化療法も行われている．

8-18. 正常圧水頭症

正常圧水頭症（normal pressure hydrocephalus：NPH）は，歩行障害（小刻み歩行），認知症，尿失禁が特徴である．くも膜下出血や髄膜炎の後に発症することが多いが，原因不明のことも多い．脳室・腹腔シャント術（VPシャント）で症状が改善する可能性があるので必ず念頭に置いておく．

8-19. 好酸球性多発血管炎性肉芽腫症（eosinophilic granulomatosis with polyangiitis：EGPA）

好酸球性多発血管炎性肉芽腫症（旧名称：アレルギー性肉芽腫性血管炎またはChurg-Strauss症候群）では，喘息あるいはアレルギー性鼻炎が先行し，血管炎による症状として発熱，体重減少，多発性単神経炎，消化管出血，紫斑，多関節炎，筋力低下などで発病する．そのうち多発性単神経炎は高率で生じ，腓骨神経障害が多いとされている．関節痛や筋肉痛を訴えることがあり，RA因子の陽性率が比較的高いが，関節腫脹や骨びらんは認められない．末梢血好酸球増加（1,500/μL以上あるいは白血球数の10%以上）は必発で，血沈亢進，血小板増加，IgE高値，抗好中球細胞質抗体（MPO-ANCA）陽性（陽性率約50%）などが参考所見として重要である．ステロイドに反応することが多い．

8-20. めまいの鑑別診断[21]

めまいは日常診療でよく遭遇する訴えであるので下記に簡単な鑑別の要点を述べる．

1）持続時間は1分以内か？，持続性か？

「1回のめまい持続時間が1分以内ですか？」と聞いて，患者が「1分以内です」と答えたときは最も多い良性発作性頭位性めまい（benign paroxysmal positional vertigo：BPPV）か椎骨脳底動脈循環不全が考えられる．

2）グルグル回るような回転性（vertigo）か？，フワフワする浮動感（dizziness）か？

3）眼振など眼球運動異常の有無

4）蝸牛症状（耳鳴，難聴，耳閉感など）の有無

難聴，耳鳴などの蝸牛症状は末梢性のめまいを示唆し，脳血管障害では出現しにくい．

5）嘔気・嘔吐，頭痛の有無

前庭神経炎はウイルス感染後などに嘔気・嘔吐を伴う激しい回転性めまいで，一方向性の自発性眼振が特徴的である．

6）四肢・顔面のしびれ，歩行障害，構音障害，小脳失調などの随伴症状の有無

顔面の感覚障害がなければ，めまいをきたす脳血管障害の代表であるWallenberg症候群（後述）はほぼ否定的である．

- 頭位変換で誘発＋持続1分以内＋耳鳴，難聴なし→**良性発作性頭位性めまい（BPPV）**
- 単発性＋耳鳴，難聴なし＋激しい回転性めまいが持続＋自発性眼振→**前庭神経炎**
- 単発性＋耳鳴と一側性感音難聴→**突発性難聴**
- 急性発症で反復性＋耳鳴，耳閉感＋難聴の進行性悪化→**メニエール病**
- 誘因なく持続するめまいは，うつ病も考える．

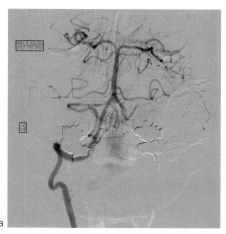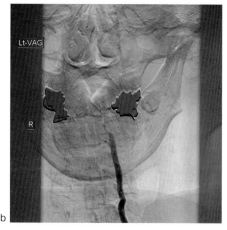

図 I-8-5　椎骨脳底動脈血栓塞栓症をきたした環軸椎亜脱臼（Wallenberg 症候群）（文献12より）
　a：右椎骨動脈造影，b：左椎骨動脈造影
　関節リウマチの59歳男性。頑固な後頸部痛のため環軸椎固定術を予定し自宅待機中，座っているときに左顔面〜耳介後方にしびれ（V）が出現。その後，左口角の低下（Ⅶ），構音障害，嚥下困難（Ⅸ，Ⅹ）が出現し，歩行器歩行で左側へ流れる感じと回転性めまい（Ⅷ），嘔吐が出現した。夜間に両下肢（左優位）の脱力感があり，めまい，嘔吐も持続し救急搬送された。

構音障害，頭痛，失調性歩行，片麻痺などが認められるようなら小脳や脳幹部病変を鑑別する。

8-21. 延髄部病変の症候[22]

　延髄上部にはオリーブ，延髄外側面には舌咽神経，迷走神経，副神経が，前面には舌下神経が起始する。さらに，三叉神経脊髄路核，前庭神経核，蝸牛神経核，迷走神経背側核，疑核，孤束核，副神経核，舌下神経核などの脳神経の諸核も存在する。そして，延髄下部では錐体路が反対側に移行している（錐体交叉）。
　嚥下反射の求心路である軟口蓋，舌根部，咽頭後壁などの感覚受容器からの感覚情報は延髄に起始する舌咽神経，迷走神経を介して孤束核に伝達される。咽頭期において食物を舌の後方に押し込む舌筋群を支配するのは舌下神経で，食道に送るときに働く軟口蓋，咽頭，喉頭の筋群を支配するのは迷走神経と舌咽神経である。頸部食道の筋は主に横紋筋（支配神経は迷走神経，舌咽神経からなる咽頭神経叢）で，食道下部にいくに従い平滑筋優位となり，それら平滑筋の支配神経は迷走神経の反回神経食道枝と迷走神経下食道枝である。

1 延髄外側症候群（Wallenberg 症候群）

　延髄外側症候群は，後下小脳動脈の閉塞によるとされていたが，実際には椎骨動脈の血栓によることが多い。発作時には，頭痛，回転性めまい，悪心・嘔吐を訴える。延髄背外側部の障害（三叉神経脊髄路，三叉神経脊髄路核，外側脊髄視床路，下小脳脚，疑核，交感神経路，前庭神経核などが障害される）により，病巣側の顔面と対側の頸部以下半身の温痛覚消失（感覚解離），小脳性運動失調，発声困難・嚥下困難（病巣側の軟口蓋・咽頭・喉頭麻痺），Horner 症候群，しゃっくりなどが出現する。
　図 I-8-5 に59歳男性の症例を示す[12]。

2 延髄頸髄移行部・延髄交叉部の障害

　上肢を支配する錐体路のみ侵され両上肢麻痺が起こる（十字架麻痺：cruciate paralysis）。錐体交叉後の上肢を支配する錐体路と交叉前の下肢を支配する錐体路が一側で障害されると障害側上肢と反対側下肢の交叉性片麻痺がみられることがある（hemiplegia cruciata）。

引用文献

1) 亀山　隆, 安藤哲朗：筋萎縮性側索硬化症. 整・災外 57：1661-1670, 2014.
2) Yoshor D, Klugh III A, Appel SH, et al：Incidence and characteristics of spinal decompression surgery after the onset of symptoms of amyotrophic lateral sclerosis. Neurosurgery 57：984-989, 2005.
3) Kuwabara S, Sonoo M, Komori T, et al：Dissociated small hand muscle atrophy in amyotrophic lateral sclerosis：frequency, extent, and specificity. Muscle Nerve 37：426-430, 2008.
4) Wilbourn AJ：The split hand syndrome. Muscle Nerve 23：138, 2000
5) 安藤哲朗, 亀山　隆, 鈴木和広, 他：脊髄サルコイドーシス—診療上の問題点と患者への情報提供—. 脊椎脊髄 19：694-701, 2006.
6) 山本正彦：サルコイドーシスの病態・疫学・診断. 神経内科 45：187-196, 1996.
7) 亀山　隆, 安藤哲朗：脊髄サルコイドーシス. 脊椎脊髄 20：1063-1068, 2007.
8) 長本行隆, 岩﨑幹季, 坂浦博伸, 他：圧迫性頚髄症に脊髄サルコイドーシスを合併した1例. 中部整災誌 52：1095-1096, 2009.
9) 世沢　薫, 森田正次, 宮本　敬, 他：皮膚サルコイドーシスを合併した髄内浮腫を伴う頚髄症の1例. 臨整外 39：865-869, 2004.
10) Oe K, Doita M, Miyamoto H, et al：Is extensive cervical laminoplasty an effective treatment for spinal cord sarcoidosis combined with cervical spondylosis？ Eur Spine J 18：570-576, 2009.
11) 酒井義人, 松山幸弘, 中村博司, 他：頚髄症を合併した脊髄サルコイドーシス除圧術は予後を変えるか？ 日脊会誌 18：54, 2007.
12) Oshima K, Sakaura H, Iwasaki M, et al：Repeated vertebrobasilar thromboembolism in a patient with severe upper cervical instability because of rheumatoid arthritis. Spine J 11：e1-e5, 2011.

参考文献

13) 北野邦孝：神経内科の外来診療. 医師と患者のクロストーク, 医学書院, 2000.
14) 宮本紳平, 岩﨑幹季, 小田剛紀, 他：Motor neuron disease と圧迫性頚髄症との鑑別診断. 中部整災誌 37：1335-1336, 1994.
15) 岩﨑幹季, 奥田真也：運動ニューロン疾患と脊椎疾患の鑑別　外科医からみた鑑別ポイント. 脊椎脊髄 23：1069-1073, 2010.
16) Sostarko M, Vranjes D, Brinar V, et al：Severe progression of ALS/MND after intervertebral discectomy. J Neurol Sci 160(Suppl 1)：S42-S46, 1998.
17) Yamada M, Furukawa Y, Hirohata M：Amyotrophic lateral sclerosis：frequent complications by cervical spondylosis. J Orthop Sci 8：878-881, 2003.
18) 長本行隆, 岩﨑幹季：Section 1　脊椎・脊髄の構造と機能. カラーアトラス脊椎・脊髄外科(山下敏彦 編著), 中外医学社, pp2-26, 2013.
19) 谷　諭：脊髄梗塞　脊椎外科医でも知っておくべきこと. 脊椎脊髄 18：971-977, 2005.
20) 小宮山雅樹：脊髄血管の機能解剖. 脊椎脊髄 21：972-981, 2008.
21) 生坂政臣：めざせ！外来診療の達人, 日本医事新報社, pp81-98, 2006.
22) 朝比奈正人, 服部孝道：延髄病変による症候. 脊椎脊髄 17：94-100, 2004.

9 脊椎手術の基本と実際

9-1. 脊椎手術の基本

脊柱・脊椎の機能は，

> ◎支持性
> ◎可動性
> ◎神経（脊髄）の保護

である。したがって，脊椎手術はそれらの機能をなるべく保つように考慮する。

脊椎手術は基本的に，

> ① 除圧（decompression）：脊髄，神経根
> ② 固定（stabilization or fusion）：骨移植，インストゥルメンテーション
> ③ 矯正（correction or realignment）または整復（reduction）

の組み合わせなので，術前に予定した手術は，なぜそれを選択したか，他の選択肢はなかったのかを術者は患者の症状と所見（特に神経学的所見）をもとに考える必要がある。特に，可動性を有する脊椎を固定する場合は，固定すべき正当な理由と固定椎間，固定アライメント（特に矢状面アライメント）などを術前にじっくり検討しておく必要がある。また，手術は緊急で行う必要があるのか，待機手術でよい場合でもいつ，どのような術式選択で行うのが最善かも考慮する。

手術記録には，上記のどの術式をどのレベルで行ったのかをまとめて記載する。また，術前に予定した通りの手順であったのか，術前に予定した術式と違ったのなら，術中のどのような判断でそれをせず他の術式にしたのかを記載する。

> 脊椎外科手術で最も重要かつ難しいことは，手術適応（患者選択）と術式選択である!!!

9-2. 脊椎前方アプローチ

再手術などでアプローチに困難が予想される場合は，頸椎前方であれば耳鼻咽喉科（頭頸部外科），胸椎前方であれば呼吸器外科（肺との癒着が危惧される場合）あるいは心臓血管外科（大血管との癒着が危惧される場合），腰椎前方であれば泌尿器科（後腹膜の癒着が危惧される場合）あるいは心臓血管外科（大血管との癒着が危惧される場合）による専門的アドバイスや実際の手助けがアプローチを容易にしてくれるだけでなく，さまざまな合併症の回避にもつながる。

1 頸椎前方

1) 左右どちらでも到達できるが，C6以下の場合，反回神経の走行から左側アプローチが有利である。頸椎は過度の後屈位ではなく，気管挿管時のsniffing positionを意識して気管の緊張がないことを触診で確認する。頸椎の対側への回旋も従来行っていたが，気管の緊張を強めることになり展開の際に気管や食道への牽引による負担が増大するため，最近は行っていない[49]。

2) C7/T1椎間は通常の頸椎前方アプローチで到達可能だが，T1椎体の処理やT1/2椎間の処理が難しい症例もある。MRI矢状断像やCT矢状断像で椎間に平行な線と胸骨上縁との位置関係や上位胸椎の深さなどを術前に確認しておく必要がある。

3) C6横突起前結節（p486「Surgical Anatomy」

図 SA-4 参照) が皮切前の有力な指標になるが, その他の指標は, 以下の通りである.
- 舌骨：C3
- 甲状軟骨：C4-5
- 輪状軟骨：C6
- 鎖骨：鎖骨から1横指頭側がおよそ C7/T1, 2横指頭側が C6/7

4) 胸鎖乳突筋の前縁から進入するのが一般的であるが, 上位頸椎や多椎間の展開では椎体と胸鎖乳突筋の距離が頭側ほど広がるため外側からアプローチすることとなり展開が困難となる. このため, 舌骨筋群を指標とする相庭・望月らのアプローチを採用している[49～51].

広頸筋 (platysma) を皮切に沿って切開し, その背側を頭尾側に広げる. 内側正中寄りには胸骨舌骨筋 (sternohyoid muscle), その外側を斜めに走行する肩甲舌骨筋 (omohyoid muscle) を指標とする[49,50]. これを頭側から尾側にかけて同定し, 肩甲舌骨筋の筋腹あるいは外縁と胸鎖乳突筋の内縁でできる三角部分から椎体に到達する[51].

2 頸胸椎移行部

胸骨を縦割すれば, T2 か T3 まで展開できる. MRI 矢状断像で上位胸椎の深さと胸骨・大動脈弓部と目的の椎体との関係をみておく (患者により前方アプローチでは上位胸椎が急峻なことがある). 一般的には, **T2/3 間は胸骨縦割が有利だが, T3/4 間以下は経胸腔アプローチ (transthoracic approach) が有利である.**

3 上位胸椎

T3(T2) か T4 までは通常の transthoracic approach で到達可能である.

1) 病変の laterality と大血管との関係を CT で観察しアプローチ側を決めるが, 基本的には右側から (奇静脈側) のほうが有利である.
2) 肩甲骨の内縁から下縁にかけて皮切を加える※ (上肢はやや低くすると肩甲骨が前方に移動しやすい).
3) 肩甲骨内縁に停止する大菱形筋はなるべく遠位で切離し, 前方の広背筋は基本的には温存する.
4) 肩甲骨をスキャプラー・ハーケンで持ち上げると, 後斜角筋が停止している肋骨が第2肋骨である. T4へのアプローチは通常第4肋骨を切離して進入する. 肋骨上を奥まで剥離すると第1肋骨を触れることができる. 体型にもよるが, さらに第3肋骨を基部と遠位で切るとT2に到達できることもある.

※腋窩アプローチ：肩甲骨の前方から第3肋骨にアプローチして, 内視鏡を利用しながら椎体に到達することも可能である.

4 中下位胸椎

鎖骨のすぐ下位で胸骨角 (胸骨柄と胸骨体との結合部) に付いているのが第2肋軟骨である. 胸椎側面と正面で目的とする椎体にかかる肋骨をみて, 切除レベルを決定するが通常上中位胸椎では目的椎体の1レベル頭側, 下位胸椎では2レベル頭側の肋骨から進入する (transthoracic approach). 進入側は上中位胸椎では, 病巣に左右差がなければ右側が有利である.
- 第5肋骨切除：T5-11
- 第6肋骨切除：T6-12
- 第7肋骨切除：T7-L1

側弯症に対する7椎間以上の前方固定術では, double thoracotomy が必要である. 通常第8肋骨に沿った皮切で, 第4-5肋間から T5 の処理を行い第8-9肋間から T12 の処理を行う. このとき肋骨 (第5-9肋骨か第4-10肋骨) 後方部を2～3cm 切除して胸郭形成術 (thoracoplasty) を行うことも可能である. T7-L2,3 までの前方固定なら, 通常第5または6肋骨と第10または11肋骨を切離する. この場合の皮切は斜めに1本の皮切でも平行に2本の皮切でも対処できる.

5 胸腰椎移行部

進入側は通常大動脈のある左側からが多いが, 右側からでも可能である.
- **第9, 10 肋骨切除では, 通常 T9-L5 に到達可能である.**

肩甲骨下縁から肋骨に沿って rectus sheath の外側まで皮切を加える. 肋骨を切除して開胸 (または胸膜外にアプローチ可能) し椎体に到達したのち, 胸腔側から横隔膜を切離し後腹膜に

至る。横隔膜の筋性起始は，前外側ではxiphoid processと下部6本の肋軟骨終末から，後方はcrura（脚：aponeurotic ligament）を通して上位3椎の腰椎椎体および第12肋骨に停止する。内側弓状靱帯（medial arcuate ligament）は左右の脚から始まり，腸腰筋を通りL1横突起に付着する。外側弓状靱帯（lateral arcuate ligament）は，L1横突起から腰方形筋の上を通り第12肋骨先端に停止する。

■ 第11肋骨切除によるアプローチ[1]

第11肋骨と中腋窩線との交点が，およそ壁側胸膜の折り返し点となる。したがって，これより頭側に進入する場合は，胸膜損傷（開胸）に注意する。第10肋骨を切離しても可能だが，第11肋骨から進入すれば胸膜外アプローチで椎体に到達することが比較的容易である。第11肋骨を切離してから胸膜外腔を鈍的に背側に向かって頭尾側に剥離していく（通常，壁側胸膜の背側はしっかりしているが腹側は破れやすいので注意が必要）。第12肋骨の裏側も胸膜外腔を剥離して，さらに肋軟骨移行部から後腹膜腔の脂肪を指標に展開する。胸膜外腔と後腹膜腔を展開し，横隔膜を切離（薄ければ切離したまま落とし込むようにすることも可能）すれば胸椎下位と腰椎が大きく展開できる（大腰筋が付着しているのが第1腰椎）。

■ 第12肋骨切除によるアプローチ

第12肋骨内縁を骨膜下に剥離して横隔膜を剥離して胸膜外に至る。

6 腰椎

基本的には，右下側臥位での後腹膜アプローチ（retroperitoneal approach）で右側の大静脈を避けて左側からアプローチすることが一般的である。

日本では2013年頃から，側方アプローチによる椎体間前方固定術（lateral lumbar interbody fusion：LLIF）が普及し，特徴的な形態のケージを使用することにより椎体間で側弯や後弯を矯正することが可能になってきた。従来の前方アプローチに近いOLIF®（oblique lumbar interbody fusion）と大腰筋内経由で完全に側方からアプローチするXLIF®（extreme lateral interbody fusion）があり，後者では神経障害回避の

ため神経モニタリングが必要となる。いずれの手技にしても，後腹膜腔の解剖[2]をしっかり勉強し後腹膜アプローチを習熟することが必須となる。

側弯症では従来凸側を上にした側臥位でアプローチしていたが，XLIF®では凹側からアプローチして変形を矯正することも可能である。

7 腰仙椎移行部

L5/S単椎間のアプローチは基本的には仰臥位での経腹膜アプローチ（transperitoneal approach）が有利だが，L4/5間の処置が必要なら血管との関係で大血管を避ける必要がある[3]。L5/S1レベルの結核性脊椎炎などで感染巣と大血管が癒着していることが予想される場合は，経腹膜アプローチでまず大血管を同定し剥離しておくほうが安全である。また，男性に経腹膜アプローチでL4/5またはL5/S1レベルの手術を行うときには，射精障害（retrograde ejaculation）の危険性を説明しておく必要がある（経腹膜アプローチで10数％，後腹膜アプローチで1〜2％の危険性がある）。最近では側臥位でL5/Sを展開できる開創器（OLIF51™）が開発されているが，ガイドラインを遵守して安全に使用することが重要である。

9-3. 術式別の概要

1 頚椎前方固定術（図I-9-1）

anterior spinal fusion：ASF
anterior cervical discectomy and fusion：ACDF
anterior cervical corpectomy and fusion：ACCF

【適応】頚椎椎間板ヘルニア，頚椎症性頚髄症・神経根症，OPLL，外傷，感染など

【体位】仰臥位で背部に枕を入れて，頚椎は過度の後屈位ではなく頭部に枕やタオルを置いて気管挿管時のsniffing positionをとる。この頭位には中下位頚椎は中間位，頭頚部移行部のみ後屈として中下位頚椎が過度の後屈にならないようにする意図がある。腸骨採取の場合は採骨側の殿部を少し浮かせる。腓骨採取の場合はター

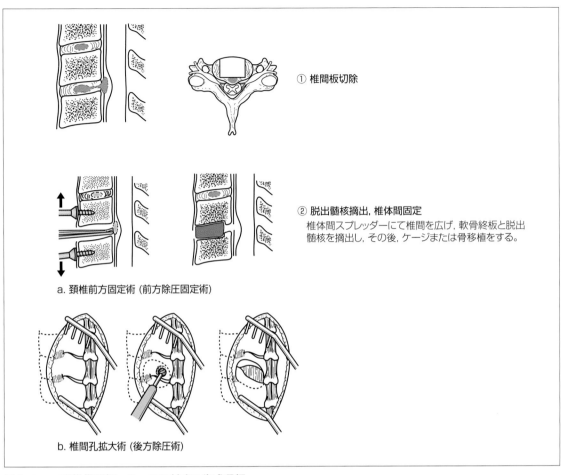

図 I-9-1 頚椎椎間板ヘルニアに対する術式選択

ニケットを巻き膝屈曲で固定するための側板を固定しておく。
【手順】椎体にピンを刺入して椎体間を広げてから椎間板を摘出し前方用ケージや腸骨から採取した自家骨を約1〜1.5 cmの高さに採型し移植する。椎体亜全摘が必要な病態では，腸骨または腓骨を適当な長さに採型し移植する。
【特殊器械】開創器（頚椎前方用クロワードまたはトリムライン®），ツッペル（ピーナツ大），エアートーム，採骨用のボーンソーを用いる。
【注意すべき術後合併症】気道閉塞（詳細はp115参照），移植骨の移動や脱転，反回神経麻痺による嗄声・嚥下困難，食道損傷

2 頚椎人工椎間板置換術

total disc replacement：**TDR**
cervical disc replacement：**CDR**
cervical disc arthroplasty：**CDA**

【適応】頚椎椎間板ヘルニアによる脊髄症・神経根症が良い適応となるが，骨棘が主な圧迫因子の場合は除圧に経験を要する。OPLL，感染，著明な不安定性を有する患者や重度の骨脆弱性がある場合は禁忌となる。本邦では2017年に承認を受け1椎間限定で使用できるようになり，現在では2椎間までの使用が認められている。
【体位・手順】頚椎前方固定術に準じて行う。椎間可動性を残すため，より確実な神経除圧を心がける。母床となる骨性終板は確実に温存する必要があるが，椎体後縁に骨棘形成がある場合やインプラントの安定性を獲得するためLuschka関節内縁の骨切除を要することがある。
【注意すべき術後合併症】頚椎前方固定術と基本的に違いはないが，異所性骨化（heterotopic ossification）が特徴的な合併症として報告されている。

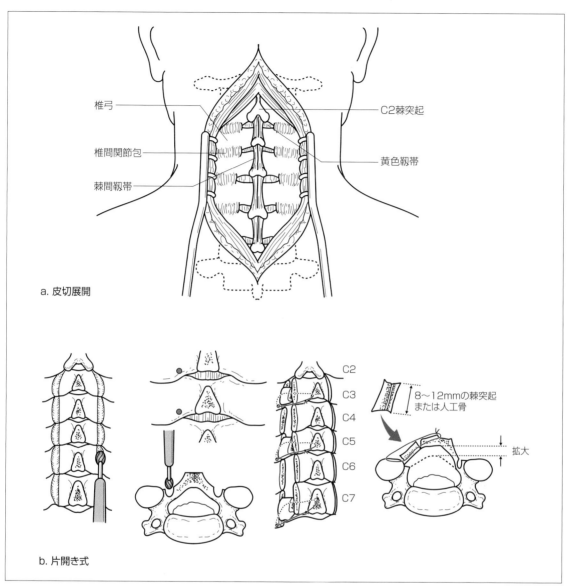

図 I-9-2　頚椎椎弓形成術（脊柱管拡大術）

3 椎弓形成術（脊柱管拡大術）（図 I-9-2）

【適応】発育性脊柱管狭窄症を伴った頚椎症性脊髄症，OPLL，頚椎椎間板ヘルニア
【体位】ヘッドピンとメイフィールドにて頭蓋を固定して腹臥位とする。
【手順】図 I-9-2 参照
【特殊器械】エアートーム，ミュゾー鉗子（片開き式の場合）を用いる。
【注意すべき術後合併症】上肢麻痺と術後血腫形成である。

4 腰椎後方手術（PLIF，髄核摘出術，開窓術など）（図 I-9-3）

【適応】腰椎椎間板ヘルニア，腰椎すべり症（分離または変性すべり症），腰部脊柱管狭窄症
【体位】股関節および膝関節を 90°屈曲させたモハメッド体位
【手順】図 I-9-3 参照
【特殊器械】PLIF の場合は，Cloward 開創器および PLIF セット，腰椎後方インストゥルメンテーションを用いる。
【注意すべき術後合併症】神経根麻痺と術後血

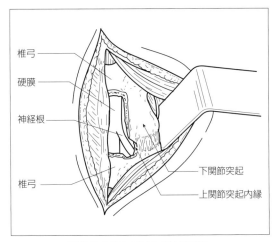

図 I-9-3　腰椎後方除圧術（右側開窓術）

腫形成である。

● PLIF の術式（椎間関節全切除による L4/5 間 PLIF）（図 I-9-4）[52,53]
　ステップ 1：椎弓切除と椎間関節全切除による広い視野での広範囲除圧
　ステップ 2：線維輪と軟骨終板の切除
　ステップ 3：ケージと局所骨を利用しての十分な量の骨移植
　ステップ 4：pedicle screw とプレートまたはロッドによる強固な内固定

5　腰椎前方固定術

【適応】脊柱変形，脊椎感染症（化膿性脊椎炎，結核性脊椎炎），椎体圧潰，外傷，脊椎腫瘍
【体位】腎摘用の手術台の上に側臥位（通常右下）とし恥骨・殿部および胸骨・背部を側板で固定する。手術台のブレイクポイントに患者の腸骨上縁と大転子部の間がくるように調整する。腓骨採取の場合はターニケットを巻き下肢を浮かせておくが，それ以外は大腰筋の緊張を緩めるため股関節・膝関節は屈曲位で腓骨頭の徐圧を確認する。OLIF® や XLIF® など LLIF（lateral lumbar interbody fusion）の場合は，術中透視を使用するため側板は極力使用を避けてテープなどで固定する。脊柱変形で回旋がある場合は，術中透視で真の正側面を確認するのに手術台を動かすため，術前に頭部や身体が動かないことを確認しておく。

【手順】後腹膜アプローチで椎体に至り，椎間板や椎体をコブやノミ・鋭匙などで掻爬する。LLIF など小切開でアプローチする場合は，腹横筋筋膜切開後は指で後腹膜腔を展開してから直視下に大腰筋を確認しレトラクターを設置する。展開に慣れないうちは皮切は大きめにし，腎臓，血管，尿管などの重要臓器の解剖や腸管の巻き込みがないことなどを目視で確認し安全に施行することを推奨する。
【特殊器械】開腹器，腸ベラなど自在鉤，ツッペル（チェリー大），採骨用のボーンソーを用いる。
【注意すべき術中合併症】上位腰椎の場合，開胸になる可能性がある。ピンホールの場合は丸針ナイロン糸にて縫合するが，エアーリークがあれば胸腔に持続チューブを挿入する。

6　胸椎後方手術（椎弓切除術，後方固定術など）

【適応】胸椎黄色靱帯骨化症，側弯症，骨粗鬆症性椎体圧潰，外傷
【体位】股関節および膝関節を 90°屈曲させたモハメッド体位または下肢伸展位での腹臥位とする。上位胸椎の場合は，ヘッドピンとメイフィールドで固定することがある。
【手順】腰椎後方手術に準ずる。脊柱変形の矯正術の場合は，術中脊髄モニタリングを準備する（麻酔科医の協力も必要）。
　胸椎では棘突起は椎体高位から尾側に大きく垂れ下がっているため，術前に刺入したメルクマール針ではたとえ正側面の X 線撮影で確認したとしてもレベル誤認が生じ得る。特に肩甲帯が重複する上位胸椎においては，展開後に直視下に棘突起をマーキングし透視もしくは術中 X 線撮影にて確認するほうがよい。
【特殊器械】開創器はブレードが浅めのものが使いやすい。エアートームは必須である。後方インストゥルメンテーション（pedicle screw と hook が両方利用できるシステムが望ましい）を用いる。
【注意すべき術後合併症】術後血腫形成である。

7　胸椎前方固定術（人工椎体を含む）

【適応】脊椎感染症，側弯症，骨粗鬆症性椎体圧

ステップ1：椎弓切除と椎間関節全切除による広い視野での広範囲除圧

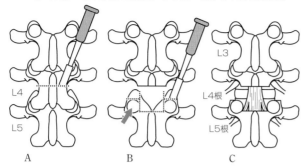

ステップ2：線維輪と軟骨終板の切除

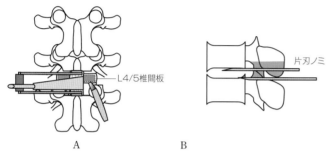

ステップ3：ケージと局所骨を利用しての十分な量の骨移植

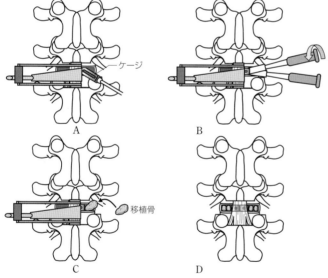

ステップ4：pedicle screw とプレートまたはロッドによる強固な内固定

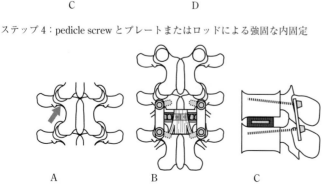

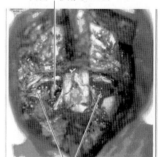

Aの矢印は pedicle screw の刺入部：椎弓外側縁と accessory process でできた三角形の頂点を刺入部として，椎間関節を損傷しないように頭側へ向けて刺入する。

図 I-9-4　PLIF の術式

瘍，外傷，脊椎腫瘍（原発性，転移性）
【体位】上中位胸椎の場合，右側から進入することが多く，下位胸椎は左側から進入することが多い．側臥位（通常左下）とし恥骨・殿部および胸骨・背部を側板で固定する．腓骨採取の場合はターニケットを巻き下肢を浮かせておく．
【手順】肋骨を基部で切離し開胸または胸膜外アプローチで椎体に至り，椎間板や椎体をコブやノミ・鋭匙などで掻爬する．椎体後壁が硬い場合はエアートームで除圧することもある．椎体からの出血はボーンワックスを塗り，硬膜外からの出血はスポンゼル®またはサージセル®など可吸収性止血剤で止血する．椎体間には，切離した肋骨と腸骨または腓骨を適当な長さに切り打ち込む．腫瘍などの場合，チタンケージやセラミック人工椎体を使用することもある．
【特殊器械】上位胸椎の場合は，肩甲骨つり上げ器が必要である．開胸器，腸ベラなど自在鉤，ツッペル（チェリー大），採骨用のボーンソーを用いる．胸腔ドレーンと持続吸引器は必ず準備しておく．

8 短縮矯正骨切り術（pedicle subtraction osteotomy：PSO）

椎間での矯正が難しい可撓性の乏しい後弯変形に対する椎体でのclosing wedge osteotomyで後方を短縮して矯正する手技である[4〜6]．椎体の骨切り範囲にもよるが，およそ30〜45°の後弯矯正が可能である．
【適応】脊椎固定術後や外傷後の脊柱後弯変形（p307：図Ⅱ-9-33およびp397：図Ⅱ-11-61，p412：図Ⅱ-11-81〜84参照），椎体間骨癒合でrigidな後弯変形を伴った成人脊柱変形（fixed sagittal imbalance），骨粗鬆症性椎体圧潰による後弯変形（p281：図Ⅱ-8-11〜13参照），強直性脊椎炎（ankylosing spondylitis：AS），先天性後側弯症（p377：図Ⅱ-11-45, 46参照）．
【体位】股関節伸展位での腹臥位とするが，腹部が圧迫されないように注意する．
【手順】（図Ⅰ-9-5）[7,8]後弯頂椎部の椎体で骨切りを行うのが基本である．骨切り椎体レベルでは外側は横突起まで十分展開し，頭尾側に固定のための脊椎インストゥルメンテーションを設置する．骨切り椎体の頭尾側の椎弓根レベルまで広範囲に後方要素を切除し，骨切りレベルの椎間関節を完全に切除し椎弓根の上縁および内縁を展開する．頭尾側の椎間板は残す場合もあるが，終板が脆弱な場合や椎体間でも矯正する場合などは頭尾側の椎間板も切除する．胸椎レベルであれば肋椎関節を解離し，腰椎レベルであれば横突起を基部で切離してから骨切り椎体の外側縁を鈍的に剥離しておく．対側で仮固定してから椎弓根を切除し，そこから椎体内の海綿骨をeggshell状にくり抜く（decancellation）[9〜11]．椎体前壁の骨皮質は残すが，椎体前縁までの距離やV字型の骨切り角度などは透視像で確認する．椎体からの出血はボーンワックスなどを使用して，硬膜外からの出血はスポンゼル®またはサージセル®など可吸収性止血剤で丁寧に止血する．最後に鈍的に剥離した椎体外側と後壁の骨皮質を切除して，設置した脊椎インストゥルメンテーションにcantilever techniqueで後弯矯正を行う．硬膜管や神経根が短縮した椎体の頭尾側の椎弓や残存した椎体後壁，椎間板により圧迫がないか十分確認する．

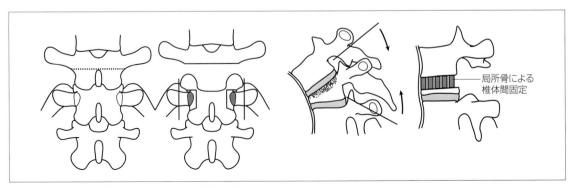

図Ⅰ-9-5　短縮矯正骨切り術（PSO）＋椎体間固定の術式図式（文献7, 8より）

椎体内の間隙には主に海綿骨を，椎体間にはケージや局所骨を移植する。ロッド折損の危険性が高いため，可能な限り骨切りレベルは4本のロッドで固定することを推奨する。
【注意すべき術後合併症】大量出血と神経合併症。術中神経モニタリングはできるだけ使用すべきだが，神経根や硬膜管の頭尾側，腹側に圧迫要素がないかを十分に確認することが重要である。

9-4. 脊椎インストゥルメンテーション

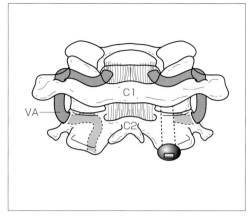

図I-9-6　環軸椎における椎骨動脈の走行
（文献17より）

各レベルにおける代表的な脊椎インストゥルメンテーションについて記載するが，最近のナビゲーションシステムや画像解析ソフトの発展の寄与するところは大きい。特に画像解析ソフトは，ナビゲーションシステムがなくても刺入点や方向，長さなどをかなり正確に把握することができるので術前計画には有用で，作図を印刷しておけば術中に情報を共有できるというメリットがある。

1 頸椎インストゥルメンテーション[54～60]

●環椎(C1)
環椎(C1)に関しては，後弓あるいは後弓基部から外側塊に刺入する方法がある[61,62]。

●C2 pedicle screw
椎弓根内縁の骨皮質もlandmarkである。外側塊の外縁から5～6 mmで，およそC2椎弓の上縁の延長線上にある。Magerl法(transarticular screw fixation：p329参照)のときは，C2下縁から強斜位に刺入し峡部(isthmus)のなるべく**背側**および**内側**をねらうほうが安全である。具体的には側面透視でC2椎弓の頭側くびれをねらい，上縁と重なるくらいがよい。
注意点：C2 pedicle screwやMagerl法で最も懸念すべき合併症は椎骨動脈(VA)損傷である。CT(MPR)や3D-CTアンギオグラフィなどでhigh riding VA(図I-9-6：約18%の症例で認められる)や，isthmus径を術前に評価し準備しておく。椎骨動脈の走行は通常スクリュー刺入部の前方を通るがC2内の走行にはvariationが多いので，CT(可能な限り造影後CT)による十分な術前評価と，術中にC2椎弓根内縁を触知しC2 isthmusのできるだけ内側，かつ背側に向けて刺入することがポイントである[17,18]。刺入精度を高めるためナビゲーション使用も有用である。GIufらによると，CT(MPR)による術前評価で椎骨動脈の走行から容易に刺入できそうな側と刺入困難な側がある場合，容易な側から刺入し，もし大量の出血が認められればscrewを刺入して反対側の刺入は行わないようにするとの教訓を示している[19]。

●C2 translaminar screw
術前のCT評価でC2 pedicle screwやisthmus screwが刺入困難と判断される場合は，C2椎弓スクリュー(translaminar screw)は1つの選択肢に成り得る[12,13]。生体力学的に固定力はほぼ同等で[14]より安全かつ透視なども不要であることが利点である。Wrightらによる原法以外に，軸椎棘突起を切除してより刺入方向をわかりやすくする方法[15]や背側の皮質を貫いて脊柱管側への刺入の危険を防ぐ方法[16]などが報告されている。

●C3-6 pedicle screw
pars interarticularisの最も内側にくぼんだ所(lateral notch)と下関節突起の下縁が共通のlandmarkである。上位の下関節突起下端のやや

尾側で，外側塊の外縁から2～3mmの点を刺入点として内側に35～40°傾ける。35°以下だと外側に抜けやすく，55°以上だと脊柱管に抜ける危険性が増す。pedicle外側の骨皮質のほうが薄いので外側に穿破しやすいことを知っておく（特にC4, C5は内径も細い）。CTによる術前評価は必須で，刺入困難と判断すれば他の固定方法を選択する。

　頸椎pedicle screwの具体的手法：小さな鋭匙を利用して浅いところから海綿骨を確認してfunnel状に広げていく。外側の椎骨動脈(VA)や脊柱管壁を穿破するのは刺入点からおよそ13～14mmの距離なので，13～14mm進めば側面透視で方向と深さを確認しプロービングで骨の中を進んでいることを確認することが重要である。深さの目安は椎体前後径の2/3進めばよい。CTで刺入困難が予想される場合は，刺入しやすいほうから刺入するのが安全である。

● C7 pedicle screw
　基本的にはC3-6と同様だが，横突起基部の中央もlandmarkである（注意：透視で確認しにくいので誤刺入率が高い）。

● C3-6 lateral mass screw
　術前のCT評価でpedicle screwが刺入困難と判断される場合は，外側塊スクリュー（lateral mass screw）を使用する。固定性はpedicle screwに比べ劣るが，より安全に多椎間固定できる点が利点である。刺入点は外側塊中央部あるいはその1～2mm内側尾側で，頭側には上位の椎間関節に平行（30°頭側）で20～30°外側に向けて刺入する（C3-6レベルのスクリュー長は通常12～15 mm）[63～65]。

● paravertebral foramen screw [20～22]
　頸椎長範囲固定の際のC6アンカーなどでは有用だが，頭尾側端での使用は避けるべきである。刺入点は，頭尾側はpedicle screwと同様lateral notchの内側で，内外側は外側塊の正中線上が基本である。内側へ20°程度向けるが，術前CT横断像で刺入点から横突孔までの距離を計測し，それ以下のスクリュー長（通常，12 mm前後）を選択する。

2 胸椎～腰仙椎・骨盤インストゥルメンテーション

　胸腰椎後方インストゥルメンテーションは1950年代のHarrington[23]によるrod・hook，1970年代のLuque[24,25]によるrod・sublaminar wireなど脊柱変形の矯正手術と共に進歩し，Roy-Camille[26]（1963年）や1980年代のSteffee[27]らによるpedicle screw・plate固定により外傷や腰椎変性疾患に応用されていった。

● 胸椎pedicle screw（図Ⅰ-9-7, 8）[66～68]
　胸椎はpedicle screwによる固定を用いることが多いが，術前CT評価で刺入困難と判断すれば，フックやsublaminar wireあるいはテープを通してsegmental fixationを活用する。
　1）刺入点：基本的には，**下関節突起下縁で，上関節突起の関節面の中央部やや外側から刺入する**。内側には脊髄，左外側には大動脈が存在するので，術前にCTにて刺入部（特に，正中からの距離）や方向を入念に計画しておくことが重要である。

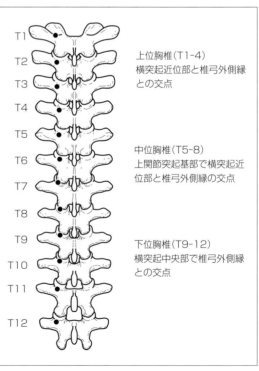

図Ⅰ-9-7　胸椎におけるpedicle screw刺入点
（文献28より）

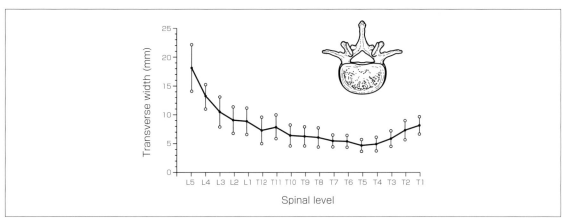

図 I-9-8 椎弓根の横径（文献29より）

中位胸椎（T7-9）ほど，刺入部は最も内側（上関節突起基部でその内縁・外縁の中点）で，その頭尾側にいくと次第に外側に偏位する．T1-2およびT11-12では関節間部の外縁になる．また，中位胸椎（T7-9）ほど，刺入部は最も頭側（横突起：TPの上縁を結ぶ線上）で，その頭尾側にいくと次第に尾側に偏位する．T1-3およびT12では横突起の中央線上が刺入部となる．

2）具体的手法：胸椎の場合，椎弓根の内壁が硬いので，プローブは最初やや外側に向けて挿入し，その後，内側に向けて刺入していく（T4-8が最も刺入が困難である）．刺入部がわかりにくい場合は，横突起から椎弓背側の皮質骨を広く切除してその奥に見える海綿骨に向かってball-tip probeなどを利用し "funnel technique"[30,31]や "slide technique"[32]で徐々に進めていく方法が有用である．また，X線透視下での経皮的刺入法として報告された "groove entry technique" は横突起基部上縁とその頭側にある肋骨頸部で形成されるgrooveを刺入点として頭側から尾側に向けて刺入する方法だが，刺入点が同定しやすく尾側に刺入したい時などには有用と考えられる[33]．

3）注意点：側弯変形で椎体が回旋している場合は，側弯の凹側が特に刺入が難しい．凹側で脊柱管を穿破することは最も危険なので細心の注意が必要（内側の脊柱管壁を穿破するのは刺入点からおよそ8〜10 mmの距離なので，刺入部から8〜10 mm進めばプロービングで内側穿破の有無を確認することが重要）である．先の曲がったプローブを最初は外側に向けて刺入し，15〜20 mm程度進んだ段階でフィーラーなどを用いて内側穿破がないか確認して，その後は意識的にプローブの先を内側に向けて刺入していく[69]．フィーラーで確認する場合は，刺入部近くは意識的に内側を，先端部分は外側を確認することが重要である．さらに，大動脈が椎体左側へ寄っているレベルでは外側へ抜ける可能性も想定して短い目（25〜30 mm）のスクリューを選択するほうが無難である．

●**腰仙椎 pedicle screw**
1）刺入点：基本的には，横突起の中央で上関節突起の外側の線上が刺入部である．accessory process（p489「Surgical Anatomy」図SA-7参照）が指標になる．

2）具体的手法：仙骨は，仙骨翼（ala）（p490「Surgical Anatomy」図SA-8参照）から降りてきて上関節突起の外側基部が刺入部となる（内側に刺入しやすいので注意する）．L5下関節突起下端よりもやや頭側の高位を刺入する（尾側に刺入しやすいので注意する）．胸椎同様にフィーラーで確認する場合は，刺入部から15〜20 mmは意識的に内側を，先端部分は外側を確認することが重要である．

●**腸骨 iliac screw**
1）刺入点：後上腸骨棘の下縁をリュエルで削り，後上腸骨棘の約1 cm尾側が刺入点となる．
2）具体的手法：坐骨切痕のやや頭側または大転子の2〜3横指近位を目標とし（最初細めのプローブを用いて，後に太めのプローブを使用す

る）矢状面方向は仙骨背面に垂直に刺入していく．後上腸骨棘から尾側に寄りすぎると腸骨が薄くなるので注意する．深さは小児で6～8 cm，成人で8～10 cm が一般的である．

● 仙腸骨 sacro-iliac screw, sacral alar-iliac screw（図 I -9-9）

1）刺入点：仙骨後方第1神経孔の1～4 mm 尾側かつ外側

2）具体的手法：腹側への穿破を避けるため曲がりのプローブを背側に向け，上後腸骨棘（PSIS）の尾側に向かって下前腸骨棘（AIIS）または大転子上縁を目標に仙腸関節に当たることを確認する．腰仙椎アライメントなど個々の症例でかなりばらつきは大きいが20～45°尾側に向け，水平方向にはおよそ40°外側に傾ける（術前に画像解析ソフトを用いて計画することが重要）．30～40 mm で仙腸関節に到達するが，この時点でまず術中透視の骨盤正面インレット像で内外側の方向を確認する．仙腸関節を貫通させた後は，軟らかいボールチッププローブで腸骨内にあることを丁寧に確認してから，曲がりのプローブを次は腹側に向けて進め50～60 mm 進んだところで透視装置を頭側に振った仙骨正面像と，可能なら teardrop 像（図 I -9-10，正面および teardrop view：頭側および内側に30～40°傾ける）で方向と長さを確認する．ナビゲーションが使用できればより確実かつ安全に刺入できる（図 I -9-11）．screw 径は通常8～10 mm，長さは80～90 mm の polyaxial screw を使用する[70,71]．

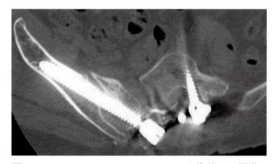

図 I -9-9　sacral alar iliac screw の術後 CT 画像

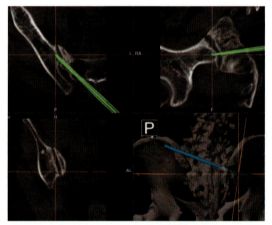

図 I -9-10　ナビゲーション使用時の画面

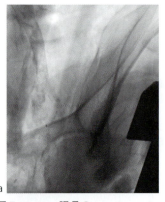
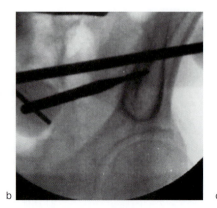
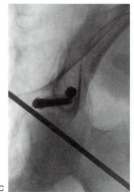

図 I -9-11　腸骨の teardrop view

a：管球を頭側および内側に30～40°傾けて撮影した teardrop view．b：プローブが仙腸関節を越えて腸骨内にあることを確認する．c：スクリュー刺入後の透視像（tear drop 内の尾側が sacral alar-iliac screw，頭側は iliac screw）．

3 anterior screw

側方から椎体にスクリューを刺入する場合は，対側の大血管が見えないので損傷しないように気を付けると同時に，刺入側の大血管の位置もその後の仮性動脈瘤などの形成を懸念して重要となる[72〜75]。具体的には大動脈が椎体側方に寄りすぎている場合は，そちらからの刺入は可能なら避ける。術前評価として，椎体と大動脈との位置関係は造影CTなどで確認しておくことが重要である(体位によって大動脈の位置は変化する)。

前方の椎体スクリューの長さは，通常CTでの計測のプラス5〜6mmである。

(注意)前方のスクリュー刺入時あるいは刺入後に最も注意すべき合併症の1つに血管損傷や偽性動脈瘤がある。

9-5. 骨移植(bone graft)

脊椎固定術の最終目的は骨癒合による椎間固定にある。移植する骨に関しては，自家骨としては，1)腸骨(前方あるいは後方)，2)腓骨，3)肋骨，4)頭蓋骨が脊椎外科領域で使用できる。自家骨以外では同種骨移植(allograft)やハイドロキシアパタイト，β-リン酸カルシウム(β-TCP)などの人工骨も使用でき，最近ではbone morphogenetic protein(BMP)や副甲状腺ホルモンを利用して脊椎固定術を促進させることが報告されており[34〜37]，自家骨移植に置き換わってきている。これらはすべて骨癒合を目的とした脊椎固定術であるが，骨癒合を期待しない脊椎固定は，1)固定範囲を意図的に長くした場合，2)若年者の脊柱変形で矯正だけを目的とした脊椎固定を行う場合，3)予後が短く最終的な骨癒合よりも短期的な脊椎の固定を獲得したい場合である。

1 骨癒合を期待しない脊椎固定[76]

- 外傷や脊椎感染症で固定術を行う場合，本来なら罹患椎間だけの骨癒合を期待するが，短い内固定では固定力に問題があるときにはインストゥルメンテーションで頭尾側に長く内固定を行うことがある。このような場合，罹患椎間に予定通り骨癒合が確認できれば通常速やかに(通常1年以内)インストゥルメンテーションを抜去する。
- 脊柱変形で矯正を目的とした脊椎固定を行う場合，9〜10歳以上であれば通常骨移植を行う。しかし，骨移植による脊椎固定を行ってしまえばその部分での成長は期待できないため，身長の伸びを期待する乳幼児ではあえて骨移植を行わずに矯正のみを目的とした脊椎固定術(instrumentation without fusion)を行うことがある。このような場合，成長に応じて通常何回か金具の延長術を行ったのちに最終的に骨移植を併用した脊椎固定術が必要となる。
- 転移性脊椎腫瘍などにおける脊椎固定術の場合，予後を考えれば骨移植を行うよりも術直後から強固な固定力を得るため骨セメントによる初期固定を利用するか，あえて骨移植を行わない脊椎固定術を選択することがある。しかし，これはあくまでも姑息的な固定術で，長期予後が期待できる場合は何らかの骨移植を行うほうがよい。

2 脊椎外科で通常利用する採骨部位

脊椎外科では，腸骨あるいは腓骨が一般的である。採骨後に移植骨を落としてしまった場合の除染方法は確立したものはないが，ACL移植腱などでは4%グルコン酸クロルヘキシジン溶液の使用が推奨されている[38]。

a. posterior iliac crest(後腸骨稜)

腹臥位の後方手術で最も使用される採骨部位である。注意点は，上位神経根(L1-3)から由来する上殿神経(superior cluneal nerve)の損傷である。この皮神経は後上腸骨棘(PSIS)から6〜8cm(3〜4横指)外側を走行しているので，採骨はPSISから6cm以上外側へいかないようにする。

b. anterior iliac crest(前腸骨稜)[39〜42]

前方手術で最も使用される採骨部位である。注意点は，外側大腿皮神経(lateral femoral cutaneous nerve(L2, 3))の損傷と採骨部骨折である。これらを回避するためには，上前腸骨棘

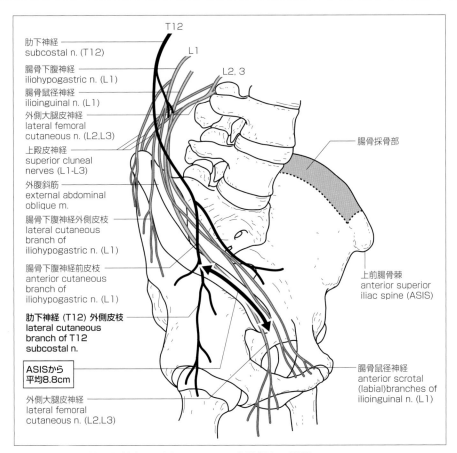

図Ⅰ-9-12 上前腸骨棘(ASIS)とT12-L3の皮神経との関係(文献39より改変)

(ASIS)から少なくとも3cm残して後方を採骨するよう心がけることと，術後に積極的な股関節の自動運動を控えることである(図Ⅰ-9-12)。

c. fibula(腓骨)[77,78]

頚椎および胸腰椎前方手術のstrut graftとして有用である。1椎間の固定であれば前述の腸骨を採骨することが多いが，2椎間以上(3~4cm以上)の場合は，採骨部痛や移植骨の安定性からも腓骨を選択することも考慮する。腓骨の採骨で注意すべきは，腓骨の後内側を通る腓骨動静脈(Peroneal A & V)の損傷と足関節の不安定性である。近位は少なくとも8cm残すようにする。足関節の不安定性に関しては，腓骨全長の10％を残せば生体力学的には安定性は損なわれないが，靱帯結合(syndesmosis)を考慮に入れると遠位は**8cm(できれば10cm)**残すようにする。

d. rib(肋骨)[43]

胸椎の開胸手術で切除する肋骨を移植骨として利用する以外にも，側弯症の後方固定術でthoracoplastyを兼ねて移植骨として利用したり，乳幼児の後頭骨・頚椎間固定術に使用したりする(p144参照)。肋骨移植の最大の利点は，1)幼児でも十分な量を採骨可能であること，2)豊富な骨皮質量を確保できること，3)後頭骨・頚椎間に合致する独特の弯曲にあると考えられる。Sawinらによる頚椎固定術における腸骨移植300例と肋骨移植300例の比較検討[44]では，両者に骨癒合率の差は認めなかったが，採骨部合併症は腸骨移植に有意に多かったことから，胸膜損傷による気胸・呼吸障害と肋間神経損傷による術後疼痛に注意すれば，もっと利用されてもよい採骨部位である。肋骨切除後に肋間神経周囲に長時間持続型の局所麻酔薬を注射するのも術後疼痛対策には有用である。

9-6. 術式別の術後管理・術後安静度

1 頸椎前方固定術

1椎間固定であれば頸椎カラーを装着してすぐにでも座位を許可できるが，固定椎間数や術中の固定性により異なることがあるので必ず術者に相談する。

手術当日は30°程度のベッドアップにして介助下での側臥位も許可する。ベッドアップ90°で特に問題なければ，車椅子または歩行器での離床を許可する。

頸椎の過屈曲や過伸展は避けるよう指導する。術前麻痺のある患者は，リハビリテーション室にて傾斜台(tilt table)から起立訓練を開始するが，起立性低血圧には留意する。**腸骨から採骨している場合は，採骨側の股関節・膝関節の積極的な自動運動は術後6〜8週間は控えさせる**(採骨部骨折の予防)。

● 最も注意すべき術後合併症

術後早期の**気道閉塞**と**移植骨の移動や脱転**などである。特に気道閉塞は致死的合併症となり得ることを念頭に置く必要がある。腫瘍などでの長時間手術や多椎間固定でhalo vestを術後装着させた場合には，可能なら挿管したまま手術翌日までICU/HCUにて呼吸管理を行い，cuff leak testを行ってから抜管を行う。術直後に抜管できた場合でも，喉頭浮腫の予防の目的から水分バランスは絞り気味で，tube exchangerなどすぐに再挿管できる準備をしておく。抜管後は強制吸気時の異常音や鼻詰まり気味のようなこもり声などがないか確認し，認める場合は気道狭窄を疑い耳鼻咽喉科へのコンサルトが必要である。緊急時に備えて，創部を広げての輪状甲状軟骨切開術[79](甲状軟骨と輪状軟骨との間を切開)による気道確保法を習得しておくか，経皮的気管切開キット(クイックトラック®またはミニトラックⅡ®スタンダードキット)を準備し，使用法を習得しておく備えが必要である。X線撮影は頸椎側面で移植骨の脱転，アライメントをチェックし，後咽頭腔幅(retropharyngeal space：Ⅱ-9-11「非骨傷性脊髄損傷」参照)の推移にも注意する。X線は必ず術直後の画像と比較する。

▷ 頸椎前方手術後の気道閉塞

頸椎前方手術後の早期合併症で最も注意しなければならないのは，血腫と気道閉塞である。施設の事情が許せば，術後はICU/HCUでの管理が望ましい。一般病棟での頸椎前方術後の管理については，緊急時に適切に対応できるよう術後管理に係わる医師や看護師全体への教育も重要である。

筆者の施設では手術当日の気道閉塞を経験してから，術後は抜管せずICUに入室し，翌朝抜管しその翌日耳鼻咽喉科で喉頭浮腫や声帯の動きを確認してもらってから一般病棟に帰室させている(図Ⅰ-9-13)[80]。

2 椎弓形成術(laminoplasty)・脊柱管拡大術

前方要素は損傷されていないので，外固定は基本的には不要である。患者の疼痛が強いときや頸椎アライメント保持のため使用するときは，ソフトカラーかフィラデルフィアカラーを装着して離床させる。高齢者で術後不穏状態や譫妄などの問題が危惧される場合は，手術当日にでも座位を許可してよい。歩行訓練は術前の歩行機能にもよるが早期から開始する。頸部周囲筋の**等尺性運動**を術後2週程度で疼痛が消失してから指示する。具体的には，患者自身の手で頭部を支え前後・左右・回旋の各方向に抵抗を加えて朝・昼・夕に10秒ずつ3回行う。

● 最も注意すべき術後合併症

上肢運動麻痺と**術後血腫形成**である。術後数時間から翌日に両下肢の筋力低下・知覚低下が認められた場合，硬膜外血腫による麻痺はほぼ間違いないので，すぐにCTかMRIで確認し再手術を準備する(必ずしも画像診断の必要はなく，緊急時には病棟で創部を開くこともあり得る)。術後2〜3日に多い上肢の運動麻痺に関しては，一般的には緊急手術は要せずに2〜3週で回復することが多いが，CT・MRIにて圧迫因子の有無は確認しておく。疼痛がある場合は十分な鎮痛と，頸椎を軽度前屈位に保持する(患者の楽な肢位)。

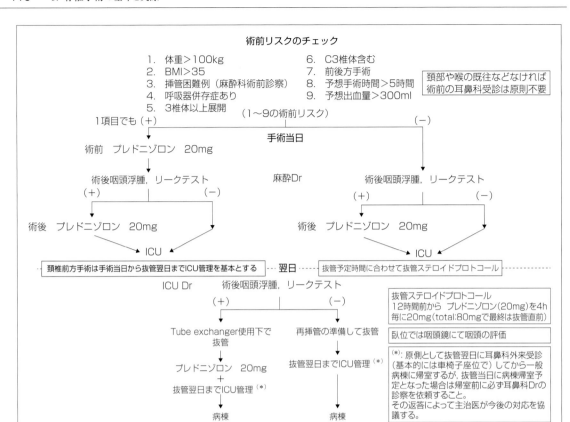

図 I-9-13　筆者施設における頚椎前方固定術後プロトコール

3 腰椎後方手術（PLIF or PLF，髄核摘出術，開窓術など）

　脊椎インストゥルメンテーションを併用することが多いので，その固定性が良ければ術後の安静期間は基本的には不要である．術中の安定性に問題なければ術後全身状態と疼痛に応じて立位歩行訓練を開始する．術後注意するポイントは，足関節や足趾の筋力である（上位腰椎の手術では腸腰筋や大腿四頭筋の筋力にも注意する）．著明な筋力低下（3未満）があれば（痛みによるものと鑑別する），術者に報告する．

●最も注意すべき術後合併症
　神経根麻痺と術後血腫形成である．術後数時間から翌日に，両下肢の広範囲な筋力低下と知覚障害が出現すれば，血腫による馬尾障害なので緊急手術を準備する（特に透析患者）．術直後あるいは2～3日後に，手術レベルに合致した神経根の筋力低下（多いのはL4/5レベルでは足関節背屈，L3/4レベルであれば膝関節伸展）を認めた場合は，その麻痺の程度と下肢痛の程度によって再手術を考慮する．すなわち，徒手筋力テストで3以上の筋力があれば経過観察し，改善傾向がなければ再手術を考慮するが，筋力3未満あるいは強い下肢痛が術後新たに出現すれば再手術で当該神経根を確認すべきである（p264「PLIFの合併症」参照）．いずれの場合もCT・MRIは大きな病変は確認できるが（ミエログラフィおよびCTミエログラフィのほうが有用），あくまでも補助診断で知覚・運動による神経学的診断が最も信頼できる手段である．注意深い筋力検査の推移と患者・家族への説明が重要である．

4 腰椎前方固定術

　腹膜外進入にて行うが術後は腸管の動きが低

下し便通が悪くなることが多い。イレウスの併発には十分注意する。LLIFの場合，小切開であるが故に腸管損傷や椎体対側の血管損傷などの危険性があるので，貧血や嘔気・腹痛など持続すれば腹部CTで確認する。

固定性によるので，術後臥床期間は術者と相談すること。

● 最も注意すべき術後合併症

LLIFでは大腰筋を剥離あるいは後方に避けてアプローチするため大腿部の感覚・運動障害が比較的多く起こり得るが，一定期間経過すれば消失あるいは改善することが多い[45]。

5 胸椎後方手術（椎弓切除術，後方固定術，側弯矯正手術など）

胸椎は胸郭を有する構造上不安定となることは少ないが，いったん不安定となればそれをコントロールすることは困難である。また，胸髄は手術操作や手術侵襲により術後麻痺が出現する危険性が最も高いので，より一層，下肢の筋力や知覚（胸髄のレベル診断は体幹および下肢の詳細な知覚検査がよりどころとなる）に留意する。

装具は胸椎の場合，有効な装具がない。装具（フレーム型体幹装具かJewett brace）に関しては術前に術者と相談し，必要なら術前から採型しておく（側弯など脊柱変形では術後に採型が必要な場合もある）。

● 最も注意すべき術後合併症

術後血腫による対麻痺である。

● 脊柱変形に対する後方固定術の術後管理

側弯症や後弯症などの変形矯正手術では，麻酔薬の影響もあり，腸管の動きが低下し嘔気が持続することが多い。飲水後，嘔気などがないことを確認した後に食事を許可する。嘔気・嘔吐が持続している間は絶食にして輸液を持続する。

● 上腸間膜動脈症候群（superior mesenteric artery syndrome）や急性腹腔動脈圧迫症候群（acute celiac artery compression syndrome：ACACS）

成人脊柱変形の腰椎後弯を過度に矯正した場合には，上腸間膜動脈や腹腔動脈などの血管狭窄や閉塞が起こり致死的なイベントに発展することがある。この合併症は腹部専門の医師でもほとんど認識されていない病態であるため，脊椎外科医が術後合併症として認識しておくことが重要である[46,47]。

6 胸椎前方固定術（人工椎体を含む）

周術期管理上の注意点は胸椎後方固定術と共通であるが，他の脊椎手術の術後管理と最も異なるのは，胸腔ドレーンを留置した場合の管理である。

● 最も注意すべき術後合併症

術中，下になっていた側の**無気肺**とドレーン**抜去後の血・気胸**である。

● 遅発性偽性大動脈瘤（delayed aortic pseudoaneurysm）[48]

下位胸椎左側で大動脈とインプラントが接している場合には，動脈の拍動によって後に偽性動脈瘤が生じることがあるので，注意深い経過観察が必要である（p128：**図I-10-8, 9**参照）。嘔気や腹痛，背部痛が持続する場合は，速やかにCTで確認する。

引用文献

1) Kim M, Nolan P, Finkelstein JA：Evaluation of 11th rib extrapleural-retroperitoneal approach to the thoracolumbar junction. Technical note. J Neurosurg 93（1 Suppl）：168-174, 2000.
2) Kanemura T, Satake K, Nakashima H, et al：Understanding retroperitoneal anatomy for lateral approach spine surgery. Spine Surg Relat Res 1：107-120, 2017.
3) Klecman TJ, Michael Ahn U, Clutterbuck WB, et al：Laparoscopic anterior lumbar interbody fusion at L4-L5, Spine 27：1390-1395, 2002.
4) Thomasen E：Vertebral osteotomy for correction of kyphosis in ankylosing spondylitis. Clin Orthop 194：142-152, 1985.
5) Thiranont N, Netrawichien P：Transpedicular decancellation closed wedge osteotomy for treatment of fixed flexion deformity of spine in ankylosing spondylitis. Spine 18：2517-2522, 1993.

6) Bridwell KH, Lewis SJ, Lenke LG, et al：Pedicle subtraction osteotomy for the treatment of fixed sagittal imbalance. J Bone Joint Surg Am 85：454-463, 2003.
7) 岩﨑幹季，宮内 晃，奥田真也，他：骨粗鬆症性椎体骨折に対する手術治療—前方法・後方法の比較—. 中部整災誌 45：333-334，2002.
8) 岩﨑幹季，奥田真也，宮内 晃，他：骨粗鬆症性椎体骨折に対する後方手術の利点と問題点. 中部整災誌 49：963-964，2006.
9) Heinig CF：Eggshell procedure. Segmental Spinal Instrumentation(Luque E, editor), New Jersey, Slack, pp221-234, 1984.
10) Lehmer SM, Keppler L, Biscup RS, et al：Posterior transvertebral osteotomy for adult thoracolumbar kyphosis. Spine 19：2060-2067, 1994.
11) Bridwell KH, Lewis SJ, Rinella A, et al：Pedicle subtraction osteotomy for the treatment of fixed sagittal imbalance：Surgical technique. J Bone Joint Surg Am 86：44-50, 2004.
12) Wright NM：Posterior C2 fixation using bilateral, crossing C2 laminar screws：case series and technical note. J Spinal Disord Tech 17：158-162, 2004.
13) Leonard JR, Wright NM：Pediatric atlantoaxial fixation with bilateral, crossing C-2 translaminar screws. J Neurosurg 104(1 Suppl)：59-63, 2006.
14) Gorek J, Acaroglu E, Berven S, et al：Constructs Incorporating Intralaminar C2 Screws Provide Rigid Stability for Atlantoaxial Fixation. Spine 30：1513-1518, 2005.
15) Kabir SM, Casey ATH：Modification of Wright's technique for C2 translaminar screw fixation：technical note. Acta Neurochir 151：1543-1547, 2009.
16) Jea A, Sheth RN, Vanni S, et al：Modification of Wright's technique for placement of bilateral crossing C2 translaminar screws：technical note. Spine J 8：56-660, 2008.
17) Neo M, Matsushita M, Iwashita Y, et al：Atlantoaxial transarticular screw fixation for a high-riding vertebral artery. Spine 28：666-670, 2003.
18) 根尾昌志：Magerl 法. 脊椎脊髄 26：965-971，2013.
19) Gluf WM, Schmidt MH, Apfelbaum RI：Atlantoaxial transarticular screw fixation：a review of surgical indications, fusion rate, complications, and lessons in 191 adult patients. J Neurosurg Spine 2：155-163, 2005.
20) Aramomi M, Ishikawa T, Maki S：Paravertebral foramen screw fixation for posterior cervical spine surgery. J Spine Res 5：549, 2014.
21) Maki S, Aramomi M, Matsuura Y, et al：Paravertebral foroamen screw fixation for posterior cervical spine fusion：biomechanical study and description of a novel technique. J Neurosurg Spine 27：415-420, 2017.
22) 國府田正雄：頚椎 paravertebral foramen screw. 脊椎脊髄 33：611-615．2020.
23) Harrington PR：The history and development of Harrington instrumentation. Clin Orthop 227：3-5, 1988.
24) Luque ER：The anatomic basis and development of segmental spinal instrumentation. Spine 7：256-259, 1982.
25) Luque ER：Segmental spinal instrumentation of the lumbar spine. Clin Orthop 203：126-134, 1986.
26) Roy-Camille R, Saillant G, Mazel C：Internal fixation of the lumbar spine with pedicle screw plating. Clin Orthop 203：7-17, 1986.
27) Steffee AD, Biscup RS, Sitokowski DJ：Segmental spine plates with pedicle screw fixation. Clin Orthop 203：45-53, 1986.
28) Lenke LG, Orchowski J：Chapter 27. The Adult & Pediatric Spine 3rd Ed, Lippincott Williams & Wilkins, p547, 2004.
29) Zindrick MR, Wiltse LL, Doornik A, et al：Analysis of the morphometric characteristics of the thoracic and lumbar pedicles. Spine 12：160-166, 1987.
30) Gaines RW Jr：The use of pedicle-screw internal fixation for the operative treatment of spinal disorders. J Bone Joint Surg Am 82-A：1458-1476, 2000.
31) Viau M, Tarbox BB, Wonglertsiri S, et al：Thoracic pedicle screw instrumentation using the "Funnel Technique"：part 2. Clinical experience. J Spinal Disord Tech 15：450-453, 2002.
32) Vialle R, Zeller R, Gaines RW：The "slide technique"：an improvement on the "funnel technique" for safe pedicle screw placement in the thoracic spine. Eur Spine J 23(Suppl 4)：S452-S456, 2014.
33) Shiono Y, Hikata T, Funao H, et al：Development of a novel PPS insertion technique for thoracic spine：its accuracy and safety. J Spine Res 6：1295-1299, 2015.
34) Johnsson R, Stromqvist B, Aspenberg P：Randomized radiostereometric study comparing osteogenic protein-1(BMP-7)and autograft bone in human noninstrumented posterolateral lumbar fusion. Spine 27：2654-2661, 2002.
35) Boden SD, Kang J, Sandhu H, et al：Use of recombinant human bone morphogenetic protein-2 to achieve posterolateral lumbar spine fusion in humans. A prospective, randomized clinical pilot trial. Spine 27：2662-2673, 2002.
36) Morimoto T, Kaito T, Kashii M, et al：Effect of intermittent administration of teriparatide(Parathyroid Hormone 1-34)on bone morphogenic protein-induced bone formation in a rat model of spinal fusion. J Bone Joint Surg Am 96：e107(1-8), 2014.
37) Morimoto T, Kaito T, Matsuo Y, et al：The bone morphogenetic protein-2/7 heterodimer is a stronger inducer of bone regeneration than the individual homodimers in a rat spinal fusion model. Spine J 15：1379-1390, 2015.
38) 整形外科感染対策における国際コンセンサス 人工関節周囲感染を含む筋骨格系感染全般，田中保仁・宗本充 編，ICM 翻訳プロジェクトチーム，pp393-394，2019.
39) Chou D, Storm PB, Campbell JN：Vulnerability of sub-

costal nerve injury from bone graft harvesting from the iliac crest. J Neurosurg Spine 1：87-89, 2004.
40) Hu RW, Bohlman HH：Fracture at the iliac bone graft harvest site after fusion of the spine. Clin Orthop 309：208-213, 1994.
41) Arrington ED, Smith WJ, Chambers HG, et al：Complications of iliac crest bone graft harvesting. Clin Orthop 329：300-309, 1996.
42) Silber JS, Anderson DG, Daffner SD, et al：Donor site morbidity after anterior iliac crest bone harvest for single-level anterior cervical discectomy and fusion. Spine 28：134-139, 2003.
43) 岩﨑幹季, 宮内　晃, 奥田真也, 他：ダウン症候群幼児に対する肋骨移植を用いた後頭頚椎固定術. 臨整外 39：725-731, 2004.
44) Sawin PD, Traynelis VC, Menezes AH：A comparative analysis of fusion rates and donor-site morbidity for autogeneic rib and iliac crest grafts in posterior cervical fusions. J Neurosurg 88：255-265, 1998.
45) Fujibayashi S, Kawakami N, Asazuma T, et al：Complications associated with lateral interbody fusion：nationwide survey of 2998 cases during the first 2 years of its use in Japan. Spine 42：1478-1484, 2017.
46) Notani N, Miyazaki M, Yoshiiwa T, et al：Acute celiac artery compression syndrome after extensive correction of sagittal balance on an adult spinal deformity. Eur Spine J 26 (Suppl 1)：S31-S35, 2017.
47) Kotani T, Sakuma T, Iijima Y, et al：Acute celiac artery compression syndrome with superior mesenteric artery stenosis and aortic stenosis：A rare but life-threatening complication after adult spinal deformity surgery. J Orthop Sci (in press)
48) Ohnishi T, Neo M, Matsushita M, et al：Delayed aortic rupture caused by an implanted anterior spinal device. Case report. J Neurosurg (Spine 2) 95：253-256, 2001.

参考文献
49) 相庭温臣, 望月眞人, 門田　領, 他：頚椎前方アプローチによる解剖. 脊椎脊髄 31：686-692, 2018.
50) 相庭温臣, 山崎正志, 望月眞人：中下位頚椎前方除圧・固定術. カラーアトラス脊椎・脊髄外科 (山下敏彦 編), 中外医学社, pp184-192, 2012.
51) 相庭温臣：肩甲舌骨筋外縁進入による頚椎前方アプローチ. 脊椎脊髄 33：825-832, 2020.
52) 山本利美雄, 岩﨑幹季, 宮内　晃：変性すべり症に対する後方侵入椎体間固定術 (PLIF) の適応と手技. MB Orthop 17(5)：113-120, 2004.
53) Okuda S, Oda T, Miyauchi A, et al：Surgical outcomes of posterior lumbar interbody fusion in elderly patients. Surgical technique. J Bone Joint Surg Am 89：310-320, 2007.
54) Abumi K, Ito H, Taneichi H, et al：Transpedicular screw fixation for traumatic lesions of the middle and lower cervical spine. J Spinal Disord 7：19-28, 1994.
55) Abumi K, Kaneda K：Pedicle screw fixation for non-traumatic lesions of the cervical spine. Spine 22：1853-1863, 1997.
56) Karaikovic EE, Daubs MD, Madsen RW, et al：Morphologic characteristics of human cervical pedicles. Spine 22：493-500, 1997.
57) Abumi K, Kaneda K, Shono Y, et al：One-stage posterior decompression and reconstruction of the cervical spine by using pedicle screw fixation systems. J Neurosurg 90 (1 Suppl)：19-26, 1999.
58) Abumi K, Shono Y, Ito M, et al：Complication of pedicle screw fixation in reconstructive surgery of the cervical spine. Spine 25：962-969, 2000.
59) Karaikovic EE, Kunakornsawat S, Daubs MD, et al：Surgical anatomy of the cervical pedicles：landmarks for posterior cervical pedicle entrance localization. J Spinal Disord 13：63-72, 2000.
60) Karaikovic EE, Yingsakmongkol W, Gains RW：Accuracy of cervical pedicle screw placement using the funnel technique. Spine 26：2456-2462, 2001.
61) Harms J, Melcher RP：Posterior C1-2 fusion with polyaxial screw and rod fixation. Spine 26：2467-2471, 2001.
62) Tan M, Wang H, Wang Y, et al：Morphometric evaluation of screw fixation in atlas via posterior arch and lateral mass. Spine 28：888-895, 2003.
63) Anderson PA, Henley MB, Grady MS, et al：Posterior cervical arthrodesis with AO reconstruction plates and bone graft. Spine 16：S72-S79, 1991.
64) An HS, Gordin R, Renner K：Anatomic considerations for plate-screw fixation of the cervical spine. Spine 16：S548-S551, 1991.
65) Mohamed E, Ihab Z, Moraz A, et al：Lateral mass fixation in subaxial cervical spine：anatomic review. Global Spine J 2：39-46, 2012.
66) Suk SI, Lee CK, Kim WJ, et al：Segmental pedicle screw fixation in the treatment of idiopathic scoliosis. Spine 20：1399-1405, 1995.
67) Cinotti G, Gumina S, Ripani M, et al：Pedicle instrumentation in the thoracic spine. A morphometric and cadaveric study for placement of screws. Spine 24：114-119, 1999.
68) Kim YJ, Lenke LG, Bridwell KH, et al：Free hand pedicle screw placement in the thoracic spine：Is it safe？ Spine 29：333-342, 2004.
69) Cui G, Watanabe K, Hosogane N, et al：Morphologic evaluation of the thoracic vertebrae for safe free-hand pedicle screw placement in adolescent idiopathic scoliosis：a CT-based anatomical study. Surg Radiol Anat 34：209-216, 2012.
70) Kebaish KM：Sacropelvic fixation. Techniques and complications. Spine 35：2245-2251, 2010.
71) Shillingford JN, Laratta JL, Tan LA, et al：The free-hand technique for S2-allar-iliac screw placement. J Bone Joint Surg Am 100：334-342, 2018.
72) Jendrisak MD：Spontaneous abdominal aortic rupture

from erosion by a lumbar spine fixation device：a case report. Surgery 99：631-633, 1986.
73) Matsuzaki H, Tokuhashi Y, Wakabayashi K, et al：Penetration of a screw into the thoracic aorta in anterior spinal instrumentation. A case report. Spine 18：2327-2331, 1993.
74) Ohnishi T, Neo M, Matsushita M, et al：Delayed aortic rupture caused by an implanted anterior spinal device. Case report. J Neurosurg 95(2 Suppl)：253-256, 2001.
75) Oskouian RJ, Johnson JP：Vascular complications in anterior thoracolumbar spinal reconstruction. J Neurosurg 96(1 Suppl)：1-5, 2002.
76) 岩﨑幹季：脊椎固定術に骨移植は必要？ 整形外科研修なんでも質問箱145(冨士武史, 加藤泰司 編), 南江堂, pp98-99, 2007.
77) Anthony JP, Rawnsley JD, Benhaim P, et al：Donor leg morbidity and function after fibula free flap mandible reconstruction. Plast Reconstr Surg 96：146-152, 1995.
78) Pacelli LL, Gillard J, McLoughlin SW, et al：A biomechanical analysis of donor-site ankle instability following free fibular graft harvest. J Bone Joint Surg Am 85：597-603, 2003.
79) O'Neill KR, Neuman B, Peters C, et al：Risk Factors for Postoperative Retropharyngeal Hematoma After Anterior Cervical Spine Surgery. Spine 39：E246-252, 2014.
80) Matsumoto T, Yamashita T, Okuda S, et al：A detailed clinical course leading to hypoxic ischemic encephalopathy after anterior cervical spine surgery. A case report. JBJS Case Connect 10：e20, 2020.

10 緊急手術と術後合併症による再手術

脊椎疾患においては急性麻痺のために緊急手術を要する機会はたびたびある．その適応と手術時期を逸すると重大な障害が残存する危険性が高く，迅速で的確な決断を要求される．ここでは主に脊椎外傷を除く変性疾患における緊急手術と術後合併症による再手術の適応と方針について言及する．

10-1. 脊椎変性疾患に伴う緊急手術[1]

1 緊急手術の適応

急激に進行する麻痺があれば，緊急手術を考える．具体的には，下肢の急激な筋力低下による立位不能および尿閉・尿失禁である．画像検査でこの麻痺を説明できる圧迫病変を確認できれば，緊急手術の適応となる．外傷・出血・腫瘍・脊椎炎を除く脊椎疾患では，一般的には麻痺の進行は緩徐で緊急手術に至る症例は極めて稀である（表I-10-1）．緊急手術の適応となる脊椎変性疾患のなかで最も多い疾患は，椎間板ヘルニアである．椎間板ヘルニアの高位としてはL3/4・L4/5レベルが多く，次いでL5/Sレベル，C7/T1レベルである．馬尾症候群を呈する可能性は腰椎のいずれのレベルでも存在するが，L3/4レベルは全体の症例数から考えると馬尾症候群を呈する危険性が高い．

馬尾症候群で緊急手術を要した症例は40%が尿閉を呈しており（レベルはL4/5とL5/S），残り60%は両下肢の疼痛を伴っていた．両側の下肢に激痛を訴えている場合には，下肢麻痺の進行に注意する．

表I-10-1 外科的治療観点からみた脊椎疾患（外傷を除く）

1) 早急に診断し手術を要するもの（緊急手術の対象）
　下肢麻痺，馬尾症状の進行：脊柱管内腫瘍や血腫，脊椎炎，巨大椎間板ヘルニア，脊椎腫瘍
2) 手術を考慮するもの
　下肢症状や間欠跛行の強い椎間板ヘルニア，腰部脊柱管狭窄症，分離症，変性すべり症
　骨粗鬆症性椎体骨折後の遅発性麻痺
　結核性脊椎炎，椎体破壊の強い化膿性脊椎炎
　脊椎・脊髄腫瘍
　45〜50°以上の脊柱側弯症
3) 保存療法が無効なら手術を考慮するもの
　神経根症状：椎間板ヘルニア，腰部脊柱管狭窄症
　限局性の腰椎不安定症：変性すべり症，分離症
　椎体破壊や後弯を認めない脊椎炎
　成人脊柱変形
　骨粗鬆症性椎体骨折後の偽関節
4) 保存療法に徹するもの
　画像所見を伴わない腰痛症：筋・筋膜性腰痛症，椎間関節性腰痛症，姿勢性腰痛症
　画像所見のみで神経根症状を伴わない椎間板ヘルニア，腰部脊柱管狭窄症

2 術式選択とその考え方

基本は，主たる圧迫病変を除去し脊柱の安定化を考える。変性疾患の場合，多くは椎間板ヘルニアなので，頸椎では前方椎間固定術あるいは椎体亜全摘術が適応となる。しかし，発育性脊柱管狭窄が主たる病因であれば，椎弓形成術が適応となる。ヘルニアは，後方除圧術後に自然に吸収される可能性が高い[2]。腰椎では椎弓切除術による後方からの髄核摘出術が，神経を直視下に行うことができ，選択すべき術式となる。巨大ヘルニアや脊柱管狭窄があり，無理な神経操作を避ける必要がある場合には，椎間関節の切除を考慮し，術後の脊柱安定性を考えて，脊椎固定を検討することもある。しかし，設備や技術の点で完璧を期すことができない場合，除圧に止め，固定に関しては後日考慮する。

3 急性麻痺の画像診断

脊椎疾患における急性麻痺の治療方針決定のための第一選択は，MRI 検査である。何らかの理由で MRI 検査が施行できない場合は，ミエログラフィと CT ミエログラフィが必須の検査である。頭蓋内出血や脳腫瘍など脳圧亢進の徴候が存在する場合は，眼底検査でうっ血乳頭の有無を確認すべきであり，これがあれば，髄液穿刺を要するミエログラフィはもちろん禁忌である。

4 急性麻痺の鑑別診断

以下に注意すべき疾患を列挙する。

1) 多発性硬化症：MRI で髄内高輝度領域が出現する点に注意する。
2) 脊髄血管障害（脊髄梗塞，脊髄出血，脊髄動静脈奇形など）：MRI 所見により鑑別する（p97：図 I-8-4 参照）。
3) 脊髄炎：MRI で占拠性病変を否定した後に髄液検査所見により鑑別する。
4) 脊椎・脊髄腫瘍：X 線，MRI 所見により鑑別する。
5) 頭蓋内病変（脳腫瘍，脳血管障害など）：神経症状・所見と頭蓋 CT，MRI により鑑別する。
6) 硬膜外血腫（図 I-10-1, 2）・膿瘍（化膿性脊椎炎，結核性脊椎炎など）：X 線，MRI 所見により鑑別する。
7) 多発神経炎（Guillain-Barré 症候群）：臨床症状により鑑別する。

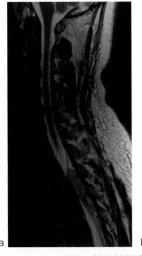
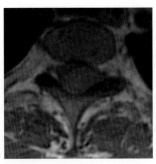
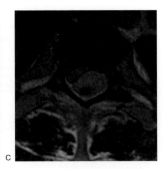

図 I-10-1　症例：特発性硬膜外血腫（38 歳男性）
　a：MRI T2 強調矢状断像，b：同 T1 強調横断像，c：同 T2 強調横断像
　誘因なく夜中に背部痛自覚し，数時間後に両下肢完全麻痺（Frankel A）となり救急搬送。同日 T2-3 椎弓切除し血腫除去を施行したが麻痺は残存した。
　T1 強調像で脊髄とほぼ等輝度，T2 強調像でやや高輝度（一部低輝度）の硬膜外腫瘤を認めた。

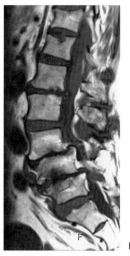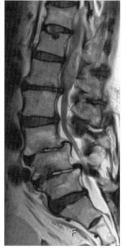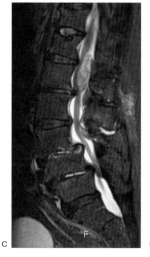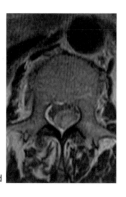

図 I-10-2　症例：特発性硬膜外血腫（74 歳女性）
　a：MRI T1 強調矢状断像，b：同 T2 強調矢状断像，c：同 STIR 脂肪抑制矢状断像，d：同 T2 強調横断像
　無症候性脳梗塞に対してバイアスピリン服用していたが，早朝トイレで立ち上がった際に急激な腰背部痛自覚し，歩行困難（Frankel B）となり救急搬送。同日 T12-L1 椎弓切除し血腫除去を施行した。
　T1 強調像で脊髄とほぼ等輝度，T2 強調像でやや高輝度（一部低輝度），STIR 像で低輝度と高輝度が混在する硬膜外腫瘤を認めた。

10-2. 脊椎疾患術後合併症による緊急再手術[1)]

1　術後合併症による再手術の適応と対策[22〜26)]

　術後合併症による再手術の基本的対処法を図 I-10-3 に示す。脊椎疾患の術後に，緊急に再手術を行ってでも対応しなければならない状態は，術後出血，術後感染症，神経症状の悪化である。術後出血は，脊椎前方手術，特に胸椎あるいは腰椎前方手術では可能性があるが，後方手術では出血自体が緊急手術の対象となることはほとんどなく，血腫による神経症状悪化に十分注意する。頚椎前方手術では気道閉塞で呼吸障害が進行する危険性があり，後頭骨・頚椎間固定術後などに呼吸困難や嚥下障害が生じることがある。したがって，問題は術後感染症・神経症状の悪化・呼吸障害や嚥下障害に，いかに対応するかである。

　十分な補助診断を行うことが難しいこと，術後早期という状況，可能なら再手術せずに回復しないかと願う術者としての心情，そして，特に神経症状悪化に関する経験や知識が浅い場合の能力不足，これらが再手術の適応と時期の判断を狂わせる。手術に立ち会った助手や術者以外のスタッフが再手術の必要性を術者に持ちかけることもときには重要である。

a. 術後創部感染

　創が開いて膿が出てくれば再手術をためらうことはないが，創部の状態が良いか表層に限局した創部感染や CRP 上昇・発熱だけでは一般的に再手術を躊躇してしまいがちである。波動がはっきりしないときでも深部感染を疑う場合は，まず創部を穿刺することが大切である。造影 CT や MRI など画像診断はあくまでも補助診断なので，血腫か感染巣かがはっきりしないときには，可能なら透視下で疑わしい部位を穿刺し，膿が出てくれば再手術に踏み切るべきである。壊死した組織をデブリドマンし，パルス洗浄器を用いて徹底的に洗浄する必要がある。創部の縫合は血行を阻害しないように緩く粗く縫合すべきである。固定術後の深部感染症で内固定に使用した金属などを抜去するかどうかは，創部の状態や菌種にもよるが，一般的には，MRSA 感染の場合は金属の抜去を要することが多い。椎体内など骨内の死腔が大きい場合は，セメントビーズなどで死腔を充填することも考慮する。

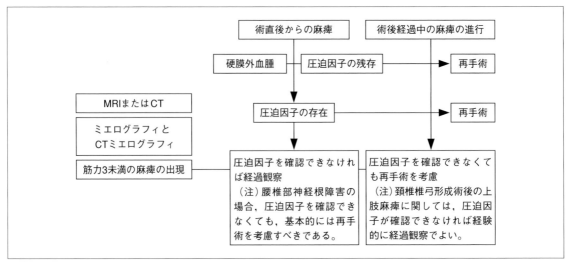

図 I-10-3 術後合併症による再手術の基本的対処法(文献1より改変)

多椎間固定の場合，金属の一部のみに感染巣が限局していても，通常は固定部位全体に感染が波及することが多く，遅発性感染の場合にはすべての金属の抜去が必要なことが多い．

b. 神経症状悪化

脊椎あるいは脊髄手術後には頻回に神経症状を観察し，術前の神経所見と対比することが不可欠である．麻酔の覚醒状態や術後の痛みが知覚や筋力の評価に影響するが，楽観的に判断しないよう心がける．手術が直接原因である場合が少なくないが（多くは後述の硬膜外血腫），非手術部での合併症も生じるので，先入観にとらわれず，全体をみるよう細心の注意を払う．麻痺レベルが手術レベルから説明できない時や意識障害を伴うときには，頭蓋内病変や脊髄梗塞などの血管障害を念頭に置く必要がある．麻酔からの覚醒が悪い場合は，脳血管障害の可能性も考え緊急に頭部 CT で検索が必要である．稀な合併症ではあるが，術中に脳梗塞を発生した症例もある[3]．腓骨神経麻痺や尺骨神経麻痺，腹臥位でのフレームによる外側大腿皮神経麻痺が代表的だが，術中体位による末梢神経障害もときに遭遇する神経合併症であるので留意する．治療として，肺炎や糖尿病など重篤な合併症がなければステロイド投与は選択肢として考えられるが，術後の麻痺進行に対する効果を裏付ける証拠はない．したがって，ステロイド投与で経過のみ観察することでいたずらに時間を無駄にしてはならない．術後神経症状悪化に対して術者は，基本的には再手術を考慮すべきである．手術に立ち会った助手や術者以外のスタッフが再手術の必要性を術者に持ちかけることもときには重要となる．

腰椎変性疾患の場合は，たとえ画像所見で明白な圧迫病変が認められなくても，重度（筋力3未満の高度の筋力低下など）の麻痺が存在するか，耐えがたい下肢痛を訴えるようならば，基本的には再手術に踏み切る決断が必要である．筋力が3以上に保たれている場合は，圧迫病変の残存あるいは新たな圧迫病変の出現を確認すべく通常の画像診断の結果を待ってから再手術の適応をじっくり判断してもよい．腰椎部病変に対して初回手術はあくまでも麻痺を説明する圧迫病変が存在しなければ急ぐことはしないが，術後に麻痺や下肢痛が新たに出現するか悪化した場合は，基本的には再手術の必要性を患者と十分話し合い，再手術の時期を逸しないようにする心構えが必要である．

■ **硬膜外血腫**[27]（図 I-10-12 参照）

筆者らの経験[1]では，神経合併症のために再手術を行った症例は 1.3% 存在した．病態はさまざまであったが，最も多かったのは硬膜外血腫（0.5%）であった．したがって，硬膜外血腫は最も注意すべき合併症であり，速やかに血腫除去を行えば回復しやすい病態と認識すべきである（発生頻度はおよそ 0.3〜1.7%，胸椎レベルでは 6〜8%）．血腫による麻痺の出現の多くは術後数時間経過してからである．術後麻痺が出現

し，画像的に硬膜管を圧迫する血腫の存在が疑わしければ緊急に血腫除去を要する．術直後に動いていた上下肢が術後数時間の間に突然動かなくなれば術後血腫と考え，画像診断を待たずとも再手術を決断すべきである．この基本方針は，脊椎専門医だけでなく病棟医や看護師にも指導して，対応を共有しておく必要がある．判断に迷う場合は，全身状態が許せば再手術を優

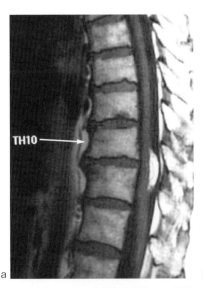
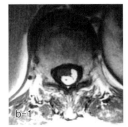
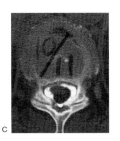
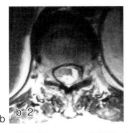

図 I -10-4
胸髄軟膜下脂肪腫に対する腫瘍部分摘出術後の脊髄症状悪化例（60 歳女性）

a：胸椎 MRI T1 強調矢状断像，b：胸椎 MRI 横断像（b-1：T1 強調像，b-2：T2 強調像），c：胸椎 CT ミエログラフィ横断像（T10/11 レベル）

糖尿病・狭心症にて内科入院中に両下肢不全麻痺が出現し，MRI にて脊髄腫瘍を指摘された．その後，下肢麻痺はいったん自然回復するも数カ月後に臍部以下の疼痛が出現し，両下肢の筋力低下と感覚低下が悪化してきた．脊髄モニタリング下に腫瘍の部分摘出術を施行するも，手術直後から左下肢の筋力低下（1-2 レベル）を認めた（知覚は術前に比して改善）．徐々に自然回復するも左下肢筋力低下（2-3 レベル）は残存した．

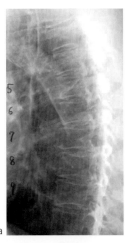

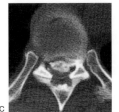
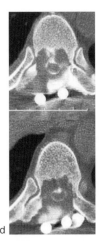

図 I -10-5　胸椎 OPLL に対する後方進入前方除圧術後の脊髄症状悪化例（50 歳女性）
a：術前の胸椎 X 線側面像，b：術前の胸椎 CT 矢状断再構成像，c：術前の胸椎 CT ミエログラフィ横断像（T8/9 レベル），d：術後の胸椎 CT ミエログラフィ横断像（T8-9 レベル）

胸椎 OPLL による重症胸髄症（術前から独歩不可）に対して椎弓切除（T5-9），前方除圧（T7-9），後方固定（T4-11）を施行したが，手術直後から両下肢完全麻痺を認めた．術後 58 日目頃から徐々に回復するも下肢筋力 3 レベルの麻痺が残存した．

先させる。

■ 脊髄麻痺（図Ⅰ-10-4, 5）

術後に脊髄麻痺が生じることは稀であるだけに，リスクの高い病態やおよその頻度，加えて発生時の対応に関しては知識と経験が要求される。術後脊髄症状が悪化するリスクは頸椎レベルで1〜2%，胸椎レベルではさらにそのリスクが高くなるので十分な術前説明と脊髄麻痺が発生したときの準備が必要である。筆者自身の過去30年間での臨床経験において，脊髄症状悪化例は以下の8例に生じた（術後硬膜外血腫による悪化例を除く）。

1) 胸髄髄膜腫（再発）に対する腫瘍摘出術→Brown-Séquard型不全麻痺
2) 頸椎後弯変形に対する前方固定術→両下肢不全麻痺（図Ⅰ-10-10 参照）
3) 胸髄軟膜下脂肪腫に対する腫瘍摘出術→左下肢不全麻痺（図Ⅰ-10-4）
4) 胸椎OPLLに対する後方進入前方除圧術→両下肢不全麻痺（図Ⅰ-10-5）
5) 胸椎OPLLに対する椎弓切除および後方固定術→両下肢不全麻痺
6) 特発性脊髄ヘルニアに対する後方手術→左下肢麻痺進行
7) 頸髄髄膜腫に対する腫瘍摘出術→Brown-Séquard型不全麻痺
8) 神経線維腫症（NF-1）に伴う脊柱後弯症に対する椎体骨切り術→両下肢不全麻痺

c. 呼吸障害・嚥下障害（図Ⅰ-10-6, 7）

頸椎前方手術後に気道狭窄や閉塞を生じることは，致命的な結果になり得るため常に認識しておく必要がある。特にOPLLなどに対する前方除圧手術のように長時間手術や術後halo vestを装着する場合には，術後ICU/HCUでの呼吸

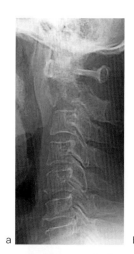
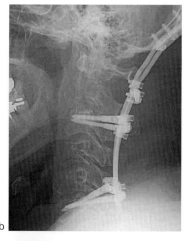
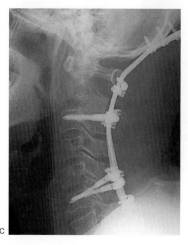

図Ⅰ-10-6
後頭骨・胸椎間後方固定術後の嚥下障害（54歳男性）

a：術前の頸椎X線側面像，b：術後の頸椎X線側面像，c：再手術後の頸椎X線側面像

頸胸椎多発性の転移性脊椎腫瘍（胸腺カルチノイド）に対して後頭骨〜胸椎間の後方固定術後に嚥下障害が出現。ロッドの弯曲を強め頸椎アライメントを伸展位にすることにより術直後より嚥下障害は改善した。

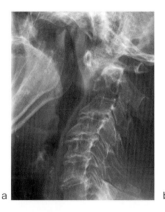
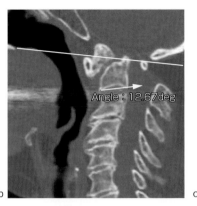
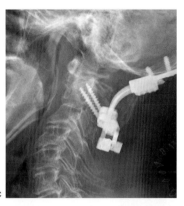
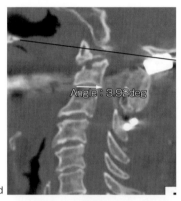
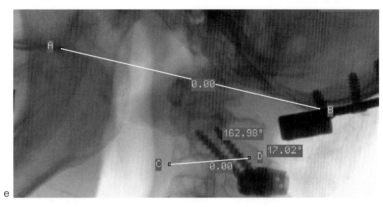
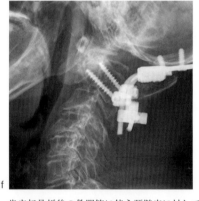

図Ⅰ-10-7　後頭骨・頚椎間固定術直後に生じた呼吸障害（67歳女性）
　a：術前の頚椎X線側面像，b：術前の頚椎CT矢状断像，c：術後の頚椎X線側面像，d：術後の頚椎CT矢状断像．歯突起骨折部分は整復されているが後頭骨・軸椎間は屈曲位に固定され，中咽頭が閉塞していることがわかる．e：再手術の術中X線透視像．ロッドを抜去するだけで気道が開くことを確認した．f：再手術後の頚椎X線側面像

　歯突起骨折後の偽関節に伴う頚髄症に対して，後頭骨・頚椎間固定を施行．術直後から呼吸困難が生じ再挿管を要した．抜管を試みるも困難であったため，再手術でロッドの弯曲を強めると同時に後頭骨・軸椎間に圧迫力を加えることにより伸展位で再固定し，その直後から呼吸困難・嚥下障害が改善した．

管理や再挿管を行う準備が必要である．緊急時に備えて経皮的気管切開キット（クイックトラック®またはミニトラックⅡ®スタンダードキット）は有用であるが，血腫や浮腫による気道閉塞のため挿管困難な場合は，創部を開いて輪状甲状軟骨切開術[28]（甲状軟骨と輪状軟骨との間を切開）による気道確保法を習得しておくことも重要である（p115参照）．

　嚥下障害は頚椎前方術後に高頻度で生じ得る合併症であるが，多くは改善していくため再手術に至ることは稀である．反回神経，舌下神経，上甲状腺動脈の直下を走行する上喉頭神経の損傷に注意する．また，後頭骨・頚椎間固定術では後頭骨と上位頚椎のアライメント変化に留意する必要がある．Miyataらは，McGregor線と軸椎椎体終板下縁のなす角（O-C2角）を測定

し，術後に嚥下困難や呼吸困難をきたした症例は10°以上過屈曲位に固定された症例であったと報告している[4]。したがって，術中のX線コントロールでO-C2角が術前に比して屈曲位になっていないか，下顎骨後縁が頸椎椎体に重なっていないか，などをチェックするのがポイントである。術後に開口障害や嚥下障害が生じて改善しなければ再手術が必要で，固定をやや後屈位に戻すだけで改善することが多いので，再手術を躊躇すべきではない[4〜7]。

d. 血管合併症

術中の大血管損傷は下位腰椎・仙骨部での大静脈や総腸骨動静脈損傷の報告が多いが，脊椎インプラントが動脈壁に接している場合は，その拍動による血管損傷あるいは遅発性動脈瘤に注意する必要がある[8〜10]（図Ⅰ-10-8, 9）。これは下位胸椎から上位腰椎に設置した前方インプラントだけの合併症ではなく，後方から刺入した椎弓根スクリュー：pedicle screw（特に下位胸椎左側）が腹側または外側に貫通することでも起こり得る[11,12]。嘔気や腹痛，背部痛が出現した場合には緊急にCTで精査する必要がある。抜去が必要と判断した場合には血管内ステント留置が必要なことがあるので，事前に血管外科などにコンサルトが必要である。

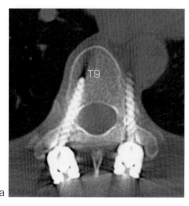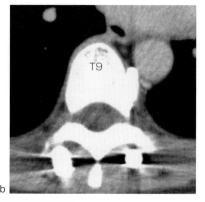

図Ⅰ-10-8　症例：pedicle screw（PS）の外側逸脱症例
単純CT画像（a：骨条件，b：縦隔条件）
43歳女性：胸椎悪性リンパ腫に対して他院でT9-L1後方固定術施行。術後CTでT9の左PSが外側に逸脱し下行大動脈に接していることが判明。心臓血管外科によるバックアップの下で抜去したが，幸い出血などの問題はなかった。

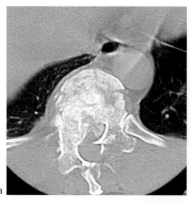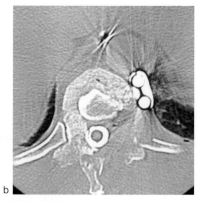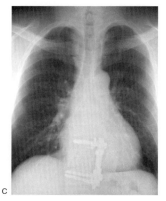

図Ⅰ-10-9　症例：前方除圧固定術後の遅発性大動脈瘤
a：受傷時の単純CT画像，b：術後のCTミエログラフィ，c：左側腹部痛で受診した時の胸部正面X線画像
50歳男性：T11破裂骨折による不全麻痺に対して同日緊急に除圧固定術施行し，麻痺は改善し独歩で退院（a, b）。術後1年6カ月後に左側腹部に激痛出現し受診するも胸腹部単純X線撮影では診断がつかず，他院受診時のCTで大動脈瘤と診断された。

2 術後麻痺の画像診断

X線検査で明らかになる病態もあるが，これには限界があり，さらなる検査が必要となる。脊髄症状の悪化であれば，第一選択はMRI検査である。MRIは非侵襲的に神経組織の描出が可能であるが，術後早期には血腫などで病巣部が明瞭に描出できない場合もある。何らかの理由でMRI検査ができない場合は，ミエログラフィとCTミエログラフィが必須の検査になる。比較的微細な変化はCT，あるいはCTミエログラフィが描出力で優れている。ミエログラフィの際，髄液の外観やQueckenstedt試験も補助的診断として有用である。

馬尾レベルでは，MRI検査は血腫など大きな病変をとらえるには有用であるが，微細な変化をとらえるにはやはりミエログラフィとCTミエログラフィのほうが描出力で優れている。ただし，神経根障害の場合，画像診断は有効であることが少なく画像診断の所見の有無にこだわらないほうがよい。患者の訴える症状と神経学的所見が最も重要で，画像所見よりも信頼できる。

3 術後麻痺の鑑別診断

手術レベルと麻痺レベルが合致しない場合や意識障害を伴う場合は，以下の疾患を鑑別すべく神経内科医にコンサルトする。

1) 脳血管障害：脳梗塞，脳出血など
2) 脊髄血管障害[3]：脊髄梗塞，脊髄出血など
3) 術中体位によるもの：頚椎過伸展損傷，末梢神経障害，腓骨神経麻痺，ホールフレームによる大腿神経麻痺，外側大腿皮神経麻痺
4) 好酸球性多発血管炎性肉芽腫症(旧名称：アレルギー性肉芽腫性血管炎またはChurg-Strauss症候群)(p98 参照)

喘息発作が先行し，末梢血好酸球増加と多発性単神経炎が多発する。ステロイドに反応することが多い。

4 脊椎レベルに応じた各論

a. 頚椎手術における術後麻痺

術後経過中の神経症状悪化で，最も注意すべきは硬膜外血腫である。

血腫以外で注意すべきは，頚椎の過伸展と上肢麻痺である[13]。術後に神経症状の悪化を認めた場合，頚椎のアライメントに注意して中間位または軽度屈曲位を保持する。また，術後の上肢麻痺は前方手術あるいは後方手術で数%起こり得る合併症である。原因としては，神経根障害あるいは脊髄髄節障害が考えられている。疼痛を伴う軽度の麻痺はアライメントに注意して経過を観察するとほとんどの例で改善してくる。しかし，高度の麻痺の場合は圧迫因子の有無を必ず検索すべきである。前方手術では特に移植骨との関連や除圧不足の可能性があるので，至急MRI検査あるいはCTミエログラフィにて確認する。画像的に圧迫因子の残存を疑えば躊躇せずに再手術を決断すべきである。椎弓形成術後の上肢麻痺に関しても，高度の麻痺を認めた場合は椎弓の落ち込みなど圧迫因子の確認を怠ってはならない。筆者らの施設でも数%において椎弓形成術後の上肢麻痺を経験しているが，再手術に至った症例は幸い経験していない。

術直後から麻痺を認めた場合は，原因の判断は難しくなる。手術操作による脊髄あるいは神経根の損傷を疑うエピソードがあれば，しばらく経過を観察する以外に方法はない。しかし，至急MRI検査あるいはCTミエログラフィにて圧迫因子が残存していないかどうかを確認する。画像的に圧迫因子の残存を疑えば躊躇せずに再手術を決断すべきである(図Ⅰ-10-10)。

■ 頚椎手術におけるハイリスク症例

最も注意すべき病態は，頚椎OPLL(特に，骨化占拠率の高い症例：図Ⅰ-10-11)，後弯変形，脊髄腫瘍(特に，髄膜腫や髄内腫瘍)である。したがって，これらの術前には非常に難易度の高い手術であることと脊髄症状の悪化リスクについて十分な説明と同意が必要である。頚椎OPLLは比較的頻度の高い病態であるが，術後脊髄症状悪化についての調査は少ない。

Seichiらによる頚椎OPLLに対する椎弓形成術581症例の多施設調査では，下肢機能の悪化

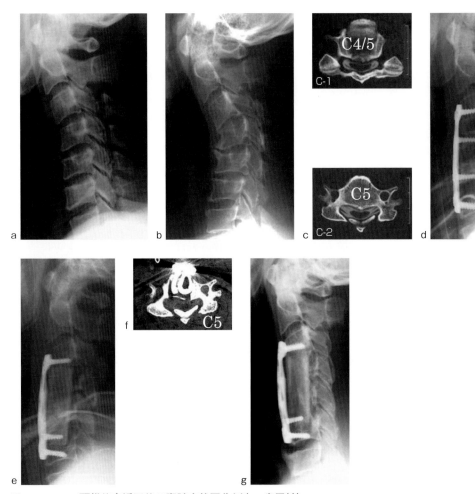

図 I-10-10　頚椎後弯矯正後の脊髄症状悪化例（47歳男性）
　a：椎弓形成術後の頚椎 X 線側面像，b：椎弓形成術後 3 年（後弯矯正術前）の頚椎 X 線側面像，c：後弯矯正術前の頚椎 CT ミエログラフィ横断像（c-1：C4/5 レベル，c-2：C5 レベル），d：3 椎間固定術直後の頚椎 X 線側面像，e：椎体亜全摘術による再手術後の頚椎 X 線側面像，f：再手術後の頚椎 CT（C5 レベル），g：椎弓切除追加術後 2 年の頚椎 X 線側面像
　非骨傷性脊髄損傷で他院にて頚椎椎弓形成術を施行されたが不全麻痺の改善は得られず，徐々に四肢の知覚障害と後頚部痛が進行してきた。頚椎の後弯進行を認めたため，3 椎間の椎間固定術を施行した。しかし，術直後から四肢麻痺が悪化したため同日椎体亜全摘術による広範囲の前方除圧術と腓骨移植を施行し麻痺は術前レベルに回復した。その後のCT にて後方からの圧迫要素も確認できたので，後日椎弓切除を追加した。前方椎間固定術による頚椎アライメントの改善が不十分であったことと後方からの圧迫が残存していたことによる脊髄症状悪化と考えられる。

は 18 例（3.1％）に認められ（硬膜外血腫 3 例を含む），その後，半年後においても術前の状態まで回復しなかった症例は 7 例（1.2％）であったと報告している[14]。さらに，下肢機能悪化のリスクは骨化占拠率の高さが関与していたとしている[14]。

b．胸椎手術における術後麻痺

　最も注意すべきは，やはり硬膜外血腫である。頚椎や腰椎手術に比べ，胸椎後方除圧術後の硬膜外血腫の頻度は高いので特に注意が必要である[27]。術直後に動いていた下肢が，手術当日に突然動かなくなれば血腫の可能性が高いので，画像診断を待たずとも再手術を決断すべきである。

　後弯を呈している胸椎の場合は，血腫だけでなく腫脹した筋肉が硬膜管を圧迫していることもあるので，椎弓スペーサーなど何らかの脊髄保護は有効である。また，術後数日間は背部を浮かすような姿勢（側臥位または半側臥位）で臥床するよう指示する。

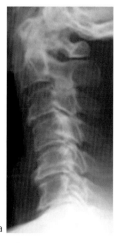 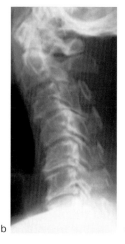 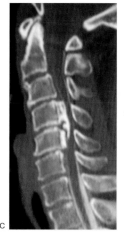 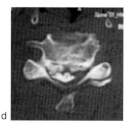
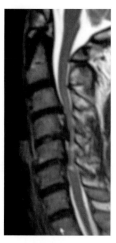 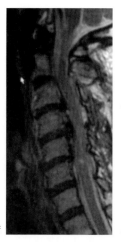

図Ⅰ-10-11　重度頚椎OPLLに対する後方除圧術後の脊髄症状悪化例（69歳男性）

a：術前の頚椎X線側面像，b：後方除圧直後の頚椎X線側面像，c：術前の頚椎CT矢状断再構成像，d：術前の頚椎CTミエログラフィ横断像（C4/5レベル），e：術前の頚椎MRI T2強調矢状断像，f：後方除圧術後当日の頚椎MRI T2強調矢状断像

占拠率60%以上の重度頚椎OPLLによる頚髄症に対して椎弓形成術（C3-7）を施行したが，術直後から右上下肢の広範な筋力低下を認めた．MRIでは硬膜外血腫など圧迫因子を認めず，脊髄浮腫による神経症状悪化と判断し再手術は行わず経過観察とした．下肢機能は早期に回復するも，右上肢筋力低下（3-4レベル）は残存した．占拠率の高い骨化が最大圧迫部位で途切れているために生じる椎間可動性が脊髄症状悪化に関連したと考えられる．

　特に背部痛などの痛みを訴え下肢症状を伴うときには，側臥位を指示するだけで症状が改善することもあり得る．

　胸椎除圧術後（特に胸椎後縦靱帯骨化症や後弯変形術後），座位や立位を許可してから下肢神経症状が悪化する場合は，局所の不安定性が関与している可能性が高い．神経症状悪化が可逆的であれば，ベッド上での臥床を指示して神経症状の改善を待つか，X線画像上明白な不安定性が認められなくても胸椎の後方固定あるいは固定の延長を考慮する．特に，中下位胸椎レベルのOPLLに対する後方除圧では予防的観点からも脊椎インストゥルメンテーションを併用すべきである[15]．

■胸椎手術におけるハイリスク症例（**図Ⅰ-10-4, 5**，p466：**図Ⅱ-13-23**参照）

　最も注意すべき病態は，胸椎部脊柱靱帯骨化症（特にOPLL），後弯変形（特に先天性後側弯や神経線維腫症による局所後弯），脊髄腫瘍（特に髄膜腫や軟膜下脂肪腫）である．したがって，これら胸椎部の病態に対する術前には非常に難易度の高い手術であることと脊髄症状の悪化リスクについて十分な説明と同意が必要である．Matsumotoらによる胸椎OPLLに対する手術の多施設調査において，手術直後の胸髄症悪化は11.7〜26.3%に認められ，永続的な麻痺も3.9%に生じたと報告している[15,16]．さらに，硬膜外血腫は6.6%に認められたとしている[16]．術式別では有意な差は認められなかったものの，多い術式では20〜25%で術後神経症状の悪化を認めるほど胸椎OPLLはリスクの高い病態である．また，頚椎OPLLと異なり胸椎OPLLでは脊髄腹側に存在する骨化を菲薄化あるいは浮上させることがかえって術後の悪化リスクを増大させることも認識しておく必要がある[15]．

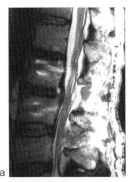
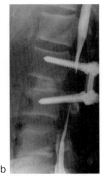
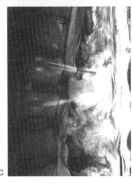

図Ⅰ-10-12　術後硬膜外血腫（59歳男性，透析性脊椎症）
a：術後8日目に施行した腰椎MRI T2強調矢状断像，b：術後12日目，下肢麻痺出現後に緊急に施行した腰椎ミエログラフィ，c：術後13日目，2度目の血腫除去術前に施行した腰椎MRI T2強調矢状断像

人工透析20年の59歳男性。透析性脊椎症による馬尾性間欠跛行。L2/3 PLIF，L3/4開窓術後12日目（透析日），突然下肢痛を感じた後に両下肢麻痺が出現（筋力レベル3）。MRI検査を施行できなかったため，緊急にミエログラフィを施行し（b），硬膜外血腫と診断し血腫除去術を施行した。その翌日再び下肢麻痺が進行したため，MRI検査を施行した（c）。再度血腫を認めたため再度血腫除去術を施行し，麻痺は改善した。背景に腎不全による，潜在性の止血機能の低下があったと思われる。

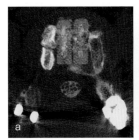
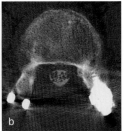

図Ⅰ-10-13　PLIF術後のL5神経根麻痺（51歳女性，L4変性すべり症）
術後5日目に施行した腰椎CTミエログラフィ（a：L4/5椎間，b：L5椎弓根レベル）

L4変性すべり症の51歳女性（合併症：C型肝炎）。PLIF術後のL5神経根麻痺。L4/5 PLIF術後3日目にドレーンを抜去し，その翌日から下肢痛を伴った筋力低下を認めた（TA筋力レベル3）。知覚は正常であった。麻痺を認めた翌日にCTミエログラフィを施行したが，明白な圧迫所見を認めなかったため経過観察した。その後下肢痛は改善するも筋力の回復を認めないため（TA筋力レベル4，EHL筋力レベル3），初回手術後9日目に再手術を施行した。術中所見ではL5神経根は腫脹していたため神経根に沿って部分椎弓切除（unroofing）を追加し筋力は改善した。

c. 腰椎手術における術後麻痺

術後両下肢の麻痺を伴う馬尾障害は，硬膜外血腫をまず疑う（図Ⅰ-10-12）。MRI検査またはCTを至急施行し血腫の存在が明らかになれば，緊急に血腫除去を要する。腰椎レベルで特徴的な麻痺は神経根麻痺であり，画像検査でその病態を描出することは難しい（図Ⅰ-10-13）。したがって，それを念頭に置いた対処を行う。術式別ではインストゥルメンテーションを併用した固定術に術後神経合併症が多いが，筆者らが行った椎間関節全切除によるPLIFの合併症調査（全251例）では，筋力の低下を伴わない下肢痛の悪化が2例（0.8％），MMTで3-4レベルの軽い筋力低下が6例（2.4％），MMTで3レベル未満の筋力低下が9例（3.6％）に認められた[17]。1例を除いて単一神経障害で，その中でもL5根障害が多くを占めていた[17]。MMTで3レベル未満の筋力低下を認めた9症例のうち，同意が得られて再手術を施行した5例では全例完全回復が得られたのに対して，再手術を施行できなかった4例（1.6％）では筋力低下が残存した[17]。

術直後に生じた特定の神経根由来の麻痺の多くは，神経根の過牽引など術中操作によるもの

と考えられる(p261:図Ⅱ-7-18参照)．しかし，術後数日経過してからの神経根麻痺の原因はさまざまである．血腫，神経根の腫脹や局所止血材などが考えられる．術中に止血目的で使用したアビテン®が膨隆して神経根を圧迫していた症例も存在した[18]．

痛みを伴った軽度の筋力低下や知覚障害は，安静を指示すると比較的改善することが経験的に多い．しかし，中程度以上の筋力低下を認めた場合は，画像所見はあくまでも参考にするが画像で圧迫所見がなくても，術後2週以内を目標に再手術で障害神経根を確認することが望ましい[19]．神経根麻痺に対する画像診断に関しては，MRI検査やミエログラフィは術後変化の影響などから有効であることはむしろ少ない．大切なことはやはり知覚・筋力・反射など神経症状の頻回な観察である．筋力3未満の筋力低下が術後経過中出現した場合は，対処はより緊急性を要求される(図Ⅰ-10-13, 14参照)．MRI検査で硬膜外血腫の存在を除外できれば，ミエログラフィとCTミエログラフィを施行する．麻痺を説明できる病変が確認できれば再手術を予定するのはもちろんであるが，たとえ麻痺を説明できる病変を確定できなくても，患者の了承さえ得られれば再手術に踏み切り，障害神経根を徹底的に確認することが望ましい．図Ⅰ-10-13と図Ⅰ-10-14の症例では，画像所見上明らかな圧迫因子を認めなかったにもかかわらず再手術に踏み切った．術中所見から神経根の腫脹が治まれば回復していた可能性は否定できないが，その確実性がない以上，再手術で確認することが最良の手段であったと考えている．

また，稀ではあるが判断に苦慮した合併症についても言及しておく．まずは，PLIFケージの術中腹側(椎体前方)への脱転である(図Ⅰ-10-15, 16)[20]．手術を可及的早期に終わらせた後に緊急で造影CTを撮影し，血管外科医や腹部外科医にコンサルトすることが必須である．基本的には前方からケージ抜去を考慮するが，大血管の圧迫所見がなければ，仮性動脈瘤や静脈血栓などに十分注意しながら経過を見ることも可能である．次に，術中硬膜損傷に伴って発生した馬尾嵌頓による神経原性ショックである[21]．自験例は2例あるがいずれもドレーン吸引直後にショック状態となり，術後心停止から蘇生後に両下肢麻痺を認めた．出血性ショックや心原性ショック，肺塞栓などを否定してから再手術を施行した．ショックの原因の精査が優先されるが，下肢麻痺を見落とさず速やかな再手術が不可欠である．再手術は硬膜を広げて嵌頓していた馬尾を整復し硬膜欠損部を修復した．ドレーン吸引直後にショック症状を生じた際には馬尾嵌頓を念頭に置く．

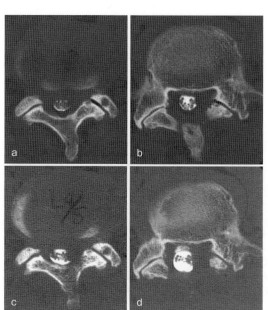

図Ⅰ-10-14 腰椎除圧術後の筋力低下(72歳男性，L4/5狭窄症)

術前(a, b)・術後3週目(c, d)の腰椎CTミエログラフィ(a：L4/5椎間，b：L5椎弓根レベル，c：L4/5椎間，d：L5椎弓根レベル)
72歳男性(合併症：気管支喘息で投薬中)．

麻痺側から硬膜管を圧迫する軟部組織の存在を確認した．L4/5狭窄症による根性間欠跛行，開窓術後1週目に左中殿筋麻痺を認めた症例．

L4/5開窓術後1週目，立位歩行開始時に左中殿筋の筋力低下(2レベル)に気付いた．術後CTミエログラフィにて左側から軟部組織による圧迫所見(c, d)を認めたが，TA，EHLの筋力は保たれ，疼痛や知覚障害も認めなかったため経過観察していた．しかし，改善傾向が認められないため初回手術後35日目に再手術に踏み切った．術中所見ではL5神経根は瘢痕組織により軽度圧迫されていた程度であったが，癒着を剝離し術後，中殿筋の筋力は改善した．

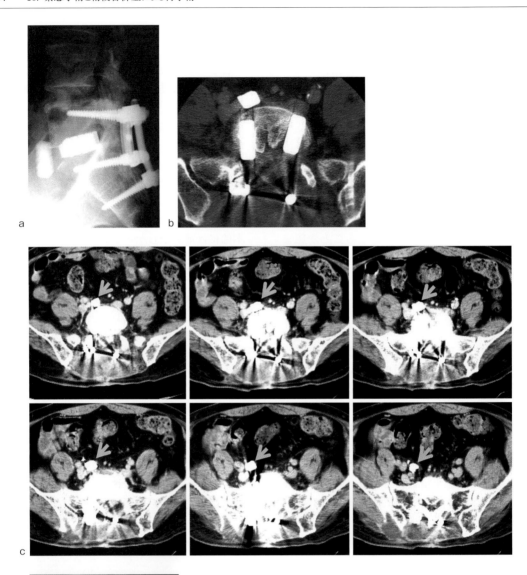
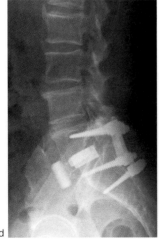

図 I-10-15 PLIF ケージの椎体前方脱転①(52歳男性)
　a：術直後の腰椎 X 線側面像，b：術直後の腰椎 CT 横断像，c：腰椎造影 CT(矢印がセラミックスペーサー)，d：術後 20 年の腰椎 X 線側面像
　腰椎椎間板ヘルニア再発に対する PLIF の術中，セラミックスペーサー腹側の線維輪を貫き椎体前方に脱転した．術後すぐに CT 撮影したのち血管外科にコンサルトした結果，経過観察とした．3 週間後の造影 CT では右側総腸骨動静脈と接するものの圧迫所見を認めなかったので再手術は施行せず経過観察した．20 年後も静脈系および動脈系の異常所見や症状を認めず，経過は良好であった．

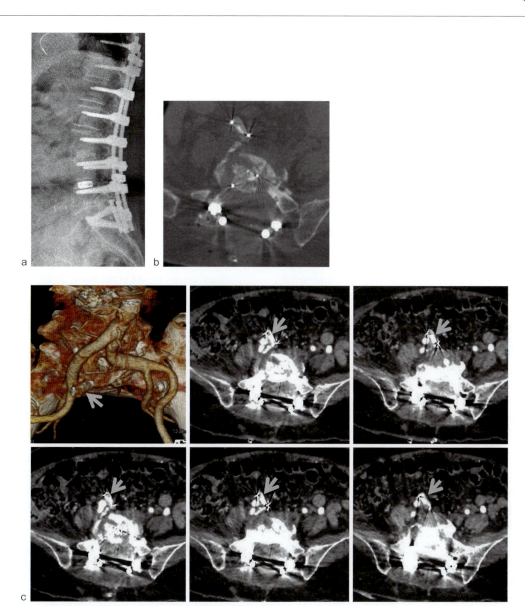

図Ⅰ-10-16 PLIFケージの椎体前方脱転②（70歳女性）
 a：術後の腰椎X線側面像，b：術直後の腰椎CT横断像，c：術後4日の腰椎造影CT
 L4/5 PLIF後の成人脊柱変形に対し後方からの矯正固定術術中にL5/Sに刺入したPEEKカーボンケージが腹側の線維輪を貫き椎体前方に脱転した．術後すぐにCT撮影したのち血管外科にコンサルトした結果，経過観察とした．4日後の造影CTでは右側外腸骨動脈と接するものの圧迫所見を認めず，さらに静脈の怒張や尿管の通過障害も認めなかったので再手術は施行せず経過観察した．その後の定期的な腹部超音波検査で異常は認めず，10年後も静脈系および動脈系の異常所見や症状を認めていない．

引用文献

1) 岩﨑幹季，米延策雄：脊椎変性疾患に伴う急性麻痺の緊急手術と緊急再手術．新OS NOW 14 整形外科の緊急手術と緊急再手術，メジカルビュー社，pp84-92, 2002.
2) Iwasaki M, Ebara S, Miyamoto S, et al：Expansive laminoplasty for cervical radiculomyelopathy due to soft disc herniation. A comparative study of laminoplasty and anterior arthrodesis. Spine 21：32-38, 1996.
3) 岩﨑幹季，坂浦博伸，大島和也，他：診療関連死モデル事業の事例報告．日整会誌 83：S264, 2009.
4) Miyata M, Neo M, Fujibayashi S, et al：O-C2 angle as a predictor of dyspnea and/or dysphagia after occipitocervical fusion. Spine 34：184-188, 2009.
5) Yoshida M, Neo M, Fujibayashi S, et al：Upper-airway obstruction after short posterior occipitocervical

fusion in a flexed position. Spine 32：E267-E270, 2007.
6) Ota M, Neo M, Aoyama T, et al：Impact of the O-C2 angle on the oropharyngeal space in normal patients. Spine 36：E720-E726, 2011.
7) Izeki M, Neo M, Takemoto M, et al：The O-C2 angle established at occipito-cervical fusion dictates the patient's destiny in terms of postoperative dyspnea and/or dysphagia. Eur Spine J 23：328-336, 2014.
8) Oskoulan RJ, Johnson JP：Vascular complications in anterior thoracolumbar spinal reconstruction, J Neurosurg(Spine 1)96：1-5, 2002.
9) Ohnishi T, Neo M, Matsushita M, et al：Delayed aortic rupture caused by an implanted anterior spinal device. Case report. J Neurosurg(Spine 2)95：253-256, 2001.
10) Lavigne F, Mascard E, Laurian C, et al：Delayed-iatrogenic injury of the thoracic aorta by an anterior spinal instrumentation. Eur Spine J 18(Suppl 2)：265-268, 2009.
11) Watanabe K, Yamazaki A, Hirano T, et al：Descending aortic injury by a thoracic pedicle screw during posterior reconstructive surgery. A case report. Spine 35：E1064-E1068, 2010.
12) Parker SL, Amin AG, Santiago-Dieppa D, et al：Incidence and clinical significance of vascular encroachment resulting from freehand placement of pedicle screws in the thoracic and lumbar spine. Spine 39：683-687, 2014.
13) Yonenobu K, Hosono N, Iwasaki M, et al：Neurologic complications of surgery for cervical compression myelopathy. Spine 16：1277-1282, 1991.
14) Seichi A, Hoshino Y, Kimura A, et al：Neurological complications of cervical laminoplasty for patients with ossification of the posterior longitudinal ligament-a multi-institutional retrospective study. Spine 36：E998-E1003, 2011.
15) Matsumoto M, Chiba K, Toyama Y, et al：Surgical results and related factors for ossification of posterior longitudinal ligament of the thoracic spine：A multi-institutional retrospective study. Spine 31：1034-1041, 2008.
16) Matsumoto M, Toyama Y, Chikuda H, et al：Outcomes of fusion surgery for ossification of the posterior longitudinal ligament of the thoracic spine：a multicenter retrospective survey. J Neurosurg Spine 15：380-385, 2011.
17) Okuda S, Miyauchi A, Oda T, et al：Surgical complications of posterior lumbar interbody fusion with total facetectomy in 251 patients. J Neurosurg Spine 4：304-309, 2006.
18) 許 太如, 宮内 晃, 奥田真也, 他：微線維性コラーゲン止血剤（アビテン）により腰椎術後神経麻痺を生じた3例. 中部整災誌46：949-950, 2003.
19) 明石健一, 岩﨑幹季, 宮内 晃, 他：腰椎外科手術の術中・術後合併症. 中部整災誌44：111-112, 2001.
20) Maeno T, Okuda S, Haku T, et al：Anterior migration of an interbody graft in posterior lumbar interbody fusion：Report of three cases without removal of the migrated graft. J Orthop Sci 24：742-745, 2019.
21) Matsumoto T, Okuda S, Haku T, et al：Neurogenic shock immediately following posterior lumbar interbody fusion：Report of two cases. Global Spine J 5：e13-e16, 2015.

参考文献

22) Marshall LF：Complications of surgery for degenerative cervical and lumbar disc disease. Garfin SR ed, Williams & Wilkins, Baltimore, pp75-88, 1989.
23) An HS, Simeone FA：Complications in cervical disc disease surgery(Balderston RA, An HS eds), Saunders, Philadelphia, pp41-59, 1991.
24) Horwitz NH, Rizzoli HV eds：Postoperative complications of extracranial neurological surgery. Williams & Wilkins, Baltimore, pp76-98, 1987.
25) 岩﨑幹季：脊椎手術後神経症状悪化. 整形外科治療と手術の合併症(冨士武史 編), 金原出版, pp237-241, 2011.
26) 岩﨑幹季：術後脊髄麻痺への対応—総論1. 脊椎脊髄術中・術後のトラブルシューティング第2版(德橋泰明, 三井公彦 編), 三輪書店, pp61-66, 2014.
27) Aono H, Ohwada T, Hosono N, et al：Incidence of postoperative symptomatic epidural hematoma in spinal decompression surgery. J Neurosurg Spine 15：202-205, 2011.
28) O'Neill KR, Neuman B, Peters C, et al：Risk Factors for Postoperative Retropharyngeal Hematoma After Anterior Cervical Spine Surgery. Spine 39：E246-E252, 2014.

PRINCIPLES OF SPINAL DISORDERS
脊椎脊髄病学 第3版

II 各論

1 脊椎の発生と頭蓋頸椎移行部奇形

1-1. 脊椎の発生[28~32]

脊椎の発生は，骨としての発生だけでなく神経系の発生と大きく関連している(図Ⅱ-1-1)[1]。胎生3週頃に脊索(notochord)の原基が形成され，その両側に中胚葉(mesoderm)由来の細胞集団が体節(somite)を形成する。脊索は後頭蓋窩底や脊椎骨の形成を目的とする間葉細胞の誘導を担う一方，神経板(neural plate)の形成を誘導する重要な役割も担う。神経管が完成する胎生4週頃に体節から脊椎の原基である椎板(sclerotome)ができる。この体節から椎板への分化には脊索から分泌される *sonic hedgehog* (*shh*) が大きく関与している[2,3]。

胎生6週頃，脊索の頭側に頭蓋底の原始髄膜(meninx primitiva)の外層由来の軟骨性神経頭蓋ができる。頭蓋円蓋部を形成する膜性神経頭蓋は神経管周囲からの間葉細胞由来である。神経管の両側にある体節から脊索の周囲に向かって間葉細胞が集合することで椎板ができるが，この椎板は節間隙により頭側の細胞の粗な部分と尾側の密な部分に分けられる。尾側半分の細胞の密な部分は，隣り合う椎板の頭側半分の細胞の粗な部分と癒合することで1つの椎体が形成される。このように順次椎体の原基が形成されていくが，C1椎板の頭側半分は椎体を構成しないので，C1椎板の尾側半分にC2椎板の頭

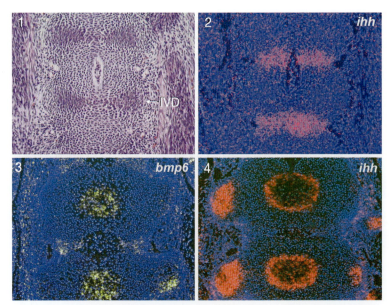

図Ⅱ-1-1 マウス胎生期の脊椎(1, 2：胎生14日目, 3, 4：胎生16日目)における *ihh* と *bmp 6* の遺伝子発現(文献1より改変)

1：胎生14日目の脊椎(HE染色)←将来椎間板になるレベル(IVD：intervertebral disc)．
2：椎体中央部の軟骨原基に *ihh* (*Indian hedgehog*) が発現．
3：胎生16日目に椎体中央部と骨性終板の肥大軟骨に *bmp 6* (*bone morphogenetic protein*) が発現．
4：椎体中央部と肋椎関節部の成熟軟骨に *ihh* が発現。

側半分が髄脳後方で癒合し，環椎を形成する．C1 の椎体は分かれて歯突起の基部となる．一方，C1 椎板の頭側半分は後頭窩を形成する．大後頭孔と環椎の全面が癒合することを **assimilation** と呼び，部分的な癒合を **occipitalization** と呼ぶ．

歯突起は，その先端部は C1 椎板の頭側半分から，その基部は環椎椎体（C1 椎板の尾側半分と C2 椎板の頭側半分）からできあがる．一方，軸椎椎体は C2 椎板の尾側半分と C3 椎板の頭側半分から形成される．歯突起の基部に骨核が出現するのは胎生 5 カ月，先端部では出生後で 3〜6 歳，歯突起と軸椎体部が骨性癒合するのは 12 歳頃となる．それまでは歯突起の基部と軸椎椎体の間は軟骨による接合のままである．この歯突起基部の軟骨結合（synchondrosis）は軸椎の上関節窩レベルよりも尾側にあり，歯突起の基部とは異なり，3 歳までの小児では全員に，4〜5 歳までも約 1/2 に存在し，7〜8 歳までに

ほとんど消失する．先端部が歯突起に癒合するのは 12 歳頃になる（図 II-1-2）．歯突起の先端部と歯突起の癒合不全を ossiculum terminale と呼ぶが臨床的には重要ではない（5〜11 歳の小児の 26 % に認められる）．歯突起基部の骨端線は歯突起基部が軟骨性の接合のままで骨性の癒合がない場合，**歯突起骨**（os odontoideum）と呼ぶ．

脊索の周囲に左右から集合した間葉細胞は，髄脳を取り巻くように背外側に向かい，髄脳背側中央部で癒合し，椎弓の原基が形成される．胎生 6 週で軟骨化中心が出現し，骨核は胎生 9 週に胸腰椎移行部で出現し，頭尾側に進む．出生時には椎体に 1 つ，左右の椎弓に 1 つずつの骨化中心がある．出生後，棘突起部では幼児期に，椎体や椎弓接合部は小児期に骨化が完成する．**神経弓椎体軟骨結合**（neurocentral synchondrosis）が閉じた後には脊柱管は広がらないので，脊柱管前後径は 6〜8 歳頃には成人の値

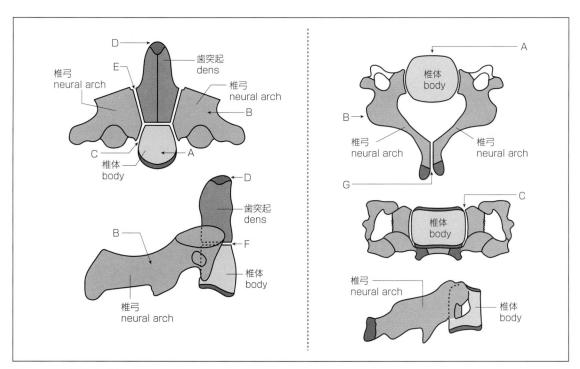

図 II-1-2　頚椎の成長（文献 4 より改変）
左図：軸椎（C2）　軸椎椎体（A）の骨核は胎生 5 カ月に出現し，両側の椎弓部分（B）は胎生 7 カ月頃までに出現する．左右の椎弓は後方で 2〜3 歳頃に癒合し，神経弓椎体軟骨結合（neurocentral synchondrosis：C）は 3〜6 歳頃に癒合する．歯突起の先端（D）は 12 歳頃までに歯突起と癒合する．歯突起は胎生 7 カ月頃に左右の骨核が癒合し，椎弓と歯突起の間（E）および歯突起と軸椎体部の間（F）の軟骨結合は 3〜6 歳頃に癒合する（X 線的には 12 歳頃まで残存）．
右図：中下位頚椎（C3-7）　椎体（A）の骨核は胎生 5 カ月までに出現し，両側の椎弓部分（B）は胎生 7〜9 週までに出現する．棘突起間の軟骨結合（neurocentral synchondrosis：G）は通常 2〜3 歳頃までに，神経弓椎体軟骨結合（neurocentral synchondrosis：F）は 3〜6 歳頃に癒合する．

表Ⅱ-1-1　年齢別の頚椎脊柱管前後径[※]（文献5より）

対象数	3～6歳			7～10歳			11～14歳		
	男児(20) Mean mm	女児(20) Mean mm	計(40) Mean/SD mm	男児(20) Mean mm	女児(20) Mean mm	計(40) Mean/SD mm	男児(20) Mean mm	女児(20) Mean mm	計(40) Mean/SD mm
C1	20.2	19.6	19.9±1.3	20.5	20.6	20.6±1.3	21.2	21.4	21.3±1.4
C2	18.2	17.6	17.9±1.3	18.8	18.9	18.8±1.0	19.3	19.5	19.4±1.1
C3	16.3	15.8	16.0±1.3	17.3	17.2	17.2±1.0	17.8	17.7	17.8±1.0
C4	16.0	15.6	15.8±1.3	17.0	16.9	16.9±0.9	17.3	17.2	17.3±0.9
C5	15.9	15.5	15.7±1.3	16.7	16.6	16.7±0.9	17.1	16.9	17.0±0.9
C6	15.8	15.3	15.6±1.2	16.5	16.3	16.4±0.9	16.8	16.6	16.7±0.9
C7	15.6	15.0	15.3±1.1	16.1	15.9	16.0±0.9	16.3	16.2	16.2±0.9

[※]3～14歳の正常児，頚椎側面X線像からの評価

程度に届き，それ以降の成長はわずかである（表Ⅱ-1-1）．しかし，棘突起先端，横突起，椎体の両端の骨端部の骨化は思春期以後の二次骨化中心が出現してからで，16～18歳までは成長し続ける．脊索は，椎体部では消失し，椎間板では髄核となって残る．

1-2. 頭蓋頚椎移行部奇形

ダウン症，Morquio症候群，Klippel-Feil症候群やその他の骨系統疾患〔軟骨無形成症（achondroplasia），脊椎骨端骨異形成症（spondyloepiphyseal dysplasia：SED），Larsen症候群〕では後頭骨・頚椎間の問題が起こりやすい[6,7]ので注意深い経過観察を要する．

1 頭蓋環椎癒合症(assimilation of atlas, atlanto-occipital assimilation)

後頭骨と環椎の一部または全体が癒合するもので，軟骨無形成症，脊椎骨端骨異形成症，Larsen症候群，Morquio症候群などの骨系統疾患に合併することが多い．

2 環椎形成不全症

多いのは後弓の低形成で，頭蓋環椎癒合症，歯突起奇形，Klippel-Feil症候群に合併する．通常，C1椎弓の骨化は6～7歳で完成する．

3 頭蓋陥入症(basilar impression, basilar invagination)

頭蓋底より頭側に上位頚椎（通常は歯突起）が陥入するもので，先天性のものと，くる病，骨形成不全症，Paget病，関節リウマチなどに合併する二次性のものがある．

4 歯突起骨(os odontoideum)

歯突起が軸椎椎体と連続性を失った状態で，ダウン症，Morquio症候群などに合併することがある．11歳頃までは骨折と間違えやすいが，歯突起骨の場合のgapはC1/2関節面よりも頭側であり，歯突起骨折の場合，通常このgapが狭く不整で，C1/2関節面の尾側にあるのが特徴である．歯突起骨は臨床所見や症状がなければ定期的経過観察でよいが，環軸関節の不安定性が強く神経症状を認める場合は手術を要する．手術は環軸椎後方固定が推奨されるが関節貫通スクリューの固定性に問題があればhalo vest固定が必要である．

図Ⅱ-1-3に4歳ダウン症男児の症例，図Ⅱ-1-4に40歳女性の症例を示す．

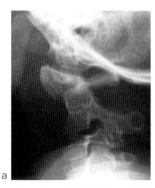 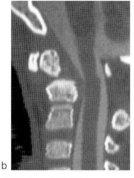 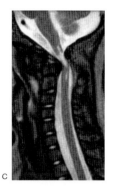

図Ⅱ-1-3　歯突起骨の症例（4歳ダウン症男児）
a：頚椎X線側面像，b：頚椎CT矢状断像，c：頚椎MRI T2強調矢状断像
歯突起骨を伴う環軸椎亜脱臼がみられる。

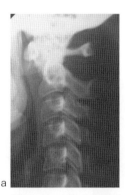 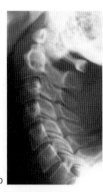 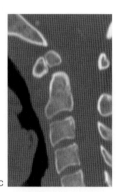

図Ⅱ-1-4　歯突起骨の症例（40歳女性）
a：頚椎前屈位X線側面像，b：頚椎後屈位X線側面像，c：頚椎CT矢状断像
歯突起骨を伴う環軸椎亜脱臼がみられる。

5　Klippel-Feil症候群[33]

　古くは，1)短頚，2)毛髪線低位，3)頚椎運動制限の三徴候の合併を呼んでいたが，臨床的には2つ以上の頚椎の癒合を認めるものをKlippel-Feil症候群としてよい。臨床的に問題なのは椎体が癒合しているため加齢による変性変化で隣接椎間での神経圧迫を起こすことである。

　図Ⅱ-1-5に25歳男性の症例を示す。

1-3. ダウン症候群における頭蓋頚椎移行部異常[34〜36]

　ダウン症候群における頭蓋頚椎移行部病変としては，環軸椎不安定性，後頭環椎不安定性，歯突起および環椎の奇形などを認めることが多く，それらが相互に重なり，著明な上位頚椎の不安定性および脊髄症を合併する危険性がある。

1　環軸椎不安定性[37〜39]

　Spitzerらはダウン症候群に伴う環軸椎不安定性を環軸関節の前方転位"forward displacement of the atlanto-occipital joint"として29例中9例に認めたと記載した[8]（X線計測など詳細な記載はない）。環軸椎不安定性の詳細な計測を行ったのはTischlerとMartelに始まり，環椎歯突起間距離（atlanto-odontoid interval）が4mm以上は18例中9例（50％），5mm以上は4例（22％）であったと報告している[9]。それ以来多くの報告があり，横靱帯（transverse ligament）の靱帯弛緩が主因と考えられている。環軸椎不安定性の頻度は15〜22％とされているが，ほとんどは無症候性で，症状出現はダウン

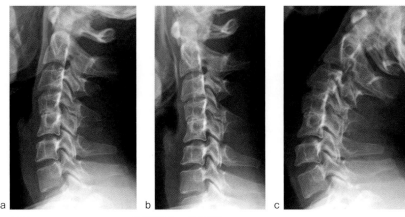

図Ⅱ-1-5　Klippel-Feil 症候群（25 歳男性）
a：頚椎中間位 X 線側面像，b：同，前屈位側面像，c：同，後屈位側面像
先天性側弯症（腰椎）に伴う頚椎の癒合症である。

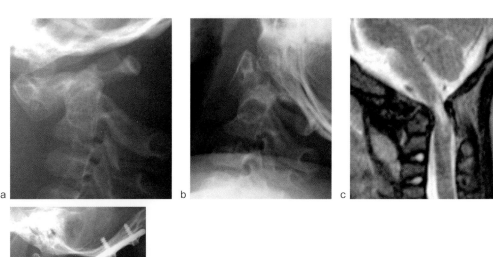

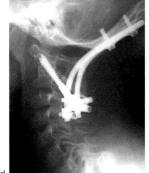

図Ⅱ-1-6　環軸椎不安定性の症例（4 歳ダウン症女児）
　a：頚椎前屈位 X 線側面像。著明な環軸椎亜脱臼を認める。b：頚椎後屈位 X 線側面像，c：頚椎 MRI T2 強調矢状断像。髄内輝度変化を認める。d：後頭骨・軸椎間固定，肋骨移植術後の頚椎 X 線側面像。
　歯突起骨を伴う環軸椎回旋位固定（Fielding 分類 Type Ⅲ：著明な環軸椎亜脱臼を認める）。

症候群全体の 2〜3％とされている。しかし，環軸椎不安定性を有するダウン症候群の約 10〜15％が神経症状を呈するため，手術療法を念頭に注意深い経過観察が必要である。Burke らは，10 歳以上の男児にその危険が高いと報告している[10]。

図Ⅱ-1-6 に 4 歳ダウン症女児の症例を示す。

2 後頭骨・環椎間不安定性[40〜43]

後頭骨・環椎間の不安定性には，後頭骨と軸椎両者を連結する蓋膜（tectorial membrane）と翼状靱帯（alar ligament）が大きく関与している。外傷による後頭環椎不安定性は一般的には前方脱臼でしかも致死的であることが多いが[44〜46]，ダウン症候群では後方亜脱臼が多い。

後頭骨・環椎後方亜脱臼はHungerfordらが1例報告[11]して以来，報告が散見される[15,17,40,41]。Tredwellらによるダウン症候群70例のprospective studyによると，61%の症例が後屈時に4mm以上の後方亜脱臼を認めたと報告している[12]。宇野らのダウン症候群75例に対する調査では，後頭骨・環椎間の動きは健常者で平均1.3 mmに比して平均で2.3 mmと有意に後頭骨・環椎間異常可動性（occipitoatlantal hypermobility）を認め，さらに4 mm以上の環軸椎前方亜脱臼を認めた場合にのみ後頭骨・軸椎間異常可動性（occipitoaxial hypermobility）を認めた[13]。つまり，後頭骨・環椎間または後頭骨・軸椎間不安定性の臨床的意義はいまだ不明だが，単独で神経症状を呈したとの報告はなく，常に環軸椎不安定性に伴って臨床症状を生じてくると考えられる。

　MenezesやEl-Khouryらによると，歯突起先端は伸展位でも屈曲位でも基底点〔basion：大後頭孔前縁が頭蓋正中線と交叉する点で斜台（clivus）の下縁〕の5 mm下に位置する[14,15]。El-Khouryらによると，歯突起先端と基底点（basion）との距離（補正なし）は前屈位で7.1 mm，後屈位で8.4 mmと1.3 mmの動きがあるとしている[15]。

● Wiesel and Rothman 法（図Ⅱ-1-7）[16]
　環椎前弓と後弓を結んだ線（Bull's atlantal line：図Ⅱ-1-7の点1-2線）上で環椎前弓の後縁を通る垂線と基底点（basion：図Ⅱ-1-7の点3）を通る垂線間の距離を計測する。正常成人では前後屈でのhorizontal translationは，1 mm以下である。

　Gabrielらによるダウン症73患者のretrospective studyでは，前後屈でのこのtranslationは0〜10 mm（2.62 mm±1.94 mm）であり，1 mm以下であったのは全体の37%にすぎなかったと報告している[17]。しかし，彼らの調べた患者はすべて無症候性であった。

● atlanto-occipital translation
　Tredwellらは，後屈位で頭蓋底での後頭骨顆前縁と環椎の後頭骨との関節面前方部分との距離を"atlanto-occipital translation"として計測し，4 mm以上の後方亜脱臼をダウン症候群70例中43例（61.4%）に認めたと報告しているが，それらもすべて無症候性である[12]。前屈・後屈位で後頭骨顆のいわゆる"baring"を認めれば，それは環椎上での後頭骨の前方または後方への脱臼を意味する。

● Wackenheim's clivus canal line[18]
　斜台（clivus）の頭蓋骨表面の接線を脊柱管の方に延長させると歯突起先端の腹側に位置するはずである。この線より歯突起がかなり前方に位置すれば，後頭骨の後方脱臼を意味する。逆に，この線を歯突起がまたぐようであれば垂直脱臼か後頭骨の前方脱臼を意味する。

● Powers ratio（図Ⅱ-1-8）[19]
　基底点（basion）から環椎後弓の距離（B-C）は，環椎前弓から後頭点（opisthion）までの距離

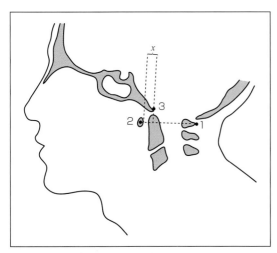

図Ⅱ-1-7　Wiesel and Rothman法による後頭骨・環椎間不安定性の計測法（文献16, 17より）
正常成人では前後屈でのxの差≦1 mm

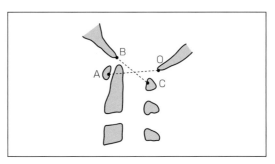

図Ⅱ-1-8　Powers ratio（文献19より）
B-C>A-Oの場合，後頭骨・環椎間亜脱臼を疑う。

(A-O)と等しいか小さいはずである。

3 歯突起および環椎の奇形

ダウン症候群では，歯突起の形成異常，低形成，歯突起骨など歯突起の異常が6〜60%に認められる。特に環軸椎不安定性で脊髄症状を有するダウン症候群20例中60%に歯突起の奇形を認めたとの報告がある。横靱帯は環椎の前方転位を制御する最も重要な靱帯であるが，その機能発現には健常な歯突起の存在が不可欠である。したがって歯突起の形成異常が存在すれば，環椎前方転位を制御する横靱帯の機能は働かないため，横靱帯の靱帯弛緩と相加作用で環軸椎の不安定性が増すと考えられる。また，Martichらはダウン症候群の26%に環椎後弓の低形成を認め，これに環軸椎不安定性を伴うと"double jeopardy（二重の危険性）"として脊髄症が出現しやすいと報告している[20]。

4 手術療法[47〜52]

ダウン症候群に対する手術療法においては，Segalらの報告のように高い術中・術後合併症率を念頭に置くべきである[21]。単純な環軸椎不安定症であれば環軸椎固定術で対処できるが，環軸椎のみの固定では偽関節の危険性が高い。Segalらの報告では10例中6例に骨吸収を認めており，特に術後3日目に死亡した1例を除くと環軸椎のみ固定した全例に，後頭骨まで固定を延長した症例6例中3例（50%）に骨吸収を認めた[21]。さらにDoyleらの報告では15例中7例に偽関節を認め，その偽関節はすべて環軸椎固定術で生じている[22]。これら偽関節報告例が術前に後頭環椎不安定性や歯突起骨を伴っていたかどうかの詳細な記載はなく，偽関節の原因に関しては不明である。しかし現時点では，過去の報告と自験例の経験から，後頭環椎不安定性を伴う場合や歯突起骨など高度の不安定性を伴う症例では環軸椎固定術よりも後頭骨・軸椎間固定術が骨癒合に関しては有利である。十分量の骨移植に加えてhalo vestによる外固定も骨癒合（3〜6カ月：通常12〜15週間）まで行う必要がある。

● 自家肋骨移植の利点

頸椎後方固定術の採骨部位として，思春期以後であれば通常の腸骨移植で十分であるが，手術対象が幼児の場合は一般的な腸骨移植ではその採骨量に限界がある。Sawinらによる頸椎固定術における腸骨移植300例と肋骨移植300例の比較検討では，両者に骨癒合率の差は認めなかったが，採骨部合併症は腸骨移植に有意に多かった[23]。

自家肋骨移植の最大の利点は，1)幼児でも十分な量を採骨可能であること，2)豊富な骨皮質量を確保できること，3)後頭骨・頸椎間に合致する独特の弯曲にあると考えられる。しかし，気胸や胸壁の慢性的疼痛の合併症の報告[47,53,54]もあり，小児やダウン症候群では肋骨切除による脊柱側弯変形や胸郭変形に注意を要するが，幼児の肋骨は短期間で再生するので臨床的には問題ないと考えられる。したがって自家肋骨は，特に小児における採骨部位として有用である。

● transarticular screw fixation（マーゲル法：Magerl法）の術前評価

マルチスライス画像と画像解析ソフトがあれば自由自在に好みの再構成画像を作成することができるが，下記に再構成画像の報告を紹介する。歯突起の形成異常などを有する患者では，椎骨動脈の走行異常を伴うことも多いので，3次元CT血管造影法による術前評価が有用かつ必要である[24,25]。

a. screw trajectory reconstruction像
（Paramoreらによる評価[26]）（図II-1-9）

① 横断面のスカウト像（図II-1-9a：parasagittal reconstructionの正中像を合成）。
② マーキングカーソルxをC1前弓の中央に設定する（図II-1-9b）。
③ 次に横断面のスカウト像でC2/3椎間関節内縁から2〜3mm外側のラインで新たにparasagittal reconstruction像を合成する（図II-1-9c）。
④ 2番目のカーソルyはC2/3椎間関節の約4mm頭側に設定する（図II-1-9d）。
⑤ x-yのマーカーを連結する面でscrew刺入像を作る（II-1-9d）。

b. parasagittal reconstruction 像
 （Brockmeyer らによる評価[27]）（図Ⅱ-1-10）

① C2/3 椎間関節近くの parasagittal reconstruction で刺入部を決める。
② C2 pars interarticularis を通る横断面で C2/3 椎間関節中央部から 2〜5°内側へ傾けた parasagittal plane で再構成画像を合成する。
③ CT 横断像でやや外側と内側での plane でも再構成画像を合成し，一番太い骨の箇所を探す。
④ ②③のステップを C2/3 椎間関節中央部のすぐ内側および外側を刺入部にして繰り返し再合成を行う。

1-4. 特殊な疾患による上位頚椎病変

1 脊椎骨端骨異形成症（spondylo-epiphyseal dysplasia：SED）

Ⅱ型コラーゲンの遺伝子異常により，脊椎および骨端に異形成を呈する体幹短縮型低身長の代表疾患である。大腿骨近位骨端核の出現遅延が著明で，股関節の障害に加えて歯突起形成不全による上位頚髄圧迫や側弯症に注意する必要がある。
　図Ⅱ-1-11 に 4 歳女児の症例を示す。

2 Morquio 症候群[55,56]

ムコ多糖症（mucopolysaccharidosis）Ⅳ型で常染色体劣性遺伝を示す。体幹短縮型低身長を呈し，胸骨突出，胸椎後弯で鳩胸などの特徴を有するが知的障害は伴わない。脊椎は扁平椎（凸レンズ状）で，歯突起形成はほぼ全例に認める。上位頚髄の圧迫は主に前方での硬膜外軟部組織肥厚による。
　図Ⅱ-1-12 に Morquio 症候群の 10 歳男児の症例を示す。

3 I-cell 病（mucolipidosis Ⅱ）[57]

ムコ脂質症（mucolipidosis）Ⅱ型で常染色体劣性遺伝を示す。乳児期より強い骨格異常，特異的な顔貌，肝脾腫，歯肉肥大，胸郭の形成異常，

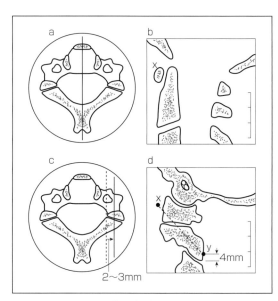

図Ⅱ-1-9　Magerl 法の術前 CT 評価

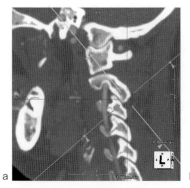
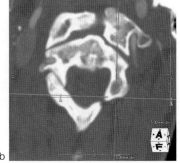

図Ⅱ-1-10　CT 再構成画像
a：矢状面での刺入方向，b：a の刺入ラインに沿った画像

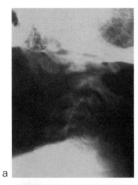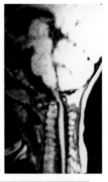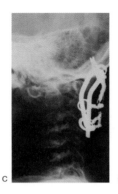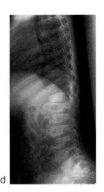
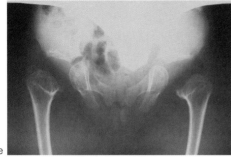

図 II-1-11 脊椎骨端骨異形成症(SED)の症例(4歳女児)

a：頚椎X線側面像，b：頚椎MRI T1強調矢状断像，c：後頭骨・頚椎間固定術後4年，d：脊柱X線側面像，e：両股X線正面像

SED congenital に伴う歯突起形成異常による環軸椎亜脱臼の症例。

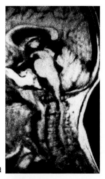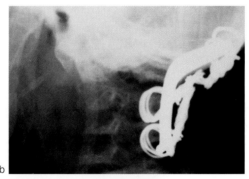
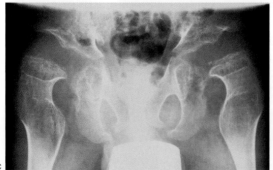

図 II-1-12 Morquio症候群の症例(10歳男児)

a：頚髄MRI T1強調矢状断像，b：後頭骨・頚椎間固定術後，c：両股X線正面像

9歳まで独歩可能だったが，徐々に歩行障害が進行し四肢麻痺と呼吸困難が出現した。手術を施行するも，肺炎を繰り返し，術後4年で死亡した。

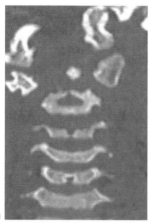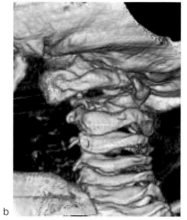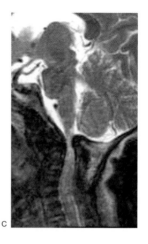

図Ⅱ-1-13 I-cell病の症例（7歳女児）
a：頚椎CT冠状断像，b：頚椎3D-CT，c：頚椎MRI T2強調矢状断像
I-cell病に伴う上位頚椎形成異常により頚髄圧迫を認めた7歳女児（70 cm, 8.6 kg）の症例。6歳までは小走り可能であったが，歩行障害と四肢麻痺が急激に進行し呼吸障害も認めた。

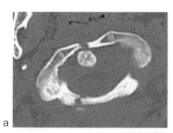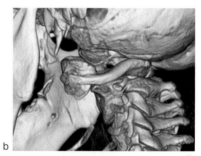

図Ⅱ-1-14 Marshall-Smith症候群の症例（5歳女児）
a：頚椎CT横断像，b：頚椎3D-CT
Marshall-Smith症候群に伴う環軸椎回旋位固定を呈した5歳女児の症例。頚部痛と斜頚にて紹介受診。骨脆弱性による環椎後弓骨折あるいは骨性奇形（a）と，回旋を伴った環軸椎亜脱臼（b）を認める。全身麻酔下で整復位を維持し，halo vestにて3カ月間固定した。

先天性股関節脱臼，精神発達遅滞などが特徴で，培養線維芽細胞内に細胞内封入体（I細胞）を認め，ライソゾーム酵素の活性低下，細胞外液中ライソゾーム酵素活性の上昇，酵素の再取り込み障害を認める。

図Ⅱ-1-13に7歳女児の症例を示す。

4 Marshall-Smith症候群

1971年に提唱された病因不明の過成長症候群（overgrowth syndrome）である。特異的な顔貌，発育不良，精神運動発達遅滞，骨成熟促進を特徴とする疾患で，呼吸障害によりほとんどが20カ月頃までに死亡する（最年長報告例は15歳）。

図Ⅱ-1-14に5歳女児の症例を示す。

引用文献

1) Iwasaki M, Le AX, Helms JA：Expression of indian hedgehog, bone morphogenetic protein 6 and gli during skeletal morphogenesis. Mech Dev 69：197-202, 1997.
2) Pourquité O, Coltey M, Teillet MA, et al：Control of dorsoventral patterning of somatic derivatives by notochord and floor plate. Proc Natl Acad Sci USA 90：5242-5246, 1993.
3) Fan CM, Porter JA, Chiang C, et al：Long-range sclerotome induction by sonic hedgehog：direct role of the amino-terminal cleavage product and modulation by the cyclic AMP signaling pathway. Cell 81：

4) Bailey DK : The normal cervical spine in infants and children. Radiology 59 : 712-719, 1952.
5) Markuske H : Sagittal diameter measurements of the bony cervical spinal canal in children. Pediatr Radiol 6 : 129-131, 1977.
6) Fielding JW, Hensinger RN, Hawkins RJ : Os Odontoideus. J Bone Joint Surg Am 62 : 376-383, 1980.
7) Hensinger RN : Osseous anomalies of the craniovertebral junction. Spine 11 : 323-333, 1986.
8) Spitzer R, Rabinowitch JY, Wybar KC : A study of the abnormalities of the skull, teeth and lenses in mongolism. Can Med Assoc J 84 : 567-572, 1961.
9) Tischler J, Martel W : Dislocation of the atlas in mongolism. Preliminary report. Radiology 84 : 904-906, 1965.
10) Burke SW, French HG, Roberts JM, et al : Chronic atlanto-axial instability in Down syndrome. J Bone Joint Surg Am 67 : 1356-1360, 1985.
11) Hungerford GD, Akkaraju V, Rawe SE, et al : Atlanto-occipital and atlanto-axial dislocations with spinal cord compression in Down's syndrome : a case report and review of the literature. Br J Radiol 54 : 758-761, 1981.
12) Tredwell SJ, Newman DE, Lockitch G : Instability of the upper cervical spine in Down syndrome. J Pediatr Orthop 10 : 602-606, 1990.
13) Uno K, Kataoka O, Shiba R : Occipitoatlantal and occipitoaxial hypermobility in Down syndrome. Spine 21 : 1430-1434, 1996.
14) Menezes AH, Ryken TC : Craniovertebral abnormalities in Down's syndrome. Pediatr Neurosurg 18 : 24-33, 1992.
15) El-Khoury GY, Clark CR, Dietz FR, et al : Posterior atlantooccipital subluxation in Down syndrome. Radiology 159 : 507-509, 1986.
16) Wiesel S, Rothman RH : Occipitoatlantal hypermobility. Spine 4 : 187-191, 1979.
17) Gabriel KR, Mason DE, Carango P : Occipitoatlantal translation in Down's syndrome. Spine 15 : 997-1002, 1990.
18) Wackenheim A : Roentgen diagnosis of the craniovertebral region, Springer-Verlag, New York, pp82-83, 1974.
19) Powers B, Miller MD, Kramer RS, et al : Traumatic anterior atlanto-occipital dislocation. Neurosurgery 4 : 12-17, 1979.
20) Martich V, Ben-Ami T, Yousefzadeh DK, et al : Hypoplastic posterior arch of C-1 in children with Down syndrome : A double jeopardy. Radiology 183 : 125-128, 1992.
21) Segal LS, Drummond DS, Zanotti RM, et al : Complications of posterior arthrodesis of the cervical spine in patients who have Down's syndrome. J Bone Joint Surg Am 73 : 1547-1554, 1991.
22) Doyle JS, Lauerman WC, Wood KB, et al : Complications and long-term outcome of upper cervical spine arthrodesis in patients with Down syndrome. Spine 21 : 1223-1231, 1996.
23) Sawin PD, Traynelis VC, Menezes AH : A comparative analysis of fusion rates and donor-site morbidity for autogeneic rib and iliac crest grafts in posterior cervical fusions. J Neurosurg 88 : 255-265, 1998.
24) Yamazaki M, Koda M, Aramomi M, et al : Anomalous vertebral artery at the extraosseous and intraosseous regions of the craniovertebral junction : analysis by three-dimensional computed tomography angiography. Spine 30 : 2452-2457, 2005.
25) Yamazaki M, Okawa A, Hashimoto M, et al : Abnormal course of the vertebral artery at the craniovertebral junction in patients with Down syndrome visualized by 3-dimensional CT angiography. Neuroradiology 50 : 485-490, 2008.
26) Paramore CG, Dickman CA, Sonntag VKH : The anatomical suitability of the C1-2 complex for transarticular screw fixation. J Neurosurg 85 : 221-224, 1996.
27) Brockmeyer DL, York JE, Apfelbaum RI : Anatomical suitability of C1-2 transarticular screw placement in pediatric patients. J Neurosurg 92(1 Suppl) : 7-11, 2000.

参考文献

28) 青山裕彦, 浅本 憲, 澤田佳一郎：脊椎の発生—体節から中軸骨格へ. 日脊会誌 7：423-436, 1996.
29) 青山裕彦, 浅本 憲, 澤田佳一郎：体節・椎板の発生. BONE 10：57-66, 1996.
30) 古関明彦：脊椎骨のパターン形成. BONE 10：67-75, 1996.
31) Theiler K : Vertebral malformations in Advances in anatomy, embryology and cell biology, Springer-Verlag, 1988.
32) Aoyama H, Asamoto K : The developmental fate of the rostral/caudal half of a somite for vertebra and rib formation : Experimental confirmation of the resegmentation theory using chick-quail chimeras. Mech Dev 99 : 71-82, 2000.
33) Klippel M, Feil A : Un cas d'absence des vertèbres cervicales. Avec cage thoracique remontant jusqu'à la base du crane (cage thoracique cervicale). Nouv Iconog Salpetriere 25 : 223-250, 1912.
34) Braakhekke JP, Babreels FJM, Renier WO, et al : Cranio-vertebral pathology in Down syndrome. Clin Neurol Neurosurg 87 : 173-179, 1985.
35) Semine AA, Ertel AN, Goldberg MJ, et al : Cervical-spine instability in children with Down syndrome (Trisomy 21). J Bone Joint Surg Am 60 : 649-652, 1978.
36) 岩崎幹季, 宮内 晃, 奥田真也, 他：ダウン症候群幼児に対する肋骨移植を用いた後頭頚椎固定術. 臨整外 39：725-731, 2004.
37) Cremers MJG, Ramos L, Bol E, et al : Radiological assessment of the atlantoaxial distance in Down's syndrome. Arch Dis Child 69 : 347-350, 1993.

38) Pueschel SM, Herndon JH, Gelch MM, et al : Symptomatic atlantoaxial subluxation in persons with Down syndrome. J Pediatr Orthop 4 : 682-688, 1984.
39) Pueschel SM, Scola FH : Atlantoaxial instability individuals with Down syndrome : Epidemiologic, radiographic, and clinical studies. Pediatrics 80 : 555-560, 1987.
40) Brooke DC, Burkus JK, Benson DR : Asymptomatic occipitoatlantal instability in Down's syndrome. Report of two cases in children. J Bone Joint Surg Am 69 : 293-295, 1987.
41) Rosenbaum DM, Blumhagen JD, King HA : Atlantooccipital instability in Down syndrome. AJR Am J Roentgenol 146 : 1269-1272, 1986.
42) Werne S : Studies in spontaneous atlas dislocation. Acta Orthop Scand Suppl 23 : 39-52, 1957.
43) Stein SM, Kirchner SG, Horev G, et al : Atlanto-occipital subluxation in Down syndrome. Pediatr Radiol 21 : 121-124, 1991.
44) Alker GJ Jr, Oh YS, Leslie EV : High cervical spine and craniocervical junction injuries in fatal traffic accidents : A radiological study. Orthop Clin North Am 9 : 1003-1010, 1978.
45) Bucholz RW, Burkhead WZ : The pathological anatomy of fatal atlanto-occipital dislocations. J Bone Joint Surg Am 61 : 248-250, 1979.
46) Tranelis VC, Marano GD, Dunker RO, et al : Traumatic atlanto-occipital dislocation : case report. J Neurosurg 65 : 863-870, 1988.
47) Kline RM Jr, Wolfe S : Complications associated with the harvesting of cranial bone grafts. Plast Reconstr Surg 95 : 5-13, 1995.
48) Brockmeyer DL, Apfelbaum RI : A new occipitocervical fusion construct in pediatric patients with occipitocervical instability. Technical note. J Neurosurg 90 : 271-275, 1999.
49) Dormans JP, Drummond DS, Sutton LN, et al : Occipitocervical arthrodesis in children. A new technique and analysis of results. J Bone Joint Surg Am 77 : 1234-1240, 1995.
50) Lowry DW, Pollack IF, Clyde B, et al : Upper cervical spine fusion in the pediatric population. J Neurosurg 87 : 671-676, 1997.
51) Rodgers WB, Coran DL, Emans JB, et al : Occipitocervical fusions in children. Retrospective analysis and technical considerations. Clin Orthop 364 : 125-133, 1999.
52) Taggard DA, Menezes AH, Ryken TC : Treatment of Down syndrome-associated craniovertebral junction abnormalities. J Neurosurg 93(2 Suppl) : 205-213, 2000.
53) Skouteris CA, Sotereanos GC : Donor site morbidity following harvest of autogenous rib grafts. J Oral Maxillofac Surg 47 : 808-812, 1989.
54) Laurie SWS, Kaban LB, Mulliken JB, et al : Donor-site morbidity after harvesting rib and iliac bone. Plast Reconstr Surg 73 : 933-938, 1984.
55) Stevens JM, Kendall BE, Crockard HA, et al : The odontoid process in Morquio-Brailsford's disease. J Bone Joint Surg Br 73 : 851-858, 1991.
56) Carl A, Waldman J, Malone A, et al : Atlantoaxial instability and myelopathy in mucolipidosis. Spine 16 : 215-217, 1991.
57) Goodman ML, Pang D : Spinal cord injury in I-cell disease. Pediatr Neurosci 14 : 315-318, 1988.

2 頚椎後弯症・頚椎変形
cervical kyphosis・cervical deformity

2-1. 定義・概念[21,22]

頚椎矢状面アライメントは，成人では前弯が正常で，その角度は年齢・性別で若干の相違を認めるが平均15〜27°（C2-7間）とされている[1]。この正常な矢状面アライメントが失われ，頭部が前方に傾き，疼痛や神経症状を呈してくる場合を**頚椎後弯症**（cervical kyphosis）と診断する。ただし，頚部捻挫や小児ではしばしば頚椎の後弯や直線化を認めることがあり，後屈で前弯位に戻る場合は異常とは判断できない。

頚椎の主な変形は後弯だが，加齢に起因した変形では脊柱全体の矢状面アライメント（global sagittal alignment）を考慮して病態や治療方針を決めていく必要があるため，胸腰椎・下肢アライメントを含めた総合的評価が重要になっている。

正常頚椎においては，前方（椎体および椎間板）に36％の荷重が，後方には左右それぞれに32％ずつ荷重がかかるとされている[2]。したがって，荷重の64％を受ける後方要素が外傷あるいは除圧術により医原的に破壊されると脊柱不安定性につながる危険性がある。

頚椎後弯症はさまざまな病態で起こり得るが，いったん頚椎に後弯を生じると自然治癒を期待することは困難なため，変形の進行と症状の推移に注意深い経過観察が必要である（表Ⅱ-2-1）。

1 先天性の頚椎後弯症

先天性の頚椎後弯変形は，Larsen症候群や捻曲性骨異形成症（diastrophic dysplasia），屈曲肢異形成症（campomelic dysplasia）で報告されているが外科的に問題となるのは，Larsen症候群である[3]。

Larsen症候群は股関節や膝関節の多発性関節脱臼および内反尖足などの足部変形と特徴的な顔貌を呈する疾患で，頚椎後弯変形に関しては自然治癒傾向が認められないため，頚椎後弯を認めれば幼児期でも早期の固定術が望ましい[23]（図Ⅱ-2-1）。

diastrophic dysplasiaは，四肢短縮型低身長と

表Ⅱ-2-1 頚椎後弯変形の原因

- ●先天性：Larsen症候群，捻曲性骨異形成症（diastrophic dysplasia），屈曲肢異形成症（campomelic dysplasia）
- ●神経筋原性
  - ・中枢性：うつ病やパーキンソン症候群，多系統萎縮症など
  - ・神経線維腫症
  - ・後方脊柱筋の脱神経あるいは筋力低下
  - ・ジストニア
- ●外傷性：脱臼骨折，破裂骨折
- ●代謝性：甲状腺機能低下症，透析性脊椎症など
- ●炎症性：関節リウマチや強直性脊椎炎
- ●腫瘍性：脊椎・脊髄腫瘍
- ●放射線照射後
- ●頚椎後方除圧術後
- ●思春期特発性

関節拘縮を呈する常染色体劣性遺伝の稀な疾患で出生早期に頚椎後弯を認めても，成長とともに自然に改善する傾向があるため，手術を要することはほとんどない。

いずれにしても，これら先天疾患は全身的な骨系統疾患で，小児科医や小児整形外科医との連携が重要となってくる。

2 神経線維腫症

椎体への神経線維腫の発生や脊髄腫瘍で起こり得る（図Ⅱ-2-2）。頚椎後弯が存在する場合および脊髄腫瘍の後方除圧手術では，術後の後弯変形に特に注意深い経過観察が必要である。

3 頚椎後方除圧術後の頚椎後弯症

圧迫性頚部脊髄症や脊椎・脊髄腫瘍に対する頚椎椎弓切除術または椎弓形成術後に生じるものが頚椎後弯変形の頻度としては最も多い（図Ⅱ-2-3, 4）。特に小児に対する椎弓切除術後の後弯変形の頻度は38〜100％と高いため，一期的に固定術を併用しない場合は定期的なX線評価が必須となる。変性疾患に対する椎弓切除術後の後弯変形の頻度は11〜47％と小児に比しては低いが，既存の後弯変形や椎間関節切除に

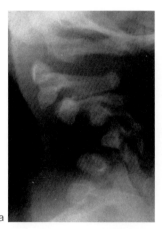 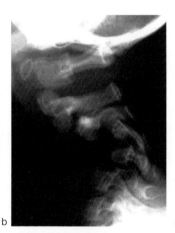 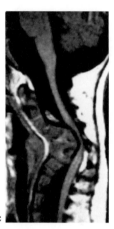

図Ⅱ-2-1　Larsen症候群に伴う先天性の頚椎後弯症（2歳男児）
　a：生後10カ月時の頚椎X線側面像，b：2歳時の頚椎X線側面像，c：2歳時の頚椎MRI T1強調矢状断像

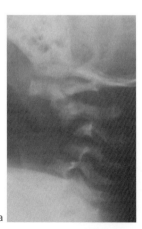 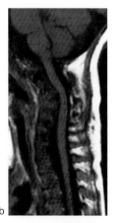

図Ⅱ-2-2　神経線維腫症（NF-1）に伴う頚椎後弯症（1歳7カ月男児）
　a：1歳7カ月時の頚椎X線側面像，b：2歳時の頚椎MRI T1強調矢状断像

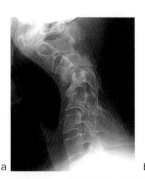 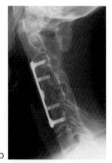

図Ⅱ-2-3　椎弓切除術後の頚椎後弯症（51歳男性）
　a：再建術前（後弯角70°），b：再建術後4年時（後弯角6°）

頚髄髄内腫瘍（ependymoma）に対する椎弓切除術後2年6カ月経過後，再建術を施行。再建は，後方解離術後halo vest直達牽引を行い，二期的に前方固定術を施行した。

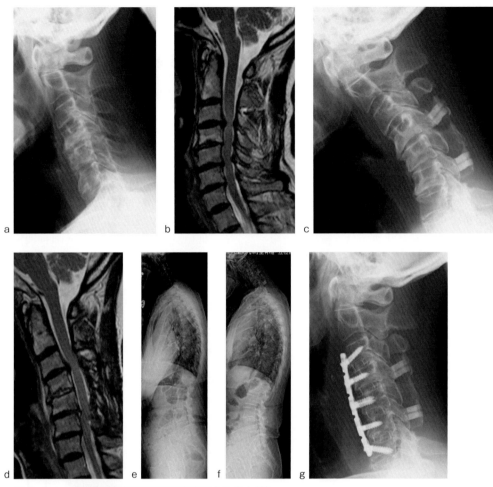

図Ⅱ-2-4 頚椎椎弓形成術後の後弯変形(75歳女性)
　a：椎弓形成術前の頚椎中間位X線側面像, b：術前のMRI T2強調像, c：術後6カ月の頚椎中間位X線側面像, d：術後のMRI T2強調, e：術前の全脊柱立位長尺X線側面像, f：術後6カ月の全脊柱立位長尺X線側面像, g：頚椎前方固定術後の頚椎中間位X線側面像
　頚椎椎弓形成術(C3-6)により脊髄症は一旦改善するも, 術後数カ月で後弯進行とともに後頚部痛と脊髄症状が徐々に悪化した. 椎間関節の骨性癒合など認めず, 椎間可動性が残存するうちに再手術を施行した. 初回手術後8カ月で前方椎間固定(C3-7)による矯正およびAesculap® ABCプレートを用いて固定した.

表Ⅱ-2-2　頚椎後方除圧術後の後弯変形の危険因子

- 若年者(特に小児)
- 椎間関節切除
- 軸椎(C2)椎弓切除
- 既存の不安定性または前弯消失
- 傍脊柱筋力低下を伴う麻痺
- 椎体前縁の骨棘形成

よる椎間不安定性は術後の後弯進行の危険因子となる(**表Ⅱ-2-2**)[4~6].

4　思春期特発性の頚椎後弯症

　成長期に明らかな外傷などの誘因がなく頚椎後弯を認める病態で, ほとんど進行が認められない症例と, 後弯変形が進行していく症例がある[7,8]. 精神病や精神発達遅滞を合併していることもあるが, その場合は外傷が見逃されている可能性もあるので注意する(痛みを訴えないので).

5 原因不明の頚椎後弯症(いわゆる"首下がり")

座位や立位で頚部が垂れ下がるが，臥位などではある程度矯正される病態を"首下がり"と総称する。パーキンソン病や多系統萎縮症(multiple system atrophy：MSA)，ジストニアなどの神経筋原性疾患が原因となっていることがあるので，神経内科と連携して原疾患を検索することが重要である。進行性の変形や頚髄症を伴う場合は手術適応となるが，多くの場合，前後合併手術を要することが多い(図Ⅱ-2-9 参照)。症例によっては胸椎後弯の頂椎を越える広範囲固定を要したり，胸腰椎部の変形矯正を要する場合もある。

2-2. 症状

症状としては，頚部痛や後頚部の筋肉疲労に加えて，神経根症，脊髄症を呈する場合がある。

頚椎後弯変形に伴う脊髄症の原因は，頚髄が椎体後面に圧迫されて引き起こされる。脊髄症出現の予測は治療方針を決定するうえで最も重要である。頚椎の動的因子も関与するが，静的にはMRI矢状断像から計測するC/M比(後述，図Ⅱ-2-7 参照)が脊髄症悪化または進行の予測因子として重要である[7,8]。つまり，C/M比(正常値0.51)が0.3未満に低下するような状態は脊髄萎縮あるいは脊髄症出現の危険性が高い。

2-3. 検査

1 X線

中間位と最大前後屈位頚椎側面像にて後弯角と変形の可撓性を評価する。後弯角の評価は，変形の頭側椎体の骨性終板下縁と尾側椎体の骨性終板下縁とがなす角で評価する方法と，椎体後縁のなす角で評価する方法がある(図Ⅱ-2-5)。椎体の変形を認める場合や変性疾患では後者のほうが評価しやすい。小児期の外傷では，軸椎棘突起骨端の裂離が後弯変形の原因になり得るのでこの部位の小さな変化にも注意する。

さらに，脊柱全体の矢状面アライメント(global sagittal alignment)を評価するため，全脊柱立位長尺側面像にて胸腰椎・骨盤を含めたspinopelvic parameter(p400：図Ⅱ-11-65 参照)計測に加えて，図Ⅱ-2-6 に示す計測を指標にする[9]。

2 CT

外傷では不顕性の椎体骨折や椎間関節の骨折の有無を評価する。術前評価には，脊柱管内の圧迫因子と，椎間関節など後方要素の骨性癒合の有無を把握する必要がある。

3 MRI

腫瘍の有無や頚髄圧迫の有無と程度を評価する。画像的に基準を取りやすい延髄上縁部前後径を基準にして頚髄最狭窄部の圧迫(萎縮)を評価する。頚髄圧迫あるいは脊髄萎縮の評価としては，T1強調矢状断像を用いた延髄上縁部前後径に対する頚髄最狭窄部前後径の比(C/M比)が簡便である(図Ⅱ-2-7)[7,8]。C/M比の正常値は0.51(±0.04)で，0.3未満は脊髄萎縮の状態か脊髄症出現の限界値と考えられる。

4 内分泌検査

小児期の後弯変形であれば，小児期の甲状腺機能低下症による変形を否定するため，甲状腺機能検査などの内分泌検査を行っておくべきで

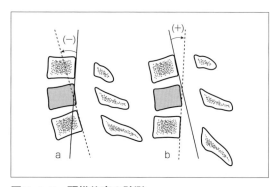

図Ⅱ-2-5 頚椎後弯の計測
椎体後縁に引いた線同士の交差角を前弯(a)であれば(-)，後弯(b)であれば(+)で表す。

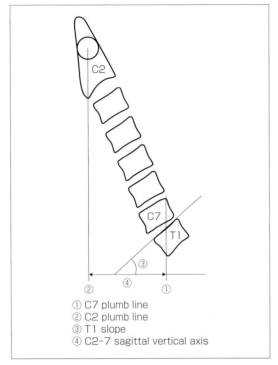

① C7 plumb line
② C2 plumb line
③ T1 slope
④ C2-7 sagittal vertical axis

図Ⅱ-2-6　頸椎後弯の画像評価（矢状面アライメント）

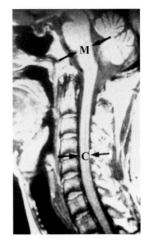

図Ⅱ-2-7　MRI矢状断像を用いた頸髄圧迫の評価（C/M比）
頸椎MRI T1強調矢状断像において延髄上縁部前後径（M）に対する頸髄最狭窄部（C）前後径の比をC/M比とすると，正常値は0.51（±0.04）となる．

- **C7 plumb line（PL）**：C7椎体の頭側終板後縁から下ろした垂線．水谷らは頸椎後弯の全脊柱アライメントをC7PLによって2群に大別されることを報告している[10]．すなわち胸腰椎の代償機能を利用して頭蓋を骨盤上に持ってくる"head-balanced type"と胸腰椎の術後や変性のため代償が働かない"trunk-balanced type"である．"head-balanced type"ではC7PLは仙骨後方にシフトして頭部のバランスを保持しているが，"trunk-balanced type"では体幹以下である程度バランスが取れているものの頭蓋を骨盤上に持ってくることができないため，C7PLは大きく前方にシフトする．
- **C2-7 sagittal vertical axis（SVA）**：C2椎弓根中心からの垂線とC7PL（C7椎体後上縁）との距離であり，40 mm以上はQOLが低下するとされている[11,12]．
- **center of gravity（COG）-C7 SVA**：頭蓋の重心線として利用される外耳道からの垂線とC7PL（C7椎体後上縁）との距離であり，通常は30 mm未満である[13]．
- **T1 slope**：T1頭側終板の水平面に対する傾斜角（通常20°）であり，40°以上は異常である[14,15]．胸椎アライメントの影響で増大するが，T1 slopeに応じた頸椎前弯が必要になってくる[16～18]．先述の"head-balanced type"では胸椎以下での代償機能によりT1 slopeは減少するが，"trunk-balanced type"ではその代償機能が働かないため増大する[19]．また，T1 slopeが正常あるいは減少している場合は頸椎のみの変形を考慮して問題ないが，T1 slopeが増大している場合は頸椎の変形に加えて胸椎あるいは胸腰椎の変形も考慮して治療計画を立てる必要がある．

ある．

2-4. 後弯変形の進行予測

1　先天性の頸椎後弯変形

Larsen症候群における頸椎後弯は高率に進行する．diastrophic dysplasiaにおける頸椎後弯は自然治癒傾向を期待できるため定期的な経過観察でよい．

2　外傷性の頸椎後弯変形

不顕性の椎体骨折に加えて，棘突起下縁の石灰化や骨化は棘状・棘間靱帯損傷または骨端損傷の間接的証拠となるので見逃さないようにする．症例によってはX線でははっきりせずに，CTやMRIにて判明することもある．これらが存在すれば後弯が比較的早期に進行する危険性があるので注意深い観察を要する．

3　頸椎後方除圧術後の頸椎後弯変形

既存の後弯や不安定性，小児期での手術，椎間関節切除や椎弓切除の範囲，麻痺の程度，放

射線療法の有無などが危険因子となる（表Ⅱ-2-2）。

4 思春期および成人の頚椎後弯変形

特発性頚椎後弯症や成人の頚椎後弯変形に関しては椎体前縁の骨棘形成が後弯変形進行の予測因子となる[7,8]。頚椎後弯は椎体間で自然に癒合し進行は停止する可能性があるが、癒合に至るまでの骨棘形成は椎体にかかる力学的環境の変化または不安定性を反映している。

2-5. 後弯変形の予防

外傷性では、不顕性の椎体骨折および棘状・棘間靱帯損傷または骨端損傷を見逃さないことが重要である。これらが存在すれば初期治療としてhalo vest などの外固定を厳密に行うことで二次的な変形を予防することができる。

後方要素の除圧を要する場合は、椎弓切除術ではなく可能なら椎弓形成術で対処すべきであるが、両側の骨溝を完全に切り椎弓を浮かすような椎弓温存術は後弯が生じた場合にかえって後方の圧迫因子となり得るので逆効果である。

頚椎安定性に重要な椎間関節切除を要する場合は必要最低限に行うべきで、腫瘍などで椎間関節切除を広範囲あるいは多椎間に行う場合は一期的あるいは二期的な固定術を考慮すべきである。術前から不安定性や後弯変形を認める症例では固定術の併用を考慮する。

2-6. 治療

1 保存療法

痛みだけを主訴とする症例やdiastrophic dysplasiaの場合は外固定にて経過を観察する。椎体前縁の骨棘形成が認められない症例は進行しないと予想できるが、椎体間癒合に至る以前の椎体前縁の骨棘形成は進行および神経症状出現に十分注意して観察する必要がある。Larsen症候群以外の小児例や軽度の後弯であれば保存療法で対処可能であるが、いったん頚椎に後弯が進行すると自然治癒を期待することは困難で、装具も無効なため、手術時期を逸しないことが大切である。

2 手術療法

手術療法の目的は、1)後弯変形の矯正、2)神経組織の除圧、3)脊柱安定性の確保である[20]。病態や変形の程度および圧迫症状や所見の有無

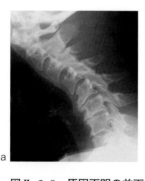
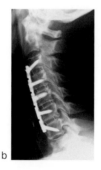
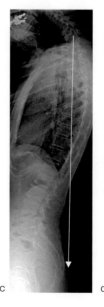
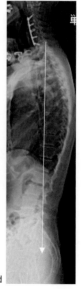

図Ⅱ-2-8　原因不明の首下がり（64歳女性）
a：術前の頚椎中間位X線側面像，b：術後2年の頚椎中間位X線側面像，c：術前の全脊柱立位長尺X線側面像，d：術後の全脊柱立位長尺X線側面像
脊髄症はなく，頚部痛が主訴。術前のC2-7 SVA：69 mm，T1 slope：15°。椎間での可撓性が残存していたため，前方椎間固定（C3-7）をAesculap® ABCプレートを用いて矯正し頚部痛は消失した。

によって個々の症例で手術方法は異なるが、それぞれの目的を達成できる手段を選択することが重要である。

●後弯変形の矯正

椎間関節などの後方要素が骨性癒合していれば、まず椎間関節解離術が必要である（図II-2-3）。可撓性を認める場合は、前方固定術か後方固定術を病態や変形の程度によって使い分ける（図II-2-8）。

●神経組織の除圧（p130：図I-10-10参照）

神経学的に圧迫性脊髄症あるいは神経根症を認めるか画像上圧迫所見を認めれば、その圧迫部位や圧迫因子によって前方除圧術か椎弓切除術を使い分ける。前方からの圧迫因子が存在する症例に前方除圧術を選択する場合は椎間固定ではなく、椎体亜全摘にてなるべく広範囲の除圧を心がける[20]。

●脊柱安定性の確保

halo vestによる外固定か前方プレートによる

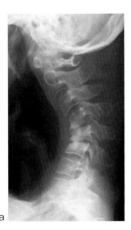
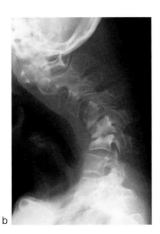
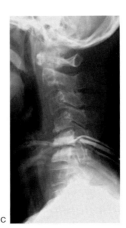
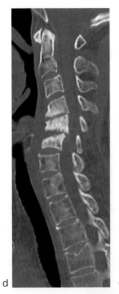
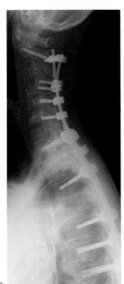

図II-2-9　進行性の頚椎後弯症に伴う頚髄症（65歳女性）
a：手術2年前の頚椎X線側面像、b：術前の頚椎X線側面像、c：halo vest装着後の頚椎X線側面像、d：頚椎CT矢状断像、e：術後の頚椎X線側面像
2年の経過で徐々に後弯が進行し、頚髄症を伴ってきたため後弯矯正および除圧固定術を計画（後弯角80°）。臥位でのCTおよびhalo vest装着である程度の矯正を獲得できたため、後方固定（C2-T7）を施行後二期的にC5亜全摘術を施行した。

固定や椎弓根スクリューなどの後方インストゥルメンテーションによる内固定は安定性を確保するために必須である。症例によっては，前方あるいは後方からのインストゥルメンテーションとhalo vest固定を併用することもしばしば必要となる。後方インストゥルメンテーションに関しては下位頸椎あるいは上位胸椎までの固定で十分な場合と脊椎全体の矢状面アライメントを考慮して，中位胸椎までの固定を要する症例もある（図Ⅱ-2-9）。前方プレートか後方インストゥルメンテーションかは手術アプローチや術者の慣れによって選択することになるが，hardware failureを起こした場合の合併症は，前方プレートで重篤となる危険性がある。

2-7. 合併症と予後

矯正と除圧固定が必要な可撓性の少ない後弯症の場合，麻痺の出現あるいは悪化，嚥下困難，偽関節，hardware failure，変形の再発など合併症の頻度は高く，危険度の高い手術である。前方アプローチの場合は，移植骨に関連した合併症（脱転，偽関節など）と，前方プレートに関連した合併症に注意する。後方アプローチの場合は，矯正に伴い残存した椎間関節により神経根が絞扼される危険性がある。これに対しては十分な椎間関節切除にて対処する。椎弓根スクリューを使用する場合は，術前CTによる十分な計画と術後CTによるスクリュー位置の評価が必須である。

引用文献

1) Gore DR, Sepic SB, Gardner GM：Roentgenographic findings of the cervical spine in asymptomatic people. Spine 11：521-524, 1986.
2) Pal GP, Sherk HH：The vertical stability of the cervical spine. Spine 13：447-449, 1988.
3) Johnston CE, Birch JG, Daniels JL：Cervical kyphosis in patients who have Larsen syndrome. J Bone Joint Surg Am 78：538-545, 1996.
4) Spivak JM, Giordano CP：Chapter 58 Cervical kyphosis. The Textbook of Spinal Surgery 2nd ed Vol 1（Bridwell KH and DeWald RL, eds），Lippincott-Raven, Philadelphia, pp1027-1038, 1997.
5) Kato Y, Iwasaki M, Fuji T, et al：Long-term follow-up results of laminectomy for cervical myelopathy due to ossification of the posterior longitudinal ligament. J Neurosurg 89：217-223, 1998.
6) Iwasaki M, Kawaguchi Y, Kimura T, et al：Long-term results of expansive laminoplasty for ossification of the posterior longitudinal ligament of the cervical spine：more than 10 years follow up. J Neurosurg 96（2 Suppl）：180-189, 2002.
7) 岩﨑幹季, 江原宗平, 米延策雄：特発性頸椎後弯症. 別冊整形外科29　頸部脊髄症（林浩一郎　編），南江堂，pp10-15，1996.
8) Iwasaki M, Yamamoto T, Miyauchi A, et al：Cervical kyphosis. Predictive factors for progression of kyphosis and myelopathy. Spine 27：1419-1425, 2002.
9) Scheer JK, Tang JA, Smith JS, et al：Cervical spine alignment, sagittal deformity, and clinical implications：a review. J Neurosurg Spine 19：141-159, 2013.
10) Mizutani J, Verma K, Endo K, et al：Global spinal alignment in cervical kyphotic deformity：the importance of head position and thoracolumbar alignment in the compensatory mechanism. Neurosurgery 82：686-694, 2018.
11) Ames CP, Blondel B, Scheer JK, et al：Cervical radiographical alignment：comprehensive assessment techniques and potential importance in cervical myelopathy. Spine 38（22 Suppl 1）：S149-S160, 2013.
12) Ling FP, Chevillotte T, Leglise A, et al：Which parameters are relevant in sagittal balance analysis of the cervical spine? A literature review Eur Spine J 27（Suppl 1）：S8-S15, 2018.
13) Yagi M, Takeda K, Machida M, et al：Discordance of gravity line and C7PL in patient with adult spinal deformity—factors affecting the occiput-trunk sagittal discordance. Spine 15：213-222, 2015.
14) Lee SH, Kim KT, Seo EM, et al：The influence of thoracic inlet alignment on the craniocervical sagittal balance in asymptomatic adults. J Spinal Disord Tech 25：E41-E47, 2012.
15) Ling FP, Chevillotte T, Leglise A, et al：Which parameters are relevant in sagittal balance analysis of the cervical spine? A literature review Eur Spine J 27（Suppl 1）：S8-S15, 2018.
16) Lee SH, Son ES, Seo EM, et al：Factors determining cervical spine sagittal balance in asymptomatic adults：correlation with spinopelvic balance and thoracic inlet alignment. Spine J 15：705-712, 2015.
17) Hyun SJ, Kim KJ, Jahng TA, et al：Relationship between T1 slope and cervical alignment following multilevel posterior cervical fusion surgery：impact of T1 slope minus cervical lordosis. Spine 41：E396-E402, 2016.
18) Staub BN, Lafage R, Kim HJ, et al：Cervical mismatch：the normative value of T1 slope minus cervical lordosis and its ability to predict ideal cervical lordosis. J Neurosurg Spine 30：31-37, 2019.
19) Mizutani J, Verma K, Endo K, et al：Global spinal

alignment in cervical kyphotic deformity : the importance of head position and thoracolumbar alignment in the compensatory mechanism. Neurosurgery 82 : 686-694, 2018.
20) Zdeblick TA, Bohlman HH : Cervical kyphosis and myelopathy. Treatment by anterior corpectomy and strut-grafting. J Bone Joint Surg Am 71 : 170-182, 1989.

参考文献
21) 岩﨑幹季, 米延策雄：頚椎後弯症. 整形外科診療実践ガイド, 文光堂, pp776-779, 2006.
22) 岩﨑幹季：頚椎後弯症(10 章脊椎変形). 最新整形外科学大系 11 頚椎・胸椎(越智隆弘　総編集, 糸満盛憲, 越智光夫, 高岸憲二, 他　編), 中山書店, pp380-384, 2007.
23) Sakaura H, Matsuoka T, Iwasaki M, et al : Surgical treatment of cervical kyphosis in Larsen syndrome. Report of 3 cases and review of the literature. Spine 32 : E39-E44, 2007.

3 頚部脊髄症(頚髄症)
cervical myelopathy

3-1. 疾患の概説

　頚部脊髄症(頚髄症，cervical myelopathy)は頚髄が骨棘(osteophyte)，骨化靱帯や椎間板などにより圧迫されることが原因であり，その発症の背景には頚椎の加齢，退行変性である頚椎症だけでなく，後述する脊柱管狭窄が重要な因子として存在する。ここでは，頚椎症，椎間板ヘルニアなどの疾患名をあえて使用せず，病態・病状を中心に頚部脊髄症について述べる。レベル別では，C5/6，C4/5 レベルの頚部脊髄症の順に多いが，多椎間に変化のみられることも多い。頚椎後縦靱帯骨化症(OPLL)も頚部脊髄症の主な原因だが，これに関しては後述する。

3-2. 病態

　加齢に伴う退行変化として，まず椎間板変性が起こるとともに椎間腔の狭小化を生じ，さらに椎体周囲に反応性の骨増成，いわゆる骨棘(osteophyte)を生じてくる。また，Luschka 関節の変性，骨棘形成が加わってくる。ときには椎間板および椎間関節の変性による頚椎不安定性も関与する。しかし，臨床症状が発現されるには，以下に示す多くの因子が関与してくるものと思われる。

●静的因子(static factor)
　脊柱管内へ突出した椎間板および骨棘の存在がその因子となる。

●動的因子(dynamic factor)
　脊髄腔造影(ミエログラフィ)の施行時，伸展位にて多少なりとも硬膜管の圧迫を認めることがある。このような現象は，椎間板変性や黄色靱帯の肥厚，たわみが存在すれば，さらに増強される。すなわち椎間板変性により椎間が狭小化し，加齢により弾性が低下した黄色靱帯にたわみが起こり，そこに頚椎伸展といった動的因子が加わると，前方からは突出した椎間板により，また後方からは黄色靱帯により脊髄が前後から圧迫を受けることになる[1]。

●脊柱管狭窄(canal stenosis)
　脊髄症発現の最も重要な因子は，脊柱管狭窄である。頚椎X線側面像において脊柱管前後径が12～13 mm 以下に狭小化していることは，それだけ脊髄が圧迫されやすい状態に置かれていることを意味している(図Ⅱ-3-1)。脊柱管狭窄が存在するところに椎間板が突出したり，骨棘が形成されると，その程度がたとえ軽度でも脊髄症が発現してくるのがこれにより理解でき

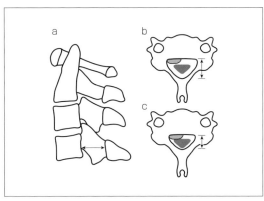

図Ⅱ-3-1　発育性脊柱管狭窄(developmental canal stenosis)
　a：脊柱管前後径(12～13 mm 以下は脊柱管狭窄)，b：脊柱管狭窄⊖，c：脊柱管狭窄⊕
　脊柱管狭窄症が存在すると軽度の圧迫でも脊髄症が出現しやすい。

る。一般に日本人の脊柱管は男性で欧米人よりも 1.3〜3 mm 小さく，頸椎症性脊髄症例の前後径は 12.4〜12.6 mm との報告がある[2]。

● 椎体のすべり

前後屈時における椎体の不安定性によるすべりも，脊髄を圧迫する[3]。後屈位での C4/5 後方すべりや高齢者の C3/4 での前方すべりなどが多い。特に後屈位で後方にすべった椎体後縁と椎弓間に脊髄が挟まれる機序は，dynamic canal stenosis と呼ばれている[4]。すべりはその絶対値が少なくても，前述の脊柱管の面積としてはかなりの狭窄因子となり得る（表Ⅱ-3-1）[87,88]。

1 頸部脊髄症の発生機序[89〜93]

脊髄圧迫に加えて，慢性的な循環不全も頸部脊髄症の発生に関与している。

2 頸部脊髄症の症状・所見

複雑な脊髄症状・所見も，1）圧迫高位での白質の神経線維路障害による**索路徴候**（long tract sign）と，2）脊髄灰白質の異常による**髄節徴候**（segmental sign）とに分けて考えると理解しやすい[88]。白質（一次ニューロン）での障害は病変部位の尾側に痙性の麻痺を生じる。基本的には筋力低下をきたさないが，特定の筋（小指外転筋，腸腰筋）には初期から筋力低下を認めることがある。

一方，灰白質（前角）の障害（二次ニューロンの障害）はその高位の支配筋に筋力低下や筋萎縮が生じ，支配筋の腱反射は低下ないしは消失する（弛緩性麻痺）。

▷ **索路徴候**（long tract sign）：白質の脊髄伝導路（図Ⅱ-3-2）の遮断症状・所見
a. 錐体路症状・所見（pyramidal tract sign）
  ・筋萎縮を伴わない痙性麻痺・対麻痺：上肢の巧緻障害や起立歩行障害
  ・深部反射亢進
  ・病的反射出現
b. 後索症状・所見
  ・深部知覚（位置覚，振動覚）障害
  ・識別性知覚障害・手指や足部の異常感覚（ピリピリ感，ジンジン感）
c. 脊髄視床路症状・所見
  ・温痛覚障害（外側脊髄視床路）
  ・触覚障害（前脊髄視床路）
  ・膀胱直腸障害

▷ **髄節徴候**（segmental sign）：障害レベルの灰白質の異常

髄節性の分布を示す弛緩性麻痺や筋萎縮，線維束攣縮を生じる。ただし，前角細胞の障害か神経根の障害かは，なかなか識別困難である。

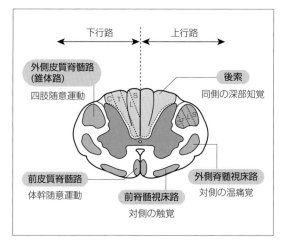

図Ⅱ-3-2 脊髄横断面における白質の脊髄伝導路
C：Cervical, T：Thoracic, L：Lumbar, S：Sacral

表Ⅱ-3-1 圧迫性頸部脊髄症の脊髄病理（文献 87, 88 より作成）

1）圧迫が軽度の症例では白質の変性，特に側索の変性所見が主な変化で，外側皮質脊髄路（錐体路）の他，前・側脊髄視床路，さらに脊髄小脳路などへも波及する。後索にも脱髄を認めるが，軽重の差があって側索の場合ほど一定しない。
2）圧迫が高度になると（脊髄扁平率 20% 未満），灰白質が壊死脱落し空洞形成を呈してくる。
3）圧迫が高度になっても，前索は比較的保たれ変性を免れているのが特徴。
4）伝導路神経線維に Waller 変性が発生する（外側皮質脊髄路では圧迫部位から下行性に，後索では上行性に発生する）。
5）前脊髄動脈は開存している。
6）圧迫程度と組織障害度はほぼ比例する。

● 特殊なタイプの頚部脊髄症

a. 脊髄半切症候群（Brown-Séquard 症候群）
（p62「横位診断の実際」参照）
病変側の運動麻痺と対側の温痛覚障害。

胸椎レベルの腫瘍による圧迫や多発性硬化症が原因で起こり得るが，頚部脊髄症でもときに認められる。興味深いことに，頚椎症性変化による圧迫で起こることは稀で，多くは椎間板ヘルニアによる圧迫で起こる。

b. 頚椎症性筋萎縮症（cervical spondylotic amyotrophy, amyotrophic myelopathy）
上肢の運動障害と筋萎縮が著明な反面，知覚障害が全くないか軽度な例。

Keegen が上肢（肩関節）の解離性運動麻痺（dissociated motor loss）として1例報告し，剖検結果から骨増殖症（hyperostosis）によるC4-6根（特にC6前根）の圧迫が原因の神経根症（radiculopathy）としている[5]。

近位型は肩の挙上困難が主訴となり，病変はC5前根（C4/5レベル）または髄節（C3/4レベル）にある。神経根性の場合，保存療法で改善することもあり，まずは頚椎牽引療法を行う。遠位型は手指の内在筋の筋萎縮と巧緻障害が主訴で，原因は下位頚椎での多椎間圧迫によるmyelopathyと考えられる[94]。興味深いことに，この遠位型の場合は頚椎症性変化による圧迫で起こり，椎間板ヘルニアによる圧迫で起こることはない。

筋萎縮性側索硬化症（amyotrophic lateral sclerosis：ALS），脊髄性進行性筋萎縮症（spinal progressive muscular atrophy：SPMA），神経痛性筋萎縮症（neuralgic amyotrophy）などを鑑別する必要がある。

3-3. 診察

1 問診上のポイント

1）初発症状（手指のしびれと歩行障害が多い）と，その出現時期，契機は？
2）主訴は頚部痛や上肢痛などの痛みが主か，それとも手指巧緻障害や歩行障害が主か？
3）痛みを訴える場合は，痛みの部位と頚椎や肩関節の動きとの関連，安静時や夜間痛の有無について問診する。
4）外傷歴の有無は？（あれば，そのときの麻痺の有無と程度，回復までの時間などについて尋ねる）
5）患者の職業について尋ねる。
6）いままでの治療内容（牽引，薬剤，手術と，その効果や効果持続時間）は？

2 理学所見上のポイント

1）手指巧緻障害の有無と程度：箸の使い勝手やボタン掛け，10秒テストとFES9[2]），握力
2）上肢のしびれや疼痛，筋萎縮の有無
3）下肢のしびれや歩行障害の有無，主な移動手段（杖歩行か，歩行器か，車椅子か）
4）Romberg徴候とMann試験：閉眼でふらつきが増強するかどうか→脊髄後索障害の有無
5）歩容
・下肢伸筋群と大腿内転筋のトーヌスが亢進するため，両足を突っ張り，膝を曲げず，やや尖足位で床をこするように歩く。
・左右間の足幅は狭い。
・極端になると，左右の足を交互に交差させるようになる（scissors gait）。
・軽症な場合は，つぎ足歩行（tandem gait）をさせると歩行障害が目立つ。
・間欠跛行など，歩き始めよりも徐々に歩行が困難になる場合は，腰椎病変も考える。
・simple walking test[6]：平地15mの往復にかかる時間と歩数を評価する。
・step test[7~9]：10秒間に足踏みできる回数を評価する。大腿部が水平になるまで股関節・膝関節を90°屈曲させるが，水平挙上までできない場合は最大限挙上できるところで1回とカウントする。基本的には支持なしで評価するが，机や支持をすぐにつかめるよう配慮し，支持がなければできない場合は0回と評価する。健常者の平均はおおむね20回で，13回未満は脊髄症を疑う。手の巧緻障害を評価する10秒テストとよく相関し頚髄症による体幹・下肢の機能を定量的に評価できるだけでなく，手の巧緻障害を認めない下位の頚髄症や胸髄症の評価方法となる。
6）頻尿や残尿感の有無

7）神経学的所見
- 反射亢進のレベルと左右差
- 手指屈曲反射はC8髄節の指標である（Wartenberg＞Trömner＞Hoffmannの順に閾値が低い）。
- 腕橈骨筋反射（BRR）が亢進しているときには上腕二頭筋反射（BTR）が一見亢進しているようにみえる（必ず二頭筋の筋収縮を目で確認するか触れてみることが重要である）。
- Babinski反射は頚部脊髄症では陽性率は低く診断価値は少ないが，歩行障害重症例では陽性率は高くなる。
- 他覚的な知覚障害の範囲と程度（強弱ではなく，他部位と同じかどうかを判断させる）。
- しびれの初発部位と痛覚過敏領域が重要となる（針でつつくと広がるような違和感を含む）。
- 触覚は比較的保たれ，痛覚が障害されていることが多い。
- 筋力低下の部位と左右差，筋萎縮の有無と左右差および範囲を観察する。

▷ **myelopathy hand**[87,88,95〜98]

myelopathy handは，圧迫性脊髄症の錐体路障害を表す最も重要な上肢症候で，下記に示す尺側から始まる指離れ（finger escape sign：FES）と手指の握り・開き回数（10秒テスト：grip and release test）の遅延を示す。

手指の巧緻性障害や，圧迫レベル下位での腱反射亢進やHoffmann反射など頚髄症の特徴的な症状・所見に加えて，Grade 1以上のFES陽性（尺側優位の内転・伸展不全）と10秒テスト＜20回の条件を満たす手をmyelopathy handと診断する。圧迫性頚髄症では圧迫レベルにかかわらず，FES陽性もしくは10秒テスト＜20回のいずれかの所見を満たす陽性率は高率で，小脳・大脳などの障害では陽性にならない。片麻痺患者で認められる掌内母指とは異なり，頚髄症患者では母指と示指の機能が比較的温存されているのが特徴である。頚椎神経根症でも小指離れ程度のFESが10〜15%程度に認められることはあるが，10秒テストが異常に遅れることはない。したがって，頚椎神経根症でFESが陽性の場合は脊髄症の合併を念頭に置く必要がある[4]。また，頚髄症患者の手（痙性の手）をよく観察すると，母指・示指に比して尺側優位に手指屈伸がよりぎこちないことが多い。このように機能脱落が尺側優位に現れることに関して，小野らは錐体路，ことに大脳皮質における母指・示指支配領域の広さと小指支配領域の狭さに起因すると考察している。つまり，大脳皮質運動野における身体各部支配の比がそのまま脊髄錐体路におけるニューロンの比に引き継がれると仮定すれば，支配ニューロンの少ない小指側から機能障害が始まり，より豊かに支配されている領域では機能がより温存されやすいというわけである。一般的に，脊髄変性疾患ではそのような尺側優位性が認められないことは興味深い。

①**FES（finger escape sign）（表Ⅱ-3-2）**

両手を回内位で（手掌を下にして）前方につき出させ，全手指をできるだけ揃えて伸展するように命じる。頚髄症の比較的初期の症候としては，小指が離れてくる（Grade 1）。すなわち，小指の内転筋（第4と第5中手骨の間にある骨間筋）が小指の外転筋に負けて小指が自然に外転位を取る現象である[6]。重症度が増すとともに小指・環指の内転が困難となり，かつこれらの指のMP関節における伸展不全が生じる。母指と示指のみが伸展可能な手が，最も重症の頚髄症の手である（Grade 4）。

②**10秒テスト（grip and release test）**

患者に手掌を下にして手指をできるだけ早くグーパーしてもらう。10秒間の握り・開き回数が20回未満をmyelopathy handとする。健常者は10秒間に25〜30回は可能であるが，頚髄症患者では20回以下に低下する。手指の屈筋と伸筋の切り替えが素早くできないことを利用した検査である。ときには，腱固定効果を利用して手指屈伸と手関節背掌屈の奇妙な連動（trick motion）が目立つ場合があるが，手関節を検者が固定すると極端に回数が減じる。

3 錐体路障害としてのmyelopathy hand[93〜95,99,100]

小野らは大阪市立弘済院に入所中の高齢者を生前から観察し，生前の神経症状・所見と死後の脊髄病理を詳細に調べた。その結果，圧迫が軽度なものは灰白質の脱髄所見よりも白質，特に側索の脱髄所見が主であった。また，脳血管障害による片麻痺の手の所見と明らかに異なって母指・示指の屈曲やMP関節伸展が保たれている"myelopathy hand"の存在に着目した。

myelopathy handが錐体路障害と考えられる根拠は，以下の理由による。

■頚髄の圧迫レベルにかかわらず，共通した手指の変形と機能の脱落である。

表Ⅱ-3-2 FES（finger escape sign）の重症度分類

Grade	両手を回内位で全手指をできるだけ揃えて伸展させる
0	手指をできるだけ寄せて伸展して，保持することが可能（FES 陰性）
1	両手指を伸ばしていると，小指が次第に離れていく（小指の内転保持困難）
2	手指を伸展した肢位で小指または小指と環指を内転することができない
3	小指・環指の内転および MP 関節の伸展ができない
4	母指・示指以外の指が伸展と内転ができない

- myelopathy hand の重症度は頚髄症の重症度と相関し，それも下肢機能とよく相関する。
- 神経病理的には，皮質脊髄路（corticospinal tract）の脱髄が主で，その変性所見は圧迫レベルの尾側になるほど目立つ。一方，C7，C8，T1 髄節の灰白質は一般的にはよく温存されている（圧迫が著しい高位では灰白質の脱落も認める）。

頚部脊髄症は痙性機能不全（spastic dysfunction）と知覚障害が特徴であるが，頚部脊髄症患者のなかには知覚が正常（あるいは障害が軽度）で手内在筋の筋萎縮と筋力低下を認めるものがある。これは，下位頚髄（C7，C8，T1 髄節）で灰白質（前角）が選択的に障害されたときに認められるもので，筋萎縮型（ALS などの運動ニューロン疾患との鑑別を要する）として提唱し，白質が主に障害されている痙性型の myelopathy hand と特徴を異にする。

3-4. 診断

頚部脊髄症の診断は臨床所見である程度可能であるが，確定診断のためには頚椎 X 線と MRI が必要になってくる。最も多いのが圧迫性脊髄症でその原因は，頚椎症，頚椎椎間板ヘルニア，頚椎後縦靱帯骨化症（OPLL）がほとんどを占める。ときに後述する関節リウマチに伴う環軸椎亜脱臼も原因となる。ここでも重要なことは臨床的な神経学的レベルがこれらの画像による圧迫レベルと合致するかどうかである。

1 頚部脊髄症の高位診断

頚髄髄節と頚椎椎体との相対的位置関係を知

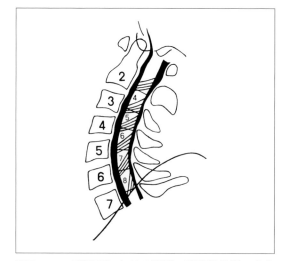

図Ⅱ-3-3 頚椎部における脊椎・脊髄髄節間の高位差（文献 10 より）

ることが圧迫性頚部脊髄症の高位診断に必要である（図Ⅱ-3-3）[10]。すなわち，C3/4 椎体間レベルは C5（＞C4）髄節，C4/5 椎体間レベルは C6（≫C5）髄節，C5/6 椎体間レベルは C7 髄節，C6/7 椎体間レベルは C8-T1 髄節といったように，髄節位置は 1〜1/2 椎体ほど上位にあることが解剖学的検討でわかっている（図Ⅱ-3-4）[11,12]。これは胎生期から成人までの成長過程での脊髄上行に関連していると考えられている。臨床的には診察した神経学的所見から頚部脊髄症の高位を推定するのであるが（表Ⅱ-3-3），この際，特に国分（図Ⅱ-3-5）や星地ら（図Ⅱ-3-6）の髄節徴候に注目した高位決定の診断指標は理解しやすく有用である[10,13,17]（後述）。

重症でない限り頚部脊髄症での筋力低下はあっても軽度なので見逃さないようにすることが大切である。また，これらの指標は単椎間罹患の脊髄症ではよく合致するが，頚椎症による脊髄症では多椎間罹患が多く，多少修飾される

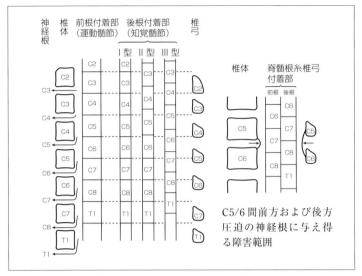

図Ⅱ-3-4　頸椎椎体レベルと髄節レベルの高位差を示す図(文献11より)

表Ⅱ-3-3　頸部脊髄症の神経学的高位診断

椎間高位(髄節レベル)	腱反射	筋力低下	上肢知覚障害
C3/4 高位(C5 髄節)	BTR 亢進(偽亢進)	三角筋	上腕以下
C4/5 高位(C6 髄節)	BRR 低下と TTR 亢進	上腕二頭筋	手関節以下，前腕橈側
C5/6 高位(C7 髄節)	TTR 低下それ以下亢進	上腕三頭筋か総指伸筋	前腕～手指尺側
C6/7 高位(C8 髄節)	上肢正常それ以下亢進	短母指外転筋か小指外転筋	正常あるいは小指のみ

ことがあるので注意を要する。

　C5髄節(C3/4高位)よりも上位の高位診断の指標となり得るものの1つに清水らが詳細に調べた肩甲上腕反射(scapulohumeral reflex: SHR)がある[14]。SHRは座位で肩甲棘中央部または肩峰を尾側へ向かってハンマー刺激して，肩甲骨挙上または肩関節外転(これはdeltoidの腱反射亢進を意味する)を認めた場合のみ亢進(陽性)と判断し，C1-4髄節が関与する反射である。したがって，BTR亢進でSHRが認められないときにはC5髄節(C3/4高位)の可能性が大きく，BTR亢進でSHRも認めるときには，下顎反射(橋(pons)が反射中枢である)も調べ，C5髄節(C3/4高位)よりさらに頭側の検索をする必要がある。

　また，上腕二頭筋反射(BTR)に関してはC5髄節(C3/4高位)の場合には亢進するとの報告が多い[10,13]。しかし，ときには上腕二頭筋の収縮は認められないのに肘関節の屈曲が強く認められ，一見BTRが亢進しているようにみえることがある。これは腕橈骨筋反射(BRR)が亢進しているときに認められる現象で，肘の屈曲は認められるが上腕二頭筋そのものの収縮が認められないのでBTR消失と判断したいところだが，通常のBTR亢進と一見判別困難なので**BTR偽亢進**と命名したい。このBTR偽亢進はC5髄節の単独障害(C6髄節が障害されていない)としての診断価値が高いと考えている(**表Ⅱ-3-4**)。

■ 国分らによる神経学的診断からの頸部脊髄症高位診断は臨床的に有用な指標である(**図Ⅱ-3-5**)[10]。

■ BTR亢進(偽亢進を含む)はC3/4椎間高位病変に特異度が高く(特異度：95％，感度：65％)，BRRとTTRの低下はそれぞれC4/5，C5/6椎間高位病変について特異度が高い(特異度：94％，98％，感度：65％，38％)。手指のしびれに関しては，全指にわたるしびれはC3/4またはC4/5椎間高位病変に(特異度：86％，77％，感度：94％，50％)，橈側手指のしびれはC4/5椎間高位病変に(特異度：95％，感度：30％)，また，尺側手指のしびれはC5/6椎間高位病変について特異度が高い

(特異度：86％，感度：87％)。筋力低下，感覚障害については，全体に特異度，感度が低く有用ではないが，三角筋の筋力低下はC3/4椎間高位病変に特異度が高く(特異度：98％，感度：35％)，C7以下の感覚障害はC5/6椎間高位病変について特異度が高い(特異度：90％，感度：63％)[15]。

- 1椎間病変の頚部脊髄症において，神経学的所見による高位診断の検者間の一致率は63％で，また画像による責任高位との一致率は66％である。神経所見のうち患者が訴えるしびれ領域による高位診断が最も有用である(89％)[16]。
- MRIのT2強調像での高輝度変化を責任高位とした場合，腱反射からみた高位診断は感度66％，特異度89％，精度83％，知覚障害域からみた高位診断は感度74％，特異度91％，精度87％で，知覚障害域による的中率が最も高い。およそ7割以上の確率で神経学的高位診断が可能としている(図Ⅱ-3-6)[17]。
- Hoffmann徴候陽性患者と頚髄圧迫病変との関係を検討した報告では，頚髄圧迫病変に対するHoffmann徴候の感度は58％，特異度は78％としている[18]。また，神経症状を認めないがHoffmann徴候を認める患者の94％に，MRI上に頚髄の圧迫病変を認めたとしている[19]。

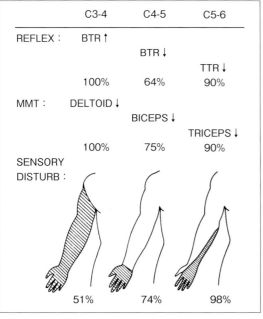

図Ⅱ-3-5 頚椎症性脊髄症における責任椎間板高位決定の診断指標(単一椎間手術例67例の分析)(文献10より)

表Ⅱ-3-4 上肢腱反射の反射中枢

反射	髄節
SHR(肩甲上腕反射)	C1-4
BTR(上腕二頭筋反射)	C5(C6)
BRR(腕橈骨筋反射)	C6(C5)
TTR(上腕三頭筋反射)	C7
Hoffmann	C8

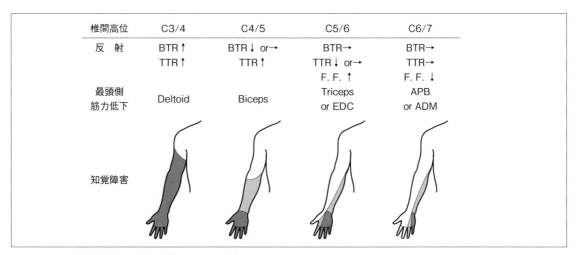

図Ⅱ-3-6 頚部脊髄症の高位診断チャート指標(文献17より)
BTR：上腕二頭筋反射，TTR：上腕三頭筋反射，F.F.：指屈曲反射，EDC：総指伸筋，APB：短母指外転筋，ADM：小指外転筋

- Babinski 反射に関しては，母趾伸展型を陽性とした場合の頸部脊髄症における陽性率は約50％と決して高くないが，歩行障害が重症になると陽性率は高くなる[20]。

2 画像診断のポイント

●X線

a. 正面像

Luschka 関節部の変化を観察する。開口位では環・軸椎の関係と歯突起の変化を観察する。

b. 側面像

後咽頭腔の腫脹の有無を観察した後，頸椎椎体と棘突起前面の配列，椎間や棘突起間の狭小化，頸椎後縦靱帯骨化症（OPLL）や骨棘の有無を観察し，脊柱管前後径を計測する。脊柱管前後径は 12～13 mm 未満を狭窄症とみなすが，椎間関節後縁と棘突起前縁との間が狭く重なって見えるような場合は簡易的に脊柱管が狭いと判断できる（図Ⅱ-3-7）[21]。

さらに，後屈機能撮影にて dynamic canal stenosis（p19 参照），不安定性や弯曲異常を観察する。関節リウマチなどによる環軸椎亜脱臼の場合，機能撮影でないと環軸椎の不安定性をとらえられないことも多いので，特に上位頸椎部の変化には注意する。

c. 斜位像

椎間孔の狭小化や拡大（dumbbell 型脊髄腫瘍）を観察する。

●MRI

椎間板の変性や膨隆，頸髄のアライメントと圧迫の状態を観察する。T2 強調像では軽微な圧迫でもとらえられるので，病的かどうかの判断はあくまで臨床症状と所見に頼る。50歳以上の中高年であれば無症状の健常者でも 60～80％に硬膜管の圧迫所見が，20～30％に脊髄圧迫所見が認められることを認識しておくことが重要である。注意することは，画像上の「所見」と臨床症状を伴った「診断」とを混同してはならないことである。すなわち，MRI にて椎間板ヘルニアの「所見」が存在しても，臨床症状がその罹患椎間で障害される脊髄・根症状や所見と一致しなければ，決して椎間板ヘルニアと「診断」できない。

頸髄内の輝度変化も診断上重要である。脊髄圧迫に伴う T2 強調像での髄内高輝度は脊髄症状の責任病巣を表すことが多く，必ずしも予後不良因子とはいえないが，灰白質内における空洞形成や壊死性囊胞を反映している[22]。多椎間に及ぶ線上の高輝度変化を示す症例は上肢に筋萎縮を認めることが多く，前角細胞の障害を示唆する[22]。

T2 強調横断像における ventrolateral posterior column 近傍で，脊髄灰白質の左右小さな円型あるいは楕円形の髄内輝度変化は snake-eyes appearance：SEA と呼ばれ，中心の灰白質と ventrolateral posterior column における cystic necrosis とよく相関し，脊髄の不可逆的壊死を表していると考えられ[23,24]，SEA のなかでも特

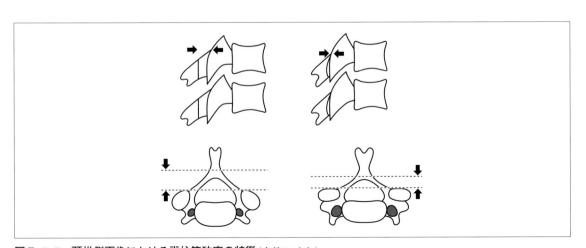

図Ⅱ-3-7 頸椎側面像における脊柱管狭窄の特徴（文献 21 より）
脊柱管が狭いと（右）側面像で見て，棘突起腹側のラインと関節突起背側のラインとの間が狭くなる。

に多椎間SEAは改善不良の因子となり，上肢筋力の改善が特に悪いと報告されている[25]。

●鑑別診断（表Ⅱ-3-5, 6）

C3/4レベルでの圧迫がないか，圧迫が軽度で上腕二頭筋反射（BTR）から腱反射が亢進しているような場合や広範囲に筋萎縮が認められる場合は，下顎反射などより上位の反射を調べ，必要に応じて筋電図などによる神経内科的疾患の鑑別が重要である。脊髄梗塞や脊髄血管奇形，多発性硬化症，筋萎縮性側索硬化症（ALS），HTLV-1関連痙性対麻痺（HTLV-1 associated myelopathy：HAM）を念頭に入れておく。しびれが主な症状で反射が消失あるいは低下しているときには，末梢神経障害や多発神経炎などを念頭に置く必要がある。

片側の麻痺が著しいときは，脳血管障害など頭部疾患を除外しておくことも重要である。

頸部脊髄症の高位診断と合致するかどうかを疑うことがまず重要である。通常の頸部脊髄症と異なることを疑えば，信頼できる神経内科医にコンサルトする。以下に鑑別診断の要点を示す。

1）筋萎縮性側索硬化症（ALS）の発症期に認められる体重減少の有無。

2）痙性が強いにもかかわらず，排尿障害がない，あるいは知覚障害がない（ALSを疑う所見）。

3）萎縮筋での腱反射亢進と下顎反射亢進の有無。

4）舌の広範萎縮（画像としてMRIでの舌の変性所見に注目する）あるいは線維束攣縮の有無。

a. 脊髄腫瘍，脊髄空洞症

MRIにてほぼ鑑別可能である。成人の髄内腫瘍で多いものは，上衣腫（ependymoma）と星細胞腫（astrocytoma）で頸髄に好発する。上衣腫で頸髄に生じるものは出血やcystic changeを伴いやすい。

b. 脊髄炎

若年者で一過性が多い。左右差が存在する。感染症，ワクチン接種後，全身性エリテマトーデス（SLE）などの自己免疫疾患などに起因する場合があるが，多くは原因不明である。

c. 平山病[101,102]

10～20歳代前半に発症する一側性上肢の筋萎縮・筋力低下を主徴とする疾患である。症状の特徴はほとんどが若年発症で男性であるということ，筋萎縮は骨間筋，小指球筋，尺側手根屈筋などに認められること，感覚障害を伴わないことである。他に寒冷麻痺，指伸展時振戦を認めることもある。頸椎症性脊髄症との違いは，好発年齢が大きく異なること，上肢の感覚障害，体幹・下肢の感覚障害・筋力低下，膀胱直腸障害，深部腱反射の亢進，病的反射の出現を認めないことが挙げられる[26]。しかし，頸椎症性脊髄症のなかにも感覚障害を呈さず一側上肢の筋萎縮・筋力低下を主徴とするもの（CSA）が存在するので注意を要する。最終的な診断は，ミエログラフィやdynamic MRIにより頸椎前屈時の頸髄扁平化（flexion myelopathy[27]）をとらえることが重要である。

表Ⅱ-3-5 痙性対麻痺の鑑別診断

- ●脳病変　　　　　：両側傍正中葉の病変（大脳鎌の髄膜腫など）
- ●脳性麻痺（CP）　：痙直型では両股屈曲・内転・内旋，両膝屈曲，両足内反尖足位を示す
- ●脊髄病変　　　　：脊髄損傷，変性疾患，腫瘍，動静脈奇形，脊髄空洞症，Arnold-Chiari奇形
- ●脊髄小脳変性症　：家族性痙性対麻痺（familial spastic paraplegia：FSP），緩徐進行性の両下肢の痙性と軽い筋力低下を主徴とする遺伝性疾患
- ●多発性硬化症（MS）または筋萎縮性側索硬化症（ALS）
- ●その他（亜急性連合性変性症，HTLV-1関連痙性対麻痺：HAM，白質ジストロフィー）

表Ⅱ-3-6 運動ニューロン疾患（motor neuron disease）との鑑別

- ●上位運動ニューロン徴候（錐体路徴候）：痙縮，深部反射亢進，病的反射出現
- ●下位運動ニューロン徴候（前角徴候）：筋萎縮，筋力低下，線維束性収縮
- ●球麻痺症状：構語障害，嚥下障害，舌麻痺

d. 脊髄血管障害

脊髄梗塞，脊髄出血，脊髄動静脈奇形など臨床症状とMRI所見が重要である。

e. 脳血管障害

急性に生じた脱力や片側優位の著しい麻痺の場合は，脳血管障害など頭部疾患を必ず除外しておく。

f 筋萎縮性側索硬化症（amyotrophic lateral sclerosis：ALS）

詳細はp90参照。

g. 脊髄サルコイドーシス

詳細はp95参照。

図II-3-8に60歳男性の症例を示す。

h. 末梢神経障害または多発ニューロパチー

詳細はp92参照。

i. 亜急性連合性脊髄変性症

詳細はp97参照。

j. HTLV-1関連痙性対麻痺（HTLV-1 associated myelopathy：HAM）

詳細はp98参照。

k. 多発性硬化症（multiple sclerosis：MS）

詳細はp93参照。

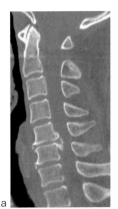 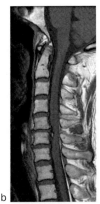 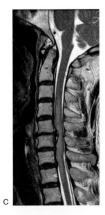 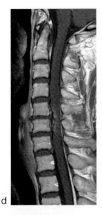

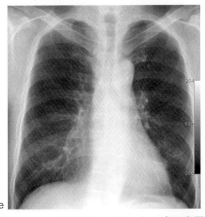 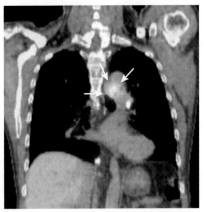

図II-3-8　脊髄サルコイドーシス（60歳男性）

a：頚椎MPR矢状断像，b：頚椎MRI T1強調矢状断像，c：頚椎MRI T2強調矢状断像，d：Gd造影後頚椎MRI T1強調矢状断像，e：胸部X線正面像，f：FDG-PET/CT（矢印：肺門リンパ節部のFDG集積亢進）

頚椎OPLLによる頚髄症の診断で手術目的にて紹介受診（a，b）。神経学的にはC7髄節以下の障害として合致するが，外傷などの誘因なく急激に歩行障害が進行してきたことや排尿障害に比して排便障害が強いこと，知覚障害が軽度な割に片側下肢筋力の低下が強いことなどの臨床症状が通常の頚髄症と異なっていた。画像所見も，MRIでの広範囲な髄内輝度変化と脊髄腫脹（c）など頚髄症としては典型的でないため胸部を精査したところ，肺門リンパ節腫大：BHL（e，f）を認め経気管支鏡的肺門リンパ節生検（TBLB）にてサルコイドーシスの確定診断を得た。造影MRIによる髄膜に沿った線上造影像（d）が特徴的である。

3-5. 保存療法

1 保存療法の適応と限界

　脊髄症に対する治療の目的は脊髄の圧迫を除去することにある。この目的からすると外科的に脊柱管を拡大することが最も理にかなった治療法といえるが，頸椎の固定や牽引で動的因子を除去することにより，脊髄症状が改善することもしばしば経験する。しかし，この治療効果が長期にわたり維持できるか否かは不確実な面を持つため，いたずらに手術の時期を遅らせてはならない。頸椎の固定や牽引を中心とした脊髄症に対する保存療法が無効のときは，即座に手術的な脊髄除圧術を考慮すべきである。脊髄の圧迫が長期にわたると，白質だけではなく灰白質まで変性が進み，手術による脊髄除圧ではなかなか回復しにくくなる。

　術式選択としては，前方除圧固定術と，椎弓形成術を主とした後方除圧術とがある。前方除圧固定術では，偽関節など移植骨に関連した術後合併症が問題である一方，椎弓形成術では術後の神経根症状や頸部可動域制限などの問題が残る。両術式とも安定した成績を期待でき，脊髄除圧術としての治療成績に有意差はない。筆者の手術選択は，1～2椎間の限局した範囲で前方から圧迫されている場合，頸椎後弯あるいは脊髄自体の局所後弯が存在する場合や神経根症状が主症状のときには前方除圧固定術を選択するが，それ以外の頸部脊髄症に対しては基本的には椎弓形成術を選択している。

　比較的若年者で，骨棘の関与がないか少ない椎間板ヘルニア(soft disc)による脊髄症の場合は，頸椎人工椎間板置換術(p104参照)も選択肢となる。

2 頸部脊髄症の自然経過[103～105]

- 120患者中75%が一時的に悪化を経験（うち2/3が悪化し，1/3は不変），20%が緩徐に進行，5%が急激に悪化するとしている。改善は稀であると報告している[28]。
- 44患者の頸部脊髄症を平均7年間(最長32年間)観察し，完全な改善はないものの慢性の経過をたどり，おおむね予後は良いと報告している。いったん症状が増悪するものもあるが，その後，症状は改善するか安定し進行性に悪化するのは稀としている。しかし，手術に至った症例は8例(18%)存在した[29]。
- 37患者を保存的に，45患者を椎弓切除術で治療し，両者を比較したところ，統計学的な有意差はなかったが，椎弓切除術は重症患者を除いて有効であったと報告している。また，初診時に症状が軽度なものは良好な経過をたどるが，重症例は経過も悪いとしている[30]。

3 一般的に選択される保存療法

　頸椎の安静保持の目的でベッド上でのGlisson牽引や頭蓋直達牽引を行う。また，halo ringにて頭蓋直達牽引を行ったのちhalo vestを装着させて頸椎の固定を図ることもある。頸椎カラーを用いることもあるが，その効果や実用性は不定である。脊髄症に対してステロイドなどの薬物療法が効果を示すこともあるが，結果は決して一定しない。ブロック注射や物理療法および運動療法などは脊髄症に対しては無効である。特に，脊髄症に対してのマニプレーション療法は絶対禁忌である。

●牽引療法

　頸椎椎体に実際の牽引力を働かせるには10～12 kg必要であることから，それより軽い牽引では実質上は安静と同等の効果と考えられる。

a. Glisson係蹄による持続牽引

　頸椎を伸展位に強制させないように十分注意して2～3 kgで行うが，顎関節痛や歯痛などの障害から連続的な牽引を目的とした場合には，頭蓋直達牽引を行うことのほうが多い。

b. 頭蓋直達牽引

　Crutchfield tongやBarton tongを用いて行うが，最近では直達牽引した後にhalo vestを装着させる症例には，halo ring（またはhalo crown）にて頭蓋直達牽引を行うことが多くなってきている。頸椎軽度屈曲位にて4～5 kgの重錘で牽引する。注意点として，ベッドの頭側にcounter牽引のための台を入れて頭側を高くすることである。

表Ⅱ-3-7　整形外科的治療観点からみた治療方針

1) 早急に診断し手術を要するもの
   ・上下肢麻痺：脊髄症状の進行（脊柱管内腫瘍や血腫），脊椎炎，頚部脊髄症
2) 手術を考慮するもの
   ・圧迫性脊髄症（頚椎症）：椎間板ヘルニア，後縦靱帯骨化症，脊柱管狭窄症
   ・結核性脊椎炎，椎体破壊の強い化膿性脊椎炎
   ・脊椎・脊髄腫瘍，進行性の脊髄空洞症
3) 保存療法が無効なら手術を考慮するもの
   ・神経根症状の存在する頚椎症，椎間板ヘルニア
   ・限局性の頚椎不安定症（関節リウマチ），椎弓切除後や外傷後の弯曲異常
   ・椎体破壊や後弯を認めない脊椎炎，破壊性脊椎関節症
   ・腱板損傷
4) 保存療法に徹するもの
   ・脊髄・神経根症状を全く伴わない頚椎症，椎間板ヘルニア
   ・肩の凝り，寝違えなど，他覚的所見のない頚部痛

● **薬物療法**

外傷や軽微な外力で脊髄症が急性に悪化した症例などに対して，ステロイドを中心に投与している。実際には，ミネラルコルチコイド作用のないデキサメタゾンで4～8 mgを数日間静注し，以後漸減している。ただし，量としては大量療法の有効性を示す報告もあり，一定でない。また，ステロイドのみで治療することはなく，必ず他の治療法と併用して用いている。

● **整形外科的治療観点からみた治療方針**

表Ⅱ-3-7に治療方針を示す。

3-6. 手術療法[106,107]

1 手術適応

Kadankaらによる軽症の頚部脊髄症68例のprospective randomized studyの結果，保存療法35例と手術療法33例の比較では，JOAスコア，10 m歩行時間，ADL評価，主観的評価のいずれも有意差が認められなかった[31]。このことから，軽症の頚部脊髄症では手術が保存療法に勝ることはないと考えられる。一方，中程度以上の機能障害や進行性の頚部脊髄症では手術療法を勧める意見が多い[32,33]。

繰り返すが，画像上の「所見」と臨床症状を伴った「診断」とを混同してはならない。画像的に脊髄圧迫所見を認めても神経学的な診断高位と合致しない場合は，前述した鑑別診断を十分に行ってから手術適応を決定することが重要である。脊柱管拡大術（椎弓形成術）を選択すると決定した場合でも，神経学的診断高位を絞っておくことは筋萎縮性側索硬化症（ALS）などの運動ニューロン疾患を見落とさないためにも怠ってはならない（表Ⅱ-3-8）。

2 脊柱管拡大術（椎弓形成術：laminoplasty）[108,109]（図Ⅱ-3-9）

根症状がないかはっきりしない圧迫性脊髄症に対して，広く適応となる。一般的には3椎間以上で圧迫を認める脊髄症が適応だが，単椎間の圧迫でも手術成績は良好である。

椎弓形成術の問題点としては，以下の点が挙げられる。

1) 頚椎可動域減少
2) 頚部痛などの軸性疼痛[34]
3) 4.7～8％の頻度で生じる上肢運動麻痺[35,36]
4) 固定効果の不確実性

外傷後などで不安定性を認める症例や，強い後弯変形を認める症例では，前方固定術を選択する。高齢者などで多椎間に頚椎症性変化があり，そのため後弯変形を呈しているような場合は脊柱管拡大術の適応がある。術後上肢運動麻痺に関しては，椎弓形成術に特異的な合併症で

表Ⅱ-3-8　圧迫性頚髄症における術式選択のポイント

● 臨床上の神経学的高位診断と画像上の高位診断が一致するか？
● 単椎間の圧迫病変か多椎間の圧迫病変か？
● 前方からの圧迫病変（ヘルニア（soft disc）または後縦靱帯骨化（OPLL））の大きさ：脊柱管占拠率
● 脊柱管狭窄の有無：developmental canal stenosis または dynamic canal stenosis
● 神経根症の有無：上肢や肩甲帯に放散する痛みまたは根領域の筋萎縮
● X線上の頚椎アライメントおよびMRI上の頚髄アライメント（特に局所後弯）

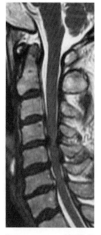
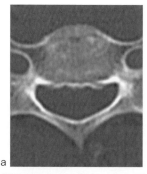
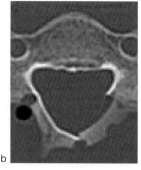

図Ⅱ-3-9　片開き式椎弓形成術の症例（59歳女性）
a：術前頚椎MRI T2強調矢状断像，b：術前（左）・術後（右）頚椎CT横断像
多椎間での脊髄圧迫と髄内輝度変化を認める（a）。片開き式椎弓形成術により脊柱管が拡大していることが確認できる（b）。

はなく，三角筋を中心とした近位筋麻痺が約3〜6％，遠位筋麻痺や広範囲な麻痺が約2〜3％に認められる。原因としては，神経根障害が先行したが脊髄障害説を示唆する十分な証拠もあり，いまだ定説はない。

3 脊柱管拡大術（椎弓形成術）の限界[110]

椎弓形成術の後方除圧としての限界を議論する際に考慮すべき主な論点は，1）前方圧迫因子とその程度，2）圧迫レベルでのhypermobility（動的因子）と頚椎矢状面alignmentである。

● **前方圧迫因子（椎間板ヘルニア，骨棘，後縦靱帯骨化）**

椎間板ヘルニア・骨棘・OPLLは，頚椎変性疾患における脊髄前方からの主な圧迫因子である。前方からの圧迫因子に対しては前方除圧術が理にかなっているが，椎弓形成術でおおむね同等の神経症状の改善を期待できることが報告されてきた[37〜40]。また，主に移植骨関連の合併症や隣接椎間障害など前方除圧固定術に特有の問題点が椎弓形成術との比較で常に指摘されてきた[37,39,40]。

椎間板ヘルニアによる脊髄症に対して前方除圧固定術が主な術式であった当時，大阪大学整形外科では圧迫性頚髄症に対してすべて椎弓形成術を選択していた。この時期に施行した椎弓形成術の手術成績を調査したところ，前方除圧固定術と比べ有意差がなく，かつ合併症も少なくより安全な術式であることがわかった[37,41]。さらに，75〜80％の症例で後方除圧術後にヘルニアが退縮する例が存在することも明らかになった[37]。椎間板ヘルニアが退縮することを術前に予測することは困難であるが，動的因子の関与が少ない場合は，椎間板ヘルニアによる脊髄症に対しては椎弓形成術で前方除圧固定術とほぼ同様の手術成績を期待できると考えてよ

い。ただし，単椎間の前方除圧固定と椎弓形成術の手術侵襲には有意な差はないので，前者では直接除圧と固定効果の優位性，後者では発育性脊柱管狭窄の合併に対して広範囲に拡大することの優位性などを考慮して総合的に術式を選択すべきである。

多椎間で脊髄圧迫を認めることが多い頚椎症性脊髄症における椎弓形成術の優劣はどうであろうか。筆者ら[40]の報告（椎体亜全摘術41例，椎弓形成術42例，追跡期間2年以上）およびWadaら[39]による長期成績の報告（椎体亜全摘術23例，椎弓形成術24例，追跡期間10年以上）では，椎弓形成術は前方除圧固定術に比して軸性疼痛は多いが，神経症状の改善において有意な差は認められなかった。また，前方法では多椎間固定症例や椎体亜全摘術施行例で手術侵襲が大きく，移植骨関連の合併症などの問題点も多かった[39,40]。一方，Hiraiら[42]による前向き比較研究（前方除圧固定術39例，椎弓形成術47例，追跡期間5年以上）では，椎弓形成術に比して前方除圧固定術は上肢機能の改善が有意に良好であったと報告している。また，前方からの脊髄圧迫が術後に残存する症例では椎弓形成術の成績が不良で，そのような症例では圧迫レベルでの椎間可動性が大きいほど成績不良であることも報告している[42,43]。これらの報告から，前方からの圧迫が高度でなければ椎弓形成術でおおむね対処可能だが，最大圧迫レベルで局所後弯や動的因子の関与が大きい場合は，椎弓形成術では脊髄の後方除圧として限界があると考えるべきである。

● 圧迫レベルでのhypermobilityと頚椎矢状面alignment

椎弓形成術が本邦において開発され圧迫性頚髄症における中心的な術式選択になってからでも，欧米では後方除圧術後（特に椎弓切除術後）の後弯変形が危惧され，後弯位頚椎での除圧効果も疑問視されてきた。しかし，適切な手技で椎弓形成術を施行すれば，外傷や透析，関節リウマチなどの炎症疾患を合併していない限り頚椎変性疾患で術後に著明な後弯変形が進行して追加手術を要することは実際には少ない。さらに，頚椎X線側面像やCTでの椎体前縁の骨棘形成やMRI矢状断像での脊髄形態を注意深く観察すれば，後弯変形や頚髄症の進行をある程度予測して対処することは可能である[44]。

Sudaら[45]は頚椎症性脊髄症に対して施行した椎弓形成術の追跡調査（114例，追跡期間2年以上）の結果，椎弓形成術で良好な成績を期待するためには局所後弯が5°以下（MRIで髄内輝度変化がある場合），髄内輝度変化がない場合では13°以下と結論している。Uchidaら[46]は中間位で10°以上の後弯を呈していた頚椎症性脊髄症（前方除圧固定術28例，椎弓形成術15例）を調査した結果，術後早期では前方除圧術のほうが良好な成績であるにもかかわらず，2年以上の最終追跡時では両術式間に有意差は認められなかったと報告している。しかし，それでも10°以上の後弯症例において最大限の効果を獲得するためにはある程度の矢状面alignmentの矯正が必要と推論している。これらの報告から，後方から脊髄を除圧する場合に，頚椎全体の可動域よりも前方圧迫因子と関連して，圧迫レベルでの局所後弯あるいは椎間可動性が神経症状の改善に大きく影響するものと考えられる。術者によっては圧迫性頚髄症に対してすべて椎弓形成術で対処できるという意見もあるかもしれない。しかし，前方圧迫の程度に比して頚椎前弯が十分でない症例や最大圧迫レベルでの局所後弯や椎間のhypermobilityを認める症例に最大限の神経症状の改善を期待するならば，椎弓形成術だけでは限界があるといわざるを得ない。

4 前方除圧固定術（anterior spinal fusion）[111〜114]

根症状が優位な症例や2椎間までの圧迫症例が良い適応である。変形や外傷などによる不安定性を呈する症例も適応となる。除圧幅は最低15 mm，可能なら20 mm程度の幅を目標にする。欠点としては，手術椎間数が増すとそれだけ偽関節や骨片脱転などの合併症の率が増すことである[47]。前方プレートの使用により，それらの問題が解決され得るとの報告があるが[48,49]，プレート使用に伴う合併症には注意する[50,51]。

5 頚椎人工椎間板置換術(図Ⅱ-3-10, p104参照)

頚椎椎間板ヘルニアによる脊髄症が良い適応となるが,骨棘が主な圧迫因子の場合は確実な除圧に経験を要する。日本では1〜2椎間までの使用に限られている。椎間可動性を残すため,より確実な神経除圧が必要である。母床となる骨性終板は確実に温存する必要があるが,椎体後縁に骨棘形成がある場合やインプラントの安定性を獲得するためLuschka関節内縁の骨切除を要することがある。前方除圧固定術と同等の手術成績で,隣接椎間障害の危険性が低いとの報告が多い[52,53]。

6 脊柱管拡大術と前方除圧固定術の比較検討[39,40,115〜119]

頚部脊髄症に対しての脊柱管拡大術の手術成績は発育性脊柱管狭窄の有無にかかわらず,前方除圧固定術に比べ有意差はない。しかし,手術合併症や再手術を考慮すれば前方除圧固定術よりも脊柱管拡大術で有意に少ない。Lunsfordらによると,前方除圧固定術を施行した頚椎椎間板ヘルニアの24%に骨移植に関連した合併

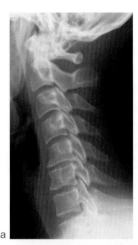
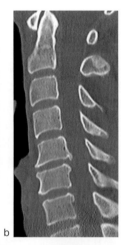
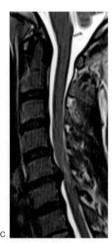
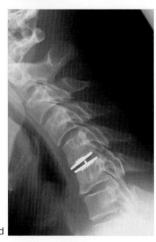
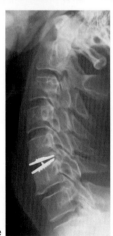

図Ⅱ-3-10 頚椎人工椎間板置換術(41歳男性:頚椎椎間板ヘルニアによる脊髄症)

a:術前頚椎中間位X線側面像,b:術前頚椎MPR矢状断像,c:術前頚椎MRI T2強調矢状断像,d:術後1年時の頚椎前屈位X線側面像,e:術後1年時の頚椎後屈位X線側面像

骨棘形成を認めるが主な圧迫因子はC5/6椎間板ヘルニアであったので,頚椎人工椎間板置換術を施行(Mobi-C®:17×17 mm 高さ5 mm)。術後1年経過し,頚椎の可動性は保たれている。

症が認められたと報告しており[54]，またBohlmanらによる前方除圧固定術の長期成績では，1椎間固定62例中7例（11%）に，2椎間固定48例中13例（27%）に偽関節を認めたと報告している[55]。Bishopらは，1椎間固定の骨癒合率は同種骨移植で87%，自家骨移植で97%と報告している[56]。またEmeryらの頚部脊髄症に対する前方固定術後2～17年の追跡調査では，偽関節率が14.8%であったが，椎体亜全摘に腓骨移植を行った場合の偽関節率は2.6%と報告している[57]。

前方除圧固定術のもう1つの問題は，隣接椎間の変化である。Hilibrandらによれば，前方固定術後10年以上で，およそ25%が隣接椎間障害（adjacent-segment disease）で症状が出現する危険性がある[58]（後述）。

脊髄の圧迫がたとえ前方にあっても後方から除圧することで十分な治療効果が期待できることは，頚椎椎間板ヘルニアと圧迫性頚部脊髄症について全般的にいえる[37,41]。しかし，前方からの大きな圧迫病変（ヘルニアまたは後縦靱帯骨化）があれば，後方除圧術では除圧効果が不十分なこともある[59]。したがって，圧迫性頚部脊髄症の術式決定では圧迫が前後どこで起こっているかで判断するのではなく，合併症や隣接椎間への影響を考慮して術者の経験や患者の意志で決定すべきものと考える。大部分の圧迫性頚部脊髄症は，発育性脊柱管狭窄の有無にかかわらず脊柱管拡大術で対処可能だが，動的因子の強い神経根症状（根性痛や筋力低下を伴ったもの）の明らかな症例では，神経根除圧の確実性と椎間を開大，かつ固定するといった前方除圧固定術の利点を最大に活用すべきと考える。また，1～2椎間に前方から大きなヘルニアまたは後縦靱帯骨化が存在する場合（脊柱管占拠率が60%以上）は，前方除圧固定術を選択の考慮に入れる必要がある[60]。

● 前方除圧固定術後の隣接椎間障害[58,120]

・Hilibrand AS, Carlson GD, Palumbo MA, et al：Radiculopathy and myelopathy at segments adjacent to the site of a previous anterior cervical arthrodesis. J Bone Joint Surg Am 81：519-528, 1999.[58]

a. 対象

頚部脊髄症または神経根症患者374人に計409回の前方固定術を施行（平均年齢51歳），うち28例は2回，2例は3回，1例は4回の手術を施行した。409例中初回手術前284例は根性痛，103例は頚部脊髄症，22例は頚部脊髄症＋神経根症であった。409例中338例は椎間固定術（1椎間168例，2椎間131例，3椎間37例，4椎間2例）を施行し，残り71例は亜全摘術（1椎体20例，2椎体28例，3椎体21例，4椎体2例，腸骨41例，腓骨30例）を施行した。最長21年の追跡で新たな頚部脊髄症または神経根症の出現をKaplan-Meier法により調査した。

b. 結果

374人中55人（409例中58例）に新たな頚部脊髄症または神経根症の出現を認めた（14.2%）。

術後10年で毎年平均2.9%（0～4.8%）の出現率であった。

・術後5年で13.6%，10年で25.6%に新たな頚部脊髄症または神経根症の出現を認めた（Kaplan-Meier法）。
・隣接椎間のレベルで危険度が有意に異なっていた。
・C3/4, 4/5椎間（intermediate risk）はC2/3, C7/T1（low risk）に比べ，3.2倍の危険率であった。
・C5/6, 6/7椎間（high risk）は4.9倍の危険率であった。
・多椎間固定は1椎間固定に比べて有意に危険率は低い。
・256例の多椎間固定中31例（12%）で症状が出現した。
・153例の1椎間固定中27例（18%）で症状が出現した。

新たな頚部脊髄症または神経根症の出現を認めた55人（58例）中49人（50例）の術前X線をGrade Ⅰ～Ⅳで評価すると，術前，隣接椎間に変化がなかった症例で新たに症状が出現するまで平均7年以上なのに対して，手術時，隣接椎間がGrade Ⅳであった症例では2年未満であった。Grade Ⅲ～Ⅳは高齢者が多く，変性の程度と手術時年齢は相関していた。

c. 結論

臨床評価が画像評価と症状との関連を示唆する場合，MRIやミエログラフィで圧迫所見があ

れば，そのレベルは固定範囲に含めるべきである。前方固定術の場合，術後10年でおよそ25％が隣接椎間に新たに問題が生じることを知らせるべきである。

7 頚椎アライメントと椎弓形成術

●頚椎前弯とバイオメカニクス

頚椎の前弯（C2/7）は正常中高年では平均22～27°である[61]が，椎弓切除や椎弓形成術後に後弯を呈する症例が存在する。これらの治療には，後方または前方からのインストゥルメンテーションが必要な場合が多い。選択としては，前方からは頚椎プレート，後方からは外側塊プレートまたは椎弓根スクリューの使用が考えられる。頚椎における荷重は椎体および椎間板などの前方（anterior column）に36％が，椎間関節などの後方（posterior column）に64％（左右各32％）がかかっているため[62]，荷重の85％が前方椎間板にかかっている腰椎と異なり，後方の安定性を得ることも重要になってくる。

●頚椎後弯と椎弓形成術

術前の頚椎アライメントが後弯位であると，椎弓形成術での改善率が悪いとされている[63]。Sudaらの報告では，中間位側面像で13°を超える局所性後弯が頚部脊髄症に対する椎弓形成術の最も重要な危険因子で，このような症例では前方除圧固定術あるいは後方から椎弓根スクリューによる矯正・固定を追加することを勧めている[45]。しかし，頚椎のアライメントが後弯位ということだけで椎弓形成術は適応外なのだろうか。実際には，頚椎全体のアライメントよりも圧迫椎間での局所アライメントがより重要と考えられる。

1）後弯の頂点が最大圧迫部位か，2）椎間に不安定性を伴っているか，3）頚椎のアライメントは後弯位でも，MRIで頚髄のアライメントはどうか，などを総合的に調べ，前方除圧固定か後方除圧かを考慮するのが妥当と考えている。

●椎弓形成術か椎弓切除術か？[115]

椎弓形成術は，1970年代に圧迫性頚部脊髄症に対する術式として主に日本の整形外科医によって開発されてきた[64～66]。いままでさまざまな技術的工夫がなされており，椎弓形成術は多椎間罹患の圧迫性頚部脊髄症に対して最も選択されることが多く，かつ安定した長期成績を期待できる術式となっている[38,67]。しかし，後弯変形など術後の脊柱変形や不安定性[44,68,69]，いわゆるlaminectomy membrane[70]による再狭窄や神経症状の再悪化などの椎弓切除術に関連する合併症は椎弓形成術の開発や改良によって解決されたのであろうか。

Baisdenらはヤギを，Fieldsらはウサギを使い，生体力学的あるいはX線学的に椎弓形成術の優位性を報告している[71,72]。Nowinskiらのヒト死体標本を用いた生体力学実験では，片開き式椎弓形成術では軸捻転（axial torsion）以外，有意な動きの増加を認めなかったが，椎弓切除術（椎間関節を25％切除）では有意に不安定性が増加したと報告している[73]。

Hukudaらの両開き式椎弓形成術18例（追跡期間5年）と椎弓切除術10例の比較検討では両者に手術成績の差はなく，また術後の前弯減少も両者で約30％認められ，臨床的な有意差は認められなかった[74]。同様にNakanoらの片開き式椎弓形成術75例（平均追跡期間4年6カ月）と椎弓切除術14例（平均追跡期間10年8カ月）の比較検討でも両者に臨床的な差は認められなかった[75]。一方，HerkowitzやHellerらのretrospective reviewでは椎弓切除術に比べて椎弓形成術が勝っていたと報告している[76,77]。頚椎後縦靱帯骨化症（OPLL）に対する椎弓切除術と椎弓形成術の10年以上の長期成績では，椎弓切除術では頚椎アライメントの変化が47％，後弯化が25％に認められたのに対して，椎弓形成術ではアライメント変化は25％，後弯化は8％に抑制されていた[38,68]。いずれの術式も頚椎アライメントの変化と手術成績との関連は否定しているものの，長期的にみて椎弓形成術は椎弓切除術に比して優れた手術成績を獲得できている[38,67,68]。

Ratliffらによるcritical reviewでは，椎弓切除術後の不安定性は切除する関節包や椎間関節の程度に関連し，postlaminectomy membraneによる再狭窄は臨床的には証明されていない，といままでに報告されている椎弓切除術特有の合併症に否定的な意見である[78]。さらに，椎弓形成術に特有の問題点として，頚椎可動域の減

少[79]や頚部痛などの軸性疼痛[34]，および4.7〜8％の頻度で生じるC5神経根麻痺[35]などがいまだ解決されたとはいいがたく，文献的な解析からでは成人に対する椎弓形成術の有効性を肯定できないと考察している[78]．術後の後弯変形に関しても，不適切な椎弓形成術では軽度の後弯でも温存した椎弓がかえって後方からの圧迫因子となり，その後の治療に難渋することもある[44]．したがって，椎弓形成術の優位性を，高い科学的根拠に基づいて結論づけることはできないが，逆に椎弓切除術が椎弓形成術に勝る科学的根拠は一切存在しないことから，圧迫性頚部脊髄症に対する術式選択においては，個人的意見として，椎弓形成術のほうが臨床的には長期的有効性があると考える．

3-7. 頚部脊髄症の予後因子

圧迫性頚部脊髄症において最も重要な予後因子は最大圧迫部の脊髄面積であり[80]，脊髄面積が30mm^{2}未満の症例の予後は一般に不良である[81]．しかし，頚椎椎間板ヘルニア(soft disc)による頚部脊髄症では，術前の最大圧迫部の脊髄面積が30mm^{2}未満の症例でも良好な手術成績を示す．このことからも，soft discによる頚部脊髄症の予後は多椎間に及ぶ頚椎症性頚部脊髄症の場合と異なり，術前脊髄面積だけでは予測できず，たとえ脊髄面積が30mm2未満で脊髄圧迫が重度な症例でも，広範囲の脊柱管拡大術で脊髄の除圧さえ得られれば良好な手術成績が得られる可能性が高い．圧迫性頚部脊髄症の予後には圧迫椎間数または罹病期間が大きく関与していると推論できる．

MRIでの輝度変化も予後判定に有用である．一般的には，T2強調像での高輝度は手術成績には関連しないが，この理由に手術成績は主に白質の索路徴候(long tract sign)に左右され，灰白質の髄節徴候(segmental sign)を反映するT2強調像での高輝度は臨床成績上出てこない可能性がある[22]．しかし，Wadaらが指摘するように多椎間に及ぶ線上の高輝度変化は上肢の筋萎縮を伴い，成績不良の因子となり得る[82]．

3-8. 頚部脊髄症の客観的評価

圧迫性頚部脊髄症の評価は，日本では日本整形外科学会頚部脊髄症治療成績判定基準(JOAスコア：表Ⅱ-3-9)[83]で行うことが広く受け入れられているが，他にJOAスコアの北米修正版であるmodified JOA scale(表Ⅱ-3-10)[84]，Nurick grade(表Ⅱ-3-11)[85]，日本整形外科学会頚部脊髄症評価質問票(JOACMEQ：表Ⅱ-3-12)[86]，頚部脊髄症術前評価票(表Ⅱ-3-13)などがある．

引用文献

1) Taylor AR：Mechanism and treatment of spinal-cord disorders associated with cervical spondylosis. Lancet 1：717-720, 1953.
2) Murone I：The importance of the sagittal diameters of the cervical spinal canal in relation to spondylosis and myelopathy. J Bone Joint Surg Br 56：30-36, 1974.
3) Penning L：Some aspects of plain radiography of the cervical spine in chronic myelopathy. Neurology 12：513-519, 1962.
4) 片岡 治，栗原 章，円尾宗司：頚椎症性脊髄症におけるdynamic canal stenosisについて．臨整外 10：1133-1143, 1975.
5) Keegen JJ：The cause of dissociated motorloss in the upper extremity with cervical spondylosis. J Neurosurg 23：528-536, 1965.
6) Singh A, Crockard HA：Quantitative assessment of cervical spondylotic myelopathy by a simple walking test. Lancet 354：370-373, 1999.
7) Yukawa Y, Kato F, Ito K, et al："Ten second step test" as a new quantifiable parameter of cervical myelopathy. Spine 34：82-86, 2008.
8) Ogawa Y, Yukawa Y, Morita D, et al：10-second step test for quantitative evaluation of the severity of thoracic compressive myelopathy. Spine 38：1405-1408, 2013.
9) Yukawa Y, Nakashima H, Ito K, et al：Quantifiable tests for cervical myelopathy；10-s grip and release test and 10-s step test：standard values and aging variation from 1230 healthy volunteers. J Orthop Sci 18：509-513, 2013.
10) 国分正一：頚椎症性脊髄症における責任椎間板高位の神経学的診断．臨整外 19：417-424, 1984.
11) 都築暢之，本田英義，田中洋次郎：頚髄髄節および頚神経根の形態的変動とその臨床的意義．整形外科 34：229-235, 1983.
12) 平林 洌，里見和彦，若野紘一：単一椎間固定例からみた頚部脊椎症の神経症状—とくに頚部脊髄症の高位診断について．臨整外 19：409-415, 1984.

表II-3-9　日本整形外科学会頚部脊髄症治療成績判定基準（JOAスコア）（文献83より）

◎上肢運動機能（手指）
　　4（正　　　常）：正常
　　3（軽 度 障 害）：箸，書字ぎこちない，ワイシャツの袖のボタンかけ可能
　　2（中等度障害）：箸で大きな物はつまめる。書字，辛うじて可能，大きなボタンかけ可能
　　1（高 度 障 害）：箸，書字，不能，スプーン・フォークで辛うじて可能
　　0（不　　　能）：自力では不能（箸，スプーン・フォーク，ボタンかけすべて不能）
◎上肢運動機能（肩・肘機能）
　　−2（高 度 障 害）：三角筋または上腕二頭筋≦2
　　−1（中等度障害）：三角筋または上腕二頭筋=3
　　　　　　　　　　（−0.5（軽度障害）：三角筋または上腕二頭筋=4）
　　−0（正　　　常）：三角筋または上腕二頭筋=5
◎下肢運動機能
　　4（正　　　常）：正常
　　3（軽 度 障 害）：ぎこちないが，速歩可能
　　　　　　　　　　（2.5：平地では支持不要，階段の降りのみ手すり必要）
　　2（中等度障害）：平地では支持不要，階段の昇降に手すり必要
　　　　　　　　　　（1.5：平地では支持なしで歩けるが，不安定）
　　1（高 度 障 害）：平地でも支持が必要
　　　　　　　　　　（0.5：立位は可能）
　　0（不　　　能）：独立，独歩不能
◎上肢知覚機能
　　2（正　　　常）：正常
　　　　　　　　　　（1.5（軽度障害）：軽いしびれのみ（知覚正常））
　　1（中等度障害）：6/10以上の鈍麻（触覚，痛覚），しびれ，過敏
　　　　　　　　　　（0.5：5/10以下の鈍麻（触覚，痛覚），耐えがたいほどの痛み，しびれ）
　　0（高 度 障 害）：知覚脱出（触覚，痛覚）
◎体幹知覚機能
　　2（正　　　常）：正常
　　　　　　　　　　（1.5（軽度障害）：軽いしびれのみ（知覚正常））
　　1（中等度障害）：6/10以上の鈍麻（触覚，痛覚），絞扼感，しびれ，過敏
　　　　　　　　　　（0.5：5/10以下の鈍麻（触覚，痛覚），耐えがたいほどの痛み，しびれ）
　　0（高 度 障 害）：知覚脱出（触覚，痛覚）
◎下肢知覚機能
　　2（正　　　常）：正常
　　　　　　　　　　（1.5（軽度障害）：軽いしびれのみ（知覚正常））
　　1（中等度障害）：6/10以上の鈍麻（触覚，痛覚），しびれ，過敏
　　　　　　　　　　（0.5：5/10以下の鈍麻（触覚，痛覚），耐えがたいほどの痛み，しびれ）
　　0（高 度 障 害）：知覚脱出（触覚，痛覚）
◎膀胱機能
　　3（正　　　常）：正常
　　2（軽 度 障 害）：開始遅延，頻尿
　　1（中等度障害）：残尿感，怒責，尿切れ不良，排尿時間延長，尿もれ
　　0（高 度 障 害）：尿閉，失禁

13) 星地亜都司：頚部脊髄症の神経学的高位診断チャートのEBMは？　脊椎脊髄 19：1002-1005, 2006.
14) 清水敬親，島田晴彦：Scapulohumeral Reflex—その臨床的意義と検査手技の実際．臨整外 27：529-536, 1992.
15) Matsumoto M, Fujimura Y, Toyama Y：Usefulness and reliability of neurological signs for level diagnosis in cervical myelopathy caused by soft disc herniation. J Spinal Disord 9：317-321, 1996.
16) Matsumoto M, Ishikawa M, Ishii K, et al：Usefulness of neurological examination for diagnosis of the affected level in patients with cervical compressive myelopathy：prospective comparative study with radiological evaluation. J Neurosurg Spine 2：535-539, 2005.
17) Seichi A, Takeshita K, Kawaguchi H, et al：Neurologic level diagnosis of cervical stenotic myelopathy. Spine

表Ⅱ-3-10 Cervical spondylotic myelopathy functional assessment scale (modified JOA scale)(文献84より)

Score	Definition
	Motor dysfunction score of the upper extremities
0	Inability to move hands
1	Inability to eat with a spoon, but able to move hands
2	Inability to button shirt, but able to eat with a spoon
3	Able to button shirt with great difficulty
4	Able to button shirt with slight difficulty
5	No dysfunction
	Motor dysfunction score of the lower extremities
0	Complete loss of motor and sensory function
1	Sensory preservation without ability to move legs
2	Able to move legs, but unable to walk
3	Able to walk on flat floor with a walking aid (i.e., cane or crutch)
4	Able to walk up/or down stairs with hand rail
5	Moderate to significant lack of stability, but able to walk up and/or down stairs without hand rail
6	Mild lack of stability but walks with smooth reciprocation unaided
7	No dysfunction
	Sensory dysfunction score of the upper extremities
0	Complete loss of hand sensation
1	Severe sensory loss or pain
2	Mild sensory loss
3	No sensory loss
	Sphincter dysfunction score
0	Inability to micturate voluntarily
1	Marked difficulty with micturition
2	Mild to moderate difficulty with micturition
3	Normal micturition

表Ⅱ-3-11 Nurick grade(文献85より)

Grade 0：根障害はあるが，脊髄障害はない．
Grade 1：脊髄障害の徴候はあるが，歩行障害はない．
Grade 2：軽微な歩行障害はあるが，全時間就労を妨げるほどではない．
Grade 3：歩行障害のために全時間就労ができず，また家事のすべては行えない．しかし，歩行に他人の援助は要さない．
Grade 4：歩行に他人の援助か歩行器が必要である．
Grade 5：車椅子生活，または寝たきり．

表Ⅱ-3-12　日本整形外科学会頚部脊髄症評価質問票（JOACMEQ）（文献86より）

最近1週間ぐらいを思い出して，設問ごとに，あなたの状態にもっとも近いものの番号に○をつけてください。日や時間によって状態が変わる場合は，もっとも悪かったときのものをお答えください。

問1-1 いすに腰掛けて，首だけを動かして，自分の真上の天井をみることができますか
　　1）できない　　2）無理をすればできる　　3）不自由なくできる

問1-2 コップの水を一気に飲み干すことができますか
　　1）できない　　2）無理をすればできる　　3）不自由なくできる

問1-3 いすに座って，後ろの席に座った人の顔を見ながら話をすることができますか
　　1）できない　　2）無理をすればできる　　3）不自由なくできる

問1-4 階段を下りるときに，足元を見ることができますか
　　1）できない　　2）無理をすればできる　　3）不自由なくできる

問2-1 ブラウスやワイシャツなどの前ボタンを両手を使ってかけることができますか
　　1）できない　　2）時間をかければできる　　3）不自由なくできる

問2-2 きき手でスプーンやフォークを使って食事ができますか
　　1）できない　　2）時間をかければできる　　3）不自由なくできる

問2-3 片手をあげることができますか（左右の手のうち悪いほうで答えてください）
　　1）できない　　2）途中まで（肩の高さぐらいまで）ならあげることができる
　　3）すこし手が曲がるが上にあげることができる　　4）まっすぐ上にあげることができる

問3-1 平らな場所を歩くことができますか
　　1）できない
　　2）支持（手すり，杖，歩行器など）を使ってもゆっくりとしか歩くことができない
　　3）支持（手すり，杖，歩行器など）があれば，歩くことができる
　　4）ゆっくりとなら歩くことができる　　5）不自由なく歩くことができる

問3-2 手で支えずに片足立ちができますか
　　1）どちらの足もほとんどできない　　2）どちらかの足は10秒数えるまではできない
　　3）両足とも10秒数える間以上できる

問3-3 あなたは，からだのぐあいが悪いことから，階段で上の階へ上ることをむずかしいと感じますか
　　1）とてもむずかしいと感じる　　2）少しむずかしいと感じる　　3）まったくむずかしいとは感じない

問3-4 あなたは，からだのぐあいが悪いことから，体を前に曲げる・ひざまずく・かがむ動作をむずかしいと感じますか。どれかひとつでもむずかしく感じる場合は「感じる」としてください
　　1）とてもむずかしいと感じる　　2）少しむずかしいと感じる　　3）まったくむずかしいとは感じない

問3-5 あなたは，からだのぐあいが悪いことから，15分以上つづけて歩くことをむずかしいと感じますか
　　1）とてもむずかしいと感じる　　2）少しむずかしいと感じる　　3）まったくむずかしいとは感じない

問4-1 おしっこ（尿）を漏らすことがありますか
　　1）いつも漏れる　　2）しばしば漏れる　　3）2時間以上おしっこ（排尿）しないと漏れる
　　4）くしゃみや気張ったときに漏れる　　5）まったくない

問4-2 夜中に，トイレ（おしっこ（排尿））に起きますか
　　1）一晩に3回以上起きる　　2）一晩に1，2回起きる　　3）ほとんど起きることはない

問4-3 おしっこ（排尿）の後も，尿の残った感じがありますか
　　1）たいていのときにある　　2）あるときとないときがある　　3）ほとんどのときにない

問4-4 便器の前で（便器に座って），すぐにおしっこ（尿）が出ますか
　　1）たいていのときすぐには出ない　　2）すぐに出るときとすぐには出ないときがある
　　3）ほとんどのときすぐに出る

問5-1 あなたの現在の健康状態をお答えください
　　1）よくない　　2）あまりよくない　　3）よい　　4）とてもよい　　5）最高によい

問5-2 あなたは，からだのぐあいが悪いことから，仕事や普段の活動が思ったほどできなかったことがありましたか
　　1）いつもできなかった　　2）ほとんどいつもできなかった　　3）ときどきできないことがあった
　　4）ほとんどいつもできた　　5）いつもできた

表Ⅱ-3-12 日本整形外科学会頚部脊髄症評価質問票(JOACMEQ)(つづき)

問5-3 痛みのために，いつもの仕事はどのくらい妨げられましたか
1) 非常に妨げられた　　2) かなり妨げられた　　3) 少し妨げられた
4) あまり妨げられなかった　　5) まったく妨げられなかった

問5-4 あなたは落ち込んでゆううつな気分を感じましたか
1) いつも感じた　　2) ほとんどいつも感じた　　3) ときどき感じた
4) ほとんど感じなかった　　5) まったく感じなかった

問5-5 あなたは疲れ果てた感じでしたか
1) いつも疲れ果てた感じだった　　2) ほとんどいつも疲れ果てた感じだった
3) ときどき疲れ果てた感じだった　　4) ほとんど疲れを感じなかった
5) まったく疲れを感じなかった

問5-6 あなたは楽しい気分でしたか
1) まったく楽しくなかった　　2) ほとんど楽しくなかった　　3) ときどき楽しい気分だった
4) ほとんどいつも楽しい気分だった　　5) いつも楽しい気分だった

問5-7 あなたは，自分は人並みに健康であると思いますか
1) 「人並みに健康である」とはまったく思わない　　2) 「人並みに健康である」とはあまり思わない
3) かろうじて「人並みに健康である」と思う　　4) ほぼ「人並みに健康である」と思う
5) 「人並みに健康である」と思う

問5-8 あなたは，自分の健康が悪くなるような気がしますか
1) 悪くなるような気が大いにする　　2) 悪くなるような気が少しする
3) 悪くなるような気がするときもしないときもある
4) 悪くなるような気はあまりしない　　5) 悪くなるような気はまったくしない

次の各症状について、「痛みやしびれがまったくない状態」を0、「想像できるもっともひどい状態」を10と考えて、最近1週間で最も症状のひどいときの痛みやしびれの程度が、0から10の間のいくつぐらいで表せるかを線の上に記してください。

くびや肩の痛みやこりがある
場合，その程度は
0 ———————————————————— 10

胸を締め付けられる様な感じ
がある場合，その程度は
0 ———————————————————— 10

胸や手に痛みやしびれがある
場合，その程度は（両手にあ
る場合はひどい方）
0 ———————————————————— 10

胸から足先にかけて痛みや
しびれがある場合，その程度は
0 ———————————————————— 10
　まったくない　　　　　　想像できるもっともひどい状態

複写は可だが，改変を禁ずる。
会員以外の無断使用を禁ずる。
© 2007　社団法人日本整形外科学会

表Ⅱ-3-13　頚部脊髄症術前評価票

検査日：

患者名：　　　　　　　　　　ID番号：

主訴：

初発症状：　　　　　　　初発時期：　　　　　　歩行困難感出現時期：

移動：独歩・支持歩行（杖・押し車・歩行器）・車椅子（2-3歩・独歩不可）・寝たきり（　　から）

立位：安定・不安定　　Romberg sign：　　　　Mann test：　　　　Tandem gait：

疼痛の有無と部位（NRS）：

手の評価	右	左		右	左
○10秒テスト			○握力（kg）		
反射	右	左		右	左
○BTR (C5>6)			○PTR (L3,4)		
偽性亢進			○ATR (S1)		
○RR (C6)			○A-clonus		
手指屈曲			○Babinski	Flexor Toe	Flexor Toe
○TTR (C7)				Extensor Toe	Extensor Toe
○Hoffmann(C8)				Silent	Silent
○Trömner(C8)			○Jaw jerk		
○Wartenberg(C8)			○SHR		

日本整形外科学会頚髄症治療成績判定基準
◎上肢運動機能（手指）
　　4（正　　常）：正常
　　3（軽度障害）：箸，書字ぎこちない，ワイシャツの袖のボタンかけ可能
　　2（中等度障害）：箸で大きな物はつまめる。書字，辛うじて可能，大きなボタンかけ可能
　　1（高度障害）：箸，書字，不能，スプーン・フォークで辛うじて可能
　　0（不　　能）：自力では不能（箸，スプーン・フォーク，ボタンかけすべて不能）
◎上肢運動機能（肩・肘機能）
　　−2（高度障害）：三角筋または上腕二頭筋≦2
　　−1（中等度障害）：三角筋または上腕二頭筋＝3
　　　　　　（−0.5（軽度障害）：三角筋または上腕二頭筋＝4）
　　−0（正　　常）：三角筋または上腕二頭筋＝5
◎下肢運動機能
　　4（正　　常）：正常
　　3（軽度障害）：ぎこちないが，速歩可能
　　　　　　　　（2.5：平地では支持不要，階段の降りのみ手すり必要）
　　2（中等度障害）：平地では支持不要，階段の昇降に手すり必要
　　　　　　　　（1.5：平地では支持なしで歩けるが，不安定）
　　1（高度障害）：平地でも支持が必要
　　　　　　　　（0.5：立位は可能）
　　0（不　　能）：独立，独歩不能

表Ⅱ-3-13　頚部脊髄症術前評価票(つづき)

◎上肢知覚機能
　　2(正　　常)：正常
　　　　　　　　　(1.5(軽度障害)：軽いしびれのみ(知覚正常))
　　1(中等度障害)：6/10以上の鈍麻(触覚，痛覚)，しびれ，過敏
　　　　　　　　　(0.5：5/10以下の鈍麻(触覚，痛覚)，耐えがたいほどの痛み，しびれ)
　　0(高度障害)：知覚脱出(触覚，痛覚)
◎体幹知覚機能
　　2(正　　常)：正常
　　　　　　　　　(1.5(軽度障害)：軽いしびれのみ(知覚正常))
　　1(中等度障害)：6/10以上の鈍麻(触覚，痛覚)，絞扼感，しびれ，過敏
　　　　　　　　　(0.5：5/10以下の鈍麻(触覚，痛覚)，耐えがたいほどの痛み，しびれ)
　　0(高度障害)：知覚脱出(触覚，痛覚)
◎下肢知覚機能
　　2(正　　常)：正常
　　　　　　　　　(1.5(軽度障害)：軽いしびれのみ(知覚正常))
　　1(中等度障害)：6/10以上の鈍麻(触覚，痛覚)，しびれ，過敏
　　　　　　　　　(0.5：5/10以下の鈍麻(触覚，痛覚)，耐えがたいほどの痛み，しびれ)
　　0(高度障害)：知覚脱出(触覚，痛覚)
◎膀胱機能
　　3(正　　常)：正常
　　2(軽度障害)：開始遅延，頻尿
　　1(中等度障害)：残尿感，怒責，尿切れ不良，排尿時間延長，尿もれ
　　0(高度障害)：尿閉，失禁

筋力：　　　　　　　　　　右　　　　左　　　　知覚障害：

○Deltoid（C5, Ax）

○Biceps（C5-6, MC）

○BR（C6, Rad）

○Wrist Ext（C6-7, Rad）

○Triceps（C7, Rad）

○EDC（C7-8, Rad）

○FDP（C8, Ⅳ-Ⅴ：Uln）

○FDS（T1, Med）

○APL（C8-7, Rad）

○APB（T1, Med）

○ADM（C8-T1, Uln）

○下肢

Ax：腋窩神経　MC：筋皮神経　Rad：橈骨神経　Med：正中神経　Uln：尺骨神経

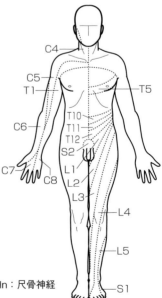

表Ⅱ-3-13　頚部脊髄症術前評価票(つづき)

　　筋萎縮：

　　神経内科コンサルト：不要・済み・検査後要
　　神経所見から推察する障害髄節または神経根：　　　　髄節　　　　　神経根

●画像評価・アライメント：
　　　側面中間位原寸大にての最小脊柱管径：　　　mm
　　　後屈位でのdynamic canal：　　　mm
　　　中間位アライメント：Lordosis　Straight　Kyphosis　Swan-neck
　　　　　　　Kyphosis：全体的　　局所性（レベル：　　　）　　　後弯角：
　　OPLL：形態　　　　レベル　　　　SAC：　　　　　　骨化占拠率：
　　前後屈でのすべり：
　　不安定性：
●MRI所見：　　T2W　　　　　　　　　　　　　　T1W
　　　髄内輝度変化（高位と範囲）：T2W　　　　　T1W
　　　脊髄自体のアライメント：-

予定手術：椎弓形成術　　　　椎間固定術　　　　　椎体亜全摘術
---入院後---

● ミエロ・CTM所見：

● 画像所見での圧迫レベル：

● 術式選択変更の有無：

---

18) Glaser JA, Cure JK, Bailey KL, et al：Cervical spinal cord compression and the Hoffmann sign. Iowa Orthop J 21：49-52, 2001.
19) Sung RD, Wang JC：Correlation between a positive Hoffmann's reflex and cervical pathology in asymptomatic individuals. Spine 26：67-70, 2001.
20) Chikuda H, Seichi A, Takeshita K, et al：Correlation between pyramidal signs and the severity of cervical myelopathy. Eur Spine J 19：1684-1689, 2010.
21) Ono K：The Surgeon's view on differential diagnosis in patients with cervical spine disorders. Cervical Spondylosis and Similar Disorders, World Scientific, Singapore, p314, 1998.
22) Wada E, Ohmura M, Yonenobu K：Intramedullary changes of the spinal cord in cervical spondylotic myelopathy. Spine 20：2226-2232, 1995.
23) Al-Mefty O, Harkey LH, Middleton TH, et al：Myelopathic cervical spondylotic lesions demonstrated by magnetic resonance imaging. J Neurosurg 68：217-222, 1988.
24) Ramanauskas WL, Wilner HI, Metes JJ, et al：MR imaging of compressive myelomalacia. J Comput Assist Tomogr 13：399-404, 1989.
25) Mizuno J, Nakagawa H, Inoue T, et al：Clinicopathological study of "snake-eye appearance" in compressive myelopathy of the cervical spinal cord. J Neurosurg 99（2 Suppl）：162-168, 2003.
26) 平山惠造：若年性一側上肢筋萎縮症　その発見から治療まで．臨床神経33：1235-1243，1993.
27) Fujimori T, Tamura A, Miwa T, et al：Severe cervical flexion myelopathy with long tract signs—A case report and a review of literature—. Spinal Cord Ser Cases 3：17016, 2017.

28) Clarke E, Robinson PK：Cervical myelopathy. A complication of cervical spondylosis. Brain 79：483-510, 1956.
29) Lees F, Turner J：Natural history and prognosis of cervical spondylosis. Br Med J 2：1607-1610, 1963.
30) Nurick S：The natural history and the results of surgical treatment of the spinal cord disorder associated with cervical spondylosis. Brain 95：101-105, 1972.
31) Kadanka Z, Mares M, Bednanik J, et al：Approaches to spondylotic cervical myelopathy：conservative versus surgical results in a 3-year follow-up study. Spine 27：2205-2210, 2002.
32) Sampath P, Bendebba M, Davis JD, et al：Outcome of patients treated for cervical myelopathy. A prospective, multicenter study with independent clinical review. Spine 25：670-676, 2000.
33) Matsumoto M, Toyama Y, Ishikawa M, et al：Increased signal intensity of the spinal cord on MR images in cervical compressive myelopathy. Does it predict the outcome of conservative treatment？ Spine 25：677-682, 2000.
34) Hosono N, Yonenobu K, Ono K：Neck and shoulder pain after laminoplasty. A noticeable complaint. Spine 21：1969-1973, 1996.
35) Sakaura H, Hosono N, Mukai Y, et al：C5 palsy after decompression surgery for cervical myelopathy：review of the literature. Spine 28：2447-2451, 2003.
36) Sakaura H, Hosono N, Mukai Y, et al：Segmental motor paralysis after cervical laminoplasty. A prospective study. Spine 31：2684-2688, 2006.
37) Iwasaki M, Ebara S, Miyamoto S, et al：Expansive laminoplasty for cervical radiculomyelopathy due to soft disc herniation. A comparative study of laminoplasty and anterior arthrodesis. Spine 21：32-38, 1996.
38) Iwasaki M, Kawaguchi Y, Kimura T, et al：Long-term results of expansive laminoplasty for ossification of the posterior longitudinal ligament of the cervical spine：more than 10 years follow up. J Neurosurg 96(2 Suppl)：180-189, 2002.
39) Wada E, Suzuki S, Kanazawa A, et al：Subtotal corpectomy versus laminoplasty for multilevel cervical spondylotic myelopathy：A long term follow-up study over 10 years. Spine 26：1443-1448, 2001.
40) Yonenobu K, Hosono N, Iwasaki M, et al：Laminoplasty versus subtotal corpectomy. A comparative study of results in multisegmental cervical spondylotic myelopathy. Spine 17：1281-1284, 1992.
41) Sakaura H, Hosono N, Mukai Y, et al：Long-term outcome of laminoplasty for cervical myelopathy due to disc herniation. A comparative study of laminoplasty and anterior spinal fusion. Spine 30：756-759, 2005.
42) Hirai T, Okawa A, Arai Y, et al：Middle-term results of a prospective comparative study of anterior decompression with fusion and posterior decompression with laminoplasty for the treatment of cervical spondylotic myelopathy. Spine 36：1940-1947, 2011.
43) Hirai T, Kawabata S, Enomoto M, et al：Presence of anterior compression of the spinal cord after laminoplasty inhibits upper extremity motor recovery in patients with cervical spondylotic myelopathy. Spine 37：377-384, 2012.
44) Iwasaki M, Yamamoto T, Miyauchi A, et al：Cervical kyphosis-predictive factors for progression of kyphosis and myelopathy. Spine 27：1419-1425, 2002.
45) Suda K, Abumi K, Ito M, et al：Local kyphosis reduces surgical outcomes of expansive open-door laminoplasty for cervical spondylotic myelopathy. Spine 28：1258-1262, 2003.
46) Uchida K, Nakajima H, Sato R, et al：Cervical spondylotic myelopathy associated with kyphosis or sagittal sigmoid alignment：outcome after anterior or posterior decompression. J Neurosurg Spine 11：521-528, 2009.
47) Saunders RL, Pikis HJ, Ball P：Four-level cervical corpectomy. Spine 23：2455-2461, 1998.
48) Connolly PJ, Esses SI, Kostuik JP：Anterior cervical fusion：outcome analysis of patients fused with and without anterior cervical plates. J Spinal Disord 9：202-206, 1996.
49) Wang JC, McDonough PW, Endow K, et al：The effect of cervical plating on single-level anterior cervical discectomy and fusion. J Spinal Disord 12：467-471, 1999.
50) Riew KD, Sethi NS, Devney J, et al：Complications of buttress plate stabilization of cervical corpectomy. Spine 24：2404-2410, 1999.
51) Vaccaro AR, Falatyn SP, Scuderi GJ, et al：Early failure of long segment anterior cervical plate fixation. J Spinal Disord 11：410-415, 1998.
52) Riew KD, Buchowski JM, Sasso R, et al：Cervical disc arthroplasty compared with arthrodesis for the treatment of myelopathy. J Bone Joint Surg Am 90：2354-2364, 2008.
53) Mehren C, Heider F, Siepe CJ, et al：Clinical and radiological outcome at 10 years of follow-up after total cervical disc replacement. Eur Spine J 26：2441-2449, 2017.
54) Lunsford LD, Bissonette DJ, Jannetta PJ, et al：Anterior surgery for cervical disease. Part 1：Treatment of lateral cervical disc herniation in 235 cases. J Neurosurg 53：1-11, 1980.
55) Bohlman HH, Emery SE, Goodfellow DB, et al：Robinson anterior cervical discectomy and arthrodesis for cervical radiculopathy. Long-term follow-up of one hundred and twenty-two patients. J Bone Joint Surg Am 75：1298-1307, 1993.
56) Bishop RC, Moore KA, Hadley MN：Anterior cervical interbody fusion using autogeneic and allogeneic bone graft substrate：a prospective comparative analysis. J Neurosurg 85：206-210, 1996.
57) Emery SE, Bohlman HH, Bolesta MJ, et al：Anterior cervical decompression and arthrodesis for the treat-

ment of cervical spondylotic myelopathy. Two to seventeen-year follow-up. J Bone Joint Surg Am 80：941-951, 1998.
58) Hilibrand AS, Carlson GD, Palumbo MA, et al：Radiculopathy and myelopathy at segments adjacent to the site of a previous anterior cervical arthrodesis. J Bone Joint Surg Am 81：519-528, 1999.
59) Iwasaki M, Okuda S, Miyauchi A, et al：Surgical strategy for cervical myelopathy due to ossification of the posterior longitudinal ligament. Part 1：Clinical results and limitations of laminoplasty. Spine 32：647-653, 2007.
60) Iwasaki M, Okuda S, Miyauchi A, et al：Surgical strategy for cervical myelopathy due to ossification of the posterior longitudinal ligament. Part 2：Advantages of anterior decompression and fusion over laminoplasty. Spine 32：654-660, 2007.
61) Gore DR, Sepic SB, Gardner GM：Roentgengraphic findings of the cervical spine in asymptomatic people. Spine 11：521-524, 1986.
62) Pal GP, Sherk HH：The vertical stability of the cervical spine. Spine 13：447-449, 1998.
63) Hirabayashi K, Toyama Y, Chiba K：Expansive laminoplasty for myelopathy in ossification of the longitudinal ligament. Clin Orthop 359：35-48, 1999.
64) Hirabayashi K, Miyakawa J, Satomi K, et al：Operative results and postoperative progression of ossification among patients with ossification of cervical posterior longitudinal ligament. Spine 6：354-364, 1981.
65) Kawai S, Sunago K, Doi K, et al：Cervical laminoplasty (Hattori's method). Procedure and follow-up results. Spine 13：1245-1250, 1988.
66) Tsuji H：Laminoplasty for patients with compressive myelopathy due to so-called spinal canal stenosis in cervical and thoracic regions. Spine 7：28-34, 1982.
67) Kawaguchi Y, Kanamori M, Ishihara H, et al：Minimum 10-year followup after en bloc cervical laminoplasty. Clin Orthop 411：129-139, 2003.
68) Kato Y, Iwasaki M, Fuji T, et al：Long-term follow-up results of laminectomy for cervical myelopathy caused by ossification of the posterior longitudinal ligament. J Neurosurg 89：217-223, 1998.
69) Mikawa Y, Shikata J, Yamamuro T：Spinal deformity and instability after multilevel cervical laminectomy. Spine 12：6-11, 1987.
70) LaRocca H, Macnab I：The laminectomy membrane. Studies in its evolution, characteristics, effects and prophylaxis in dogs. J Bone Joint Surg Br 56：545-550, 1974.
71) Baisden J, Voo LM, Cusick JF, et al：Evaluation of cervical laminectomy and laminoplasty. A longitudinal study in the goat model. Spine 24：1283-1289, 1999.
72) Fields MJ, Hoshijima K, Feng AH, et al：A biomechanical, radiologic, and clinical comparison of outcome after multilevel cervical laminectomy or laminoplasty in the rabbit. Spine 25：2925-2931, 2000.
73) Nowinski GP, Visarius H, Nolte LP, et al：A biomechanical comparison of cervical laminaplasty and cervical laminectomy with progressive facetectomy. Spine 18：1995-2004, 1993.
74) Hukuda S, Ogata M, Mochizuki T, et al：Laminectomy versus laminoplasty for cervical myelopathy：brief report. J Bone Joint Surg Br 70：325-326, 1988.
75) Nakano N, Nakano T, Nakano K：Comparison of the results of laminectomy and open-door laminoplasty for cervical spondylotic myeloradiculopathy and ossification of the posterior longitudinal ligament. Spine 13：792-794, 1988.
76) Herkowitz HN：A comparison of anterior cervical fusion, cervical laminectomy, and cervical laminoplasty for the surgical management of multiple level spondylotic radiculopathy. Spine 13：774-780, 1988.
77) Heller JG, Edwards CC 2nd, Murakami H, et al：Laminoplasty versus laminectomy and fusion for multilevel cervical myelopathy：an independent matched cohort analysis. Spine 26：1330-1336, 2001.
78) Ratliff JK, Cooper PR：Cervical laminoplasty：a critical review. J Neurosurg 98(3 Suppl)：230-238, 2003.
79) Maeda T, Arizono T, Saito T, et al：Cervical alignment, range of motion, and instability after cervical laminoplasty. Clin Orthop 401：132-138, 2002.
80) Fujiwara K, Yonenobu K, Hiroshima K, et al：Morphometry of the cervical spinal cord and its relation to pathology in cases with compression myelopathy. Spine 13：1212-1216, 1988.
81) Fujiwara K, Yonenobu K, Ebara S, et al：The prognosis of surgery for cervical compression myelopathy. An analysis of the factors involved. J Bone Joint Surg Br 71：393-398, 1989.
82) Wada E, Yonenobu K, Suzuki S, et al：Can intramedullary signal change on magnetic resonance imaging predict surgical outcome in cervical spondylotic myelopathy? Spine 24：455-462, 1999.
83) 日本整形外科学会頚髄症治療成績判定基準．日整会誌 68：490-503，1994．
84) Benzel E, Lancon J, Kesterson L, et al：Cervical laminectomy and dentate ligament section for cervical spondylotic myelopathy. J Spinal Disord 4：286-295, 1991.
85) Nurick S：The pathogenesis of the spinal cord disorder associated with cervical spondylosis. Brain 95：87-100, 1972.
86) 日本整形外科学会：日本整形外科学会頚部脊髄症評価質問票（JOACMEQ）．日整会誌 82：78-80，2008．

参考文献

87) Ono K, Ota H, Taka K, et al：Cervical myelopathy secondary to multiple spondylotic protrusions A clinicopathologic study. Spine 2：109-125, 1977.
88) 小野啓郎：圧迫性脊髄症の臨床と病理．日整会誌 60：103-118，1986．

89) 福田眞輔：頚髄の虚血性 myelopathy に関する実験的研究．日整会誌 41：215-235, 1967.
90) Shimomura Y, Hikuda S, Mizuno S：Experimental study of ischemic damage to the cervical spinal cord. J Neurosurg 28：565-581, 1968.
91) Hukuda S, Wilson CB：Experimental cervical myelopathy：effects of compression and ischemia on the canine cervical cord. J Neurosurg 37：631-652, 1972.
92) Al-Mefty O, Harkey HL, Marawi I, et al：Experimental chronic compressive cervical myelopathy. J Neurosurg 79：550-561, 1993.
93) 都築暢之：慢性脊髄障害の病態解明への基礎的アプローチ—頚髄症病態解明の現状．日整会誌 75：317-326, 2001.
94) Ebara S, Yonenobu K, Fujiwara K, et al：Myelopathy hand characterized by muscle wasting：A different type of myelopathy hand in patients with cervical spondylosis. Spine 13：785-791, 1988.
95) 小野啓郎，岡田孝三，米延策雄，他：Myelopathy hand と頚髄症の可逆性．別冊整形外科 No.2 頚椎外科の進歩，pp10-17, 1982.
96) Ono K, Ebara S, Fuji T, et al：Myelopathy hand：New clinical signs of cervical cord damage. J Bone Joint Surg Br 69：215-219, 1987.
97) 小野啓郎：Myelopathy Hand と 10 秒テスト．臨整外 50(12)：1156-1158, 2015.
98) 岩﨑幹季，長本行隆，奥田　眞，也：Myelopathy hand と頚髄症の重症度評価．脊椎脊髄 33：307-309, 2020.
99) Ogino H, Tada K, Okada K, et al：Canal diameter, anteroposterior compression ratio, and spondylotic myelopathy of the cervical spine. Spine 8：1-15, 1983.
100) Ono K, Ebara S, Fuji T, et al：Myelopathy hand：New clinical signs of cervical cord damage. J Bone Joint Surg Br 69：215-219, 1987.
101) 平山惠造，田代邦雄：平山病—発見から半世紀の歩み—診断・治療・病態機序，文光堂，2013.
102) 平山惠造，豊倉康夫，椿　忠雄，他：筋萎縮症の一新特異型の存在について．若年に発病し一側前腕より末梢に限局する進行の遅い特殊な筋萎縮症．精神経誌 61：2180-2198, 1959.
103) Barnes MP, Saunders M：The effect of cervical mobility on the natural history of cervical spondylotic myelopathy. J Neurol Neurosurg Psychiatry 471：17-20, 1984.
104) Sadasivan KK, Reddy RP, Albright JA：The natural history of cervical spondylotic myelopathy. Yale J Biol Med 66：235-242, 1993.
105) Naito K, Yamagata T, Ohta K, et al：Management of the patient with cervical cord compression but no evidence of myelopathy：what should we do? Neurosurg Clin N Am 29：145-152, 2018.
106) Ebersold MJ, Pare MC, Quast LM：Surgical treatment for cervical spondylitic myelopathy. J Neurosurg 82：745-751, 1995.
107) Kokubun S, Sato T, Ishii Y, et al：Cervical myelopathy in the Japanese. Clin Orthop 323：129-138, 1996.
108) Itoh T, Tsuji H：Technical improvements and results of laminoplasty for the compressive myelopathy in the cervical spine. Spine 10：729-736, 1985.
109) Satomi K, Nishu Y, Kohno T, et al：Long-term follow-up studies of open-door expansive laminoplasty for cervical stenotic myelopathy. Spine 19：507-510, 1994.
110) 岩﨑幹季：椎弓形成術の脊髄後方除圧としての限界．脊椎脊髄 26：1047-1054, 2013.
111) Robinson RA, Smith GW：Anterolateral cervical disc removal and interbody fusion for cervical disc syndrome [abstract]. Bull Johns Hopkins Hosp 96：223-224, 1955.
112) Bailey RW, Badgley CE：Stabilization of the cervical spine by anterior fusion. J Bone Joint Surg Am 42：565-594, 1960.
113) Macdonald RL, Fehlings MG, Tator CH, et al：Multi-level anterior cervical corpectomy and fibular allograft fusion for cervical myelopathy. J Neurosurg 86：990-997, 1997.
114) Okada K, Shirasaki N, Hayashi H, et al：Treatment of cervical spondylotic myelopathy by enlargement of the spinal canal anteriorly, followed by arthrodesis. J Bone Joint Surg Am 73：352-364, 1991.
115) 岩﨑幹季：椎弓形成術は椎弓切除術に勝るか？ 脊椎脊髄 17：232-234, 2004.
116) Edwards CC, Heller JG, Murakami H：Corpectomy versus laminoplasty for multilevel cervical myelopathy：An independent matched-Cohort analysis. Spine 27：1168-1175, 2002.
117) Yonenobu K, Fuji T, Ono K, et al：Choice of surgical treatment for multisegmental cervical spondylotic myelopathy. Spine 10：710-716, 1985.
118) Yonenobu K, Okada K, Fuji T, et al：Cause of neurologic deterioration following surgical treatment of cervical myelopathy. Spine 11：818-823, 1986.
119) Yonenobu K, Hosono N, Iwasaki M, et al：Neurologic complications of surgery for cervical compression myelopathy. Spine 16：1277-1282, 1991.
120) Gore DR, Sepic SB：Anterior cervical fusion for degenerated or discs. A review of one hundred fifty-six patients. Spine 9：667-671, 1984.

付．頚部脊髄症の退院サマリー

患者氏名：　　　　　ID：　　　　　外来主治医：　　　　　病棟担当医：

職業：

退院時主病名：

術前主訴：

術前の痛みの部位と程度（NRS）：

術前合併症：

既往歴・手術歴：

【現症】：独歩，杖歩行，歩行器，車椅子，寝たきり

術前JOAスコア：　　　　　　　　　　退院時JOAスコア：

　　　上肢機能　　　　　　　　　　　　上肢機能

　　　歩行能力　　　　　　　　　　　　歩行能力

　　　上肢の知覚　　　　　　　　　　　上肢の知覚

　　　下肢の知覚　　　　　　　　　　　下肢の知覚

　　　体幹の知覚　　　　　　　　　　　体幹の知覚

　　　膀胱機能　　　　　　　　　　　　膀胱機能

肩，肘機能

　　　肩拘縮の有無：　　　三角筋筋力：　　　　　　　上腕二頭筋筋力：

握力（kg）右：　　左：　　10秒テスト　右：　　左：

【術前画像評価】

　頚椎側面中間位全寸大にての最小脊柱管径：

　頚椎アライメント：Lordosis　Straight　Kyphosis　Swan-neck

　すべり，不安定性：

　MRI輝度変化（高位）：

　ミエロ所見：

　　　　胸椎・腰椎の圧迫所見：

手術

　手術日：　　　　　術式：　　　　　レベル：

　術者：　　　　　　手術時間：　　　術中出血量：

　人工材料：　　　　インストゥルメンテーション：

術中合併症：

追加手術：

術後上肢筋力麻痺の有無：

その他の術後合併症：

手術に対する満足度：　　○とても満足，手術して良かった
　　　　　　　　　　　　○満足
　　　　　　　　　　　　○どちらでもない，手術して良かったかどうかはっきりわからない
　　　　　　　　　　　　○満足していない
　　　　　　　　　　　　○全く満足していない，手術しないほうが良かった

退院時処方：

4 頚椎神経根症
cervical radiculopathy

4-1. 疾患の概説

　頚部脊髄症（頚髄症，cervical myelopathy）と区別して，神経根症状のみを呈するものを広く，**頚椎神経根症（cervical radiculopathy）**と定義する。原因疾患としては，椎間板ヘルニア（soft disc）や頚椎症（hard disc or spondylosis）が挙げられる。頚椎症（cervical spondylosis）は，椎体後縁外側やLuschka関節の骨棘形成を伴った退行性の椎間板障害としてhard discといわれることもある。頚椎神経根症は，レベル別ではC6/7に最も多くみられ（約60％），次いでC5/6（約30％）の順である[17]。

●頚神経根の走行（図Ⅱ-4-1）[1]
　頚神経根は，腰神経根に比較して分岐が水平に近い。例えば，C5根はC4/5椎間板高位で硬膜から分岐して，C4とC5頚椎で形成される椎間孔から脊柱管外へ出ていく。

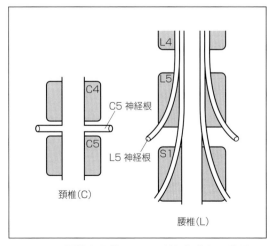

図Ⅱ-4-1　頚椎と腰椎における神経根走行の差異
　　　　　（文献1より）

4-2. 病態

　頚椎の椎間板は，常に頭部の荷重や，動的ストレスにさらされている。そのような状況下で，線維輪の変性に伴う脆弱性を基盤として，慢性的な荷重や外傷等の瞬間的な外力により，髄核が突出すると考えられる。しかし，それらがすべて症状を発現させるわけではない。MRIでみてみると，椎間板の突出自体はよく見かけることである。そこで臨床症状が発現されるには，さらに多くの因子が関与してくると思われる。

　鉤状椎体関節（Luschka関節）も退行性変化をきたしやすい部位である。頚椎神経根障害は，鉤状椎体関節の変形や骨棘形成による圧迫に起因するものが多く，下位頚椎（特にC7）で最も頻繁に認められる。これは，他のレベルと比較して神経根の走行が鉤状椎体関節に最も近接しているためと考えられている。Nagamotoらが行った頚椎回旋運動時の鉤状椎体関節の接触領域の検討では，下位頚椎（C6，C7）では鉤状突起が椎体上面の後外側部に位置するため，接触領域が椎体後外側部に集中していた。この結果から，日常繰り返される頚椎回旋運動が下位頚椎鉤状椎体関節部すなわち椎間孔部での変性を促進している可能性が考えられる[2]。

●静的因子（static factor）
　椎間孔内へ突出した椎間板の存在がその因子となる。

●動的因子（dynamic factor）
　頚椎にかかる頻回の運動や力学的ストレスは神経根の局所的炎症にも関与していると考えられ，これらの因子を軽減あるいは消失させるこ

とが保存療法の主たる目的となる。

● **椎間孔狭窄**(foraminal stenosis)

神経根症の発現には脊柱管よりも椎間孔の狭窄が関与している。椎間孔は神経根に対して通常3～5倍の径を有する。

4-3. 症状

初発症状は，頚部から肩甲骨周囲の痛みがほとんどである。頚部脊髄症の多くが手指のしびれで発症するのと対照的である。通常，単一神経根の障害であることが多く，側頚部から一側上肢への放散痛を主訴とし，手指のしびれ感や脱力を伴う。痛みを和らげるように，自ら頚部を支えて来院することもある。高齢者で多椎間頚椎症を合併する症例では，複数根が障害されることもある(図II-4-2)[3]。

頚部痛とは項部や肩甲周囲部の痛みを指し，C5-6根症では肩甲上部，C7-8根症では肩甲部から肩甲間部に最も痛みを訴えることが多い[4]。

4-4. 診断

根症状の診断は主に臨床症候による。神経支配に一致する知覚，筋力，反射の低下[4](表II-4-1)，あるいはしびれや痛みである。

誘発テストとして，以下がある。

1)頚部圧迫テスト(Spurlingテスト)：頚椎を患側に側屈させ，やや伸展させる[5]。

2)Jackson test：頚椎を健側に屈曲させ，患側の肩を下方に圧迫する。

3)水野テスト：図II-4-3[6]参照。

神経根を緊張させたり椎間孔の狭窄を増強させたりすることで症状を惹起する。一般に椎間板障害においては伸展位で椎間板の突出が増強するため，頚部を伸展させ，さらに患側に頚部を傾けると，放散痛がでやすい。水野テストでは，手関節を背屈させることでさらに症状が惹起されやすい。このように神経根症状の誘発テストは，後で述べる牽引療法の際に避けるべき牽引方向を示唆しており，保存療法を行うにあたって念頭に置いておく。

4)Arm squeeze test[7]：上腕中央部中1/3を母

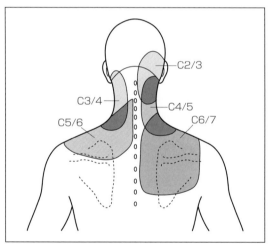

図II-4-2　C2/3からC6/7椎間関節由来の関連痛部位(文献3より)

表II-4-1　頚椎神経根症の神経学的高位診断

障害高位(神経根)	反射低下・消失	筋力低下	知覚障害
C4/5(C5根)	BTR	三角筋 上腕二頭筋	なし
C5/6(C6根)	BRR	腕橈骨筋＞上腕二頭筋 手根伸筋，前腕回内外	母指
C6/7(C7根)	TTR	上腕三頭筋 手指伸筋	示指・中指
C7/T1(C8根)	(TTR)	手内在筋 小指外転筋，母指伸筋	小指

BTR：上腕二頭筋反射，BRR：腕橈骨筋反射，TTR：上腕三頭筋反射

指で後方から上腕三頭筋を押さえ，示指～小指で上腕二頭筋を圧迫し疼痛の誘発をみる。頸椎神経根症では神経根刺激症状として疼痛が誘発されやすい。

確定診断は，必ずしも容易ではない。要は，Pancoast腫瘍や末梢の絞扼性神経障害（entrapment neuropathy）を十分に除外するとともに，これら陽性所見を確認することである（表II-4-2）。画像診断では，頸椎X線による頸椎前後像，側面像（中間位，前後屈位），両斜位像の6方向撮影は骨性の静的因子，動的因子の把握のために欠かせない情報を提供する。さらに，MRIは脊髄の圧迫の程度や他疾患の除外診断のためのスクリーニングとして非常に有効であり，外来ではX線の次の地位になりつつある。さらに，脊髄造影（ミエログラフィやCTミエログラフィ），椎間板造影などで詳細を把握していくことになる。

1 鑑別診断

●神経痛性筋萎縮症（neuralgic amyotrophy）

片側上肢の神経痛様疼痛で始まり，疼痛の消退とともに同側上肢の筋力低下と筋萎縮を示すといった特徴的な臨床像をもつ。腕神経叢の炎症性疾患（brachial plexus neuritis）と考えられており，肩などの近位筋に多い。

●手根管症候群

Phalen test（wrist flexion test）で正中神経領域の知覚障害が誘発される。正中神経で特異性が高いのは短母指外転筋（掌側外転：APB）である。短母指外転筋（APB）の障害があるのに，尺骨神経支配の母指内転筋や小指外転筋が障害されていないことが，重要な神経所見である。

●肘部管症候群

C8神経根障害との鑑別が重要である。尺骨神経単独麻痺（橈骨神経が効いていれば）による鷲手（claw hand）は環指・小指のMP関節が過伸展位となる（IP関節は屈曲位）が，頸椎由来の場合はMP関節が軽度屈曲位となるのが特徴である（偽鷲手：pseudo-claw hand）。母指内転筋と小指外転筋の筋力低下・筋萎縮も特徴である。C8支配であって尺骨神経支配でない筋は，上腕三頭筋，尺側手根伸筋（橈骨神経支配），橈側手根屈筋・母指対立筋・短母指外転筋（正中神経支配）がある。したがってC8髄節障害の場合は，通常，母指球筋も侵される。感覚障害の領域も重要で，肘部管症候群の場合は手関節部

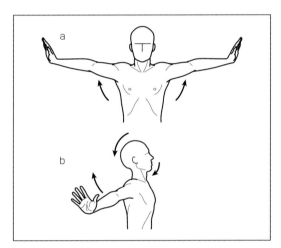

図II-4-3　水野テスト（文献6より改変）
- I：両上肢を外転させる（a）。
- II：外転させた上肢を後方にし，顎を引き頭部を後屈させる（b）。
- III：頸椎を側屈させたり回旋させたりする。

表II-4-2　頸部痛・上肢痛をきたす疾患の鑑別診断（外傷を除く）

1）神経内科的疾患	：脳血管障害，多発性硬化症，筋萎縮性側索硬化症
2）脊髄疾患	：脊髄腫瘍，脊髄空洞症，脊髄血管障害，脊髄内炎症疾患
3）脊椎疾患	：頸椎症，椎間板ヘルニア，靱帯骨化症，脊椎腫瘍（原発性・転移性），関節リウマチ，脊椎炎，破壊性脊椎関節症
4）肩関節疾患	：腱板断裂，腱板炎を含む肩関節周囲炎
5）末梢神経疾患	：胸郭出口症候群など絞扼性神経障害（entrapment neuropathy），神経痛性筋萎縮性（neuralgic amyotrophy），帯状疱疹
6）関連痛	：心筋梗塞，胸部大動脈瘤
7）その他	：肩凝り，筋肉痛，寝違え

より大きく近位にまで至ることはない。また，誘発テストとして肘の屈曲テストがあり，しびれが誘発される。

Froment's sign（フロマン徴候）：母指と示指で紙をつまませて紙を引っ張ると母指内転筋不全を代償するため母指IP関節が屈曲する(示指PIP関節は屈曲，DIP関節伸展)。尺骨神経麻痺の重要な徴候である。

a. 脊髄空洞症

初発症状として上肢のしびれ，痛み，筋萎縮と反射の低下，消失が多い。

b. 肩関節周囲炎，肩腱板断裂

鑑別はときに困難である。MRIでの腱板所見が参考になる。

c. Pancoast腫瘍

Horner症候群(縮瞳，眼瞼下垂，顔面部の発汗減少と皮膚温上昇)に注意する。

2 筋力テストと腱反射 (p38：表I-1-8参照)

●C5障害

三角筋力低下による上肢挙上困難，上腕二頭筋力低下による肘関節屈曲障害，棘下筋力低下による肩関節外旋障害と上腕二頭筋反射(BTR)の低下を認める。肘関節屈曲障害はC6障害でもみられるが，上腕二頭筋が腕橈骨筋に比して優位に低下していればC5障害の可能性が高い。

●C6障害

腕橈骨筋または上腕二頭筋力低下による肘関節屈曲障害はC5障害でもみられるが，C6障害が関与しているかどうかのポイントは，前腕回内または回外筋力低下や手関節伸筋力低下の有無と，腕橈骨筋反射(BRR)の低下を認めるかどうかで判定する。

●C7障害

上腕三頭筋，総指伸筋の筋力低下および上腕三頭筋反射(TTR)の低下を認める。

C7支配であって橈骨神経支配でない筋は，円回内筋＞橈側手根屈筋(正中神経支配)である。

●C8障害

第1背側骨間筋，小指外転筋(ADM)，短母指外転筋(APB)，母指の伸筋(EPBとEPL)，の筋力低下を認める。総指伸筋の筋力低下は，C7障害またはC8障害いずれでも起こり得る。母指の掌側外転(APB)筋力低下もC8障害またはT1障害いずれでも起こり得る。

C8支配であって尺骨神経支配でない筋は，上腕三頭筋・尺側手根伸筋(橈骨神経支配)，橈側手根屈筋・母指対立筋・長母指屈筋(FPL)・短母指外転筋(APB)・短母指屈筋浅頭(FPB)(正中神経支配)である。

3 画像診断のポイント

●X線

a. 正面像

Luschka関節部の変化を観察する。

b. 側面像

後咽頭腔の腫脹の有無を観察した後，頚椎椎体と棘突起前面の配列，椎間や棘突起間の狭小化，頚椎後縦靭帯骨化症(OPLL)や骨棘の有無を観察し，脊柱管前後径を計測する。さらに，前後屈機能撮影にて不安定性や弯曲異常を観察する。神経根症の場合は脊柱管狭窄や椎間高の低下は診断的意義が少ないが，X線側面像にて上関節突起が前方に位置するほど椎間孔が狭くなるとの報告がある(図II-4-4)[8]。

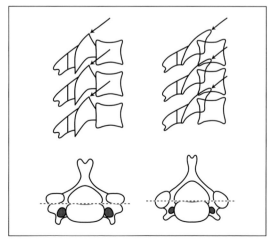

図II-4-4 頚椎側面像における椎間孔狭窄の特徴
(文献8より)

頚椎側面像で，上関節突起が椎体の前方にかぶさるように見える(右図)ほど椎間孔が狭くなる。

c. 斜位像

椎間孔の狭小化や拡大（Dumbbell 型脊髄腫瘍）を観察する。

● CT

椎間孔の狭窄や骨性の圧迫因子の描出にはCTが有利である。しかし，HamasakiらによるCと椎間孔部に脱出したヘルニアの場合，通常のCT（CTミエログラフィも）やMRIではとらえにくく，CTディスコグラフィが有効としている[9]。

図Ⅱ-4-5に46歳男性の頚椎症性神経根症例（右C7神経根障害）を示す。

● MRI

椎間板の変性や膨隆，頚髄のアライメントと圧迫の状態を観察する。T2強調像では軽微な圧迫でもとらえられるので，病的かどうかの判断はあくまで臨床症状と所見に頼る。注意することは，画像上の椎間板ヘルニアの「所見」と臨床症状を伴った椎間板ヘルニアの「診断」とを混同してはならないことである。すなわち，MRIにて椎間板ヘルニアの「所見」が存在しても，臨床症状がその罹患椎間で障害される脊髄・根症状や所見と一致しなければ決して椎間板ヘルニアと「診断」できない。通常の横断像でとらえにくい場合は，神経孔に対して垂直面にスライスする斜位像が有効なときもある[10]。

4-5. 保存療法[18～20]

1 保存療法の適応とプロトコール

疼痛が主訴である場合，一般的には1～2カ月以上は保存療法を続けるべきであり，多くの患者はこれにより改善していく。しかし，2～4週間ほどで進行する症状や理解に苦しむ訴えのときは，他の疾患を考えて精査を進める必要がある。

頚部痛を主訴とし，6週間の保存療法が無効の患者は，脊椎炎，腫瘍（特に転移性腫瘍）などを除外すべく頚椎の画像の再評価をした後，骨シンチグラフィを含めた全身的なチェックが必要になってくる。一方，上肢への放散痛を主訴とする患者は，上肢の絞扼性神経障害（entrapment neuropathy），腱板断裂などの肩関節疾患，腕神経叢や上肢の腫瘍（神経鞘腫や骨・軟部腫瘍），胸部腫瘍（特にPancoast腫瘍）などを除外することが重要である。それらを除外でき，さらに画像診断によるレベル診断と症状・神経学的所見（表Ⅱ-4-1）が合致すれば手術を考慮する。したがって，頚椎症性神経根症に対する手術療法は，あくまでも保存療法が無効あるいは効果が不十分なときに適応となる。もちろん進行性の筋力低下やADL障害が強い疼痛

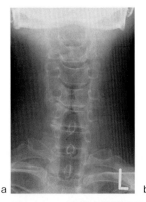 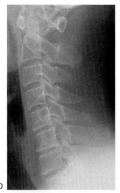 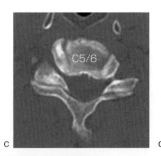 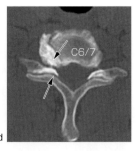

図Ⅱ-4-5　頚椎症性神経根症（右C7神経根障害）の画像所見（46歳男性）
a：頚椎X線正面像，b：頚椎X線側面像，c：頚椎CT（C5/6椎間），d：頚椎CT（C6/7椎間）
右上肢の筋力低下と筋萎縮を主訴に受診した。神経学的には，右上腕三頭筋反射（TTR）消失，右上腕三頭筋（Triceps），総指伸筋（EDC），長母指伸筋腱（EPL），短母指伸筋（EPB）が筋力2レベル，手関節背屈時の橈側偏位（ECUの筋力低下）などから右C7神経根あるいはC7髄節障害は明らかであった。頚椎X線正面像(a)にてC5/6およびC6/7のLuschka関節に右優位の関節症変化を認める。頚椎X線側面像(b)では脊柱管前後径はさほど狭くはないが，下位に行くほど上関節突起が前方に位置する。CTにて，C7髄節が障害されるC5/6椎間(c)での脊柱管狭窄はなく（右椎間孔に軽度狭窄があるが，C6神経根障害を疑う所見はない），C6/7椎間(d)で骨棘による椎間孔狭窄（矢印）が著明でC7神経根障害と診断できた。

が持続する場合は，早期に手術を考慮することが必要なこともある。

●頚椎神経根症の自然経過

頚椎症性神経根症に関する自然経過の報告は少なく，予後や手術適応も明確なものはないのが現状である。LeesとTurnerの報告によると，10年以上追跡できた患者41例中，29%が間欠的な症状で，24%が中程度の不自由さが持続したが頚部脊髄症に進行した患者はいなかった[11]。

Saalらの報告によると，頚椎椎間板ヘルニアによる神経根症を呈した患者26例を徹底的な保存療法で1年以上経過観察したところ，進行性の神経学的悪化をきたした症例はなく，保存療法に抵抗して手術を要したのは2例のみであった[12]。Heckmannらによると，頚部脊髄症の所見を認めない頚椎椎間板ヘルニアによる神経根症患者60例を平均5.5年観察したところ，35%の患者で手術を要したが，65%の患者で保存療法のみで満足いく結果であった[13]。

筆者の施設での自験例でも持続硬膜外チュービングなどによる保存療法で多くが満足いく除痛効果を期待できるが（図Ⅱ-4-6），椎間孔狭窄（図Ⅱ-4-4）や頭尾側に広く脱出したヘルニア（図Ⅱ-4-7）では保存療法に抵抗し手術療法を要したので，画像所見による予後予測も重要である。

2 一般的に選択される保存療法

ここでは，根症状（radiculopathy）と軸症状（axial symptom）で，痛みが主訴の場合の保存療法について述べる。治療の目的は，先述したいくつかの因子を取り除くことにある。

●固定および安静

a. 要点

急性期に上肢や肩甲周囲部の激痛があれば，まず動的因子を除去する目的で頚部の安静を図る。ベッド上安静の意味は頚椎にかかる軸圧を

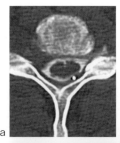
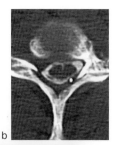

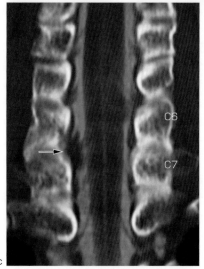

図Ⅱ-4-7　保存療法抵抗性の頚椎椎間板ヘルニア（50歳女性）
a：頚椎CTミエログラフィ横断像（C6椎体下縁），
b：頚椎CTミエログラフィ横断像（C6/7），c：頚椎CTミエログラフィ冠状断像

右肩甲部から上肢にかけての疼痛が主訴。右TTR低下と手関節掌屈・前腕回内・総指伸筋の筋力低下（4レベル）から右C7神経根症と診断し，頚部持続硬膜外チュービングを施行するも無効で，椎間孔拡大術に加えてヘルニア摘出術で改善した。C6/7レベルから頭尾側に広がるヘルニア（c矢印）が確認できる。

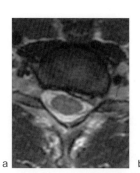
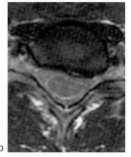

図Ⅱ-4-6　保存療法著効例（42歳女性）
a：初診時頚椎MRI T2強調横断像（C6/7），b：保存療法後2年の頚椎MRI T2強調横断像（C6/7）

左肩甲部から上肢にかけての疼痛が主訴。左TTR低下と手関節掌屈・前腕回内・総指伸筋の筋力低下（4レベル）から左C7神経根症と診断し，頚部持続硬膜外チュービングを施行。疼痛は改善し2年後も再燃しなかった。

軽減させるだけでなく，日常動作を制限するためでもある。

b. 適応

頸椎の固定装具は主に急性期に適応され，痛みが軽減するまで1日24時間装着させる。しかし急性期の症状が落ち着けば，自覚症状に合わせて装具は除していく。

c. 注意点

頸椎の固定は，主にソフトカラーを使用するが，頸椎を過伸展させないように注意して装着させなければならない。本来の頸椎の固定を目的とすれば，胸骨と下顎と後頭骨を支持するのが望ましいが，患者にとってはかえって苦痛なようである。したがって，より厳密に頸椎を固定しようとすればhalo vestを装着させる。

●牽引療法[21]

a. 要点

頭蓋による頸椎への荷重を軽減し，頸椎の運動を制限することが目的である。頸椎椎体に実際の牽引力を働かせるには10～12 kg必要とされている。牽引方法には，介達牽引と頭蓋直達牽引の2種類がある[14]。

b. 適応

主に急性期に適応される。悪性腫瘍，脊椎炎，高度な骨粗鬆症などの疾患を除外することが重要である。頸椎の固定と牽引の両方の効果を期待する場合は，halo vestを装着させて適度な頸椎のアライメントと牽引の方向を調整することもある。

c. 注意点

コメディカルにまかせきりではなく，主治医自ら牽引の方向，強さをチェックしておく。約15°前屈位で8～15 kgの力で牽引する。また，側屈や回旋で痛みが誘発されるならば，それと反対方向の側屈・回旋をかけて牽引することもある。

●薬物療法

a. 要点

急性期の痛みは，単にヘルニアによる機械的な神経根の圧迫だけでなく，神経根周囲の炎症も大きく関与している。そのため鎮痛薬は第一選択薬となる。一般には非ステロイド性抗炎症薬（NSAIDs）を投与することが多い。第二選択薬としては中枢性筋弛緩薬が挙げられる。

b. 適応

痛みを訴える患者では広く適応になる。また，有用性は定まっていないが，強い痛みにはステロイド投与が著効を示すことも多いので，急性期にはプレドニゾロンを30～40 mgまたは，抗炎症作用の強さを期待してデキサメタゾン3～4 mgを数日間経口投与することもある。

c. 注意点

鎮痛薬は頸椎の固定や安静と併用して投与すべきで，決して安静にとってかわるものではない。投与方法や投与回数など患者によって選択を変えていくことも実際上は必要になってくる。例えば，痛みの起こりやすい時間帯に合わせて朝1回の投与にしたり，坐剤を眠前に投与するなど，患者の訴えを十分聞いたうえで投与する。筋弛緩作用をねらってジアゼパムなどのトランキライザーを使うことは注意を要する。多くの患者は疼痛のため精神的にはうつ状態にあるので，こういった鎮静作用を有する薬剤を投与することが逆効果になる可能性があるからである。このような場合は，三環系または四環系抗うつ薬を投与する。

●各種神経ブロック

a. 要点

多くの患者は傍脊椎部に局所的圧痛点を有する。この圧痛点に局所麻酔薬を注入することの効果については十分な科学的裏付けはないが，経験的に頸肩部痛および上肢痛に効果を発揮する。もっとも，理論的に効果が期待できるのは，頸部硬膜外ブロック，神経根ブロックまたは腕神経叢ブロックである。根症状に対して，星状神経節ブロックは効果がないことが多い。

b. 適応

トリガーポイント注射は圧痛点を有する患者には広く適応される。神経根ブロックは障害されている神経根を判定する診断的治療目的で行ったり，単一神経根の障害と考えられる症例に用いる。最近では，エコーガイド下に選択的に神経根ブロックを行えるので有用である。頸部硬膜外ブロックが有効でも効果が持続しない場合は，感染のリスクはあるものの，硬膜外チュービングによる持続的な局所麻酔薬の注入が有効なこともある。

● 物理療法

a. 要点

　寒冷療法にはアイスパック，アイスマッサージなどがあり，その目的は組織の炎症を抑えることにある．温熱療法には，表在熱としてホットパック，また深部熱として極超短波療法(microwave diathermy)などがある．これら温熱療法は痛みの原因に直接作用するのではなく，血行を促進させることによって組織の修復を促すことが主な目的となる．経皮的電気神経刺激(TENS)はゲートコントロール理論[15]に基づいて開発された除痛法である．これら物理療法はあらゆる痛みに有効であるわけではないが，安全であるため，短期間行う価値はある．

b. 適応

　一般に寒冷療法は急性期の炎症が強い時期に，温熱療法は慢性期または回復期の血行が低下していると考えられる時期に用いる．体内に金属片が入っている場合は極超短波療法などの深部温熱療法は禁忌となるが，それ以外は，種々の物理療法を患者の訴えに応じて使い分けることになる．

c. 注意点

　物理療法は痛みの原因を除去するものではなく，その効果には限界があることを理解しなければならない．また，物理療法の持続性に関しても限定されるため，漫然と治療を続けることは無意味である．物理療法だけを単独で用いるのではなく，他の理学療法や薬物療法と併用させて治療効果を高めるようにする．

● 運動療法

a. 要点

　可動域を増すことよりも，主に傍脊柱筋を強化するよう訓練を行う．したがって，等尺性筋力増強訓練を行うようにする．可動域は，痛みがなくなってくれば一般に改善してくるものである．訓練をすることにより，心理的に積極性をもたせる効果もある．頸椎のマニプレーションに関しては賛否両論である．瞬間的に急激な力で頸椎を矯正しようとする手技は，脊柱管狭窄が存在する場合には悲劇的な合併症を起こす危険性もあるため，私見としては反対意見である．

b. 適応

　急性期の症状が落ち着き，激痛やスパズムが消失してくれば，筋力強化訓練を勧める．マニプレーション療法は，頸椎疾患に対しては適応を慎重にしなければならない．マニプレーション療法を行う場合でも，患者の痛みや可動域を慎重に評価しながら温和に行うべきである．

● 生活指導

　患者教育として，睡眠時に頸椎を中間位に保持することや，過度に頸椎を前後屈させたり回旋させることは避けるよう指導する．具体的には腹臥位に寝ることは悪く，高くて硬い枕の使用は良くない．また，長時間頸椎を屈曲させた状態で机に向かったり，テレビやモニターを見たりしないようにする．背部を前屈して頸椎の前弯を増強させるような姿勢も良くない．このように日常生活で良くないと思われる動作や姿勢を説明し，どうすれば頸椎の負担を軽くするかを指導すると同時に，疾患の病態や症状発現の諸因子を理解させることが，治療をしていくうえで重要になってくる．

4-6. 手術療法[22,23]

　根症状(radiculopathy)に対する手術療法は，保存療法が無効か，効果が不十分なときに適応となる[16]．

● 手術選択[24〜27]

a. 前方除圧固定術(anterior cervical discectomy and fusion：ACDF)

　固定が必要か否かの議論はあるが，動作時痛が強いときには固定効果を利用する．

b. 後方からの神経根除圧術(foraminotomy)

　椎間関節の内側を削って神経根除圧を図る．ヘルニアが硬膜前外側に存在する場合でも経硬膜的にヘルニアを摘出することが可能である．

c. 頸椎人工椎間板置換術(p104参照)

　骨棘が主な圧迫因子の場合は神経根除圧に経験を要するので，頸椎椎間板ヘルニア(soft disc)が良い適応である(図Ⅱ-4-8)．

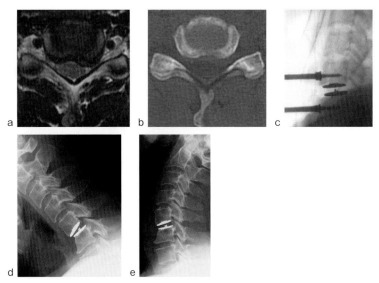

図Ⅱ-4-8　頚椎人工椎間板置換術（49歳男性：頚椎椎間板ヘルニアによる神経根症）

a：術前頚椎MRI T2強調横断像（C5/6），b：術前頚椎CT横断像（C5/6），c：術中透視像，d：術後2年時の頚椎前屈位X線側面像，e：術後2年時の頚椎後屈位X線側面像

C5/6椎間板ヘルニア（左側優位）による頚部から左上肢しびれ痛みに対して頚椎人工椎間板置換術を施行（Mobi-C®：15×15 mm 高さ6 mm）。術後頚部痛および上肢痛しびれは消失し，術後2年でも症状の再燃はない。やや後弯位に設置されたが，頚椎可動性は保たれている。

4-7. 椎間板ヘルニアの退縮[28,29]

　腰椎椎間板ヘルニアにおける椎間板ヘルニアの退縮（regression）については多くの報告があるが，頚椎椎間板ヘルニアにおける椎間板ヘルニアの退縮についての報告は少ない。筆者らは，頚椎椎間板ヘルニアに対して，椎弓形成術を施行した症例の50〜70%でヘルニアの縮小あるいは消失を認めた。ヘルニアの退縮を認めた症例と認められなかった症例とで手術成績に有意差はなく，椎間板ヘルニアの退縮は後方除圧術の術後成績に関係しないと判断している。ヘルニアの退縮は術後2〜4週の早期では認められず，最も早いものでも術後3カ月に認められた。

　ヘルニアの退縮についての原因はいままでのところ不明だが，腰椎においては脱出ヘルニア周囲の炎症反応像の低下や，ヘルニア自身の吸収と考えられている。頚椎ではさらに，後方除圧術後に脊柱管内の静脈うっ血が改善され，局所循環が改善されることや頚椎の固定効果が影響している可能性もある。今後，画像上どのような特徴をもつヘルニアが退縮しやすいか，また退縮しないヘルニアの特徴はどのようなものかを明確にしていく必要があると考えている。

引用文献

1) 大谷晃司，菊地臣一：圧迫性神経根障害の病態．脊椎脊髄 15：25-29，2002.
2) Nagamoto Y, Ishii T, Iwasaki M, et al：Three-dimensional motion of the uncovertebral joint during head rotation. J Neurosurg Spine 17：327-333, 2012.
3) Aprill C, Dwyer A, Bogduk N：Cervical zygapophyseal joint pain patterns：Ⅱ. A clinical evaluation. Spine 15：458-461, 1990.
4) 田中靖久：中下位頚椎の症候．神経根症，脊髄症の臨床的特徴と高位診断の指標．脊椎脊髄 18：408-415，2005.
5) Spurling RG, Scoville WB：Lateral rapture of the cervical intervertebral discs：a common cause of shoulder and arm pain. Surg Gynecol Obstet 78：350-358, 1944.
6) Ono K：The Surgeon's view on differential diagnosis in patients with cervical spine disorders. Cervical

Spondylosis and Similar Disorders, World Scientific, Singapore, pp302-304, 1998.
7) Gumina S, Carbone S, Albino P, et al：Arm squeeze test：a new clinical test to distinguish neck from shoulder pain. Eur Spine J 22：1558-1563, 2013.
8) 和田野安良，林浩一郎：C5 の解剖学的特異性．脊椎脊髄 6：85-92，1993．
9) Hamasaki T, Baba I, Tanaka S, et al：Clinical characterizations and radiologic findings of pure foraminal-type cervical disc herniation. CT discography as a useful adjuvant in its precise diagnosis. Spine 30：E591-E596, 2005.
10) Doi K, Otsuka K, Okamoto Y, et al：Cervical nerve root avulsion in brachial plexus injuries：magnetic resonance imaging classification and comparison with myelography and computerized tomography myelography. J Neurosurg 96(3 Suppl)：279, 2002.
11) Lees F, Turner J：Natural history and prognosis of cervical spondylosis. Br Med J 2：1607-1610, 1963.
12) Saal JS, Saal JA, Yurth EF：Nonoperative management of herniated cervical intervertebral disc with radiculopathy. Spine 15：1877-1883, 1996.
13) Heckmann JG, Lang CJ, Zöbelein I, et al：Herniated cervical intervertebral discs with radiculopathy. an outcome study of conservatively or surgically treated patients. J Spinal Disord 12：396-401, 1999.
14) Rath WW：Cervical traction. a clinical perspective. Orthop Rev 13：430-449, 1984.
15) Melzack R, Wall PD：Pain mechanisms. a new theory. Science 150：971-979, 1965.
16) 岩﨑幹季：頚椎症性神経根症には，手術が必要？整形外科研修なんでも質問箱 145（冨士武史，加藤泰司 編）．南江堂，p95, 2007.

参考文献

17) 岩崎喜信：頚部椎間板障害．脊髄の外科（阿部弘 編），医学書院，pp269-296, 1990.
18) Boden SD, Wiesel SW：Conservative treatment. The Spine 3rd ed vol 1(edited by Rothman RH, Simeone FA), WB Saunders, Philadelphia, pp591-596, 1992.
19) 酒匂 崇：頚椎疾患の保存的療法．新臨床整形外科全書第 4 巻 A（阿部弘 編）．金原出版，pp215-225, 1984.
20) 岩﨑幹季，米延策雄：脊椎疾患保存療法（原田征行，酒匂崇 編）．金原出版，pp43-49, 1993.
21) 小野啓郎，冨士武史：外来での頚椎牽引療法．整形外科 MOOK 増刊 1-A．金原出版，pp1-7, 1983.
22) Persson LC, Moritz U, Brandt L, et al：Cervical radiculopathy：pain, muscle weakness and sensory loss in patients with cervical radiculopathy treated with surgery, physiotherapy or cervical collar. A prospective, controlled study. Eur Spine J 6：256-266, 1997.
23) Sampath P, Bendebba M, Davis JD, et al：Outcome in patients with cervical radiculopathy. Prospective, multicenter study with independent clinical review. Spine 24：591-597, 1999.
24) Grundy PL, Germon TJ, Gill SS：Transpedicular approaches to cervical uncovertebral osteophytes causing radiculopathy. J Neurosurg 93(1 Suppl)：21-27, 2000.
25) Jho HD：Microsurgical anterior cervical foraminotomy for radiculopathy：a new approach to cervical disc herniation. J Neurosurg 84：155-160, 1996.
26) Aldrich F：Posterolateral microdisectomy for cervical monoradiculopathy caused by posterolateral soft cervical disc sequestration. J Neurosurg 72：370-377, 1990.
27) Dowd GC, Wirth FP：Anterior cervical discectomy：is fusion necessary？J Neurosurg 90：8-12, 1999.
28) Iwasaki M, Ebara S, Miyamoto S, et al：Expansive laminoplasty for cervical radiculomyelopathy due to soft disc herniation. A comparative study of laminoplasty and anterior arthrodesis. Spine 21：32-38, 1996.
29) 岩﨑幹季，江原宗平，宮本紳平，他：頚椎椎間板ヘルニアによる頚部脊髄症に対する脊柱管拡大術の治療成績―前方固定術との比較検討．別冊整形外科 29 頚部脊髄症．南江堂，pp125-131, 1996.

5 頚椎後縦靱帯骨化症・脊柱靱帯骨化症
ossification of posterior longitudinal ligament(OPLL) of cervical spine, ossification of spinal ligament

5-1. 疾患の概説[113,114]

　後縦靱帯骨化症(OPLL)は，1838年にKeyが胸椎あるいは腰椎脊柱管内の骨化を初めて報告しているが[1]，頚椎の後縦靱帯骨化としての疾患概念の確立は1960年のTsukimotoによる剖検例の報告に始まる[2]。しばしば，前縦靱帯骨化(ossification of anterior longitudinal ligament：OALL)や黄色靱帯骨化(ossification of yellow ligament：OYLまたはossification of ligamentum flavum：OLF)を合併し，脊柱靱帯骨化症(ossification of spinal ligament)の一表現型と考えられている。また，脊柱靱帯骨化症は四肢関節の靱帯骨化を合併する率も高く，Resnickの報告したびまん性特発性骨増殖症(diffuse idiopathic skeletal hyperostosis：DISH)[3]やForestierの強直性脊椎骨増殖症(ankylosing spinal hyperostosis：ASH)[4]の類似疾患とされている(p211参照)。

　1975年に厚生省の特定疾患に指定され調査研究班が組織されて以来，診断・治療および基礎的研究が向上した。OPLL患者の家系調査で患者兄弟の約3割にX線上にて頚椎の後縦靱帯骨化を認めたことから[5]，本疾患は遺伝的背景を有する多因子疾患と考えられている。

5-2. 疫学[113,114]

　1984年に実施された全国調査の結果では，登録患者は5,818人と報告されており，推定患者は人口100万人あたり63.3人とされているが，これは登録された患者のみを対象とした統計である[115]。

　日本における頚椎後縦靱帯骨化の発生頻度は中年以降の約3％(1.8～4.1％)である。この頻度は，北米やドイツの調査における0.1％と比較すると著しく高率である。しかし，イタリアの調査では頚椎後縦靱帯骨化を1.7％に認めたとの報告[6]や，台湾では2.4％であったとの報告[7]もあり，必ずしも日本人だけに著しく高いわけではない。

　筆者らが行ったサンフランシスコの救急センターにおいて外傷精査目的で撮影された頭頚部CT画像の解析[8]では，頚椎後縦靱帯骨化の有病率は白人の1.3％やヒスパニックの1.9％に対してアジア人は4.8％と，アジア人で多く認められた。また，同じ解析で頚椎後縦靱帯骨化を認めた患者のBMIは頚椎後縦靱帯骨化を認めなかった患者に比して優位に高く，糖尿病患者では有意に頚椎後縦靱帯骨化の有病率が高かった。また，PET-CTを施行した日本人を対象にした調査[9]では脊柱靱帯骨化の有病率は，頚椎後縦靱帯骨化6.3％(男8.3％，女3.4％)，胸椎後縦靱帯骨化1.6％(男1.4％，女2.0％)，胸椎黄色靱帯骨化12％(男15％，女7.7％)，DISH 12％(男16％，女6.2％)であった。しかし，これらの調査はあくまでも画像上の骨化の有病率であり，疾患としての実際の有病率とはかなり乖離がある。臨床調査個人票データを用いた調査[10]によると症状を有した頚椎OPLLの10万人あたりの発生率は5人(0.005％)，有病率は27人(0.027％)である。

　頚椎OPLLに関しては，女性に比して男性が約2倍の頻度で罹患し，発症年齢は50歳前後が多い。一方，胸椎OPLLは頚椎と異なり，女性に多い傾向にある。

　家系調査によると，患者兄弟の約3割に頚椎後縦靱帯骨化が認められたこと[5]や，一卵性双生児では85％に兄弟ともに頚椎後縦靱帯骨化

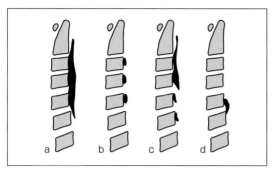

図Ⅱ-5-1　OPLLの骨化形態
　a：連続型，b：分節型，c：混合型，d：その他型（限局型，椎間膨隆型）

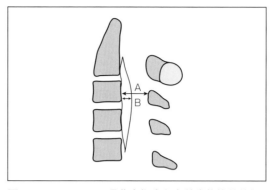

図Ⅱ-5-3　OPLLの骨化占拠率と有効脊柱管前後径
　脊柱管前後径での骨化占拠率：B/A×100
　有効脊柱管前後径（SAC）：A－B

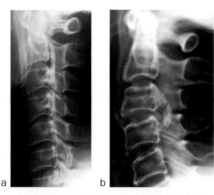

図Ⅱ-5-2　矢状面骨化パターン（台地型と山型）
　a：台地型の骨化パターン．局所的に大きな骨化ではなく全体的に盛り上がった骨化で，比較的均一かつ広範囲に脊柱管狭窄を認める．b：山型の骨化パターン．局所的に山状に盛り上がった骨化で，比較的狭い範囲で脊柱管狭窄を認める．

が認められたこと[11]，HLAハプロタイプ解析[12]などから遺伝的な背景が支持されているが，遺伝様式までは不明である．

1　頚椎OPLLのX線学的形態分類[116]

　矢状面での骨化形態は，図Ⅱ-5-1に示す従来の連続型，分節型，混合型，その他型（椎間膨隆型）に加えて，図Ⅱ-5-2に示すX線あるいは断層X線側面像（またはCT再構成画像）から，全体的に盛り上がって見える骨化パターン（台地型）と，山状あるいは嘴状に局所的に盛り上がる骨化パターン（山型）に分類できる．台地型の骨化パターンでは脊髄は全体に圧迫される状態（全体的な脊柱管狭窄）が多いのに対して，山型の骨化パターンは脊髄を前方から局所的に圧迫している．従来の骨化形態の分類からする

と，連続型や混合型の多くと分節型は台地型の骨化パターンを示し，山型の骨化パターンを示す形態はその他型と連続型や混合型の一部である．山型の骨化パターンを観察すると，成熟した骨化に比べ，X線上，淡い骨化であることが多い．おそらく何らかの局所因子により急激に増大した未熟な骨化と考えられる．そのような山型の骨化巣が途絶して椎間可動性がある場合，脊髄症進行あるいは後方除圧後の再悪化につながる危険性がある．10年以上の経過では，混合型，連続型の約8割，分節型でも約5割の症例で骨化巣の頭尾側への伸展や，厚みの増大を生じる．X線にて，脊柱管前後径での骨化占拠率（B/A×100）60％以上，有効脊柱管前後径（SAC）6 mm以下（管球フィルム間距離1.5 m）で，脊髄症状が発現する可能性が高い（図Ⅱ-5-3）．

2　CT画像による頚椎OPLLの新しい分類[13]

- ■A分類：骨化が途絶しているか否か，椎間で途絶していなくても骨化が椎体後縁と連続性がなければ非架橋型と判断する（図Ⅱ-5-4b，cが非架橋型）．
- ■B分類：2 mm以上の骨化を認めるレベルと途絶の有無を詳細に記載する．
  - "．"：分節型のように骨化が椎間で途切れていることを示す．
  - "/"：骨化が椎間を越えているものの隣接椎体の後縁と連続性がないことを示す．

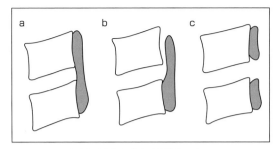

図 II-5-4　架橋型(a)と非架橋型(b, c)（文献 13 より）
グレーの領域が後縦靱帯の骨化を表す。

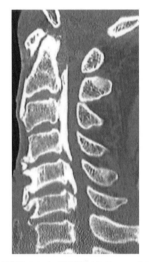

図 II-5-5　頚椎 CT 矢状断像（文献 13 より）
C3/4 は典型的な架橋型骨化だが，C4/5 および C5/6 は骨化が途絶し非架橋型の骨化を示す(本文参照)。

"-"：骨化が椎間を越え，かつ隣接椎体の後縁と連続していることを示す。

"○"：骨化が椎体の後縁と連続性がない(浮いている)場合，その椎体に○を付けることにより，○が付いていない椎体では骨化層が椎体後縁とくっついていることを示す。

例：図 II-5-5 の症例では，C2-4 まで連続型の骨化を認めるものの，C2 椎体と骨化に連続性が認められない(C3-4 椎体では骨化と椎体後縁に連続性を認める)。また，C5-6 間は骨化が椎間を越えるものの，骨化が椎間で途絶している。したがって，"C②/3-4/5/6" と表現することにより，C2/3 および C4/5-5/6 で椎間可動性が残存していることがわかる(C3/4 椎間は架橋型で，骨化の途絶がなく椎体と連続していることから

椎間可動性がない)。

3　病理・病態[14,113,117〜119]

　連続型あるいは混合型の OPLL の大きな骨化巣では，骨化巣と靱帯の境界部では軟骨細胞の出現や石灰化前線の存在など内軟骨性骨化の所見がみられ，骨化巣は層板状構造を示す成熟した緻密骨から形成される。また，分節型 OPLL の椎体隅角部では，後縦靱帯内に椎間板髄核組織が脱出し，それに接して後縦靱帯深層内に小血管増生が生じ，その近傍から未分化間葉系細胞が椎体隅角部に向け軟骨化性をしつつ，骨化巣を形成する像が観察される。リンパ球浸潤などの炎症所見は全く認められない。この所見から靱帯骨化のメカニズムとして，1)椎間板髄核組織脱出による靱帯への機械的刺激と，2)椎間板髄核組織による生化学的な靱帯軟骨化誘導作用とが考えられている。

　圧迫により，灰白質は変形し神経線維は減少し，白質は側索と後索で脱髄所見が強く慢性の退行性変化を示す。脊髄病変が高度になると，広範な壊死や軟化が認められるようになる。前脊髄動脈は，圧迫により血流不全をきたすが完全に閉塞することは少ない。

　Diffusion Tensor Tractography という微細白質構造をとらえられる MRI 撮像手法を用いた研究から，50〜60% 以上の脊柱管狭窄があると脊髄に不可逆的変化を呈する危険性が高いことが報告されている[15,16]。

4　OPLL の病因[113]

　強直性脊椎骨増殖症(ASH)，びまん性特発性骨増殖症(DISH)の約 5 割に OPLL が認められる[17]。

●ホルモン，カルシウム代謝異常
・ビタミン D 抵抗性低リン酸性くる病，副甲状腺機能低下症で高率に発症する。
・耐糖能異常に多い。
　糖尿病や肥満は OPLL 発症に何らかの影響を及ぼしていると思われるが，詳細は不明である。一方，血清中のカルシウム，リン，オステオカルシン，骨型 ALP などの生化学的マーカー

に関してはOPLL患者でも有意差がないとの報告が多い。

●遺伝的素因
- XI型コラーゲンα2遺伝子(第6染色体上のHLA遺伝子近傍に存在)の関与[18]。
- OPLL患者のGWAS解析で6つのゲノム領域がOPLLの発症に関連していることが報告され,膜性骨化および内軟骨制骨化の過程にそれらの遺伝子が関与している可能性がある[19]。

●骨代謝
- OPLL患者の骨代謝マーカーの検討では骨形成マーカーの結果は一定ではないが,全身の骨量は増加しているという報告が多い[20〜23]。
- OPLLの男性患者では骨量が増加しているために血清Sclerostinが抑制され,その結果として骨代謝は低回転化していることがわかってきた[24]。

参考:Sclerostinは骨細胞が特異的に分泌する骨形成抑制タンパク質で,この働きを抑制する抗Sclerostin抗体は骨粗鬆症治療薬として臨床応用されている[25]。

5-3. 症状

主な臨床症状はOPLLによる圧迫性脊髄症である。

初発症状は,明らかな誘因がなく,徐々に頸部痛や,肩の凝りなどの頸部の局所症状で始まることや,手足のしびれ,手指の巧緻性障害,歩行困難などの軽い脊髄症状から始まることが多い。症状は,慢性に少しずつあるいは一進一退しながら増悪してくる。この間に転倒などの比較的軽微な外傷を契機として急速に進行することがある。

5-4. 診断

頸椎後縦靱帯骨化(OPLL)の存在自体は,X線をはじめとする画像検査から診断は比較的容易である。しかし,診断の際は,1)無症候性の骨化も多く存在すること,2)胸椎部のOPLLや黄色靱帯骨化症(OLF)を合併している可能性があることの2点に留意する必要がある[120]。画像診断のみに頼ることなく,頸部脊髄症の診断に準じて注意深く神経学的高位診断を行うことが重要である。

▷**頸椎後縦靱帯骨化症診断基準**[121]

基本:頸椎に後縦靱帯骨化を画像上確認でき,それによる臨床症状が出現している場合を頸椎後縦靱帯骨化症とする。

(注)後縦靱帯骨化が存在しても,それによる臨床症状を認めない場合は「頸椎後縦靱帯骨化」とする。

詳細:以下の①と②の条件を満たすものを頸椎後縦靱帯骨化症とする。

① **画像要件**:頸椎側面単純X線像またはコンピュータ断層撮影(以下CT)で視認することのできる後縦靱帯骨化があること。なお,**CTで初めて視認できる神経症状とは明らかに無関係の小骨化巣は診断要件としての後縦靱帯骨化とはしない。脊髄圧迫の有無はMRIを参考にする。**

② **臨床症状要件**:次のいずれか,あるいはそのいくつかの臨床症状があること。
  (a)圧迫性頸髄障害の症状
- 画像検査所見と対応する高位での脊髄症状
- 索路症状:深部腱反射の亢進,痙性手,手指の巧緻運動障害,痙性歩行,手袋・靴下状に分布する感覚障害,膀胱直腸障害など
- 髄節症状:筋萎縮
  (b)神経根症状
- 画像検査所見と対応する高位の神経根症状(運動麻痺,感覚障害,自覚的しびれ・痛み)
  (c)頸椎可動制限による頸椎運動機能障害
- 日常生活動作に支障をきたす程度の頸椎可動域制限がある場合

なお,椎体後方への骨棘は除外し,頸椎後縦靱帯骨化とは見なさない。

1 補助的画像診断

OPLLは頸椎に好発するが,X線では判断しにくい頸胸椎移行部と胸腰椎移行部の骨化の有無はCT矢状断像で必ず確認する。

また,CT矢状断像を丹念に見ると骨化が椎間でも連続しているか,途絶しているかが判断

表Ⅱ-5-1　OPLLの自然経過（文献27より）

初診時		最終追跡時（平均10年）	
脊髄症なし	170（82％）	脊髄症なし	137（81％）
		脊髄症出現	33（19％）
脊髄症	37（18％）	変化なし	23（62％）
		脊髄症悪化	14（38％）

表Ⅱ-5-2　脊髄症出現の危険因子（文献29より）

SAC＜6 mm	：全例に脊髄症出現，静的因子（static factor）
SAC＞14 mm	：脊髄症を認めた症例なし
6 mm＜SAC＜14 mm	：頚椎の可動域が大きいほど脊髄症の危険あり．すなわち動的因子（dynamic factor）が危険因子となる．

SAC：有効脊柱管前後径

可能である．X線では連続型に見えて椎間可動性が認められないように見える症例でもCTで椎間の骨化に途絶を認める場合は，3～5°の可動性を有していることがあるので，最大骨化占拠レベルもしくは責任椎間レベルにおける椎間の骨化途絶の有無を把握することが重要である[26]．

術前検査として行うミエログラフィでは，頚椎だけではなく，頚胸椎移行部と胸腰椎移行部の通過性も確認する．ミエログラフィ後には全脊椎のCTを撮影し，胸腰椎に合併する靱帯骨化の有無についても把握しておく．

2　頚椎OPLLの自然経過

- OPLL患者207例を平均10年追跡すると，初診時脊髄症を認めなかった170例中33例（19％）に脊髄症が出現し，残り137例（81％）は10年観察しても脊髄症は出現してこなかった．一方，初診時すでに脊髄症を認めた37例中23例（62％）は変化は認めず，脊髄症が悪化したのは残り14例（38％）であった（表Ⅱ-5-1）[27]．
脊髄症を認めた患者のSACは平均9.2 mmで，脊髄症を認めなかった患者のSAC（平均11.9 mm）より有意に狭窄が高度であった．また，OPLLによる狭窄が高度でも脊髄症を認めない患者は頚椎の可動域が著しく制限されており，動的因子が脊髄症出現の重要な因子と考えられている[27]．
- 10年以上のcohort studyでは，初診時に脊髄症を認めないOPLL患者が脊髄症を発症する危険性は17％，Kaplan-Meier法では脊髄症を発症しない確率は約70％（20～30年）である．脊髄症（＋）の患者を後ろ向きに調べた結果，転倒や交通事故を契機に脊髄症を発現した率は13％であったが，初診時脊髄症（－）の患者の前向き研究では，外傷を契機に脊髄症を発症する危険性は2％であった[28～30]．
- 脊髄症出現の危険因子：SACが6 mm未満（管球フィルム間距離1.5 m）あるいは骨化占拠率60％以上，占拠率60％未満の場合は頚椎の可動性（動的因子）が危険因子となり得る[28,29]（表Ⅱ-5-2）．

5-5. 頚椎OPLLの治療[113,114,122～125]

初診時に脊髄症を認めない症例で経過観察中に脊髄症を呈する頻度は上記に述べたようにおよそ20％で，その後も脊髄症を発症しない確率はおよそ70～80％である．

軽い脊髄症であっても骨化占拠率や最大圧迫レベルでの骨化途絶，つまり椎間可動性による動的因子の関与などを考慮して手術適応や術式選択を検討する必要がある．手術適応のあるOPLLは，特定疾患に認定され医療費免除を受

けることが可能なので，術前に保健所にて手続きが必要である。

1 保存療法

脊髄症状を伴わず頚部痛や根性痛を主訴とする症例や，脊髄症状が軽度で日常生活上の支障が少ない症例に対しては保存療法で対処する。頚椎過伸展を避けるような肢位のアドバイスとスポーツや泥酔による転倒や転落の予防に関する生活指導は重要である。

保存療法に関しては，動的因子の除去を主な目的として装具療法，頚椎牽引療法，halo vest固定を選択する[31,32]。軽度の脊髄症状例に対する頚椎固定効果は少なくとも短期的には有効であるが，その効果や持続性については症例により異なるため，いつまでも保存療法に固執してはならない。

あんま，針灸，マッサージなどの代替療法は脊髄症状を伴わない頚部痛などの局所症状に対しては有効と思われるが，その効果や持続性に関しては不明である。代替療法に関しては合併症の報告[33〜35]に着目すべきで，特に整体，カイロプラクティックなどにおいて頚椎過伸展など間違ったマニプレーション療法や脊髄症発症の危険性の高い症例に対する動的因子の除去目的に反した治療は危険性の面から避けるべきである。

薬物療法に関しては，頚部痛や神経根性疼痛に対する鎮痛薬や筋弛緩薬の効果は期待できる。脊髄症悪化時あるいは脊髄浮腫に対するステロイドの有効性は報告されているが，実際の適応や投与方法に関するデータはない。

2 手術療法

●手術適応

手術適応は，脊髄症の重症度，画像所見および患者背景を総合して判断する。一般に脊髄症状による日常生活上の支障が大きい症例，進行性の脊髄症状を認める症例が手術適応となる。脊髄症状が軽微でも，進行性であるか脊柱管狭窄が高度で脊髄圧迫が著しい場合には手術を考慮する[36,37]。

外傷歴を有する症例の手術成績が悪いことから，手術は脊髄の非可逆性変化の起こる以前に行うべきだが，予防的手術療法を支持するデータは現時点ではない[126]。脊髄症を認めた OPLL 患者 184 例の後ろ向き調査によると，24 例（13％）に転倒や交通事故が脊髄症状の契機になっているものの，初診時脊髄症を認めなかった OPLL 患者 368 例の平均 19.6 年の前向き試験（1967 年以降 10〜32 年の追跡調査）の結果，6 例（2％）のみが外傷を契機とした脊髄症を発症したと報告されている[30]。また，Kaplan-Meier 法では初診時脊髄症を認めなかった OPLL 患者のうち 10 年で 79％，20 年で 70％が脊髄症を発症しなかった[30]。骨化占拠率が 60％以上の症例や，SAC 6 mm 以下の症例は，外傷歴に関連なく脊髄症を発症しており，脊髄症が発症すれば外傷で悪化する以前に手術するのが望ましい。

●手術選択

手術には，前方法（図Ⅱ-5-6，7）と後方法（図Ⅱ-5-8）がある。骨化の形態（図Ⅱ-5-2）や骨化占拠率（図Ⅱ-5-3），頚椎アライメント，動的因子などを指標にして総合的に術式を選択する。このうち動的因子については，頚椎 OPLL では椎間可動性の減少した症例が多いため機能動態撮影で評価することは難しく，CT 矢状断像での骨化途絶の有無（図Ⅱ-5-4）での判別が有用である。すなわち，CT 矢状面像で骨化が途絶している椎間では必ず椎間可動性が認められるので，その椎間での動的因子は常に念頭に置く必要がある[26]。頚椎 OPLL の多くは後方法（椎弓形成術単独）で対応可能だが，骨化占拠率の高い症例や後弯症例では椎弓形成術単独では成績が不良で，前方除圧固定術が推奨される。前方除圧固定術は直接除圧が可能な合理的術式だが，高い手術難易度や合併症率，再手術率の問題がある[38,121]。

筆者らの施設では，骨化占拠率が 50％以上かつ最大圧迫椎間で山形の骨化パターンを呈し，CT 矢状断像での骨化途絶を認める症例に対して，前方から除圧をせずに椎間固定のみ行い除圧は後方から広範囲に行う anterior selective stabilization with laminoplasty を行っており，短期成績は良好である[39]。

a. 前方法の成績[127〜129]

前方法は，1）除圧目的の骨化巣切除術・浮上

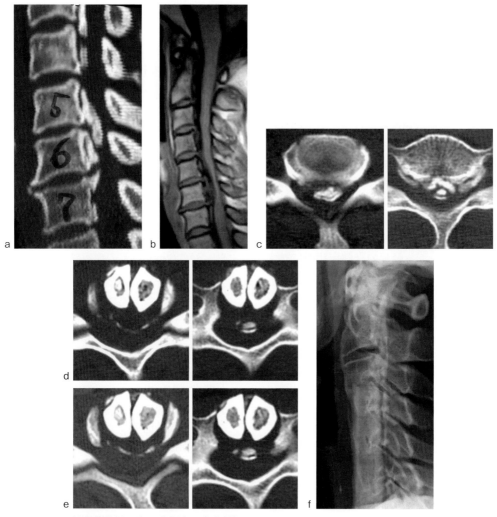

図Ⅱ-5-6　前方骨化浮上術の症例（56歳女性）
　a：術前の頚椎CT矢状断像，b：術前の頚椎MRI T1強調矢状断像，c：術前の頚椎CTミエログラフィ横断像，d：術後1週の頚椎CT横断像，e：術後7週の頚椎CT横断像，f：術後15カ月時の頚椎X線側面像
　C5/6レベルの山型の骨化（骨化占拠率70%）による脊髄圧迫を認める（a〜c）。術後1週（d）〜7週（e）にかけて移植した2本の腓骨背側で骨化が前方に浮上している。骨癒合と腓骨背側の骨化浮上が確認できる（f）。

術などの前方除圧術と，2）動的因子を抑制する目的の前方固定術とに分けられる。

　前方除圧術に関しては骨化巣すべてを必ずしも摘出する必要はなく，骨化巣を菲薄化して浮上させる骨化浮上術の有効性が確認されている[40〜42]。骨化占拠率が平均54%（半数は60%以上）の本症63例を対象とした骨化浮上術の長期成績では，術前JOAスコア8.3点に対し，術後最高時で14.5点（改善率72%），術後10年時が14.0点（改善率66.5%），最終追跡時が13.5点（改善率59.3%）で，経過中の再悪化は，除圧不足4例（6.3%），隣接部の骨化進展に伴う脊髄障害3例（4.8%），胸腰椎靱帯骨化症による悪化6例（9.5%）であったと報告している[41]（**表Ⅱ-5-3**）。

　前方法のなかで骨化巣非摘出固定術が希少ながら報告されている。木田らはその長期予後は骨化巣の進展にかかわらず安定していたと報告し[43]，Onariらは30例を術後10年以上観察し，8割の症例で改善が維持されていたことを報告している[44]。これらの報告から，動的因子で発症した脊髄症の治療として骨化巣非摘出固定術は限られた症例に対して有効と考えられるが，骨化占拠率の高い症例では，静的因子も脊髄症に関与しているため除圧術の併用が望ましい。

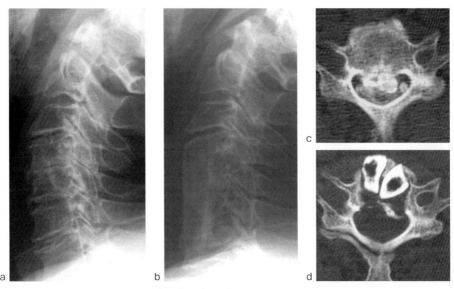

図Ⅱ-5-7　前方骨化浮上術の症例（69歳女性）
　a：術前の頸椎X線側面像。C5/6レベルに山型の骨化（骨化占拠率50%）を認める。b：術後3年時の頸椎X線側面像。骨癒合と骨化浮上が確認できる。c：術前の頸椎CTミエログラフィ横断像。脊髄前方に一部硬膜骨化を伴う大きな骨化を認める。d：術後7週の頸椎CT横断像。2本の腓骨背側に浮上した骨化が確認できる。

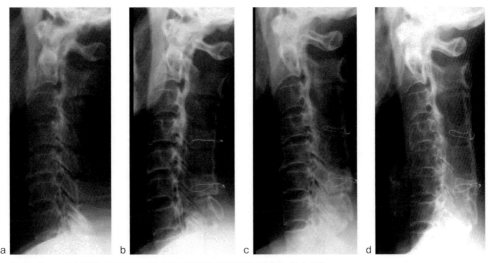

図Ⅱ-5-8　混合型OPLLに対する椎弓形成術の症例（61歳女性）
　a：術前の頸椎X線側面像，b：術直後の頸椎X線側面像，c：術後2年時の頸椎X線側面像，d：術後11年時の頸椎X線側面画像
　混合型OPLLに対してC2-7レベルの椎弓形成術を施行した症例。術後後弯変形が進行するも，後方要素が骨癒合し進行は止まり神経学的には悪化を認めない。

b. 後方法の成績[130～135]

　後方法は，1）椎弓切除術と，2）椎弓形成術（脊柱管拡大術）とに分けられる。

　本症64例を対象とした椎弓形成術の長期成績では，術前JOAスコア8.9点に対し，術後JOAスコア13.8点（3～10年），最終時JOAスコア13.1点，改善率60%（3～10年），最終時の改善率54%で，経過中の悪化例の内訳は，腰椎変性疾患が4.7%，胸椎黄色靭帯骨化症（OLF）が3.1%，頸椎後縦靭帯骨化症（OPLL）の進展が3.1%であった[45]。さらに，術後経過中の骨化巣進展が70%，術後頸椎後弯進行が8%に認めら

表Ⅱ-5-3 主な各術式の長期成績（10年以上）（文献41, 45, 47より）

	椎弓切除術[47]	椎弓形成術[45]	骨化浮上術[41]
追跡期間	14.1年	12.2年	13.0年
症例（男/女）	44例（37/7）	64例（43/21）	63例（45/18）
手術時年齢	57歳	56歳	57歳
骨化占拠率	55%	38%	54%
SAC	6.8 mm	8.5 mm	5.2 mm
術前JOAスコア	7.6点	8.9点	8.3点
最終JOAスコア	10.3点	13.1点	13.5点
改善率	33%	54%	59%
手術時間	—	179分	323分
出血量	—	475 g	1,099 g
術直後悪化例	3例（7%）	0例	0例
C5麻痺	—	5%	10%
骨化進展	70%	70%	36%
長期悪化例（脊髄症状）	10例（23%） 転倒　6例 胸椎靱帯骨化　3例 骨化進展　1例	6例（9%） 胸椎靱帯骨化　3例 骨化進展　2例 脊髄萎縮　1例	13例（21%） 胸椎靱帯骨化　6例 除圧不足　4例 骨化進展　3例
追加手術（頸椎）	1例（2%）	1例（2%）	5例（8%）

れたが，手術成績とは有意な関係は認められなかった[45]（表Ⅱ-5-3）。

椎弓形成術が椎弓切除術に比べ優れているかの十分な科学的根拠は乏しいが，最近では椎弓切除術が選択されることは少なくなってきている[45,46]。両者を比較した報告では，椎弓切除術では長期経過すると成績が低下する傾向があり，さらに術後の後弯変形の進行が目立ったと報告されている[45〜48]。

c. 後方除圧（椎弓形成術）の限界と前方法の利点[136]

Taniらは骨化占拠率50％以上のOPLLに対して前方法の優位性を報告しているが[49]，筆者らの調査では占拠率のみに着目すると60％未満であればおおむね椎弓形成術で対処できる結果が得られている[50〜52]。一方で占拠率60％以上のOPLLに対しては，前方法が椎弓形成術に比して良好な手術成績であったことから，椎弓形成術単独だけでは限界と考えられる[51,52]。また，椎弓形成術成績不良例の検討から，占拠率がさほど大きくなくても骨化パターンや頸椎アライメント変化が手術成績に影響することがわかっている[51]。台地型の骨化パターンでは，全体的な脊柱管狭窄を示すため広範囲に脊柱管を拡大する椎弓形成術は理にかなっているが，山型の骨化パターンでは，局所での脊髄圧迫を呈するため椎弓形成術では除圧効果が劣る危険性がある。さらに，頸椎アライメントが術後に変化する症例では，椎間可動性が残存しているため動的因子が関与して術後に症状が再増悪する危険性がある。術前，不良アライメント（後弯）や最大圧迫レベルでの椎間可動性の残存は，術後成績を大きく左右する。頸椎アライメントの悪化は術前の不良アライメントでも生じるが，骨化が途絶している椎間ではさらに危険性が増す。OPLLの3次元画像評価が可能になり，一見連続型の骨化でも椎間に架橋が認められなければ必ず椎間可動性が認められる[26]。したがって，術前に骨化の架橋が認められず骨化が途絶している症例では，動的因子に十分留意する必要がある[26]。山型の骨化パターンは，架橋されていない椎間において動的因子の影響を受け骨化進展しやすく，脊髄最大圧迫高位と一致する場合には椎弓形成術の成績不良の重要な要因になり得る[53]。

以上に示した要素をもつOPLLに対しては椎

弓形成術では限界があり，前方固定術か後方固定を追加する術式を選択するほうが有利と考えられる．骨化巣の大きなOPLLすべてが脊髄の不可逆的変化に陥っているものではなく，脊髄の可塑性を期待して前方から骨化巣を摘出あるいは浮上させれば，椎弓形成術に比べて神経症状のさらなる改善が期待できる可能性がある．現時点でいえることは，以下のような特徴を有する症例では，手術合併症を許容できるなら前方除圧固定術を選択するか，あるいは椎弓形成

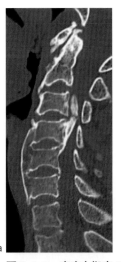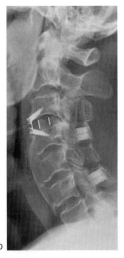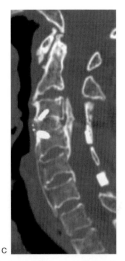

図Ⅱ-5-9　高度占拠率OPLLに対する前・後方合併手術（症例1：59歳男性）
a：術前の頚椎CT矢状断像，b：術後の頚椎X線側面像，c：術後1年の頚椎CT矢状断像
　骨化占拠率60％でかつ最大圧迫レベル（C3/4）で山型骨化の途絶を認めるOPLL症例に対して，前方固定術（除圧なし）に引き続いて椎弓形成術を一期的に施行した．術後1年で途絶していた骨化が癒合した．

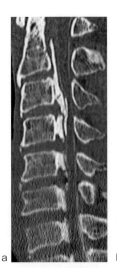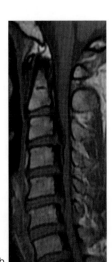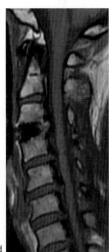

図Ⅱ-5-10　高度占拠率OPLLに対する前・後方合併手術（症例2：46歳男性）
a：術前の頚椎CTミエログラフィ矢状断像，b：術前の頚椎MRI T1強調矢状断像，c：術後3年の頚椎CT矢状断像，d：術後1年の頚椎MRI T1強調矢状断像
　骨化占拠率60％でかつ最大圧迫レベル（C3/4）で骨化途絶を認める多椎間OPLL症例に対して，最大圧迫椎間（C3/4）の前方固定術（除圧なし）に引き続いて椎弓形成術を一期的に施行した．脊髄の除圧が得られ，かつ途絶していた骨化が癒合し，術後5年経過し脊髄症状の改善と頚椎アライメントも維持されている．

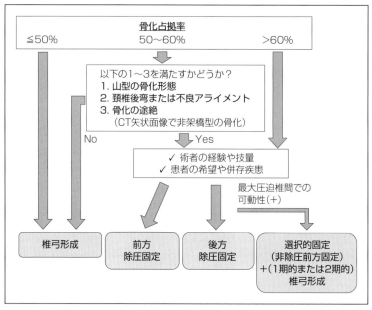

図Ⅱ-5-11　筆者の施設における頚椎 OPLL の術式選択

術に固定術を追加していくことが手術成績向上につながると考えられる（図Ⅱ-5-9, 10）。椎弓形成術に前方固定を追加するか，後方固定を追加するなどの選択肢が考えられるが，いずれを選択すべきかどうかはいまだ結論は得られていない[39,54]（図Ⅱ-5-11）。

・椎弓形成術単独の成績不良因子（画像的特徴）
　1）骨化占拠率 60％以上（骨化幅 7 mm 以上）の大きな骨化症
　2）山型の骨化パターン（図Ⅱ-5-2b）
　3）頚椎後弯など不良アライメント
　4）最大圧迫レベルにおいて骨化が途絶している（椎間可動性が残存する）症例（前述の A 分類で非架橋型）

d. 術式の比較検討[137〜139]

前方法（前方除圧固定）と後方法（後方除圧）で明らかな手術成績の差は見出せないが[36]，前方法は 3 椎間以下の症例，後方法は頭尾側に広範な骨化症例に適応されている場合が多い。各術式を比較した無作為化比較試験の報告はないが，年度毎に術式を決めて成績を比較検討した Sakai らの前向き研究[55]では，50％以上の占拠率や C2-7 の前弯角が 5°以下の後弯症例では，術後 4 年以降で前方除圧固定術（骨化浮上術）のほうが椎弓形成術に比して改善率が有意に高かったと報告している。したがって，頚椎後弯例や骨化占拠率の高い症例では，後方除圧術では除圧効果の維持には限界があり，後弯の程度や骨化占拠率，骨化形態などを参考に術式を検討していく必要がある[50,56]。

前方法と後方法の選択については施設間で差があることを認識すべきで，前方法と後方法のいずれを選択するにせよ，"広範同時かつ均等な除圧"という原則を認識すべきである。

図Ⅱ-5-6, 7 に 56 歳女性，69 歳女性の前方骨化浮上術の症例を示す。

図Ⅱ-5-8 に 61 歳女性の椎弓形成術の症例を示す。

3 治療成績に影響する因子

多変量解析から，本症の手術成績に影響を与える因子として報告されているものは，術前重症度，手術時年齢，骨化占拠率，罹病期間などである[45,57,58]。筆者らは以前から頚椎の後縦靱帯骨化に対する後方除圧術の長期成績に影響する因子として，骨化占拠率よりも主に術前重症度と手術時年齢を重視してきた[45]。しかし，頚椎の後縦靱帯骨化に対する術式選択として椎弓形成術を唯一の術式選択としていた時期の成績不良例を検討した結果，山型の骨化パターンや頚椎アライメント変化が成績不良に関与するこ

とがわかってきた[50,51]。

● 術前重症度と手術時年齢

脊髄症の術前重症度は手術成績に影響する[45,59~61]。年齢も治療成績に影響しており、年齢が高いほど手術成績は悪い[45,58,62]。田口らは115例の手術例において、手術成績に関与する因子として年齢は外傷に次いで影響を与えると述べている[58]。原因として高齢者は罹病期間が長く、外傷歴が存在している率が高い傾向があるうえに脊髄症状が発症しやすい傾向があるため、高齢者では術前から重症傾向であり、その結果、手術成績が悪いと考えられる[63~66]。

● 骨化形態

筆者らは骨化形態を台地型と山型に分類し、全体的な脊柱管狭窄を示す台地型に比して、局所的な脊髄圧迫を示す山型は椎弓形成術の成績不良因子であることを報告した[51]。

● 頚椎アライメント

頚椎矢状面アライメントの変化は椎弓形成術の成績不良因子である。術後の頚椎アライメント変化は頚椎の局所的不安定性を意味し重要である。術前既に頚椎後弯を認めるか圧迫レベルで椎間可動性が残存していれば、Matsunagaらが報告しているように動的因子が術後成績に影響する可能性がある[27,28]。

Masakiらは椎弓形成術の成績不良群を検討した結果、最大圧迫レベルでの椎間可動性が有意に大きく、術後にC2-7前弯角が有意に減少していたと報告している[67]。また、FujiyoshiらはC2とC7レベルの脊柱管中央を結ぶ線をK-lineとして提唱し、骨化巣がK-lineを越える場合は後方除圧術の成績が不良であったと報告している[68]。このK-lineは骨化占拠率や骨化パターン、術前頚椎アライメントを同時に評価できる方法で、後方除圧術の術後予測を簡便に行うことが可能である。

占拠率60％以上の大きな骨化では、椎弓形成術の手術成績に最も大きく影響する因子は頚椎前弯であった[69]。椎弓形成術後に頚椎前弯がやや減少することを考慮すると、術前に少なくとも20°以上の頚椎前弯が必要であると考えられる[69]。

● 骨化占拠率

骨化占拠率に関しては、高い症例は骨化巣をそのまま残す後方除圧術では十分な除圧が得られない可能性はあるが[49,50,70]、成績が悪いとは必ずしも結論できない。前方骨化浮上術や後方除圧術後10年以上の追跡調査では、骨化占拠率は手術成績に関連しなかったとの報告がある[41,45,47]。一方、骨化占拠率が50~60％を超える症例では後方除圧術の手術成績が悪かったとの報告もある[49,50,70]。手術成績はさまざまな因子(外傷歴、術前の重症度、年齢、罹病期間、骨化形態など)が関与しており、骨化占拠率だけで手術成績を評価することは困難と考えられる[36,50]。

● 外傷歴

外傷歴を有する症例では、術前術後のJOAスコアは悪く、改善率も悪い[58,62,71~80]。軽微な外傷を契機に脊髄損傷ないしは脊髄症をきたす頻度は、2~13％である[30,81]。外傷歴を有する症例の40~50％は脊髄症状を呈しており、本症患者にとって外傷は重要な危険因子である[30]。

● 髄内輝度変化

MRIによる髄内輝度変化の存在は、治療予後と関連するという報告と、関連しないという報告があり、意見の一致がない。

手術を行ったOPLL42例での報告では、MRIのT2強調像で髄内輝度変化を認めたものは43％(N＝18)存在し、それらの神経症状は髄内輝度変化がないものに比べて術前後の神経障害はより重症であった[82]。髄内輝度変化を認めた18例中12例に術後MRIを施行したところ、11例で髄内輝度変化は残存していたが、全例で術後神経症状の改善を認めていた[82]。手術症例91例を外傷の有無で2群に分類し、外傷が手術成績に及ぼす影響を術前MRI T2髄内高信号に着目して比較検討した報告では、髄内高信号を呈した外傷群の手術成績は、高信号を呈さなかった外傷群より有意に不良であったが、非外傷群では高信号の有無による有意差はなかった[76]。しかし両群間で髄内高信号を呈したものに注目すると、術前には臨床スコアに差はなかったが、術後成績は外傷群で有意に不良であり、髄内高信号は外傷の有無により異なる病態を反映

している可能性があることを報告している[76]。

●脊髄面積

術前の脊髄面積と治療成績は関連すると考えられるが，術前の圧迫形態と治療成績が関連するかどうかは明らかではない。藤原らは本症20例において，最大圧迫部位での有効脊柱管面積，脊髄面積は術前神経症状の重篤さの指標にはならないが，術後成績と相関があると報告している[83]。

4 術後患者の満足度調査

筆者らが行った頸椎OPLL術後患者の満足度調査では，84％の患者が手術により良くなったと感じており，80％の患者が手術結果に満足しているという結果であった。JOACMEQによる平均点数は頸椎機能が74点，下肢運動機能が58点，膀胱機能が70点，QOLが54点と下肢運動機能，QOLが低い傾向があった。多変量解析では，術後の身体機能（特に下肢機能），術後QOL，JOAスコア改善率が術式にかかわらず術後の満足度に影響していた。つまり，患者からみた手術成績には，歩行機能を中心とした術後QOLとJOAスコア改善率が関与していた[84]。

5-6. 頸椎OPLLの手術合併症

周術期合併症には，神経麻痺に関連するものとして，脊髄麻痺の悪化とC5麻痺（上肢麻痺）などの神経症状の悪化が報告されている[85]。この神経症状の悪化については，前方法，後方法いずれの術式でも約4％に生じる[42,45,47,49,61,85〜87]。椎弓形成術後の神経根性疼痛あるいは上肢麻痺は5〜10％に認められるが，ほとんどは2年以内に回復する[42,45,48,49,61,88〜94]。神経麻痺に関連するもの以外では，髄液漏が約5％[47〜49,61,87,88]，術後血腫が約3％に生じる[47,49,61]。

骨移植を要する前方手術に関連したものとして，骨癒合不全は4〜19％程度で生じ，移植骨の脱転・骨折は5〜10％程度と報告されている[48,49,61,88]。筆者らの経験でも，移植骨に関連した合併症は15％に起こっており，26％の症例で頸椎に何らかの追加手術を要している。

後方手術に関連したものとしては，後弯変形があり，最も高率なもので18％（椎弓切除術100例中18例）に生じると報告されているが[95]，報告例を集計すると約9％に生じる可能性がある[48,86〜88,96]。頸部痛，背部痛，上肢痛などの術後疼痛は，後方手術では高率なもので76％という報告[97]があるものの，10〜30％という報告が多く[45,86,89,93]，報告例を集計すると約17％に生じる可能性がある。一方，前方手術での報告は少なく，18％（17例中3例）にC5領域の疼痛を認めたという報告がある[97]。

前方法，後方法のいずれにおいても，術後追跡中に神経症状の再悪化をきたす症例がある。筆者らの症例では，前方法，後方法とも約15％に神経症状の再悪化が生じた。主な原因は，胸椎部での靱帯骨化によるもの，腰椎変性疾患，転倒を契機とするものなどであった。

5-7. 頸椎OPLLの骨化進展

本症における骨化進展に関しては，手術例のほうが保存例に比較して進展しやすいとの報告が多い[98,99]。術式別では後方除圧術のほうが前方除圧術に比して骨化進展は多い[99〜101]。後方除圧術後の骨化進展はおよそ70％（40〜100％）の症例に認められる[45,47,90,100〜103]。一方，前方除圧術後の骨化進展は31〜64％の症例に認められる[41,100]。

骨化形態による骨化進展を比較すると，混合型と連続型に多く，分節型では少ないことが判明している[45,102〜104]。また骨化進展は術後改善率とはおおむね関連しないが[61,96,105,106]，骨化進展により神経症状が悪化する症例も存在する[40,41,47,100,103]。本症における骨化進展の危険因子は手術時年齢（若年者），骨化形態（混合型や連続型），追跡時JOAスコア（高いほうが進展しやすい），SAC（広いほうが進展しやすい）が報告されている[45,100,102,103]。最近ではCTの詳細な検討により，正確な骨化進展の計測が可能になっている[53]。

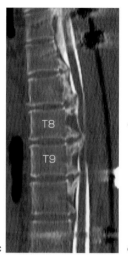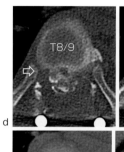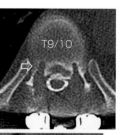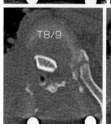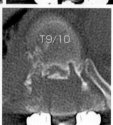

図Ⅱ-5-12　胸椎 OPLL による歩行困難（48歳女性，BMI：19.6）
　a：術前の胸椎 CT 矢状断像，b：術前の胸椎 MRI T2 強調矢状断像，c：後方除圧固定術後の CT ミエログラフィ矢状断像，d：後方除圧固定術後の CT ミエログラフィ横断像（T8/9，T9/10），e：前方骨化浮上術後の CT 横断像（T8/9，T9/10）
　広範囲の胸椎 OPLL に対して後方除圧固定（T1-L1）施行し，2 期的前方除圧術に備えて T7-10 の椎弓根から椎体まで gutter（図 d の矢印）を作成しておいた．後方除圧固定術後も下肢の深部感覚の改善が乏しいため，初回手術から1カ月後に前方から骨化浮上術（T7-9）を施行した．

5-8. 胸椎 OPLL（図Ⅱ-5-12）[140〜143]

　頚椎 OPLL に比して胸椎 OPLL は自然経過など不明な点が依然多く，手術合併症が多いのが特徴である[140〜143]。生理的後弯のある胸椎では術後後弯増強や動的因子による悪化を防ぐため，後方除圧術単独で行われることは少なく，インストゥルメンテーションを併用した除圧固定術が選択されることが多い。また，後方から進入して腹側の骨化巣を摘出する術式[107〜109]も椎弓根と横突起を切除してより広い視野で行うことでより安全に行えるようになってきた。

5-9. 黄色靱帯骨化症（ossification of ligamentum flavum：OLF）

　OLF の好発部位は，上位胸椎（T3-5）と下位胸椎（T10-12）である[121]。脊柱全体の骨化傾向が OLF 発生に関与しており，頚椎 OPLL を有する患者では高率に胸椎 OLF を併発する[121]。また OLF には高率に他の脊椎疾患が併存しているため，OLF 症例においては全脊柱の検索が非常に重要である[121]。

　OLF による症状は神経圧迫高位によって異なるが，脊髄あるいは馬尾圧迫による歩行障害，下肢運動・感覚障害，腰痛・下肢痛などが主な症状である[121]。間欠跛行を主訴とすることもあるので腰部脊柱管狭窄症との鑑別には十分留意する（Ⅱ-7-A「腰部脊柱管狭窄症」参照）。

　OLF 好発高位である胸腰椎移行部は円錐上部（epiconus）と脊髄円錐部（conus medullaris）・馬尾が近接するため高位診断が特に難しい（p57「胸腰椎移行部障害」参照）。

付．びまん性特発性骨増殖症（diffuse idiopathic skeletal hyperostosis：DISH）[17,144〜146]

1　疾患概念

　脊椎および脊椎外に特徴的な骨増殖（骨化）を呈する変性疾患で，主に60歳以上の男性にみられる。1950年に Forestier が脊柱の前縦靱帯骨化を中心とする脊柱靱帯骨化により脊椎強直を

きたす疾患を強直性脊椎骨増殖症(ASH)として報告し[4]，Resnickが脊柱以外の靱帯にも骨化が生じているとして，びまん性特発性骨増殖症(DISH)との疾患概念を提唱して以来，脊柱靱帯の骨化が疾患概念として広く認知されるようになった[3]。現在のところDISHは全身性に骨増殖(骨化)をきたす変性疾患という概念でとらえられている。骨増殖は基本的に靱帯付着部より起こり，関節の可動域制限や局所の痛み等の症状が現れる。

頚椎後縦靱帯骨化症(OPLL)はDISHの一亜型との考え方があるが，DISHの主症状は脊柱靱帯の骨化による脊柱運動障害であり，神経症状を呈する疾患ではない。また，以下のように表現されることもあるが，臨床的には同一の疾患群である。

1) Forestier病
2) 強直性脊椎骨増殖症(ankylosing hyperostosis of the spine または ankylosing spinal hyperostosis：ASH)
3) spondylitis ossificans ligamentosa, spondylosis hyperostotica など

2 診断

X線画像にて診断するが，確固たる診断基準はない。脊椎の骨化に対して言及するならば，次の3つの条件を満たすのが，典型的なものとなる[3,17]。

1) **少なくとも連続した4椎体(3椎間)の前側面に，石灰化と骨化が起こっている。**
→変形性脊椎症(spondylosis deformans)と区別するため。

2) 比較的，椎間高が保たれており，広範囲にわたる椎間板変性(vacuum現象や椎体辺縁部の骨硬化)がない。
→脊椎骨軟骨症(osteochondrosis)と区別するため。

3) 椎間関節の骨性強直や仙腸関節のびらん，骨硬化，関節内での骨癒合がない。
→強直性脊椎炎(ankylosing spondylitis)と区別するため。

3 疫学

DISHは高齢者にはよくみられる病態で，男性に多く女性には少ない。Boachieら[110]のautopsy study(1987年)によると，平均65歳(50～90歳)の75例中21例(28%)にDISHを認めたと報告されている。その他，北米，ヨーロッパ，韓国などで疫学調査が行われており，有病率は2.6～25%と幅広い数字が報告されている[147～149]。これらは調査対象の年齢や男女比，診断基準に差異があるため，単純な比較は困難であるが，日本人の有病率は9.9～12.1%と報告されており，日本人に稀な疾患ではないと思われる[9,150,151]。

4 症状

脊椎症状として，腰痛，腰の不快感，可動域制限など高齢者にはよくみられる症状が主なので程度も軽いため，DISHと気づかれないことが多い。頚椎椎体前面に大きな骨化が生じると嚥下困難を起こし，誤嚥性肺炎のリスクが高くなる。

脊椎以外では，肩，肘，膝，足関節などに骨棘を形成し，可動域制限や局所の痛みが出現する。特に，アキレス腱の骨化(アキレス腱炎)，肘関節の骨増殖などが認められる。

5 鑑別

DISHは，強直性脊椎炎(ankylosing spondylitis：AS)と画像上類似しており，鑑別が重要である(**表Ⅱ-5-4**)[13]。

6 合併症

●頚椎後縦靱帯骨化症(OPLL)

OnoらはOPLLの症例の160例中71例(44%)に椎体前面の骨増殖が認められたと報告している[14]。また，ResnickらはDISHの50%にOPLLを認めたと報告している[17,111]が，PET検査を受けた1,500名の日本人の解析ではDISHの有病率は12%であり，そのうち18%に頚椎OPLL，21%に胸椎OLFを認めたと報告[9]している。

表 II-5-4　強直性脊髄炎(AS)との鑑別(文献 17 より改変引用)

	DISH	AS
好発年齢	高齢者	青壮年
炎症所見	なし	あり
椎間板	正常あるいは狭小化	正常あるいは凸状の形態
椎間関節	正常あるいは軽度骨硬化，骨棘形成	びらん，骨硬化，骨性強直
骨硬化部位	靱帯付着部から起こる	線維輪周辺から起こる
仙腸関節	正常あるいは関節周囲の骨棘形成	びらん，骨硬化，骨性強直

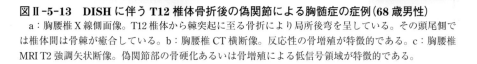

図 II-5-13　DISH に伴う T12 椎体骨折後の偽関節による胸髄症の症例(68 歳男性)
　a：胸腰椎 X 線側面像。T12 椎体から棘突起に至る骨折により局所後弯を呈している。その頭尾側では椎体間は骨棘が癒合している。b：胸腰椎 CT 横断像。反応性の骨増殖が特徴的である。c：胸腰椎 MRI T2 強調矢状断像。偽関節部の骨硬化あるいは骨増殖による低信号領域が特徴的である。

● **糖尿病**

　Rosenthal らは DISH 患者 50 人中 32％に糖尿病を合併していたと報告している[112]。OPLL と同様に関連性があるかもしれないが，直接的な関連性は証明されていない。

● **脊椎骨折**[17,152〜155]

- DISH により動きの少なくなった脊椎は，比較的軽微な外力でも骨折を起こしやすく，あたかも四肢の骨幹部骨折のように折れ，横骨折が典型的である。
- 骨折部以外は動きが制限されているので，骨折後の偽関節を生じやすい。
- 連結している椎体の数が多いほど，骨折は重篤なものになる傾向がある。
- 後弯の進行があれば神経症状の悪化が予想されるが，後弯進行がなくても骨増殖が起こりやすくなっているので，骨棘形成などにより遅発性に麻痺が生じる場合がある。
- 治療としては強固な外固定，もしくは外科的に固定術が必要である。

　図 II-5-13, 14 に 68 歳男性，82 歳男性の症例を示す。

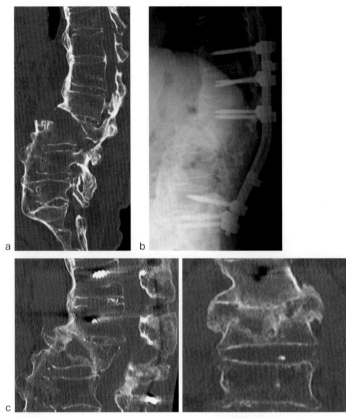

図Ⅱ-5-14　DISH に伴う腰椎（L3）骨折（82 歳男性）
a：術前の胸腰椎 CT 矢状断像，b：術後の胸腰椎 X 線側面像，c：術後 11 カ月時の腰椎 CT 画像（左：矢状断像，右：冠状断像）
転落による受傷で腰下肢痛および下肢筋力低下が出現し，T12～S1 までの後方固定を施行した．術後 6 週ベッド上安静を指示し PTH 製剤を使用し，前方固定の追加なしで骨癒合が得られた．

引用文献

1) Key CA：On paraplegia depending on the ligament of the spine. Guy's Hosp Rep 3：17-34, 1838.
2) Tsukimoto H：A case report：autopsy of syndrome of compression of the spinal cord owing to ossification within the cervical spinal canal. Arch Jpn Chir 29：1003-1007, 1960.
3) Resnick D, Niwayama G：Radiographic and pathologic features of spinal involvement in diffuse idiopathic skeletal hyperostois(DISH). Radiology 119：559-568, 1976.
4) Forestier J, Rotes-Querol J：Senile ankylosing hyperostosis of the spine. Ann Rheum Dis 9：321-330, 1950.
5) Terayama K：Genetic studies on ossification of the posterior longitudinal ligament of the spine. Spine 14：1184-1191, 1989.
6) 寺山和雄，大塚訓喜，Merlini L, 他：イタリアボローニアにおける後縦靱帯骨化症（OPLL）の調査．厚生省脊柱靱帯骨化症調査研究班—昭和 58 年度研究報告書．pp55-62, 1984.
7) 黒川高秀：台湾・ホンコン・シンガポールにおける後縦靱帯骨化像の頻度．厚生省脊柱靱帯骨化症調査研究班—昭和 52 年度研究報告書．pp26-28, 1978.
8) Fujimori T, Le H, Hu SS, et al：Ossification of the posterior longitudinal ligament of the cervical spine in 3161 patients：a CT-based study. Spine 40：E394-E403, 2015.
9) Fujimori T, Watabe T, Iwamoto Y, et al：Prevalence, concomitance, and distribution of ossification of the spinal ligaments：results of whole spine CT scans in 1500 Japanese patients. Spine 41：1668-1676, 2016.
10) Fujimori T, Nakajima N, Sugiura T, et al：Epidemiology of symptomatic ossification of the posterior longitudinal ligament：a nationwide registry survey. J Spine Surg 7：485-494, 2021.
11) 三浦幸雄, 河合　清：脊柱靱帯骨化症の成因．後縦靱帯骨化像の双生児調査．整形外科 44：993-998, 1993.
12) Sakou T, Taketomi E, Matsunaga S, et al：Genetic study of ossification of the posterior longitudinal ligament in the cervical spine with human leukocyte antigen haplotype. Spine 16：1249-1252, 1991.
13) Kawaguchi Y, Matsumoto M, Iwasaki M, et al：New

13) classification system for ossification of the posterior longitudinal ligament using CT images. J Orthop Sci 19：530-536, 2014.
14) Ono K, Ota H, Tada K, et al：Ossified posterior longitudinal ligament. A clinicopathologic study. Spine 2：126-138, 1977.
15) Nakamura M, Fujiyoshi K, Tsuji O, et al：Clinical significance of diffusion tensor tractography as a predictor of functional recovery after laminoplasty in patients with cervical compressive myelopathy. J Neurosurg Spine 17：147-152, 2012.
16) Takano M, Komaki Y, Hikishima K, et al：In vivo tracing of neural tracts in tiptoe walking Yoshimura mice by diffusion tensor tractography. Spine 38：E66-72, 2013.
17) Resnick D：Chapter 36 Diffuse idiopathic skeletal hyperostosis. Diagnosis of Bone and Joint Disorders 4th ed, WB Saunders, pp1476-1503, 2002.
18) Koga H, Sakou T, Taketomi E, et al：Genetic mapping of ossification of the posterior longitudinal ligament of the spine. Am J Hum Genet 62：1460-1467, 1998.
19) Nakajima M, Takahashi A, Tsuji T, et al：A genome-wide association study identifies susceptibility loci for ossification of the posterior longitudinal ligament of the spine. Nat Genet 46：1012-1016, 2014.
20) Hirai N, Ikata T, Murase M, et al：Bone mineral density of the lumbar spine in patients with ossification of the posterior longitudinal ligament of the cervical spine. J Spinal Disord 8：337-341, 1995.
21) Matsui H, Yudoh K, Tsuji H：Significance of serum levels of type I procollagen peptide and intact osteocalcin and bone mineral density in patients with ossification of the posterior longitudinal ligaments. Calcif Tissue Int 59：397-400, 1996.
22) Yamauchi T, Taketomi E, Matsunaga S, et al：Bone mineral density in patients with ossification of the posterior longitudinal ligament in the cervical spine. J Bone Miner Metab 17：296-300, 1999.
23) Sohn S, Chung CK：Increased bone mineral density and decreased prevalence of osteoporosis in cervical ossification of the posterior longitudinal ligament：a case-control study. Calcif Tissue Int 92：28-34, 2013.
24) Kashii M, Matsuo Y, Sugiura T, et al：Circulating sclerostin and dickkopf-1 levels in ossification of the posterior longitudinal ligament of the spine. J Bone Miner Metab 34：315-324, 2016.
25) McClung MR, Grauer A, Boonen S, et al：Romosozumab in postmenopausal women with low bone mineral density. N Engl J Med 370：412-420, 2014.
26) Fujimori T, Iwasaki M, Nagamoto Y, et al：Three-dimensional measurement of intervertebral range of motion in ossification of the posterior longitudinal ligament：Are there mobile segments in the continuous type? J Neurosurg Spine 17：74-81, 2012.
27) Matsunaga S, Sakou T, Taketomi E, et al：The natural course of myelopathy caused by ossification of the posterior longitudinal ligament in the cervical spine. Clin Orthop 305：168-177, 1994.
28) Matsunaga S, Kukita M, Hayashi K, et al：Pathogenesis of myelopathy in patients with ossification of the posterior longitudinal ligament. J Neurosurg 96(2 Suppl)：168-172, 2002.
29) Matsunaga S, Sakou T, Taketomi E, et al：Clinical course of patients with ossification of the posterior longitudinal ligament：a minimum 10-year cohort study. J Neurosurg 100(3 Suppl Spine)：245-248, 2004.
30) Matsunaga S, Sakou T, Hayashi K, et al：Trauma-induced myelopathy in patients with ossification of the posterior longitudinal ligament. J Neurosurg 97(2 Suppl)：172-175, 2002.
31) 沢村 悟, 片岡 治, 鷲見正敏, 他：頚椎後縦靱帯骨化症における保存的治療の適応と限界―頚椎持続牽引法を中心に. 脊椎脊髄 6：889-893, 1993.
32) 富永積生：頚椎後縦靱帯骨化症の保存療法. 頚椎後縦靱帯骨化症に対する保存的治療―狭窄・圧迫性頚髄症例に対して. 整形外科 44：1189-1196, 1993.
33) Chung OM：MRI confirmed cervical cord injury caused by spinal manipulation in a Chinese patient. Spinal Cord 40：196-199, 2002.
34) Padua L, Padua R, LoMonaco M, et al：Radiculomedullary complications of cervical spinal manipulation. Spinal Cord 34：488-492, 1996.
35) Stevinson C, Honan W, Cooke B, et al：Neurological complications of cervical spine manipulation. J R Soc Med 94：107-110, 2001.
36) Iwasaki M, Yonenobu K：Chapter 54 Ossification of the posterior longitudinal ligament. Rothman-Simone The Spine ed 5(Herkowitz ed), WB Saunders, Philadelphia, pp896-912, 2006.
37) 柳 務：頚髄・頚椎疾患の治療. 後縦靱帯骨化症の治療―保存的療法を中心に(手術適応を含む). 神経内科治療 8：289-294, 1991.
38) Yoshii T, Egawa S, Hirai T, et al：A systematic review and meta-analysis comparing anterior decompression with fusion and posterior laminoplasty for cervical ossification of the posterior longitudinal ligament. J Orthop Sci 25：58-65, 2020.
39) Nagamoto Y, Iwasaki M, Okuda S, et al：Anterior selective stabilization combined with laminoplasty for cervical myelopathy due to massive ossification of the posterior longitudinal ligament：report of early outcomes in 14 patients. J Neurosurg Spine 33：58-64, 2020.
40) 黒佐義郎, 山浦伊裟吉, 四宮謙一, 他：頚椎後縦靱帯骨化症に対する手術療法. 頚椎後縦靱帯骨化症に対する骨化浮上術の長期成績と適応. 整形外科 44：1225-1232, 1993.
41) Matsuoka T, Yamaura I, Kurosa Y, et al：Long-term results of the anterior floating method for cervical myelopathy caused by ossification of the posterior longitudinal ligament. Spine 26：241-248, 2001.
42) Yamaura I, Kurosa Y, Matuoka T, et al：Anterior float-

ing method for cervical myelopathy caused by ossification of the posterior longitudinal ligament. Clin Orthop 359：27-34, 1999.
43) 木田　浩, 田畑四郎, 高原光明, 他：頚椎後縦靱帯骨化症に対する骨化巣非摘出前方椎間固定術と長期術後成績. 臨整外 31：251-257, 1996.
44) Onari K, Akiyama N, Kondo S, et al：Long-term follow-up results of anterior interbody fusion applied for cervical myelopathy due to ossification of the posterior longitudinal ligament. Spine 26：488-493, 2001.
45) Iwasaki M, Kawaguchi Y, Kimura T, et al：Long-term results of expansive laminoplasty for ossification of the posterior longitudinal ligament of the cervical spine：more than 10 years follow up. J Neurosurg 96(2 Suppl)：180-189, 2002.
46) 岩﨑幹季：椎弓形成術は椎弓切除術に勝るか？ 脊椎脊髄 17：232-234, 2004.
47) Kato Y, Iwasaki M, Fuji T, et al：Long-term follow-up results of laminectomy for cervical myelopathy caused by ossification of the posterior longitudinal ligament. J Neurosurg 89：217-223, 1998.
48) 国分正一, 桜井　実, 八幡順一郎, 他：頚椎後縦靱帯骨化症の手術成績. 前方除圧術と後方除圧術の比較検討. 臨整外 23：543-553, 1988.
49) Tani T, Ushida T, Ishida K, et al：Relative safety of anterior microsurgical decompression versus laminoplasty for cervical myelopathy with a massive ossified posterior longitudinal ligament. Spine 27：2491-2498, 2002.
50) 岩﨑幹季, 奥田真也, 宮内　晃：頚椎後縦靱帯骨化症に対する外科的治療戦略—後方除圧術の限界. 別冊整形外科 45 脊柱靱帯骨化症—病態解明と治療の最前線(四宮謙一 編), 南江堂, pp197-200, 2004.
51) Iwasaki M, Okuda S, Miyauchi A, et al：Surgical strategy for cervical myelopathy due to ossification of the posterior longitudinal ligament. Part 1：Clinical results and limitations of laminoplasty. Spine 32：647-653, 2007.
52) Iwasaki M, Okuda S, Miyauchi A, et al：Surgical strategy for cervical myelopathy due to ossification of the posterior longitudinal ligament. Part 2：Advantages of anterior decompression and fusion over laminoplasty. Spine 32：654-660, 2007.
53) Fujimori T, Iwasaki M, Okuda S, et al：Three-dimensional measurement of growth of ossification of the posterior longitudinal ligament. J Neurosurg Spine 16：289-295, 2012.
54) Nagamoto Y, Iwasaki M：Surgical indications and choice of surgical procedure for cervical ossification of the longitudinal ligament. OPLL Ossification of the Posterior Longitudinal Ligament 3rd ed(ed by Okawa A, Matsumoto M, Iwasaki M, et al), Springer Nature Singapore, pp167-174, 2020.
55) Sakai K, Okawa A, Takahashi M, et al：Five-year follow-up evaluation of surgical treatment for cervical myelopathy caused by ossification of the posterior longitudinal ligament. A prospective comparative study of anterior decompression and fusion with floating method versus laminoplasty. Spine 37：367-376, 2012.
56) Matsumoto M, Chiba K, Toyama Y：Surgical treatment of ossification of the posterior longitudinal ligament and its outcomes. Posterior surgery by laminoplasty. Spine 37：E303-E308, 2012.
57) Fujimura Y, Nishii Y, Chiba K, et al：Multiple regression analysis of the factors influencing the results of expansive open-door laminoplasty for cervical myelopathy due to ossification of the posterior longitudinal ligament. Arch Orthop Trauma Surg 117：471-474, 1998.
58) 田口敏彦, 河合伸也, 小田裕胤, 他：頚椎後縦靱帯骨化症(OPLL)における術後成績に関与する因子の検討. 整外と災外 39：267-269, 1990.
59) Baba H, Furusawa N, Chen Q, et al：Anterior decompressive surgery for cervical ossified posterior longitudinal ligament causing myeloradiculopathy. Paraplegia 33：18-24, 1995.
60) 市村正一, 平林洌, 里見和彦, 他：頚椎後縦靱帯骨化症の手術成績からみた手術適応. 臨整外 23：555-562, 1988.
61) 上小鶴正弘：頚椎後縦靱帯骨化症に対する前方除圧術における骨化巣浮上術の意義. 日整会誌 65：431-440, 1991.
62) 奥田昌之, 河合伸也, 斎鹿　稔, 他：頚椎後縦靱帯骨化症における術後成績不良例の検討. 整外と災外 43：1323-1325, 1994.
63) 伊藤　裕, 河合伸也, 砂金光蔵, 他：高齢者の頚椎後縦靱帯骨化(OPLL)症例の検討. 整外と災外 39：264-266, 1990.
64) 森信謙一, 田口敏彦, 金子和生, 他：高齢者頚椎後縦靱帯骨化症手術例の検討. 西日脊椎研会誌 27：32-34, 2001.
65) Murakami Y, Baba I, Kimura O, et al：A clinical review of posterior longitudinal ligament ossification of the cervical vertebra. Hiroshima J Med Sci 24(2-3)：79-95, 1975.
66) 斎藤　稔, 渡辺英夫, 森山和幸, 他：高齢者(65歳以上)における頚椎後縦靱帯骨化症の術後成績. 整外と災外 38：1220-1222, 1990.
67) Masaki Y, Yamazaki M, Okawa A, et al：An analysis of factors causing poor outcome in patients with cervical myelopathy due to ossification of the posterior longitudinal ligament. Anterior decompression with spinal fusion versus laminoplasty. J Spinal Disord Tech 20：7-13, 2007.
68) Fujiyoshi T, Yamazaki M, Kawabe J, et al：A new concept for making decisions regarding the surgical approach for cervical ossification of the posterior longitudinal ligament：The K-line. Spine 33：E990-E993, 2008.
69) Fujimori T, Iwasaki M, Okuda S, et al：Long-term results of cervical myelopathy due to ossification of the posterior longitudinal ligament with an occupying ratio of 60% or more. Spine 39：58-67, 2014.

70) Baba H, Imura S, Kawahara N, et al：Osteoplastic laminoplasty for cervical myeloradiculopathy secondary to ossification of the posterior longitudinal ligament. Int Orthop 19：40-45, 1995.
71) Baba H, Furusawa N, Tanaka Y, et al：Anterior decompression and fusion for cervical myeloradiculopathy secondary to ossification of the posterior ligament. Int Orthop 18：204-209, 1994.
72) 平井信成，井形高明，村瀬正昭，他：頚椎後縦靱帯骨化の自然経過と手術成績．西日脊椎研会誌 20：97-99，1994.
73) Katoh S, Ikata T, Hirai N, et al：Influence of minor trauma to the neck on the neurological outcome in patients with ossification of the posterior longitudinal ligament（OPLL）of the cervical spine. Paraplegia 33：330-333, 1995.
74) Kawano H, Handa Y, Ishii H, et al：Surgical treatment for ossification of the posterior longitudinal ligament of the cervical spine. J Spinal Disord 8：145-150, 1995.
75) 中村雅也，藤村祥一，松本守雄，他：頚椎後縦靱帯骨化症の手術治療成績と外傷の関連について．臨整外 31：1339-1342，1996.
76) 中村雅也，藤村祥一，松本守雄，他：頚椎後縦靱帯骨化症の治療成績と外傷の関連．MRI髄内高信号の臨床的意義．臨整外 32：321-325，1997.
77) Nakamura M, Fujimura Y：Magnetic resonance imaging of the spinal cord in cervical ossification of the posterior longitudinal ligament. Can it predict surgical outcome? Spine 23：38-40, 1998.
78) 斎鹿 稔，河合伸也，砂金光蔵，他：軽微な外傷によって発症した頚椎後縦靱帯骨化症の検討．整外と災外 36：794-796，1988.
79) 施 徳全，塩川靖夫，笠井裕一，他：外傷を契機に発見された頚椎後縦靱帯骨化症の術後成績．中部整災誌 43：945-946，2000.
80) 植田尊善，芝啓一郎，香月正昭，他：頚椎後縦靱帯骨化症（OPLL）の手術成績．整外と災外 39：270-272，1990.
81) 西浦高志，山内裕雄，辻 高明，他：軽微な外傷により脊髄症状を呈した頚椎後縦靱帯骨化症例の検討．整・災外 36：1667-1672，1993.
82) Koyanagi I, Iwasaki Y, Hida K, et al：Magnetic resonance imaging findings in ossification of the posterior longitudinal ligament of the cervical spine. J Neurosurg 88：247-254, 1998.
83) 藤原桂樹，米延策雄，江原宗平，他：CTMよりみた頚椎後縦靱帯骨化症と頚椎症性脊髄症の病態の差異．臨整外 23：419-424，1988.
84) Fujimori T, Iwasaki M, Okuda S, et al：Patient Satisfaction with Surgery for Cervical Myelopathy due to Ossification of the Posterior Longitudinal Ligament. J Neurosurg Spine 14：726-733, 2011.
85) Yonenobu K, Hosono N, Iwasaki M, et al：Neurologic complications of surgery for cervical compression myelopathy. Spine 16：1277-1282, 1991.
86) 本間隆夫，内山政二，山崎昭義，他：頚椎後縦靱帯化症の成績不良例を生じる術中・術後因子．脊椎脊髄 6：917-923，1993.
87) 宮崎和躬：頚椎後縦靱帯骨化症に対する手術療法—頚椎後縦靱帯骨化症に対する椎弓切除術の成績と適応．整形外科 44：1197-1204，1993.
88) Isu T, Minoshima S, Mabuchi S：Anterior decompression and fusion using bone grafts obtained from cervical vertebral bodies for ossification of the posterior longitudinal ligament of the cervical spine：technical note. Neurosurgery 40：866-869, 1997.
89) 平林 洌，里見和彦，市村正一，他：頚椎後縦靱帯骨化症に対する片開き式脊柱管拡大術の合併症とその対策．臨整外 23：509-515，1988.
90) Hirabayashi K, Toyama Y, Chiba K：Expansive laminoplasty for myelopathy in ossification of the longitudinal ligament. Clin Orthop 359：35-48, 1999.
91) 今村寿宏，黒瀬眞之輔，甲斐之尋，他：当科における頚椎後縦靱帯骨化症に対する前方除圧固定術の検討．西日脊椎研会誌 28：190-195，2002.
92) 古賀公明，松永俊二，林 協司，他：手術時年齢 70歳以上のOPLL患者術後生活実態調査．西日脊椎研会誌 27：28-31，2001.
93) Morimoto T, Uranishi R, Nakase H, et al：Extensive cervical laminoplasty for patients with long segment OPLL in the cervical spine：an alternative to the anterior approach. J Clin Neurosci 7：217-222, 2000.
94) 西 幸美，平林 洌，里見和彦：頚椎後縦靱帯骨化症に対する手術療法—頚椎後縦靱帯骨化症に対する片開き式脊柱管拡大術の成績と適応．整形外科 44：1219-1224，1993.
95) 宮崎和躬，広藤栄一，吉野仁浩，他：頚椎後縦靱帯骨化症に対する広範同時除圧椎弓切除術—術後 10 年以上経過例について．臨整外 33：425-431，1998.
96) 林 雅弘，大島義彦：頚部後縦靱帯骨化症に対する山形大式脊柱管拡大術の成績．脊髄外科 9：17-24，1995.
97) 塩川靖夫，須藤啓広，西村竜彩，他：頚髄症の手術後疼痛の検討．中部整災誌 33：2204-2206，1990.
98) Takatsu T, Ishida Y, Suzuki K, et al：Radiological study of cervical ossification of the posterior longitudinal ligament. J Spinal Disord 12：271-273, 1999.
99) 市本裕康，河合伸也，斎鹿 稔，他：頚椎OPLLの術後進展に関する経時的調査．整外と災外 39：1151-1153，1991.
100) 富田 卓，原田征行，植山和正，他：頚椎後縦靱帯骨化症の骨化進展についてのX線学的検討．骨化進展に及ぼす手術の影響について．臨整外 34：167-172，1999.
101) 武富栄二，酒匂 崇，森本典夫，他：頚椎OPLLの骨化進展に及ぼす手術の影響．臨整外 23：537-542，1988.
102) Chiba K, Yamamoto I, Hirabayashi H, et al：Multicenter study investigating the postoperative progression of ossification of the posterior longitudinal ligament in the cervical spine：a new computer-assisted measurement. J Neurosurg Spine 3：17-23, 2005.

103) Kawaguchi Y, Kanamori M, Ishihara H, et al：Progression of ossification of the posterior longitudinal ligament following en bloc cervical laminoplasty. J Bone Joint Surg Am 83-A：1798-1802, 2001.
104) 市本裕康，河合伸也，斎鹿 稔：脊柱靱帯骨化症の臨床経過と骨化巣の進展―頚椎後縦靱帯骨化症における骨化の進展様式―手術症例からみた検討．整形外科 44：1132-1138，1993.
105) 加藤泰司，岩﨑幹季，江原宗平，他：頚椎後縦靱帯骨化症に対する椎弓切除術―10 年以上の長期成績．別冊整形外科 29，南江堂，pp153-158，1996.
106) 里見和彦，西 幸美，宮坂芳郎，他：頚椎後縦靱帯骨化症に対する後方除圧術の意義と限界．日脊会誌 6：100-104，1996.
107) Kato S, Murakami H, Demura S, et al：Novel surgical technique for ossification of posterior longitudinal ligament in the thoracic spine. Technical note. J Neurosurg Spine 17：525-529, 2012.
108) Kato S, Murakami H, Demura S, et al：Gradual spinal cord decompression through migration of floated plaques after anterior decompression via a posterolateral approach for OPLL in the thoracic spine. J Neurosurg Spine 23：479-483, 2015.
109) Imagama S, Ando K, Ito Z, et al：Resection of Beak-Type Thoracic Ossification of the Posterior Longitudinal Ligament from a Posterior Approach under Intraoperative Neurophysiological Monitoring for Paralysis after Posterior Decompression and Fusion Surgery. Global Spine J 6：812-821, 2016.
110) Boachie-Adjei：Incidence of Ankylosing Hyperostosis of the Spine（Forestier's disease）at Autopsy. Spine 12：739, 1987.
111) Resnick D, Guerra J Jr, Robinson CA, et al：Association of diffuse idiopathic skeletal hyperostosis（DISH）and classification and ossification of the posterior longitudinal ligament. AJR Am J Roentgenol 131：1049-1053, 1978.
112) Rosenthal M, Bahous I, Muller W：Increased frequency of HLA-B8 in hyperostotic spondylosis. J Rheumatol（3 Suppl）：94-96, 1977.

参考文献

113) Yonenobu K, Nakamura K, Toyama Y（ed）：OPLL：ossification of the posterior longitudinal ligament 2nd ed, Springer, Tokyo, 2006.
114) 日本整形外科学会診療ガイドライン委員会，頚椎後縦靱帯骨化症ガイドライン策定委員会：頚椎後縦靱帯骨化症診療ガイドライン，南江堂，pp77-160，2005.
115) Tsuyama N：Ossification of the posterior longitudinal ligament of the spine. Clin Orthop 184：71-83, 1984.
116) 土屋恒篤，田中信陽：脊柱靱帯骨化の X 線学的分類．整形外科 MOOK 50 脊柱靱帯骨化症，金原出版，pp44-58，1987.
117) 山浦伊裳吉，黒佐義郎，岡本昭彦，他：頚椎後縦靱帯骨化の発生進展機序．臨床・病理面からの検討．臨整外 23：403-410，1988.
118) Hashizume Y, Iijima S, Kishimoto H, et al：Pathology of spinal cord lesions caused by ossification of the posterior longitudinal ligament. Acta Neuropathol 63：123-130, 1984.
119) Ono K, Yonenobu K, Miyamoto S, et al：Pathology of ossification of the posterior longitudinal ligament and ligamentum flavum. Clin Orthop 359：18-26, 1999.
120) 種市 洋，金田清志，鐙 邦芳，他：頚椎・胸椎靱帯骨化合併例の下肢症状に対する責任病巣決定について―神経学的診断を中心に．臨整外 26：579-586，1991.
121) 日本整形外科学会診療ガイドライン委員会，脊柱靱帯骨化症診療ガイドライン策定委員会：脊柱靱帯骨化症診療ガイドライン 2019，南江堂，2019.
122) 岩﨑幹季，宮内 晃，奥田真也，他：頚椎後縦靱帯骨化症―治療に関するシステマティックレビュー．脊椎脊髄 19：133-142，2006.
123) Cheng WC, Chang CN, Lui TN, et al：Surgical treatment for ossification of the posterior longitudinal ligament of the cervical spine. Surg Neurol 41：90-97, 1994.
124) Epstein NE：Circumferential surgery for the management of cervical ossification of the posterior longitudinal ligament. J Spinal Disord 11：200-207, 1998.
125) 辻有紀子，水野順一，中川 洋：頚椎後縦靱帯骨化症における手術前後の神経症状と画像所見の比較検討．日パラプレジア医会誌 15：140-141，2002.
126) Fujimura Y, Nakamura M, Toyama Y：Influence of minor trauma on surgical results in patients with cervical OPLL. J Spinal Disord 11：16-20, 1998.
127) 山浦伊裳吉，黒佐義郎：頚椎後縦靱帯骨化症に対する前方除圧―骨化前方浮上術．日脊会誌 6：109-112，1995.
128) 秋山典彦，村瀬伸哉，戸口淳，他：頚椎後縦靱帯骨化症に対する前方固定術の長期成績．別冊整形外科 29，南江堂，pp109-114，1996.
129) Tominaga S：The effects of intervertebral fusion in patients with myelopathy due to ossification of the posterior longitudinal ligament of the cervical spine. Int Orthop 4：183-191, 1980.
130) Hirabayashi K, Miyakawa J, Satomi K, et al：Operative results and postoperative progression of ossification among patients with ossification of cervical posterior longitudinal ligament. Spine 6：354-364, 1981.
131) Hirabayashi K, Watanabe K, Wakano K, et al：Expansive open-door laminoplasty for cervical spinal stenotic myelopathy. Spine 8：693-699, 1983.
132) Itoh T, Tsuji H：Technical improvements and results of laminoplasty for compressive myelopathy in the cervical spine. Spine 10：729-736, 1985.
133) Ogawa Y, Toyama Y, Chiba K, et al：Long-term results of expansive open-door laminoplasty for ossification of the posterior longitudinal ligament of the cervical spine. J Neurosurg Spine 1：168-174, 2004.
134) Baba H, Furusawa N, Chen Q, et al：Cervical lamino-

plasty in patients with ossification of the posterior longitudinal ligaments. Paraplegia 33：25-29, 1995.
135) Tomita K, Nomura S, Umeda S, et al：Cervical laminoplasty to enlarge the spinal canal in multilevel ossification of the posterior longitudinal ligament with myelopathy. Arch Orthop Trauma Surg 107：148-153, 1988.
136) 岩﨑幹季：椎弓形成術の脊髄後方除圧としての限界. 脊椎脊髄 26：1047-1054, 2013.
137) Goto S, Kita T：Long-term follow-up evaluation of surgery for ossification of the posterior longitudinal ligament. Spine 20：2247-2256, 1995.
138) 米延策雄, 岩﨑幹季, 他：頚椎OPLLに対する前方手術と後方手術の治療成績比較. 日脊会誌 6：105-108, 1995.
139) 岩﨑幹季, 奥田真也, 宮内 晃, 他：頚椎後縦靱帯骨化症に対する術式選択―椎弓形成術 v.s. 前方除圧固定術―その適応と限界. 臨整外 42：255-265, 2007.
140) Matsumoto M, Chiba K, Toyama Y, et al：Surgical results and related factors for ossification of posterior longitudinal ligament of the thoracic spine：a multi-institutional retrospective study. Spine 33：1034-1041, 2008.
141) Matsumoto M, Toyama Y, Chikuda H, et al：Outcomes of fusion surgery for ossification of the posterior longitudinal ligament of the thoracic spine：a multicenter retrospective survey：clinical article. J Neurosurg Spine 15：380-385, 2011.
142) Yamazaki M, Mochizuki M, Ikeda Y, et al：Clinical results of surgery for thoracic myelopathy caused by ossification of the posterior longitudinal ligament：operative indication of posterior decompression with instrumented fusion. Spine 31：1452-1460, 2006.
143) Imagama S, Ando K, Takeuchi K, et al：Perioperative Complications After Surgery for Thoracic Ossification of Posterior Longitudinal Ligament：A Nationwide Multicenter Prospective Study. Spine 43：E1389-E1397, 2018.
144) di Girolamo C, Pappone N, Rengo C, et al：Intervertebral disc lesions in diffuse idiopathic skeletal hyperostosis. Clin Exp Rheumatol 19：310, 2001.
145) Kiss C, Szilágyi M, Paksy A, et al：Risk factors for diffuse idiopathic skeletal hyperostosis：a case-control study. Rheumatology 41：27-30, 2002.
146) Meyer PR Jr：Diffuse Idiopathic Skeletal Hyperostosis in the Cervical Spine. Clin Orthop 359：49, 1999.
147) Weinfeld RM, Olson PN, Maki DD, et al：The prevalence of diffuse idiopathic skeletal hyperostosis (DISH) in two large American Midwest metropolitan hospital populations. Skeletal Radiol 26：222-225, 1997.
148) Kiss C, O'Neill TW, Mituszova M, et al：The prevalence of diffuse idiopathic skeletal hyperostosis in a population-based study in Hungary. Scand J Rheumatol 31：226-229, 2002.
149) Cassim B, Mody GM, Rubin DL：The prevalence of diffuse idiopathic skeletal hyperostosis in African blacks. Br J Rheumatol 29：131-132, 1990.
150) Ohtsuka K, Terayama K, Yanagihara M, et al：A radiological population study on the ossification of the posterior longitudinal ligament in the spine. Arch Orthop Trauma Surg 106：89-93, 1987.
151) Yoshimura N, Muraki N, Oka H, et al：Prevalence and progression of radiographic ossification of the posterior longitudinal ligament and associated factors in the Japanese population：a 3-year follow-up of the ROAD study. Osteoporos Int 25：1089-1098, 2014.
152) Paley D, Schwartz M, Cooper P, et al：Fractures of the Spine in Diffuse Idiopathic Skeletal Hyperostosis. Clin Orthop 267：22-32, 1991.
153) Hendrix RW, Melany M, Miller F, et al：Fracture of Spine in Patients with Ankylosis Due to Diffuse Skeletal Hyperostosis. Clinical and Imaging Findings. AJR Am J Roentgenol 162：899-904, 1994.
154) Burkus JK, Denis F：Hyperextension Injuries of the Thoracic Spine in Diffuse Idiopathic Skeletal Hyperostosis. Report of four cases. J Bone Joint Surg Am 76：237-243, 1994.
155) Westerveld LA, Verlaan JJ, Oner FC：Spinal fractures in patients with ankylosing spinal disorders：a systemic review of the literature on treatment, neurological status and complications. Eur Spine J 18：145-156, 2009.

付．頚椎 OPLL の退院サマリー

患者氏名：　　　　　　　　外来主治医：　　　　　　　　病棟担当医：
職業：
退院時主病名：
【現病歴】：
術前主訴：
初発症状：　　　　　　　　初発時期：　　　　　　　　歩行困難感出現時期：
外傷または転倒歴：　日時と程度：
　　　　　　　　　神経症状の悪化の有無と回復程度：
術前の疼痛部位と程度（NRS）：
DMまたは耐糖能異常の有無：
DM以外の術前合併症：
既往歴・手術歴：　　　　　　　　家族歴（特にOPLL）：
【現症】：
術前JOAスコア：　　　　　　　　退院時JOAスコア：
　　上肢機能　　　　　　　　　　　上肢機能
　　歩行能力　　　　　　　　　　　歩行能力
　　上肢の知覚　　　　　　　　　　上肢の知覚
　　下肢の知覚　　　　　　　　　　下肢の知覚
　　体幹の知覚　　　　　　　　　　体幹の知覚
　　膀胱機能　　　　　　　　　　　膀胱機能
肩，肘機能
　　肩拘縮の有無：　　　　　三角筋筋力：　　　　　上腕二頭筋筋力：
握力（kg）右：　　　左：　　　　　10秒テスト　右：　　　左：
【術前画像評価】
頚椎の最小脊柱管径：　　　頚椎アライメント：Lordosis　Straight　Kyphosis　Swan-neck
頚椎前弯角（C2/7）：　　　各椎間可動性：C2/3　　C3/4　　C4/5　　C5/6　　C6/7
OPLL高位：　　　　OPLLタイプ：連続，分節，混合，その他
OPLL形態：台地型，山型　　OPLL最大骨化幅：　　　　有効脊柱管前後径：
OPLL占拠率（高位）：
MRI輝度変化（高位）：
頚椎以外の骨化　　　　　　　　　ASH/DISHの有無：
　　胸椎OPLL：　　　　　　　　　胸椎OLF：
　　腰椎OPLL：　　　　　　　　　腰椎OLF：
【手術】　手術日：　　　　術式：　　　　　　術者：
手術時間：　　　術中出血量：　　　　　　インストゥルメンテーション：
術中合併症：　　　　　　　　　　　追加手術：
【術後経過】　術後神経根症状：
その他の術後合併症：

【手術に対する満足度】
○とても満足，手術して良かった
○満足
○どちらでもない，手術して良かったかどうかわからない
○満足していない
○全く満足していない，手術しない方が良かった

6 腰椎椎間板ヘルニア
lumbar disc herniation, herniated nucleus pulposus

6-1. 疾患の概説

　椎間板変性を基盤として，髄核を取り囲んでいる線維輪の後方部分が断裂し，髄核ないしは線維輪の一部が後方に逸脱することにより発症する。これにより腰痛または下肢痛が発現する。
　歴史的には，最初，軟骨腫(chondroma)として腫瘍の一種と考えられてきたが，MixterとBarrが椎間板ヘルニアによる坐骨神経痛(sciatica)の概念を確立した[1]。
　レベル別ではL4/5椎間でL5神経根が障害されるものが最も多く約半数，次いでL5/S椎間でS1神経根が障害されることが多い。L4/5とL5/S椎間の両者で本症の95%以上を占める。
　年齢層としては，20〜40歳代が中心で，若年者ではL5/S椎間が多く，40歳以上ではL4/5椎間が多い。L4から頭側レベルは年齢とともに増加する傾向にある。

6-2. 病態[62〜64]

　髄核は胎生期の脊索組織の遺残であり，胎生8カ月頃に脊索細胞と軟骨基質とから髄核原基を形成し，ほぼ3歳頃には固有の組織像を呈する。以後20歳代で脊索細胞はほとんど崩壊し，40歳代では全くみられず軟骨組織のみとなる。加齢変化として髄核の含水量低下や椎間板のムコ多糖類の変化などの組成の変化が基盤に存在し，物性の変化，構築上の変化と進展する。そこに重量物を持ち上げたり，体をひねる動作などの外力が加わることにより，ヘルニアが生じる。また，Nachemsonの指摘したように，膝関節伸展位で前屈姿勢をとるなど椎間板内圧を上

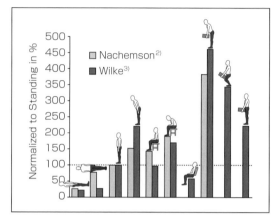

図Ⅱ-6-1　立位を100%としたときの椎間板内圧の相対的変化(文献2, 3より)
　Nachemsonらのデータは荷物重量10 kg，Wilkeらのデータは荷物重量20 kg。

昇させる動作や，その繰り返しも影響すると考えられる(図Ⅱ-6-1)。
　ヘルニアは腰椎後縦靱帯の最も薄い後外側に生じることが多い。線維輪の外層部が連続性を保っているものをprotrusion, 線維輪の外層部が完全断裂して膨隆したものをsubligamentous extrusion, 後縦靱帯を破り脊柱管内にヘルニア塊の一部が脱出したものをtransligamentous extrusion, ヘルニア塊が脊柱管内に遊離脱出したものをsequestrationとして分類されている(図Ⅱ-6-2)。線維輪を越えたextrusionやsequestrationでは，ヘルニアの組織像は線維輪が優勢で，粘液変性が著明である。
　根症状の発現は，ヘルニアが神経根を機械的に圧迫，またはそれにより炎症を惹起することで生じる。そして，その神経根領域の放散痛や運動，知覚障害が起こってくる。腰痛が発症するメカニズムは十分には解明されていないが，おそらく後縦靱帯や線維輪に至る洞脊椎神経(sinovertebral nerve)が関与しているものと思

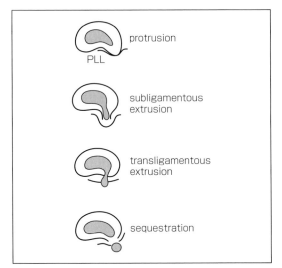

図Ⅱ-6-2　腰椎椎間板ヘルニアの分類（文献4より）
PLL：後縦靱帯

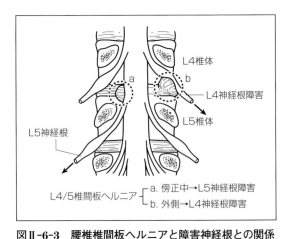

図Ⅱ-6-3　腰椎椎間板ヘルニアと障害神経根との関係
　ヘルニアにより圧迫を受ける神経根はヘルニア高位より1椎下の椎間孔から出る神経根であるが，突出がかなり外側の場合は（つまり椎間孔を出た後）1レベル頭側の神経根あるいは神経節が圧迫を受ける．例えば，L4/5ヘルニアでは通常L5神経根が障害されるが，ときにL4神経根が障害されることもある．
　〔参考〕①foraminal disc herniation（椎間孔ヘルニア）：ヘルニア腫瘤が椎間孔内にあるもの．②extraforaminal disc herniation（椎間孔外ヘルニア）：ヘルニア腫瘤が椎間孔より外側にあるもの．③lateral disc herniation（外側椎間板ヘルニア）：上記①②両者の総称．

われる．これが主体のものは，椎間板症（discopathy）あるいは脊椎不安定性の症状と判断される．ヘルニアにより圧迫を受ける神経根はヘルニア高位より1椎下の椎間孔から出る神経根であるが，突出がかなり外側の場合は（つまり椎間孔を出た後）1レベル高位の神経根あるいは神経節が圧迫を受ける可能性もある．例えば，L4/5ヘルニアでは通常L5神経根が障害されるが，椎間孔外ヘルニア時にはL4神経根が障害される（図Ⅱ-6-3）．また，中心性に大きなヘルニアを生じたときには稀に，下肢麻痺，膀胱直腸障害などの馬尾障害を呈することもある．
　protrusionとsubligamentous extrusionを**contained type**，transligamentous extrusionとsequestrationを**non-contained type**，として手術所見で分類し，手術が必要なヘルニアはほとんどがcontained typeとしている[5]．

6-3. 症状

　腰痛および下肢放散痛が主症状となる．L5・S1神経根障害による坐骨神経痛では殿部から大腿後面，下腿外側，足部まで放散することが多く，さらに障害神経根領域の知覚異常や脱力感を伴う．稀に，尿閉などの馬尾障害を主訴とする場合もある．例えば，L5神経根障害では踵立ち困難となり，足背部の第1〜4趾の知覚障害が生じる．S1神経根障害ではつま先立ち困難となり，足背外縁から足底にかけての知覚障害が生じる．L2，L3，L4など高位の神経根障害では，痛みが腹部，股関節，膝関節などにみられることがあるので注意が必要である．しかし，痛みの部位では障害神経根まで特定することは通常困難である．

6-4. 診察・診断

1 診察のポイント

1) 診察室に入ってくるときの歩容と衣服の着脱動作やベッド上での体位変換を観察し，麻痺の有無や痛みの程度を判断する．
2) 腰椎および体幹の可動域制限の有無．
3) 神経根症状の有無（下肢へ放散する痛みや知覚鈍麻，筋力低下）．
4) 神経伸展試験（tension sign）の有無と程度．
5) 下肢筋萎縮の有無（観察だけでなく周径計

2 診断手順

●神経根症状や馬尾症状の把握とレベル診断

神経根症状(radiculopathy)は，神経支配に一致する知覚，筋力，反射の低下，あるいはしびれや痛みである．症状と臨床所見だけでヘルニア高位まである程度は診断可能だが，痛みの部位だけでは障害神経根まで特定することは通常困難である．また，L2-4など高位の神経根障害では，腹痛の鑑別や股関節，膝関節疾患と紛らわしい場合がある．重要なことは，臨床的レベル診断が次に挙げた補助的画像診断に合致するかどうかである．特に椎間孔外(extra-foraminal)に脱出した椎間板ヘルニアの場合は，L5/S1レベルならL5根が，L4/5レベルならL4根が障害され得るので神経学的レベル診断が重要である．

馬尾症状(cauda equina symptom)は両下肢，会陰部の異常知覚(perineal numbness)や膀胱直腸障害で，L5神経根以下の多根性障害を示すことが多い．椎間板ヘルニア単独では稀で，多くは骨性の狭窄を伴った腰部脊柱管狭窄症(Ⅱ-7-A参照)で認められる．

a. 神経伸展試験(tension sign)(図Ⅱ-6-4)

神経根刺激症状の把握には，図Ⅱ-6-4aの下肢伸展挙上テスト(straight leg raising test：SLRTまたはLasègue test)が有用である．下肢の伸展挙上により，坐骨神経に緊張がかかり，坐骨神経領域に疼痛が放散するものである．ただし高齢者では神経根の圧迫が存在してもSLRTの陽性率は低い．多くは下肢を伸展挙上させると同側に放散痛を訴えるが，反対側の下肢に放散痛を訴える場合は，**well leg raising test(contralateral sign, Fajersztajn's test, cross SLRT)**陽性とし，神経根症状の診断上の感受性は低いが特異性が高い．高位の腰椎椎間板ヘルニア(特にL4根障害)では，SLRTは陰性で，図Ⅱ-6-4bの大腿神経伸展テスト(**femoral nerve stretching test：FNST**)が陽性に出ることがある．

患者が仰臥位をとれないほどの疼痛を訴え，患肢の股関節を屈曲させてようやく仰臥位を保つことができる状態(psoas position)をしばしば経験する．このようなときには，図Ⅱ-6-4bのような腹臥位での誘発試験は疼痛のため不可能なことが多い．側臥位での誘発試験を試みることも可能だが，患肢での膝蓋腱反射(PTR)が低下し膝関節周囲から下腿前面に知覚障害を認めれば，ほぼL4根障害が存在すると判断してよい．疼痛の程度にもよるが，L3/4レベルに病変がなければ，L4/5レベルの外側ヘルニア(椎間孔外ヘルニア：図Ⅱ-6-9)を必ず念頭に置いて画像を検索することが重要である．

b. 支配領域における知覚，運動障害

図Ⅱ-6-5，表Ⅱ-6-1参照．

c. 反射異常

アキレス腱反射(ATR)の片側性の減弱はL5/Sヘルニア(S1根障害)の場合に多い．ただし，脊柱管狭窄症などの合併による馬尾障害では両側性に消失することもある．膝蓋腱反射(PTR)

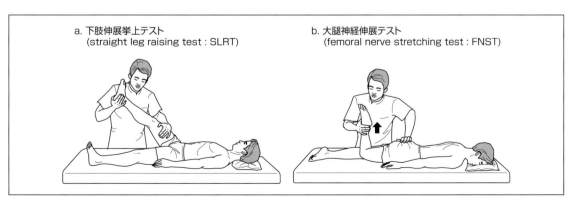

図Ⅱ-6-4 神経伸展試験
a：膝関節伸展位で下肢を挙上していき，坐骨神経に沿った領域に痛みが誘発された場合を陽性とする．b：股関節を伸展していき，大腿神経に沿った領域に痛みが誘発された場合を陽性とする．

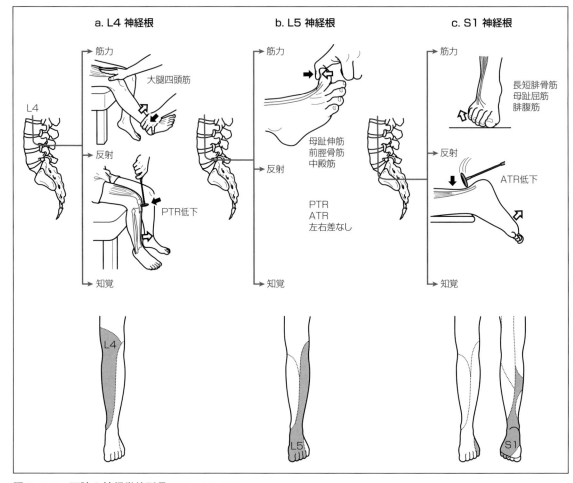

図Ⅱ-6-5　下肢の神経学的所見（文献6より改変）

表Ⅱ-6-1　下肢神経学的検査（L4，L5，S1）

	深部腱反射	運動	知覚
● L4神経根	膝蓋腱反射 （PTR）	膝関節伸展 （大腿四頭筋）	膝周囲〜下腿内側
● L5神経根	—	足関節・母趾背屈 （前脛骨筋・長母趾伸筋）	下腿外側〜足背
● S1神経根	アキレス腱反射 （ATR）	足関節・母趾底屈 （腓腹筋・長母趾屈筋）	足趾外側〜足底

はL3/4より高位の腰椎ヘルニアで減弱するが，多くはL4根障害を疑う所見のためL4/5外側ヘルニアでも患側は低下する。Babinski反射など病的反射は出現してこない。膝蓋腱反射とアキレス腱反射に左右差を認めない場合は，L5根障害を疑う所見である。疼痛が強い場合は深部腱反射が亢進していることがよくあるが，アキレス腱反射や膝蓋腱反射が亢進している場合に

は，胸椎部あるいは頸椎部での病変を必ず除外診断すべきである。

d. 確定診断

確定診断は，MRIなどの画像診断によるが，要は馬尾または脊髄腫瘍や末梢の絞扼性神経障害（entrapment neuropathy）などを除外することが重要である。これら神経孔以外での圧迫を除外できれば，腰椎椎間板ヘルニアによる神経

根症か，腰部脊柱管狭窄症や腰椎すべり症による神経根症と診断できる。

　画像診断ではX線による腰椎前後像，側面像（中間位，前後屈位）は骨性の静的因子，動的因子の把握のために欠かせない。また，骨盤正面X線画像も重要な情報を提供してくれる。さらに，MRIはスクリーニングとして非常に有効である。脊椎・脊髄腫瘍や脊柱管内病変を鋭敏に鑑別でき，椎間板や神経根の病変が詳しく観察できる。ただし，MRIは診断的価値が高いが，偽陽性があることも認識する必要がある（表Ⅱ-6-6参照）。

●腰痛のみが主訴の場合

　腰痛のみが主訴の場合，臨床所見のみでは鑑別不能であるが，画像診断（腰椎と骨盤のX線像）や血液検査・検尿などにて除外診断的に鑑別していく。鑑別診断として，脊椎疾患（表Ⅱ-6-2）と，脊椎以外の疾患（表Ⅱ-6-3）とに分けて考えていくが，転移性脊椎腫瘍や脊椎炎，馬尾腫瘍などを念頭に置く必要がある。臨床症状・所見上のポイントは，夜間痛を含めた安静時痛の有無と痛みの部位である。夜間痛は重篤な疾患を念頭に置いて診断を進めていく。消化器症状や血尿の有無は，尿管結石や消化器疾患の除外診断に役立つ。臨床所見と画像診断や血液検査などにより，脊椎炎（化膿性，結核性），破壊性脊椎関節症はほぼ鑑別可能である。痛みの部位を指一本で指摘できる場合や伸展位で腰部や殿部に痛みが誘発される場合は，椎間関節性の腰痛や分離症を疑い，これらの疾患はブロック注射が著効を示すことが多い。

　不可解な腰痛を訴える患者を診察する場合，患者選択の意味からも非器質的腰痛を鑑別する臨床所見（Waddell signs：表Ⅱ-6-4，図Ⅱ-6-6）は参考になる。

表Ⅱ-6-2　腰痛・下肢痛をきたす脊椎疾患（外傷を除く）

1）腫瘍性	脊椎腫瘍（良性，転移性），仙骨腫瘍（脊索腫，巨細胞腫），脊髄・馬尾腫瘍
2）炎症疾患	脊椎炎（化膿性，結核性），強直性脊椎炎，破壊性脊椎関節症
3）椎間板ヘルニア	
4）椎間板ヘルニア以外で神経根症を生じる疾患	
	脊柱管狭窄症，分離症，変性すべり症，椎間関節症，椎間関節症候群，脊柱管内嚢腫（椎間関節嚢腫，椎間板嚢腫）
5）椎間板ヘルニア以外で馬尾・脊髄障害を生じる疾患	
	脊柱靱帯骨化症（特に胸椎部黄色靱帯骨化症），骨粗鬆症に伴う椎体骨折後の遅発麻痺，胸髄くも膜嚢腫，脊髄終糸症候群，脊髄係留症候群
6）医原性	術後不安定性腰椎（偽関節を含む），脊椎固定術後のflat back syndrome，インストゥルメンテーションに関連した腰痛（hardware failureを含む），術後腰痛
7）その他下肢症状を伴わない腰痛症	
	ぎっくり腰，筋・筋膜性腰痛症，姿勢性腰痛症，変形性脊椎症

表Ⅱ-6-3　腰痛・下肢痛をきたす脊椎以外の疾患

1）腫瘍性	**多発性骨髄腫**，坐骨神経腫瘍
2）神経疾患	**帯状疱疹**，絞扼性神経障害
3）血管性	**解離性大動脈瘤，閉塞性動脈硬化症**
4）内臓疾患	a．腎・尿管──**腎・尿管結石**，腎盂腎炎，腫瘍
	b．女性器──**子宮内膜症**，卵巣嚢腫，子宮・卵巣腫瘍
	c．消化器──潰瘍，膵・肝・胆の炎症および腫瘍
	d．後腹膜──後腹膜腫瘍，**腸腰筋膿瘍**
5）代謝性疾患	骨粗鬆症，骨軟化症，Paget病
6）股関節・仙腸関節疾患	
	炎症または関節症
7）心因性	心身症，不安神経症，うつ病，ヒステリー
8）その他	詐病など

表Ⅱ-6-4 非器質的腰痛を鑑別する臨床所見
　　　　（Waddell signs）（文献 7 より）

1) 圧痛（tenderness）
後枝が支配する限局した領域の刺激症状は除いて，皮膚表面を触れるだけでの圧痛や，解剖学的に説明不能（胸椎や仙骨，骨盤など広範囲に及ぶ）な圧痛部位．
2) 化病（simulation）
立位で頭蓋に軸圧を負荷したり，肩と骨盤を同一面上で回旋させることにより腰痛を訴える（根性疼痛は除く）．
3) 注意散漫（distraction）
通常の臥位での下肢伸展挙上試験（SLRT）は強陽性であるにもかかわらず，座位での下肢伸展挙上試験（flip test：図Ⅱ-6-6）では陽性角度が著明に改善する．
4) 限局性（regional）
神経学的に説明不能の分布を示す筋力低下・知覚障害．
5) 検査中の大げさな反応（over reaction）

上記 5 つの臨床所見中 3 つ以上の場合は陽性で，非器質的腰痛の可能性が高い．ただし，脊椎感染症や腫瘍，さらには多数回の手術歴がある患者では陽性になることもあり注意を要する．

表Ⅱ-6-5 腰椎不安定性評価の目安

1) 5 mm 以上のすべり
2) 前屈時の 5°以上の後方開大と 5％以上のすべり
3) 分離症
4) 除圧術の手術歴
5) CT での椎間関節の広がりや MRI での椎間関節水腫

い．移行椎（transitional vertebrae：TV）の有無には留意する．

　軟部陰影，骨密度，配列をみた後，各々の椎体の形状に注目する．

　腰椎不安定性に関しては一定の判定方法はないが，一般的には表Ⅱ-6-5 の基準が挙げられる．

a. 正面像
　まず，大腰筋陰影の左右非対称に注目する．椎間関節部の変化や椎弓根を観察する．転移性脊椎腫瘍では椎弓根に変化がくることが多く，椎弓根陰影の欠損は転移性脊椎腫瘍を強く疑う所見である．

b. 側面像
　腰椎椎体と棘突起前面の配列，椎間や棘突起間の狭小化を観察する．頚椎と異なり，脊柱管前後径は診断的意義が少ない．前後屈機能撮影にて不安定性や弯曲異常を観察する．椎体のすべりは，絶対的数値とともに機能撮影によるすべりの増大や前屈位での椎間後方開大が重要である．

c. 斜位像
　分離部を観察しやすくする以外は診断的意義が少ないので，必須ではない．

d. 骨盤正面像
　仙骨腫瘍や骨盤腫瘍を除外するとともに股関節疾患の有無をチェックするため必須と考える．

e. ヘルニアの発生と腰仙移行椎との関連（図Ⅱ-6-7）
　Vergauwen らは，腰仙移行椎例 53 例と腰仙移行椎のない腰痛患者 297 例を比較して，椎間板の突出や脱出は，腰仙移行椎例では移行椎直上椎間で 45％と，腰仙移行椎のない患者の 30％より多く認められ，椎間板変性や椎間関節の変性も移行椎直上椎間に多く認められることを報告している[8]．大坪らや Otani らは，腰椎椎間板ヘルニアと腰仙移行椎の関連を調査し，腰仙移

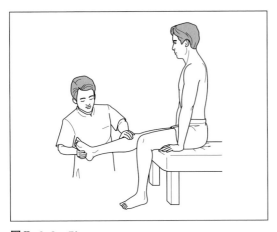

図Ⅱ-6-6 flip test
　SLRT 陽性の患者は，膝を伸展させていくと後方に倒れそうになり，通常，手をついて体を支える．SLRT が陽性でも，本手技でそのような動作がない場合（陰性），非器質的腰痛を疑う．

3 画像診断のポイント

● X 線
　他疾患（特に腫瘍，感染，骨折）の除外と，分離症やすべり症など不安定性の有無を確認するのみで，X 線でヘルニアの診断は不可能である．椎間板高の減少とヘルニア椎間の関係はな

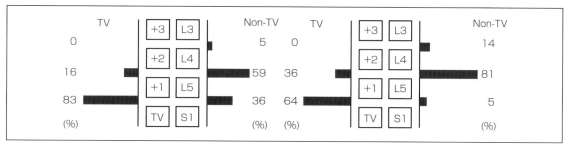

図II-6-7 移行椎(TV)の有無と罹患椎間レベルの関係(文献10より)
ヘルニア患者(a)では，変形性脊椎症(b)に比べて移行椎が多かった(17%対11%)。ヘルニア患者では，移行椎(+)の83%が移行椎の上位(最下位のmobile segment)が罹患椎間であった。移行椎(-)では59%がL4/5(下位から2番目のmobile segment)が罹患椎間であった。

表II-6-6 無症候性腰椎のMRI異常所見と年齢の関係(文献11より)

MRI画像所見	年齢層(患者数)		
	20～39歳(35)	40～59歳(18)	60～80歳(14)
椎間板ヘルニア	21%	22%	36%
脊柱管狭窄	1%	0	21%
椎間板膨隆	56%	50%	79%
椎間板変性	34%	59%	93%

行椎の直上椎間で椎間板ヘルニアの発生が多いと報告している[9,10]。

●MRI

椎間板ヘルニア確定診断の第1選択で，椎間板の変性や膨瘤を観察できる。軽微な圧迫でもとらえられるので，病的かどうかの判断はあくまで臨床症状と所見に頼る。画像上の椎間板ヘルニアの「所見」と，臨床症状を伴った椎間板ヘルニアの「診断」とを混同してはならない。MRIにて椎間板ヘルニアの「所見」が存在しても，臨床症状がその罹間椎間で障害される根症状や所見と一致しなければ決して椎間板ヘルニアと「診断」してはならない[11]。腰痛や下肢痛の既往が全くない67人を対象としたBodenらによるcohort studyでは，60歳未満のおよそ20%，60歳以上の36%に無症候性のヘルニアをMRI上認めたとしている[11](**表II-6-6**)。また，多くの論文のsystematic reviewからも無症候性の椎間板変性は20歳代でも37%に，80歳代では96%に認められ年齢毎に増加する[12]。

横断像では特に椎間孔外側型(extra-foraminal)のヘルニアの有無をチェックする。

矢状断像では，正中部だけでなくparasagittal像による神経根の観察が神経根症状を有する患者では診断上特に有用である(**図II-6-8，9**)。

稀だが硬膜内ヘルニアの症例を**図II-6-10**に示す。

●神経根造影・椎間板造影

最近の画像診断の進歩で必須の検査ではなくなってきたが，外側ヘルニアの確定診断や多椎間罹患の際のレベル診断には有用である。特に激しい下肢痛を呈する患者では，椎間孔外側型の椎間板ヘルニアを疑うが，ときには画像上診断が困難なことがある(**図II-6-8，11**)。このようなときには神経根または椎間板造影や神経根ブロックが確定診断上有用になってくる。また，先述の硬膜内ヘルニアの術前診断に椎間板造影が有用であったとの報告[13]もある。

図II-6-11に脊髄腔造影(ミエログラフィ)で異常所見を認めない左下肢痛(L5根症)の症例を示す。

6-5. 治療選択

局所安静と鎮痛薬投与が治療の基本となる。馬尾症状は例外で，除圧術を考慮すべきであ

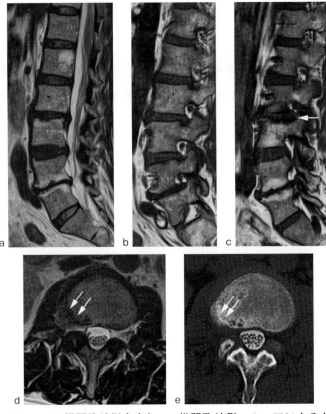

図Ⅱ-6-8 椎間孔外側病変（L2/3椎間孔外側ヘルニアによる右L2根症）

上段：腰椎MRI矢状断像（a：正中部T2強調像），腰椎MRI parasagittal像（b：左側T1強調像，c：右側T1強調像）

下段：腰椎MRI T2強調横断像（d：L2椎体下縁），腰椎CTミエログラフィ（e：L2椎体下縁）

右股関節と大腿部痛の激痛と右腸腰筋筋力が3レベルに低下。MRI矢状断像正中部ではL2/3から尾側に垂れ下がるヘルニア像のように見えるが，横断像やparasagittal像を見ると右外側のヘルニアが明確である（c, d, e矢印）。CTでは脊柱管内での圧迫病変はなく，ヘルニアと骨棘が椎体右後外側に確認できる。右股関節のOAもあり診断に苦慮したが，右L2神経根ブロックが著効したためL2/3椎間孔外側ヘルニアによるL2根症と診断できた。

る。保存療法に抵抗する神経根症は，レベル診断と症状・所見が合致すれば，原則として手術療法を考慮する。腰痛のみを主訴とする場合，腰椎不安定症，脊椎炎，脊椎・脊髄腫瘍以外は保存療法に徹する。

●馬尾症状（＋）のとき

薬物療法や装具療法といった保存療法が馬尾障害にどれほど有効なのか，またその有効性の持続がどれほどなのかはまだ結論が出ていないが，経験的にはこれらの保存療法に抵抗することが多い。特に，膀胱直腸障害を伴う馬尾症候群に対しては48時間以内に除圧術を施行することが重要である。馬尾症候発症から48時間以後の手術例では，それ以前の手術例に比べ，知覚障害は3.5倍，運動障害は9.1倍，排尿障害は2.5倍，直腸障害は9.1倍，残存していたと報告されている[14]。

●神経根症状（＋）のとき

3週間以上は保存療法を続けるべきであり，多くの患者はこれにより改善していく。しかし，2週間ほどで進行する症状や理解に苦しむ訴えのときは，他の疾患を考えて精査を進める

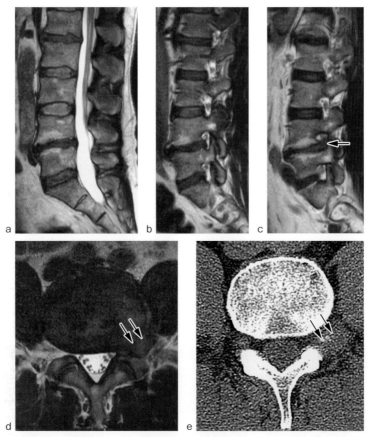

図Ⅱ-6-9　外側ヘルニア（L4/5椎間孔外ヘルニアによる左L4根症）
a：腰椎MRI T2強調矢状断像（正中部），b：腰椎MRI T2強調parasagittal像（右側），c：腰椎MRI T2強調parasagittal像（左側），d：腰椎MRI T2強調横断像，e：腰椎単純CT（軟部条件）

　51歳男性。左下肢の激痛が主訴だが，PTRが左で低下，大腿四頭筋筋力低下など神経学的所見から左L4根障害を疑った。MRI矢状断像は正中部（a）では椎間板変性所見のみで有意な圧迫は認めないが，parasagittal像（c）で左L4がヘルニアにより圧排されている（矢印）。MRI横断像（d）およびCT（e）でもL4/5椎間レベルの外側にヘルニアの突出を認める（矢印）。

必要がある。いつまで保存療法で観察していくかは個々の症例によって異なってくる。ある意味では主治医の治療方針に対する哲学が反映されることになる。家庭生活や社会生活において，痛みがどの程度障害になっているのかを把握し，痛みが強く持続する場合は，社会的な適応から手術を考慮することも多く，事実，短期的な成績では手術療法は優れている。しかし，長期的には手術療法と保存療法とでは成績に差がないとの報告が多いことから，患者も医師も十分納得のいくような保存療法を行うべきである。基本的には，手術は6～8週間の保存療法無効例に勧めている。

●腰痛のみのとき

　正中に突出したヘルニアの場合，腰痛が主訴のときもあるが基本的には保存療法が主体で他の疾患と鑑別することが重要である。圧痛点がはっきりしていたり，指一本で痛みの部位を指摘できたりするような腰痛はブロック注射に反応することが多い。しかし，それ以外は鎮痛薬投与で除痛を図ると同時に，腰痛をきたす脊椎疾患（**表Ⅱ-6-2**）と脊椎以外の疾患（**表Ⅱ-6-3**）を鑑別していく。保存療法として，現在のところエビデンスに基づいた治療法（EBM）は，
1）非ステロイド性抗炎症薬（non-steroidal anti-inflammatory drugs：NSAIDs）などの鎮痛薬，

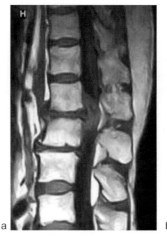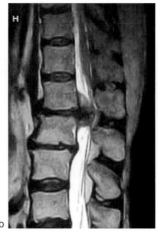

図Ⅱ-6-10 硬膜内ヘルニア（59歳女性，L1/2）
腰椎MRI矢状断像（a：T1強調像，b：T2強調像）
両下肢の激痛，脱力による歩行不能で来院。MRIでの術前診断は硬膜外腫瘍を疑い手術を施行したが，硬膜外腫瘍は存在せず術中超音波診断にて硬膜内に腫瘤を発見し硬膜内のヘルニア腫瘤を摘出した。

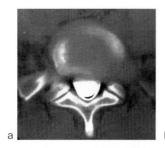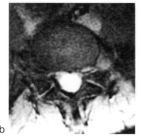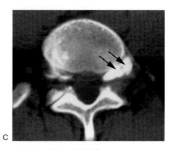

図Ⅱ-6-11 外側型の椎間板ヘルニア（L5/S1椎間外側ヘルニアによるL5根症）
a：腰椎CTミエログラフィ，b：腰椎MRI T2強調横断像，c：腰椎CT椎間板造影
左下肢痛の精査のため脊髄腔造影を施行するも異常所見を認めず。CTミエログラフィ（a）やMRI横断像（b）にて脊柱管内に圧迫病変を認めず（左側に軟部陰影を認める）。椎間板造影後のCT（c）にて左側へ造影剤の流出（矢印）を認め，神経孔外椎間板ヘルニア（L5/S1椎間外側ヘルニアによるL5根症）と診断できた。

2) 筋弛緩薬，3) 運動療法（可動域を維持あるいは拡大させるマニプレーションや，活動性を低下させないための訓練で急性期は施行しない），だけである。

4～6週間の保存療法が無効の患者は，原点に戻り再び腰椎不安定症，脊椎炎，腫瘍などを除外すべく腰椎および骨盤の画像的再評価（X線とMRI）を行う。特に腫瘍や脊椎炎（化膿性，結核性）は経時的変化が重要である。それでも陽性所見がなければ，骨シンチグラフィやPET/CTなどを含めた全身的なチェックを行う。それでも異常がなければ，抗うつ薬の投与や精神心理的な評価が必要になってくる。

1 腰椎椎間板ヘルニアの自然経過

- 約50％の患者は2週で，70％は6週で軽快する[15]。
- コルセットと安静治療だけで，1カ月で38％，2カ月で52％，3カ月で73％が改善する[16]。
- 2週間の入院治療で25％の患者が軽快したが，25％は症状が残存し，手術になった。残りの126患者をランダムに分けると，1年後には手術群の90％に，保存療法群の60％に良好な成績を認めた。しかし，4年後と10年後には両群間は同じ成績であった。また，10年後の再発率も両群で同等であった[17]。
- 一生のうち坐骨神経痛は40％の頻度で経験

するが,手術になるのは1～2%である[18]。

2 腰椎椎間板ヘルニアの消退[65～73]

ヘルニア腫瘤は,自然に縮小または消退する可能性があることが最近の画像所見により多く報告されるようになってきた(図Ⅱ-6-12)。ヘルニアの形態としては,遊離型・脱出型の大きなヘルニア(non-contained type)は縮小・消退する可能性が高いのに比べ,椎間板突出型や膨隆型のヘルニア(contained type)ではほとんど縮小・消退しないことがわかってきている。実際上,遊離型のヘルニア(sequestration type)では75%以上が自然消退するが,突出型(bulging type)では自然消退する可能性は低い(30%以下)。

したがって,MRI上でヘルニア腫瘤が大きく脱出し,下肢痛が強い椎間板ヘルニアであっても,自然経過として症状が軽快し,かつヘルニア自体も縮小・消退する可能性が高いことを十分認識して治療していくことが重要である。逆にMRI上でヘルニアが小さいからといってたずらに保存療法に固執していると,膨隆型のヘルニアではほとんど縮小・消退しないので,患者の苦痛が大きいことも認識すべきである。ヘルニアの自然消退は発症後3～6カ月以内に縮小するものが多いが,それ以後も縮小する例はある。

ヘルニア腫瘤の縮小・消退する機序については,硬膜外へ脱出した椎間板ヘルニアが炎症を引き起こし肉芽が形成され,ヘルニア腫瘤内へ血管新生が起こり,そこに好中球や単核球が侵潤し,その後,マクロファージなどによる貪食と,サイトカインによる分解・吸収が起こると考えられている。

- Komoriらの報告[19]:保存療法を行った片側下肢痛を伴った椎間板ヘルニア77例(平均年齢41歳)を対象にMRI矢状断像(T1強調像)にて,ヘルニアを次の3つのタイプに分類した。

  type 1:椎間板後方の低輝度領域が連続している。
  type 2:椎間板後方の低輝度領域が途絶している。
  type 3:type 2かつヘルニア塊が椎間板高位を越えている。

  自然縮小の割合は,type 1が14例中0例(0%),type 2が27例中7例(26%),type 3が36例中28例(77.8%),計77例中35例(45.5%)であった。結論として,MRI上の形態変化は臨床症状の推移によく相関しており,症状軽快のほうが形態変化よりも先行する傾向にあり,ヘルニアの消退はmigrationしているtype 3のものに多くみられたと報告している。

- Cowanらの報告[20]:平均4.3カ月の罹病期間を有する坐骨神経痛患者165人を調べた結果,遊離型ヘルニアと評価された84例中64例(76%)にヘルニアの縮小あるいは完全消失を認めた。突出型と評価された22例中18例(82%)は変化がなかった。

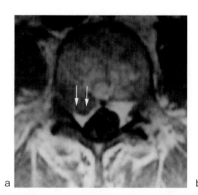 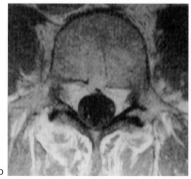

図Ⅱ-6-12 椎間板ヘルニアの自然消退(regression)
右に脱出した椎間板ヘルニア(a矢印)が下肢痛の改善に伴い,自然消退した(b)。

6-6. 一般的に選択される保存療法[74~76]

薬物療法，牽引療法，運動療法などの有効性はある程度確立されているが，それぞれの研究で盲検試験(randomized subjects, blind observers)を用いていない問題が残る。

1 安静

●要点

急性期の治療として安静を支持する科学的裏付けはない。むしろ反論を示唆する論文が多い[21,22]。Vroomenらによると，14日間の安静臥床と管理下での用心深い生活とでは同様の結果が得られている[21]（両群の87％が3カ月間の経過で改善している）。したがって実際的には安静を指示する必要は全くなく，患者自身で動ける範囲で徐々に日常生活に復帰するよう指示すればよい。安静時の体位としては，一般的には側臥位か仰臥位で股，膝関節を屈曲位とするのがよい。

●注意点

安静期間をむやみに長くして，筋萎縮，関節拘縮，骨粗鬆症などの廃用症候群を招かないことが重要である。また，時間が経つにつれて復職の可能性も減少する。

2 装具療法

●要点

コルセットや装具は，局所の安静を確保するため一般にはよく用いられるが，偽薬(placebo)より有効であることは証明されていない。コルセットの主たる効果は腰椎可動性の制限にあると考えられる。装具による腰椎の固定ではその効果と永続性に自ずと限界がある。

3 薬物療法

●要点と適応

一般的には，非ステロイド性抗炎症薬(NSAIDs)と，中枢性筋弛緩薬が処方される。ステロイドの経口投与は抗炎症作用が強く有効であり，消化性潰瘍や糖尿病などの合併症に注意して数日間投与することもよい[23]。プレドニゾロン(30～40 mg)またはデキサメタゾン(3～4 mg)がよく用いられる。

4 神経ブロック

●要点

ステロイドの腰部硬膜外注射はよく行われる治療法である。早期の疼痛除去には有用であるが，長期的な機能回復には有意差をもたらさない。一般的には1週間に1回注射して，3～4回を1シリーズとしている。痛みが強いときには，入院させて持続硬膜外チューブを留置し，持続的に局所麻酔薬を1 mL/時程度注入することもある。

傍脊柱筋の圧痛点ブロックも，急性・慢性の腰痛患者に有効である。障害神経根を直接ブロックする神経根ブロックは透視装置を使う煩雑さがあるが，劇的に根症状が消失することがある。

●適応

腰部硬膜外注射は，神経根症状が主症状の患者に広く適応される。腰痛が主症状の患者に注射することもあるが，あまり効果は持続しないようである。圧痛点ブロックは，傍脊柱筋に圧痛点を有する腰痛が主症状の患者に良い適応である。神経根ブロックは，根症状が主症状の患者に適応となるが，主には障害神経根の確定に有用である。特に高齢者で脊柱管狭窄症と併せて多椎間が障害されている場合には，障害神経根の診断的治療として良い適応である。

●注意点

腰部硬膜外注射では，局所麻酔薬を混入する場合は血圧低下や麻痺に注意する（キシロカインで0.5％以下の低濃度なら麻痺の危険性は低い）。外来患者には，局所麻酔薬を混入せず，ステロイドと生理食塩水のみを注入することもある。ときに痛みが増悪したり，頭痛などが起こるので患者への説明を十分しておく必要がある。ステロイドを使用するので，糖尿病や潰瘍を有する患者には十分注意が必要である。

▷腰部椎間板ヘルニアに対する硬膜外ステロイド注入療法は有効か？[65]

坐骨神経痛を有する腰部椎間板ヘルニアに対する硬膜外ステロイド注入療法は，保存療法の選択肢として，特に治療開始後早期での疼痛軽減に効果があるが，長期的にはその有効性は確立していない。

坐骨神経痛を有する患者への神経根周囲へのステロイド浸潤治療では，生理食塩水群（対照群）に比べて，下肢痛の軽減に関して短期間での効果発現がみられるが，4週以降の長期的な効果に関しては有意差はない[24〜27]。Buchnerらによれば，SLRT陽性の椎間板ヘルニア例に対する硬膜外ステロイド注入療法は，対照非注入群に比べ，注入後2週目ではSLRTの改善が有意に良好であるが，疼痛軽減，機能的状態の改善に関しては有意差がみられず，6週，6カ月時の検討では両群間の各項目の有意差はみられなかった[28]。一方，二重盲検試験では硬膜外ステロイド注入群は，生理食塩水あるいはプロカインの偽薬群に比べ，明らかな疼痛抑制効果を示さなかったという報告もある[29,30]。すなわち，硬膜外ステロイド注入療法は，坐骨神経痛の保存療法において，その急性期の追加的治療としては有用であるが，長期的な有効性に関しては確立していない。

5 牽引療法

●適応と要点

腰痛および下肢痛を主訴とする患者に広く適応されているが，有効性を実際に支持するエビデンスはない[31]。NachemsonとElfströmによる実験では，30 kgの牽引力により椎間板内圧が25％も減少するとされている[32]。外来においては通常30〜40 kg，10〜15分の間欠的牽引を行い，病室においては6〜16 kgの持続牽引を行う。椎間腔を実際に広げようと思えば体重の約25％以上の牽引力が必要であり，10 kg前後の力で牽引している骨盤牽引では単に患者をベッド上安静に保たせる効果しかないと考えられる。骨盤牽引で重要なのは牽引力ではなく，骨盤の後傾をねらい腰仙部前弯を減少させることであり，それにより筋や靱帯のスパズムを減少させることができるという考え方も実際にはある（この場合，牽引方向はベッドに水平ではなく，かなり上方向に牽引することになる）。

●注意点

牽引の体位や方向によっては，かえって痛みが増す場合があるので注意する。体位や方向が適切であってもまだ痛みが増強するときは，牽引は中止する。

6 運動療法

●要点と適応

運動療法のゴールは，痛みを和らげることと，腰椎の拘縮を防ぎ，低下した筋力を強化することにある。急性期症状が落ち着き，激痛や痙攣が消失してくれば，まず筋力強化訓練を勧める。実際の運動方法には，腹筋・脊柱起立筋の等尺性筋力増強訓練，腰椎屈曲訓練（Williams法），腰椎過伸展訓練（McKenzie法）などがある。

●注意点

マニプレーションは適当な手技で行えば疼痛の軽快を期待できるが，瞬間的に急激な力で矯正しようとするカイロプラクティックの手法とは分けて議論する必要がある。瞬間的に急激な力で矯正しようとすると，病的骨折を起こしたり，下肢麻痺などの悲劇的な合併症を生じる危険性があるために行うべきではない。マニプレーションを行う場合でも，痛みや可動域を慎重に評価しながら温和に行うべきである。

7 物理療法

●要点

寒冷療法，温熱療法（ホットパックや極超短波療法（microwave diathermy）），経皮的電気神経刺激療法（transcutaneous electrical nerve stimulation：TENS），超音波療法などの物理療法に関しては既述であるので省略する。これら物理療法は，安全であるため短期間行う価値はあるが，4週間以上続ける必要はない。

8 生活指導

●要点

日常生活上の注意として，物を持ち上げるときや座ったり寝たりするときの注意事項を患者

に指導する。腰痛学校(low back school)は他の治療法にとって変わるものではないが、患者教育として腰痛や椎間板ヘルニアに対する理解を深め、患者自身の治療上の役割を認識させるのに役立つ。

6-7. 手術療法[65]

馬尾症状や高度な運動麻痺の場合は絶対適応だが、6～8週間の保存療法で反応しない根性痛では相対適応となる。手術に至るのは腰椎椎間板ヘルニア患者のうち、およそ10～30%程度であるが、腰痛・下肢痛のみで神経学的欠損が認められない場合は、患者に手術のrisk & benefitを十分説明し、納得と同意を得ることが重要である。

1 髄核摘出術(椎間板切除術)

椎間板ヘルニアに対する手術法のgold standardで、一般には部分椎弓切除による髄核摘出術、いわゆるLove変法(laminotomy with disc fragment excision)が行われる。術後の椎間板変性を最小限にする意味で、なるべくヘルニア摘出術(herniotomyあるいはdisc fragment excision)を心がける。患者選択を怠らなければ手術成績は90%以上に期待できる手術である[33]。すなわち、画像所見が陽性でも下肢症状を伴わない症例は手術療法のgood candidateではない。あくまでも神経伸展試験(tension sign)が陽性で下肢の神経学的欠損を伴い、かつその罹患神経根と画像的に障害椎間が合致する症例がgood candidateとなる。再発などによる再手術は、約7～17%の率で存在する[33,34]。また、ヘルニア摘出術か髄核摘出術(nucleotomy)かという議論はいまだ結論が出ていないが、切除椎間板量と手術成績とは関連しない[35]。顕微鏡視下ヘルニア摘出術や内視鏡下にヘルニアを摘出するmicro endoscopic discectomy(MED)などの低侵襲化が進んでいるが、早期の職場やスポーツ復帰では優位性はあるものの長期的な優位性を証明することは難しい。

椎間孔外ヘルニアの場合は、脊柱管内からアプローチしてもヘルニアには到達できない。したがって、当該椎間レベルで椎弓外縁および上関節突起頭側縁を部分的に椎弓切除(外側開窓)して神経根を同定してから脱出したヘルニアを摘出する。

術後の運動療法に関しては、術後4～6週で運動プログラムを開始したほうが疼痛や機能障害が早く減少することが示され、術後4週目には比較的強度の強い運動を再開しても安全とされている[37]。また、Carrageeらは、術後の活動制限をしないほうが病欠の期間が短縮され、合併症は増加しないことを報告している[38]。

表II-6-7, 8にヘルニアのタイプと手術成績を示す。

2 椎間板内酵素注入療法

1980年代にタンパク分解酵素であるchymopapainによる化学的髄核融解術が盛んに行われ、概ね良好な有効性が示されたにもかかわらず、アナフィラキシー等による重篤な合併症により使用が中止された[39,40]。また、経皮的髄核摘出術(percutaneous nucleotomy:PN)やレーザーによる経皮的椎間板蒸散法(percutaneous laser disc decompression:PLDD)が行われてきたが、一般的な髄核摘出術に比して手術成績は劣り、さまざまな合併症が存在する事実も把握すべきである[41～43]。

それら手術療法に替わって椎間板ヘルニア治療で最近注目されているのが、コンドリアーゼを用いた椎間板内酵素注入療法である。コンドロイチン硫酸などのグリコサミノグリカンを特異的に分解するコンドリアーゼ(ヘルニコア®)がプロテオグリカンの保水能を低下させ椎間板内圧を低下させることにより椎間板ヘルニアの症状を改善させることが本邦で確認され、2018年に承認され使用できるようになった。使用する医師の要件や使用可能な施設に制限はあるものの、十分な有効性が示されている[44,45](図II-6-13)。

● 適応

保存療法に抵抗する片側下肢症状を有する腰椎椎間板ヘルニアが適応だが、下肢の強い麻痺や膀胱直腸障害を呈する馬尾症候群では手術を

表Ⅱ-6-7 **Disc Herniation Classification System**（文献 36 より）

Disc Herniation Type	Presence of Extruded or Subanular	Anular Integrity	Surgical Treatment
Fragment-Fissure	Yes	Slit-like/small anular defect	Removal of fragments through slit-like anular defect
Fragment-Defect	Yes	Large/massive anular defect	Removal of fragments through massive anular defect
Fragment-Contained	Yes	No defect	Oblique incision in anulus performed to remove subanular fragments
No Fragment-Contained	No	No defect	Extensive annulotomy/removal of protruding disc

表Ⅱ-6-8 **Postoperative Patient Characteristics and Outcome Assessments According to Fragment Type and Anular Defect**（文献 36 より）

	All Patients	Fragment-Fissure Group	Fragment-Defect Group	Fragment-Contained Group	No Fragment-Contained Group
No. of patients	180	89	33	42	16
Duration of postoperative sick leave*† (wk)	1.2(0-8)	1.2(0-8)	1.3(0-4)	1.0(0-4)	1.7(0-4)
Postoperative Oswestry score* (points)	12.7(0-69)	11.6(0-28)	16.4§(2-48)	9.2(0-19)	20.1#(0-69)
Stanford score* (points)	8.5(2.8-10)	9.0§(4.1-10)	8.0(3.9-10)	8.8(6.0-10)	6.0#(2.8-9.5)
Rate of recurrent/persistent sciatica‡	11.7%(21)	1.1%**(1)	27.3%(9)	11.9%(5)	37.5%#(6)
Rate of documented reherniation‡	8.9%(16)	1.1%§(1)	27.3%§(9)	9.5%(4)	12.5%(2)
Rate of reoperation‡	6.1%(11)	1.1%(1)	21.2%#(7)	4.8%(2)	6.3%(1)

*The data are given as the mean, with the range in parentheses. †The duration of postoperative work loss is given only for patients who eventually returned to work. ‡The data are given as the percentage, with the number of patients in parentheses. § p=0.05 to 0.01. # p<0.001. **p=0.009 to 0.001.

187 例の髄核摘出術の prospective study（2 年以上，中間値 6 年の追跡）で，線維輪 6 mm 未満の小さな欠損で脱出型または遊離型のヘルニアを認めた群（fragment-fissure group）はヘルニアの再発も再手術も 1％で良好な予後を示しているが，線維輪が 6 mm 以上の大きな欠損群（fragment-defect group）は 27％の再発率と 21％の再手術率を認めた．

要するため禁忌である．また，アレルギー素因のある患者には慎重な投与が必要である（過去に使用歴のある患者は適応外）．

3 固定術

椎間板ヘルニアの初回手術で固定術を選択することは一般的ではなく，再発ヘルニアなどで選択を考慮する．しかし，L4/5 の椎間板ヘルニアの場合，髄核摘出術に固定術を併用したほうが再発や腰痛の遺残が少ないとの報告があり[46]，術前に明らかな不安定性が存在すれば固定術を併用することもある．しかし，Takeshima らが非ランダム化比較試験（non-RCT）で比較し，固定術を併用した群のほうが 7 年の経過観察で腰痛の遺残が有意に少ないとしているが，全体としての成績は両群に差がないと報告している[47]．

また，若年者で環状骨端（ring apophysis）の解離や椎体後縁の終板損傷を伴う症例（図Ⅱ-6-14）は，ヘルニアというよりも外傷や椎間板障害として考え，椎間板摘出術＋後方経路腰椎椎体間固定術（PLIF）を選択すべき場合もある．

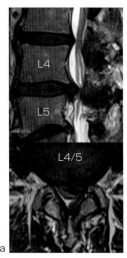
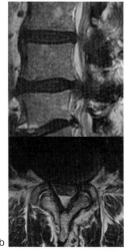
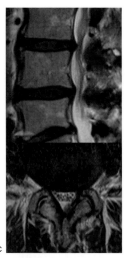

図Ⅱ-6-13　L4/5 椎間板ヘルニアによる左下肢痛(66 歳男性)
腰椎 MRI T2 強調矢状断像と横断像(a:注射前,b:3 カ月,c:1 年)
発症後 8 週でコンドリアーゼの椎間板内酵素注入療法を施行。術後早期には著明な疼痛改善は認められなかったが,投与後 3 カ月〜半年で下肢痛は消失した。

●発育期の椎間板ヘルニアの特徴

1) 終板障害(CT で確認する必要あり):外傷やスポーツ傷害として起こりやすい。
2) 腰股伸展強直(Hüftlendenstrecksteife):SLRT で,下肢・殿部・背部が一枚板のように持ち上がる状態を指す。

6-8. 腰椎椎間板ヘルニアに対する手術療法と保存療法との比較検討[77〜81]

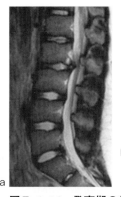
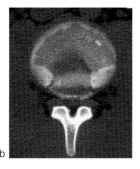

図Ⅱ-6-14　発育期の終板障害による椎間板ヘルニアの症例(15 歳男児)
a:腰椎 MRI T2 強調矢状断像,b:腰椎 CT 横断像
明らかな外傷歴はないが,運動クラブに所属していた。MRI および CT にて椎間板ヘルニアというよりも終板が突出し,馬尾を圧迫していることがわかる。この症例に対しては PLIF を選択した。

　手術療法は,術後 1〜2 年時には保存療法より有意に良好であるが,それ以降の経過観察において有意差はほとんどなくなる。
　Atlas らの 507 症例の手術および保存療法の比較検討では,術後 1 年では腰痛,下肢痛のいずれも手術群の改善が良好であった[48]。Atlas らはその 5 年後の報告においても,中等度から重度の坐骨神経痛をもつ症例では 5 年間の経過観察においても手術群の成績が保存療法群より勝っていると報告している[49]。坐骨神経痛を有する椎間板ヘルニア 280 症例に行った 10 年間にわたる Weber のランダム化比較試験(randomized controlled trial:RCT)では,手術患者の 1 年後の臨床成績は保存療法群に勝るが,4 年後の麻痺例の割合は両群間に差がみられず,10 年後の経過観察では患者の年齢のみが成績不良例と相関し,手術群,保存療法群の間には有意差が認められなかった[17]。Postacchini による systematic review では,治療開始後 4 カ月〜2 年までの短期経過観察では手術群が保存療法群より勝るが,3〜4 年の中期経過観察,5〜10 年の長期経過観察では両群間の臨床成績の有意差は認められていない[50]。一方,2000〜2003 年のアメリカにおける 13 施設の多施設研究(spine

patient outcomes research trial：SPORT)では，手術群と非手術群とも最初の2年間で著明な改善が認められたが，改善度は手術群のほうが高かったという報告もある[51,52]。1年後のスコアに有意差はないものの，保存療法群に比べて手術群のほうが下肢痛はより早く改善したとの報告もある[53]。

付. くも膜嚢腫(arachnoid cyst), 髄膜嚢腫(meningeal cyst), 仙骨嚢腫(perineural sacral cyst)

1948年，Tarlovが腰下肢痛を主訴とした仙骨に発生する神経嚢腫(perineural cyst)を報告[54,55]して以来，根性腰痛症の鑑別に挙げられるようになってきた。しかし，腰椎のMRIにて無症候性の神経根嚢腫が1％に認められることから[56]，手術療法に関しては適応を慎重にする必要がある[57]。

1 定義

1) 後根神経節あるいは神経根から発生する（通常，S2あるいはS3レベル）。
2) 髄膜憩室(meningeal diverticula)と異なり，ミエログラフィにて遅発性に嚢腫内が造影される。
3) 神経内膜，神経周膜，あるいは神経線維や神経細胞の間から発生する。

2 分類[58]

type Ⅰ：神経根線維を含まない硬膜外髄膜嚢腫
　Ⅰ-A：硬膜外髄膜嚢腫(硬膜外くも膜嚢腫)
　Ⅰ-B：仙骨髄膜瘤
type Ⅱ：神経根線維を含む硬膜外髄膜嚢腫
　　　　(Tarlov's perineural cyst，神経根憩室)
type Ⅲ：硬膜内髄膜嚢腫(硬膜内くも膜嚢腫)

3 診断・治療

くも膜下腔との交通を制御する弁機構の有無と，神経組織を含んでいるかが治療のポイントになる。弁機構サイン(filling defect sign)陽性(ミエログラフィで直後に嚢腫内が造影されず，数時間遅れで造影されること)が手術適応決定に有用である[59,60]。

a. 検査
ミエログラフィ直後と1時間後のCTミエログラフィを検査する。

b. 病態
脳脊髄液(cerebrospinal fluid：CSF)の圧の上昇が嚢腫形成に関与する。

c 治療[57,59〜61,82]
1.5cm以上の嚢腫による根症状は手術によく反応するが，1.5cm未満の小さい嚢腫で非根性症状(尾骨痛，肛門部痛，性交痛(dyspareunia))などは十分な改善が期待できないとの報告がある(図Ⅱ-6-15)[61]。
逆に，田中らは下肢痛を訴えていた患者よりも，尾骨痛や排尿障害を訴えていた患者のほうが手術による改善があったとしている[59,60]。Kunzらは，MRIで容易に発見されるものの，痛みに対する手術成績は保存療法と差がなかったと報告している[57]。

d. 鑑別
ときに脊髄ヘルニア(図Ⅱ-6-16)との鑑別を要する。

4 症例

図Ⅱ-6-17に33歳男性の硬膜外くも膜嚢腫(type Ⅰ-A)の症例を示す。
図Ⅱ-6-18に32歳女性の仙骨嚢腫の症例を示す。

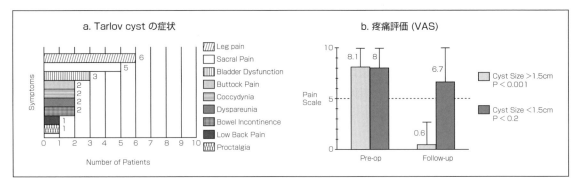

図Ⅱ-6-15　仙骨嚢腫(Tarlov cyst)の症状と術前後の疼痛評価(文献61より)

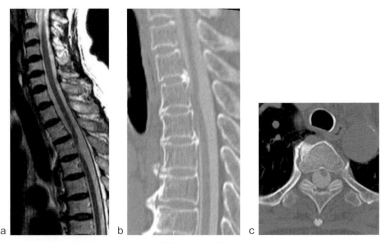

図Ⅱ-6-16　脊髄ヘルニアの症例(74歳女性)(青野博之先生より提供)
　a：頚胸椎MRI T2強調矢状断像, b：胸椎CTミエログラフィMPR矢状断像, c：胸椎CT横断像(T3レベル)
　　右下肢の痙性麻痺による歩行障害(脊髄ヘルニアの典型的画像)の症例。

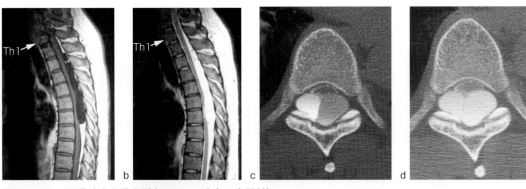

図Ⅱ-6-17　硬膜外くも膜嚢腫(type Ⅰ-A)(33歳男性)
　a：胸椎MRI T1強調矢状断像, b：胸椎MRI T2強調矢状断像, c：ミエログラフィ直後の胸椎CT横断像, d：その後の胸椎(delayed)CT横断像(T6レベル)
　　両下肢のしびれと痙性跛行で発症した。c, dにて、くも膜下腔と交通した硬膜外くも膜嚢腫が描出されている。

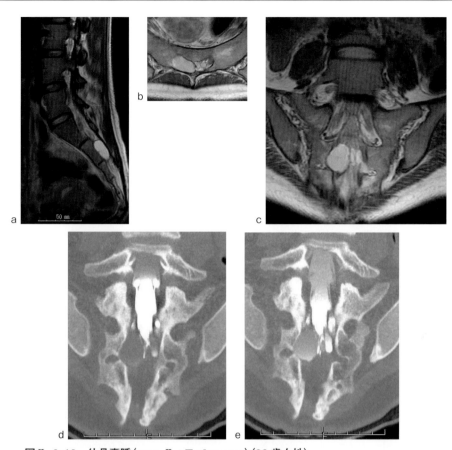

図 II-6-18 仙骨嚢腫(type II；Tarlov cyst)(32 歳女性)
a：仙椎 MRI T2 強調矢状断像，b：仙椎 MRI T2 強調横断像，c：仙椎 MRI T2 強調冠状断像，
d：ミエログラフィ直後の仙椎 CT 冠状断像，e：ミエログラフィ 3 時間後の仙椎 CT 冠状断像
右下肢痛を呈した S2 レベルの仙骨嚢腫(perineural sacral cyst)。e にて，嚢腫内が遅れて造影された。

引用文献

1) Mixter WJ, Barr JS：Rapture of the intervertebral disc with involvement of the spinal canal. N Engl J Med 211：210-215, 1934.
2) Nachemson A, Morris JM：In vivo measurements of intradiscal pressure. J Bone Joint Surg Am 46：1077-1092, 1964.
3) Wilke HJ, Neef P, Caimi M, et al：New in vivo measurements of pressures in the intervertebral disc in daily life. Spine 24：755-762, 1999.
4) Macnab I：Disc ruptures. Backache 2nd ed(ed by Grayson TH), Williams & Wilkins, Baltimore, pp130-134, 1990.
5) Ito T, Takano Y, Yuasa N：Types of lumbar herniated disc and clinical course. Spine 26：648-651, 2001.
6) Klein JD, Garfin SR：History and physical examination. Essentials of the Spine(ed by Weinstein JN et al), Raven Press, New York, pp71-95, 1995.
7) Waddell G, McCulbch JA, Kummel E, et al：Nonorganic physical signs in low-back pain. Spine 5：117-125, 1980.
8) Vergauwen S, Parizel PM, van Breusegem L, et al：Distribution and incidence of degenerative spine changes in patients with a lumbo-sacral transitional vertebra. Eur Spine J 6：168-172, 1997.
9) 大坪義昌, 河野昌文, 原 寛徳：腰仙部移行椎に伴う腰椎椎間板ヘルニアの神経根障害. 整・災外 39：561-565, 1996.
10) Otani K, Konno S, Kikuchi S：Lumbosacral transitional vertebrae and nerve-root symptoms. J Bone Joint Surg Br 83：1137-1140, 2001.
11) Boden SD, Davis DO, Dina TS, et al：Abnormal magnetic-resonance scans of the lumbar spine in asymptomatic subjects. A prospective investigation. J Bone Joint Surg Am 72：403-408, 1990.
12) Brinjikji W, Luetmer PH, Comstock B, et al：Systematic literature review of imaging features of spinal degeneration in asymptomatic populations. AJNR Am J Neuroradiol 36：811-816, 2015.
13) Matsumoto T, Toyoda H, Terai H, et al：Utility of discography as a preoperative diagnostic tool for intradural lumbar disc herniation. Asian Spine J 10：771-775,

2016.

14) Ahn U, Ahn N, Buchowski J, et al：Cauda equina syndrome secondary to lumbar disc herniation：a meta-analysis of surgical outcomes. Spine 25：1515-1522, 2000.

15) Anderson GB, Svensson HO, Odén A：The intensity of work recovery in low back pain. Spine 8：880-884, 1983.

16) Hakelius A：Prognosis in sciatica. A clinical follow-up of surgical and non-surgical treatment. Acta Orthop Scand 129(Suppl)：1-76, 1970.

17) Weber H：Lumbar disc herniation：A controlled, prospective study with ten years of observation. Spine 8：131-140, 1983.

18) Frymoyer JW, Pope MH, Clements JH, et al：Risk factors in low-back Pain. An epidemiological survey. J Bone Joint Surg Am 65：213-218, 1983.

19) Komori H, Shinomiya K, Nakai O, et al：The natural history of herniated nucleus pulposus with radiculopathy. Spine 21：225-229, 1996.

20) Cowan NC, Bush K, Katz DE, et al：The natural history of sciatica：a prospective radiological study. Clin Radiol 46：7-12, 1992.

21) Vroomen PC, de Krom MC, Wilmink JT：Lack of effectiveness of bed rest for sciatica. N Engl J Med 340：418-423, 1999.

22) Hofstee DJ, Gijtenbeek JMM, Hoogland PH, et al：Westeinde sciatica trial：randomized controlled study of bed rest and physiotherapy for acute sciatica. J Neurosurg 96(1 Suppl)：45-49, 2002.

23) Goldberg H, Firtch W, Tyburski M, et al：Oral steroids for acute radiculopathy due to a herniated lumbar disk：a randomized clinical trial. JAMA 313：1915-1923, 2015.

24) Bush K, Hillier S：A controlled study of caudal epidural injections of triamcinolone plus procaine for the management of intractable sciatica. Spine 16：572-575, 1991.

25) Carette S, Leclaire R, Marcoux S, et al：Epidural corticosteroid injections for sciatica due to herniated nucleus pulposus. N Engl J Med 336：1634-1640, 1997.

26) Karppinen J, Malmivaara A, Kurunlahti M, et al：Periradicular infiltration for sciatica：a randomized controlled trial. Spine 26：1059-1067, 2001.

27) Arden NK, Price C, Reading I, et al：A multicentre randomized controlled trial of epidural corticosteroid injections for sciatica：the WEST study. Rheumatology 44：1399-1406, 2005.

28) Buchner M, Zeifang F, Brocai DR, et al：Epidural corticosteroid injection in the conservative management of sciatica. Clin Orthop 375：149-156, 2000.

29) Cuckler J, Bernini P, Wiesel S, et al：The use of epidural steroids in the treatment of lumbar radicular pain. A prospective, randomized, double-blind study. J Bone Joint Surg Am 67：63-66, 1985.

30) Valat JP, Giraudeau B, Rozenberg S, et al：Epidural corticosteroid injections for sciatica：A randomized, double blind, controlled clinical trial. Ann Rheum Dis 62：639-643, 2003.

31) Clarke JA, van Tulder MW, Blomberg SE, et al：Traction for low-back pain with or without sciatica. Cochrane Database Syst Rev 2：CD003010, 2007.

32) Nachemson A, Elfström G：Intravital dynamic pressure measurements in lumbar discs. A study of common movements, maneuvers and exercises. Scand J Rehabil Med Suppl 1：1-40, 1970.

33) Davis RA：A long-term outcome analysis of 984 surgically treated herniated lumbar discs. J Neurosurg 80：415-421, 1994.

34) Loupasis GA, Stamos K, Katonis PG, et al：Seven-to 20-year outcome of lumbar discectomy. Spine 24：2313, 1999.

35) 平林洋樹, 堤本高宏, 三沢弘道, 他：腰椎椎間板ヘルニアに対する後方直視下手術後5年以上の長期成績. 脊椎脊髄 15：373-376, 2002.

36) Carragee EJ, Han MY, Suen PW, et al：Clinical outcomes after lumbar discectomy for sciatica：the effects of fragment type and anular competence. J Bone Joint Surg Am 85：102-108, 2003.

37) Ostelo RW, Costa LO, Maher CG, et al：Rehabilitation after lumbar disc surgery：an update Cochrane review. Spine 34：1839-1848, 2009.

38) Carragee EJ, Helms E, O'Sullivan GS：Are postoperative activity restrictions necessary after posterior lumbar discectomy? A prospective study of outcomes in 50 consecutive cases. Spine 21：1893-1897, 1996.

39) Gentry LR, Strother CM, Turski PA, et al：Chymopapain chemo-nucleolysis：correlation of diagnostic radiographic factors and clinical outcome. AJR Am J Roentgenol 145：351-360, 1985.

40) Agre K, Wilson RR, Brim M, et al：Chymodiactin post-marketing surveillance. Demographic and adverse experience data in 29,075 patients. Spine 9：479-485, 1984.

41) Chatterjee S, Foy PM, Findlay GF：Report of a controlled clinical trial comparing automated percutaneous lumbar discectomy and microdiscectomy in the treatment of contained lumbar disc herniation. Spine 20：734-738, 1995.

42) 鈴木省三, 宮内 晃, 岩﨑幹季, 他：経皮的レーザー椎間板除圧術(PLDD)のあと再治療を要した症例の検討. 臨整外 35：537-543, 2000.

43) Tonami H, Kuginuki M, Kuginuki Y, et al：MR imaging of subchondral osteonecrosis of the vertebral body after percutaneous laser diskectomy. AJR Am J Roentgenol 173：1383-1386, 1999.

44) Matsuyama Y, Chiba K, Iwata H, et al：Condoliase as treatment for patients with lumbar disc herniation：a randomized clinical trial. J Neurosurg Spine 28：499-511, 2018.

45) Chiba K, Matsuyama Y, Seo T, et al：Condoliase for the treatment of lumbar disc herniation. A randomized

controlled trial. Spine 43：E869-E876, 2018.
46) Vaughn PA, Malcolm BW, Maistrelli GL：Results of L4-5 disc excision alone versus disc excision and fusion. Spine 13：690-695, 1988.
47) Takeshima T, Kambara K, Miyata S, et al：Clinical and radiographic evaluation of disc excision for lumbar disc herniation with and without posterolateral fusion. Spine 15：450-456, 2000.
48) Atlas S, Deyo R, Keller R, et al：The main lumbar spine surgery, Part Ⅱ：1-year outcomes of surgical and nonsurgical management of sciatica. Spine 21：1777-1786, 1996.
49) Atlas S, Keller R, Chang Y, et al：Surgical and nonsurgical management of sciatica secondary to a lumbar disc herniation：five-year outcomes from the main lumbar spine surgery. Spine 26：1179-1187, 2001.
50) Postacchini F：Results of surgery compared with conservative management for lumbar disc herniations. Spine 21：1383-1387, 1996.
51) Weinstein JN, Tosteson TD, Lurie JD, et al：Surgical vs nonoperative treatment for lumbar disk herniation：the Spine Patient Outcomes Research Trial (SPORT)：a randomized trial. JAMA 296：2441-2450, 2006.
52) Weinstein JN, Lurie JD, Tosteson TD, et al：Surgical vs nonoperative treatment for lumbar disk herniation：the Spine Patient Outcomes Research Trial (SPORT)：observational cohort. JAMA 296：2451-2459, 2006.
53) Peul WC, van Houwelingen HC, van den Hout WB, et al：Surgery versus prolonged conservative treatment for sciatica. N Engl J Med 356：2245-2256, 2007.
54) Tarlov IM：Perineural cysts of the spinal nerve roots. Arch Neurol Psychiatry 40：1067-1074, 1938.
55) Tarlov IM：Cysts(perineural)of the sacral roots：another cause(removable)of sciatic pain. JAMA 138：740-744, 1948.
56) Paulsen RD, Call GA, Murtagh FR：Prevalence and percutaneous drainage of cysts of the sacral nerve root sheath(Tarlov cysts). Am J Neuroradiol 15：293-299, 1994.
57) Kunz U, Mauer U, Waldbaur H：Lumbosacral extradural arachnoid cysts：diagnostic and indication for surgery. Eur Spine J 8：218-222, 1999.
58) Nabors MW, Pait TG, Byrd EB, et al：Updated assessment and current classification of spinal meningeal cysts. J Neurosurg 68：366-377, 1988.
59) 田中雅人, 中原進之介, 甲斐信生, 他：骨浸食像を呈した仙骨嚢腫の治療経験―弁機構サイン. 整形外科 54：22-26, 2003.
60) Tanaka M, Nakahara S, Ito Y, et al：Surgical Results of Sacral Perineural(Tarlov)Cysts. Acta Med Okayama 60：65-70, 2006.
61) Voyadzis JM, Bhargava P, Henderson F：Tarlov cysts：a study of 10 cases with review of the literature. J Neurosurg 95(1 Suppl)：25-32, 2001.

参考文献

62) 安間嗣郎, 牧野叡聖, 齋藤 脩, 他：腰椎椎間板ヘルニアの臨床病理学的研究―第1報：椎間板の加齢的変化(付. シュモール結節)―. 整・災外 29：1565-1578, 1986.
63) 安間嗣郎, 牧野叡聖, 齋藤 脩, 他：腰椎椎間板ヘルニアの臨床病理学的研究―第2報：椎間板ヘルニアの組織発生―. 整・災外 29：1677, 1986.
64) Yasuma T, Makino E, Saito S, et al：Histological development of intervertebral disc herniation. J Bone Joint Surg Am 68：1066-1072, 1986.
65) 日本整形外科学会診療ガイドライン委員会 腰椎椎間板ヘルニアガイドライン策定委員会, 厚生労働省医療技術評価総合研究事業「腰椎椎間板ヘルニアのガイドライン作成」班編：腰椎椎間板ヘルニア診療ガイドライン, 南江堂, pp17-22, 2005.
66) Guinto FC, Hashim H, Stumer M：CT demonstration of disc regression after conservative therapy. AJNR Am J Neuroradiol 5：632-633, 1984.
67) Teplick JG, Haskin ME：Spontaneous regression of herniated nucleus pulposus. AJR Am J Roentgenol 145：371-375, 1985.
68) Saal JA, Saal JS, Herzog RJ：The natural history of lumbar intervertebral disc extrusions treated nonoperatively. Spine 15：683-686, 1990.
69) Maigne JY, Rime B, Deligne B：Computed tomographic follow-up study of forty-eight cases of non-operatively treated lumbar intervertebral disc herniation. Spine 17：1071-1074, 1992.
70) Bush K, Cowan N, Katz DE, et al：The natural history of sciatica associated with disc pathology：A prospective study with clinical and independent radiologic follow-up. Spine 17：1205-1212, 1992.
71) 小森博達, 中井 修, 山浦伊裟吉, 他：MR画像における腰椎椎間板ヘルニアの自然経過. 臨整外 29：457-464, 1994.
72) Ito T, Yamada M, Ikuta F, et al：Histological evidence of absorption of sequestration-type herniated disc. Spine 21：230-234, 1996.
73) Bozzao A, Gallucci M, Mascicchi C, et al：Lumbar disk herniation：MR imaging assessment of natural history in patients treated without surgery. Radiology 185：135-141, 1992.
74) Jensen MC, Brant-Zawadzki MN, Obuchowski N, et al：Magnetic resonance imaging of the lumbar spine in people without back pain. N Engl J Med 331：69-73, 1994.
75) Stadnik TW, Lee RR, Coen HL, et al：Annular tears and disk herniation：prevalence and contrast enhancement on MR images in the absence of low back pain or sciatica. Radiology 206：49-55, 1998.
76) 岩﨑幹季, 米延策雄：退行性疾患. B. 腰椎椎間板ヘルニア. 脊椎疾患保存療法(原田征行, 酒匂崇 編), 金原出版, pp49-56, 1993.
77) Jensen T, Asmussen K, Berg-Hansen E, et al：First-time operation for lumbar disc herniation with or with-

out free fat transplantation : Prospective triple-blind randomized study with reference to clinical factors and enhanced CT scan 1 year after operation. Spine 21 : 1072-1076, 1996.
78) MacKay MA, Fischgrund JS, Herkowitz HN, et al : The effect of interposition membrane on the outcome of lumbar laminectomy and discetomy. Spine 20 : 1793-1796, 1995.
79) Petrie JL, Ross JS : Use of ADCON-L to inhibit postoperative peridural fibrosis and related symptoms following lumbar disc surgery : A preliminary report. Eur Spine J 5(Suppl) : S10-S17, 1996.
80) Gibson JNA, Grant IC, Waddell G : The Cochrane review of surgery for lumbar disc prolapse and degenerative lumbar spondylosis. Spine 24 : 1820-1835, 1999.
81) Weber H, Holme I, Amlie E : The natural course of acute sciatica with nerve root symptoms in a double-blind placebo-controlled trial of evaluating the effect of piroxicam. Spine 18 : 1433-1438, 1993.
82) Mummanemi PV, Pitts LH, McCormack BM, et al : Microsurgical treatment of symptomatic Tarlov cysts. Neurosurgery 47 : 74-79, 2000.

7 腰部脊柱管狭窄症・腰椎すべり症
lumbar spinal stenosis, lumbar spondylolisthesis

7-A. 腰部脊柱管狭窄症

7-A-1. 疾患の概説

　腰椎の場合，頸椎症(cervical spondylosis)と異なり，腰椎症(lumbar spondylosis)という言い方はあまり用いられない[1]。これは腰椎変性疾患を，椎間板症(discopathy)，ヘルニア(herniation)，すべり症(spondylolisthesis)，脊柱管狭窄症(spinal canal stenosis)と，それぞれ病態別に扱うことが慣習的に多いためである(欧米では腰部脊柱管狭窄症は椎間孔部狭窄も含めるので，"lumbar spinal canal stenosis"は一般的には用いられず"lumbar spinal stenosis"と表現する)。したがって，すべて脊椎症(spondylosis)という疾患概念に入るべき退行性変性疾患に対して，その時々の際立った病態に着目し，椎間板の状態，脊柱管や椎骨の形態など，いずれに視点を置くかによって診断名が変わり得ることがあるので注意を要する。
　1949年にVerbiestが軟骨無形成症などの先天奇形とは異なる腰部脊柱管狭窄症による根性症候群(A radicular syndrome from developmental narrowing of the lumbar vertebral canal)の疾患概念を提唱[2]して以来，この病名が変性疾患で広く用いられるようになってきた。その後Arnoldiらは，「腰部脊柱管狭窄とは骨性または靱帯性要因により，種々の型の脊柱管，椎間孔の狭小化を生じた状態である」とした[3]。ここでは病態を広く加齢による退行性変性という意味でとらえ，ヘルニアを除いて広義の脊柱管狭窄症という1つの疾患概念として扱う。高齢者でも椎間板ヘルニアのみによる圧迫(骨性の圧迫がない)もあるので，そのような場合は椎間板ヘルニアとして扱うのが適当と考える。
　また，腰椎すべり症については次項(7-B)を参照していただきたい。

7-A-2. 病態

　椎間板への力学的負荷または加齢による椎間板変性から始まり，椎間関節，黄色靱帯，椎骨へも変性が波及する(図Ⅱ-7-1)。二次的な変化として，脊柱管内の形態的変化が進み，椎間板周辺の神経終末，神経根，馬尾などの神経組織の障害を引き起こす。

1 静的因子(static factor)

1) 脊柱管の形態(図Ⅱ-7-2)
2) 正中部狭窄(central stenosis：図Ⅱ-7-3a)または外側部狭窄(lateral stenosis：図Ⅱ-7-3b, 4)

2 動的因子(dynamic factor)

1) すべり症
2) 動的不安定性

7-A-3. 分類

さまざまな分類があるが主な分類を示す。

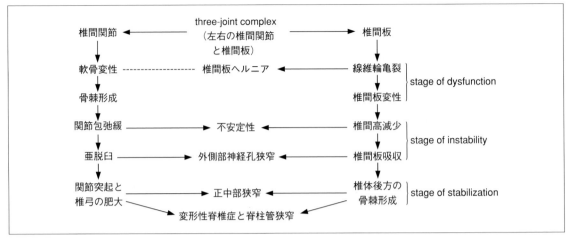

図II-7-1 腰部脊柱管狭窄症の病態（Kirkaldy-Willis 説）（文献 4 より改変）

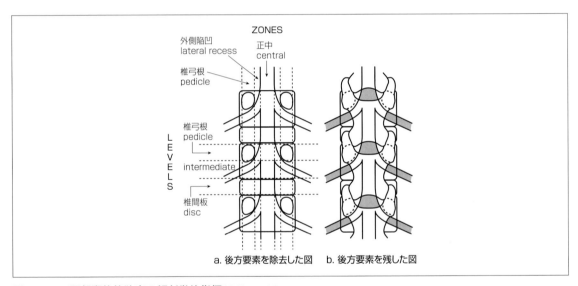

図II-7-2 腰部脊柱管狭窄の解剖学的指標（文献 5 より）
腰部脊柱管狭窄の解剖学的位置を把握するのに，横断面での 3 level（椎弓根部，椎体尾側 1/3 の intermediate，椎間板）と矢状面での 3 zone（正中部，外側陥凹部，椎弓根部）に分けると理解しやすい．

1 Kirkaldy-Willis らの分類[6]

- developmental stenosis（発育性脊柱管狭窄）
- degenerative stenosis（変性脊柱管狭窄）
- combined lesions（合併狭窄）
- other types of stenosis（その他の脊柱管狭窄）

2 Arnoldi らによる国際分類[3]

●先天性（発育性）脊柱管狭窄（congenital-developmental stenosis）
- 特発性（idiopathic）
- 軟骨無形成症（achondroplastic）

●後天性脊柱管狭窄（acquired stenosis）
- 変性脊柱管狭窄（degenerative）
  1) 中心部（central portion）
  2) 末梢部（peripheral portion）
  3) 変性脊椎すべり症（degenerative spondylolisthesis）
- 先天性，変性，椎間板ヘルニアなどの合併狭窄（combined）
- 分離性脊椎すべり症（spondylolisthetic, spondylolytic）

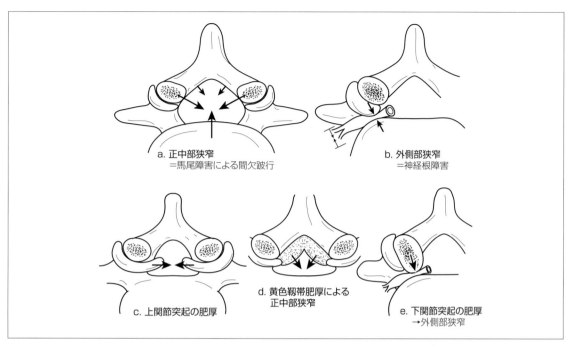

図Ⅱ-7-3　腰部脊柱管狭窄症における圧迫形態

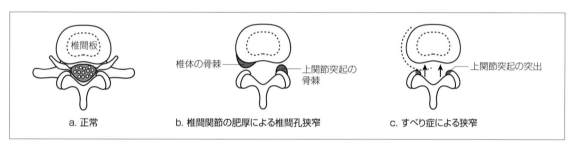

図Ⅱ-7-4　外側部狭窄

- 椎弓切除や固定術後に起こる医原性脊柱管狭窄(iatrogenic)
- 外傷後脊柱管狭窄(post-traumatic)
- その他(miscellaneous)
  1) 骨パジェット病(Paget's disease)
  2) フッ素中毒(fluorosis)

3 症状・所見からみた分類

●神経根障害
圧迫神経根に一致した疼痛または知覚障害がみられる。

●馬尾障害
圧迫レベル以下の馬尾障害(多根性障害)がみられる。

馬尾性間欠跛行(両下肢広範囲のしびれによる歩行障害。通常，自転車には乗れる)，膀胱直腸障害，サドル状感覚障害，会陰部のしびれ(perineal numbness)，アキレス腱反射の消失が特徴的である。

●混合性障害
圧迫レベルの神経根症状と，それ以下の馬尾障害がみられる。

7-A-4. 症状

1 腰痛

腰痛は，馬尾・神経根どちらの圧迫でも起こり得るが，重要なのはそれが神経圧迫による症状なのか，腰椎の不安定性による症状なのかを見極めることである．つまり，寝返りや起き上がり動作で強い腰痛を訴える場合は，腰部脊柱管狭窄症による症状というよりも腰椎不安定性の関与が危惧されるからである．腰部脊柱管狭窄症の症状で殿部痛（坐骨神経痛）はあるが，腰痛のみの訴えは基本的にはない．したがって，腰痛のみが主訴の場合，転移性脊椎腫瘍や脊椎炎，馬尾腫瘍などを念頭に置く必要がある．

2 下肢の痛み・しびれ

神経根に関連した下肢痛や知覚障害，運動障害は，基本的には腰椎椎間板ヘルニアと同じである（p222 参照）．しかし，多椎間での圧迫の場合，両側性または広範囲に及ぶことが少なくない．また，S3 以下の障害の場合は，肛門などの会陰部周囲の違和感や灼熱感を訴えることもある．

L2 根性痛の場合は鼠径部に，L3 根性痛の場合は膝前面に疼痛を訴えることがあるので，股関節疾患や膝関節疾患との鑑別を要する．

3 間欠跛行

末梢動脈疾患（peripheral arterial disease：PAD）との鑑別が重要である（ただし，本疾患との合併はある）．腰部脊柱管狭窄症による間欠跛行は，PAD による間欠跛行とは異なり，以下のような特徴がある．
- 歩行時，または起立した時に生じる．
- 臥位あるいは体幹前屈位での休息により直ちに寛解する．
- 神経の刺激症状または脱落症状からなる．
- 下肢の疲労と脱力，知覚障害またはしびれ感が腰仙髄節の支配域であること．
- 歩行可能距離が日によって異なったり日内変動がよく認められる（PAD による間欠跛行はほぼ一定）．

7-A-5. 診断

診断は臨床症状・所見と画像所見とによる．画像所見上でいくら脊柱管が狭窄していても無症候性のことも多く，逆に臥位で脊柱管の狭窄が高度でなくても前後屈での不安定性など動的因子が関与している場合には，症状が立位や歩行などで増強されることがある．あくまでも画像所見に頼りすぎないことが重要である．また，神経根障害を疑う場合，椎間孔狭窄（foraminal stenosis）の有無を必ず画像診断で調べておくことも重要である．

腰部脊柱管狭窄症は明確な診断基準はないが，腰部脊柱管狭窄症診療ガイドライン（改訂第 2 版）の提案を参考に診断する．

●**腰部脊柱管狭窄症の診断基準**[7]
1) 殿部から下肢の疼痛やしびれを有する．
2) 殿部から下肢の症状は，立位や歩行の持続によって出現あるいは増悪し，前屈や座位保持で軽減する．
3) 腰痛の有無は問わない．
4) 臨床所見を説明できる MRI などの画像で変性狭窄所見が存在する．

1 問診のポイント

●**発症の誘因・発症は急性か，緩徐か**

腰部脊柱管狭窄症による下肢症状は，通常緩徐に生じる．急性発症の激しい腰痛・背部痛で体動の影響がない場合は血管性を疑う．

●**動作時痛か，安静時痛か**

腰部脊柱管狭窄症による下肢症状は，立位や歩行などにより出現あるいは増悪するのが通常である．安静時痛や夜間痛を伴う場合は，脊椎感染症や腫瘍，あるいは血管性を除外する必要がある．

●**姿勢による下肢症状の改善はあるか**

前屈姿勢で歩行したり，前かがみで下肢症状

が改善することは，腰部脊柱管狭窄症に特徴的である（stoop test）。間欠跛行が明白でも，前屈姿勢なら自転車でかなりの長時間外出が可能との訴えも参考になる（bicycle test）。

● **歩行障害は歩き始めに出現するのか，歩いていると徐々に障害が出現するのか**

歩き始めからの歩行障害は，腰椎部の狭窄よりも頸椎や胸椎での圧迫性脊髄症を念頭に置き，Romberg徴候の有無を確認する必要がある。歩行障害出現時に知覚・運動障害（脱力）を伴うかも慎重に聞き出す。知覚障害に関しては肛門周囲や会陰部の異常感覚（灼熱感や違和感）も問診のポイントとして重要である。

● **間欠跛行の距離は一定か，変動するか**

跛行が出現する距離がほぼ一定している場合は，血管性を疑う。

2 他覚所見

■ 前弯減少の有無，側弯の有無，可動域制限の有無について観察する。
特に診察中，体位変換などで疼痛を伴うか，前屈・後屈でどこに痛みが誘発されるかを診る。
■ 下肢伸展挙上試験（SLRT）や大腿神経伸展試験（FNST）などの神経伸展試験（tension sign）の有無について調べる。
患者自身に両下肢同時にSLRTを行ってもらう。臨床的に不安定性が存在すれば，痛くて挙げられないことが多い（active bilateral SLR）。
■ 足背動脈・後脛骨動脈の触知と左右差を調べる。拍動が触知できても，必ずしもPADを否定できるわけではないが，少なくとも臨床上重篤なPADは否定できる。
■ 間欠跛行がある場合は，安静時だけでなく，症状を誘発させてからも調べる（神経学的所見）。
■ 腱反射・Romberg徴候
アキレス腱反射（ATR）の消失はS1根障害か馬尾障害を疑う。膝蓋腱反射（PTR）はL4根障害を疑う所見のため，L3/4高位あるいはそれよりも高位の狭窄で減弱する。Babinski反射など病的反射は出現してこない。膝蓋腱反射とアキレス腱反射に左右差を認めない場合は，L5根障害

を疑う所見である。下肢腱反射が亢進しているかRomberg徴候陽性の場合は，必ず頸髄または胸髄の圧迫病変を除外する。
■ 筋力低下・筋萎縮
両大腿・下腿周径の左右差に注意する。
■ 知覚障害
特に会陰部の知覚障害の有無（perineal numbness）について調べる。
■ 膀胱・直腸障害の有無

3 画像診断

● **X線**

診断にはあまり有用ではないが，画像的な不安定性を診断するには立位2方向と前屈・後屈臥位側面像が有用である。斜位像は分離症をみやすくする意味のみで，通常は不要である。頸椎と違って，腰椎側面での脊柱管前後径は診断的意義が少ない。骨盤正面像は，股関節疾患や仙骨腫瘍の除外診断に有用なことがあるので，初診時には必要である。

側弯や矢状面アライメント異常があるときには，全脊柱立位長尺2方向の撮影が必須である。
■ 腱反射が亢進しているときには，頸椎または胸椎も調べる。
■ 側弯や後弯変形を認めるときには，立位長尺2方向と臥位長尺正面を撮影して脊柱全体を評価する。
■ 胸腰椎移行部の靱帯骨化を除外する。
■ 腰椎椎間関節の形態に着目する（図Ⅱ-7-5, 6）。
■ すべりの有無と程度，前屈・後屈での可動性を評価する。
前屈での後方開大は自然に改善しやすいが，後方開大に前方へのすべりを伴う場合は不安定性が持続し，日常生活動作（activities of daily living：ADL）の制限も生じやすい[10]。
椎間板高が保たれているほうがすべり増大の危険性は大きい[11]。
■ **椎弓角と椎間関節については，椎弓の水平化と椎間関節の水平化がすべりの発症に関与する**[12,13]（図Ⅱ-7-7）。
・椎弓角：上関節突起基部と下関節突起基部を結ぶ直線と，椎体前縁・後縁高の中点を結ぶ線とのなす角（図Ⅱ-7-7a）。

・**椎間関節傾斜角**：斜位像において，椎体前縁・後縁の各中点を結ぶ直線と椎間関節に対する接線とのなす角（**図Ⅱ-7-7b**）。

長総らによると，すべり症例で40%は椎間関節の矢状化がなかったとしている[12]。つまり，**矢状化はすべりの必須条件ではない**。

■ 腰椎の画像的不安定性の判定に関しては種々の意見があり，必ずしも一定ではない。

一般的には**表Ⅱ-7-1**の基準がある。

●MRI

MRIは椎間板や神経根の病変が詳しく観察できるため，スクリーニングとして非常に有効であるだけでなく，脊椎・脊髄腫瘍や脊柱管内病変を鋭敏に鑑別できる。ただし，MRIは診断的価値が高いが，疑陽性があることも認識する必要がある。軽微な圧迫でもとらえられるので病的かどうかの判断はあくまで臨床症状と所見に頼る。画像上の狭窄の「所見」と臨床症状を

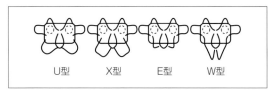

図Ⅱ-7-5　椎弓および下関節突起部の形態による分類（文献8より）
W型では変性すべり症になりやすい。

表Ⅱ-7-1　腰椎不安定性の画像評価目安

- 前屈・後屈で3〜4mm以上のすべりの変化や10°以上の動き
- 前屈時の5°以上の後方開大と5%以上のすべり
- 5mm以上のすべり
- 分離症が存在
- CTでの椎間関節の広がりやMRIでの椎間関節水腫

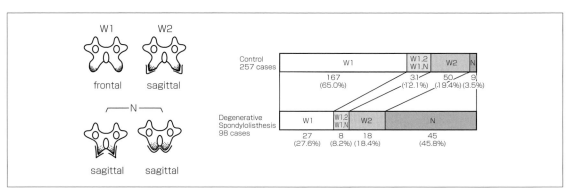

図Ⅱ-7-6　椎弓の形態と変性すべり（文献9より）
コントロール例ではW1型が65%に認められ，N型は3.5%のみであったが，変性すべり症例では逆にN型が46%と有意に多く認められる。

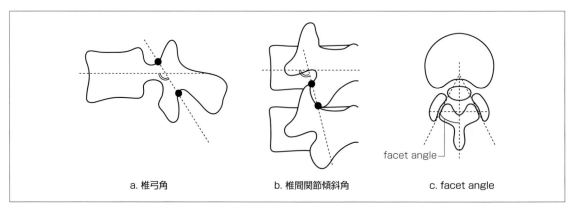

図Ⅱ-7-7　椎弓・椎間関節の形態計測

伴った狭窄症の「診断」とを混同してはならない。MRIにて狭窄の「所見」が存在しても，臨床症状がその罹患椎間で障害される神経根・馬尾症状や所見と一致しなければ決して狭窄症と「診断」してはならない。

腰痛や下肢痛の既往が全くない67人を対象としたBodenらによるcohort研究(1990)では，60歳以上の36％に無症候性のヘルニア，21％に狭窄所見をMRI上認めたとしている[14](**表Ⅱ-7-2**)。

- parasagittal像は特に外側での椎間孔狭窄(foraminal stenosis)の診断に重要である。神経根障害を疑う場合，MRIの横断像あるいはparasagittal像で椎間孔狭窄(foraminal stenosis)の有無を必ずチェックする。

● CT

脊柱管横断面での骨性因子を観察するのに有用である。

関節面の形態(facet angle)，上関節突起の前内側への肥大，椎体後縁の骨棘，黄色靱帯の肥厚・骨化を観察する。

各椎間レベルでおよその馬尾の位置関係が判断可能である(**図Ⅱ-7-8**)。

● ミエログラフィ

MRIに比べて動的因子の把握に優れている(**図Ⅱ-7-9**)。造影後のCTを撮影することによって，骨性・軟部組織による硬膜管や神経根の圧迫がさらに詳細に把握できる[16]。したがって多椎間病変の診断には特に有用である(p252「除圧レベルの決定」参照)。

表Ⅱ-7-2　無症候性腰椎のMRI異常所見と年齢の関係(文献14より)

MRI画像所見	年齢層(患者数)		
	20〜39歳(35)	40〜59歳(18)	60〜80歳(14)
椎間板ヘルニア	21％	22％	36％
脊柱管狭窄	1％	0	21％
椎間板膨隆	56％	50％	79％
椎間板変性	34％	59％	93％

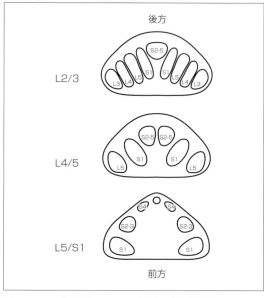

図Ⅱ-7-8　各椎間における馬尾の位置関係(文献15より)

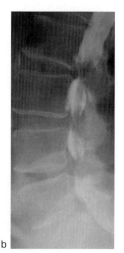

図Ⅱ-7-9　ミエログラフィ前屈・後屈位による圧迫程度の違い
前屈位(a)に比べ，後屈位(b)では圧迫が増強される。

●神経根造影・ブロック

多根障害例では，神経根ブロックは障害神経根を特定するのに有用である。また，椎間孔狭窄(foraminal stenosis)による上位神経根障害の確定診断にも有用である。

4 鑑別診断

腰痛や典型的な間欠跛行を認めても，鑑別診断は常に念頭に置く。分離症・分離すべり症，椎間孔外ヘルニアや椎間孔狭窄(foraminal stenosis)は広義の脊柱管狭窄症に含まれるが，術式選択において重要になるので，狭義の脊柱管狭窄症と鑑別しておく。

1) 末梢動脈疾患(PAD)
2) 多発性神経炎：糖尿病，ビタミン欠乏(B_1, B_6, B_{12})，甲状腺機能低下症
3) 腫瘍性病変(転移性腫瘍)，脊髄・馬尾腫瘍
4) 化膿性脊椎炎，結核性脊椎炎
5) 脊髄性間欠跛行：頸髄症，胸髄症
6) 胸腰椎移行部での黄色靱帯骨化症

●下垂足を伴った腰椎疾患の特徴[17,18]

■ L4/5レベルでのL5根障害が最も多いが，L5/Sの外側病変やL3/4でも起こり得る[17]（図Ⅱ-7-10）。
■ T11/12〜T12/L1の胸腰椎移行部の病変や腓骨神経麻痺を必ず除外する。
■ 前脛骨筋(TA)筋力の程度と罹病期間が予後に関与する。疼痛の有無は必ずしも予後に影響しない[17]。
・腰椎由来の下垂足は，手術により60〜65%が改善する。
・TA筋力が1未満であれば改善する率は約40%，TA筋力が2以上あれば約90%は改善する。
・下垂足になってから30日以内であれば手術成績は比較的良く，罹病期間が手術成績に大きく影響する。
■ 電気刺激による足関節の動きやM波の振幅は予後判定に有効である。

5 自然経過

おおよそ3〜4割の患者は保存療法で改善し，3〜4年の追跡で約10〜15%が悪化する。病型としては，痛みを主訴とする神経症状は改善しやすく，馬尾障害は不変または悪化が多い。

Johnssonらによると，19例の非手術群(31カ月追跡)と44例の手術群(53カ月追跡)を比較したところ，保存療法でも疼痛評価(visual analog scale：VAS)で58%の患者は不変だったが32%は症状が改善した[19]（表Ⅱ-7-3）。

また，彼らによると，32例の平均49カ月追跡(約75%が間欠跛行)で，間欠跛行の頻度は変化ないがVAS評価で70%の患者は不変，15%が改善，15%が悪化した。歩行能力は1/3が改善し，1/3は不変，1/3が悪化した[20]。

Simotasらによると，保存療法(運動療法，鎮痛薬，硬膜外ステロイド注入)による49例の

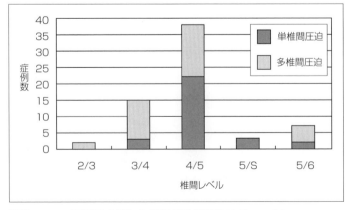

図Ⅱ-7-10　下垂足を呈した症例の責任椎間（文献17より）
下垂足を呈した責任椎間は，ほとんどがL4/5レベルで，続いてL3/4レベルであった。椎間孔外病変はL5/Sの外側ヘルニアのみであった。

表Ⅱ-7-3　腰部脊柱管狭窄症に対する手術療法と保存療法の比較(prospective, randomized study)（文献19より）

	手術療法	保存療法
改　善	59%	32%
不　変	16%	58%
悪　化	25%	10%

cohort study（平均追跡期間 33 カ月）で，9 例が手術に移行し，残り 40 例中 5 例（13%）が悪化（2 例は著明な筋力低下），12 例（30%）は不変，11 例（28%）がわずかに改善し，12 例（30%）は明らかに改善した．歩行能力は 40% が改善し，35% は不変，25% が悪化した．馬尾障害がどの程度含まれているかは不明だが，80% の患者が保存療法に満足している[21]．

7-A-6. 保存療法

1 牽引療法

一般によく行われている牽引療法は，腰部脊柱管狭窄症に対して理論的には無効である．

2 薬物療法

●鎮痛薬

非ステロイド性抗炎症薬（NSAIDs）は疼痛に対しては有効である．

●プロスタグランジン E1 製剤

軽症の間欠跛行に対して有効である[22]．

3 装具療法

●William's flexion brace

伸展位で症状が増強し，屈曲位で改善することを利用した装具である．

●簡易コルセット

単純な固定効果を期待する場合に用いる．

4 神経ブロック

●硬膜外ブロック

ステロイドの腰部硬膜外注射はよく行われる治療法で，神経根症状が主症状の患者に広く適応される．腰痛が主症状の患者に注射することもあるが，あまり効果は持続しないようである（p232 参照）．早期の疼痛除去には有用であるが，長期的な機能回復には有意差をもたらさない．局所麻酔薬を混入する場合は，血圧低下や麻痺に注意する．外来患者には局所麻酔薬を混入せず，ステロイドと生理食塩水のみを注入することもある．ときに痛みが増悪したり，頭痛などが起こるので，患者への説明を十分しておく必要がある．ステロイドを使用するので，糖尿病や潰瘍の患者には十分注意が必要である．

●神経根ブロック

根症状が主症状の患者が適応となる．特に多椎間が障害されている場合には，障害神経根の診断的治療として良い適応である．股関節疾患による大腿部痛と上位神経根障害を鑑別する際に注意すべきは，前者であっても神経根ブロックで一時的な除痛効果が得られることもあることである．したがって，上位の神経根ブロックで除痛が得られた場合でも，必ずしも神経根性疼痛であるとは判断できないことは留意すべきである．

●椎間関節ブロック

透視装置を使う煩雑さがあるが，椎間関節由来の痛みを除去する効果と，腰神経後枝をブロックして痛みを除去する効果がある．椎間関節症候群（facet syndrome）[23]と呼ばれる腰椎の過伸展や捻転で痛みが増強する患者が良い適応である．逆に，椎間関節ブロックが有効であれば椎間関節由来の痛みが関与しているという診断的治療にも用いる．

7-A-7. 手術療法

いくつかの研究で，狭窄の強い症例では手術療法の有効性が確認されている．

Atlas らによる 148 例の prospective cohort study で，1 年後の成績で比較すると保存療法に比べ，手術療法のほうが有意に改善を示した[24]．その術後 8〜10 年の追跡調査では，腰痛に関しては手術療法と保存療法に有意な差は認められなかったが，下肢痛の改善に関しては手術療法の優位性が維持されていた[25]．

フィンランドにおける手術療法（50 例）と保存療法（44 例）のランダム化比較試験（randomized controlled trial：RCT)で，保存療法に比べ，手術療法のほうが有意に改善を示した[26]。その有効性は，時間的経過で減じていくものの2年目でも優位性を保持していた。

さらに，アメリカにおける多施設研究(spine patient outcomes research trial：SPORT)[27,28]やsystematic review[29,30]でも，腰部脊柱管狭窄症に対する手術療法の有効性を検証している。

1 適応

基本的には，高度な麻痺や保存療法に抵抗し，日常生活に支障を及ぼす歩行障害は手術の適応である。
- 保存療法に抵抗する下肢痛・しびれ
- 日常生活に支障を及ぼす間欠跛行
- 膀胱・直腸障害
- 明らかな筋力低下(下垂足などMMT<3レベル)
- 会陰部の灼熱感や違和感

2 術式選択[36〜39]

不安定性のない狭義の腰部脊柱管狭窄症による神経圧迫症状に対しては，除圧術が基本である。しかし，脊柱の支持機能障害によると思われる症状に対しては固定術を併用する(p263〜264参照)。除圧術のみで対処するか固定術を併用するかは，画像的な不安定性や動作に伴う強い腰痛などの不安定性を示唆する症状などから判断するが，術者によってその判断が異なるのが現状である。腰部脊柱管狭窄症に対する除圧術単独と固定術併用のRCTでは，すべりの有無にかかわらず有意差は認められなかったと報告している[31]。したがって，1)不安定性の有無やその程度(立位や前後屈側面像＋左右屈正面像)，2)椎間孔部狭窄の有無(MRI parasagittal像や神経根ブロックの効果)などを参考に固定術を併用するか否かは総合的に判断する必要がある。

● 除圧術[40〜42]

縦断面での除圧レベルと，横断面での除圧範囲が重要である。以下の術式を使い分ける。最近では，棘突起や軟部組織を温存させた低侵襲手術や顕微鏡・内視鏡を用いた除圧術などさまざまな技術的工夫がなされているが，従来法に比べてどれほど安全かつ有効なのかについては結論が出ていない。
1) 椎弓切除術(laminectomy)
2) 開窓術(fenestration)
3) 椎間関節切除術(facetectomy)
4) 椎間孔拡大術(foraminotomy, unroofing)

a. 除圧レベルの決定

神経根障害では，画像的な圧迫高位だけでなく，神経学的所見や神経根ブロックによる疼痛改善などから障害レベルを特定することはある程度可能である。一方，馬尾障害の場合は，除圧レベルの決定に苦慮することが少なくない。MRIの診断能力の向上に伴い，ミエログラフィはその侵襲性から術前検査として省略される傾向にある。しかし，ミエログラフィ(その後のCTも含めて)あるいはMRIで決定された除圧レベルを検者内および検者間で比較検討すると，MRIによる狭窄の判定は過小評価される傾向にあり，さらに検者内および検者間の信頼性はミエログラフィ(その後のCTも含めて)のほうが高かった(p249「ミエログラフィ」参照)[16]。すなわち，動的因子を評価できるミエログラフィや骨性要素を明確に評価できるCTミエログラフィを省くことで除圧範囲が不足する危険性がある。

b. 除圧術の成績

Turnerによると，60〜70％の患者がgoodおよびexcellentで，固定の有無で成績に差はなかった[32]。

Katzによると，88例の症例を2.8〜6.8年追跡した結果，成績不良因子は術前合併症と1椎間のみの除圧例であった[33] (表Ⅱ-7-4)。

表Ⅱ-7-4 腰部脊柱管狭窄症に対する椎弓切除の長期成績(文献33より)

	1年追跡	最終追跡
成績不良例	8/74(11%)	31/72(43%)
激しい疼痛	5/74(7%)	21/70(30%)
再手術率	5/88(6%)	15/88(17%)
日常生活動作の制限	6/74(8%)	26/74(35%)
15m未満の歩行	6/74(8%)	15/70(21%)

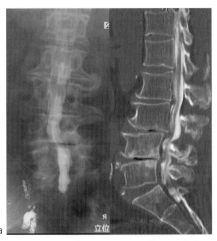 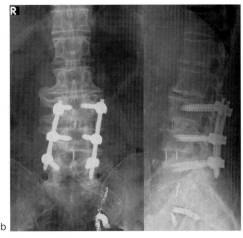

図Ⅱ-7-11　腰椎除圧術後の椎間孔狭窄(75歳男性)
　a：術前ミエログラフィ(左：立位正面像，右：CTミエログラフィ矢状断像)，b：術後腰椎X線2方向像
　67歳でヘルニア摘出術(L4/5右)，74歳で腰椎部分椎弓切除(L3/4/5)施行．その術後1〜2カ月は経過良好だったが右下肢痛再燃し，L4根ブロックが一過性に著効を示したためXLIF(L3/4-4/5)＋後方固定施行し下肢症状は改善した．

● 固定術併用[43〜48]

　もともと存在する不安定性に対しての固定と，除圧部の二次的不安定性[49]に対しての固定とがある．また，近年 lateral lumbar interbody fusion(LLIF)で椎体間を開大することによる間接的除圧術も報告されている．術式を以下に挙げる．

- 後側方固定術(posterolateral fusion：PLF)
- 後方経路腰椎椎体間固定術(posterior lumbar interbody fusion：PLIF)：(p263参照)

　通常，椎弓根スクリュー(pedicle screw)などのインストゥルメンテーションを使用して固定するが，あえてインストゥルメンテーションを用いず骨移植のみ(fusion without instrumentation)を行うこともある．

　広範囲の除圧後の不安定性が危惧されるが，術後の不安定性は手術成績に影響しないという報告が多い[34,35]．

- 側方経路腰椎椎体間固定術(lateral lumbar interbody fusion：LLIF)

　間接除圧のため重度な骨性狭窄には限界があること，固定術であることに変わりはないため除圧術に比べ固定の優位性があるかの検討が必要となる．

　除圧術後の椎間孔狭窄に対する再手術や多椎間固定を要する矢状面アライメント異常・変性側弯症など成人脊柱変形を合併する場合には良い適応と考える(図Ⅱ-7-11, 12)．

7-A-8. 脊柱管内囊腫性病変[50〜53]

　椎間関節囊腫(facet cyst)，滑膜囊腫(synovial cyst)などの呼称があるが，椎間関節近傍の脊柱管内硬膜外囊腫性病変をまとめて，juxta-facet cystと総称する．多くは下肢痛を主体とする神経根症状で発症し，臨床症状からは腰部脊柱管狭窄症と鑑別できない．除圧術後に生じることも稀ではないので，術後に下肢痛が再発した場合は鑑別すべき病変である．画像所見はMRIが特徴的で，椎間関節内側に接するようにT1強調像で低〜等輝度，T2強調像で高輝度の硬膜外腫瘤を認める．造影像では囊腫辺縁が造影されるのが特徴的である．囊腫壁の石灰化や囊腫内にガス像を認めることもある．手術療法としては除圧術で対処できるものが多いが，すべりや不安定性に関連して生じることもあり，その場合は固定術を考慮する．

　図Ⅱ-7-13に66歳女性の左下肢痛，図Ⅱ-7-14に32歳男性の右下肢痛の症例を示す．

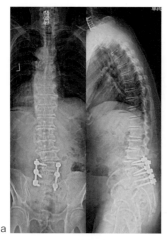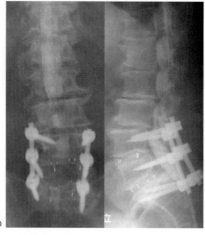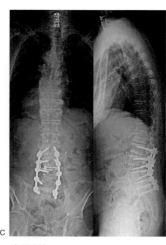

図Ⅱ-7-12 腰椎多椎間除圧固定術後の再狭窄および矢状面アライメント異常（77歳男性）
a：術前の全脊柱立位X線2方向像，b：術前ミエログラフィ（左：腹臥位正面像，右：立位側面像），c：術後2年の全脊柱立位X線2方向像

他院にて腰椎除圧固定術（75歳時：L4/5椎弓切除，L5/S PLIF，76歳時：L3/4椎弓切除，L4/5 PLIF）施行．術後は経過良好だったが左下肢痛（臀部と大腿前面痛）出現．L3根ブロックで臀部痛は軽減するも大腿前面痛は残存した．固定上位椎間での再狭窄に加えて矢状面アライメント異常を伴う腰痛も認めたため，XLIF（L2/3-3/4）+後方固定術施行した．下肢症状は改善した．

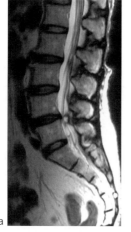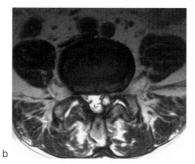

図Ⅱ-7-13 脊柱管内囊腫性病変による脊柱管狭窄症の症例（66歳女性）
a：腰椎MRI T2強調矢状断像，b：腰椎MRI T2強調横断像
L4/5レベルの脊柱管内囊腫性病変（juxta-facet cyst）による脊柱管狭窄症で，左椎間関節あるいは黄色靱帯から発生したと思われる典型的囊腫像がみられる．

7-A-9. 今後の課題

腰部脊柱管狭窄症は，高齢化社会に伴い今後ますます増えていく病態であるが，以下に示すようにまだ解決すべき課題が多く残されている．
- 単一疾患ではない腰部脊柱管狭窄症の病態把握と自然経過，診断基準
- 不安定性の客観的評価（画像的評価，臨床的不安定性の評価，定義）
- 除圧の範囲と固定術併用の適応
- 固定する場合，有効な固定法は？ 固定後のアライメントは？

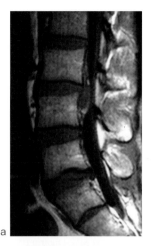
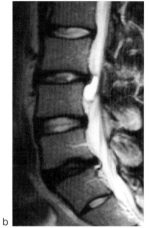
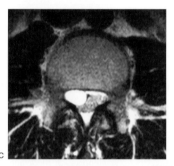

図Ⅱ-7-14 椎間板から発生した椎間板嚢腫の症例（32歳男性）
a：腰椎MRI T1強調矢状断像，b：腰椎MRI T2強調矢状断像，
c：腰椎MRI T2強調横断像
　右L4根障害で発症。画像上はT1強調像で低輝度，T2強調像で高輝度の脊柱管内嚢腫病変だが，術中所見から椎間板から発生した椎間板嚢腫（discal cyst）と診断した。

引用文献

1) 本間隆夫：臨床脊椎脊髄医学，三輪書店，pp300-312，1996.
2) Verbiest H：A radicular syndrome from developmental narrowing of the lumbar vertebral canal. J Bone Joint Surg Br 36：230-237, 1954.
3) Arnoldi CC, Brodsky AE, Cauchoix J, et al：Lumbar spinal stenosis and nerve entrapment syndromes. Definition and classification. Clin Orthop 115：4-5, 1976.
4) Kirkaldy-Willis WH, Wedge JH, Yong-Hing K, et al：Pathology and pathogenesis of lumbar spondylosis and stenosis. Spine 3：319-328, 1978.
5) Spivak JM：Current concepts review. Degenerative lumbar spinal stenosis. J Bone Joint Surg Am 80：1053-1066, 1998.
6) Kirkaldy-Willis WH, Paine KW, Cauchoix J, et al：Lumbar spinal stenosis. Clin Orthop 99：30-50, 1974.
7) 腰部脊柱管狭窄症診療ガイドライン改訂第2版，南江堂，2021.
8) 角田信昭，黒瀬眞之輔，佐々木邦雄，他：Degenerative spondylolisthesisのX線学的検討．臨整外 15：851-859, 1980.
9) Sato K, Wakamatsu E, Yoshizumi A, et al：The configuration of the laminas and facet joints in degenerative spondylolisthesis. A clinicoradilogic study. Spine 4：1265-1271, 1989.
10) Sato H, Kikuchi S：The natural history of radiographic instability of the lumbar spine. Spine 18：2075-2079, 1993.
11) Matsunaga S, Ijiri K, Hayashi K：Nonsurgically managed patients with degenerative spondylolisthesis：a 10-to 18-year follow-up study. J Neurosurg 93(2 Suppl)：194-198, 2000.
12) 長総義弘，菊地臣一，蓮江光男，他：腰椎変性すべりの発生機序—すべり発生確認例による検討．臨整外 29：765-770，1994.
13) Nagaosa Y, Kikuchi S, Hasue M, et al：Pathoanatomic mechanisms of degenerative spondylolisthesis. A radiographic study. Spine 23：1447-1451, 1998.
14) Boden SD, Davis DO, Dina TS, et al：Abnormal magnetic-resonance scans of the lumbar spine in asymptomatic subjects. A prospective investigation. J Bone

15) Wall EJ, Cohen MS, Massie JB, et al：Cauda equina anatomy I：Intrathecal nerve root organization. Spine 15：1244-1247, 1990.
16) Morita M, Miyauchi A, Okuda S, et al：Comparison between MRI and myelography in lumbar spinal canal stenosis for the decision of levels of decompression surgery. J Spinal Disord Tech 24：31-36, 2011.
17) Aono H, Iwasaki M, Ohwada T, et al：Surgical outcome of drop foot caused by degenerative lumbar diseases. Spine 32：E262-E266, 2007.
18) Aono H, Nagamoto Y, Tobimatsu H, et al：Surgical outcomes for painless drop foot due to degenerative lumbar diseases. J Spinal Disord Tech 27：E258-E261, 2014.
19) Johnsson KE, Udén A, Rosén I：The effect of decompression on the natural course of spinal stenosis. A comparison of surgically treated and untreated patients. Spine 16：615-619, 1991.
20) Johnsson KE, Rosén I, Udén A：The natural course of lumbar spinal stenosis. Clin Orthop 279：82-86, 1992.
21) Simotas AC, Dorey FJ, Hansraj KK, et al：Nonoperative treatment for lumbar spinal stenosis. Clinical and outcome results and a 3-year survivorship analysis. Spine 25：197-203, 2000.
22) Matsudaira K, Seichi A, Kunogi J, et al：The efficacy of prostaglandin E1 derivative in patients with lumbar spinal stenosis. Spine 34：115-120, 2009.
23) Mooney V, Robertson J：The facet syndrome. Clin Orthop 115：149-156, 1976.
24) Atlas SJ, Deyo RA, Keller RB, et al：The Maine Lumbar Spine Study, Part Ⅲ：1-year outcomes of surgical and nonsurgical management of lumbar spinal stenosis. Spine 21：1787-1794, 1996.
25) Atlas SJ, Keller RB, Wu YA, et al：Long-term outcomes of surgical and nonsurgical management of lumbar spinal stenosis：8 to 10 year results from the maine lumbar spine study. Spine 30：936-943, 2005.
26) Malmivaara A, Slätis P, Heliövaara M, et al：Surgical or nonoperative treatment for lumbar spinal stenosis？：a randomized controlled trial. Spine 32：1-8, 2007.
27) Weinstein JN, Tosteson TD, Lurie JD, et al：Surgical versus nonsurgical therapy for lumbar spinal stenosis. N Engl J Med 358：794-810, 2008.
28) Weinstein JN, Tosteson TD, Lurie JD, et al：Surgical versus non-operative treatment for lumbar spinal stenosis four-year results of the spine patient outcomes research trial. Spine 35：1329-1338, 2010.
29) Zaina F, Tomkins-Lane C, Carragee E, et al：Surgical versus non-surgical treatment for lumbar spinal stenosis. Cochrane Database of Systematic Reviews CD010264, 2016.
30) Ma XL, Ma JX, Zhao XW, et al：Effectiveness of surgery versus conservative treatment for lumbar spinal stenosis：A system review and meta-analysis of randomized controlled trials. Int J Surg 44：329-338, 2017.
31) Försth P, Ólafsson G, Carlsson T, et al：A randomized, controlled trial of fusion surgery for lumbar spinal stenosis. N Engl J Med 374：1413-1423, 2016.
32) Turner JA, Ersek M, Herron L, et al：Surgery for lumbar spinal stenosis. Attempted meta-analysis of the literature. Spine 17：1-8, 1992.
33) Katz JN, Lipson SJ, Larson MG, et al：The outcome of decompressive laminectomy for degenerative lumbar stenosis. J Bone Joint Surg Am 73：809-816, 1991.
34) Mardjetko SM, Connolly PJ, Shott S：Degenerative lumbar spondylolisthesis：A meta-analysis of literature 1970-1993. Spine 19（Suppl 20）：2256S-2265S, 1994.
35) Fox MW, Onofrio BM, Onofrio BM, et al：Clinical outcome and radiological instability following decompressive lumbar laminectomy for degenerative spinal stenosis：a comparison of patients undergoing concomitant arthrodesis versus decompression alone. J Neurosurg 85：793-802, 1996.

参考文献

36) Niggemeyer O, Strauss JM, Schulitz KP：Comparison of surgical procedures for degenerative lumbar spinal stenosis：A meta-analysis of the literature from 1975 to 1995. Eur Spine J 6：423-429, 1997.
37) Gibson JNA, Grant IC, Waddell G：The Cochrane review of surgery for lumbar disc prolapse and degenerative lumbar spondylosis. Spine 24：1820-1835, 1999.
38) Grob D, Humke T, Dvorak J：Degenerative lumbar spinal stenosis. Decompression with and without arthrodesis. J Bone Joint Surg Am 77：1036-1041, 1995.
39) Postacchini F：Management of lumbar spinal stenosis. J Bone Joint Surg Br 75：154-164, 1996.
40) Katz JN, Lipson SJ, Brick GW, et al：Clinical correlates of patients satisfaction after laminectomy for degenerative lumbar spinal stenosis. Spine 20：1155-1160, 1995.
41) Postacchini F, Cinotti G：Bone regrowth after surgical decompression for lumbar spinal stenosis. J Bone Joint Surg Br 74：862-869, 1992.
42) Postacchini F, Cinotti G, Perugia D, et al：The surgical treatment of central lumbar stenosis. Multiple laminotomy compared with total laminectomy. J Bone Joint Surg Br 75：386-392, 1993.
43) Zdeblick TA：A prospective, randomized study of lumbar fusion. Preliminary results. Spine 18：983-991, 1993.
44) Zdeblick TA, Ulschmid S：An outcome and cost analysis of pedicle screw fusions. Orthop Trans 20：75-76, 1996-1997.
45) Zdeblick TA, Ulschmid S, Dick JC：The surgical treat-

ment of L5-S1 degenerative disc disease : A prospective randomized study of laparoscopic fusion. Orthop Trans 20 : 75, 1996-1997.
46) Thomsen K, Christensen FB, Eiskjaer SP, et al : The effect of pedicle screw instrumentation on functional outcome and fusion rates in posterolateral lumbar spinal fusion : A prospective randomized clinical study. Spine 22 : 2813-2822, 1997.
47) France JC, Yaszemski MJ, Lauerman WC, et al : A randomized prospective study of posterolateral lumbar fusion : Outcomes with and without pedicle screw instrumentation. Spine 553-560, 1999.
48) Bell GR : Epidemiologic and clinical issues of degenerative stenosis. Low back pain : a scientific and clinical overview (Weinstein JN and Gordon SL ed). American Academy of Orthopaedic Surgeons, pp663-687, 1996.
49) Abumi K, Panjabi MM, Kramer KM, et al : Biomechanical evaluation of lumbar spinal stability after graded facetectomies. Spine 15 : 1142-1147, 1990.
50) 中村茂子, 宮内 晃, 奥田真也, 他：神経症状を呈した脊柱管内囊腫性病変(juxta-facet cyst)の7例. 臨整外 39：85-92, 2004.
51) Kusakabe T, Kasama F, Aizawa T, et al : Facet cyst in the lumbar spine : radiological and histological findings and possible pathogenesis. J Neurosurg Spine 5 : 398-403, 2006.
52) Ikuta K, Tono O, Oga M : Prevalence and clinical features of intraspinal facet cysts after decompression surgery for lumbar spinal stenosis. J Neurosurg Spine 10 : 617-622, 2009.
53) Bydon A, Xu R, Parker SI, et al : Recurrent back and leg pain and cyst reformation after surgical resection of spinal synovial cysts : systemic review of reported postoperative outcome. Spine J 10 : 820-826, 2010.

7-B. 腰椎すべり症

7-B-1. 疾患の概説

表Ⅱ-7-5に腰椎すべり症の分類を示す[1]。実際の臨床では変性すべりと分離すべりが大半を占める。

変性すべり症は,通常50～60歳代の発症で,馬尾症状または神経根症を呈する（L4の変性すべりであれば,L5根症状が一般的である）。

分離症または分離すべり症は,正中部の脊柱管狭小化は基本的にないので一般的には馬尾症状を呈することはなく,神経根症または腰痛を主症状とする（L5の分離症であれば,L5根症状が一般的である）。

この分類における先天性すべりに関しては,近年では分離すべり症と併せて分類し,分離の有無ではなく異形成の程度によって,"high dysplastic form"と"low dysplastic form"に分類している報告[2,3]もある。

- high dysplastic formは通常L5/S1で,思春期に症状が出現する。画像的には,L5椎体の楔状化と仙骨のdome状終板と垂直化が特徴的である。L5のすべりは腰仙椎の後弯と関連する。high dysplastic formはこれまで先天的なものとされてきたが生下時には認められないので,現在では発育性のものと解釈されている。
- low dysplastic formは通常若年成人で認められ,spina bifida occultaが高頻度で認められる。すべりは後弯や弯曲を伴わない[3]。

1 画像評価

すべりの評価については,Meyerding分類が簡便でよく使われるが,すべり度・すべり角や前屈位での後方開大角も計測する（図Ⅱ-7-

表Ⅱ-7-5　腰椎すべり症の分類（文献1より）

- Ⅰ．先天性すべり（dysplastic）：L5/S1椎間関節の形成不全や仙骨岬角のrounding奇形が特徴（図Ⅱ-7-15）
- Ⅱ．分離すべり（isthmic）：後述（図Ⅱ-7-17）
- Ⅲ．変性すべり（degenerative）：後述（図Ⅱ-7-19）
- Ⅳ．外傷性すべり（traumatic）：椎弓根,椎弓,椎間関節の骨折による
- Ⅴ．病的すべり（pathologic）：骨パジェット病,骨形成不全症,腫瘍性病変による

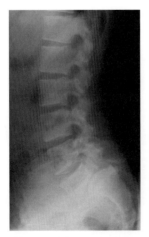

図Ⅱ-7-15　先天性すべり症（dysplastic spondylolisthesis）（23歳男性）

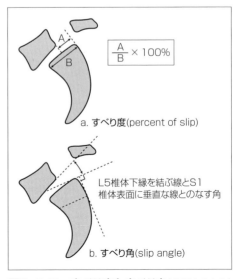

図Ⅱ-7-16　すべり度とすべり角（文献4,5より）

16)．全脊柱立位長尺撮影に加えて，前後屈など機能撮影も行い不安定性を評価する．椎間不安定性の定まった定義はないが，前屈位で3mm以上のすべり増大や5°以上の後方開大を呈するものとするものが多い．

撮影の体位に関しては，臥位よりも立位のほうがより前方へのすべりが増強される[6]．

2 手術療法

基本的には高度な麻痺や，保存療法に抵抗し，日常生活に支障を及ぼす疼痛・歩行障害は手術の適応である．
- 保存療法無効の腰痛・下肢痛
- 日常生活に支障を及ぼす間欠跛行
- 膀胱・直腸障害
- 明らかな筋力低下（下垂足などMMT<3レベル）

7-B-2. 分離症・分離すべり症 (spondylolysis・isthmic spondylolisthesis)

1 病態・頻度[7,73,74]

RoweとRocheは新生児の屍体標本や10歳未満の骨格標本からは分離症が認められなかったとしている[8,9]．また，Rosenbergらも，出生後歩行歴のない143人のX線検査から分離症・分離すべり症が認められなかったと報告している[10]ことから，分離症は生下時には認めず一般的には疲労骨折が原因と考えられている[11]．発生学的に椎間関節突起間部は胎生12～13週目頃に骨化し始めるが，上位腰椎では骨化が椎弓根基部から尾側に広がるのに対して，下位腰椎では骨化は椎弓根基部よりも背側下方の峡部から始まることが関節突起間部に疲労骨折を起こしやすい素因の1つと報告されている[12]．

- 人種差：白人男性6.4%，黒人男性2.8%，白人女性2.3%，黒人女性1.1%とアフリカ系アメリカ人よりも白人に多い[9]．最も高率なのはアラスカ原住民で約50%と報告されている[13,14]．日本人のデータとしては，Sakaiらは2,000人（20～92歳）の腹部あるいは骨盤CTの解析から，分離症が5.9%（男性7.9%＞女性3.9%）に認められたと報告している[15]．
- 性差：男性に多い．
- レベル：L5が最も多く（90%以上），L5根症が最も多い．
- L5椎弓の低形成やS1椎弓の癒合不全を伴うことが多い．
- 両側分離のおよそ75%にすべりを認める[15]．

図Ⅱ-7-17に12歳男児の症例を示す．

2 自然経過[75～78]

6歳児500人のprospective studyでは，6歳時の4.4%に分離を認め，18歳時にはその頻度

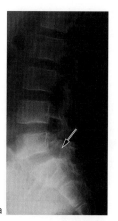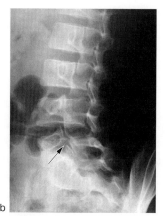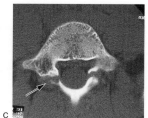

図Ⅱ-7-17 分離すべり症の症例（12歳男児）
a：腰椎X線側面像，b：腰椎X線斜位像，c：腰椎CT横断像（矢印がL5分離部）
L5分離すべり症の症例．

は6%に増加した（男女比は2：1で男児に多い）[16]。無症候性の両側L5分離症で，腰痛を伴うすべりの進行が発生する頻度は約5%で，すべりの発生時期やすべり角などの因子はすべりの進行と無関係とされている[17]。

分離すべりの進行は15歳以下の思春期（growth spurt期）で起こることが多い[16]。この発育期のすべりに終板損傷による成長軟骨板でのすべりが関与している可能性が指摘されている[18〜20]。しかし，成人以後も9〜30%にすべりの進行は認められ，その病態は椎間板変性に関連している。

3 治療法[7,9]

分離症に対する保存療法は，急性期のものか否かで方針が異なる。急性期の分離症，すなわち骨シンチグラフィ（骨SPECT：single photon emission computed tomography）で分離部に集積を認め，かつ間隙が小さい分離症，またはMRI T2強調像で椎弓根部に高輝度[21]を認める症例に対しては，数カ月固定（体幹ギプスまたは硬性コルセット）して分離部を骨癒合させる治療を行う価値はある。一方で，急性期を過ぎた分離症や，骨シンチグラフィで集積を認めない分離症に，固定の効果は期待できないため，腰痛に対する保存治療と同様となる。特に，SairyoらはCTとMRIで分離症を4期に分類し，CTで診断できる分離早期あるいはMRI STIR像で椎弓根部に骨髄浮腫を認める分離進行期では硬性コルセットによる装具療法にておよそ60〜90%で癒合したと報告し，発育期において疲労骨折として発生した時期を早期にとらえることの重要性を指摘している[22]。保存療法に抵抗性で，分離部ブロックで症状の軽減が確認された場合には，手術加療も検討する。手術は，分離部を掻爬後に骨移植しワイヤーまたはスクリューで分離部を固定する分離部修復術が行われる。すべり（あってもgrade Iまでの軽度なすべり）などの不安定性を伴わない分離症が適応である。近年ではナビゲーションを用いて経皮的に分離部をスクリュー固定する方法もある。ただし，MRIにて椎間板ヘルニア（椎間孔外あるいはupper migrationしているヘルニア）の関与がないことを確認しておく必要がある[23]。X線上5mm以上のすべりや不安定性を伴う分離すべり症に対する手術療法としては**後方経路腰椎椎体間固定術（PLIF）**を選択する。軽度のすべりでも前屈・後屈ですべりが増強したり，前屈での後方開大を認める症例や画像上前方からの圧迫因子が強ければ，PLIFを選択している。軽度のすべりでも前後屈ですべりが増強したり，前屈で後方開大を認める症例や画像上前方からの圧迫因子が強ければ，PLIFを選択している。

ただし，grade III以上の高度すべりやすべり角が55°を超すようなhigh dysplastic formと考えられる症例に対しては，L4までの固定延長やtrans-sacral fixation，Jackson technique（intra-sacral fixation）などを考慮する。高度のすべりを整復するか否かは議論のあるところだが，腰仙椎部の後弯変形（特に仙骨の垂直化）を矯正することがポイントである。高度のすべりに対する手術療法は，偽関節率が高いことや整復に伴う神経合併症が多いことも念頭に置く必要がある（図II-7-18）。

●報告例
- 成人分離すべり症に対する除圧術（Gill's operation）では27%にすべりの進行を認めた[24]。
- Sukらによる76例の成人分離すべり症の固定術において，後側方固定術（PLF）単独よりも後方経路腰椎椎体間固定術（PLIF）を追加したほうが成績が優れていた[25]。
- Mollerらによる111例の成人分離すべり症のprospective randomized studyでは，固定術（PLF）が運動療法よりも除痛や活動性の観点から有効であったと報告している[26]。
- La Rosaらによる報告では，分離すべり症35例の固定術においてPLIFを追加したほうがPLF単独よりも力学的有意性を指摘しているものの，臨床的有意差は認められなかった[27]。
- 筆者らの分離すべりに対するPLIFの検討では，すべりはある程度整復するほうが成績は良好だったが，過剰な整復はinstrumentation failureにつながるため，10〜20%の％slipが術後の適切な整復と考えている[28]。

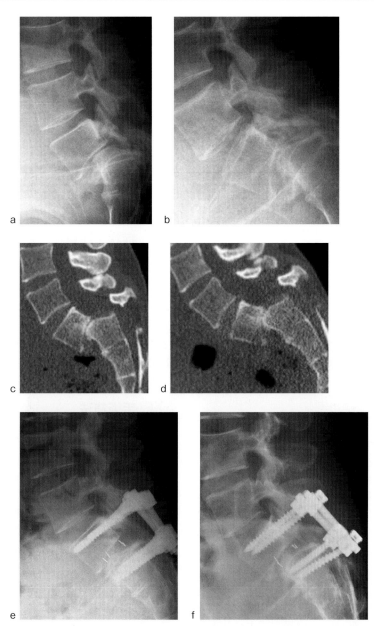

図Ⅱ-7-18　high dysplastic type の高度すべり症（34歳女性，grade Ⅲ）
　a：腰椎前屈位X線側面像，b：腰椎後屈位X線側面像，c：腰椎前屈位CT矢状断像，d：腰椎後屈位CT矢状断像，e：PLIF術後の腰椎X線側面像，f：再手術後の腰椎X線側面像

　腰痛・下肢痛を主訴とし腰痛のため立位保持困難であった．L5下縁と仙骨上縁のroundingを認め，後屈ですべりが増強する"paradoxical motion"を認めた（%slipは前屈で78%→後屈で89%）．L5根を十分外側まで確認してからPLIFを施行したところ術直後から左下肢の激痛と下垂足が出現したため，再手術にてpolyaxial screwに変えて矯正を戻した．腰仙部後弯変形の矯正が不十分で整復によりL5根が伸長されため生じた合併症である．

7-B-3. 変性すべり症(degenerative spondylolisthesis)

1 病態・頻度

椎弓の分離がなく椎体が前方にすべっている状態を指し，歴史的には「無分離すべり症」や表Ⅱ-7-6[73,80~82)]のような表現が使われたが，加齢による椎間板などの変性がすべりの原因のため，現在は「変性すべり症」(degenerative spondylolisthesis：DS)という表現が一般的である[83,84)]。

- 頻度は不明である．人種差では白人よりも黒人に多い[29)]。
- 性差では，40歳以上の中年女性に多いが，中年以降の男性にも発症する．
- レベルはL4/5が最も多く，次いでL3/4高位に多く発症する．すべり度は通常30%を超えない[29)]。

2 自然経過

●報告例
- Matsunagaらによると，5%以上のすべりを認めた患者40例の5年以上の観察で30%の患者にすべりの増大を認めたが，症状悪化とは関係しなかった．症状悪化は10%のみで，悪化症例はすべりの進行が認められなかった[30)]。
- Kuauppilaらによると，変性すべり症617例の25年間のFramingham studyで，すべり症患者全体の32%で腰痛・下肢痛を認めたものの，40歳，65歳まで，65歳以上の期間毎にみた場合の自覚症状は対照群と有意差はなかった[31)]。
- Matsunagaらによると，変性すべり症非手術例145例の10年以上の経過観察では，34%の患者にすべりの増大を認めたが，症状悪化とは関係しなかった．椎間板高の狭小化を認めなかった患者の96%がすべりの増大を認めた．初診時に神経学的異常を認めなかった患者の76%が10年後も神経学的異常を伴っていなかったが，逆に間欠跛行や膀胱直腸障害などの神経学的異常を伴っていた患者の83%が神経学的悪化を認め，その予後は不良であった[32)]。

3 症状・所見

神経根，馬尾の絞扼性神経障害による間欠跛行が認められる．広義の腰部脊柱管狭窄症である．

L4変性すべりに伴うL5根症が最も多い．

手術を要する程度の変形性股関節症の合併が17%に認められたという報告がある[33)]。

4 手術療法

変性すべり症に対する手術療法の有効性は確立しているが[34)]，術式選択に関しては明確な基準はない．5mm以下のすべりや不安定性(X線上および臨床上)を伴わない症例に対しては，広義の腰部脊柱管狭窄症として除圧術のみで対処可能であるが，X線上明らかな不安定性を認める場合は除圧固定術を選択することが多い．固定すべきか否かは多くの議論があるが，術式決定のため立位長尺正面・側面および前屈・後屈側面のX線撮影は必須である(p247参照)．

一般的には，固定術は臨床成績の向上に寄与するが，インストゥルメンテーションを併用することで手術合併症が増すことも事実であり，十分な説明と同意のもとで手術適応と術式選択を決定することが重要である(p265~267参照)．

筆者らの検討では，すべりが大きい症例(%

表Ⅱ-7-6 変性すべり症の名称

Kilian	1854年	spondylolisthesis[80)]
Junghanns	1930年	pseudospondylolisthesis[81)]
Macnab	1950年	spondylolisthesis with an intact neural arch[82)]
NewmanとStone	1963年	初めてdegenerative spondylolisthesisという用語を用いた[73)]

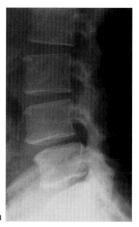 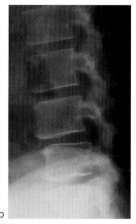  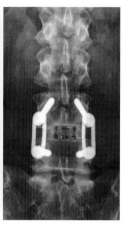

図Ⅱ-7-19 変性すべり症(60歳男性)
a：術前の腰椎立位X線側面像，b：術前の腰椎前屈位X線側面像，c：PLIF(L4/5)後1年の腰椎立位X線2方向像
L4変性すべり症の症例。腰痛はなく両殿部から下肢にかけてのしびれと疼痛による間欠跛行を呈していた。

slip≧13%)や椎間板の頭側膨隆が大きい症例(椎体高の20%以上)，椎間でのwedgingを認める症例における除圧術の臨床成績は不良であった[35]。

●後方除圧固定術

5 mm以上のすべりやX線上および臨床上の不安定性を伴う症例，軽度のすべりでも前屈・後屈ですべりが増強するか，前屈での後方開大を認める症例や，画像上前方からの圧迫因子（ヘルニア）が強い症例に対しては固定術を勧める。固定術では**後方経路腰椎椎体間固定術（PLIF）**を選択することが多い。しかし，固定方法に関しては，椎体間に骨移植を行わない後側方固定術（PLF）という選択肢もあり，筆者の施設でもしばしば多椎間すべりに伴う狭窄症などで主病変以外の高位にPLFを併用することがある。

図Ⅱ-7-19に60歳男性の症例を示す。

●後方経路腰椎椎体間固定術(posterior lumbar interbody fusion：PLIF)[83,85,86]

PLIFは，Clowardが1945年に腰椎椎間板ヘルニアの治療のため椎間板切除後に両側から腸骨片を打ち込む方法として開発した術式である[87]。その後，専用の手術器具の開発や1980年代からの椎弓根スクリュー（pedicle screw）による強固な固定器具の導入，1990年代からの椎体間ケージの開発など，近年の脊椎外科技術の進歩とともに骨癒合率の改善がもたらされた結果，腰椎すべり症など不安定性を有する腰仙部変性疾患における手術療法の中心的な役割を担ってきた。我々の現在の手技は椎間関節を全切除することで広い視野を確保し十分な骨移植を行うことにより，高い骨癒合率と患者満足度を確保できている（手技に関してはp104〜107参照）[36,37]。PLIFは，硬膜管の全周性除圧が得られることと固定性の確実性が大きな利点だが，固定隣接椎間障害や多椎間固定による腰椎直線化や前弯低下（sagittal imbalance）が課題である。

a. PLIF後隣接椎間障害の危険因子[38〜40]

PLIF術後の隣接椎間障害(adjacent segment disease)により追加手術を要する頻度は術後5年時点で9%，10年では15%であり，その危険因子もさまざま報告されている[41〜44]。疫学的因子としては高齢者，女性など，形態学的因子としては固定隣接椎間に既存する椎間板および椎間関節の変性，椎弓の水平化（図Ⅱ-7-20a；椎弓傾斜角が130°以上），facet tropism（図Ⅱ-7-20b；facet angleの左右差が10°以上），腰椎前弯の消失，変性側弯症，立位バランス不良など，手術関連因子としては，固定椎間数，固定方法（PLIF＞PLF），固定局所前弯，椎間の過剰持ち上げ，隣接椎間関節の損傷，隣接椎間の除圧，スクリュー刺入位置などの報告がある。また，pelvic incidence（PI）高値やPI-LL（lumbar lordosis）のmismatchなどspinopelvic alignment

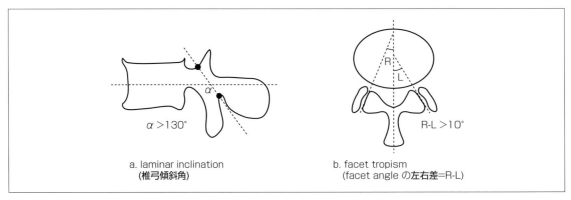

図Ⅱ-7-20　L4/5 PLIF後隣接椎間(L3/4)障害の危険因子

表Ⅱ-7-7　PLIFの術中・術後合併症(N=251)（文献48より）

合併症	N(%)	以前の報告での頻度(%)
術中		
硬膜損傷	19(7.6)	5.5〜10.1
スクリューの誤刺入	7(2.8)	1.0〜11.0
術後早期		
脳梗塞	1(0.4)	1.0〜6.7
感染	1(0.4)	1.0〜4.0
神経合併症	17(6.8)	2.0〜8.0
下肢痛悪化(筋力5)	2(0.8)	
一過性筋力低下(筋力3〜4)	6(2.4)	
一過性筋力低下(筋力3未満)	9(3.6)	
持続的筋力低下	4(1.6)	1.7〜6.5
術後晩期		
hardware failure	3(1.2)	2.0〜12.1
偽関節	3(1.2)	0〜35.0
隣接椎間変性	11(4.4)	1.4〜16.8

不良もリスクファクターであり，多椎間であるほどPIに応じた適切なLLを獲得することが重要である[45,46)]。単椎間固定であれば術前の固定椎間の局所前弯が減少することが早期隣接椎間障害の危険因子であることから，移植骨およびケージの前方設置，台形ケージの使用，implantによる適度な圧迫などにより局所前弯を失わないよう留意している[47)]。

b. PLIFの合併症[48)]（表Ⅱ-7-7）

術後下肢の神経合併症は6.8%に生じたが，筋力3以上の場合は術後6週間以内に改善した。筋力3未満に低下した症例では早期に再手術を行い，神経根の状態を確認することが重要である。偽関節率は約1〜2%で，術後隣接椎間障害で再手術を要する危険性は約4〜5%である。70歳以上の高齢者はcollapsed unionやdelayed unionの率は増すが，最終的な癒合や臨床成績は70歳未満と変わりなかった[49)]。

●前方固定術

- Satomiらによると，27例の前方固定術と14例の後方除圧術を比較し，3年の追跡では前方固定術が優れていた[50)]。
- Takahashiらも39例の前方除圧固定術を12.5年追跡し，良好な成績を報告している[51)]。
- Kimらによると94%の癒合率，86%に満足のいく結果が得られた[52)]。

●変性すべり症に対して除圧術単独か，固定するかの議論（debate）

- Herkowitzらによる1椎間の変性すべり症50例の調査では，固定したほうがexcellentおよびgoodの成績が多く，固定術の有用性を主張している[53]（表Ⅱ-7-8）。
- Bridwellらによると，44例の腰椎すべり症を，1)除圧術のみ施行した9例，2)除圧術に *in situ* 固定を追加した11例，3)除圧術にインストゥルメンテーションを併用した24例（前屈・後屈で10°あるいは3mm以上の動きを認めた場合に選択）に分けて2年以上追跡した結果，すべりの悪化は，1)群で44％，2)群で70％，3)群で4％に認められ，臨床症状はすべりの悪化に関連していた[54]。
- Zdeblickらによると，骨癒合率はインストゥルメンテーション不使用で65％，インストゥルメンテーション使用で77％（semi-rigidな固定），95％（rigidな固定）であった[55]。
- Grobらの狭窄症45例の調査によると，5mm以上のすべりを認めた症例や分離症，以前に腰椎の手術を受けた患者は除外しているが，結論として明らかな不安定性を認めた患者以外は固定術の効果を証明することができなかった[56]（表Ⅱ-7-9）。
- Postacchiniらの変性すべり症16例の8.6年の追跡によると，非固定群に有意にbone regrowthの量が多く，成績も悪かった[57]。
- Ghogawalaらによる報告では，すべり症34例（grade Ⅰで前屈・後屈で3mm未満の動き）を術者の判断で除圧術20例と椎弓根スクリュー（pedicle screw）を使用した固定術14

表Ⅱ-7-8　腰椎変性すべり症に対する固定術と非固定術の成績比較（N=50）
（文献53より）

	固定術（N=25）		非固定術（N=25）	
	術前	術後	術前	術後
手術成績				
優		11(44%)		2(8%)
良		13(52%)		9(36%)
可		1(4%)		12(48%)
不可		0(0%)		2(8%)
疼痛スコアー（points）				
腰痛	3.3	1.3	2.9*	2.5†
下肢痛	4.3	1.0	4.0*	1.7
平均椎間板(mm)	6.8	5.7	7.4	5.8
平均すべり(mm)	4.8	5.3	5.3	7.9‡
平均前後屈での動き(mm)	2.8	0.1	3.4	5.8
平均椎体間可動域(degrees)	9.3	4.2	9.6	12.8‡

＊非固定術の患者が有意に術後の腰痛および下肢痛が強かった。
† $P < 0.01$（chi-square test）
‡ $P = 0.002$（Student t test）

表Ⅱ-7-9　腰部脊柱管狭窄症に対する固定の有無に関する手術成績
（**prospective randomized study**）（文献56より）

評価	Ⅰ群	Ⅱ群	Ⅲ群
患者	13/15(87%)	12/15(80%)	10/15(67%)
検査	13/15(87%)	12/15(80%)	11/15(73%)

優あるいは良の成績を示した患者数(%)
　Ⅰ群：除圧術のみ
　Ⅱ群：除圧術＋最狭窄部のみの固定
　Ⅲ群：除圧術＋すべての除圧レベルの固定

例に分けて検討した結果，SF-36による改善度で固定術群が除圧術群に比して有意に優っていた[58]。

- Ghogawala らによる変性すべり症（3〜14 mmのすべり）のRCT（平均67歳の術後4年追跡）では，軽度だが固定術の優位性を示している．術後の再手術率も除圧術単独が34%，固定術が14%と除圧術単独が有意に高かったとしている[59]．この論文では前後屈での動きが3 mm以上ある症例や腰痛など不安定性による症状がある症例を除外しているにもかかわらず，固定術併用の有用性を報告している．

- Försth らによる腰部脊柱管狭窄症のRCT（50〜80歳の1〜2椎間狭窄）では，すべりの有無にかかわらず固定術の優位性を証明することができなかった．また，腰椎の再手術率（追跡平均6.5年）でも除圧術と固定術併用との間に差はなかった[60]．この論文では術前のすべりは3〜14 mm（平均7.4 mm）で，前後屈での動きに関しては考慮していない．

- Inose らによるL4変性すべり症（30%未満のすべり）のRCT（術後5年追跡）では，固定術併用（PLF）や安定化術併用（Grafシステム）は除圧術単独に比べ優位性を認めなかったと報告している[61]．この論文では前後屈で10°以上，4 mm以上の動きを不安定性として評価しているが，術前の不安定性は術後のすべりの進行には関連しなかったとしている．

- Austevoll らによる1椎間の変性すべり症（3 mm以上）のRCT（平均66歳の術後2年追跡）では，固定術に対して除圧術単独の非劣性を報告している．ただし，術後の再手術率は除圧術単独が12.5%，固定術が9.1%と除圧術単独のほうがやや高い傾向にはあったとしている[62]．この論文では術前に前後屈側面での動きも評価しており，その有無にかかわらず立位で少なくとも3 mm以上のすべりを認めればRCTの対象としている（ただし，椎間孔狭窄や20°以上の変性側弯，多椎間狭窄は除外）．

● インストゥルメンテーションを使用するか，使用しないかの議論（debate）[84,88]

- Fischgrund らによると，68例の変性すべり症の後方除圧固定術（PLF）のprospective randomized studyでは，椎弓根スクリューの使用は骨癒合率を上げることはできた（83%対45%）が，臨床症状（腰痛，下肢痛）の改善に寄与するものではなかった[63]．

- Moller らによると，77例の分離すべり症のPLFのprospective randomized studyでは，椎弓根スクリューの使用は骨癒合率や臨床症状の改善に寄与するものではなかった[26,64]．

- Zdeblick らによると，骨癒合率は，インストゥルメンテーション非使用で65%，インストゥルメンテーション使用で77%（semi-rigidな固定），95%（rigidな固定）であった[55]．124例の調査ではsemi-rigidな固定よりもrigidな固定のほうがX線上および臨床上成績良好であった．変性すべり症での骨癒合率はインストゥルメンテーション非使用で65%，インストゥルメンテーション使用で50%（semi-rigidな固定），86%（rigidな固定）であった[55]．

- Thomsen らによると，分離すべり症や腰椎不安定症に対するPLF 130例のprospective randomized studyでは，Cotrel-Dubousset（CD）インストゥルメンテーションの有効性を認めなかった（骨癒合率や治療成績に有意差はなかった）[65]．

- Lombardi らによると，1）除圧術のみでは，33%がgood〜excellentの成績で，2）除圧術＋固定術では，90%がgood〜excellentの成績であった[66]．

- Kaneda らによると，除圧術＋固定術＋インストゥルメンテーション25例で4%に偽関節，96%でgood〜excellentの成績であった[67]．

- Ransom らによると，椎弓根スクリューとplate fixationで骨癒合率が一番高かった．Luque rodとワイヤは骨癒合率が36%，in situ 固定で骨癒合率は15%であった[68]．

- Grubb と Lipscomb によると，インストゥルメンテーション非使用のPLFで偽関節は35%にみられたが，PLF＋rigid fixation（U rod＋sublaminar wiring）では偽関節が6%に減少した[69]．

- Yuan らによると，1990〜1991年の2,684例の変性すべり症に対して2,177例が椎弓根スクリューを使用し，インストゥルメンテーション非使用での固定術のほとんどは65歳以上

表Ⅱ-7-10 1970〜1993年の変性すべり症に関する論文のmeta-analysis（文献71より）

	N	満足度	すべり進行	骨癒合率
●除圧術のみ	216	69%	31%	NA
●除圧術＋インストゥルメンテーションなしの固定術	84	90%	40%*	86%
●除圧術＋椎弓根スクリュー使用の固定術	101	86%	NA	93%

*2論文の35例中14例ですべり進行

の高齢者であった．椎弓根スクリューを使用した固定群の骨癒合率は89%で癒合まで約10.5カ月を要し，再手術率は17.6%であった．インストゥルメンテーション非使用群の骨癒合率は70.4%で癒合まで約13.1カ月を要し，再手術率は15.0%であった．合併症は2,177例中，術中5%で，術後の合併症ではmetal-bone failureは多いが，それ以外に有意差はなかった[70]．

■ Mardjetkoらによる1970〜1993年の変性すべり症に関する論文のメタ分析（meta-analysis）の結果を表Ⅱ-7-10に示す[71]．一般的にはインストゥルメンテーションを併用するほうが骨癒合率は増すが，臨床成績は必ずしも良くなるわけではない[72]．

● 各debate 結論[59〜62,72,89,90]
① 腰椎変性すべり症に対して固定術は除圧術単独よりも臨床成績が優るというRCTはあるものの，他のRCTではその優位性は証明されていない．したがって，術前のすべりの程度だけではなく動的不安定性や椎間孔狭窄の有無，後側弯変形，腰痛の程度などを総合的に評価する必要がある．
② インストゥルメンテーションを併用するほうが骨癒合率は増すが，臨床成績は必ずしも良くなるわけではない．

引用文献
1) Wiltse LL, Newman PH, Macnab I：Classification of spondylolysis and spondylolisthesis. Clin Orthop 117：23-29, 1976.
2) Marchetti PG, Bartolozzi P：Spondylolisthesis：classification of spondylolisthesis as a guideline for treatment. The Textbook of Spinal Surgery 2nd ed, Lippincott-Raven, Philadelphia, pp1211-1254, 1997.
3) Hammerberg KW：New concepts on the pathogenesis and classification of spondylolisthesis. Spine 30：S4-S11, 2005.
4) Taillard W：Le spondylolisthésis chez l'enfant et l'adolescent（Etude de 50 cas）. Acta Orthop Scand 24：115-144, 1954.
5) Boxall D, Bradford DS, Winter RB, et al：Management of severe spondylolisthesis in children and adolescents. J Bone Joint Surg Am 61：479-495, 1979.
6) Lowe RW, Hayes TD, Kaye J, et al：Standing roentgenograms in spondylolisthesis. Clin Orthop 117：80-84, 1976.
7) Wiltse LL：The etiology of spondylolisthesis. J Bone Joint Surg Am 44：539-560, 1962.
8) Rowe GG, Roche MB：The etiology of separate neural arch. J Bone Joint Surg Am 35：102-110, 1953.
9) Roche MB, Rowe GG：The incidence of separate neural arch and coincident bone variations. A survey of 4200 skeletons. Anat Rec 109：233-252, 1951.
10) Rosenberg NJ, Bargar WL, Friedman B：The incidence of spondylolysis and spondylolisthesis in nonambulatory patients. Spine 6：35-38, 1981.
11) Wiltse L, Widell EH, Jackson DW：Fatigue fracture：The basic lesion in isthmic spondylolisthesis. J Bone Joint Surg Am 57：17-22, 1975.
12) Sagi HC, Jarvis JG, Uhtoff HK：Histomorphic analysis of the development of the pars interarticularis and its association with isthmic spondylolysis. Spine 23：1635-1639, 1998.
13) Simper LB：Spondylolysis in Eskimo skeletons. Acta Orthop Scand 57：78-80, 1986.
14) Stewart TD：The age incidence of neural arch defects in Alaskan natives considered from the standpoint of etiology. J Bone Joint Surg Am 35：937-950, 1953.
15) Sakai T, Sairyo K, Takao S, et al：Incidence of lumbar spondylolysis in the general population in Japan based on multidetector computed tomography scans from two thousand subjects. Spine 34：2346-2350, 2009.
16) Fredrickson BE, Baker D, McHolick WJ, et al：The natural history of spondylolysis and spondylolisthesis. J Bone Joint Surg Am 66：699-707, 1984.
17) Beutler WJ, Fredrickson BE, Murtland A, et al：The natural history of spondylolysis and spondylolisthesis. 45-year follow-up evaluation. Spine 28：1027-1035, 2003.
18) Farfan HE, Osteria V, Lamy C：The Mechanical etiolo-

gy of spondylolysis and spondylolisthesis. Clin Orthop 117：40-55, 1976.
19) Ikata T, Miyake R, Katoh S, et al：Pathomechanism of sports-related spondylolisthesis in adolescents. Radiographic and magnetic resonance imaging study. Am J Sports Med 24：94-98, 1996.
20) Sairyo K, Goel VK, Grobler LJ, et al：The pathomechanism of isthmic spondylolisthesis. A biomechanical study in immature calf spine. Spine 23：1442-1446, 1998.
21) Sairyo K, Katoh S, Takata Y, et al：MRI signal changes of the pedicle as an indicator for early diagnosis of spondylolysis in children and adolescents：A clinical and biomechanical study. Spine 31：206-211, 2006.
22) Sairyo K, Sakai T, Yasui N, et al：Conservative treatment for pediatric lumbar spondylolysis to achieve bone healing using a hard brace：what type and how long? J Neurosurg Spine 16：610-614, 2012.
23) Morita M, Miyauchi A, Okuda S, et al：Electrophysiological study for nerve root entrapment in patients with isthmic spondylolisthesis. Clin Spine Surg 30：E198-E204, 2017.
24) Osterman K, Lindholm TS, Laurent LE：Late results of removal of the loose posterior element (Gill's operation) in the treatment of lytic lumbar spondylolisthesis. Clin Orthop 117：121-128, 1977.
25) Suk SI, Lee CK, Kim WJ, et al：Adding posterior lumbar interbody fusion to pedicle screw fixation and posterolateral fusion after decompression in spondylolytic spondylolisthesis. Spine 22：210-220, 1997.
26) Moller H, Hedlund R：Surgery versus conservative management in adult isthmic spondylolisthesis. A prospective randomized study：Part 1. Spine 25：1711-1715, 2000.
27) La Rosa, Conti A, Acicula F, et al：Pedicle screw fixation for isthmic spondylolisthesis：does posterior lumbar interbody fusion improve outcome over posterolateral fusion? J Neurosurg 99 (2 Suppl)：143-150, 2003.
28) Okuda S, Oda T, Yamasaki R, et al：Posterior lumbar interbody fusion with total facetectomy for low-dysplastic isthmic spondylolisthesis：effects of slip reduction on surgical outcomes. J Neurosurg Spine 21：171-178, 2014.
29) Rosenberg NJ：Degenerative spondylolisthesis. Predisposing factors. J Bone Joint Surg Am 57：467-474, 1975.
30) Matsunaga S, Sakou T, Morizono Y, et al：Natural history of degenerative spondylolisthesis. Pathogenesis and natural course of the slippage. Spine 15：1204-1210, 1990.
31) Kauppila LI, Eustace S, Kiel DP, et al：Degenerative displacement of lumbar vertebrae. A 25-year follow-up study in Framingham. Spine 23：1868-1874, 1998.
32) Matsunaga S, Ijiri K, Hayashi K：Nonsurgically managed patients with degenerative spondylolisthesis：A 10-to 18-year follow-up study. J Neurosurg 93 (2 Suppl)：194-198, 2000.
33) Fitzgerald JA, Newman PH：Degenerative spondylolisthesis. J Bone Joint Surg Br 58：184-192, 1976.
34) Weinstein JN, Lurie JD, Tosteson TD, et al：Surgical versus nonsurgical treatment for lumbar degenerative spondylolisthesis. N Engl J Med 356：2257-2270, 2007.
35) Sugiura T, Okuda S, Matsumoto T, et al：Surgical outcomes and limitations of decompression surgery for degenerative spondylolisthesis. Global Spine J 8：733-738, 2018.
36) Okuda S, Fujimori T, Oda T, et al：Patient-based surgical outcomes of posterior lumbar interbody fusion：patient satisfaction analysis. Spine 41：E148-E154, 2016.
37) Okuda S, Fujimori T, Oda T, et al：Factors associated with patient satisfaction for PLIF：Patient satisfaction analysis. Spine Surg Relat Res 1：20-26, 2017.
38) Okuda S, Iwasaki M, Miyauchi A, et al：Risk factors for adjacent segment degeneration after PLIF. Spine 29：1535-1540, 2004.
39) Okuda S, Oda T, Miyauchi A, et al：Lamina horizontalization and facet tropism as the risk factors for adjacent segment degeneration after PLIF. Spine 33：2754-2758, 2008.
40) Okuda S, Oda T, Yamasaki R, et al：Repeated adjacent-segment degeneration after posterior lumbar interbody fusion. J Neurosurg Spine 20：538-541, 2014.
41) Okuda, S, Yamashita T, Matsumoto T, et al：Adjacent segment disease after posterior lumbar interbody fusion：a case series of 1000 patients. Global Spine J 8：722-727, 2018.
42) 奥田真也, 山崎良二, 杉浦 剛, 他：PLIF術後の隣接椎間障害—文献review—. J Spine Res 7：734, 2016.
43) Okuda, S, Nagamoto Y, Matsumoto T, et al：Adjacent segment disease after single segment posterior lumbar interbody fusion for degenerative spondylolisthesis. Minimum 10 years follow up. Spine 43：E1384-1388, 2018.
44) Matsumoto T, Okuda S, Nagamoto Y, et al：Effects of concominant decompression adjacent to a posterior lumbar interbody fusion on clinical and radiologic outcomes：comparative analysis 5 years after surgery. Global Spine J 9：505-511, 2019.
45) Nakashima H, Kawakami N, Tsuji T, et al：Adjacent segment disease after posterior lumbar interbody fusion. Spine 40：E831-E841, 2015.
46) Matsumoto T, Okuda S, Maeno T, et al：Spinopelvic sagittal imbalance as a risk factor for adjacent segment disease after single-segment posterior lumbar interbody fusion. J Neurosurg Spine 26：435-440, 2017.
47) Okuda S, Nagamoto Y, Takenaka S, et al：Effect of segmental lordosis on early-onset adjacent segment disease after PLIF. J Neurosurg Spine (in press)
48) Okuda S, Miyauchi A, Oda T, et al：Surgical complica-

tions of posterior lumbar interbody fusion with total facetectomy in 251 patients. J Neurosurg Spine 4：304-309, 2006.
49) Okuda S, Oda T, Miyauchi A, et al：Surgical outcomes of posterior lumbar interbody fusion in elderly patients. J Bone Joint Surg Am 88：2714-2720, 2006.
50) Satomi K, Hirabayashi K, Toyama Y, et al：A clinical study of degenerative spondylolisthesis. Radiographic analysis and choice of treatment. Spine 17：1329-1336, 1992.
51) Takahashi K, Kitahara H, Yamagata M, et al：Long-term results of anterior interbody fusion for treatment of degenerative spondylolisthesis. Spine 15：1211-1215, 1990.
52) Kim NH, Kim HK, Suh JS：A computed tomographic analysis of changes in the spinal canal after anterior lumbar interbody fusion. Clin Orthop 286：180-191, 1993.
53) Herkowitz HN, Kurz LT：Degenerative lumbar spondylolisthesis with spinal stenosis. A prospective study comparing decompression with decompression and intertransverse process arthrodesis. J Bone Joint Surg Am 73：802-808, 1991.
54) Bridwell KH, Sedgewick TA, O'Brien MF, et al：The role of fusion and instrumentation in the treatment of degenerative spondylolisthesis with spinal stenosis. J Spinal Disord 6：461-472, 1993.
55) Zdeblick TA：A prospective, randomized study of lumbar fusion. Preliminary results. Spine 18：983-991, 1993.
56) Grob D, Humke T, Dvora KJ：Degenerative lumbar spinal stenosis. Decompression with and without arthrodesis. J Bone Joint Surg Am 77：1036-1041, 1995.
57) Postacchini F, Cinotti G：Bone regrowth after surgical decompression for lumbar spinal stenosis. J Bone Joint Surg Br 74：862-869, 1992.
58) Ghogawala Z, Benzel EC, Amin-Hanjani S, et al：Prospective outcomes evaluation after decompression with or without instrumented fusion for lumbar stenosis and degenerative Grade Ⅰ spondylolisthesis. J Neurosurg Spine 1：267-272, 2004.
59) Ghogawala Z, Dziura J, Butler WE, et al：Laminectomy plus fusion versus laminectomy alone for degenerative lumbar spondyl olisthesis. N Engl J Med 374：1424-1434, 2016.
60) Försth P, Ólafsson G, Carlsson T, et al：A randomized, controlled trial of fusion surgery for lumbar spinal stenosis. N Engl J Med 374：1413-1423, 2016.
61) Inose H, Kato T, Yuasa M, et al：Comparison of decompression, decompression plus fusion, and decompression plus stabilization for degenerative spondylolisthesis. A prospective, randomized study. Clin Spine Surg 31：E347-E352, 2018.
62) Austevoll IM, Hermansen E, Fagerland MW, et al：Decompression with or without fusion in degenerative lumbar spondylolisthesis. N Engl J Med 385：526-538, 2021.
63) Fischgrund J, Mackay M, Herkowitz HN, et al：Degenerative lumbar spondylolisthesis with spinal stenosis：a prospective randomized study comparing decompressive laminectomy and arthrodesis with and without spinal instrumentation. Spine 22：2807-2812, 1997.
64) Möller H, Hedlund R：Instrumented and noninstrumented posterolateral fusion in adult spondylolisthesis. A prospective randomized study：Part 2. Spine 25：1716-1721, 2000.
65) Thomsen K, Christensen FB, Eiskjaer SP, et al：The effect of pedicle screw instrumentation on functional outcome and fusion rates in posterolateral lumbar spinal fusion：A prospective randomized clinical study. Spine 22：2813-2822, 1997.
66) Lombardi JS, Wiltse LL, Reynolds J, et al：Treatment of degenerative spondylolisthesis. Spine 10：821-827, 1985.
67) Kaneda K, Kazama H, Satoh S, et al：Follow-up study of medial facetectomies and Posterolateral fusion with instrumentation in unstable degenerative spondylolisthesis. Clin Orthop 203：159-167, 1986.
68) Ransom N, La Rocca SH, Thalgott J：The case for pedicle fixation of the lumbar spine. Spine 19：2702-2706, 1994.
69) Grubb SA, Lipscomb HJ：Results of Lumbosacral fusion for degenerative disc disease with and without instrumentation. Two-to-five-year follow-up. Spine 17：349-355, 1992.
70) Yuan HA, Garfin SR, Dickman CA, et al：A Historical Cohort Study of Pedicle Screw Fixation in Thoracic, Lumbar, and Sacral Fusions. Spine 19(20 Suppl)：2279S-2296S, 1994.
71) Mardjetko SM, Connolly PJ, Shott S：Degenerative lumbar spondylolisthesis：A meta-analysis of literature 1970-1993. Spine 19(Suppl 20)：2256S-2265S, 1994.
72) Gibson JA, Waddell G：Surgery for degenerative lumbar spondylosis：updated Cochrane review. Spine 30：2312-2320, 2005.

参考文献

73) Newman PH, Stone KH：The etiology of spondylolisthesis. J Bone Joint Surg Br 45：39-59, 1963.
74) Edelson JG, Nathan H：Nerve root compression in spondylolysis and spondylolisthesis. J Bone Joint Surg Br 68：596-599, 1986.
75) Seitsalo S, Osterman K, Hyvarinen H, et al：Progression of spondylolisthesis in children and adolescents：A long-term follow-up of 272 patients. Spine 16：417-421, 1991.
76) Turner RH, Bianco AJ Jr：Spondylolysis and spondylolisthesis in children and teenagers. J Bone Joint Surg

Am 53：1298-1306, 1971.
77) Virta LJ：The development of isthmic lumbar spondylolisthesis in an adult. J Bone Joint Surg Am 76：1397-1398, 1994.
78) Floman Y：Progression of lumbosacral isthmic spondylolisthesis in adults. Spine 25：342-347, 2000.
79) Caragee EJ：Single-level posterolateral arthrodesis, with or without posterior decompression, for the treatment of isthmic spondylolisthesis. J Bone Joint Surg Am 79：1175-1180, 1997.
80) Kilian HF：Schilderungen neuer Beckenformen und ihres Verhaltens im Leben, Mannheim：Verlag von Bassermann und Mathy, 1854.
81) Junghanns H：Spondylolisthesen ohne Spalt im Zwischengelenkstück. Arch Orthop Unfallchir 29：118-127, 1930.
82) Macnab I：Spondylolisthesis with an intact neural arch；the so-called psudo-spondylolisthesis. J Bone Joint Surg Br 32：325-333, 1950.
83) Okuda S, Oda T, Miyauchi A, et al：Surgical outcomes of posterior lumbar interbody fusion in elderly patients. Surgical technique. J Bone Joint Surg Am 89：310-320, 2007.
84) McGuire RA, Amundson GM：The use of primary internal fixation in spondylolisthesis. Spine 18：1662-1672, 1993.
85) Yamamoto T, Ohkohchi T, Ohwada T, et al：Clinical and radiological results of PLIF for degenerative spondylolisthesis. J Musculoskelet Res 2：181-195, 1998.
86) Okuda S, Fujimori T, Oda T, et al：Patient-based surgical outcomes of posterior lumbar interbody fusion：Patient satisfaction analysis. Spine 41：E148-E154, 2016.
87) Cloward RB：The treatment of raptured lumbar intervertebral disc by vertebral body fusion. J Neurosurg 10：154-168, 1953.
88) France JC, Yaszemski MJ, Lauerman WC, et al：A randomized prospective study of posterolateral lumbar fusion：Outcomes with and without pedicle screw instrumentation. Spine 24：553-560, 1999.
89) Martin CR, Gruszczynski AT, Braunsfurth HA, et al：The surgical management of degenerative lumbar spondylolisthesis. A systematic review. Spine 32：1791-1798, 2007.
90) Ghogawala Z, Dziura J, Butler WE, et al：Laminectomy plus fusion versus laminectomy alone for lumbar spondylolisthesis. N Engl J Med 374：1425-1434, 2016.

付 1. 腰椎疾患術前評価票

患者名：　　　　　　　　　　ID番号：　　　　　　　　　　検査日：
主訴：
初発症状：　　　　　　　初発時期：　　　　　　　歩行困難感出現時期：
疼痛の有無と部位：腰仙部痛（　）・殿部痛（　）・下肢痛（　）
　痛みの程度（NRS）：腰痛（　）＞下肢痛（　）or 腰痛（　）＜下肢痛（　）　NSAID：毎日　頻用　時々
術前合併症：　　　　　　　　　　　　主な既往症：
移動：独歩・支持歩行（杖・歩行器）・車椅子（2-3歩は歩ける）・独歩不可（麻痺・疼痛のため）
歩容：　　　　　　　　　　　　間欠跛行：　　m（　　分）根性・馬尾性
可動域：前屈 FFD　　cm　後屈　　前屈・後屈での疼痛：

反射	右	左		○SLR	右	左
○上肢				○Active bilateral SLR		
				可能，可能だが痛み伴う，痛みのため不可		
○PTR (L4)				○FNST	右	左
○ATR (S1)				血行		
○A-clonus				足背動脈	右	左
○Babinski				後脛骨動脈	右	左
○Romberg sign：				大腿／下腿周径		

日本整形外科学会腰椎疾患治療成績判定基準

（日本整形外科学会：腰痛治療成績判定基準. 日整会誌 60: 391-394, 1986.より抜粋）

I. 自覚症状　　　　　　　　　　　　　　　　　　　　　　　　　　　（　）／9点
A. 腰痛に関して　　　　　　　　　　　　　　　　　　　　　　　　　　（　）
　a. 全く腰痛はない：3　　　　b. 時に軽い腰痛がある：2
　c. 常に腰痛があるかあるいは時にかなりの腰痛がある：1　　　d. 常に激しい腰痛がある：0
B. 下肢痛およびシビレに関して　　　　　　　　　　　　　　　　　　　（　）
　a. 全く下肢痛，シビレがない：3　　　　b. 時に軽い下肢痛，シビレがある：2
　c. 常に下肢痛，シビレがあるかあるいは時にかなりの下肢痛，シビレがある：1
　d. 常に激しい下肢痛，シビレがある：0
C. 歩行能力について　　　　　　　　　　　　　　　　　　　　　　　　（　）
　a. 全く正常に歩行が可能：3　　　b. 500m以上歩行可能であるが疼痛，シビレ，脱力を生じる：2
　c. 500m以下の歩行で疼痛，シビレ，脱力を生じ，歩けない：1
　d. 100m以下の歩行で疼痛，シビレ，脱力を生じ，歩けない：0
II. 他覚所見　　　　　　　　　　　　　　　　　　　　　　　　　　　（　）／6点
A. SLR（tight hamstringを含む）　　　　　　　　　　　　　　　　　（　）
　a. 正常：2　　　b. 30-70°：1　　　c. 30°未満：0
B. 知覚　　　　　　　　　　　　　　　　　　　　　　　　　　　　　（　）
　a. 正常：2　　　b. 軽度の知覚障害を有する：1　　　c. 明白な知覚障害を認める：0
　注1：軽度の知覚障害とは患者自身が認識しない程度のもの
　注2：明白な知覚障害とは知覚のいずれかの完全脱出，あるいはこれに近いもので患者自身も明らかに認識しているものをいう
C. 筋力　　　　　　　　　　　　　　　　　　　　　　　　　　　　　（　）
　a. 正常：2　　　b. 軽度の筋力低下：1　　　c. 明らかな筋力低下：0
　注1：被検筋を問わない
　注2：軽度の筋力低下とは筋力4程度をさす
　注3：明らかな筋力低下とは筋力3以下をさす
　注4：他覚所見が両側に認められる時はより障害度の強い側で判定する

付 1. 腰椎疾患術前評価票(つづき)

III. 日常生活動作　　　　　　　　　　　　　　　　　　　　　　　　　　（　）／14点

	非常に困難	やや困難	容易
a. 寝がえり動作	0	1	2
b. 立ち上がり動作	0	1	2
c. 洗顔動作	0	1	2
d. 中腰姿勢または立位の持続	0	1	2
e. 長時間坐位（1時間位）	0	1	2
f. 重量物の挙上または保持	0	1	2
g. 歩行	0	1	2

IV. 膀胱機能　　　　　　　　　　　　　　　　　　　　　　　　　　マイナス（　）／6点
　a. 正常：0　　b. 軽度の排尿困難（頻尿，排尿遅延，残尿感）：−3　　c. 高度の排尿困難（失禁，尿閉）：−6
　注：尿路疾患による排尿障害を除外する

NRS：　腰仙部痛（　　　）・　　殿部痛（　　　）・　　下肢痛（　　　）

筋力　　　　　　右　　　左　　　　　疼痛部位：
○Iliopsoas (L2-4)
○Quad (L2-4)
○TA (L4-5)
○EHL (L5)
○FHL (S1)　　　　　　　　　　　　　　　　知覚障害：
○Gastro (S1)
○Glut med (L5)
○Glut max (S1)

神経所見から推察する神経障害：馬尾性　神経根性（　　　根）　混合性

●画像評価・アライメント：
　　移行椎の有無：
　　立位中間位：Sagittal alignment：PI＝　,PT＝　,LL＝　,SVA＝
　　　　　　　　Coronal alignment：側弯の有無
　　中間位でのすべり（mm）と部位：
　　前屈位での後方開大（°）：
　　不安定性の有無（前後屈像）：あり　　なし
　　椎弓角（L3, L4, L5）：

● MRI 所見（圧迫レベルと程度）：

予定手術：髄核摘出術　開窓術　PLIF　固定術

---入院後---
●入院後ミエロ・CTM所見：

●入院後その他の検査所見：

●入院後術式変更の有無：

付2. 日本整形外科学会腰痛評価質問票(JOABPEQ)

(日本整形外科学会:日本整形外科学会腰痛評価質問票
(JOABPEQ). 日整会誌 82:68-70, 2008. より)

最近1週間ぐらいを思い出して,設問ごとに,あなたの状態にもっとも近いものの番号に○をつけてください。日や時間によって状態が変わる場合は,もっとも悪かったときのものをお答えください。

問1-1 腰痛を和らげるために,何回も姿勢を変える
　1) はい　　　　　2) いいえ

問1-2 腰痛のため,いつもより横になって休むことが多い
　1) はい　　　　　2) いいえ

問1-3 ほとんどいつも腰が痛い
　1) はい　　　　　2) いいえ

問1-4 腰痛のため,あまりよく眠れない
　(痛みのために睡眠薬を飲んでいる場合は「はい」を選択してください)
　1) はい　　　　　2) いいえ

問2-1 腰痛のため,何かをするときに介助を頼むことがある
　1) はい　　　　　2) いいえ

問2-2 腰痛のため,腰を曲げたりひざまづいたりしないようにしている
　1) はい　　　　　2) いいえ

問2-3 腰痛のため,椅子からなかなか立ち上がれない
　1) はい　　　　　2) いいえ

問2-4 腰痛のため,寝返りがうちにくい
　1) はい　　　　　2) いいえ

問2-5 腰痛のため,靴下やストッキングをはく時苦労する
　1) はい　　　　　2) いいえ

問2-6 あなたは,からだのぐあいが悪いことから,からだを前に曲げる・ひざまずく・かがむ動作をむずかしいと感じますか。どれかひとつでもむずかしく感じる場合は「感じる」としてください
　1) とてもむずかしいと感じる　　　　2) 少しむずかしいと感じる
　3) まったくむずかしいとは感じない

問3-1 腰痛のため,短い距離しか歩かないようにしている
　1) はい　　　　　2) いいえ

問3-2 腰痛のため,1日の大半を,座って過す
　1) はい　　　　　2) いいえ

問3-3 腰痛のため,いつもよりゆっくり階段を上る
　1) はい　　　　　2) いいえ

問3-4 あなたは,からだのぐあいが悪いことから,階段で上の階へ上ることをむずかしいと感じますか
　1) とてもむずかしいと感じる　　　　2) 少しむずかしいと感じる
　3) まったくむずかしいとは感じない

問3-5 あなたは,からだのぐあいが悪いことから,15分以上つづけて歩くことをむずかしいと感じますか
　1) とてもむずかしいと感じる　　　　2) 少しむずかしいと感じる
　3) まったくむずかしいとは感じない

問4-1 腰痛のため,ふだんしている家の仕事を全くしていない
　1) はい　　　　　2) いいえ

問4-2 あなたは,からだのぐあいが悪いことから,仕事や普段の活動が思ったほどできなかったことがありましたか
　1) いつもできなかった　　　　2) ほとんどいつもできなかった
　3) ときどきできないことがあった　　　　4) ほとんどいつもできた
　5) いつもできた

問4-3 痛みのために,いつもの仕事はどのくらい妨げられましたか
　1) 非常に妨げられた　　　2) かなり妨げられた　　　3) 少し妨げられた
　4) あまり妨げられなかった　　　5) まったく妨げられなかった

付2. 日本整形外科あ学会腰痛評価質問票（JOABPEQ）（つづき）

問5-1 腰痛のため，いつもより人に対していらいらしたり腹が立ったりする
1）はい　　2）いいえ

問5-2 あなたの現在の健康状態をお答えください
1）よくない　2）あまりよくない　3）よい　4）とてもよい　5）最高によい

問5-3 あなたは落ち込んでゆううつな気分を感じましたか
1）いつも感じた　　　　　　2）ほとんどいつも感じた　　　3）ときどき感じた
4）ほとんど感じなかった　　5）まったく感じなかった

問5-4 あなたは疲れ果てた感じでしたか
1）いつも疲れ果てた感じだった
2）ほとんどいつも疲れ果てた感じだった
3）ときどき疲れ果てた感じだった
4）ほとんど疲れを感じなかった
5）まったく疲れを感じなかった

問5-5 あなたは楽しい気分でしたか
1）まったく楽しくなかった　　2）ほとんど楽しくなかった
3）ときどき楽しい気分だった　4）ほとんどいつも楽しい気分だった
5）いつも楽しい気分だった

問5-6 あなたは，自分は人並みに健康であると思いますか
1）「人並みに健康である」とはまったく思わない
2）「人並みに健康である」とはあまり思わない
3）かろうじて「人並みに健康である」と思う
4）ほぼ「人並みに健康である」と思う
5）「人並みに健康である」と思う

問5-7 あなたは，自分の健康が悪くなるような気がしますか
1）悪くなるような気が大いにする
2）悪くなるような気が少しする
3）悪くなるような気がするときもしないときもある
4）悪くなるような気はあまりしない
5）悪くなるような気はまったくしない

> 「痛み（しびれ）が全くない状態」を0，「想像できるもっとも激しい痛み（しびれ）」を10と考えて，**最近1週間**で最も症状のひどい時の痛み（しびれ）の程度が，0から10の間のいくつぐらいで表せるかを下の線の上に記してください。

腰痛の程度　　　　　　　0 ────────────────── 10

殿部（おしり）・下肢痛　0 ────────────────── 10
の程度

殿部（おしり）・下肢の　0 ────────────────── 10
しびれの程度
　　　　　　　　　　　　痛みがまったくない気持ちのよい状態　　　　　想像できるもっとも激しい痛み（しびれ）

© 2007　社団法人日本整形外科学会

8 骨粗鬆症性椎体骨折・椎体圧潰
osteoporotic vertebral fracture, vertebral collapse

8-1. 疾患の概説[33]

椎体骨折は骨粗鬆症に起因する骨折のなかで最も多く，日常診療で遭遇することが多い病態である．Rotterdamの疫学調査[1]では75歳以上の女性10万人あたり約2,000人，また広島での調査[2]では75歳以上の女性10万人あたり約4,000人の頻度と報告されており，欧米人に比してだけでなく日系アメリカ人に比しても日本人の有病率が高い．不顕性骨折も含め通常は保存療法により骨癒合が得られることが多いが，安静期間や装具による固定方法などに対するエビデンスレベルの高い報告は乏しい．また，骨癒合不全や偽関節を呈し腰背部痛が持続する症例や，椎体圧潰が進行し遅発性に下肢麻痺を生じる症例もあり，そのような場合には手術療法を考慮する[34〜36]．

8-2. 診断

X線像にて通常診断可能だが，早期診断にはMRIが有用である．また，胸椎部の骨粗鬆症性椎体骨折でも腰殿部痛を訴えることが多いので，腰殿部痛が主訴でもX線検査やMRI検査では必ず胸椎と腰椎両方の検索が必要である[3]．仰臥位と立位（あるいは座位）でのX線側面像による椎体楔状化の変化は，新鮮骨折の診断だけでなく不安定性評価としても重要である[4]．

●MRIによる新鮮骨折の診断

骨粗鬆性椎体骨折は椎体の変形を経時的に評価できれば診断可能だが，X線検査で形態変化を認めない椎体骨折の早期診断や新旧骨折の判定ではMRIが有用である．新鮮骨折はT1強調像で低信号，short-T1 invention-recovery (STIR)像では高信号となる．また，後述するように偽関節発生のMRI上の危険因子[5]も報告されており，予後判定に有用である．

●形態的変化の評価法

X線側面像を用いて，椎体の前縁高，中央高，後縁高を計測して判定する定量的評価法（quantitative measurement：QM法）と目視で椎体変形の程度を軽度変形（グレード1），中程度変形（グレード2）と高度変形（グレード3）に分類する半定量的評価法（semi-quantitative method：SQ法；図II-8-1）がある[6〜8]．

●鑑別診断

椎体の変形を認めた場合，頻度が高い骨粗鬆症性椎体骨折を考えても，骨軟化症や副甲状腺機能亢進症など骨代謝疾患，多発性骨髄腫や転移性脊椎腫瘍など腫瘍疾患，脊椎炎などの感染疾患を必ず念頭に置いて鑑別する．これらの鑑別には，血清CaとP，ALP値，PTH値や尿中Ca/Cr比（0.3以上がCa排泄亢進）をチェックし，場合によっては各腫瘍マーカー（p438：表II-12-10参照），蛋白免疫電気泳動（p428「多発性骨髄腫」参照）を検査する．

図II-8-2〜8に鑑別を要した症例を示す．

8-3. 保存療法

神経症状を伴わない骨粗鬆性椎体骨折に対する安静期間や装具療法に関しては，科学的根拠が乏しく結論が出ていないのが現状である．千

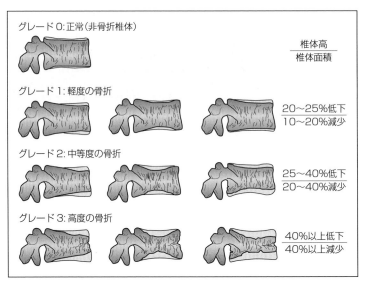

図Ⅱ-8-1　SQ法による評価（文献6〜8より改変）

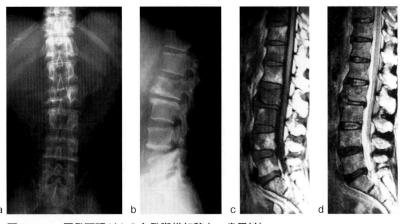

図Ⅱ-8-2　原発不明がんの多発脊椎転移（60歳男性）
　a：腰椎X線正面像，b：腰椎X線側面像，c：腰椎MRI T1強調矢状断像，d：腰椎MRI T2強調矢状断像
　激しい腰背部痛で来院。X線上は骨粗鬆性椎体骨折と鑑別が難しく，MRI上も多発転移の場合は診断が難しい。

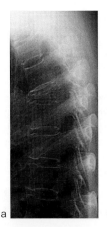
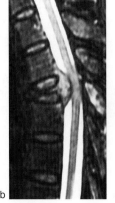
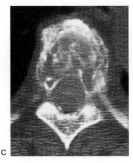

図Ⅱ-8-3　胸椎病的骨折（54歳女性）
　a：胸椎X線側面像，b：胸椎MRI T2強調矢状断像，c：胸椎CT横断像（T4）
　背部痛を主訴に来院。他院での初期診断はT4の圧迫骨折。検査所見および画像上，確定診断に至らず，切開生検にて骨髄腫と診断した。

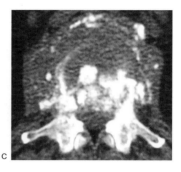

図Ⅱ-8-4 結核性脊椎炎（61歳女性）
 a：手術1年前の腰椎X線側面像，b：腰椎MRI T2強調矢状断像，c：腰椎CT横断像
 手術1年前のX線側面像では椎体上位終板の不整像と軽度の圧潰を認めていたが，その後，腰痛・下肢痛のため歩行不能となる．MRIおよびCTにて脊椎炎を疑いCT横断像穿刺にて結核菌を検出した．

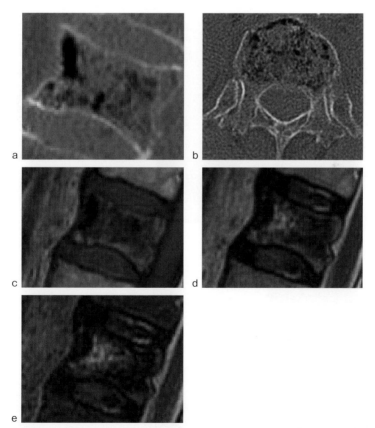

図Ⅱ-8-5 椎体骨折との鑑別を要したガス産生菌による椎体骨髄炎の症例（84歳女性）（文献39より）
 a：胸椎CT矢状断像（T12），b：胸椎CT横断像（T12），c：胸椎MRI T1強調矢状断像，d：胸椎MRI T2強調矢状断像，e：胸椎MRI STIR矢状断像

 T12椎体内に粒状ガス像（a, b）を認めたが，初期診断では骨粗鬆性椎体骨折によるvacuum cleftとの鑑別が困難であった．しかし，生検による病理組織診断で膿瘍と好中球の浸潤を認めたため感染性椎体骨髄炎（emphysematous osteomyelitis）と診断し，抗菌薬（CEZ 8 g/日）投与によって椎体内ガス像は著明に減少した．MRIでは椎体内に粒状の低信号領域を認めた（c〜e）．起因菌はKlebsiella pneumoniaeを含む嫌気性菌と腸内細菌がほとんどを占め，致死率が高い疾患である．

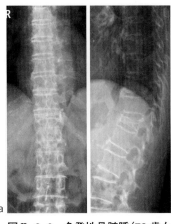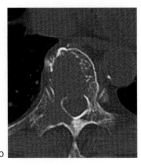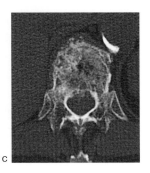

図Ⅱ-8-6　多発性骨髄腫(73歳女性・既往に乳がん)
　a：胸腰椎X線2方向像，b：胸椎CT横断像(T10)，c：胸椎CT横断像(T12)
　孫を抱いた後から背部痛を自覚。T10に関しては乳がんの転移も疑ったが，免疫電気泳動検査でM蛋白を検出し，多発性骨髄腫と診断した(T12は骨粗鬆症性椎体骨折，T10は多発性骨髄腫)。

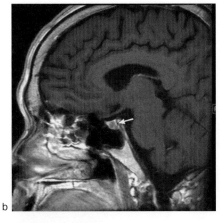

図Ⅱ-8-7　下垂体腺腫によるCushing病に伴う続発性骨粗鬆症(37歳男性)
　a：胸腰椎X線側面像，b：頭部MRI T1強調矢状断像
　腰背部痛と下肢脱力を主訴に紹介受診し，胸腰椎多発椎体骨折を認めた。血清Pの低下，ALP高値などから低リン血症性骨軟化症を疑うも，内分泌追加検査にてACTH，血中コルチゾールの上昇と尿中コルチゾールも高値で，造影MRIにて下垂体腺腫を認めた(柏井将文先生より提供)。

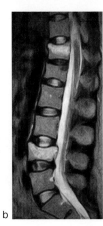

図Ⅱ-8-8　妊娠・分娩・授乳を契機に発症した妊娠授乳後骨粗鬆症(39歳女性)
　a：腰椎X線側面像，b：腰椎MRI T2強調矢状断像
　第一子出産後の腰背部痛。大腿骨骨密度はYAM値47％で，骨代謝マーカーでは高回転型の骨粗鬆症を示していた(柏井将文先生より提供)。

葉らのRCT[9]では，受傷初期に3週間ベッド上安静をとらせても椎体変形や偽関節を予防できないため早期離床の妥当性を支持する一方，ギプスによる強固な固定を行っても偽関節や椎体変形を完全に防ぐことはできないものの市販の半硬性装具に比して椎体の楔状化を防ぐ可能性が高いことを報告している．また，多施設前向き研究[10]では，骨粗鬆性椎体骨折に対する急性期の装具療法では硬性装具と軟性装具では有意差はなかったと報告している．

ベッド上安静の体位に関しては注意が必要である．仰臥位での安静指示は椎体前方が開く危険性があるので，頭部を軽度（10°〜20°）挙上した体位や側臥位でのベッド上安静を指示すべきである．

● 偽関節あるいは遷延治癒の危険因子

Tujioらによる骨粗鬆性椎体骨折新鮮例の前向きコホート研究によると，6カ月時点で偽関節を生じた症例は13.5%であり，胸腰椎移行部の骨折や受傷時に椎体後壁損傷があることに加えて，MRI T2強調矢状断像で椎体内に髄液と同程度の高信号領域が限局して認められることと，低信号変化が広範囲（受傷椎体の50%以上）に認められることが遷延治癒や偽関節を予測する重要な因子であったと報告している[5]．

8-4. 手術療法[37,38]

遷延する腰痛によるADL障害や神経障害に対しては手術療法を考慮するが，これらに関与する危険因子としては前述のMRI所見に加えて，局所不安定性（>15°）や後壁損傷による脊柱管内への骨片陥入が報告されている[11]．さらに，そのようなMRI所見（T2強調像での髄液と同程度の高信号変化と骨折椎体の50%以上を占める広範囲低信号変化）を認め，偽関節の危険性が高いと考えられる骨粗鬆性椎体骨折例（受傷後2カ月以内）に対する保存療法と椎体形成術（balloon kyphoplasty）との前向き比較研究[12]では，6カ月の疼痛に有意差は認めないものの，ADLやQOLは椎体形成術で有意に改善を認めた．

● 椎体形成術

椎体内にセメントを充填する方法で，保存療法に抵抗する頑固な疼痛や，不安定性に起因する神経障害（特に，臥位で症状が改善する軽度の麻痺）で骨折椎体内に空洞形成を認める症例が適応となる．脊柱管内への漏出（特に，椎体後壁の骨折や破裂骨折）や静脈系への流出には十分注意する必要がある．また，椎体形成術の有効性や除痛効果に関しては，RCTで有意差を認めなかったとする報告[13,14]と有用とする報告[14〜16]があることにも留意すべきである．

また，椎体形成術後の隣接椎体の骨折も問題である．Takahashiら[17]は，既存骨折の存在，術前25°以上の後弯や10°以上の後弯矯正は隣接椎体骨折の危険性が高いことを報告している．さらに椎体形成術後の追加手術の危険性に関してTakahashiら[18]は，split型の椎体骨折や14°以上の不安定性においては椎体形成術単独では難しいと報告している．

図II-8-9に椎体形成術の症例を示す．

● 椎体圧潰や不安定性に伴う遅発性神経障害に対する術式選択

椎体後壁損傷による後弯変形や脊柱管内突出，黄色靱帯肥厚など静的因子に加えて，骨折部での局所不安定性により頑固な疼痛が持続したり遅発性に神経障害を生じることがある[19,20]．

胸腰椎移行部の力学的特徴として，前方要素の荷重負担が約70%で，後方要素には約30%の荷重負担がある[21]．したがって，胸腰椎部の椎体圧潰で固定を考慮する場合は前方支持性をいかに確保するかを考慮する．1椎体の圧潰による局所後弯であれば前方除圧固定術（図II-8-10）が理にかなった術式であるが，重度の骨脆弱性を有する高齢者に対しては後方固定の追加を要することが少なくない[22〜24]．筆者らは全般的な後弯変形や後方から黄色靱帯の肥厚・骨化や脊柱管狭窄症による圧迫因子が関与している場合は，後方からの短縮矯正骨切り術（pedicle subtraction osteotomy：PSO）と後方固定術の併用を選択してきた[25〜27,38]（図II-8-11〜13）．また，骨脆弱性が強い場合やrevisionの場合は，前方および後方固定術を要することも多かった（図II-8-14）．しかし，高齢者の骨粗鬆症性椎体骨折後の遅発性神経障害は局所の不

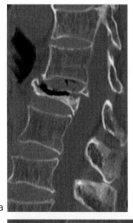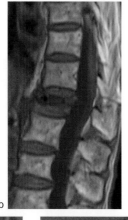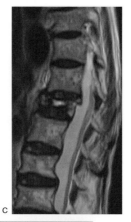
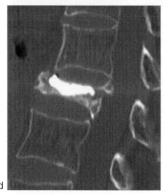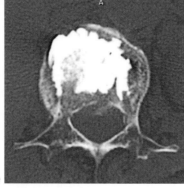

図Ⅱ-8-9 椎体形成術(78歳女性)
a：胸腰椎 CT 矢状断像，b：胸腰椎 MRI T1 強調矢状断像，c：胸腰椎 MRI T2 強調矢状断像，d：術後の胸腰椎 CT 矢状断像，e：術後の腰椎 CT 横断像

骨粗鬆性椎体骨折(L1)後の後弯変形と頑固な疼痛に対して椎体形成術(balloon kyphoplasty によるセメント充填)を施行し疼痛は改善した。

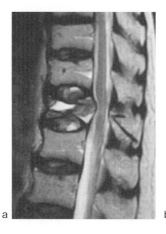

図Ⅱ-8-10 前方除圧固定術(77歳女性)
a：胸腰椎 MRI T2 強調矢状断像，b：術後の胸腰椎 X 線側面像

骨粗鬆症性椎体圧潰(T12)による下垂足。胸腰椎 MRI T2 強調矢状断像にて T12 椎体骨折，偽関節(内部に液体貯留)と診断し，前方除圧固定術と腓骨骨移植術により，TA 筋力が 4 レベルに改善した。

安定性に起因することが多く，除圧を行わない，かつ後弯矯正を行わない後方固定術単独で改善することから，静的な圧迫より動的因子を排除することが重要であると Ataka ら[28]は述べている．さらに，柏井らが主な術式の手術成績を検討した結果，術式よりも患者の術前の全身状態，特に骨代謝異常を伴った腎機能低下(推定糸球体濾過量<60 mL/min/1.73 m^2 および血中 ALP 高値)の存在が術後 ADL に影響を与える

こともわかってきた[29〜31]．したがって，最近ではより低侵襲に椎体圧潰レベルにおける安定性を確保する目的で，椎体形成術か後方固定術，あるいはその両者の併用が選択されることが多くなってきている．

適切な術式選択に関しては，術前に患者の 1)健康状態(慢性腎臓病・糖尿病・心血管疾患などの併存疾患)，2)骨粗鬆症の重症度(既存の椎体骨折の数，椎体変形の程度，骨密度，骨折

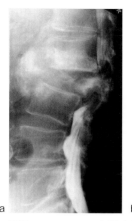 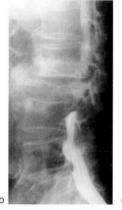 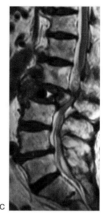 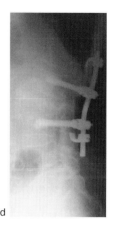

図Ⅱ-8-11　PSOと後方固定術（88歳男性）
a：腰椎前屈位CTミエログラフィ側面像，b：腰椎後屈位CTミエログラフィ側面像，c：腰椎MRI T2強調矢状断像，d：術後の腰椎X線側面像
骨粗鬆症性椎体圧潰（L2）による腰痛・両下肢痛の症例．L2にPSO，T12-L3後方固定術を施行した．

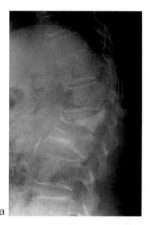 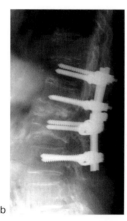

図Ⅱ-8-12　PSOと椎体間固定術（77歳女性）
a：術前の胸腰椎X線側面像，b：術後の胸腰椎X線側面像
関節リウマチでステロイドを服用していた．骨粗鬆症性椎体圧潰（L1）による両下肢痛による歩行障害があったが，L1にPSO，T12/L1椎体間固定術，T11-L3後方固定術を施行し，後弯は改善した．

  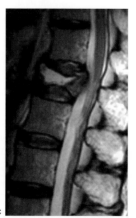  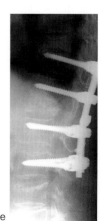

図Ⅱ-8-13　PSOと椎体間固定術（75歳女性）
a：初診時の腰椎X線側面像，b：術前の腰椎X線側面像，c：術前の腰椎MRI T2強調矢状断像，d：術後の腰椎X線側面像，e：術後8週の腰椎X線側面像
関節リウマチで30年以上のステロイド服用歴があり，介護で夫を抱えてから腰痛を自覚．L1椎体骨折の診断で，保存療法で経過観察するも下肢の脱力と痛みで歩行困難となったため，L1にPSO，T12/L1に椎体間固定術を施行し症状は改善した．術後8週で，固定上下で圧迫骨折を生じるも保存的に加療できた．

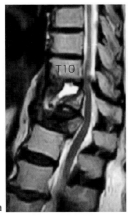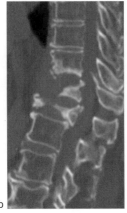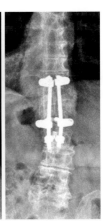

図Ⅱ-8-14　前方・後方同時手術（79歳女性）
a：胸腰椎MRI T2強調矢状断像，b：胸腰椎CT矢状断像，c：術後の胸腰椎X線2方向像（術後3年，椎体形成術と後方固定術の併用）

関節リウマチでプレドニン®を服用していたが尻餅をついてT12椎体骨折，半年後に特に誘因なくT11椎体骨折を受傷。その数カ月後，徐々に両下肢痛と筋力低下が出現し，疼痛による座位保持困難，痙性による立位不可の状態となる（椎体圧潰後の遅発性麻痺）。椎体圧潰の程度が強く不安定性が高度と判断し，前方からの椎体亜全摘（T11-12）と腓骨移植および後方固定（T10-L1）を一期的に施行した。

リスクを上げる併存症の合併，薬剤投与状況など）を十分評価することが重要である[32]。骨折部での動的不安定性への関与が大きい遅発性麻痺症例は，椎体形成術併用後方除圧固定などの，より低侵襲な術式で対応可能と考える。しかし，下肢症状ではなく後弯変形による腰背部痛が主訴の場合は，成人脊柱変形の治療として前方・後方矯正固定術や椎体骨切り術のような侵襲の大きな術式でなければ対処できない病態も存在する（図Ⅱ-8-15）。そのような病態では術前の全身状態と骨粗鬆症の重症度を十分評価したうえで，患者および家族に対する十分な説明と同意を得ることが重要である。さらに，ビスホスホネート製剤や抗RANKL抗体（デノスマブ），PTH製剤（テリパラチド），抗スクレロスチン抗体（ロモソズマブ）のような骨代謝改善薬を併用し，他科と協力しながら個々の併存症の管理治療を行うことの重要性はいうまでもない。

骨粗鬆症性椎体圧潰による神経障害の評価については，歩行能力，疼痛，膀胱機能で評価する[26]（表Ⅱ-8-1）。

●症例

図Ⅱ-8-10に前方除圧固定術を施行した症例を示す。

図Ⅱ-8-11にPSOと後方固定術を施行した症例を示す。

図Ⅱ-8-12, 13にPSOと椎体間固定術を施行した症例を示す。

図Ⅱ-8-14に前方・後方同時手術の症例を示す。

図Ⅱ-8-15に骨粗鬆症性椎体骨折後の脊柱変形に対して後方からの椎体骨切り術（posterior vertebral column resection：PVCR）を施行した症例を示す。

図Ⅱ-8-16に椎体骨折後の偽関節による神経障害に対して椎体置換術を施行した症例を示す。

引用文献

1) Van der Klift M, De Laet CE, McCloskey EV, et al：The incidence of vertebral fractures in men and women：the Rotterdam Study. J Bone Miner Res 17：1051-1056, 2002.
2) Ross PD, Fujiwara S, Huang C, et al：Vertebral fracture prevalence in women in Hiroshima compared to Caucasians or Japanese in the US. Int J Epidemiol 24：1171-1177, 1995.
3) Friedrich M, Gittler G, Pieler-Bruha E：Misleading history of pain location in 51 patients with osteoporotic vertebral fractures. Eur Spine J 15：1797-1800, 2006.
4) Toyone T, Tanaka T, Wada Y, et al：Changes in vertebral wedging rate between supine and standing position and its association with back pain：a prospective study in patients with osteoporotic vertebral compres-

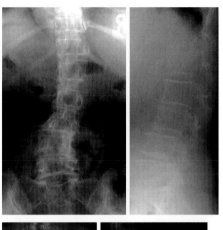
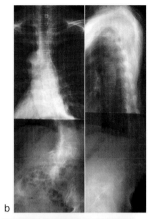
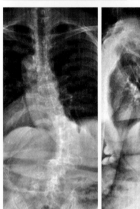
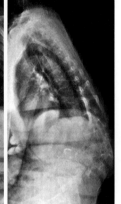
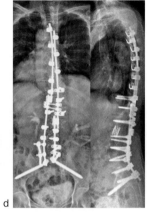

図Ⅱ-8-15　骨粗鬆症性椎体骨折後の脊柱変形（71歳女性）
a：手術9年前の腰椎X線2方向像，b：手術5年前の全脊柱立位X線2方向像，c：術前の全脊柱立位X線2方向像，d：術後の全脊柱立位X線2方向像

　骨粗鬆症性椎体骨折（L2，L3）後に腰椎後側弯が進行し，腰痛と左肋骨の腸骨部への食い込み感が徐々に悪化した．成人脊柱変形に対して後方からの椎体骨切り術（posterior vertebral column resection：PVCR）と後方矯正固定術を施行した．

表Ⅱ-8-1　骨粗鬆症性椎体圧潰による神経障害の評価（文献26より）

歩行能力	
・寝たきり，座位保持不可	0点
・座位可能，立位保持不可	1点
・立位・車椅子への移動可能，独歩不可	2点
・支持歩行，病棟内歩行可能	3点
・支持なしで独歩，外出可能	4点
疼痛評価	
・耐え難い痛み（激痛）	0点
・鎮痛剤でコントロール可能	1点
・痛むが鎮痛剤は不要	2点
・痛みはないか無視できる程度	3点
膀胱機能	
・尿閉・尿失禁（高度障害）	0点
・残尿（中等度障害）	1点
・頻尿，開始遅延（軽度障害）	2点
・正常	3点

各項の点数の合計で評価する（最高10点）．

sion fractures. Spine 31：2963-2966, 2006.
5) Tujio T, Nakamura H, Terai H, et al：Characteristic radiographic or magnetic resonance images of fresh osteoporotic vertebral fractures predicting potential risk for nonunion. Spine 36：1229-1235, 2011.
6) Genant HK, Wu CY, van Kuijk C, et al：Vertebral fracture assessment using a semiquantitative technique. J Bone Miner Res 8：1137-1148, 1993.
7) Bouxsein ML, Genant HK：International Osteoporosis Foundation. The breaking spine, 2010.
8) 日本骨形態計測学会，日本骨代謝学会，日本骨粗鬆症学会，他：椎体骨折評価基準（2012年度改訂版）．Osteoporos Jpn 21：29, 2013.
9) 千葉一裕，吉田宗人，四宮謙一，他：骨粗鬆症性椎体骨折に対する保存療法の指針策定—多施設共同前向き無作為化比較パイロット試験の結果より—．日整会誌 85：934-941, 2011.
10) Kato T, Inose H, Ichimura S, et al：Comparison of rigid and soft-brace treatments for acute osteoporotic vertebral compression fracture：a prospective, randomized, multicenter Study. J Clin Med 8：E198, 2019.
11) Hoshino M, Nakamura H, Terai H, et al：Factors affecting neurological deficits and intractable back pain in patients with insufficient bone union following osteoporotic vertebral fracture. Eur Spine J 18：1279-

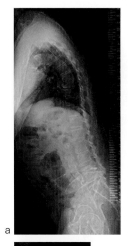
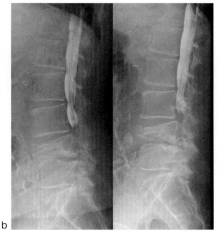

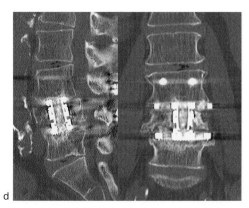

図Ⅱ-8-16　L4椎体骨折後の偽関節による神経障害（74歳男性）

アトピー性皮膚炎で30年以上にわたってプレドニン（5 mg）服用。L4椎体骨折後の偽関節による神経障害（腰痛・両下肢痛しびれによる歩行障害）に対して，後方除圧固定（L3-5）および前方椎体置換術（X-core2®：28×50 mm）を一期的に施行した。術中にL5椎体終板を一部損傷したため，約8週間のベッド上安静ののち硬性装具装着で離床を許可した。術後2年経過し，腰痛下肢痛なく経過良好。

　a：術前の全脊柱立位X線側面像，b：術前のミエログラフィ（左：立位側面，右：後屈側面），c：術後2年の全脊柱立位X線側面像，d：術後2年のCT画像（矢状面断像と冠状面像）

1286, 2009.
12) Hoshino M, Takahashi S, Yasuda H, et al：Balloon kyphoplasty versus conservative treatment for acute osteoporotic vertebral fractures with poor prognostic factors：propensity score matched analysis using data from two prospective multicenter studies. Spine 44：110-117, 2019.
13) Buchbinder R, Osborne RH, Ebeling PR, et al：A randomized trial of vertebroplasty for painful osteoporotic vertebral fractures. N Engl J Med 361：557-568, 2009.
14) Rousing R, Andersen MO, Jespersen SM, et al：Percutaneous vertebroplasty compared to conservative treatment in patients with painful acute or subacute osteoporotic vertebral fractures：three-months follow-up in a clinical randomized study. Spine 34：1349-1354, 2009.
15) Wardlaw D, Cummings SR, Van Meirhaeghe J, et al：Efficacy and safety of balloon kyphoplasty compared with non-surgical care for vertebral compression fracture（FREE）：a randomised controlled trail. Lancet 373：1016-1024, 2009.
16) Klazen CA, Lohle PN, de Vries J, et al：Vertebroplasty versus conservative treatment in acute osteoporotic vertebral compression fractures（Vertos Ⅱ）：an open-label randomised trial. Lancet 376：1085-1092, 2010.
17) Takahashi S, Hoshino M, Yasuda H, et al：Develop-

ment of a scoring system for predicting adjacent vertebral fracture after balloon kyphoplasty. Spine J 19：1194-1201, 2019.
18) Takahashi S, Hoshino M, Yasuda H, et al：Characteristic radiological findings for revision surgery after balloon kyphoplasty. Sci Rep 9：18513, 2019.
19) Hoshino M, Nakamura H, Terai H, et al：Factors affecting neurological deficits and intractable back pain in patients with insufficient bone union following osteoporotic vertebral fracture. Eur Spine J 18：1279-1286, 2009.
20) Hayashi T, Maeda T, Ueda T, et al：Comparison of the amounts of canal encroachment between semisitting and supine position of computed tomography-myelography for vertebral fractures of the elderly involving the posterior vertebral wall. Spine 37：E1203-E1208, 2012.
21) Haher TR, Felmy W, Baruch H, et al：The contribution of the three columns of the spine to rotational stability. A biomechanical model. Spine 14：663-669, 1989.
22) Kaneda K, Asano S, Hashimoto T, et al：The treatment of osteoporotic posttraumatic vertebral collapse using the Kaneda device and a bioactive ceramic vertebral prosthesis. Spine 17：295-303, 1992.
23) Kaneda K, Taneichi H, Abumi K, et al：Anterior decompression and stabilization with the Kaneda device for thoracolumbar burst fractures associated with neurological deficits. J Bone Joint Surg Am 79：69-83, 1997.
24) Kanayama M, Ishida T, Hashimoto T, et al：Role of major spine surgery using Kaneda anterior instrumentation for osteoporotic vertebral collapse. J Spinal Disord Tech 23：53-56, 2010.
25) 岩﨑幹季, 宮内　晃, 奥田真也, 他：骨粗鬆症性椎体骨折に対する手術治療—前方法・後方法の比較—. 中部整災誌 45：333-334, 2002.
26) 岩﨑幹季, 奥田真也, 宮内　晃, 他：骨粗鬆症性椎体骨折に対する後方手術の利点と問題点. 中部整災誌 49：963-964, 2006.
27) Okuda S, Oda T, Yamasaki R, et al：Surgical outcomes of osteoporotic vertebral collapse：A retrospective study of anterior spinal fusion and pedicle subtraction osteotomy. Global Spine J 2：221-226, 2012.
28) Ataka H, Tanno T, Yamazaki M：Posterior instrumented fusion without neural decompression for incomplete neurological deficits following vertebral collapse in the osteoporotic thoracolumbar spine. Eur Spine J 18：69-76, 2009.
29) 柏井将文, 藤森孝人, 長本行隆, 他：骨粗鬆症性椎体圧潰後遅発性麻痺患者の術後 ADL についての検討. 中部整災誌 54：559-560, 2011.
30) Kashii M, Yamazaki R, Yamashita T, et al：Surgical treatment for osteoporotic vertebral collapse with neurological deficits：Retrospective comparative study of three procedures-anterior surgery versus posterior spinal shortening osteotomy versus posterior spinal fusion using vertebroplasty. Eur Spine J 22：1633-1642, 2013.
31) Kashii M, Yamazaki R, Yamashita T, et al：Factors affecting postoperative activities of daily living in patients with osteoporotic vertebral collapse with neurological deficits. J Bone Miner Metab 33：422-431, 2015.
32) 柏井将文, 田村裕一, 加藤泰司, 他：骨粗鬆症性椎体圧潰後遅発性麻痺に対する外科的治療後の患者 ADL についての検討—腎機能が術後 ADL に影響する？—. Osteoporos Jpn 19：179-182, 2011.

参考文献

33) 中村博亮：骨粗鬆性椎体骨折に対する診断と治療の現状と未来. 日整会誌 89：624-632, 2015.
34) Steel HH：Kümmell's disease. Am J Surg 81：161-167, 1951.
35) Kempinsky WH, Morgan PP, Boniface WR：Osteoporotic kyphosis with paraplegia. Neurology 8：181-186, 1958.
36) Kaplan PA, Orton DF, Asleson RJ：Osteoporosis with vertebral compression fractures, retropulsed fragment, and neurologic compromise. Radiology 165：533-535, 1987.
37) 須田公之, 池田　彬, 嶋田征夫：脊椎骨粗鬆症の病的骨折による脊髄麻痺の治療例. 臨整外 9：346-350, 1974.
38) 岩﨑幹季, 宮内　晃, 奥田真也, 他：胸腰椎部病変に対する Pedicle Subtraction Osteotomy. 日脊会誌 14：251, 2003.
39) 宮﨑　亮, 松本富哉, 奥田真也, 他：ガス産生菌による椎体骨髄炎の 1 例. 中部整災誌 59：1173-1174, 2016.

9 脊椎・脊髄損傷
spinal trauma, spinal cord injury

9-1. 治療の概説[58]

　脊椎損傷は，整形外科的外傷の中でも最も重篤なものの1つで，脊髄の損傷が生じれば後遺障害は著しい．また，多発外傷を合併することも多く，重大な臓器損傷も起こり得る．脊椎・脊髄損傷自体だけでなく，これらの合併症はときとして致死的なものとなる．したがって，脊椎・脊髄損傷患者においては，まず全身状態の把握に努めることが重要である．

　全身状態の評価と並行して，脊椎・脊髄の損傷について評価する．神経学的診察により，脊髄・神経根症状の有無やその程度と，障害高位を診断する．しかし，頭部外傷や四肢骨折が合併すれば，正確な神経学的診断が困難なこともある．画像検査により，損傷脊椎の不安定性や，神経組織の圧迫状態を評価する．これらのことを可及的早期に判断し，的確な治療方針を立てる．

　神経症状のない，あるいはあっても軽微なもので力学的に安定型の損傷であれば，保存療法が選択される．一方，神経圧迫を認める症例や力学的に不安定なものは，手術療法の対象となる．手術療法は，除圧(decompression)，整復(reductionあるいはrealignment)，固定(stabilization)によりなされる．脊椎インストゥルメンテーションの開発・発展は脊椎損傷の整復と固定を容易にし，患者の早期離床を可能とした．しかし，脊髄損傷(spinal cord injury：SCI)に関しては，その画期的な治療法がいまだないため損傷した脊椎を速やかに治療し，二次的な脊髄損傷を予防することが重要である．また，脊椎・脊髄損傷患者がひとたび入院すれば，可及的早期に機能訓練や作業療法を開始し，患者の社会復帰をめざすことも重要である．

9-2. 部位別各論

　脊椎損傷は，発生部位や受傷機転によりさまざまに分類される．ここでは部位別に脊椎損傷を分類し，受傷機転や特徴について述べる．
　また，骨傷を伴わない過伸展損傷(非骨傷性脊髄損傷)に関しては後述する．

1 頚椎損傷

　頚椎損傷の受傷原因としては，交通事故，転落，スポーツ外傷がほとんどを占める．脊椎症性変化が存在する高齢者では，骨傷を認めない非骨傷性の頚髄損傷が多い．
　頚椎損傷では神経症状が発生すれば重篤なものとなり，特に上位頚椎損傷では即死の転帰をとることもある．解剖学的な相違から，上位頚椎損傷と中下位頚椎損傷では受傷機転や症状発現に相違がある．

●上位頚椎損傷
　上位頚椎損傷は，約30％に頭部外傷の合併がみられる．上位頚椎損傷はX線撮影のみでは診断が困難であることが多いが，強い頚部痛や頚部運動制限を認める場合は，骨傷を疑いCT(MPR)やMRIを依頼する．
　X線像での注意点を図Ⅱ-9-1に示す．同部では脊柱管が広いために受傷時に麻痺の発生が少ないことや，頭部外傷などの合併損傷が多いことも診断が困難な理由となる．
　上位頚椎損傷には以下のようなものがある．
a. 環椎骨折
　1)前弓あるいは後弓の単独骨折
　2)側塊骨折
　3)破裂骨折(Jefferson骨折)

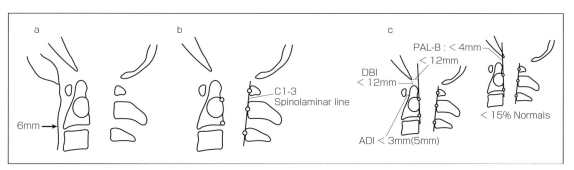

図Ⅱ-9-1　後頭骨・頚椎間，環軸椎間のX線学的特徴（文献1より）
a：気管後壁の軟部陰影
挿管されていない成人（臥位）では6mmを超えない
b：軸椎歯突起の骨性スクリーニング
①歯突起前方の骨皮質は環椎前弓の後方骨皮質に平行のはずである
②C1～3の棘突起前方の骨皮質はお互い2mm以内の直線上に収まるはずである
c：環軸椎の靱帯損傷
①環椎歯突起間距離（ADI）は成人で3mm未満（小児で5mm未満）
②歯突起（dens）と大後頭孔前縁（basion）の距離（DBI）は成人で12mm未満
③軸椎後縁（PAL-B）は大後頭孔前縁（basion）の4mm前方～12mm後方の間を通る

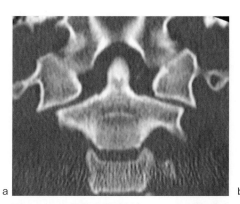 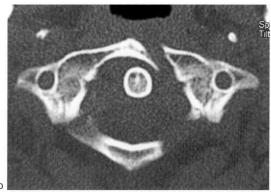

図Ⅱ-9-2　環椎破裂骨折（Jefferson骨折）（19歳女性）
a：頚椎MPR冠状断像（側塊の外側への転位を認める），b：頚椎CT横断像（前弓と後弓の骨折を認める）
後方宙返りで頭部から着地して受傷，神経学的欠損を認めず．

　基本形は両側の前弓と後弓の骨折による4パートの骨折である．
　図Ⅱ-9-2に19歳女性の症例を示す．

b．軸椎骨折
1）歯突起骨折
　軸椎骨折の中で最も多い骨折である（約40%）．Anderson & D'Alonzo分類（図Ⅱ-9-3）ではtype Ⅱが最も多く，type Ⅰは稀である[2]．
　type Ⅱ（歯突起基部の骨折）は転位がなければhalo vestによる外固定で治療可能であるが，特に高齢者では偽関節率が高い．5mm以上の転位がある骨折や高齢者では，基本的には手術療法が推奨される[3]．halo vest固定を選択した場合でも，固定後，経時的に座位と仰臥位側面像を比較し歯突起の偏位や5°以上の変化が認められれば手術療法が望ましい[4]．若年者で骨折線がスクリュー刺入に影響しなければ前方歯突起スクリュー固定術で対処可能だが，骨粗鬆症を合併している高齢者では後方固定術が勧められる．
　図Ⅱ-9-4に53歳女性の症例を示す．

2）椎体骨折
3）hangman骨折（関節突起間関節外傷性軸椎すべり症）
　図Ⅱ-9-5に68歳男性の症例を示す．

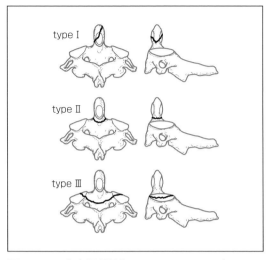

type Ⅰ：先端部の斜骨折で，翼状靱帯の剥離骨折である。
歯突起先端の骨化不全との鑑別が必要となる。
type Ⅱ：歯突起基部の骨折で最も頻度は高い。
初期には halo vest による外固定で治療可能であるが，偽関節率が高い。
5 mm 以上の転位がある骨折や 50 歳以上の場合は内固定が推奨される。
type Ⅲ：軸椎椎体に及ぶ骨折である。
halo vest による外固定で骨癒合が得られやすい。

図Ⅱ-9-3　歯突起骨折（odontoid fractures）の Anderson & D'Alonzo 分類（文献 2 より）

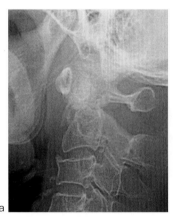
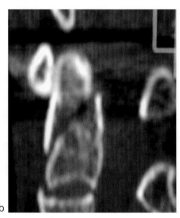

図Ⅱ-9-4　軸椎歯突起骨折（type Ⅱ）（53 歳女性）
a：頚椎 X 線側面像，b：頚椎 MPR 矢状断像
自宅階段から転落して受傷し，halo vest 固定にて骨癒合した。

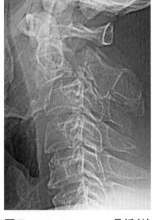

図Ⅱ-9-5　hangman 骨折（外傷性軸椎すべり症）（68 歳男性）
頚椎 X 線側面像。交通事故にて受傷（麻痺なし）。halo vest 固定にて治療した（長本行隆先生より提供）。

c. 後頭環椎関節脱臼

d. 環軸椎関節脱臼

■ 環軸椎回旋位固定（atlanto-axial rotatory fixation：AARF）

上気道感染や外傷を誘因に起こるが，必ずしも誘因がはっきりしないこともある。一般的には予後良好で，鎮痛薬投与や座位での Glisson 牽引で治癒することが多い。明らかな外傷や骨性の奇形がないのに保存療法に抵抗する症例では，全身麻酔下で整復後に halo vest 固定を 6〜8 週行う。図Ⅱ-9-6 に，AARF の分類を示す。

6 カ月以上続く慢性の AARF は，保存療法が無効で，手術療法の適応になることが多い[6]。

Ishii らは慢性型の AARF の予後予測に環軸関節変形の有無が重要と報告している[7]（図Ⅱ-9-7）。回旋位が長期化すると C2 facet deformity が生じ，その変形が高度になれば C1 lateral inclination が強くなり整復障害因子となる。

また，関節変形を伴う環椎・後頭骨関節病変の存在も AARF 難治化の要因となるため，環軸関節だけでなく環椎・後頭骨関節の変化も 3D-CT 画像で評価することも重要である[8,9]。

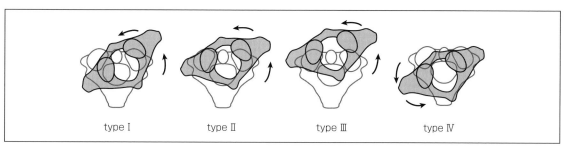

図Ⅱ-9-6　環軸椎回旋位固定（AARF）の Fielding 分類（文献5より）
type Ⅰ：横靱帯損傷はなく，前方転位なし
type Ⅱ：前方転位3～5mm（横靱帯損傷があるが，翼状靱帯損傷はなし）
type Ⅲ：前方転位>5mm　翼状靱帯と横靱帯両方の損傷
type Ⅳ：後方転位（歯突起の形成不全を伴う）

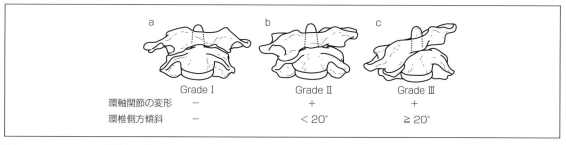

図Ⅱ-9-7　3D-CT 再構成画像による AARF（慢性型）の予後予測―環軸関節変形の有無による（文献7より）
発症後3カ月以上経過して診断され，3D-CTによる評価で環軸関節の変形により環椎が側方に20°以上傾斜している症例（Grade Ⅲ）は整復不能例の特徴（力学的負荷による二次的変化）である。

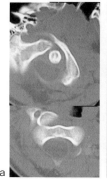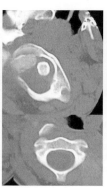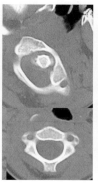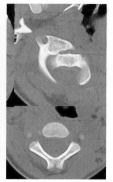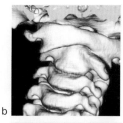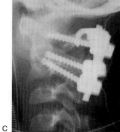

図Ⅱ-9-8　AARF 整復不能例（7歳男児）
a：CT（環椎～軸椎），b：3D-CTにて環椎の回旋と右外側塊の前方への亜脱臼を認める。c：環軸椎後方固定術直後のX線側面像
起床時，特に誘因なく頸部痛・斜頸が出現。介達牽引4週間で整復位が得られず，全身麻酔下で整復した後，halo vest にて8週間固定するも再発したため，環軸椎後方固定術を施行した。

図Ⅱ-9-8に7歳男児の症例を示す。
図Ⅱ-9-9に11歳女児の症例を示す。

●中下位頸椎損傷

中下位頸椎損傷は，頸部への介達外力により生理的範囲を超えた運動を強制させられた際に発生する。非骨傷性脊髄損傷と呼ばれ，X線上では骨傷が明らかでないにもかかわらず，脊髄損傷となる例もある（p308「非骨傷性脊髄損傷」参照）。

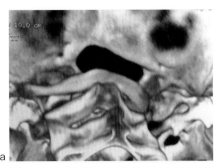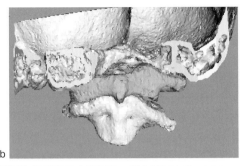

図Ⅱ-9-9　後頭骨・環椎間回旋異常と環軸椎回旋位固定の合併例（11歳女児）（文献8より）
　a：初診時の頚椎3D-CT。C1/2間で12°の回旋位固定を認める（Fielding分類typeⅠ）。b：halo vest固定後の3D-CVAS画像を正面から観察した図。CTの抽出解析によりOc/C1関節面の隆起と後頭骨の変形が確認できた。

　特に誘因なく頚部痛・斜頚が出現。2カ月間保存治療されるも改善せず他院のCTにてAARFと診断された。介達牽引，直達牽引，halo vest固定を各々4週間施行し，C1/2回旋角は改善したがOc/C1回旋角は変化せず。外見上の斜頚は改善し可動域も正常化したため手術は施行せず。先天性あるいは乳幼児期に後頭骨・環椎間に回旋異常は生じるも無症候性に経過しOc/C1関節面にremodelingによる形成異常が生じたところにAARFが合併したものと考えられる。

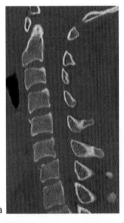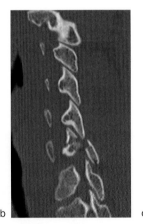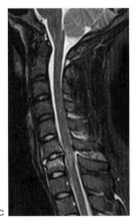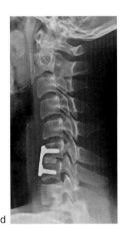

図Ⅱ-9-10　tear drop型脱臼骨折（20歳女性）
　a：受傷後の頚椎CT矢状断像（正中部），b：頚椎CT矢状断像（左側椎間関節部），c：頚椎MRI T2強調矢状断像，d：術後の頚椎X線側面像

　約2mの高所から墜落して受傷（distractive-flexion損傷にlateral flexion損傷が加わった損傷形態）。C8髄節以下の不全麻痺（Brown-Séquard型）を呈していた。C7椎体のtear drop型骨折に片側椎間関節骨折を伴った脱臼骨折が自然整復された病態。受傷後のMRIで脊髄圧迫所見を認めなかったことから，不安定性に対して待機手術で前方固定術を施行し，神経症状は徐々に改善した。右下肢の温痛覚低下と左下肢に軽い痙性は残存したが，左下肢筋力は改善し独歩可能である。

一般的には，X線撮影で容易に診断される。しかし，頚胸椎移行部などはX線上では肩と重なって見逃されることが多いので，CT画像（MPR）で確認する。
　以下に分類を示す。
1）椎体骨折
　a. 圧迫骨折
　b. 破裂骨折
2）脱臼骨折
　a. 椎間関節両側脱臼
　b. 椎間関節片側脱臼
3）両者の合併（tear drop型脱臼骨折，**図Ⅱ-9-10**）

中下位頚椎損傷の分類は，一般的にAllen分類[7]が用いられる。

a. compressive flexion injuries（CF損傷）（図Ⅱ-9-11, 12）

中下位頚椎損傷の約20%を占め，屈曲位の頚

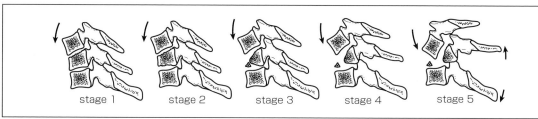

図Ⅱ-9-11　compressive flexion（CF）損傷（文献10, 11より）
stage 1：椎体前上縁の小さな骨折で後方靱帯損傷なし。
stage 2：椎体の斜骨折により椎体高が軽度減少している。
stage 3：stage 2の重症型で前方の遊離骨片を形成するが，脊柱管への突出はない。
stage 4：椎体後下縁が軽度脊柱管内へ陥入（3 mm未満）している。
stage 5：後方靱帯の断裂をきたし，椎体後壁が3 mm以上脊柱管内へ陥入している。

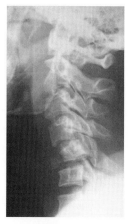

図Ⅱ-9-13　vertical compression（VC）損傷（文献10, 11より）
stage 1：椎体上縁あるいは下縁の圧潰を認める。
stage 2：椎体上縁および下縁両方の圧潰を認める。
stage 3：椎体が粉砕し，前後への骨片転位を認める。

図Ⅱ-9-12　CF損傷, stage 5（完全麻痺）
（長本行隆先生より提供）

椎へ加わる前下方への圧縮力で発生し，交通事故や水泳の飛び込みによる損傷で多い。

CF損傷のstage 1～2は装具またはhalo vest固定で治療可能だが，stage 3以上で不安定型は固定術が必要である。骨片の脊柱管内への陥入が3 mm以上あるstage 5は90%以上完全麻痺を呈しており，前後からの固定術が必要なことが多い。

b. vertical compression injuries（VC損傷）（図Ⅱ-9-13）

C6, C7の下位頚椎に多い破裂骨折で，中下位頚椎損傷の約10～15%を占める。

VC損傷のstage 1～2は装具かhalo vest固定で治療するが，stage 3は，ほぼ全例完全麻痺を呈しており，前方除圧固定術が必要である。

図Ⅱ-9-14にVC損傷stage 3の完全麻痺例を示す。術後食道損傷が判明し，長頚筋の有茎筋弁移行にて縫合部閉鎖で治癒した症例である[12]。

c. distractive flexion injuries（DF損傷）（図Ⅱ-9-15）

屈曲位の頚椎に前上方向の外力が加わって発生する屈曲伸延損傷で，中下位頚椎損傷の30～40%を占める最も多い損傷である。

DF損傷のstage 2～4は，椎骨動脈の損傷・閉塞（約20%）や，外傷性椎間板ヘルニア（30～50%）の頻度が高く，可及的早期に直達牽引下に整復すべきである（受傷後4～6時間以内）。整復後に必ずMRIにて椎間板ヘルニアや硬膜外出血の有無を調べる。また，可能な限りMRあるいはCTアンギオグラフィによる椎骨動脈の評価も必要である。ほとんどのDF損傷は手術が必要だが，整復の有無や椎間板ヘルニアの有無により術式を決定する。

図Ⅱ-9-16に66歳女性の症例を示す。

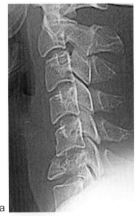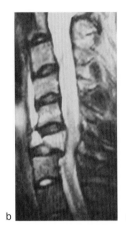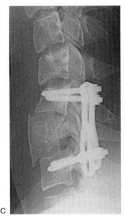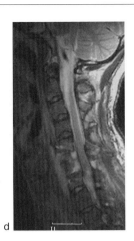

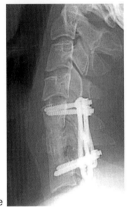

図Ⅱ-9-14　VC損傷，stage 3（20歳男性）
　a：受傷直後の頚椎X線側面像，b：頚椎MRI T2強調矢状断像，c：前方＋後方固定術後の頚椎X線側面像，d：術後7週のMRI T2強調矢状断像，e：再手術1年での頚椎X線側面像
　プールでの飛び込みにて受傷したC6椎体骨折でC8髄節以下の完全麻痺（ASIA分類A）。前方から椎体亜全摘・腸骨移植を行い，同時に頚椎pedicle screwとプレートにて後方固定術を施行した。術後数週間で咽頭痛・嚥下痛・発熱が出現し，深部感染を疑い病巣搔爬・腓骨移植を施行するも，創部ドレーンから食物残渣が流出したため食道損傷による感染と診断し，食道穿孔部縫合・長頚筋の有茎筋弁移行による縫合部閉鎖を行い3週間の絶食後，中心静脈カテーテル（IVH）を抜去した。

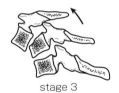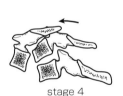

図Ⅱ-9-15　distractive flexion（DF）損傷（文献10, 11より）
stage 1：CF損傷のstage 1に後方靱帯損傷を伴い，椎間関節の亜脱臼を認める。
stage 2：回旋力が加わり，片側椎間関節脱臼を伴う。
stage 3：約50%の椎体前方転位を伴った両側椎間関節脱臼を認める。
stage 4：完全な前方脱臼あるいはfloating vertebraの状態である。

　図Ⅱ-9-17に67歳男性の症例を示す。

d. compressive extension injuries（CE損傷）（図Ⅱ-9-18, 19）

　基本的には，後方要素の骨折である。
　CE損傷のstage 1〜2は装具かhalo vest固定で治療する。stage 4〜5は後方からの整復・固定術が必要だが，椎体の損傷が大きければ前方固定術を考慮する。

e. distractive extension injuries（DE損傷）（図Ⅱ-9-20）

　体幹から後上方への外力で発生し交通事故や転落による損傷で多く，椎間腔が広がるのが特徴である。前述のASHやDISHを伴った高齢者に多い損傷型である。
　図Ⅱ-9-21に52歳男性の症例を示す。

f. lateral flexion injuries（LF損傷）

　交通事故やラグビーなどのスポーツ損傷で多

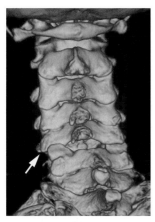

図Ⅱ-9-16　DF損傷，stage 2（片側椎間関節脱臼）（66歳女性）

交通事故にて受傷。左側で上関節突起が背側に脱臼し嵌頓している（矢印）。同日中にロッキング解除し棘突起ワイヤリングによる後方固定術を施行した。
（長本行隆先生より提供）

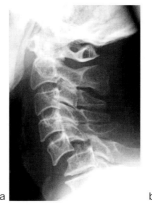 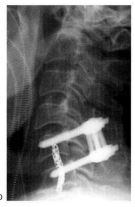

図Ⅱ-9-17　DF損傷，stage 3（両側椎間関節脱臼）（67歳男性）

a：受傷直後の頚椎X線側面像，b：後方固定術直後の頚椎X線側面像

ASIA分類D．右椎骨動脈に塞栓コイルを留置してから直達牽引にて両側椎間関節脱臼を整復し，頚椎pedicle screwとプレートにて後方固定術を施行した。

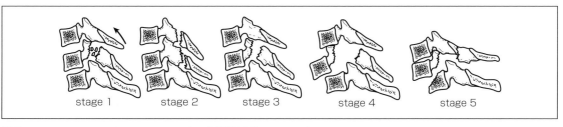

図Ⅱ-9-18　compressive extension（CE）損傷（文献10, 11より）
stage 1：片側椎弓の骨折で，関節突起あるいは椎弓根に骨折が及ぶこともある。
stage 2：両側性の椎弓骨折で，典型的には多椎弓に及ぶ。
stage 3：両側の椎弓から関節突起あるいは椎弓根に及ぶ骨折である（推測的な形態）。
stage 4：stage 3に部分的な椎体の転位を伴ったもの。
stage 5：後方要素の骨折に前方への椎体転位を伴ったもの。

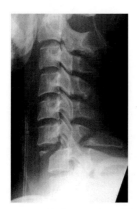

図Ⅱ-9-19　CE損傷，stage 5（完全麻痺）

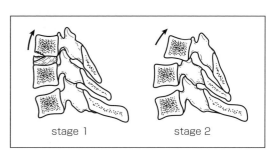

図Ⅱ-9-20　distractive extension（DE）損傷
（文献10, 11より）
stage 1：前縦靱帯損傷で椎間の拡大が特徴的である（ときに椎体の軽度の横骨折を伴う）。
stage 2：前方の剥離骨折と後方靱帯損傷を伴い，後方への椎体転位を認める。

い．非対称性の椎体圧迫骨折でときに椎弓骨折を伴い，stage 2 では正面像で椎体の転位を認める．X 線では見逃しやすく CT 検査が必要である．脊髄損傷は稀で，腕神経叢損傷や神経根損傷が多い．

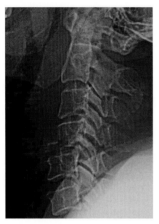

図Ⅱ-9-21　DE 損傷，stage 2（52 歳男性）
交通事故にて受傷（ASIA 分類 B）．
（長本行隆先生より提供）

2　胸腰椎損傷

受傷機転としては，直達・介達外力により，荷重に加えて屈曲，伸展，回旋，剪断力などが複合応力として脊柱に作用することで発生する．

胸腰椎損傷を初めて系統的に分類したのは Holdsworth で，脊柱を前方（前・後縦靱帯，椎体，椎間板）と後方（椎弓根から後方）の 2 つの column に分け，脊柱支持機構として，黄色靱帯，棘間および棘上靱帯からなる脊椎後方靱帯複合体（posterior ligamentous complex）を重要視した．そして，これらの靱帯損傷を伴う脊椎損傷が不安定性損傷であるとした[13]．しかし，この分類では，破裂骨折が後方靱帯複合体損傷を伴わないため，安定型損傷に分類されることが論点となった．

その後，Denis は前方の column をさらに 2 つに分け，脊柱を 3 つの column に分けて，脊椎損傷を分類した[14]（図Ⅱ-9-22）．すなわち，椎体および線維輪の前方部分と前縦靱帯を anterior column，後縦靱帯，椎体および線維輪の

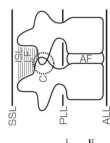

SSL : supraspinous ligament, 棘上靱帯
ISL : interspinous ligament, 棘間靱帯
LF : ligamentum flavum, 黄色靱帯
C   : capsule, 関節包
PLL : posterior longitudinal ligament, 後縦靱帯
AF : annulus fibrosus, 線維輪
ALL : anterior longitudinal ligament, 前縦靱帯

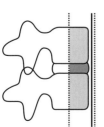
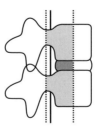
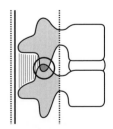

	Anterior	Middle	Posterior
Compression	Compression	損傷なし	損傷なし
Burst	Compression	Compression	損傷なし
Seat-belt	Non or compression	Distraction	Distraction
Fracture dislocation	Compression rotation shear	Distraction rotation shear	Distraction rotation shear

図Ⅱ-9-22　Denis による three column theory（文献 14 より）

後方部分を middle column とし，棘上・棘間靱帯，棘突起，椎弓および椎弓根，椎間関節，黄色靱帯を Holdsworth の分類と同じ，posterior column とした。そして middle column の損傷が不安定性を引き起こす重要な因子とした。特に治療上，middle column に属する椎体後壁の損傷は重要な因子で，現在までこの three column theory が脊椎損傷の分類に汎用されてはいるが，解剖学的に middle column が存在するわけではないので反対意見もある。

● Denis 分類

Denis は損傷形態から，1)圧迫骨折，2)破裂骨折(p311 参照)，3)シートベルト型損傷(flexion-distraction injury)，4)脱臼骨折の4つの基本的カテゴリーに分類した[14](表Ⅱ-9-1)。

■ Chance 骨折[15]：棘突起から椎弓を経て椎弓根・椎体に骨折線が及ぶ骨組織に限局した損傷で，椎間関節や後方の靱帯組織の損傷はない。受傷直後は不安定型損傷のため後方固定術の適応だが，骨癒合が起こりやすいので後方の靱帯損傷による後弯変形のないこと(<約15°)が確認できれば，2～3週で安定化するため，保存療法も選択肢として考慮可能である(図Ⅱ-9-23, 24)。ただし，DISH を伴っている場合は骨折部に動きが集中するため骨癒合しにくく早期の固定術が望ましい(骨折椎体の頭尾側3椎体固定が原則)。

● AO 分類

胸腰椎損傷を病理形態学的な特徴から脊柱を前方・後方の2つの column でとらえ，損傷の重症度を考慮し，包括的に分類した。受傷メカニズムと形態的特徴から3つのタイプに分類される[16](表Ⅱ-9-2)。

type A／Compression fracture：前方要素損傷で，圧迫骨折あるいは破裂骨折を生じる。
type B／Tension band injury：前方・後方要素損傷で，前後左右への転位(translation)や脱臼を伴わないもの。
type C／Displacement/Translational injury：前後左右への転位または脱臼を伴う前方・後方要素損傷で，最も不安定な損傷である。

type A から type C になるに従い重症度(不安定性)は増し，それぞれのタイプやサブグループの中でも不安定性の程度により重症度順に並んでいるのが特徴である。

3 仙骨骨折[59～62]

仙骨骨折は比較的稀な外傷だが，ときに骨粗鬆症に合併することがある(不全骨折：insufficiency fracture)。高齢者やステロイド服用患者に殿部痛が持続している場合は，仙骨不全骨折を念頭に置き，骨シンチグラフィやMRIなどで診断を進める必要がある。一方，高エネルギー外傷による仙骨骨折は骨盤骨折を合併することもあり，出血対策などの全身管理とともに馬尾損傷や腰部神経障害を引き起こすことがあるので注意を要する。骨折型は，横骨折，縦骨折，混合型に分類され，ほとんどは縦骨折である。

仙骨骨折での神経損傷は，脊柱管内での馬尾損傷と仙骨孔での神経根損傷に分けられる。症状・所見としては，S1(ときに L5)以下の下腿筋麻痺と会陰部の知覚障害と膀胱直腸障害，アキレス腱反射の消失などである。

Denis らは仙骨を3つの zone に分けて仙骨骨折を分類している[17](図Ⅱ-9-25a)。zone 1(仙骨翼部分)での骨折は無症状のことが多く，zone 2(仙骨孔部分)では損傷された神経孔レベ

表Ⅱ-9-1 損傷形態による Denis 分類

1)圧迫骨折(compression fracture)	軸圧により生じる anterior column のみの損傷
2)破裂骨折(burst fracture)	軸圧により生じる anterior & middle column の損傷 posterior column の損傷がない
3)屈曲伸延損傷(seat belt fracture, flexion-distraction injury)	anterior & posterior column の損傷 ・Chance 骨折 ・後方要素の伸延による破裂骨折(burst fracture with distraction injury of posterior elements)
4)脱臼骨折(fracture-dislocation)	

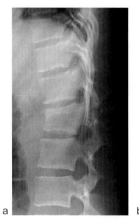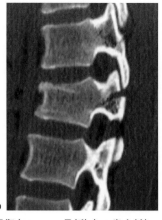

図Ⅱ-9-23　L1 屈曲伸延損傷（Chance 骨折）（20 歳女性）
　a：胸腰椎 X 線側面像，b：胸腰椎 CT 矢状断像，c：受傷後 1 年の全脊柱立位 X 線側面像
　スノーボードによる外傷．神経学的異常を認めないが，画像上 L1 椎体・椎弓根・棘間〜T12 棘突起に至る骨折を認めた．体幹ギプスに引き続き装具療法による保存療法で変形や疼痛を残さず治癒した．

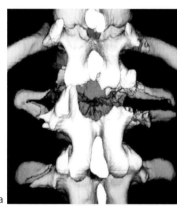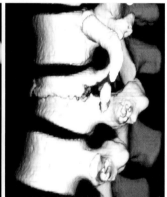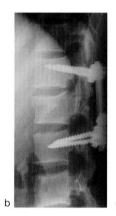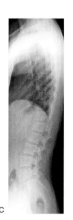

図Ⅱ-9-24　L1 屈曲伸延損傷（26 歳男性）
　a：受傷直後の腰椎 CT（MPR）像（後方および側方），b：後方固定術直後の胸腰椎 X 線側面像，c：抜釘後 3 年の全脊柱立位 X 線側面像．手術により後弯が矯正され，矢状面アライメントが維持されている．
　スノーボードによる外傷（ASIA 分類 E）．CT をみると椎体から横突起を通って椎弓に至る一椎体レベルの骨折で Chance 骨折様だが，後弯を伴っており後方靱帯損傷を疑う．受傷 9 日目に他院にて後方固定術を施行．骨癒合を確認後，術後半年で抜釘した．

表Ⅱ-9-2　胸腰椎損傷の AO 分類（文献 16 より）

- Type A. Compression fracture（圧迫による前方要素損傷）
    - A1：Wedge/impaction
    - A2：Split/pincer type
    - A3：Incomplete burst
    - A4：Complete burst　破裂骨折（詳細は p311〜318 参照）
- Type B. Tension band injury（前・後方要素損傷）
    - B1：Posterior transosseous disruption：いわゆる Chance 骨折（p295 参照）
    - B2：Posterior ligamentous disruption
    - B3：Anterior ligamentous disruption（hyperextension injury）
- Type C. Displacement/translational injury（脱臼や転位を伴う前・後方要素損傷）
- Neurologic status
    - N0：neurologically intact，N1：transient neurological deficit，N2：radiculopathy，
    - N3：incomplete spinal cord injury or cauda equina injury，N4：complete spinal cord injury（ASIS grade A），
    - NX：neurologic exam is unobtainable
- Case-specific modifiers
    - M1：indeterminate injury to the tension band based on spinal imaging（unclear posterior ligamentous complex）
    - M2：patient-specific comorbidity（AS, DISH, osteoporosis, poly-trauma, etc）

ルに応じて S1 根あるいは S2-4 根障害を呈し，ときに仙骨翼の頭側転位による L5 根障害もきたし得る（図II-9-25b）。また，zone 3（正中部脊柱管部分）の骨折では，会陰部知覚障害や肛門括約筋麻痺をきたし得る。仙骨自体は骨癒合しやすいため転位が小さければ保存的に治癒するが，頭側への転位による L5 根障害（疼痛あるいは麻痺）を認める場合は整復位での内固定が望ましい。特に，仙骨翼が頭側転位したまま変形治癒し L5 根性痛が残存した場合，その後の治療に難渋する。zone 3 での馬尾障害は椎弓切除による除圧術を要することもある。内固定は腸骨外側から仙骨に向けて複数本のスクリュー固定（透視装置を頭側および尾側に傾けることにより方向を確認）が望ましいが，骨盤骨折を合併する場合は前方の創外固定フレームとの併用が望ましい。

図II-9-26 に仙骨縦骨折の症例を示す。

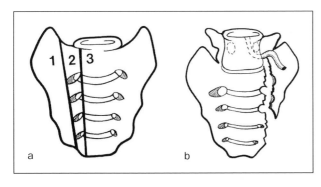

図II-9-25 仙骨骨折（文献 17 より）
　a：仙骨骨折の分類，b：仙骨骨折による L5 根障害（外傷性"far-out syndrome"）。仙骨翼が頭側後方に転位して L5 根が横突起との間で圧迫される。

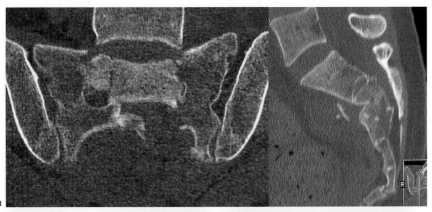

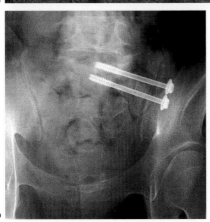
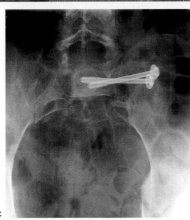

図II-9-26
仙骨骨折（zone 2＋zone 3）による神経障害（27 歳女性）
　a：術前の仙骨 CT（MPR）像，b：術後の仙骨 X 線正面像，c：術後の仙骨 X 線軸写像
　交通事故にて受傷，左側 L5 以下の不全麻痺。仙骨椎弓切除と仙骨の頭側への転位を整復し cannulated screw 2 本にて固定した[60]。

9-3. 麻痺に関して

脊髄損傷に関しては，頚髄損傷で上下肢の完全麻痺が起これば tetraplegia (quadriplegia)，胸腰髄損傷で両下肢の完全麻痺が起これば paraplegia という表現を使用する。

麻痺の重症度に関しては，大きくは完全麻痺と不全麻痺（図Ⅱ-9-27）に分類されるが，詳細な重症度分類としては，以下に示す Frankel 分類（表Ⅱ-9-3）と ASIA (American spinal injury association) 分類（表Ⅱ-9-4, 5, 図Ⅱ-9-28）がある。

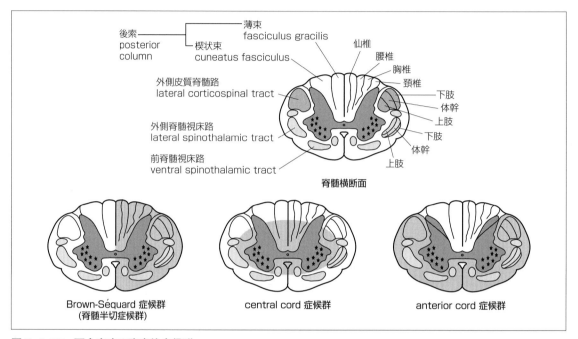

図Ⅱ-9-27　不全麻痺の臨床的症候群
Brown-Séquard 症候群：筋力の改善に関しては予後良好。central cord 症候群：中心性脊髄損傷で，下肢は上肢に比して優位に改善。anterior cord 症候群：前脊髄動脈支配領域で，筋力の改善に関しては予後不良。

表Ⅱ-9-3　Frankel 分類（文献 18 より）

A：complete	知覚完全麻痺	運動完全麻痺
B：sensory only	知覚一部残存	運動完全麻痺
C：motor useless	知覚一部残存	運動一部残存（歩行不能）
D：motor useful	知覚一部残存	運動一部残存（歩行可能）
E：complete recovery	反射異常以外は神経学的に正常	

表Ⅱ-9-4　ASIA impairment scale（文献 19 より）

A：complete	S4-5 髄節の知覚・運動機能が残存していない完全麻痺
B：sensory incomplete	損傷レベル以下の運動完全麻痺で，S4-5 髄節の知覚か肛門の深部圧が残存している
C：motor incomplete	損傷レベル以下の知覚と運動機能が一部残存しており，肛門収縮が認められる。筋力3以上の key muscle は半数未満に限定されている運動不全麻痺
D：motor incomplete	損傷レベル以下の運動不全麻痺だが，半数以上の key muscle が筋力3以上
E：normal	知覚・運動機能は正常

表Ⅱ-9-5 神経学的評価法と分類法(文献19より)

Muscle Function Grading

0 = total paralysis
1 = palpable or visible contraction
2 = active movement, full range of motion (ROM) with gravity eliminated
3 = active movement, full ROM against gravity
4 = active movement, full ROM against gravity and moderate resistance in a muscle specific position
5 = (normal) active movement, full ROM against gravity and full resistance in a functional muscle position expected from an otherwise unimpaired person
5* = (normal) active movement, full ROM against gravity and sufficient resistance to be considered normal if identified inhibiting factors (i.e. pain, disuse) were not present
NT = not testable (i.e. due to immobilization, severe pain such that the patient cannot be graded, amputation of limb, or contracture of > 50% of the normal ROM)

Sensory Grading

0 = Absent
1 = Altered, either decreased/impaired sensation or hypersensitivity
2 = Normal
NT = Not testable

When to Test Non-Key Muscles:

In a patient with an apparent AIS B classification, non-key muscle functions more than 3 levels below the motor level on each side should be tested to most accurately classify the injury (differentiate between AIS B and C).

Movement	Root level
Shoulder: Flexion, extension, abduction, adduction, internal and external rotation **Elbow:** Supination	C5
Elbow: Pronation **Wrist:** Flexion	C6
Finger: Flexion at proximal joint, extension. **Thumb:** Flexion, extension and abduction in plane of thumb	C7
Finger: Flexion at MCP joint **Thumb:** Opposition, adduction and abduction perpendicular to palm	C8
Finger: Abduction of the index finger	T1
Hip: Adduction	L2
Hip: External rotation	L3
Hip: Extension, abduction, internal rotation **Knee:** Flexion **Ankle:** Inversion and eversion **Toe:** MP and IP extension	L4
Hallux and Toe: DIP and PIP Flexion and abduction	L5
Hallux: Adduction	S1

ASIA Impairment Scale (AIS)

A = Complete. No sensory or motor function is preserved in the sacral segments S4-5.

B = Sensory Incomplete. Sensory but not motor function is preserved below the neurological level and includes the sacral segments S4-5 (light touch or pin prick at S4-5 or deep anal pressure) AND no motor function is preserved more than three levels below the motor level on either side of the body.

C = Motor Incomplete. Motor function is preserved at the most caudal sacral segments for voluntary anal contraction (VAC) OR the patient meets the criteria for sensory incomplete status (sensory function preserved at the most caudal sacral segments (S4-S5) by LT, PP or DAP), and has some sparing of motor function more than three levels below the ipsilateral motor level on either side of the body.
(This includes key or non-key muscle functions to determine motor incomplete status). For AIS C – less than half of key muscle functions below the single NLI have a muscle grade ≥ 3.

D = Motor Incomplete. Motor incomplete status as defined above, with at least half (half or more) of key muscle functions below the single NLI having a muscle grade ≥ 3.

E = Normal. If sensation and motor function as tested with the ISNCSCI are graded as normal in all segments, and the patient had prior deficits, then the AIS grade is E. Someone without an initial SCI does not receive an AIS grade.

Using ND: To document the sensory, motor and NLI levels, the ASIA Impairment Scale grade, and/or the zone of partial preservation (ZPP) when they are unable to be determined based on the examination results.

INTERNATIONAL STANDARDS FOR NEUROLOGICAL CLASSIFICATION OF SPINAL CORD INJURY

Steps in Classification

The following order is recommended for determining the classification of individuals with SCI.

1. Determine sensory levels for right and left sides.
The sensory level is the most caudal, intact dermatome for both pin prick and light touch sensation.

2. Determine motor levels for right and left sides.
Defined by the lowest key muscle function that has a grade of at least 3 (on supine testing), providing the key muscle functions represented by segments above that level are judged to be intact (graded as 5).
Note: in regions where there is no myotome to test, the motor level is presumed to be the same as the sensory level, if testable motor function above that level is also normal.

3. Determine the neurological level of injury (NLI)
This refers to the most caudal segment of the cord with intact sensation and antigravity (3 or more) muscle function strength, provided that there is normal (intact) sensory and motor function rostrally respectively.
The NLI is the most cephalad of the sensory and motor levels determined in steps 1 and 2.

4. Determine whether the injury is Complete or Incomplete.
(i.e. absence or presence of sacral sparing)
If voluntary anal contraction = **No** AND all S4-5 sensory scores = 0 AND deep anal pressure = **No**, then injury is **Complete**.
Otherwise, injury is **Incomplete**.

5. Determine ASIA Impairment Scale (AIS) Grade:

If sensation and motor function is normal in all segments, AIS=E
Note: AIS E is used in follow-up testing when an individual with a documented SCI has recovered normal function. At initial testing if no deficits are found, the individual is neurologically intact; the ASIA Impairment Scale does not apply.

表II-9-5 神経学的評価法と分類法（つづき）

Appendix I

Autonomic Standards Assessment Form

Patient Name: _____

General Autonomic Function

System/Organ	Findings	Abnormal conditions	Check mark
Autonomic control of the heart	Normal		
	Abnormal	Bradycardia	
		Tachycardia	
		Other dysrhythmias	
	Unknown		
	Unable to assess		
Autonomic control of blood pressure	Normal		
	Abnormal	Resting systolic blood pressure below 90 mmHg	
		Orthostatic hypotension	
		Autonomic dysreflexia	
	Unknown		
	Unable to assess		
Autonomic control of sweating	Normal		
	Abnormal	Hyperhydrosis above lesion	
		Hyperhydrosis below lesion	
		Hypohydrosis below lesion	
	Unknown		
	Unable to assess		
Temperature regulations	Normal		
	Abnormal	Hyperthermia	
		Hypothermia	
	Unknown		
	Unable to assess		
Autonomic and Somatic Control of Bronchopulmonary System	Normal		
	Abnormal	Unable to voluntarily breathe requiring full ventilatory support	
		Impaired voluntary breathing requiring partial vent support	
		Voluntary respiration impaired does not require vent support	
	Unknown		
	Unable to assess		

Autonomic Diagnosis: (Supraconal ☐, Conal ☐, Cauda Equina ☐)

Lower Urinary Tract, Bowel and Sexual Function

System/Organ	Score
Lower Urinary Tract	
Awareness of the need to empty the bladder	
Ability to prevent leakage (continence)	
Bladder emptying method (specify) _____	
Bowel	
Sensation of need for a bowel movement	
Ability to Prevent Stool Leakage (continence)	
Voluntary sphincter contraction	
Sexual Function	
Genital arousal (erection or lubrication) Psychogenic	
Reflex	
Orgasm	
Ejaculation (male only)	
Sensation of Menses (female only)	

2 = Normal function, 1 = Reduced or Altered Neurological Function
0 = Complete loss of control, NT = Unable to assess due to preexisting or concomitant problems

Date of Injury _____ Date of Assessment _____

This form may be freely copied and reproduced but not modified.
This assessment should use the terminology found in the International SCI Data Sets (ASIA and ISCoS - http://www.iscos.org.uk)

Examiner _____

Appendix II

INTERNATIONAL SPINAL CORD INJURY DATA SETS

Urodynamic Basic Data Set Form

Date performed: _____ ☐ Unknown

Bladder sensation during filling cystometry:
☐ Normal ☐ Increased ☐ Reduced ☐ Absent
☐ Non-specific ☐ Unknown

Detrusor function
☐ Normal ☐ Neurogenic detrusor overactivity
☐ Underactive detrusor ☐ Acontractile detrusor
☐ Unknown

Compliance during filling cystometry:
Low (< 10 mL/cm H_2O) ☐ Yes ☐ No ☐ Unknown

Urethral function during voiding:
☐ Normal ☐ Detrusor sphincter dyssynergia
☐ Non-relaxing urethral sphincter obstruction
☐ Not applicable ☐ Unknown

Detrusor leak point pressure _____ cm H_2O
☐ Not applicable ☐ Unknown

Maximum detrusor pressure _____ cm H_2O
☐ Not applicable ☐ Unknown

Cystometric bladder capacity _____ mL
☐ Not applicable ☐ Unknown

Post void residual volume _____ mL
☐ Not applicable ☐ Unknown

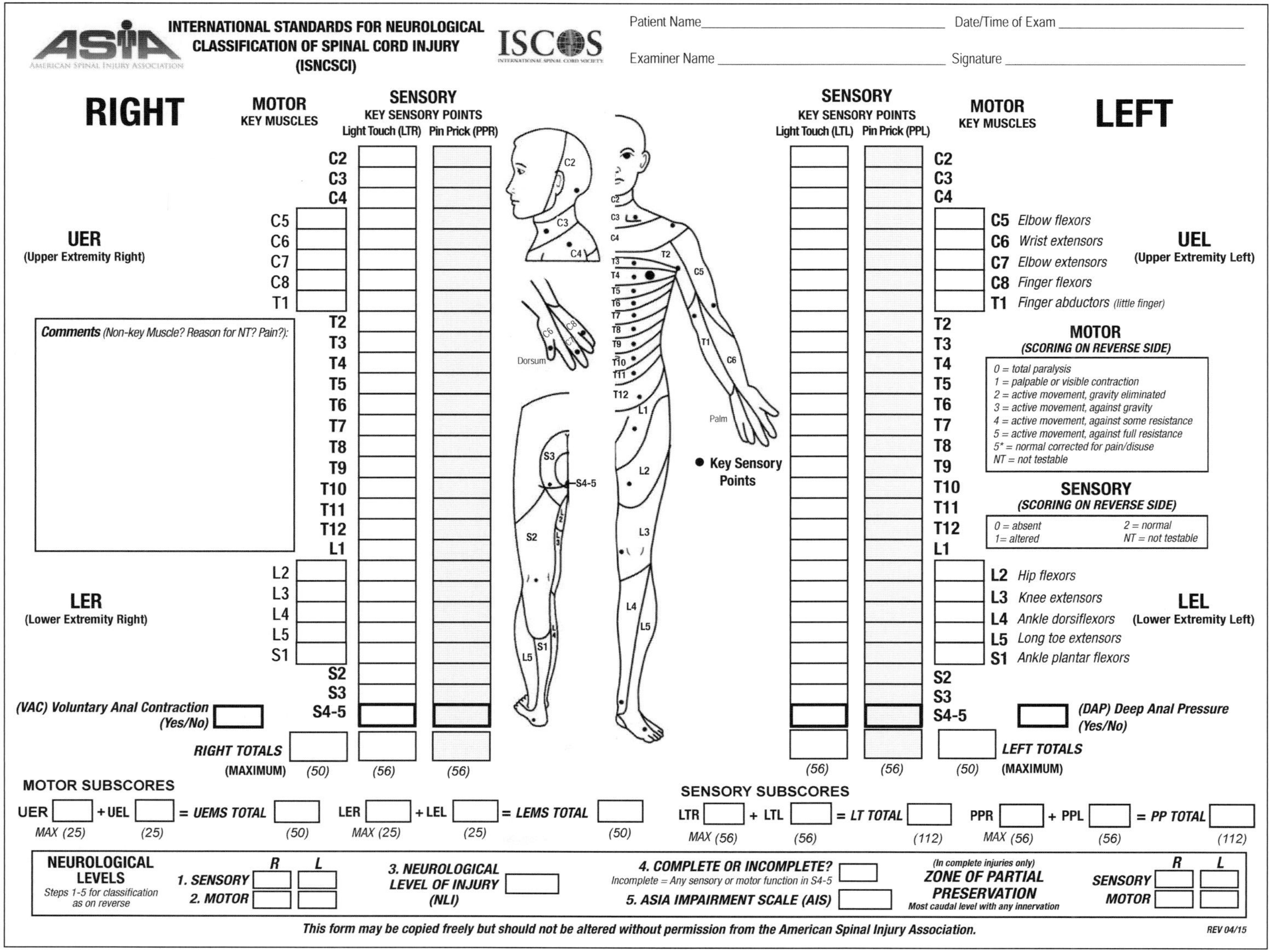
INTERNATIONAL STANDARDS FOR NEUROLOGICAL CLASSIFICATION OF SPINAL CORD INJURY (ISNCSCI)

ASIA AMERICAN SPINAL INJURY ASSOCIATION / ISCOS INTERNATIONAL SPINAL CORD SOCIETY

Patient Name ______ Date/Time of Exam ______

Examiner Name ______ Signature ______

RIGHT
MOTOR KEY MUSCLES
SENSORY KEY SENSORY POINTS Light Touch (LTR) Pin Prick (PPR)
C2 C3 C4
UER (Upper Extremity Right) C5 C6 C7 C8 T1
T2 T3 T4 T5 T6 T7 T8 T9 T10 T11 T12 L1
Comments (Non-key Muscle? Reason for NT? Pain?):
LER (Lower Extremity Right) L2 L3 L4 L5 S1
S2 S3 S4-5
(VAC) Voluntary Anal Contraction (Yes/No)
RIGHT TOTALS (MAXIMUM) (50) (56) (56)

LEFT
SENSORY KEY SENSORY POINTS Light Touch (LTL) Pin Prick (PPL)
MOTOR KEY MUSCLES
C2 C3 C4
C5 Elbow flexors
C6 Wrist extensors
C7 Elbow extensors
C8 Finger flexors
T1 Finger abductors (little finger)
UEL (Upper Extremity Left)
T2 T3 T4 T5 T6 T7 T8 T9 T10 T11 T12 L1

MOTOR (SCORING ON REVERSE SIDE)
0 = total paralysis
1 = palpable or visible contraction
2 = active movement, gravity eliminated
3 = active movement, against gravity
4 = active movement, against some resistance
5 = active movement, against full resistance
5* = normal corrected for pain/disuse
NT = not testable

SENSORY (SCORING ON REVERSE SIDE)
0 = absent 2 = normal
1= altered NT = not testable

L2 Hip flexors
L3 Knee extensors
L4 Ankle dorsiflexors
L5 Long toe extensors
S1 Ankle plantar flexors
LEL (Lower Extremity Left)
S2 S3 S4-5
(DAP) Deep Anal Pressure (Yes/No)
LEFT TOTALS (MAXIMUM) (56) (56) (50)

MOTOR SUBSCORES
UER ☐ + UEL ☐ = UEMS TOTAL ☐ LER ☐ + LEL ☐ = LEMS TOTAL ☐
MAX (25) (25) (50) MAX (25) (25) (50)

SENSORY SUBSCORES
LTR ☐ + LTL ☐ = LT TOTAL ☐ PPR ☐ + PPL ☐ = PP TOTAL ☐
MAX (56) (56) (112) MAX (56) (56) (112)

NEUROLOGICAL LEVELS
Steps 1-5 for classification as on reverse
1. SENSORY R L
2. MOTOR
3. NEUROLOGICAL LEVEL OF INJURY (NLI)
4. COMPLETE OR INCOMPLETE?
Incomplete = Any sensory or motor function in S4-5
5. ASIA IMPAIRMENT SCALE (AIS)
(In complete injuries only) ZONE OF PARTIAL PRESERVATION
Most caudal level with any innervation
SENSORY R L
MOTOR

This form may be copied freely but should not be altered without permission from the American Spinal Injury Association.

REV 04/15

図Ⅱ-9-28　American Spinal Injury Association（ASIA）が推奨する神経学的評価（文献 19 より）

9-4. 脊椎・脊髄損傷の診断

脊椎・脊髄損傷には，頭部外傷，臓器損傷，四肢骨折などの合併もしばしばみられ，系統的な全身状態の把握と診断が要求される。

1 神経学的診断

反射，知覚，筋力をみる。これにより障害の高位や程度を把握する（表Ⅱ-9-6, 7）。

損傷高位は一般的には，**最下位正常機能髄節**で表す。通常，C5/6レベル以下の損傷では自立可能である。

●四肢腱反射と球海綿体反射

脊髄損傷が存在すれば，損傷高位以下の反射は脊髄ショックにより消失する。anal wink（肛門周囲の皮膚刺激で肛門収縮をみる：反射中枢S3-5）と **球海綿体反射**（bulbocavernosus reflex：図Ⅱ-9-29）は，脊髄損傷の初期診断において重要である。

球海綿体反射の存在は（脊髄ショックがなく）脊髄円錐部のS2-4髄節が機能していることを意味し，脊髄損傷の予後を判定するうえで有用である。脊髄ショックの離脱とともに球海綿体反射や膝蓋腱反射（PTR）が出現してくる。球海綿体反射は最も早期に出現し（受傷後72時間以内で60〜70％），PTRは比較的遅れて出現してくる。球海綿体反射出現時に完全麻痺ならば，

表Ⅱ-9-6　頸髄損傷高位判定基準とADL予後予測（総合せき損センター評価表）（文献20, 21より）

髄節	頸椎高位	筋力評価	予後
C1, 2	C1	僧帽筋，胸鎖乳突筋が0-3	→24時間呼吸器
C3	C2	横隔膜完全麻痺	→睡眠時のみ呼吸器
C4	C3	横隔膜は動くが上肢筋力0	→呼吸器不要，電動車椅子
C5	C3/4	A：上腕二頭筋1-3	→電動車椅子，全介助
		B：上腕二頭筋4-5	→普通車椅子，全介助
C6	C4/5	A：手根伸筋1-3	→部分介助
		B：手根伸筋4-5	
C7	C5/6	A：上腕三頭筋1-3	→トランスファー可能
		B：上腕三頭筋4-5	小介助
C8	C6/7	A：指屈筋1-3	→車椅子で自立
		B：指屈筋4-5	自助具
T1	C7	骨間筋4以上	→車椅子で完全自立

表Ⅱ-9-7　脊髄損傷の高位診断における重要な運動高位

高位	key muscles	non-key muscles
C5	肘関節の屈曲	肩関節の屈伸・内外転・内外旋，前腕の回外
C6	手関節の背屈	前腕の回内，手関節の屈曲
C7	肘関節の伸展	手指の伸展と近位関節での屈曲，母指の伸展と橈側外転
C8	手指の屈曲	手指MP関節の屈曲，母指の対立・掌側内外転
T1	手指（小指）の外転	示指の外転
L2	股関節の屈曲	股関節の内転
L3	膝関節の伸展	股関節の外旋
L4	足関節の背屈	股関節の伸展・外転・内旋，膝関節の屈曲，足関節の内・外がえし，足趾MP・IP関節の伸展
L5	母趾の背屈	母趾・足趾DIP・PIP関節の屈曲・外転
S1	足関節の底屈	母趾の内転

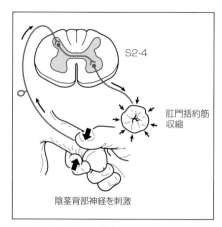

図Ⅱ-9-29　球海綿体反射(bulbocavernosus reflex)
亀頭または陰核を強く締めつけて陰茎背部神経を刺激すると肛門括約筋が収縮する。この反射の求心・遠心路はともに陰部神経で反射中枢はS2-4である。

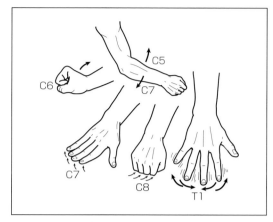

図Ⅱ-9-30　上肢の筋力評価
C5：肘関節屈曲，C6：手関節背屈，C7：肘関節伸展・手指伸展，C8：手指屈曲，T1：手指外転

従来は麻痺の改善は望めないと考えられてきた。しかし，実際には受傷後24〜48時間以内に球海綿体反射が出現した患者は麻痺の改善が認められることがある。したがって，麻痺の予後判定には，脊髄ショック離脱時の麻痺の状態よりも，球海綿体反射やPTR出現までの時間が重要であるかもしれない。

●知覚

痛覚と触覚をみておく。障害の境界をサインペンなどでマーキングし，経時的な変化を観察する。肛門周囲の知覚(sacral sparing)は必ずみておく。肛門周囲の知覚が保たれていると，脊髄損傷の予後は良いとされる。意識障害や挿管中で患者と会話できないときには，体幹を触診して発汗の有無を確認する。完全麻痺では発汗障害のため表面が乾燥しているので，触診によって胸髄損傷の障害レベルをある程度推察することができる。

sacral sparingとは肛門周囲の知覚(S2-4)が残存しているか，肛門括約筋の随意運動(S2-4)が認められるかをいう。

頚髄横断面において，仙髄への遠心路，仙髄からの求心路が最外側に位置し，損傷を受けにくい。

●筋力

各脊髄節のkey musclesを評価する(図Ⅱ-9-

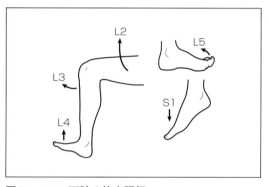

図Ⅱ-9-31　下肢の筋力評価
L2：股関節屈曲・内転，L3：膝関節伸展，L4：足関節背屈，L5：母趾背屈，S1：足関節底屈

30, 31)。長母趾屈筋の筋力が残っていれば予後は良いとされる。知覚検査と同様に経時的変化を観察し，記録しておく。

2　画像診断

●X線

損傷が疑われる高位での2方向撮影を施行する。頚椎なら4方向と開口位正面像，胸椎なら2方向とswimmer position側面像，腰椎なら2方向と胸腰椎移行部2方向，仙椎なら骨盤正面像とinlet view, outlet view(頭・尾側に40°傾斜させる)を撮影する。撮影は仰臥位で行う。側臥位での撮影は避けるべきである。

フィルムの出し入れは，脊柱に外力がかからないように注意して施行する。理学的所見から

撮影中心を指示する。頸髄損傷では，僧帽筋が働く一方，肩甲周囲筋が麻痺することから肩が挙上するので，肩を十分に引き下げて撮影する。上位胸椎ではswimmer positionでの撮影がよい。また，骨傷だけでなく脊柱のアライメント（椎体，棘突起）にも注意を払う。椎間関節嵌頓（facet interlocking）が疑われれば斜位像が必要であるが，片側性（unilateral）の場合は正面像で，棘突起の配列により変化をとらえる。椎体の骨折や脱臼を認めない場合，安定した損傷か不安定な損傷かを判断するには動態撮影が必要となるが，初期検査として動態撮影は行わない。

意識障害のない患者で痛みが残存している場合は，通常の2方向撮影で異常がないことを確認した後に，痛みをみながら前屈・後屈位で側面像を撮影し，不安定性の有無を確認する。

●CT

上記のX線検査では診断が困難な場合や，さらに詳細な情報が必要な場合には，CTが有用である（特に上位頸椎，頸胸椎移行部，骨盤など）。X線撮影では下位頸椎と上位胸椎の損傷を見逃しやすいので，CTにて検索することが重要である。骨性脊柱管の破壊の程度や，骨片の脊柱管内陥入の程度が観察できる。また，骨傷や靱帯損傷の評価には特にMPRによる矢状断像が有用である。

●MRI

椎間板損傷や脱出の有無が観察できる。輝度変化により，後方靱帯複合体の損傷についても観察し得る。現在の画像診断の中では，非侵襲的に髄内の病態を観察し得る唯一の方法である。また，脊髄損傷後，遅発性に脊髄空洞症を合併することがあるので，その早期診断にもMRIは有用である。

●椎骨動脈の評価[63〜66]

頸椎損傷，特にDF損傷（distraction-flexion injuries）による脱臼骨折では，椎骨動脈の損傷あるいは血栓形成により整復後，脳底動脈血栓症を引き起こす危険性がある。整復前に造影後CT（MPR）またはMRアンギオグラフィにて椎骨動脈の血流を評価し，異常が疑われる場合は血栓症に対する予防策が必要なことがあるので留意しておく。

9-5. 脊椎・脊髄損傷の治療[58]

急性脊髄損傷により完全麻痺が発生した場合，脊髄機能を回復させることは現在のところ不可能である。そのため，完全麻痺例の治療目的は，体幹支持機構としての脊柱を再建することである。一方，不完全麻痺例での治療目的は，脊髄圧迫因子の除去と，脊椎支持性の再建により二次的な脊髄損傷の防止と残存脊髄機能の回復を図ることである。したがって，脊髄損傷の診断・治療の際には，脊髄への圧迫因子と，脊椎不安定性について評価することが重要となる。脊髄損傷の治療方針は，損傷脊椎に対する治療と損傷脊髄に対する治療の両者を考慮し決定される。

1 全身管理

脊髄損傷があれば末梢血管が拡張し，出血と相まって血圧は極度に低下する。十分な補液にもかかわらず，循環動態が不安定ならば血管損傷も考慮して，出血源の検索に努める。貧血がなければ，カテコラミンで対処する。大量輸液を行った後には，水分バランスを計算して肺水腫に注意して適宜，利尿剤も使用する。上位頸髄損傷では横隔膜神経の麻痺が，下位頸髄損傷では肋間筋麻痺が起こるので，呼吸状態の観察も重要である。

頸椎脱臼骨折の整復操作時には，椎骨動脈血栓症により意識障害が発生することがあるので注意深い観察が必要である。気管内挿管時には慎重に行うことはいうまでもない。また気管切開は，後に頸椎前方固定術が必要になることもあり，頸椎損傷の治療方針が定まるまで極力避けるのがよい。しかし，喀痰が多かったり，肺活量が少なければ，躊躇せず気管切開やミニトラック®などで気道確保を行うことが生命予後を左右する。特に頸髄損傷や上位胸髄損傷で肺活量が500 mL以下の症例は，呼吸管理の観点から整復固定術後に気管切開を行ったほうがよい。

墜落など高エネルギー外傷による骨盤骨折で

は，まず出血コントロールを含む初期全身管理が必要となる。特に動脈性の出血に対しては肝動脈塞栓療法（transcatheter arterial chemoembolization：TAE）による止血も考慮する。

2 損傷脊椎に対する治療

損傷脊椎に対する治療は，骨傷が安定型か不安定型かで大別される。

安定型損傷の場合は，多くは保存療法が適応される。通常は装具による固定が選択される。頚椎であればhalo vestやフィラデルフィアカラー，胸腰椎であればTLSO（thoracolumbosacral orthosis）やベーラーギプスなどが使用される。

不安定型損傷の場合は，早期に整復（reduction）および固定（stabilization）が必要になる。脱臼骨折が代表例である。頚椎脱臼例（特にDF損傷）では，まず意識下（awake）で頭蓋直達牽引による非観血的整復を試みる（受傷後4〜6時間以内が理想的）。具体的には，手術室や救急室などで側面透視を随時確認しながら5kgから始め，10〜15kgまで徐々に牽引量を増やしていく。椎間関節が広がってくれば，徒手的に頚椎を屈曲することで整復されやすくなる。しかし，受傷後数日以上経過していたり，整復が困難な場合は，手術による整復固定術を計画する（片側性の椎間関節嵌頓（unilateral facet locking）は，椎間関節の骨折合併例を除いて整復できないことが多い）。胸腰椎損傷では牽引による整復操作は困難であり，手術療法が必要となる。

3 損傷脊髄に対する治療

損傷脊髄そのものに対して治療が有効かどうかは議論が多い。ステロイドをはじめとする薬物療法と，椎弓切除術をはじめとする除圧手術が報告されてきた。受傷直後の脊髄損傷の症例で，機能的には完全横断損傷であっても，形態的に機械的な外力が脊髄を完全に横断していることは稀である。受傷後に生じる脊髄内の生化学的・病理学的変化が症状を進行性に増悪させる。こうした病態はTatorらにより二次的損傷学説（secondary injury theory）との名称で提唱された[22]。この二次的損傷を最小限に止めるために，さまざまな薬物療法の試みがなされている。opiate antagonist，Ca channel blocker，ステロイドなどが動物実験では効果があったとの報告は多い。臨床例での薬剤の有効性を初めて証明したのはコハク酸メチルプレドニゾロンナトリウム（methylprednisolone sodium succinate：MPSS）の急性期投与の効果について検証を行った報告である（NASCIS Ⅱ，Ⅲ）[23,24,67]。

しかし，MPSS大量療法に対する批判的論文も複数報告[25〜29]されている。特に，肺炎などの感染症発生率が増すため，最近では脊髄損傷に対するMPSS大量療法は推奨されていない[29]。

4 損傷脊髄に対する手術療法[68,69]

手術療法が脊髄損傷の治療に有効か否かについても多くの議論がある。中枢神経である脊髄は再生能力が乏しく，損傷脊髄にはすでに不可逆性変化が生じているため手術療法の適応はないとの意見がある一方，脊髄損傷が可逆的状態であれば，可及的早期に圧迫を除去（decompression）することで脊髄損傷の進行を阻止できるとの意見もある。

完全麻痺例については早期の除圧手術の適応はないと考える。しかし，脊髄圧迫による不完全麻痺例や脊椎不安定性が存在する場合（特に両側椎間関節脱臼）は，早期手術療法の適応である[70]。また，脊椎不安定性が存在する場合は，早期離床を目的として待機的に固定手術を計画する[30]。

図Ⅱ-9-32に19歳女性の症例を示す。

●早期手術と待期手術の比較検討

Vaccaroらのprospective，randomized studyでは，受傷後72時間未満の早期手術と5日以上の待機手術に神経学的成績に有意差はなかった[31]。

Mirzaらはretrospective studyだが，受傷後72時間以内に手術したほうが神経学的成績が優れていると報告している[32]。

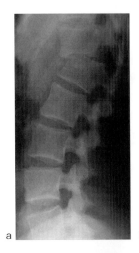
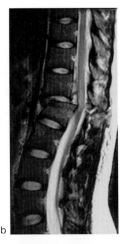
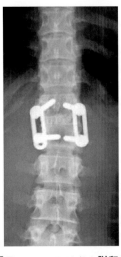
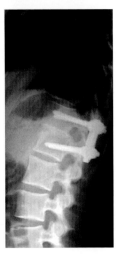

図Ⅱ-9-32　T12/L1 脱臼骨折に対する PLIF（19 歳女性）

a：術前の胸腰椎 X 線側面像，b：胸腰椎 MRI T2 強調矢状断像，c：後方からの椎体間固定術（PLIF）を施行後 5 年の胸腰椎 X 線 2 方向像

5 階から転落して受傷した T12/L1 脱臼骨折（Frankel 分類 C）。術後，神経症状は完全に改善し，骨癒合も得られた。

9-6. 脊髄損傷患者における注意すべき合併症

1 早期合併症

以下の早期合併症に注意しなければならない[33]。

1) 尿路感染症　24.0%
2) 呼吸器合併症　23.1%
3) 肺炎　13.5%
4) 心臓合併症　11.5%
5) 褥瘡　7.7%

2 その他の合併症

●**自律神経過反射（autonomic dysreflexia）**

自律神経の過緊張反射による発作性高血圧と頭痛，発汗を認める。T6 より高位の脊髄損傷患者の約半数が経験する。対策としては，尿が貯留していないか下腹部を触れることと導尿を行う。高血圧に対しては，α 遮断薬の点滴あるいは内服を試みるが，発汗発作に対しては，抗コリン薬（ポラキス®またはバップフォー®）内服が著効することもある。

●**深部静脈血栓症（DVT），肺塞栓症（PE）**

DVT は急性期脊髄損傷の 47～100% に認められ，高リスクと考える。フットポンプかヘパリンによる予防が必要だが（最初の 72 時間），知覚障害を認める脊髄損傷の場合は，潰瘍などの皮膚障害の危険性から長期のフットポンプの使用は避けるべきである。脊椎・脊髄周囲に血腫がある場合は，短期的には抗凝固療法は禁忌となるが，出血の危険がなければ，ヘパリン 5,000 単位を 8～12 時間毎に皮下注射する（歩行可能か離床できるまで）。硬膜外麻酔などを併用する場合は，ヘパリンを 2,500 単位に減量することも選択肢となる。

●**痙性（spasticity）**

バクロフェン（副作用は倦怠感），ダントロレン（副作用は肝毒性），ボツリヌス毒素などで治療するが，難治性のこともしばしば経験する。筋弛緩作用や抗うつ効果を期待して，セルシン®やデパス®などの抗不安薬（minor tranquilizer）が有効なこともある。

9-7. リハビリテーション

脊椎・脊髄損傷患者に対してのリハビリテーションの目的は，早期社会復帰である。

初期治療の間は，呼吸訓練，他動関節運動とともに，当然必要となってくる健側筋の筋力訓練を行う。

急性期後半では，呼吸機能や関節可動域の維持，良肢位の保持，早期の拘縮予防などに取り組む．同時に等尺性運動による筋の再教育に努める．患者が動けるようになれば，早期の職業指導を含む職業リハビリテーションを試みる．特に重要となるのは，麻痺手の機能回復訓練に向けてのリハビリテーション計画を立てることである．

1 呼吸器リハビリテーション

頚胸椎損傷患者では呼吸筋の運動が低下する．これによる換気障害だけでなく，呼吸器感染症は重大な問題となる．徒手により胸郭下部を固定し横隔膜の動きを高め，適切に換気できるよう随意筋を訓練する．体位ドレナージや，間欠性陽圧呼吸器を使用し，喀痰の喀出に努める．

2 拘縮予防

すべての大関節の可動域を他動運動にて維持する．運動は疼痛限界内で愛護的に行う．もし反射的な抵抗に逆らって強く行えば，特に上位運動ニューロン障害の患者では筋肉内や関節周囲に石灰化や異所性骨化を生じることがある．また，痙性が強い場合，足関節は尖足位に拘縮しやすく，将来の座位保持などに支障をきたす．胸腰椎損傷患者では，股関節を95°以上屈曲すると疼痛が増強することがあるので注意を要する．

9-8. 外傷後脊柱変形(posttraumatic spinal deformity)[71～78]

外傷性後弯(posttraumatic kyphosis)は胸腰椎部に多く，以下のタイプに分類される．
type Ⅰ：頂椎部の痛みを伴った15°以下の後弯を認める．後方からの矯正が可能．
type Ⅱ：anterior bridging を伴わない15°以上の後弯を認める．
type Ⅲ：anterior bridging を伴う後弯を認める．
type Ⅳ：retropulsion を伴った後弯を認める．

前屈・後屈位のX線，MRIかCTミエログラフィが必須で，可撓性や不安定性，偽関節の有無，圧迫因子の評価が術式選択に必要である．

fixed deformity に対する術式選択には，1)前方解離と固定＋後方インストゥルメンテーション，2)短縮矯正骨切り術(posterior shortening decancellation osteotomy, pedicle subtraction osteotomy：PSO)などがある．

図Ⅱ-9-33に44歳女性の症例を示す．

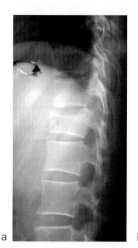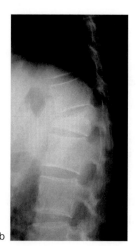

図Ⅱ-9-33 外傷後脊柱変形(44歳女性)
a：受傷時の胸腰椎X線側面像，b：受傷後7カ月の胸腰椎X線側面像，c：術後の胸腰椎X線側面像
T12破裂骨折後の後弯変形に対して，T12椎体骨切り術(pedicle subtraction osteotomy：PSO，p108：図Ⅰ-9-5参照)により後弯矯正を行った．

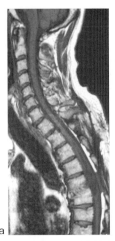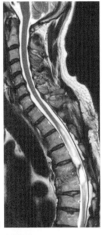

図Ⅱ-9-34 外傷性脊髄空洞症
a：頚胸椎MRI T1強調矢状断像，b：頚胸椎MRI T2強調矢状断像
胸髄損傷（T5/6）後の脊髄空洞症の症例を示す。a，bより損傷部位から空洞症が頭側に広がっているのがわかる。

9-9. 外傷性脊髄空洞症（post-traumatic syringomyelia）[79〜81]

くも膜の癒着，頚椎の動き，腹圧などが関与し，0.3〜3.2%の頻度で受傷後数年間に起こることが多い。治療には空洞くも膜下腔シャント（S-Sシャント）術などがある。

図Ⅱ-9-34に症例を示す。

9-10. Charcot spine（neuropathic spinal arthropathy, neuropathic spine, spinal neuroarthropathy）[82〜93]

脊髄損傷後に約1%の症例で，Charcot spineを呈する危険がある。痛覚や固有知覚の消失に繰り返される外傷が加わり発生すると考えられるが，感染が先行することもある。損傷部位の下位で胸腰椎移行部から腰椎に多い。近年身体障害者のスポーツ活動が盛んになるにつれて，その増加が危惧される。

症状としては，局所性の異常音（crunching noise）や，痛み（痛覚脱出している部位でも感じることがある），不安定性による座位保持困難で，感染を伴っていれば発熱が先行することもある。稀に，自律神経過反射（autonomic dysreflexia）による発作性高血圧，非麻痺域での発汗過多が前面に生じることもある（腹部内臓器の血液プールにT5から上位腰髄の支配する血管運動神経が関与するため，T5以上の脊髄損傷患者に多い）。

画像所見として，椎体および椎間関節の骨破壊（Denisによるthree column theoryすべてに及ぶ．図Ⅱ-9-22参照）と骨硬化の混在が特徴的だが，進行例では高度の骨破壊により椎体の大半が消失することもある。臥位と座位での高度な動揺性やMRIでの液体貯留も特徴的所見である。鑑別診断は化膿性脊椎炎，（転移性）骨腫瘍，Paget病などが挙げられる。ASH（DISH）合併例も多いことから，発症の危険因子としてストレスの集中，不安定性が考えられる[34]。下肢の痙性が消失し，弛緩性に変化した場合などには症状がなくてもCharcot spineによる馬尾障害を疑う[34]。

図Ⅱ-9-35，36に55歳男性，62歳女性のCharcot spineの症例を示す。

9-11. 非骨傷性脊髄損傷[94〜101]

1 疾患の概説

X線上，脱臼や椎体骨折などの骨傷の存在が明確に認められない脊髄損傷をいう。椎体前方の剥離骨折や棘突起骨折など脊柱管圧迫に影響しない骨折，椎体の後方すべりは，明らかな骨傷とはいえない。

頚椎がほとんどで，頚椎症性変化や頚椎後縦靭帯骨化症（OPLL）などによる脊柱管狭窄がもともと存在することが多く，日本人に多い損傷型である。特に65歳以上の高齢者の頚髄損傷ではおよそ60〜70%を占めている。受傷機転としては過伸展損傷が多く，頭部顔面の傷が多いことも特徴である。

問題点としては，脊柱管拡大術を含め，手術

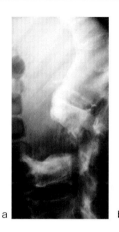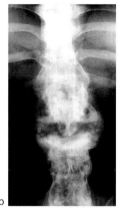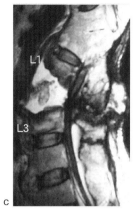

図Ⅱ-9-35　Charcot spine（55歳男性）

a：胸腰椎伸展位X線側面像，b：胸腰椎X線正面像（L1-3間の著明な不安定性とその頭尾側でDISHを認める），c：胸腰椎MRI T2強調矢状断像（間隙に液体貯留を認める）

55歳男性のT12胸髄損傷（完全麻痺）後36年を経たCharcot spineの症例。

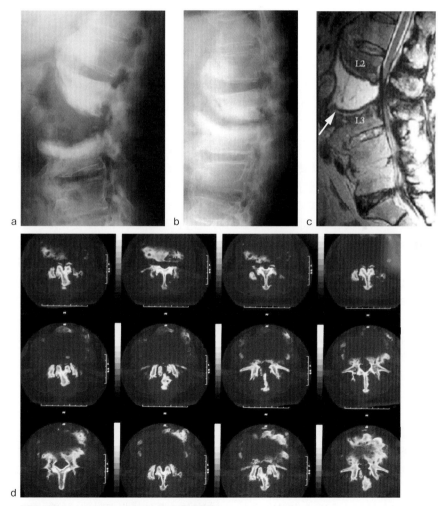

図Ⅱ-9-36　Charcot spine（62歳女性）

a：腰椎伸展位X線側面像，b：腰椎座位X線側面像（L2-3間に著明な不安定性とその頭尾側でDISHを認める），c：腰椎MRI T2強調矢状断像（L2/3間に大量の液体貯留（矢印）を認める），d：腰椎CT横断像（骨硬化と骨破壊が混在している）

62歳女性のT5胸髄損傷（完全麻痺）後23年を経たCharcot spineの症例。

時期や手術による麻痺の改善予測の困難などが挙げられる。

2 神経症候

脊髄圧迫に伴う髄内の応力分布と脊髄循環の観点から中心部が損傷されることが多い（Schneiderのいうcentral cord injury[35]）。

中心性脊髄損傷（central cord injury）は，灰白質障害と白質障害に分けて考える。つまり，白質の錐体路の下行線維（lateral corticospinal pyramidal tract）は下肢のものが上肢に至るものよりも外側に位置するため，障害は上肢優位になる。また，灰白質の障害は上肢の筋萎縮などの髄節徴候（segmental sign）として現れ，回復しにくい。

3 画像診断

●X線撮影のポイント

頚椎症性変化やOPLLなどによる脊柱管狭窄因子の有無をとらえる（静的および動的）。

注意すべきは，前方脱臼が自然整復されて骨傷がないようにみえる例で存在することである。前後動態撮影で，すべり，椎体間の開大など不安定性の有無をとらえる必要がある。

●後咽頭腔幅（retropharyngeal space）と気管後腔幅（retrotracheal space）の拡大の有無（図Ⅱ-9-37）

軸椎前下縁と咽頭後壁の距離は，小児でも成人でも7 mmを超えれば異常である。

C6椎体前下縁と気管後壁の距離は，小児で14 mm，成人で22 mmを超えれば異常である。

●MRIによる精査

まず椎間板や終板の後方突出の有無と，それによる脊髄圧迫の有無をチェックする。

前縦靱帯や棘上棘間靱帯の損傷や出血の有無をチェックする。

損傷脊髄の質的変化をとらえる。

T2強調像での高輝度は約90％以上の症例で認められ，変化は受傷24～72時間後に明瞭に出現し，1～2週で高信号領域は最大になる。軽症例では高信号範囲が重度麻痺例に比べて狭く，

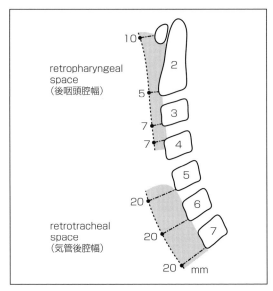

図Ⅱ-9-37　椎体前方軟部陰影の正常上限幅（成人）
（文献38より）

その後の拡大も少ない（1-2椎間以内）。T2強調像での高輝度は必ずしも予後不良を意味するものではなく，損傷高位と一致することが多く，受傷後1～3カ月で高信号領域は縮小し，損傷部に限局してくる。高位としてはC3/4が最も多く，およそ40～70％を占める。

T1強調像での輝度変化は予後に関連し，予後不良因子となり得る。T1強調像での低輝度は損傷壊死部の軟化（myelomalacia）を示すものと考えられ，受傷後1～3カ月の間に出現する。T1強調像での変化を認めにくい中心性脊髄損傷では，灰白質の出血などはなく，主に後索と皮質脊髄路の白質損傷と考えられる。

4 治療

保存療法が現在の治療の原則である。X線上，前屈・後屈位で不安定性がなければ，頚椎カラーを装着させて起座を許可する。カラーは3～4週程度で除去する。急性期の問題点は，呼吸器合併症である。肺活量が500 mL以下であれば，喀痰排出の目的で気管切開かミニトラック®による気道確保を行ったほうがよい。

慢性期の問題点は，肩や上肢の疼痛である。これらは精神的な要素と関節拘縮に起因することが多いため，早期から肩や上肢の十分な関節可動域訓練が重要である。

急性期においては，手術療法と保存療法との間で麻痺の改善に差は認められないことから，一般には急性期の手術適応はないが，頚椎症性変化やOPLLによる脊柱管狭窄因子が存在し，麻痺の改善が十分ではない症例では，圧迫性脊髄症として，待機的に椎弓形成術の適応となることがある。

日本で多い脊柱管狭窄を伴う非骨傷性頚髄損傷に対して入院後24時間以内の早期手術群と2週以後の待機手術群で多施設RCT[36]が行われた（両群ともOPLLはおよそ3分の1含まれていた）。その結果，非骨傷性頚髄損傷による不全麻痺症例（ASIA分類C）では早期手術群のほうがmotor scoreの回復が早いが，1年後の経過ではその差はほとんどなくなっていた。また，中心性頚髄損傷では両群で優位差がないことも判明した[37]。このことからASIA分類Cの麻痺症例では早期手術のほうが早期の回復を期待できるが，全身合併症が多い症例や中心性頚髄損傷では早期手術のメリットはないと考えられる。

9-12. 胸腰椎移行部の破裂骨折（thoracolumbar junction burst fracture）[102〜111]

破裂骨折（burst fracture）は高エネルギー外傷による損傷であり，胸腰椎移行部（T10-L2）が最も好発しやすい部位である。構造的に，胸腔に囲まれ固定された胸椎と，腹筋と傍脊柱筋に支持された生理的運動範囲の広い腰椎との移行部であり，椎間関節面の形態も冠状面から矢状面へと変化し，椎体の大きさ，椎間板の厚さ，断面積も増大して荷重に対しての力は分散され，緩衝作用は大きくなる。また，矢状面での弯曲が胸椎部の後弯から腰椎部の前弯へと移行する部位である。

1 分類

純粋な破裂骨折は軸圧（axial load）によって起こるが，それ以外の外力の作用機転として，屈曲力，回旋力，側屈力が加わる可能性がある。したがって画像上，脊柱管に突出した破裂骨折を呈していても後方要素の骨折や靭帯損傷を伴った屈曲伸延損傷（seat belt fracture），高度な不安定性を伴った脱臼骨折（fracture dislocation）は，純粋な軸圧による破裂骨折と治療方針の決定において区別することが必要である。

● Denis 分類

Denisは，前述の胸腰椎損傷の中で破裂骨折を5つのタイプに分類した[14]（図Ⅱ-9-38）。

type A，type Bが過半数を占める。

後方要素の損傷があるか，椎体の粉砕の程度が高度であれば不安定性が増す。

● AO 分類

破裂骨折は，前述のAO分類[16]のtype Aの中

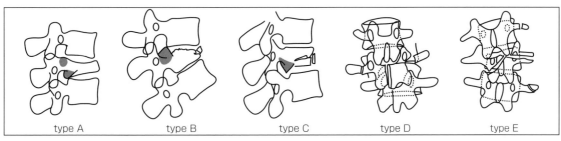

図Ⅱ-9-38　破裂骨折のDenis分類（文献14より）
- type A：椎体上下の終板損傷で，軸圧のみ作用する。
- type B：椎体上方の終板損傷で，軸圧に屈曲力が作用する。破裂骨折で最も頻度が高い。
- type C：椎体下方の終板損傷であるが，稀である。
- type D：軸圧に回旋力が加わった損傷で，椎体の破裂とともに椎弓の垂直骨折，椎弓根間距離の拡大がみられ，脱臼骨折と間違えられやすい。
- type E：軸圧に側屈が加わった損傷であり，椎体後壁の骨折により，脊柱管内に骨片が突出する点で側部圧迫骨折（lateral compression fracture）と鑑別される。

表Ⅱ-9-8　破裂骨折のAO分類（文献16より）

> A3：incomplete burst fracture
> 　椎体の頭側または尾側終板のみの破裂骨折。
> A4：complete burst fracture
> 　椎体頭尾側終板の破裂骨折で，圧迫力が加わると椎体高が均等に減少するが，屈曲力が加わると後弯変形を生じる危険性がある。

のA3かA4グループに分類され，椎体頭側終板，尾側終板および外側の粉砕を起こす亜型がある（表Ⅱ-9-8）。

2 評価[112]

胸腰椎移行部での破裂骨折の約50％に神経損傷が起こる。

以下の評価が治療選択のために必要となる。
1) 神経学的麻痺の有無：神経学的検査（Frankel分類やASIAスコア）
2) 脊柱安定性の評価：X線，CTで椎間関節，椎弓，後方要素の損傷をみる。
3) 後弯変形の程度：X線
4) 椎体高減少の程度：X線
5) 脊柱管占拠率：CT
6) 椎体の粉砕程度：CT
7) 後方靱帯損傷の有無：MRIは必須ではないが軟部損傷を確認できる。

X線評価では，椎体の扁平化，局所後弯に注意する。臥位での評価は必ずしも座位や立位での後弯を反映しないので，装具などの保存療法を選択した場合はある程度後弯の進行が起こることを知っておく必要がある。一般的には，20～25°以内の後弯は許容できるが，何°以上の後弯が将来痛みなどの問題を生じるかは正確にはわかっていない。

X線では脊柱管内や椎弓，椎間関節の正確な情報は得られず，CT検査は必須である。脊柱管内の骨片占拠状態や椎弓の亀裂の有無，椎間関節脱臼などは，3D-CTまたはMPRを行うとより詳細に評価される。

MRIは，軟部組織の硬膜管への圧排，安定性に関与する前縦靱帯や後縦靱帯など靱帯損傷の程度，出血・浮腫などを評価することが可能である。

脊柱安定性（stability）の評価に関してはさまざまな方法が報告されているが，以下にその一例を示す[113]。

● WhiteとPanjabiによる評価法
・前方要素の破壊あるいは機能不全　　2点
・後方要素の破壊あるいは機能不全　　2点
・矢状面での転位＞2.5mm　　　　　　2点
・矢状面での回旋＞5°　　　　　　　　2点
・脊髄あるいは馬尾の損傷　　　　　　2点
・肋椎関節の破壊　　　　　　　　　　1点
・危険な負荷が予想され得る　　　　　2点

以上7項目のチェックリスト計13点中5点以上は不安定骨折としている[39]。

3 治療

治療の目的としては，脊柱の支持性の獲得，変形の整復・予防，圧迫の除去である。脊柱不安定性および神経組織圧迫の有無に応じて手術療法が選択される。手術療法により早期のリハビリテーションが可能であること，神経機能改善の可能性があることから手術療法を支持する報告がある一方，神経症状がない破裂骨折に対してはむしろ手術療法には否定的な意見が多い。

神経症状がなくても脊柱管占拠率が50％以上なら神経症状が出現する危険性があり，また，保存療法では後弯が数度進行する危険性もあり，さらには数カ月は痛みが持続する危険性もある。したがって，そのような危険性を十分患者に説明し，保存療法を選択する必要がある。

● 保存療法の適応

保存療法は，以下の場合に適応となる。
1) 神経症状が全くない
2) 安定型骨折
　（屈曲伸延損傷でもChance骨折のような純粋な骨性損傷では保存療法で十分であ

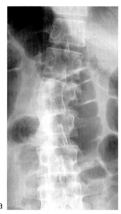 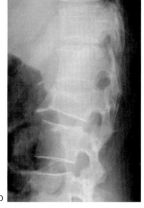 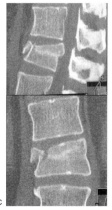

図Ⅱ-9-39　破裂骨折（Frankel 分類 E）の症例（41 歳男性）
　a：受傷時の胸腰椎 X 線正面像，b：受傷時の胸腰椎 X 線側面像，c：胸腰椎 CT（矢状断像・冠状断像）
　スノーボード外傷による L1 破裂骨折（Frankel 分類 E）。体幹ギプスと装具にて治療。受傷後 1 年で後弯が 24°残存するも背部痛などの障害なし。

表Ⅱ-9-9　破裂骨折—非手術群と手術群の患者データ（文献 40 より）

	非手術群	手術群
No. of patients	47	33
Median age at surgery：years（range）	44（19〜64）	42（20〜64）
Gender（male：female）	23：24	18：15
Patients with compensation issues：no.（%）	31（66）	24（72）
Level of fracture（T11：T12：L1：L2）	1：11：23：12	0：10：14：9
Mean kyphosis angle：°（range）	21±6（11〜35）	23±6（12〜33）
Retropulsion：%（range）	34±21（10〜70）	32±19（10〜70）
End plate fractured（both：top：bottom）	17：29：1	10：23：0
Load share score	4.1±0.9	3.9±0.8
Instrumentation used	None	23 VSP, 10 TSRH

VSP：variable screw placement，TSRH：Texas Scottish Rite Hospital

　る）
　3）脊柱管占拠率：50% 未満
　4）局所後弯：20〜25°未満

●**保存療法の実際**
　最も一般的に用いられているのが Böhler 法による体幹ギプスである。高さの異なる机，ベッドを一定間隔で設置し，頭側に高い机を用い，反張位をとらせる。体幹ギプスは，胸部は胸骨上端まで，下部は上前腸骨棘下および恥骨結合部まで巻く。4〜6 週後に TLSO に変えてもよいが，固定期間は通常 12 週間程度必要である。体幹ギプスは棘間靱帯などの後方部分の損傷がある場合，整復には慎重を要し，椎間関節脱臼を伴う場合には禁忌である。立位を許可してから必ず立位側面像にてアライメントに変化がないかを確認すべきである。
　図Ⅱ-9-39 に 41 歳男性の症例を示す。

●**保存療法と手術療法の比較検討**
　神経症状がない破裂骨折に対して，保存療法あるいは手術療法を選択するかは個々の症例によって異なる[114〜116]が，以下に prospective study を示す。

a. Shen らによる prospective study[40]
　表Ⅱ-9-9 に示すように 1 椎体の破裂骨折（椎間関節や椎弓根に及ばない後方要素の骨折があるものは含むが，後弯は 35°未満の症例）をきた

表Ⅱ-9-10　破裂骨折—非手術群と手術群の成績比較（文献40より）

	非手術群	手術群
Neurologic deficit	None	None
Hospital stay (days)	9.2	10.4
Mean kyphosis angle at injury：°(range)	24±6(11〜35)	23±6(12〜33)
Mean kyphosis angle at 2 years：°(range)	24±7(11〜36)	12±8(−1〜25)
Initial kyphosis correction：°	None	17±8
Kyphosis correction at 2 years：°(range)	−4(−6〜4)	11(−2〜24)
Pain score at 1 month	5.5±3.2	3.8±2.0
Pain score at 2 years	1.5±1.3	1.8±1.3
Low back outcome score at 2 years	65±10	61±11
Infections	None	1 Superficial
Broken screws	Not applicable	3(2 patients)
Employment		
Able to return to heavy work(%)	14/25(56)	10/16(63)
Able to return to light work(%)	12/14(86)	9/10(90)
Patient satisfaction		
Very satisfied：Satisfied：Unsatisfied：Very unsatisfied	18：23：6：0	10：18：3：2

した80人の患者を保存療法(hyper extension brace)と手術療法(VSP, TSRHを使用しての固定術)に分け，2年間の評価を行っている．

結果は**表Ⅱ-9-10**に示すとおりである．保存療法においては，受傷早期の背部痛が強いが，2年後では手術療法の結果と有意差はない．また，保存療法において最終的な後弯の程度は大きくなっている．しかし，満足度は保存療法のほうが良く，保存療法を支持する研究である．

b. Woodらによるprospective, randomized study[41,42]

神経学的に正常な47例の安定型破裂骨折に対するprospective, randomized study．椎間関節の骨折や脱臼，**屈曲伸延損傷(flexion-distraction ligament disruption)**など後方要素の靱帯損傷あるいは骨傷は除外しているが，椎弓骨折の有無や後弯の程度，椎体高の減少程度は除外項目に含まれていない．

手術群は後方または前方手術で，非手術群は8〜12週のギプス固定(cast)と4〜8週または12〜16週の装具による治療を最低2年(平均44カ月)追跡した(追跡率89％)．後弯角度は，手術群の術前平均10.1°(−10〜32°)から最終追跡時平均13°(−3〜42°)に対して，非手術群は平均11.3°(−12〜30°)から最終追跡時平均13.8°(−3〜28°)と有意差はなかった．

また，脊柱管前後径の占拠率も，手術群の術前平均39％(13〜63％)から最終追跡時平均22％(0〜58％)に対して，非手術群は平均34％(5〜75％)から最終追跡時平均19％(0〜46％)と有意差はなく，いずれも改善していた．

仕事への復帰や疼痛に関しても両群間に差はなく，長期的にみて手術群の有用性を証明するには至らなかった．

また，Woodらはその後の長期成績(16〜22年)を報告しており，安定型の破裂骨折では手術群よりも疼痛や機能面において非手術群のほうが良かったとしている[42]．後弯角度も手術群が平均13°，非手術群が平均19°と長期的にも有意差は認められなかった．

c. Siebengaらによるprospective, randomized study[43]

神経学的に正常な32例のAO分類type Aの胸腰椎骨折に対するprospective, randomized study．後方要素の破綻したtype Bは除外しているため，局所後弯は4〜30°(手術群，非手術群とも平均15〜17°)であった．手術群は全例Universal Spine System(USS™, DePuy Synthes)を使用しての椎弓根スクリューによるshort-segmentの固定を選択した．AO分類type A3(破裂骨折：burst fracture)では，手術群のほうが後弯角度および機能的にも優れていたとい

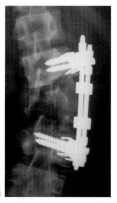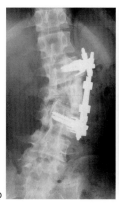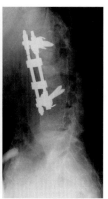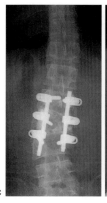

図Ⅱ-9-40　前方除圧固定術後の偽関節(23歳男性)
　a：前医での術後腰椎X線正面像，b：ロッド折損後の腰椎X線正面像(左)・側面像(右)，c：salvage手術後の胸腰椎X線正面像(左)・側面像(右)．
　L2破裂骨折に対して前医にて前方除圧固定術を受けた．不十分な整復と不適切なスクリュー設置によると思われる偽関節で，その後，脊柱変形と疼痛が出現した症例(Frankel分類C)．前後合併手術によりsalvage手術を施行した．

う報告である．

● 手術療法の適応

以下の場合には手術の適応となる．
1) 神経症状のあるもの(特に進行性の麻痺や脱臼骨折は緊急性がある)
2) 不安定性の強いもの(脱臼骨折または脊椎後方要素の著しい破壊，椎間関節の亜脱臼，棘突起間距離の拡大やMRIでの靱帯損傷)
3) 高度の脊柱管内陥入骨片を伴うもの(骨片占拠率50%以上)
4) 著しい椎体の粉砕または圧潰(椎体の50%以上)
5) 著しい後弯(胸椎で30°以上，移行部で20〜30°以上)

50%以上の脊柱管内陥入骨片占拠率は神経症状の危険があるとする報告[44]もあるが，一般的には**神経症状を伴わない脊柱管狭窄は，骨片吸収の可能性などから手術の適応にはならない**[45〜50]．

いずれにせよ，受傷時に神経損傷が存在しなくとも，遅発的不安定性の概念を十分に考慮する．

● 手術療法の選択肢

1) 前方除圧固定術
2) 後方固定術
3) 前方除圧術・骨移植＋後方インストゥルメンテーション
4) 後側方固定術(PLF)または後方経路椎体間固定術(PLIFまたはPTIF)

a. 前方除圧固定術

一般に胸腰椎移行部における前方インストゥルメンテーションとしてはrod systemが繁用され，前方法の利点であるshort segmentの強固な固定が得られる．手術時期としては，出血の観点からすると受傷直後よりも受傷翌日から1週以内が適当である．Denis分類type Bでは，損傷のない椎間を犠牲にしなければならないことが問題である．

図Ⅱ-9-40に破裂骨折に対する前方除圧固定術後の偽関節の症例を示す．

b. 後方固定術

前方支柱再建なしの椎弓根スクリューによるshort-segmentの固定は，failure率が高く，後方固定のみでは頭尾側2〜3ずつのlong fusionを要することが問題であった．後方要素が破壊されているときには，過度のdistraction forceをかけないように注意が必要である．Denis分類type Bでは，尾側の終板が残存しているので後方からPLIF(PTIF)を行い，前方に十分な骨移植を行うことができれば，その上下は骨移植せずに対処することによって尾側の椎間を温存させることは可能である(ただし，抜釘が必要である)．また，AO分類type Aなどの後方要素の破綻がない骨折では，USS™を使用しての椎弓根スクリューによるshort-segment固定で良

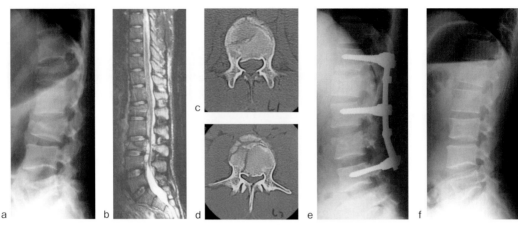

図Ⅱ-9-41 多発性破裂骨折に対する後方固定術(骨移植なし)(22歳男性)
a:受傷直後の腰椎X線側面像,b:腰椎MRI T2強調矢状断像,c:腰椎CT横断像(L1レベル),d:腰椎CT横断像(L3レベル),e:術直後の腰椎X線側面像,f:抜釘後1年の腰椎X線側面像
バイクの転倒事故にてL1とL3の破裂骨折を受傷(Frankel分類E)。後方固定術(除圧なし)を施行し,骨癒合を確認したので術後7カ月で抜釘した。

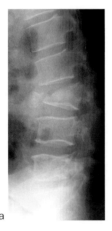
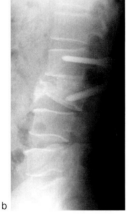

図Ⅱ-9-42 破裂骨折に対するPLIF(52歳男性)
a:受傷直後の腰椎X線側面像,b:L2/3 PLIF術後の腰椎X線側面像(術後1年半)
転落事故によるL3破裂骨折(Frankel分類E)。L3/4間の可動性を残す目的でPLIFを選択したが,後弯の矯正不足のため腰痛は残存した。

好な成績が報告されている[43]。このシステムをtemporaryに使用してAonoら[51〜53]も良好な治療成績を報告しているが,脊柱管占拠率が高い症例や後弯が強い症例では矯正損失が生じやすい。

図Ⅱ-9-41に多発性破裂骨折に対する後方固定術の症例を示す。

図Ⅱ-9-42に破裂骨折に対するPLIFの症例を示す。

図Ⅱ-9-43に破裂骨折に対する後方単独アプローチによる椎体亜全摘術の症例を示す。

c. 前後合併同時固定術

脊柱管内に骨片が占拠している場合には前方の除圧が必要となり,前方には椎体固定およびインストゥルメンテーションを,後方には骨移植とともに何らかの補助固定を行う。

図Ⅱ-9-44に42歳女性の症例を示す。

●**前方除圧固定術と後方固定術の比較検討**

Essesらによる40例の破裂骨折のprospective randomized studyで,後方固定術(AOの内固定使用)と前方手術を比較(平均20カ月の追跡)したところ,術前脊柱管占拠率が後方法で44.5%,前方法で58%であった。術後は後方法で16.5%,前方法で4%と前方法で有意に改善した。術前後弯角は後方法で18.2°,前方法で18.7°であったが,術後の後弯矯正角度は後方法で11°,前方法で9°と有意差はなかった[55]。結論として,後方法でも有効な除圧は得られるが,前方法には劣る。

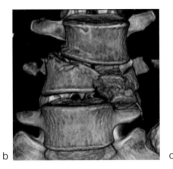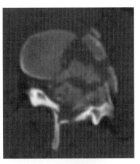
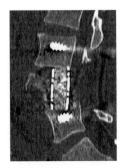

図Ⅱ-9-43　L4破裂骨折に対する後方単独アプローチによる椎体亜全摘術（posterior vertebral column resection）による脊柱再建（32歳男性）（文献54より）
　a：腰椎CT矢状断像，b：腰椎3D-CT，c：腰椎CT横断像（L4），d：術後の腰椎CT冠状断像，矢状断像，e：術後2カ月の腰椎X線側面像
　10mの建設現場から転落して受傷。L4椎体の高度な圧潰と椎体回旋転位，後壁骨片の脊柱管内への著しい突出を認めた。

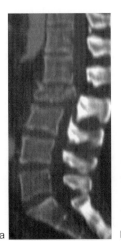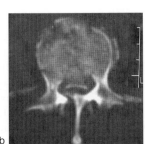

図Ⅱ-9-44　破裂骨折（Frankel分類C）の症例（42歳女性）
　a：腰椎MPR矢状断像，b：腰椎CT横断像，c：術後の腰椎X線側面像
　墜落によるL2破裂骨折（Frankel分類C）。前方除圧・腓骨移植術に加えて後方固定術を施行し，Frankel分類Eに改善した。

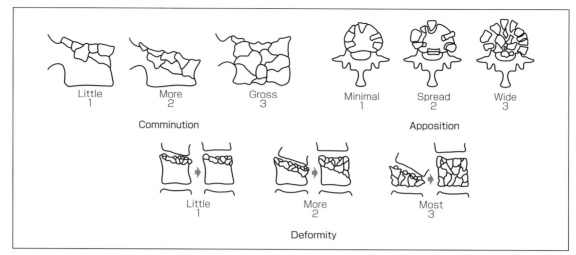

図Ⅱ-9-45　load sharing 分類(文献 56 より)

McCormack らは，short segment インストゥルメンテーションを施行する際の適切なアプローチ(前方か後方)を選択するために load sharing 分類(**図Ⅱ-9-45**)を提唱した。脊椎骨折に対する椎弓根スクリュー(pedicle screw)固定の術後成績から，instrumentation failure に基づく変形の進行を後ろ向きに検討して，術前のより良い再建方法を模索するため，この scoring system を用いて前方再建および後方再建の選択につき言及している。この分類では，椎体破壊の程度を3項目につき定量化し，各項目にそれぞれ1～3点を配して計3～9点で評価する。そして，椎体破壊が大きいほど点数が高くなるように設定され，合計点が6点以下では椎弓根スクリューによる後方固定術の適応とし，7点以上の高度破壊例では前方支柱を用いた前方再建の必要があるとしている[56]。

a. 椎体粉砕(comminution)
CT sagittal 画像において，破裂部分が30%以下を1点，30～60%を2点，60%以上(gross)を3点とする。

b. 骨片転位(apposition of fragment)
CT axial 画像において，骨片の広がりの程度が0～1 mm の骨片の転位を1点，椎体の50%以下において2 mm 以上の転位を2点，椎体の50%以上において2 mm 以上の転位を3点とする。

c. 後弯変形(deformity)
X 線側面像にて後弯変形を矯正する必要角度が3°以下の場合を1点，4～9°を2点，10°以上を3点とする。

4 合併症

Glenn らは，保存療法(6 週間の kinetic bed)と手術療法(後方固定術)では，合併症(褥瘡，DVT，PE，死亡率)に有意差はなかったと報告している[57]。

引用文献

1) Bellabarba C, Mirza SK, Chapman JR：Chapter 38, Injuries of the cranio cervical junction. Rockwood and Green's fractures in adults 6th ed(Bucholz RW, Heckman JD, Court-Brown C, ed), Lippincott Williams & Wilkins, p1438, 2006.
2) Anderson LD, D'Alonzo RT：Fracture of the odontoid process of the axis. J Bone Joint Surg Am 56：1663-1674, 1974.
3) Nourbakhsh A, Shi R, Vannemreddy P, et al：Operative versus nonoperative management of acute odontoid Type Ⅱ fractures：a meta-analysis. J Neurosurg Spine 11：651-658, 2009.
4) Kim DH, Vaccaro AR, Affonso J, et al：Early predictive value of supine and upright X-ray films of odontoid fractures treated with halo-vest immobilization. Spine J 8：612-618, 2008.
5) Fielding JW, Hawkins RJ：Atlanto-axial rotatory fixation(Fixed rotatory subluxation of the atlanto-axial joint). J Bone Joint Surg Am 59：37-44, 1977.
6) Govender S, Kumar KP：Staged reduction and stabilisation in chronic atlantoaxial rotatory fixation. J Bone Joint Surg Br 84：727-731, 2002.

7) Ishii K, Chiba K, Maruiwa H, et al：Pathognomonic radiological signs for predicting prognosis in patients with chronic atlantoaxial rotatory fixation. J Neurosurg Spine 5：385-391, 2006.
8) Oshima K, Sakaura H, Iwasaki M, et al：Subclinical chronic atlanto-occipital rotatory fixation：a case report. JBJS Case Connect 2：e41 1-3, 2012.
9) Kashii M, Masuhara K, Kaito T, et al：Rotatory subluxation and facet deformity in the atlanto-occipital joint in patients with chronic atlantoaxial rotatory fixation：two case reports. J Orthop Case Rep 7：59-63, 2017.
10) Allen BL, Ferguson RL, Lehmann TR, et al：A Mechanistic classification of closed, indirect fractures and dislocations of the lower cervical spine. Spine 7：1-27, 1982.
11) Rizzolo SJ, Cotler JM：Unstable cervical spine injuries；specific treatment approaches. J Am Acad Orthop Surg 1：57-66, 1993.
12) Haku T, Okuda S, Kanematsu F, et al：Repair of cervical esophageal perforation using longus colli muscle flap：a case report of a patient with cervical spinal cord injury. Spine J 8：831-835, 2008.
13) Holdsworth FW：Fractures, dislocations, and fracture-dislocations of the spine. J Bone Joint Surg Am 52：1534-1551, 1970.
14) Denis F：The three column spine and its significance in the classification of acute thoracolumbar spine injuries. Spine 8：817-831, 1983.
15) Chance GQ：Note on a type of flexion fracture of the spine. Br J Radiol 21：452-453, 1948.
16) Vaccaro AR, Oner C, Kepler CK, et al：AOSpine Thoracolumbar spine injury classification system：fracture description, neurological status, and key modifiers. Spine 38：2018-2037, 2013.
17) Denis F, Davis S, Comfort T：Sacral fractures：an important problem. Prospective analysis of 236 cases. Clin Orthop 227：67-81, 1988.
18) Frankel HL, Hancock DO, Hyslop G, et al：The value of postural reduction in the initial management of closed injuries of the spine with paraplegia and tetraplegia. I. Paraplegia 7：179-192, 1969.
19) American Spinal Injury Association：International Standards for Neurological Classification of Spinal Cord Injury, revised 2015, Atlanta, GA, Reprinted 2015.
20) Zancolli E：Surgery for the quadriplegic hand with active, strong wrist extension preserved. A study of 97 cases. Clin Orthop 112：101-113, 1975.
21) 植田尊善, 芝啓一郎：頸髄損傷；急性期の対応と予後. 日脊会誌 12：389-417, 2001.
22) Tator CH：Review of the secondary injury theory of acute spinal cord trauma with emphasis on vascular mechanisms. J Neurosurg 75：15-26, 1991.
23) Bracken MB, Shepard MJ, Collins WF, et al：A randomized, controlled trial of methylprednisolone or naloxone in the treatment of acute spinal cord injury. Results of the Second National Acute Spinal Cord Injury Study. N Engl J Med 322：1405-1411, 1990.
24) Bracken MB, Shepard MJ, Holford TR, et al：Administration of methylprednisolone for 24 or 48 hours or tirilazad mesylate for 48 hours in the treatment of acute spinal cord injury. Results of the Third National Acute Spinal Cord Injury Randomized Controlled Trial. National Acute Spinal Cord Injury Study. JAMA 277：1597-1604, 1997.
25) Hurlbert RJ：Methylprednisolone for acute spinal cord injury：an inappropriate standard of care. J Neurosurg 93(1 Suppl)：1-7, 2000.
26) Pointillart V, Petitjean ME, Wiart L, et al：Pharmacological therapy of spinal cord injury during the acute phase. Spinal Cord 38：71-76, 2000.
27) Matsumoto T, Tamaki T, Kawakami M, et al：Early complications of high-dose methylprednisolone sodium succinate treatment in the follow-up of acute cervical spinal cord injury. Spine 26：426-430, 2001.
28) Hurlbert RJ：The role of steroids in acute spinal cord injury. An evidence-based analysis. Spine 26：S39-S46, 2001.
29) Ito Y, Sugimoto Y, Tomioka M, et al：Does high dose methylprednisolone sodium succinate really improve neurological status in patient with acute cervical cord injury? Spine 34：2121-2124, 2009.
30) Fehlings MG, Sekhon LH, Tator C：The role and timing of decompression in acute spinal cord injury. What do we know? What should we do? Spine 26：S101-S110, 2001.
31) Vaccaro AR, Daugherty RJ, Sheehan TP, et al：Neurologic outcome of early versus late surgery for cervical spinal cord injury. Spine 22：2609-2613, 1997.
32) Mirza SK, Krengel WF 3rd, Chapman JR, et al：Early versus delayed surgery for acute cervical spinal cord injury. Clin Orthop 359：104-114, 1999.
33) Fletcher DJ, Taddonio RF, Bryne DW, et al：Incidence of acute care complications in vertebral column fracture patients with and without spinal cord injury. Spine 20：1136-1146, 1995.
34) Morita M, Miyauchi A, Okuda S, et al：Charcot spine following spinal cord injury. J Neurosurg Spine 9：419-426, 2008.
35) Schneider RC, Cherry GL, Pantek HE：The syndrome of acute central cervical spinal cord injury. J Neurosurg 11：546-577, 1954.
36) Chikuda H, Ohtsu H, Ogata T, et al：Optimal treatment for spinal cord injury associated with cervical canal stenosis(OSCIS)：a study protocol for a randomized controlled trial comparing early versus delayed surgery. Trials 14：245, 2013.
37) Chikuda H：The OSCIS investigators. Effect of early vs delayed surgical treatment on motor recovery in incomplete cervical spinal cord injury with preexisting cervical stenosis. A randomized clinical trial. JAMA Netw Open 4：e2133604, 2021.

38) Penning L: Prevertebral hematoma in cervical spine injury: incidence and etiologic significance. AJR Am J Roentgenol 136: 553-561, 1981.
39) White AA, Panjabi MM: Clinical Biomechanics of the Spine, Lippincott Williams & Wilkins, pp236-251, 1978.
40) Shen WJ, Liu TJ, Shen YS: Nonoperative treatment vs posterior fixation for thoracolumbar junction burst fractures without neurologic deficit. Spine 26: 1038-1045, 2001.
41) Wood K, Butterman G, Mehbod A, et al: Operative compared with nonoperative treatment of a thoracolumbar burst fracture without neurological deficit. A prospective, randomized study. J Bone Joint Surg Am 85: 773-781, 2003.
42) Wood KB, Butterman GR, Phukan R, et al: Operative compared with nonoperative treatment of a thoracolumbar burst fracture without neurological deficit: A prospective, randomized study with follow-up at sixteen to twenty-two years. J Bone Joint Surg Am 97: 3-9, 2015.
43) Siebenga J, Leferink VJM, Segers MJM, et al: Treatment of traumatic thoracolumbar spine fractures: A multicenter prospective randomized study of operative versus nonsurgical treatment. Spine 31: 2881-2890, 2006.
44) Trafton PG, Boyd CA Jr: Computed tomography of thoracic and lumbar spine injuries. Trauma 24: 506-515, 1984.
45) Mumford J, Weinstein JN, Spratt KF, et al: Thoracolumbar burst fractures. The clinical efficacy and outcome of nonoperative management. Spine 18: 955-970, 1993.
46) Scapinelli R, Candiotto S: Spontaneous remodeling of the spinal canal after burst fractures of the low thoracic and lumbar region. J Spinal Disord 8: 486-493, 1995.
47) Ha KI, Han SH, Chung M, et al: A clinical study of the natural remodeling of burst fractures of the lumbar spine. Clin Orthop 323: 210-214, 1996.
48) Yazici M, Atilla B, Tepe S, et al: Spinal canal remodeling in burst fractures of the thoracolumbar spine: a computerized tomographic comparison between operative and nonoperative treatment. J Spinal Disord 9: 409-413, 1996.
49) Karlsson MK, Hasserius R, Sundgren P, et al: Remodeling of the spinal canal deformed by trauma. J Spinal Disord 10: 157-161, 1997.
50) De Klerk LW, Fotijne WP, Stijnen T, et al: Spontaneous remodeling of the spinal canal after conservative management of thoracolumbar burst fractures. Spine 23: 1057-1060, 1998.
51) Aono H, Tobimatsu, H, Ariga K, et al: Surgical outcomes of temporary short-segment instrumentation without augmentation for thoracolumbar burst fractures. Injury 47: 1337-1344, 2016.
52) Aono H, Ishii K, Tobimatsu H, et al: Temporary short-segment pedicle screw fixation for thoracolumbar burst fractures: comparative study with or without vertebroplasty. Spine J 17: 1113-1119, 2017.
53) Aono H, Ishii K, Takenaka S, et al: Risk factors for a kyphosis recurrence after short-segment temporary posterior fixation for thoracolumbar burst fractures. J Clin Neurosci 66: 138-143, 2019.
54) 長本行隆, 柏井将文, 藤森孝人, 他:不安定な第4腰椎破裂骨折に対し, 後方アプローチ単独で神経除圧と脊柱再建術を行った1例. 臨整外 47: 287-291, 2012.
55) Esses SI, Botsford DJ, Kostuik JP: Evaluation of surgical treatment for burst fractures. Spine 15: 667-673, 1990.
56) McComack T, Karaikovic E, Gaines RW: The load sharing classification of spine fractures. Spine 19: 1741-1744, 1994.
57) Glenn GR 2nd, Cahill D, Chrin AM: Treatment of thoracolumbar trauma: Comparison of complications of operative VS Nonoperative Treatment. J Spinal Disord 12: 406-409, 1999.

参考文献
58) 金澤淳則, 米延策雄:救急画像診断と初期治療 脊椎・脊髄損傷について(2). 外科治療 78: 479-486, 1998.
59) Gibbons KJ, Soloniuk DS, Razack N: Neurological injury and patterns of sacral fractures. J Neurosurg 72: 889-893, 1990.
60) Templeman D, Goulet J, Duwelius PJ, et al: Internal fixation of displaced fractures of the sacrum. Clin Orthop 329: 180-185, 1996.
61) Taguchi T, Kawai S, Kaneko K, et al: Operative management of displaced fractures of the sacrum. J Orthop Sci 4: 347-352, 1999.
62) 奥田真也, 岩﨑幹季, 宮内晃, 他:神経症状を伴った仙骨骨折の1例. 大労医誌 25: 55-58, 2001.
63) 松本亨, 岡本健, 鴻野公伸, 他:頚椎損傷後脳幹梗塞を併発した1例. 日救急医誌 2: 944-948, 1991.
64) 小川真司, 藤井玄二, 石橋賢太郎, 他:論究 頚椎外傷における椎骨動脈損傷. 整・災外 46: 1485-1492, 2003.
65) Giacobetti FB, Vaccaro AR, Bos-Giacobetti MA, et al: Vertebral artery occlusion associated with cervical spine trauma: a prospective analysis. Spine 22: 188-192, 1997.
66) Taneichi H, Suda K, Kajino T, et al: Traumatically induced vertebral artery occlusion associated with cervical spine injuries: prospective study using magnetic resonance angiograph. Spine 30: 1955-1962, 2005.
67) Bracken MB, Shepard MJ, Collins WF, et al: Methylprednisolone or naloxon treatment after acute spinal cord injury: 1-year follow-up data. Results of the Second National Acute Spinal Cord Injury Study. J Neurosurg 76: 23-31, 1992.
68) 斎藤正史:頚椎・頚髄損傷の手術治療―整形外科の

立場から─. 日パラプレジア医会誌 7：24-25, 1994.
69) 植田尊善, 芝啓一郎：頚髄損傷─急性期の対応と予後. 日脊会誌 12：389-417, 2001.
70) Wolf A, Levi L, Mirvis S, et al：Operative management of bilateral facet dislocation. J Neurosurg 75：883-890, 1991.
71) Abumi K, Shono Y, Taneichi H, et al：Correction of cervical kyphosis using pedicle screw fixation systems. Spine 24：2389-2396, 1999.
72) Kostuik JP, Gilles RM, Richardson WJ, et al：Combined single stage anterior and posterior osteotomy for correction of iatrogenic lumbar kyphosis. Spine 13：257-266, 1988.
73) Kostuik JP, Matsusaki H：Anterior stabilization, instrumentation and decompression for post-traumatic kyphosis. Spine 14：379-386, 2000.
74) Lehmer SM, Keppler L, Biscup RS, et al：Posterior transvertebral osteotomy for adult thoracolumbar kyphosis. Spine 19：2060-2067, 1994.
75) Malcolm BW, Bradford DS, Winter RB, et al：Post-traumatic kyphosis：A review of forty-eight surgically treated patients. J Bone Joint Surg Br 63：891-899, 1981.
76) Roberson JR, Whitesides TE Jr：Surgical reconstruction of late posttraumatic thoracolumbar kyphosis. Spine 10：307-312, 1985.
77) Shufflebarger HL, Clark CE：Thoracolumbar osteotomy for postsurgical sagittal imbalance. Spine 17 (8 Suppl)：287-290, 1992.
78) Wu SS, Hwa SY, Lin LC, et al：Management of rigid post-traumatic kyphosis. Spine 21：2260-2266, 1996.
79) Lee TT, Alameda GJ, Gromelski EB, et al：Outcome after surgical treatment of progressive post-traumatic cystic myelopathy. J Neurosurg Spine 92：149-154, 2000.
80) Asano M, Fujiwara K, Yonenobu K, et al：Post-traumatic syringomyelia. Spine 12：1446-1453, 1996.
81) Sgouros S, Williams B：Management and outcome of post-traumatic syringomyelia. J Neurosurg 85：197-205, 1996.
82) Charcot JM：Sur quelques arthropathies qui paraissent dépendre d'une lésion du cerveau ou de la moelle épinière. Arch Physiol Norm Pathol 1：161-178, 1868.
83) Cleveland M, Wilson HJ Jr：Charcot disease of the spine：a report of two cases treated by spine fusion. J Bone Joint Surg Am 41：336-340, 1959.
84) Slabaugh PB, Smith TK：Neuropathic spine after spinal cord injury. A case report. J Bone Joint Surg Am 60：1005-1006, 1978.
85) Sobel JW, Bohlman HH, Freehafer AA：Charcot's arthropathy of the spine following spinal cord injury. J Bone Joint Surg Am 67：771-776, 1985.
86) Hoppenfield S, Gross M, Giangarra C：Non-operative treatment of neuropathic spinal arthropathy. Spine 15：54-56, 1990.
87) McBride GG, Greenberg D：Treatment of Charcot spinal arthropathy following traumatic paraplegia. J Spinal Disord 2：212-220, 1991.
88) Brown CW, Jones B, Donaldson DH, et al：Neuropathic (Charcot) arthropathy of the spine after traumatic spinal paraplegia. Spine 17 (Suppl)：103-108, 1992.
89) Pritchard JC, Coscia MF：Infection of a Charcot spine：A case report. Spine 18：764-767, 1993.
90) Standaert C, Cardenas DD, Anderson P：Charcot spine as a late complication of traumatic spinal cord injury. Arch Phys Med Rehabil 2：221-225, 1997.
91) Thumbikat P, Ravichandran G, McClelland MR：Neuropathic lumbar spondylolisthesis─a rare trigger for posture induced autonomic dysreflexia. Spinal Cord 39：564-567, 2001.
92) Selmi F, Frankel HL, Kumaraguru AP, et al：Charcot joint of the spine, a case of autonomic dysreflexia in spinal cord injured patients. Spinal Cord 40：481-483, 2002.
93) Mohit AA, Mirza S, James J, et al：Charcot arthropathy in relation to autonomic dysreflexia in spinal cord injury. Case report and review of the literature. J Neurosurg Spine 2：476-480, 2005.
94) 植田尊善, 芝 啓一郎, 白澤建藏, 他：X線上明らかな骨傷のない頚髄損傷. 臨整外 29：641-649, 1994.
95) 藤原桂樹, 河野譲二：非骨傷性頚髄損傷. NEW MOOK 整形外科 No.4 脊椎・脊髄損傷, 金原出版, pp169-180, 1998.
96) 植田尊善：非骨傷性頚髄損傷─急性期の病態, 治療. 日獨医報 45：301-315, 2000.
97) 植田尊善, 河野 修：非骨傷性頚損に対する急性期除圧術の効果. 多施設前向き無作為共同研究の結果. 臨整外 41：467-472, 2006.
98) Taylor AR：The mechanism of injury to the spinal cord in the neck without damage to the vertebral column. J Bone Joint Surg Br 33：543-547, 1951.
99) Rand RW, Crandall P：Central spinal cord syndrome in hyperextension injuries of the cervical cord. J Bone Joint Surg Am 44：1415-1422, 1962.
100) Marar BC：Hyperextension injuries of the cervical spine：The pathogenesis of damage to the spinal cord. J Bone Joint Surg Am 56：1655-1662, 1974.
101) Collingnon F, Martin D, Lenelle J, et al：Acute traumatic central cord syndrome：magnetic resonance imaging and clinical observations. J Neurosurg 96 (1 Suppl)：29-33, 2002.
102) Weidenbaum M, Farcy JC：chap 99, Surgical management of thoracic and lumbar burst fractures. The Textbook of Spinal Surgery 2nd ed (ed by Bridwell KH, DeWald RL), Lippincott-Raven, pp1839-1880, 1997.
103) Farcy JPC, Weidenbaum M：A preliminary review of the use of Cotrel-Dubousset instrumentation for spinal injuries. Bull Hosp Jt Dis Orthop Inst 48：44, 1988.
104) Kaneda K, Taneichi H, Abumi K, et al：Anterior decompression and stabilization with Kaneda device for thoracolumbar burst fracture associated with neurological deficits. J Bone Joint Surg Am 79：69-83,

105) Thomas KC, Bailey CS, Dvorak MF, et al：Comparison of operative and nonoperative treatment for thoracolumbar burst fractures in patients without neurological deficit：a systemic review. J Neurosurg Spine 4：351-358, 2006.
106) 南　昌平：胸腰椎移行部損傷. NEW MOOK整形外科 No.4 脊椎・脊髄損傷, 金原出版, pp204-214, 1998.
107) 北原　宏：胸腰椎移行部損傷の受傷機転と病態. 脊椎の外傷その2, 南江堂, pp15-29, 1986.
108) 白土　修：胸・腰椎損傷の分類. OS NOW No.4 spinal instrumentation, メジカルビュー社, pp40-51, 1991.
109) 藤村祥一, 戸山芳昭：胸・腰椎損傷に対する posterior instrumentation. OS NOW No.4 spinal instrumentation, メジカルビュー社, pp52-67, 1991.
110) 橋本友幸：胸・腰椎損傷に対する anterior instrumentation. OS NOW No.4 spinal instrumentation, メジカルビュー社, pp68-81, 1991.
111) 金田清志, 橋本友幸：胸腰椎損傷の分類と手術適応. 整形外科 MOOK No. 60 脊椎インストルメンテーション, 金原出版, pp57-65, 1990.
112) McAfee PC, Yuan HA, Fredriokson BE, et al：The value of computed tomography in thoracolumbar fractures, J Bone Joint Surg Am 65：461-473, 1983.
113) White AA Ⅲ, Panjabi MM：Clinical biomechanics of the spine, JB Lippincott, Philadelphia, pp37-39, 1990.
114) Bakhsheshian J, Dahdaleh NS, Fakurnejad S, et al：Evidence-based management of traumatic thoracolumbar burst fractures：a systematic review of nonoperative management. Neurosurg Focus 37：E1, 2014.
115) Gnanenthiran SR, Adie S, Harris IA：Nonoperative versus operative treatment for thoracolumbar burst fractures without neurologic deficit：a meta-analysis. Clin Orthop 470：567-577, 2012.
116) Abudou M, Chen X, Kong X, et al：Surgical versus non-surgical treatment for thoracolumbar burst fractures without neurological deficit. Cochrane Database Syst Rev 2013 Jun 6；6：CD005079.

10 関節リウマチに伴う頚椎病変
cervical spine lesions in rheumatoid arthritis

10-1. 病態[1,40,41]

関節リウマチ(RA)の炎症が脊椎に波及して,滑膜炎,靱帯・関節包の弛緩,骨への浸食,圧潰の結果,頚椎の不安定性や変形を生じる.滑膜性関節である環軸関節が最も侵されやすい.RAによる頚椎病変としては,1)環軸関節亜脱臼(atlantoaxial subluxation:AAS),2)軸椎垂直亜脱臼(vertical subluxation:VS),3)軸椎下亜脱臼(subaxial subluxation:SS)に分類される.

1 環軸関節亜脱臼(AAS)

正中環軸関節の破壊による.横靱帯の機能不全から環椎の前方亜脱臼が生じる.脊髄後方からの骨性圧迫による後索の脱髄が特徴である.歯突起の破壊・消失や骨折が生じれば後方脱臼の形をとるが,その頻度は10%程度である.

2 軸椎垂直亜脱臼(VS)

外側環軸関節の破壊により関節面が沈下し,軸椎の上方移動が生じる.病理学的には,後頭環椎関節にも病変が生じていると報告されている[2].

3 軸椎下亜脱臼(SS)

中下位頚椎の椎間関節の破壊に加えて,棘突起靱帯付着部の炎症による後方支持組織の機能不全,椎間板や椎体への炎症の波及により生じる.C4/5,C5/6に発生することが多いが,多椎間に発生すれば,いわゆる段はしご状(step-ladder deformation)となる.少関節破壊型(least erosive subset:LES)では認められず,多関節破壊型(more erosive subset:MES)の12%,ムチランス型(mutilating disease:MUD)の39%に認められる.上位頚椎病変に合併し,通常,上位頚椎病変よりも遅れて発症,進行する.

10-2. X線計測法(図II-10-1)

1 AASの評価

環椎前弓後面下端と軸椎歯突起前面との距離である環椎歯突起間距離(atlantodental interval:ADI)が3mm以上あればAASとする(図II-10-1a).しかし,手術適応の決定には,歯突起後面と環椎後弓の距離である有効脊柱管前後径(space available for spinal cord:SAC)が重要とされ,術後成績と相関するといわれる[3].

2 VSの評価

●Ranawat法[4]
環椎前弓と後弓のそれぞれ中心を結ぶ線と歯突起の骨軸に沿った軸椎椎弓根中央との距離が13mm以下であればVSとする(図II-10-1b①).C1/2間でのVSを評価する測定法である.

●Redlund-Johnell法[5]
軸椎椎体下縁中央からMcGregor線(硬口蓋後縁と後頭骨最下点を結ぶ線)までの距離が男性で37mm,女性で32mm以下であればVSとする(図II-10-1b②).これは後頭骨-C2間でのVSを評価する測定法なので,Ranawat値に比して,この値が低下している場合は環軸関節での破壊が強いことを意味する.

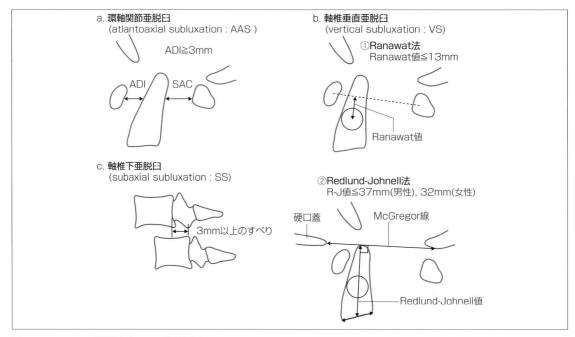

図Ⅱ-10-1　RA頚椎病変のX線計測法（文献1より改変）

3 SSの評価

椎体後下縁と下位椎体後上縁との距離が3mm以上であればSSとする（**図Ⅱ-10-1c**）。すべりの程度だけでなく，SACが神経症状の発現と術後成績に相関するとされる[3]。

10-3. 自然経過 [42〜44]

評価法や追跡期間に違いがあるが，およそ17〜32％にRA頚椎病変の進行が認められる[6,7]。
最近の生物製剤の導入と進歩によりRAの薬物療法は著しく変化した。Kaitoらは2年以上にわたり生物製剤で治療したRA患者における頚椎病変の発症や進行を調査した（平均追跡期間4.4年）。その結果，RAに対する生物製剤はRA活動性を劇的に抑制し新たな頚椎病変の発症を抑えることができたが，既存の頚椎病変の進行を抑制することはできなかったとしている[8]。つまり，既にAASあるいはVSが存在していれば，生物製剤を導入しても80％以上の症例で既存の頚椎病変は進行しており，頚椎病変発症前の生物製剤導入の重要性を示唆している。実際，近年の生物製剤の普及以後，RA患者の頚椎病変に対する手術療法の件数が減少していることもそれらの結果を裏付けている。

1 上位頚椎病変

藤原らは173例のRA頚椎病変のX線追跡による平均5.9年の調査結果から，初診時31％に認められた上位頚椎病変は43％に進行し，整復可能なAASから整復不能なAAS，さらにはVSへ進行すると報告している[9]（**図Ⅱ-10-2**）。
さらに追跡を5年以上に伸ばし，161例平均10.2年（5〜20年）の追跡では，上位頚椎病変は初診時の29％から57％に進行したが，頚部痛を認めたのは50％で，残りは無症候性であった。初診時全例に神経学的異常を認めなかったが，上位頚椎病変を認めた91例中10例（11％）に脊髄症が発症した。上位頚椎病変の出現頻度は，LES（少関節破壊型）で39％，MES（多関節破壊型）で83％，MUD（ムチランス型）で100％であった[11]（**図Ⅱ-10-3**）。

● RAの病型分類と上位頚椎病変の進行（**表Ⅱ-10-1**）

患者を越智の提唱する病型[13]に従って分類

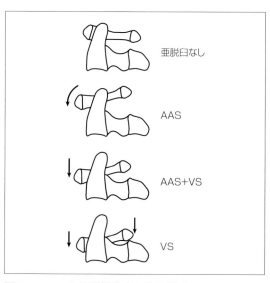

図Ⅱ-10-2　上位頚椎病変の進行様式（文献10より）

し，病型と頚椎病変の進行との関連を以下に示す．

　全身68関節のうちSteinbrocker分類stageⅡ以上（関節裂隙の狭小化，marginal or cyst-like erosion, malalignment or subluxation）の罹患関節の総数をNJE（number of joints with erosion）という．

　RA発症後10年でのNJEで，LES, MES, あるいはMUDに病型分類される．

a. 少関節破壊型（LES）

・NJEが20関節未満で，主に末梢の小関節が破壊される．
・AASが出現する頻度は約30％だが，VSに至るものはない．ADIも5 mm以下である．

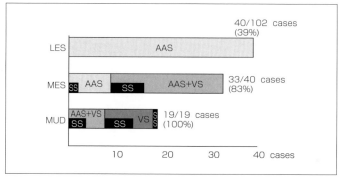

図Ⅱ-10-3　RA病型と最終追跡時における上位頚椎病変の頻度
（文献11, 12より）

表Ⅱ-10-1　上位頚椎病変の進行と関節リウマチの病型（文献11, 12より）

上位頚椎病変の変化			関節リウマチ病型		
			LES	MES	MUD
亜脱臼なし			62	7	1
亜脱臼なし→	AAS		25	6	
	AAS　進行		6	1	
	AAS　進行なし		9	2	
亜脱臼なし→	AAS→	AAS+VS		8	2
	AAS→	AAS+VS		10	4
		AAS+VS　進行		2	1
		AAS+VS　進行なし		4	1
亜脱臼なし→	AAS→	AAS+VS→　VS			2
	AAS→	AAS+VS→　VS			2
		AAS+VS→　VS			3
亜脱臼なし	→	VS			2
		VS　進行なし			1
合計			102	40	19

LES：少関節破壊型，MES：多関節破壊型，MUD：ムチランス型

b. 多関節破壊型（MES）
- NJE が 20 以上 40 関節未満で，肩，股，膝など大関節も侵される。
- 上位頚椎病変は 60〜80％に認められる。
- AAS で止まるものもあるがその程度は強く[14]，RA 頚椎病変としては重症型である。

c. ムチランス型（MUD）
- NJE が 40 関節以上。
- 上位頚椎病変は 90％以上に認められる。
- ほとんどの例が VS にまで進行し，例外的には AAS の状態を経ずに VS となる例もある。
- 四肢の関節同様，頚椎も著明な不安定性を呈することがあり，RA 頚椎病変としては最重症型である。

2 中下位頚椎病変

椎間腔の狭小化，椎体終板のびらん，棘突起の萎縮および先端の骨折などの所見は SS に先行するものであり，予知因子となり得る。VS と SS の出現順には一定の傾向は認められない。

10-4. 症状（表Ⅱ-10-2）

1 局所症状

頚部痛であり，RA 患者の脊椎症状の中で高頻度に認められる。疼痛の有無だけでなく，痛みの性質について把握する。安静時痛は関節炎の関与を，運動時痛なら不安定性の関与を考える。頚部運動時に軋音や不安感を自覚する例もある。

2 神経症状

亜脱臼や不安定性だけでなく，硬膜病変やリウマチ性肉芽腫などにより，脊髄・神経根が圧迫されて生じる。

手袋・靴下状のしびれ感や，関節の疼痛を伴わない手の巧緻性障害や歩行困難の増悪は，神経症状の出現を疑う。手の変形を認める場合は，いままでできていたことができなくなったなどの患者自身の訴えも神経症状の出現を疑う。深部腱反射は，関節破壊のある症例でも比較的観察しやすいが，人工関節術後の評価はときに困難である。Romberg 徴候は後索障害を評価する重要な所見である。

VS 合併例では，延髄症状や下部脳神経症状が発生することがある。

3 椎骨動脈不全症状

AAS，特に回旋亜脱臼や側方亜脱臼による。
頚部の運動に伴うめまい，耳鳴，悪心・嘔吐，視力障害，意識障害などの症状に注意する。
図Ⅱ-10-4 に椎骨動脈血栓塞栓症の症例を示す。

表Ⅱ-10-2 Ranawat の評価基準（文献 4 より）

```
疼痛
    grade 0：なし（none）
    grade 1：軽度。間欠的で，aspirin を要するのみ（mild）
    grade 2：中等度。頚椎カラーが必要である（moderate）
    grade 3：重度。aspirin によってもカラーによっても軽減しない（severe）

神経学的欠落症状
    class Ⅰ：神経症状なし（no neurological deficit）
    class Ⅱ：自覚的な筋力低下と反射亢進，自発的異常感覚がある
            （subjective weakness with hyperreflexia and dysesthesia）
    class Ⅲ：他覚的な筋力低下と錐体路症状がある
            （objective findings of weakness and long-tract signs）
            ⅢA　歩行可能
            ⅢB　四肢不全麻痺により歩行不可能
```

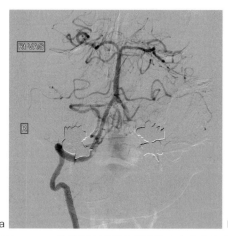 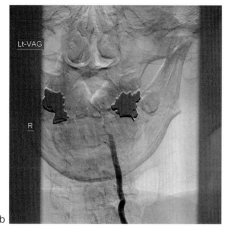

図Ⅱ-10-4　椎骨脳底動脈血栓塞栓症をきたした環軸椎亜脱臼(Wallenberg症候群)(文献15より)
a:右椎骨動脈造影，b:左椎骨動脈造影
関節リウマチの59歳男性。頑固な後頸部痛のため環軸椎固定術を予定し自宅待機中，座っているときに左顔面〜耳介後方にしびれ(Ⅴ)が出現。その後，左口角の低下(Ⅶ)，構音障害，嚥下困難(Ⅸ，Ⅹ)が出現し，歩行器歩行で左側へ流れる感じと回転性めまい(Ⅷ)，嘔吐が出現した。夜間に両下肢(左優位)の脱力感があり，めまい，嘔吐も持続し救急搬送された。

4 関節症状

四肢関節の疼痛の有無，X線像上での骨破壊の程度を評価する。

特に肘関節の障害が著しいときには，頸椎前屈を強いられる頻度が高くなる。

5 全身症状

朝の手のこわばり(morning stiffness)，赤沈，CRP[15]，握力などでRAの活動性を評価する。

呼吸器・循環器に病変を有する例や，長期の薬物療法により肝・腎機能の低下する例もある。

手術療法を考慮する場合は，特に全身状態(特に胸部X線，心電図，腎機能)の十分な把握が必要である。

10-5. 画像検査

1 X線

椎間関節(特に上関節突起)のびらん(erosion)や骨吸収は，すべりに大きく関与する。

動態撮影にて不安定性を評価する。亜脱臼の整復が可能か確認する。特に，MUDでは不安定性の有無が脊髄症状悪化に大きく関与する。

手の正面像にて第三中手骨長(carpal height ratio:CHRに対するその延長上での有頭骨と橈骨間長の比で，正常値は0.54±0.03)を計測する。

Fujiwaraらによると CRP の上昇や CHR の減少が頸椎病変の重症度(特にVSの合併)に関連している[16]。

2 MRI

脊髄・神経根の圧迫所見の有無について検索する。脳幹部の評価も可能である。

亜脱臼による骨性の圧迫のみならず，肉芽腫性病変や硬膜病変が圧迫因子となり得る。gadolinium(Gd)増強像が有用である。

T2強調像での髄内輝度変化は，高位診断の目安となる。

延髄頸髄角(cervicomedullary angle:頭蓋頸椎移行部において延髄および頸髄腹側に各々引いた接線のなす角)により，脊髄症状の発生に差があるとされる。

MRアンギオグラフィによる椎骨動脈および脳底動脈(Willis動脈輪)の評価も，手術予定の患者では必ず行っておく。

3 CT(MPR)

歯突起骨折は，環軸椎後方亜脱臼の原因となる。歯突起のerosionやattenuationの有無をCT再構築にて評価する。

棘突起の萎縮や骨折はSSの予知因子である。

術前計画には，椎骨動脈との関係を評価する目的から造影CTが望ましい。

後頭環椎関節，環軸椎関節，椎間関節の破壊の程度について評価する。

横突孔の解剖学的位置，形態を評価する。

Magerl法を選択する場合には，CTにてC2椎弓根の太さと椎骨動脈の走行を把握しておくことが必須である。特にMPRによる再構成像での矢状断像や，3D-CTアンギオグラフィは有用である[17]。

Magerl法の場合，椎骨動脈(VA)損傷が4.1〜8.2%に生じるとの報告があり，MPRや3D-CTアンギオグラフィなどでhigh riding VA(図Ⅱ-10-5：約18%の症例で認められる)や，isthmus径を術前に評価しておくことは必須である。特にRA患者ではよりhigh riding VAの危険性が増すことは知っておく必要がある(図Ⅱ-10-6)[17,18]。

また，椎骨脳底動脈系(Willis動脈輪)において内頚動脈とVAが完全に連続しているのは47%しかないとの報告[19]があることから，VAの評価および脳のMRアンギオグラフィも可能なら施行してWillis動脈輪の評価をしておく。

10-6. 治療[43,45]

Marksらは脊髄症状のあるRA患者において，保存療法例と手術療法例の間で平均生存期間に差を認めたとしている[20]。脊髄症状を呈していながら手術を拒否したRA患者21例の追跡調査では76%が悪化し，3年以内に全例がベッド上での生活となり，平均2.3年で死亡した[21]。また，MUD(ムチランス型)の頚椎病変で手術を行わなかった6例の経過報告では，2例は頚椎カラー固定にて一時的に改善がみられたものの突然の四肢麻痺で死亡し，4例は進行性に悪化し寝たきり，あるいは死亡した[22]。しかし，RA頚椎病変の治療方針は，患者の機能的予後だけでなく，生命的予後も十分考慮して決定することが重要である。

1 保存療法

保存療法の代表的なものは装具である。RA頚椎病変の発生および進行の予防は装具による固定では困難であるが，局所安静により除痛は得られる。代表的な装具として，ソフトカラー，フィラデルフィアカラー，SOMI装具(sternal

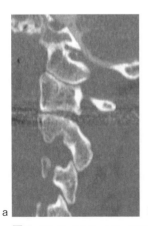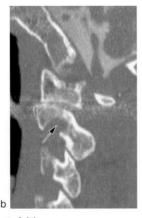

図Ⅱ-10-5　high riding VAの症例
　CT再構成画像でaはスクリュー刺入に問題ないが，bでは椎骨動脈が骨内に入り込み(→の部分)，スクリュー刺入は危険と判断できる。RA，特にVSを認める場合は，術前評価で危険と判断される例が多いことも考慮すべきである。

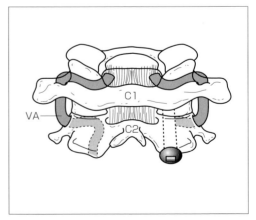

図Ⅱ-10-6　環軸椎における椎骨動脈の走行
(文献17より)

occipital mandibular immobilizer）などがある．手の変形が強い患者は，フィラデルフィアカラーよりも，ベルクロテープ（Velcro tape）の握りや位置を調整したソフトカラーのほうが着脱が容易である．halo vest は，牽引力を加えることで頚椎アライメントの調整が可能で，術前の整復と仮固定としては有用である．数週間の固定により，ある程度の安定性を得ることはできるが，治療効果は不確実である．

2 手術療法[46〜52]

RA 頚椎病変の手術目的は，脊柱安定性の確保と神経除圧である．このため，手術の基本手技は固定術となる．適切な術式選択と固定範囲の決定は，追加手術の回避につながり，手術効果の持続をもたらす．

●適応

RA 頚椎脊髄症の発生は，知覚障害から始まることが多いとされる[20]．X 線上の RA 頚椎病変の発生頻度と脊髄症状の発生頻度の解離は報告されるところであり[23,24]，手術適応についてはいまだ明確なものはないが，以下の基準が目安となる．

1) 進行性あるいは重度の脊髄症状を認める場合
2) 脊髄症状あるいはその出現のおそれがある場合（ADI＞10 mm よりも SAC＜9〜10 mm の場合）
3) 椎骨動脈不全
4) 保存療法に抵抗する頑固な疼痛

●術式選択

病態だけでなく，RA の病型に応じた術式選択が重要である（表 II-10-3）．以下，病態別に手術法の実際について述べる．

a. 上位頚椎病変（AAS）

AAS 単独で整復可能なものは，整復位での環軸椎のみの固定で対処可能である．整復不能な場合，環椎後弓切除＋後頭軸椎固定術が必要となる．

■鋼線締結法

Gallie 法や Brooks 法に代表される，骨移植術に環軸椎間の後方ワイヤリングを併用する術式である．環椎を軸椎に対し極度の伸展位で固定する必要があり，整復位保持が困難である．このため骨癒合率が低い．

■Magerl 法（螺子固定法：transarticular screw fixation）

Magerl らが開発した外側環軸椎関節をスクリューにて固定する方法である[25]（図 II-10-7）．現在，環軸椎関節に対する最も強力な固定法と考えられ，前述の Gallie 法や Brooks 法と併用されている．しかし，前述したように 18〜23％の症例で解剖学的に刺入困難例があること[26,27]や，神経症状の悪化は 0.2％と稀ではあるが椎骨動脈損傷が約 4％に認められること[28]，RA 患者ではより high riding VA の危険性が増す[18]など合併症に十分留意する必要がある．術前の MPR 評価で，刺入困難と判断される場合は，外側環軸椎関節を貫通させずに軸椎椎弓根スクリュー（pedicle screw）と環椎のフックを利用して強固に固定することも可能である（図 II-10-8）．しかし，Yoshida らによると軸椎椎弓根スクリューを使用しても椎骨動脈損傷の危険性は環軸椎関節を貫通させる場合と同等であると

表 II-10-3 RA の病型・病態別にみた術式選択

病型	病態	術式選択
LES	AAS	C1/2 後方固定術
MES	AAS	C1/2 後方固定術
	VS（+AAS）	Oc-C2 後方固定術（+後弓切除）
	SS 単独による頚部脊髄症	椎弓形成術（+後方固定）
	AAS または VS+SS	C1（Oc）から頚椎・胸椎固定術
MUD	すべて	Oc-上位胸椎後方固定（+後方除圧）

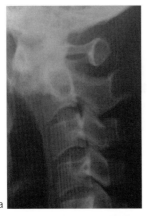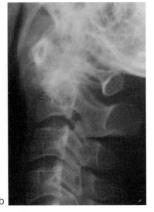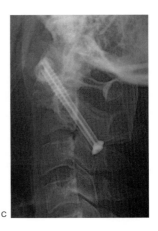

図Ⅱ-10-7　LES の症例（27 歳女性）
a：頚椎前屈位 X 線側面像，b：頚椎後屈位 X 線側面像，c：術直後の頚椎 X 線側面像
AAS に伴う頑固な後頚部痛に対して環軸椎後方固定術（Magerl 法）を施行した．

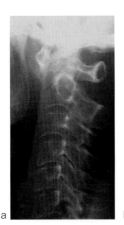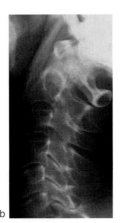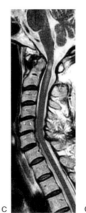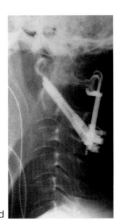

図Ⅱ-10-8　MES の症例（57 歳女性）
a：頚椎前屈位 X 線側面像，b：頚椎後屈位 X 線側面像，c：頚椎 MRI T2 強調矢状断像，d：術直後の頚椎 X 線側面像
後頚部違和感と歩行困難（Ranawat 疼痛 grade 2, Ranawat class ⅢB）．AAS に対して環軸椎後方固定術を施行した．

されているため，CT 再構成による術前評価が重要であることに変わりはない[29]．

椎骨動脈の走行は通常スクリュー刺入部の前方を通るので，CT（可能な限り造影後 CT）による十分な術前評価と，術中に C2 椎弓根内縁を触知し，できるだけ内側から刺入することがポイントである[17]．cannulated screw を使うかどうかは議論の余地があるが，細いガイドワイヤーを使うよりは 2 mm 程度のワイヤーかドリルを透視下で刺入するほうが安全である．その際に，安定性の観点から一方のワイヤーかドリルを残して，スクリューを刺入する．最近では刺入精度を高めるためナビゲーション使用も有用である．

Gluf らによると，MPR による術前評価で椎骨動脈の走行から容易に刺入できそうな側と刺入困難な側がある場合，容易な側から刺入し，もし大量の出血が認められればスクリューを刺入して反対側の刺入はしないようにするとの教訓を示している[30]．

▷ **環軸椎間傾斜角（atlanto-axial angle）**
　前弓・後弓下縁と軸椎椎体下面に引いた線の交角）については，戸山らの報告によると，C1/2 を 30° 以上の後屈位過伸展位に固定すると術後全例に代償性に下位での変化が起こりやすいことか

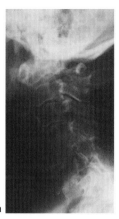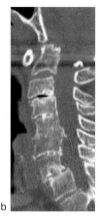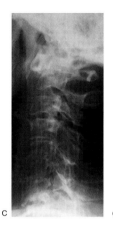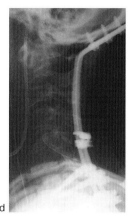

図Ⅱ-10-9　MESの症例（81歳女性）
a：頸椎中間位X線側面像，b：頸椎MPR矢状断像，c：halo vest牽引後の頸椎X線側面像，d：術直後の頸椎X線側面像

後頸部違和感と歩行困難（Ranawat疼痛grade 2, Ranawat class ⅢA）があった．VS＋SSに対してhalo vest牽引後に頸椎椎弓形成術とOc-T2固定を施行した．

ら，C1/2の至適固定角度としては20°とされている[31]．

■ 後頭骨軸椎間固定術

AASが整復不能な場合に選択される．後頭骨へのスクリューは，厚い正中に刺入するか静脈洞を避けて薄い側方へ刺入するかは議論のあるところであるが，外後頭隆起点（inion）を越えて上方へ行くと矢状静脈洞（sagittal sinus）があるので避けなければならない．

■ 経口進入前方固定術

経口進入法による歯突起切除術が選択肢としてある．Crockardは後方固定術の併用による一期的手術を勧めているが[32]，顎関節症罹患による開口障害がある場合が多く，また免疫能低下による感染の危険性から適応は限られる．歯突起後方のpannusや軟部腫瘤などは前方から摘出しなくても，後方固定術後に縮小することがわかっているため，最近ではほとんど選択されることはなくなってきている．

b．上位頸椎病変（VS）

VSを呈する症例に対しては，除圧に加えて，後頭骨から環軸椎，あるいは下位頸椎との固定が必要となる．垂直方向の直達牽引で可能な限り整復位を得てから，後頭骨・頸椎間固定術（場合によっては環椎後弓切除も）を選択する．MUDのような重症型RAでは，中下位頸椎での不安定性を考慮して，後頭骨・頸椎（または上位胸椎）間の固定術を選択することがある．

c．中下位頸椎病変（SS）

■ 椎弓形成術

非ムチランス型のRAで，頸部痛が軽度で後弯変形のない5 mm以下の軽いすべりによる圧迫性頸部脊髄症に対しては良い適応である[33]．

■ 後頭骨・頸椎（または上位胸椎）間固定術

後頭骨からSS高位より2椎弓尾側までの後方固定が基本である．固定下位は隣接椎間障害を考慮すれば上位胸椎まで固定するほうが無難である．広範囲な固定に加え，椎弓形成術の併用により除圧操作が可能である．

図Ⅱ-10-9に81歳女性（MES）の症例を示す．

■ 前方固定術

もともと存在する後方支持組織の機能不全のために，前方固定術単独は成績不良[4]である．前方からの除圧・骨移植に加えて，後方からの安定化手術が勧められる．しかし，移植骨の脆弱性のみならず母床の骨粗鬆症もあり，術後は長期の外固定が必要となる．SSの症例は病型としては重症型に発生することが多いので，自然経過を考慮すると前方固定は必ずしも必要ではなく，広範囲な後方固定が望ましい．頸椎後弯が硬く矢状面での整復が困難な症例では，前方＋後方固定術が必要となる．

● 後療法

Magerl法であれば，術後数日でソフトカ

ラー装着にて離床可能である．後頭骨・頚椎(または上位胸椎)間固定術では，原則としてhalo vest を 4～8 週間装着させる．以後は頚椎装具(ソフトカラーまたはフィラデルフィアカラー)へ変更する．

10-7. 治療成績

手術成績に影響する因子には下記がある．
1) 脊髄症の程度(重症例は成績が悪い)．
2) AAS 単独例は成績が良い．
3) MUD は術後隣接椎間の変化が多く，生命予後が悪い．

SSI 法などの強固な脊椎インストゥルメンテーションを施行した場合の骨癒合率は 90～95％程度と高い．しかし神経学的予後を含め，機能的予後の評価については曖昧な点が多い．現在，Ranawat の評価法[4]がよく使用されるが，大まかな評価である．文献的には 39～86.7％で神経症状の改善を認めたとされる[34～37]が，retrospective ではなく prospective study による詳細な検討が必要である．

生命的予後も重要である．小田らによる全国調査の報告(2006)では，Kaplan-Meier 法による術後生存率は 2 年で 93.5％，5 年で 79.0％と術後 5 年の追跡で 20～30％前後の症例が死亡している(図Ⅱ-10-10)[10]．術前に脊髄症状を有していた症例を，脊髄症状出現から手術までの期間で術後生存期間を調べると，6 カ月以内が有意に生存率が高く，術後 2 年以降の生存率は手術により改善した群が有意に高かったと報告している[10]．高齢者での手術適応を考えるうえで，配慮すべきデータである．

10-8. 合併症

全体としての合併症頻度は約 20％であり，特に後頭骨・頚椎(または上位胸椎)間の固定を要するような重症型では 25～30％の頻度で何らかの合併症が生じる．

1 全身合併症

一般の脊椎手術でみられる合併症だけでなく，RA 患者に特有のものがある．周術期死亡率は約 0.3％と低いが，呼吸障害が多い[10]．また，免疫機能の低下による感染症は十分に考慮すべき合併症である．

2 隣接椎間障害[53]

脊椎固定術の他椎間への影響が問題となる．環軸椎固定術の場合，約 7～8％に下位での再手術を要し，後頭骨・環軸椎固定術を施行した平均 3 年の追跡では，約 20％に固定隣接椎間に SS の出現あるいは進行を認めている[38]．これらの症例はすべて MES あるいは MUD 病型に属しており，これが両病型(特に MUD)での全頚椎(または上位胸椎まで)固定を勧める理由である．また両病型では，胸椎病変の出現を認めた例もあり，全脊椎にわたる注意深い経過観察が必要である．

3 開口障害・嚥下障害

後頭骨・頚椎(または上位胸椎)間を固定した場合，ときに術後予期せず開口障害や嚥下障害を生じることがある．たいてい，後頭骨・上位頚椎間を過屈曲位で固定することによるので，なるべく術前に halo vest で固定し開口障害や嚥下障害が生じないことを確認してから手術を施行するか，術中 X 線コントロールで過屈曲位に固定しないよう配慮する．Miyata らは，

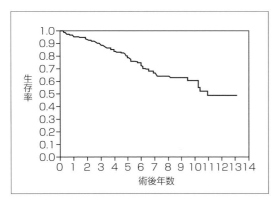

図Ⅱ-10-10　RA 頚椎手術後の生存曲線(文献 10 より)

McGregor線と軸椎椎体終板下縁のなす角(O-C2角)を測定し，術後に嚥下困難や呼吸困難をきたした症例は10°以上過屈曲位に固定された症例であったと報告している[39]。したがって，術中のX線コントロールでO-C2角が術前に比して屈曲位になっていないか，下顎骨後縁が頚椎椎体に重なっていないか，などをチェックするのがポイントである。術後に開口障害や嚥下障害が生じて改善しなければ再手術が必要で，固定をやや後屈位に戻すだけで改善することが多いので，再手術を躊躇すべきではない(p126～127：図Ⅰ-10-6, 7参照)。

引用文献

1) 金澤淳則，米延策雄：頚椎．整形外科外来シリーズ4 リウマチ外来，メジカルビュー社，pp150-160，1997．
2) Eulderink F, Meijers KA：Pathology of the Cervical Spine in Rheumatoid Arthritis：A Controlled Study of 44 Spines. J Pathol 120：91-108, 1976.
3) Boden SD, Dodge LD, Bohlman HH, et al：Rheumatoid Arthritis of the Cervical Spine. A Long-term Analysis with Predictors of Paralysis and Recovery. J Bone Joint Surg Am 75：1282-1297, 1993.
4) Ranawat CS, O'Leary P, Tsairis P, et al：Cervical Spine Fusion in Rheumatoid Arthritis. J Bone Joint Surg Am 61：1003-1010, 1979.
5) Redlund-Johnell I, Pettersson H：Vertical Dislocation of the C1 and C2 Vertebrae in Rheumatoid Arthritis. Acta Radiol Diagnosis 25：133-141, 1984.
6) Winfield J, Cooke D, Brook AS, et al：A Prospective Study of the Radiological Changes in the Cervical Spine in Early Rheumatoid Arthritis. Ann Rheum Dis 40：109-114, 1981.
7) Smith PH, Benn RT, Sharp J：Natural History of Rheumatoid Cervical Luxations. Ann Rheum Dis 31：431-439, 1972.
8) Kaito T, Hosono N, Ohshima S, et al：Effect of biological agents on cervical spine lesions in rheumatoid arthritis. Spine 37：1742-1746, 2012.
9) 藤原桂樹，藤本真弘，上尾光弘，他：慢性関節リウマチにおける頚椎病変—その頻度と自然経過．整・災外 38：201-208，1995．
10) 小田剛紀，米延策雄：RA頚椎病変(全国調査を含めて)．日脊会誌17：708-718，2006．
11) Fujiwara K, Owaki H, Fujimoto M, et al：A long-term follow-up study of cervical lesions in rheumatoid arthritis. J Spinal Disord 13：519-526, 2000.
12) 藤原桂樹，大脇肇，藤本真弘，他：慢性関節リウマチに伴う頚椎病変の自然経過．臨整外 34：745-752，1999．
13) 越智隆弘：慢性関節リウマチの病型と骨髄の変化．日整会誌 61：599-614，1987．
14) Oda T, Fujiwara K, Yonenobu K, et al：Natural Course of Cervical Spine Lesions in Rheumatoid Arthritis. Spine 20：1128-1135, 1995.
15) Oshima K, Sakaura H, Iwasaki M, et al：Repeated vertebrobasilar thromboembolism in a patient with severe upper cervical instability because of rheumatoid arthritis. Spine J 11：e1-e5, 2011.
16) Fujiwara K, Fujimoto M, Owaki H, et al：Cervical lesions related to the systemic progression in rheumatoid arthritis. Spine 23：2052-2056, 1998.
17) Neo M, Matsushita M, Iwashita Y, et al：Atlantoaxial transarticular screw fixation for a high-riding vertebral artery. Spine 28：666-670, 2003.
18) Miyata M, Neo M, Ito H, et al：Is rheumatoid arthritis a risk factor for a high-riding vertebral artery? Spine 33：2007-2011, 2008.
19) Hartkamp MJ, van Der Grond, van Everdingen KJ, et al：Circle of Willis collateral flow investigated by magnetic resonance angiography. Stroke 30：2671-2678, 1999.
20) Marks JS, Sharp J：Rheumatoid Cervical Myelopathy. Quarterly J Med 199：307-319, 1981.
21) Sunahara N, Matsunaga S, Mori T, et al：Clinical course of conservatively managed rheumatoid arthritis patients with myelopathy. Spine 22：2603-2608, 1997.
22) Omura K, Hukuda S, Katsuura A, et al：Evaluation of posterior long fusion versus conservative treatment for the progressive rheumatoid cervical spine. Spine 27：1336-1345, 2002.
23) Conlon PW, Isdale IC：Rheumatoid Arthritis of the Cervical Spine. An Analysis of 333 Cases. Ann Rheum Dis 25：120-126, 1966.
24) Pellicci PM, Ranawat CS, Tsairis P, et al：A Prospective Study of the Progression of Rheumatoid Arthritis of the Cervical Spine. J Bone Joint Surg Am 63：342-350, 1981.
25) Magerl F, Seemann P：Stable posterior fusion of the atlas and axis by transarticular screw fixation. Cervical Spine, I(Kehr P, Weidner A eds). Springer-Verlag, Strasbourg, Wien, New York, pp322-327, 1987.
26) Paramore CG, Dickman CA, Sonntag VKH：The anatomical suitability of the C1-2 complex for transarticular screw fixation. J Neurosurg 85：221-224, 1996.
27) Madawi AA, Casey ATH, Solanki GA, et al：Radiological and anatomical evaluation of the atolantoaxial transarticular screw fixation technique. J Neurosurg 86：961-968, 1997.
28) Wright NM, Lauryssen C：Vertebral artery injury in C1-2 transarticular screw fixation：results of a survey of the AANS/CNS section on disorders of the spine and peripheral nerves. J Neurosurg 88：634-640, 1998.
29) Yoshida M, Neo M, Fujibayashi S, et al：Comparison of the anatomical risk for vertebral artery injury associated with the C2-pedicle screw and atlantoaxial transarticular screw. Spine 31：E513-E517, 2006.

30) Gluf WM, Schmidt MH, Apfelbaum RI：Atlantoaxial transarticular screw fixation：a review of surgical indications, fusion rate, complications, and lessons in 191 adult patients. J Neurosurg Spine 2：155-163, 2005.
31) 戸山芳昭, 小柳貴裕：環軸椎間固定術における至適固定角度について―術後の頚椎柱変形からみた分析. 整形外科 45：495-502, 1994.
32) Crockard HA, Calder I, Ransford AO：One-stage Transoral Decompression and Posterior Decompression in Rheumatoid Atlanto-axial Subluxation. J Bone Joint Surg Br 72：682-685, 1990.
33) Mukai Y, Hosono N, Sakaura H, et al：Laminoplasty for cervical myelopathy caused by subaxial lesions in rheumatoid arthritis. J Neurosurg 100(1 Suppl)：7-12, 2004.
34) Clark CR, Goetz DD, Menezes AH：Arthrodesis of the Cervical Spine in Rheumatoid Arthritis. J Bone Joint Surg Am 71：381-392, 1989.
35) Peppelman WC, Kraus DR, Donaldson WF 3rd, et al：Cervical Spine Surgery in Rheumatoid Arthritis：Improvement of Neurologic Deficit after Cervical Spine Fusion. Spine 18：2375-2379, 1993.
36) Santavirta S, Slätis P, Kankaanpää U, et al：Treatment of Cervical Spine in Rheumatoid Arthritis. J Bone Joint Surg Am 70：658-667, 1988.
37) Zoma A, Sturrock RD, Fisher WD, et al：Surgical Stabilisation of the Rheumatoid Cervical Spine. J Bone Joint Surg Br 69：8-12, 1987.
38) 金澤淳則, 米延策雄：頚椎の手術的療法. NEW MOOK 整形外科 No.1 慢性関節リウマチ, 金原出版, pp190-202, 1997.
39) Miyata M, Neo M, Fujibayashi S, et al：O-C2 angle as a predictor of dyspnea and/or dysphagia after occipitocervical fusion. Spine 34：184-188, 2009.

参考文献

40) Delamarter RB, Bohlman HH：Postmortem osseous and neuropathologic of the rheumatoid cervical spine. Spine 19：2267-2274, 1994.
41) Mikulowski P, Wollheim FA, Rotmil P, et al：Sudden Death in Rheumatoid Arthritis with Atlanto-axial Dislocation. Acta Med Scand 198：445-451, 1975.
42) 越智隆弘, 冨田哲也, 木村友厚, 他：慢性関節リウマチの自然経過と治療計画. 日整会誌 68：50-61, 1994.
43) 小田剛紀, 越智隆弘, 小野啓郎, 他：慢性関節リウマチ頚椎病変の自然経過よりみた術式の検討. 臨整外 29：791-797, 1994.
44) Neva MH, Kaarela K, Kaupi M：Prevalence of radiologic changes in the cervical spine―A cross sectional study after 20 years from presentation of rheumatoid arthritis. J Rheumatol 27：90, 2000.
45) 米延策雄, 越智隆弘, 藤原桂樹, 他：慢性関節リウマチによる脊椎病変の病態と治療. 日整会誌 70：573-582, 1996.
46) Farey ID, Nadkarni S, Smith N：Modified Gallie technique versus transarticular screw fixation in C1-2 fusion. Clin Orthop 359：126-135, 1999.
47) Jeanneret B, Magerl F：Primary posterior fusion C1/2 in odontoid fractures：Indications, technique and results of transarticular screw fixation. J Spinal Dis 5：464-475, 1992.
48) Grob D, Jeanneret B, Aebi M, et al：Atlantoaxial fusion with transarticular screw-fixation. J Bone Joint Surg Br 73：972-976, 1991.
49) Grob D, Wursch R, Grauer W, et al：Atlantoaxial fusion and retrodental pannus in rheumatoid arthritis. Spine 22：1580-1584, 1997.
50) Sumi M, Kataoka O, Ikeda M, et al：Atlantoaxial dislocation. A follow-up study of surgical results. Spine 22：759-764, 1997.
51) Grob D, Schutz U, Plotz G：Occipitocervical fusion in patients with rheumatoid arthritis. Clin Orthop 366：46-53, 1999.
52) Grob D：Atlantoaxial immobilization in rheumatoid arthritis：a prophylactic procedure? Eur Spine J 9：404-409, 2000.
53) Agarwarl AK, Peppelman WC, Kraus DR, et al：Recurrence of cervical spine instability in rheumatoid arthritis following previous fusion：Can disease progression be prevented by early surgery? J Rheumatol 19：1364, 1992.

付．関節リウマチ(RA)に伴う頚椎病変の評価票

患者氏名：　　　　　ID番号：　　　　　身長：　　　　　体重：　　　職業：
RA頚椎病名：AAS　　VS　　SAS　　いずれも認めない
Ranawat評価：
　　　頚部疼痛：Grade 0　　1　　2　　3
　　　神経学的欠落症状：Class I　　II　　IIIA　　IIIB
【RA発症時期】　　　　　　　【ステロイド歴】
【RA病型】LES　　　　MES　　　　MUD
【RA関節に対する手術歴】

【術前合併症】
【RA活動性】赤沈：　　　　　　CRP：　　　　　　RF：
【処方薬剤】特にステロイドの量

【現症】Ranawat Class II以上の場合
巧緻障害進行の有無：　　　食事動作：
肩拘縮の有無：　　　　三角筋筋力：　　　　上腕二頭筋筋力：
握力（kg）　右：　　　左：　　10秒テスト　右：　　左：
反射：BTR　　　　　　　　PTR
　　　RR　　　　　　　　　ATR
　　　TTR　　　　　　　　A-clonus
　　　上肢病的反射　　　　Babinski
歩行状態：
【関節評価】Number of joints with erosion（NJE）：　　　Carpal Height Ratio（CHR）：
【RA頚椎画像評価】撮影年月日：
AAS評価　　　　　　　　　　　　前屈／中間位／後屈
　　　Atlantodental interval（ADI）：
　　　Space available for spinal cord（SAC）：
　　　前後屈での動き：
　　　後屈位での整復の有無：
　　　歯突起の変化：
VS評価　Ranawat法：　　　　　　Redlund-Johnell法：
SAS評価　すべり（mm）：
棘突起萎縮：　　　　　　椎間関節erosion：
MRI所見―輝度変化（高位と範囲）：T1W　　T2W
VA評価：MPR　　　　　　　　　　　　　MRA
【手術】手術日：　　術式選択：
halo vest：
【術後合併症】

【満足度】○満足，手術してよかった　　○はっきりわからない　　○不満，手術しないほうがよかった

11 脊柱変形・側弯症
spinal deformity・scoliosis

11-A. 総論

11-A-1. 疾患の概説

側弯症は，脊柱の側方弯曲に伴って回旋変形を生じる脊柱変形である．分類は，先天性，神経・筋原性，神経線維腫症性などによる症候性側弯以外を特発性側弯症とし，特発性側弯症が最も多くを占める（Ⅱ-11-B 参照）．

脊柱変形は，冠状面での側弯変形だけでなく，矢状面での前弯・後弯および横断面での回旋変形を考慮して治療を進めていく必要がある．また，自覚症状が乏しく患者が変形に気付かず進行することが多いため，成長を考慮した初期治療計画が重要となってくる．

11-A-2. 形態解剖・分類

側弯症の形態解剖について，図Ⅱ-11-1 に示す．

側弯症の分類を表Ⅱ-11-1 に示す．

年代，頂椎部位による分類について表Ⅱ-11-2, 3 に示す．

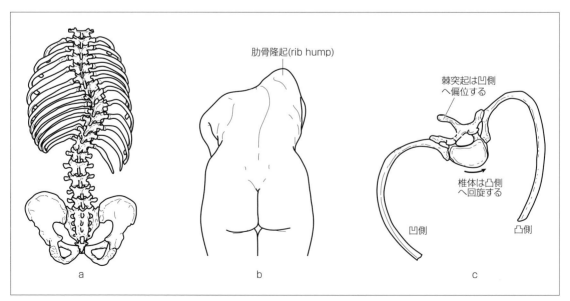

図Ⅱ-11-1　側弯症の形態解剖
　a：凹側で肋間は狭く，凸側で広くなる．椎体は棘突起が凹側へ向かうように回旋している．その結果，凸側の肋骨が背側へ突出する．b：椎体が回旋するため，凸側の肋骨が背側へ膨隆し胸椎側弯における特徴的な肋骨隆起(rib hump)を形成する．c：胸部を尾側から見た図．椎体は凸側へ回旋する．棘突起は凹側へ偏位する．凸側の肋骨は背側へ押され，胸腔は狭くなる．

表Ⅱ-11-1　側弯症の分類

- ●**特発性（idiopathic）**
  1) 乳幼児（infantile）0～3歳：resolving, progressive
  2) 学童期（juvenile）4～10歳（思春期初期まで）
  3) 思春期（adolescent）10～20歳（思春期初期から骨端線閉鎖まで）
  4) 成人（adult）
- ●**神経筋原性（neuromuscular）**
  1) 神経原性（neuropathic）：
     a. 上位運動ニューロン障害（upper motor neuron lesion）：脳性麻痺（cerebral palsy：CP），脊髄小脳変性症（spinocerebellar degeneration），脊髄空洞症（syringomyelia），脊髄腫瘍（spinal cord tumor），脊髄損傷（spinal cord trauma）
     b. 下位運動ニューロン障害（lower motor neuron lesion）：ポリオ（poliomyelitis），脊髄性筋萎縮症（spinal muscular atrophy），脊髄髄膜瘤（myelomenigocele, paralytic），家族性自律神経失調症（dysautonomia, Riley-Day syndrome）
     c. その他：Rett症候群
  2) 筋原性（myopathic）：
     a. 多発性関節拘縮症（arthrogryposis）
     b. 筋ジストロフィー（muscular dystrophy）：デュシェンヌ型（Duchenne type）
     c. 先天性筋緊張低下（congenital hypotonia）
- ●**先天性（congenital）**
  1) 形成異常（failure of formation）：楔状椎（wedge vertebra），半椎（hemivertebra）
  2) 分節異常（failure of segmentation）：片側癒合椎（unilateral, unsegmented bar），両側癒合椎（bilateral, block vertebra）
- ●**神経線維腫症（neurofibromatosis）**
- ●**間葉系異常（mesenchymal disorders）**
  1) マルファン症候群（Marfan syndrome）
  2) エーラス・ダンロス症候群（Ehlers-Danlos syndrome）
  3) ホモシスチン尿症（homocystinuria）
- ●**関節リウマチ（rheumatoid disease）**
- ●**外傷性（traumatic）**：骨折または脱臼（fracture or dislocation），椎弓切除後（postlaminectomy），放射線療法後（postradiation）
- ●**瘢痕性（extraspinal contractures）**
  postempyema, burns
- ●**骨軟骨異形成症（osteochondrodystrophies）**
  1) 変形性小人症（diastrophic dwarfism）
  2) ムコ多糖症（Mucopolysaccharidoses（Morquio's syndrome））
  3) 脊椎骨端骨異形成症（spondyloepiphyseal dysplasia：SED）
  4) 多発性骨端異形成症（multiple epiphyseal dysplasia：MED）
  5) 軟骨無形成症（achondroplasia）
- ●**骨感染症（infection of bone）**
  急性，慢性（acute, chronic）
- ●**代謝性（metabolic）**：くる病（rickets），骨形成不全症（osteogenesis imperfecta），若年性骨粗鬆症（juvenile osteoporosis）
- ●**腰仙椎関連（related to lumbosacral joint）**：脊椎分離症（spondylolysis），脊椎すべり症（spondylolisthesis）
- ●**腫瘍（tumors）**：類骨骨腫（osteoid osteoma），骨組織球症（histiocytosis X）
- ●**胸郭性（thoracogenic）**：Postthoracoplasty, Postthoracotomy

表Ⅱ-11-2　年代による分類

乳幼児（infantile）：	0～3歳
学童期（juvenile）：	4～10歳（思春期（the onset of puberty）まで）
思春期（adolescent）：	10～20歳（思春期から骨端線閉鎖まで）
成人（adult）：	20歳～（骨端線閉鎖以後）

表Ⅱ-11-3　頂椎部位による分類

胸椎カーブ（thoracic curve）：	頂椎が T2〜T11/12 椎間	90％以上が右凸
胸腰椎カーブ（thoracolumbar curve）：	頂椎が T12-L1	80％が右凸
腰椎カーブ（lumbar curve）：	頂椎が L1/2 椎間〜L4	70％が左凸
腰仙椎カーブ（lumbosacral curve）：	頂椎が L4/5 椎間〜S1	

（留意点）左凸胸椎カーブ，右凸の長い胸椎カーブ（終椎が T12 より尾側），ダブル胸椎カーブなどは，必ず MRI にてキアリ奇形や脊髄空洞症の有無を調べておく必要がある．

11-A-3. 用語の解説

脊柱変形では，他の脊椎・脊髄病では用いない独特の用語があるので下記に列挙する．

- 頂椎（apical vertebra, apex）：最も外側に位置する椎体または椎間板（椎間もあり得る）．
- 終椎（end vertebra）：側弯カーブ内で最も傾いている頭（尾）側の椎体．
- neutral vertebra：回旋のない椎体．
- stable vertebra：左右の腸骨稜を結ぶ垂直二等分線（または CSVL）上で最も均等に分割される椎体（図Ⅱ-11-2）．
- central(center) sacral vertical line (CSVL)：仙骨中央部から腸骨稜を結ぶ線に垂直に引いた線．骨盤が傾斜している場合には，仙骨中央部からの垂線を CSVL とすれば前者の CSVL とは線が異なるので注意を要する[1]．
- 凹側（concave）
- 凸側（convex）
- plumb line：C7 から仙骨に降ろした垂線．
- stable zone：腰仙椎の左右の椎間関節に平行に引いた縦の線の内側．
- 骨盤側傾（pelvic obliquity）：冠状面において骨盤が水平線より一方に偏位した状態．
- 構築性側弯（structural scoliosis）：正常な可撓性が減少し，側屈でも矯正されない側弯（>25°）．側弯変形だけでなく，通常は回旋変形を伴う．
- 機能性側弯（functional scoliosis）：腰椎椎間板ヘルニアによる疼痛や姿勢，脚長差に伴う非構築性側弯で，その原因を除くと消失する側弯．通常は回旋を伴わない．
- 代償性カーブ（compensatory curve）：major curve の上下で体幹バランスを保つために生じるカーブ．初期には非構築性だが，時間経過とともに構築性カーブになることもある．

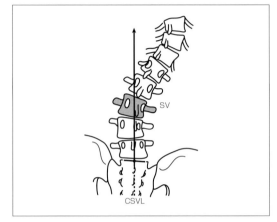

図Ⅱ-11-2　stable vertebra と central sacral vertical line

仙骨中央部から腸骨稜を結ぶ線に垂直に線を引く（central sacral vertical line：CSVL）．骨盤が水平でない場合（脚長差など），補高などで骨盤を水平に補正しなければならない．この線によって椎体を二分する，あるいは椎弓根間を通る椎体を同定し，これを stable vertebra（SV）とする．

- double-major scoliosis：2 つの構築性カーブを有する側弯．
- 代償不全（decompensation）：冠状面の体幹バランス不良（coronal decompensation）．
- 角状後弯（gibbus）：先天奇形や結核性脊椎炎で認められる鋭角に弯曲した後弯．
- UIV（upper instrumented vertebra）：固定上端椎
- LIV（lower or lowest instrumented vertebra）：固定下端椎
- LTV（last touching vertebra），TV（touched vertebra）：CSVL を通る最尾側の椎体（T12-L5）．CSVL が両側椎弓根の間，あるいは触れる場合（last substantially touched vertebra：LSTV）と椎弓根外側で椎体外縁のみを通る場合がある[2〜5]．

■ adding-on：側弯の矯正術後に生じる固定上下隣接部での変形悪化。多くは固定下位で生じ（distal adding-on），側弯の終椎が尾側に移動したり，固定下位の隣接椎間板が楔状化（5°以上）する状態を指す。

11-A-4. 診断

側弯症の診断は，衣服を脱がせ（エプロン型の診察着が有用である），立位と前屈位で背側からの視診が中心となる。立位では，肩や骨盤の水平性と体幹側方のライン（waistline）の対称性を確認し，前屈位では背部あるいは腰部での隆起（hump）の有無を確認することで，ある程度以上の側弯症の診断は可能である（図Ⅱ-11-3）。しかし，脊柱側弯の定義は立位で10°以上のCobb角を有する冠状面での変形であるため，確定診断は少なくとも立位X線長尺正面撮影が必要となる。

立位X線長尺正面像にて側弯変形を確認したら，次に症候性側弯症との鑑別診断へ進む。下肢長測定や関節可動域，手足の変形の有無など整形外科的一般診察に加えて，手指・足の長さや全身関節弛緩性の観察および皮膚病変（特にカフェオレ斑）の視診が，Marfan症候群や神経線維腫症など頻度の高い症候性側弯症の鑑別上のポイントになる（表Ⅱ-11-4）。

また，神経学的な検査では深部腱反射はもちろん腹壁反射の左右差や眼振の有無が，脊髄空洞症やキアリ奇形を鑑別するうえで特に重要である。

MRI検査は全例に必須とはいえないが，10歳までに診断された側弯症や家族歴を有する場合，頚部痛や頭痛の訴えがある症例，足の凹足変形，眼振，腹壁反射の左右差があれば，頭蓋頚椎移行部のMRI検査は必須と考える。また，側面像にて胸椎の後弯が強い場合も症候性を疑う所見の1つと考え，MRI検査を施行するほうがよい。

1 側弯症の初期診断における腹壁反射の重要性[7,8,18～21]

キアリ奇形や脊髄空洞症に伴う側弯症は，側弯症手術例のおよそ25％に認められるが，身体的特徴では初期診断において見逃されやすい[9]。

神経学的所見のうち，腹壁反射は側弯症の初期診断において特に重要で，10歳未満では腹壁反射の消失率はほぼゼロと考えてよい。

腹壁反射の左右差や低下は，キアリ奇形や脊

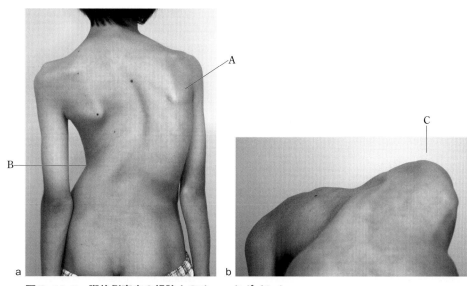

図Ⅱ-11-3　脊柱側弯症の視診上のチェックポイント
a：立位では，C7棘突起からの垂線が骨盤中央部を通るかどうか，肩の高さ，肩甲骨の突出（A），脇腹のライン（waistline）の非対称（B），骨盤の水平性，皮疹の有無などをチェックする。b：前屈テストでは，肋骨隆起（C）および腰部隆起を観察する。

表Ⅱ-11-4 診断上のポイント

- 視診：顔貌，皮膚，殿裂の左右差や尾骨の皮膚陥凹，足部変形，胸郭変形を観察する。
- 前屈テスト(Adams test)：肋骨および腰部隆起を観察する(図Ⅱ-11-3b)。
- 体幹バランス：両肩や骨盤の高さの差，冠状面・矢状面でのplumb line評価を行う。
- 脊柱変形の柔軟性：側屈テスト，仰臥位で股関節を屈曲させ，腰椎の前弯を評価する。
- くも状指(arachnodactyly)：手指が長いか，arm spanが身長以上の場合はMarfan症候群を疑い精査する。
- 下肢長差・骨盤傾斜の有無を評価する。
- 関節弛緩症(joint laxity)：母指・手関節・肘関節・膝関節・足関節において関節弛緩の有無を観察する。
- 神経学的評価：深部腱反射，腹壁反射，筋振，知覚の評価を行う。
- 家族歴：家族に側弯がある場合，13％にMRI上神経異常所見を認めたとの報告がある[6]。
- 発達歴：頚定の時期，かけっこの速さなどはミオパチーを疑うのに重要である。

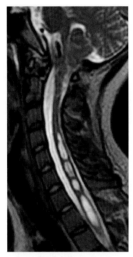

図Ⅱ-11-4 脊髄空洞症を伴うキアリ奇形Ⅰ型
(MRI T2強調矢状断像)

髄空洞症を疑う重要な所見で，必ず上位頚髄を含めた全脊柱MRIにて評価する必要がある(図Ⅱ-11-4)。

腹壁反射の両側消失は，筋原性側弯を疑う所見で，筋原性酵素をチェックする必要がある。

2 除外診断

神経・筋疾患(ミオパチー)を疑う場合は，上腕二頭筋の筋生検も必要となることがある。

脊髄腫瘍や奇形(3歳以上の左凸胸椎カーブ)は特に注意する。

内分泌代謝異常に注意する。

MRIにて脊髄空洞症や腫瘍による症候性側弯症を否定する。

特に腹壁反射の左右差，10歳以下，家族歴あり，非典型的カーブパターンは全脊柱のMRIが必要である。

11-A-5. 各種計測

1 肋骨隆起あるいは腰部隆起(hump)の計測

前屈位で隆起の高さと傾斜角を計測する(図Ⅱ-11-5)。

2 側弯症のX線計測

初診時は全脊柱立位(座位)2方向(＋臥位正面)が必須である。

表Ⅱ-11-5は術前の必須X線撮影だが，変形に応じて以下の撮影を追加する。

1) 矢状面アライメントの異常があるときは，最大前後屈位の長尺側面も撮影する。後屈は後弯の頂椎に枕を当てた仰臥位か，仰臥位が無理なら腹臥位で側面を撮影する。
2) 固定上下椎の決定に迷うとき(double-thoracic curve, thoracolumbar curve)は，fulcrum bendingも必要である。三角枕に凸側の頂椎部肋骨を当てた側臥位で正面を撮影する。
3) カウンター(push-prone)をかけた状態で頂椎部肋骨を側方から押してPA撮影を行う。

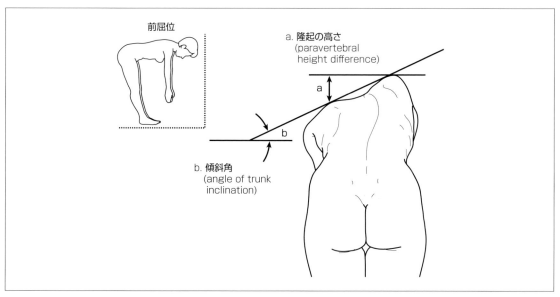

図Ⅱ-11-5　肋骨隆起あるいは腰部隆起(hump)の計測

表Ⅱ-11-5　術前のX線評価

●立位長尺正面(PAあるいはAP)と側面を撮影する。
　・正面はPAだとRisser signがわかりにくくなる。
　・一般的な中間位は，両肘屈曲で握り拳を鎖骨上窩に置いた立位姿勢である。
　・麻痺性あるいは立位不可の患者では，座位で評価する。
　・骨盤傾斜(>2 cm)や脚長差がある場合，補高で骨盤の高さを調整して撮影する。
●臥位と最大左右屈位の長尺正面(臥位AP)を撮影する。
●牽引位長尺正面(AP)：顎と乳様突起で頭部を引っ張り，もう一人が下肢を牽引する。

3　側弯の程度(重症度)

側弯の程度(重症度)は，Cobb法にて計測する(図Ⅱ-11-6)。

冠状面において最も傾斜している椎体を終椎として，上位終椎の椎体頭側縁と下位終椎の椎体尾側縁とがなす角度をCobb角とする。椎体の骨性終板がはっきりしない場合は，両側椎弓根を結ぶ線で代用する。通常，以下の3つの弯曲に対して，それぞれCobb角を計測する。

1) 近位部胸椎カーブ(proximal thoracic：PT)：T1上縁から胸椎上位の終椎下縁
2) 胸椎主カーブ(main thoracic：MT)：胸椎上位の終椎上縁から胸椎下位の終椎下縁
3) 胸腰椎/腰椎カーブ(thoracolumbar/lumbar：TL/L)：胸椎下位の終椎上縁から腰椎下位の終椎下縁

4　骨成熟の評価

骨成熟(skeletal maturity)の評価は，腸骨骨端核の出現によって評価する(Risser sign：図Ⅱ-11-7)。

骨端核が見えないものをRisser sign 0とする。腸骨稜を4分割し，骨端核が内側4つ目まで達したものをRisser sign 4，骨端核が癒合したものをRisser sign 5とする。

5　頂椎回旋の評価

頂椎回旋の評価は，X線では椎弓根の正中への偏位程度によってgrade 0〜grade Ⅳとして評価する(Nash法)が，CTにてより正確に回旋角度を計測できる(Aaro法)。

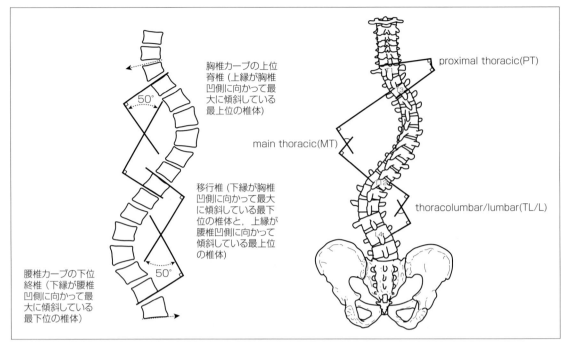

図Ⅱ-11-6 側弯症のX線計測(Cobb法)

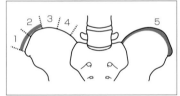

図Ⅱ-11-7 骨成熟のX線評価
(Risser sign)

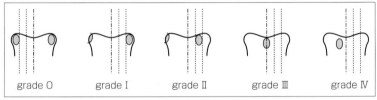

図Ⅱ-11-8 椎体回旋のX線評価(Nash法)
grade 0：正常，grade Ⅰ：25％未満の回旋，grade Ⅱ(椎弓根が中央 1/3 内側へ偏位)：25％の回旋，grade Ⅲ(椎弓根が椎体中央へ偏位)：50％の回旋，grade Ⅳ：50％以上の回旋

a. Nash法(図Ⅱ-11-8)

正面像における椎弓根の位置を観察する。

b. Aaro法(RA_{sag})

臥位のCTで頂椎の回旋を評価する簡便な方法である[10]。

■ RA_{sag}：脊柱管中央から椎体中央を通る線と矢状面とがなす角度。

6 冠状面評価(図Ⅱ-11-9)[22]

a. C7 plumb line

右に偏位する場合をプラス(＋)，左に偏位する場合をマイナス(−)と表現する。

b. apical vertebral translation(AVT)

頂椎から仙骨中心線(center sacral vertical line)までの距離。頂椎部は，椎体または椎間板の四隅の対角線の交点から計る。体幹バランスが偏位している(decompensated)場合は，上位はC7 plumb lineから，下位は仙骨中心線から計測する。通常，右側をプラス(＋)，左側をマイナス(−)とする[11]。

c. flexibility index

腰椎の側屈位における矯正率(％)から胸椎の側屈位における矯正率(％)を引いた値。腰椎カーブが胸椎カーブよりも可撓性が大きい場合は(＋)となる[11]。

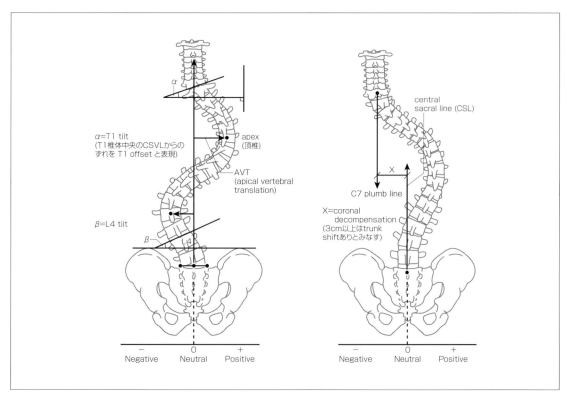

図Ⅱ-11-9 冠状面のX線評価
骨盤の高さが2cm以上の場合は補高をつけて骨盤側傾（pelvic obliquity）を補正する必要あり!!

7 矢状面評価（図Ⅱ-11-10, 11，表Ⅱ-11-6）[23〜25]

後弯はプラス（＋），前弯はマイナス（−）と表現するのが一般的である。

股関節・膝関節は基本的には伸展位で，拳を鎖骨に置いて自然な立位で撮影する（立位中間位）。

1）胸椎部後弯評価（T4またはT5上縁/T12下縁）：＋20〜50°後弯
2）胸腰椎移行部（T10-L2）：＋10〜−10°（ほぼ直線），T11/L2では−12±6°前弯
3）腰仙椎前弯評価（T12下縁またはL1上縁/S1上縁）：−50〜70°前弯，L1/5では−44±11°前弯
4）立位での矢状面全体評価：（global sagittal balance，sagittal vertical axis：SVA）

C7椎体中央からの垂線と仙骨後縁（前縁のほうがわかりやすいが，後縁で評価することが多い）の距離（cm）を計測する。仙骨よりも後方をマイナス（−），前方をプラス（＋）に表示する。

C7 plumb lineは，思春期で仙骨前縁の32±32 mm後方，中年で56±35 mm後方，仙骨後縁からは38±21 mm前方を通る。

また，C7 plumb lineは，立位でHA（hip axis）の後方3〜4 cmを通る（−8.8〜＋0.5：平均−3.9±2.1 cm）。**仙骨傾斜角**（sacral inclination）は47.9±6.7°（35〜61°，図Ⅱ-11-10のβ）。

11-A-6. 骨盤の前傾・後傾・仙骨傾斜角と脊柱アライメント

図Ⅱ-11-12に示すように，正常（a）では仙骨傾斜角：48±6.7°，仙骨垂直化（b）すると骨盤が後傾し，股関節は相対的に伸展する（仙骨傾斜角＜40°），仙骨水平化（c）すると骨盤が前傾し，股関節は相対的に屈曲する（仙骨傾斜角＞60°）。さらに，脊柱アライメント全体を考慮すると骨盤が後傾していると腰椎の前弯は小さく

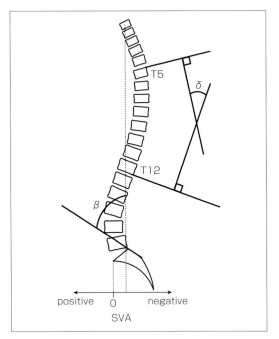

図Ⅱ-11-10 脊柱矢状面における各種パラメータ
（文献 12 より）

sagittal vertical axis (SVA)：C7 plumb line から仙骨前縁（または後縁）までの距離を指し，(+)は前方，(−)は後方を通ることを意味する．

β：仙骨傾斜角（S1 後縁と垂線とのなす角），δ：2 椎体間の矢状面 Cobb 角

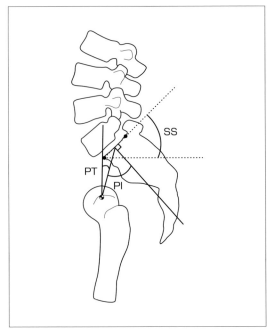

図Ⅱ-11-11 立位における腰仙椎の矢状面評価法

pelvic incidence (PI)：S1 頭側終板の中点から S1 頭側終板に対する垂線を引き，それと S1 頭側終板の中点と骨頭中心を結んだ線の中点に引いた線との角度．PI = PT + SS．

pelvic tilt (PT)：S1 頭側終板の中点と骨頭中心を結んだ線の中点に引いた線と垂線との角度．

sacral slope (SS)：仙骨上縁と水平線のなす角．
(p399, 400 参照)

表Ⅱ-11-6 思春期および成人における脊柱矢状面パラメータの比較（文献 13 より）

Mean	Adolescents	Adults	P Value
SVA (cm)	−5.6	−3.2	0.0001 †
Thoracic kyphosis (°)	38	34	0.042 †
Lumbar lordosis (°)	−64	−64	0.562
T12-L1 (°)	1	2	<0.0001 †
L1-L2 (°)	−4	−4	0.829
L2-L3 (°)	−10	−9	0.9572
L3-L4 (°)	−13	−14	0.0305 †
L4-L5 (°)	−20	−24	<0.0001 †
L5-S1 (°)	−25	−24	0.0001 †
Sacral inclination (°)	48	46	0.188
Thoracic apex	T6	T7	
Lumbar apex	L4	L4	

†：statistically significant difference between adolescents and adults
SVA：sagittal vertical axis

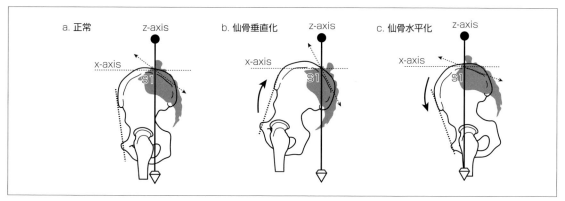

図Ⅱ-11-12　骨盤の前傾・後傾・仙骨傾斜角と脊柱アライメント(文献14より)

表Ⅱ-11-7　MRI検査(全脊柱)の必要な側弯症例(文献7, 17より)

- 腹壁反射の左右差など神経学的異常所見を認める場合
- 若年性(10歳までに発見された側弯症)
- 男児
- 30°以上の胸椎後弯を認める場合
- 左凸の胸椎側弯を認める場合
- 中程度以上の疼痛のある場合
- 角度の割に可撓性が大きい変形

てよいが,骨盤が前傾していると腰椎の前弯は大きくなる.

11-A-7. MRI検査の意義

　Winterらは,思春期特発性側弯症140例のMRI検査にて4例に異常(脊髄空洞症1例,キアリ奇形3例)を認めたと報告したが,その程度は軽く典型的な思春期特発性側弯症に対してルーティンにMRI検査をする必要はないとした[15]．しかし,Guptaらは,特発性側弯症の中でも乳児期や学童期の症例では17〜20%の脊柱管内異常を認め,MRI検査の必要性を指摘している(特に20°以上)[16]．Inoueらも特発性側弯症と診断し手術を予定した患者の18%にMRI上,神経異常を認めたと報告している[17]．

　実際には,**頚椎MRI検査**(頭頚移行部から頚胸移行部)でキアリ奇形や脊髄空洞症の有無を検索し,側弯のある胸腰椎部では脊柱管内の奇形や腫瘍の有無,凹側の椎体周囲病変の有無を検索する．変形部位は,矢状断像よりも冠状断像や横断像のほうが診断的価値は高い．

　10歳未満で診断された側弯や,頚部痛,頭痛の訴えがある場合,足の凹足変形,眼振,腹壁反射の左右差があれば,頭蓋頚椎移行部のMRI検査は必須である(表Ⅱ-11-7).

引用文献

1) Zhuang Q, Zhang J, Wang S, et al : How to select the lowest instrumented vertebra in Lenke type 5 adolescent idiopathic scoliosis patients? Spine J 21 : 141-149, 2021.
2) Cho RH, Yaszay B, Bartley CE, et al : Which Lenke 1A curves are at the greatest risk for adding-on... and why? Spine 37 : 1384-1390, 2012.
3) Matsumoto M, Watanabe K, Hosogane N, et al : Postoperative distal adding-on and related factors in Lenke type 1A curve. Spine 38 : 737-744, 2013.
4) Qin X, Sun W, Xu L, et al : Selecting the last "substantially" touching vertebra as lowest instrumented vertebra in Lenke Type 1A curve : radio-graphic outcomes with a minimum of 2-year follow-up. Spine 41 : E742-E750, 2016.
5) Beauchamp EC, Lenke LG, Cerpa M, et al : Selecting the "touched vertebra" as the lowest instrumented

vertebra in patients with Lenke type-1 and 2 curves. Radiographic results after a minimum 5-year follow-up. J Bone Joint Surg Am 102：1966-1973, 2020.
6) Inoue M, Nakata Y, Minami S, et al：Idiopathic scoliosis as a presenting sign of familial neurologic abnormalities. Spine 28：40-45, 2003.
7) 岩﨑幹季，坂浦博伸，大島和也，他：側弯症初期診断における腹壁反射の重要性。日脊会誌 19：19, 2008.
8) Fujimori T, Iwasaki M, Sakaura H, et al：The utility of superficial abdominal reflex in the initial diagnosis of scoliosis：a retrospective review of clinical characteristics of scoliosis with syringomyelia. Scoliosis 5：17, 2010.
9) Emery E, Redondo A, Rey A：Syringomyelia and Arnold Chiari in scoliosis initially classified as idiopathic：Experience with 25 patients. Eur Spine J 6：158-162, 1997.
10) Aaro S, Dahlborn M：Estimation of vertebral rotation and the spinal and rib cage deformity in scoliosis by computer tomography. Spine 6：460-467, 1981.
11) Lenke LG, Bridwell KH, Baldus C, et al：Preventing decompensation in King type II curves treated with Cotrel-Dubousset instrumentation. Strict guidelines for selective thoracic fusion. Spine 17：S274-S281, 1992.
12) Gelb DE, Lenke LG, Bridwell KH, et al：An analysis of sagittal spinal alignment in 100 asymptomatic middle and older aged volunteers. Spine 20：1351-1358, 1995.
13) Vedantam R, Lenke LG, Keeney JA：Comparison of standing sagittal spinal alignment in asymptomatic adolescents and adults. Spine 23：211-215, 1998.
14) Bridwell KH：The Textbook of Spinal Surgery 2nd ed, Lippincott, p190, 1997.
15) Winter RB, Lonstein JE, Heithoff KB, et al：Magnetic resonance imaging evaluation of the adolescent patient with idiopathic scoliosis before spinal instrumentation and fusion. A prospective, double-blinded study of 140 patients. Spine 22：855-858, 1997.
16) Gupta P, Lenke LG, Bridwell KH：Incidence of neural axis abnormalities in infantile and juvenile patients with spinal deformity-Is a magnetic resonance image screening necessary? Spine 23：206-210, 1998.
17) Inoue M, Minami S, Nakata Y, et al：Preoperative MRI analysis of patients with idiopathic scoliosis. Prospective study. Spine 30：108-114, 2004.

参考文献

18) Arai S, Ohtsuka Y, Moriya H, et al：Scoliosis associated with syringomyelia. Spine 18：1591, 1993.
19) Zadeh HD, Sakka SA, Powell MP, et al：Absent superficial abdominal reflexes in children with scoliosis. J Bone Joint Surg Br 77：762, 1995.
20) Yngve D：Abdominal reflexes. J Pediatr Orthop 17：105, 1997.
21) Saifuddin A, Tucker S, Taylor BA, et al：Prevalence and clinical significance of superficial abdominal reflex abnormalities in idiopathic scoliosis. Eur Spine J 14：849, 2005.
22) Michael F, O'Brien, Timothy R, et al, ed：Spinal Deformity Study Group Radiographic Measurement Manual, Medtronic Safamor Danek USA, Inc, pp47-94, 2005.
23) Jackson RP, Mcmanus AC：Radiographic analysis of sagittal plane alignment and balance in standing volunteers and patients with low back pain matched for age, sex, and size. A prospective controlled clinical study. Spine 19：1611-1618, 1994.
24) Jackson RP, Peterson MD, Mcmanus AC, et al：Compensatory spinopelvic balance over the hip axis and better reliability in measuring lordosis to the pelvic radius on standing lateral radiographs of adult volunteers and patients. Spine 23：1750-1767, 1998.
25) Jackson RP, Kanemura T, Kawakami N, et al：Lumbopelvic lordosis and pelvic balance on repeated standing lateral radiographs of adult volunteers and untreated patients with constant low back pain. Spine 25：575-586, 2000.

11-B. 特発性側弯症
idiopathic scoliosis

11-B-1. 病態・病因

●発症頻度[1,46]

Cobb角10°以上は16歳未満の小児100人中およそ2〜3人，20°以上は1,000人中3〜5人の頻度とされている[2]。学校検診が進んでいる東京都の疫学調査によると，Cobb角10°以上は11〜14歳の小児全体で0.87%（女児1.6%，男児0.14%）で，20°以上は0.31%（女児0.6%，男児0.03%）と報告されている[3]。

●男女差

乳幼児側弯症（後述）は男児にやや多いが，6歳以降は女児の頻度が高くなり，思春期特発性側弯症（10歳以降）は圧倒的に女子に多い。男女比は20°以上でおよそ1：5, 30°以上でおよそ1：10とされている。東京都の疫学調査でも，男女比は10°以上でおよそ1：11，20°以上で1：20と報告されている[3]。

growth spurtは，女児の場合は初潮前で12歳前後だが，男児の場合は14歳前後と遅れる（図Ⅱ-11-13）。

peak height velocity（PHV）から3年で80%，3.6年で90%の女児の成長が止まる[5]（図Ⅱ-11-14）。

PHV時に30°以上のカーブは83%で45°以上に進行する[5]。

●病因論[47]

下記に側弯症の病因に関する代表的な報告を示すが，いまだ確定的な病因は解明されていない。思春期特発性側弯症はときに家系内で多発

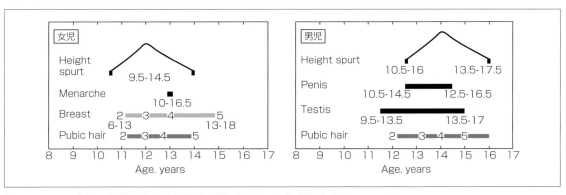

図Ⅱ-11-13　女児・男児における発達の各種パラメータと成長速度（文献4より）

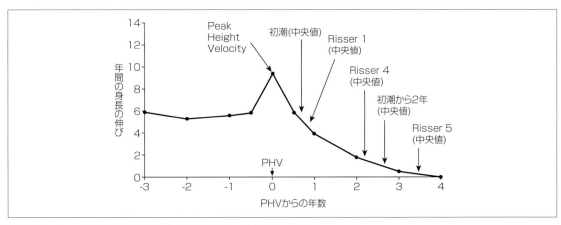

図Ⅱ-11-14　女児の身長の伸びと各種パラメータ（文献5より）
PHV：peak height velocity

することから，何らかの遺伝的要素の関与が推測されている．双生児の meta-analysis から，思春期特発性側弯症は一卵性双生児の73％，二卵性双生児の36％に認められた[6]．また，最近の genome-wide association study（GWAS）から思春期特発性側弯症に関与する遺伝子候補も探索されている[7]．何らかの遺伝的素因に加えて，バランス不良などの中枢神経系や筋肉の異常，内分泌系の異常による成長障害，コラーゲンやプロテオグリカンなどの代謝異常など多因子が関与している疾患と考えられている．胸郭の成長や肋骨切除が側弯の発症や進行に影響するという動物モデルの報告もある[8]．興味あることに肋骨は切除した側が凸側の変形を生じることは実際の臨床でも同様である．

a. 遺伝的素因を示唆する報告

- Wynne-Davies R : Genetics and congenital musculoskeletal disorders. Obstet Gynecol Annu 6 : 247-260, 1977.
- Riseborough EJ, Wynne-Davies R : A genetic survey of idiopathic scoliosis in Boston, Massachusetts. J Bone Joint Surg Am 55 : 974-982, 1973.
- Wynne-Davies R : Familial (idiopathic) scoliosis. A family survey. J Bone Joint Surg Br 50 : 24-30, 1968.
- Inoue M, Minami S, Nakata Y, et al : Association between estrogen receptor gene polymorphism and curve severity of idiopathic scoliosis. Spine 27 : 2357-2362, 2002.
- Takahashi Y, Kou I, Takahashi A, et al : A genome-wide association study identifies common variants near LBX1 associated with adolescent idiopathic scoliosis. Nature Genetics 43 : 1237-1240, 2011.

b. calmodulin（calcium-binding receptor protein）の関与を示す報告

- Kindsfater K, Lowe T, Lawellin D, et al : Levels of platelet calmodulin for the prediction of progression and severity of adolescent idiopathic scoliosis. J Bone Joint Surg Am 76 : 1186-1192, 1994.
- Lowe T, Lawellin D, Smith D, et al : Platelet calmodulin levels in adolescent idiopathic scoliosis. Do the levels correlate with curve progression and severity? Spine 27 : 768-775, 2002.

c. melatonin の関与を示す報告

- Machida M, Dubousset J, Imamura Y, et al : Melatonin. A possible role in pathogenesis of adolescent idiopathic scoliosis. Spine 21 : 1147-1152, 1996.
- Brodner W, Krepler P, Nicolakis M, et al : Melatonin and adolescent idiopathic scoliosis. J Bone Joint Surg Br 82 : 399-403, 2000.

11-B-2. 乳幼児側弯症（infantile scoliosis）

4歳未満に発症の側弯症は，1対1から2対1の割合で男児に多く，左凸の胸椎カーブが多い．Cobb角40〜50°以上のカーブでも，なるべく Risser-Cotrel cast や装具によってねばることが重要である．

1 進行の予測

20°以下のカーブの80％以上は進行しないが，double-major curve はほとんどで進行する．

頂椎における凸側の肋骨頭と椎体との関係が重要である[9]（図Ⅱ-11-15）．

■ 臥位でのX線で経時的に評価するが，凸側頂椎の肋骨頭が頂椎椎体に重なっていなければ（phase Ⅰ），側弯の進行は rib-vertebral angle difference（RVAD）で予想できる．
- RVAD が20°を超える（すなわち，左右のRVA に20°以上の差がある）場合は進行しやすい．
- RVAD が20°以下の場合，RVAD の減少は Cobb角の減少より先に現れて徐々にカーブは解消される．

■ 凸側頂椎の肋骨頭が頂椎椎体に重なってくれば（phase Ⅱ），高率に進行と関連し，RVAD の測定は必要なくなる．

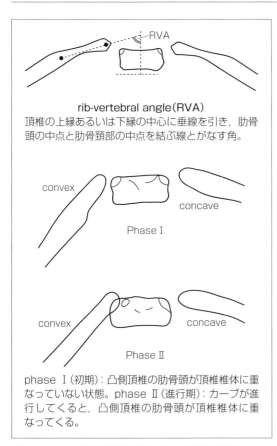

図Ⅱ-11-15　乳幼児側弯症における進行予測
（文献9より）

2 治療

8〜10歳頃まで，あくまでも矯正ギプス（corrective cast）や装具でねばることが基本である。矯正ギプスは早期に開始するほうが効果も大きい。2歳以下では8〜10週間隔，2歳以上では12〜16週間隔でギプスを交換する[10]。

図Ⅱ-11-16に1歳時発症の乳幼児側弯症（resolving）の症例を示す。

11-B-3. 学童期側弯症（juvenile scoliosis）

4〜10歳に発症した側弯症を指すが，乳幼児期と学童期を分けることに臨床的意義はなく，いかなる病因でも成長期の小児に発症した進行性の脊柱変形をまとめて"early-onset scoliosis"として扱うことが多い。ただし，進行の危険性と成長を両方考慮し治療するうえで実際に問題になるのは6歳未満である。

6歳頃までの発症では男女比はほぼ1：1だが，6歳以降は女児の頻度が増えてくる。6歳までは，乳幼児側弯症（infantile scoliosis）同様に左凸の胸椎カーブ（多くはresolving scoliosis）が男児・女児ともに多いが，6歳以降では女児の比率が増え，通常の右凸の胸椎カーブが多く

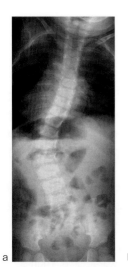 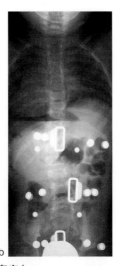 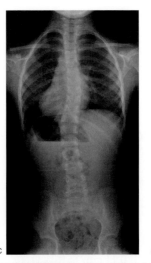 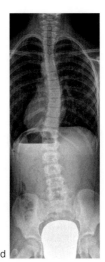

図Ⅱ-11-16　乳幼児側弯症（resolving scoliosis）の症例（発症時1歳3カ月の女児）
　a：全脊柱立位X線正面像，b：装具を装着しての全脊柱立位X線正面像，c：5歳時の全脊柱立位X線正面像，d：10歳時の全脊柱立位X線正面像

なる．したがって，6歳以降で左凸の胸椎カーブか右凸の腰椎カーブがあれば，脊髄空洞症や脊柱管内病変と関連があると考えて検査すべきである．さらに，背部の疼痛・夜間痛や頭痛を訴える場合，腹壁反射の異常（p339参照），男児で進行性の変形を認める場合も何らかの異常を疑い，全脊柱のMRIで精査することが必要である．

また，神経線維腫症，Marfan症候群，Ehlers-Danlos症候群，ダウン症候群，脊髄空洞症，くる病，Friedreich失調症，筋原性疾患などを除外することも重要である．

Cobb角20°以下は経過観察，50〜60°までは装具またはギプス包帯（cast）で徹底的に矯正を試みる（例えば，2カ月間のギプス包帯→装具→2カ月間のギプス包帯）．進行する場合は必ず，頸髄MRIにてキアリ奇形を除外しておく必要がある．

1 進行の予測

- 胸椎カーブは胸腰椎カーブに比べて進行しやすく，手術適応になる危険性が大きい．
- 胸椎後弯の減少（20°以下）は進行の危険因子である．
- Cobb角20°以上のカーブ，頂椎の回旋が15°以上は進行しやすい．
- 頂椎でのRVADの増大も進行と関連する．
- 男児の左凸のカーブ，女児の右凸の胸椎カーブは進行の危険因子である．
- 頂椎で最も回旋している椎体のレベルが進行予測に重要である．頂椎がT8-10の症例は進行しやすいが，頂椎がT12-L2は手術になる可能性は少ない[11]．

2 脊柱および胸郭の成長[10,12]

生直後約50cmの身長が1年で20〜25cm伸びる．それ以後は徐々に成長速度が低下し，4〜10歳では毎年5〜6cmとなる．

2回目の成長速度のピークは思春期で，毎年12〜14cmとなる．5〜10歳で毎年0.05〜0.07cm/椎体，10歳以降で毎年0.11cm/椎体成長する．

T1-S1の長さは5歳の時点で，男児でおよそ66％，女児で69％に達し，残りの成長は約15cmである（胸椎で10cm，腰椎で5cm）．

Dimeglioらによると，胸郭の容積は生直後で成長終了時期の約6％，5歳までに30％，10歳で約50％となる．つまり，体幹の容積は10歳頃には成長終了時の約80％に達するのに対して，胸郭の容積は50％しか成長しない．胸椎と胸郭の成長にとってのgolden periodは生後から8歳までで同時期に肺も成長する[13]．

11-B-4. early-onset scoliosisの手術療法

前述したように5〜6歳未満発症の側弯では，手術療法を決定する前に矯正ギプスや装具療法などを徹底的に行うべきで，前方での成長を無視した単なる後方固定術は変形を悪化させる危険性がある．ここでは特発性に限らず，先天性側弯症や症候性側弯症も含めて主に10歳未満の側弯症に対する手術療法について記載する．

1 成長抑制（growth arrest, convex hemiepiphysiodesis）

凸側の前方あるいは後方（または前後）を癒合させて凸側の成長を抑制する方法で，3歳半頃までのいまだ可撓性の残存する側弯症には良い適応だが，これだけで側弯をコントロールすることは現実には難しい[14,15]．

2 骨移植なしの脊椎固定術（instrumentation without fusion, intermittent distraction lengthening, dual growing rod technique）

金属による矯正と内固定を行うが，主カーブには骨移植を行わず成長に応じてロッドを延長する方法である．オリジナルな概念としては1962年にHarringtonが施行していたが，小児専用のロッドの開発などにより1990年代頃から盛んに行われるようになってきた．9歳以下で矯正ギプスや装具療法に失敗した進行性の側

弯症("early-onset scoliosis")に適応されるが，いずれ最終的な固定術が必要である．合併症率の高いことが問題点で，小児側弯症治療の豊富な経験と技術が必要である．

- 上位は3椎弓，下位は2椎弓のfoundationが理想的であるが，pedicle screwが刺入可能なら2椎弓のfoundationでも可能である（上位胸椎のpedicle screwは長さに注意する）．T2とT3にTP hook，T3とT4にfacet hookのdouble clawか，T1かT2にsupra-lamina hook，T2かT3にfacet hookをかける（左右を1レベルずらして，その部分は骨移植を行う）．
- 変形が強いか硬い場合は，foundation部の骨癒合完成後に二期的矯正を行う場合もある．
- 牽引位正面像でレベルは決めるが，50°以上の変形の場合は前方解離術（骨移植は行わず，線維輪の切開と髄核摘出を頂椎中心に行う）を加えたほうがよい．
- growing rod：rodは皮下に設置すると感染リスクが増すため，筋膜下を通す．growing rodのconnectorは通常T10-L1の間に設置し（アライメントが直線のため），6カ月毎に0.5～0.8cm延長させる．特に上位は横止めで左右のロッドを連結してから，下位のロッドにcantilever techniqueで連結すると矯正しやすい．磁石を利用して延長させる方法もある（magnetically controlled growing rod：MCGR）．
- Shilla法：ロッド・スクリュー間がスライドするため延長術が不要である点が大きな利点である[16]．

3 脊椎固定術(instrumentation with spinal fusion)

10歳未満でY軟骨（triradiate cartilage）が残存しRisser sign 0の場合は，後方固定だけでなく前方固定による成長抑制も考慮する．

11-B-5. 特発性側弯症（胸椎部側弯）のKing分類
（図Ⅱ-11-17）

1 King type Ⅰ（図Ⅱ-11-18）

腰椎カーブ＞胸椎カーブ（胸椎カーブの可撓性のほうが大きい）．腰椎カーブが主の真のdouble-major curveである（両方のカーブが構築性で，正中を越える）．

腰椎カーブと胸椎カーブが全く同等であれば，double-major curveとして分類するが，その可撓性によってtype Ⅰかtype Ⅱかを分ける．

2 King type Ⅱ（図Ⅱ-11-19, 20）

胸椎カーブ＞腰椎カーブ（腰椎カーブの可撓性のほうが大きい）．胸椎カーブが主のfalse double-major curveである．腰椎カーブは代償性の変形である．

Ibrahimらは腰椎の代償不全に着目し，type ⅡをAとBのサブタイプに分類している．つまり，type ⅡAは以下の条件を3つ以上満たし，2つ以下ならtype ⅡBと定義している[18]．

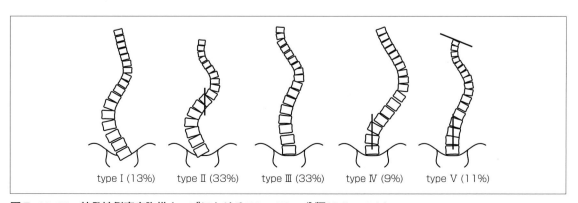

図Ⅱ-11-17　特発性側弯症胸椎カーブにおけるKing-Moe分類（文献17より）

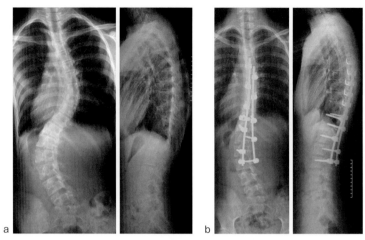

図Ⅱ-11-18　King type Ⅰ（14歳女児）
a：術前の全脊柱立位Ｘ線2方向像，b：術後の全脊柱立位Ｘ線2方向像
腰椎カーブ＞胸椎カーブの double-major curve（Lenke type 6CN）である。

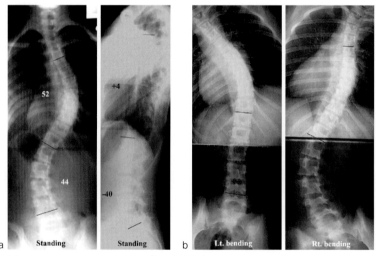

図Ⅱ-11-19　King type ⅡA（14歳女児）
a：全脊柱立位Ｘ線2方向像，b：全脊柱臥位Ｘ線側屈像（左屈・右屈）
胸椎カーブ＞腰椎カーブの false double major curve（Lenke type 1B（−））である。

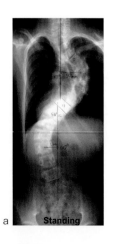 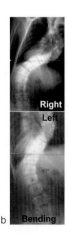 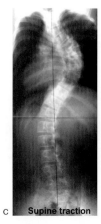

図Ⅱ-11-20　King type ⅡB の症例（13歳男児）
a：全脊柱立位Ｘ線正面像，b：全脊柱臥位Ｘ線側屈像（右屈・左屈），c：全脊柱牽引位Ｘ線正面像
胸椎カーブ＞腰椎カーブの double major curve（Lenke type 3C）である。

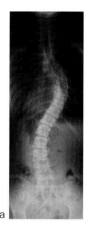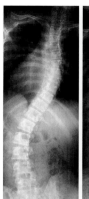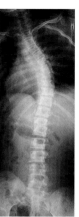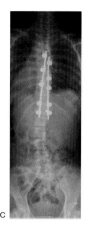

図Ⅱ-11-21　King type Ⅲ（14歳女児）
a：術前の全脊柱立位 X 線正面像，b：術前の全脊柱臥位 X 線側屈像（右屈・左屈），c：術後の全脊柱立位 X 線正面像
main thoracic curve で Lenke type 1A に相当する．このタイプに対しては，選択的に胸椎を固定するのが原則である．

1）腰椎カーブが 35°未満．
2）側屈で腰椎カーブは 70％以上の矯正が得られる．
3）腰椎部の頂椎が center sacral vertical line（CSVL）に触れる．
4）腰仙椎部のカーブが 12°以下．

Asher らは定義を少し変え，以下の 4 つのうち 2 つ満たせば type ⅡB と定義している[19]．
1）stable vertebra が T10 かそれより頭側に位置している．
2）inflection vertebra（カーブ変曲点，つまり胸椎下位の終椎：移行椎）が T11 かそれより頭側に位置している．
3）inflection vertebra の中央が腰椎または胸腰椎凸側カーブに対して（立位で）偏位している．すなわち，胸椎下位終椎が CSVL に対して偏位している場合．
4）胸腰椎の局所後弯（junctional kyphosis：T12-L2 は通常 $-12\pm6°$）を認める場合．

type ⅡA では，後方固定は通常 T4-5 から T12-L1 で止めることができる．stable vertebra から stable vertebra までを固定する[19]．通常，LIV は終椎に一致する．

type ⅡB では，後方固定は通常 T3-4〜L2 か L3 程度まで必要である．LIV は，終椎の 1 椎上，stable vertebra の 2〜3 椎上位までとする[19]．

3　King type Ⅲ（図Ⅱ-11-21）

胸椎の単独カーブ（頂椎は T7，T8 あるいは T9）である．plumb line は仙骨上に位置し（overhang），腰椎カーブは正中を越えない．

4　King type Ⅳ（図Ⅱ-11-22）

胸椎の long C-curve を認める．通常 type Ⅲ よりも頂椎が低く（T10 か T11），下位の終椎は L2 か L3 である．腰椎の代償性が強く，正中ラインに位置する L4 も傾斜する．
腰椎の stable vertebra まで固定を延ばす必要がある（**通常 T5〜L2-4**）．

5　King type Ⅴ（図Ⅱ-11-23）

胸椎の double curve で，上位のカーブ内で T1 あるいは T2 が傾斜している．**両肩の高さの違いに注意する**（T1 傾斜が上位胸椎カーブに対して 5°以上大きい）．

11-B-6. Lenke による特発性側弯症の新しい分類法

King 分類は正面像のみで評価していること

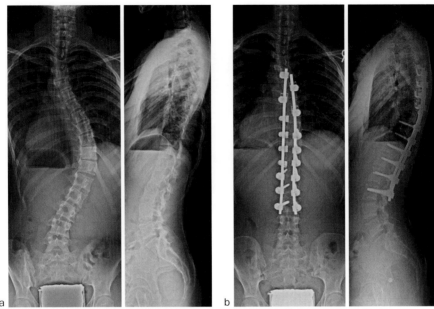

図Ⅱ-11-22　King type Ⅳ（16歳女児）
a：術前の全脊柱立位X線2方向像，b：術後3年の全脊柱立位X線2方向像
Lenke分類にはない変形パターンだが，この症例はLenke type 1A（−）としてT5〜L3まで後方固定施行．

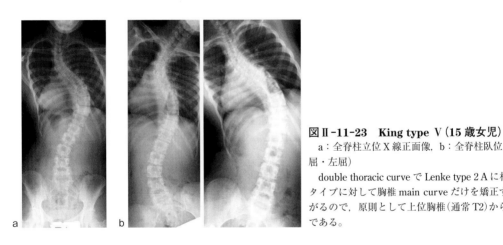

図Ⅱ-11-23　King type Ⅴ（15歳女児）
a：全脊柱立位X線正面像，b：全脊柱臥位X線側屈像（右屈・左屈）
double thoracic curveでLenke type 2Aに相当する．このタイプに対して胸椎main curveだけを矯正すれば右肩が下がるので，原則として上位胸椎（通常T2）からの固定が必要である．

が問題であったが，側面像で矢状面カーブを評価し，さらに腰椎カーブも加えたLenke分類が現在広くに用いられている．

表Ⅱ-11-8，図Ⅱ-11-24にLenkeによる特発性側弯症の分類を示す．

● Type分類

まず，主カーブを同定しtype 1〜type 6に分類する．つまり，頂椎のレベルに応じて，proximal thoracic（PT）・main thoracic（MT）・thoracolumbar/lumbar（TL/L）の3部位のカーブを考慮し，各部位で構築性（structural）カーブか非構築性（non-structural）カーブかを同定する．major curveはMTかTL/Lかの構築性カーブで，大きいほうのカーブを指す（両者が同じ角度の場合はMTをmajor curveとみなす）．minor curveは他の2つの部位で小さいほうのカーブを指すが，構築性カーブ，非構築性カーブのどちらでもあり得る．側屈でCobb角が25°未満に矯正される場合は非構築性カーブとするが，冠状面のCobb角が25°未満でも矢状面での局所後弯（T2/5あるいはT10/L2）が＋20°以

表 II-11-8 Lenke による側弯の新しい分類（文献 20, 21 より）

type	curve type			curve type
	proximal thoracic	main thoracic	thoracolumbar/lumbar	
1	non-structural	structural (major*)	non-structural	main thoracic (MT)
2	structural	structural (major*)	non-structural	double thoracic (DT)
3	non-structural	structural (major*)	structural	double major (DM)
4	structural	structural (major*)	structural	triple major (TM)
5	non-structural	non-structural	structural (major*)	thoracolumbar/lumbar (TL/L)
6	non-structural	structural	structural (major*)	thoracolumbar/lumbar-main thoracic (TL/L-MT)

major* : largest Cobb measurement

minor curves における構築性カーブの定義
proximal thoracic　側屈 Cobb 角≧25°
　　　　　　　　　T2/5 後弯≧＋20°
main thoracic　　　側屈 Cobb 角≧25°
　　　　　　　　　T10/L2 後弯≧＋20°
thoracolumbar/lumbar　側屈 Cobb 角≧25°
　　　　　　　　　T10/L2 後弯≧＋20°

頂椎によるカーブ名
（SRS definition）
カーブ	頂椎レベル
thoracic	T2-T11/12 椎間
thoracolumbar	T12-L1
lumbar	L1/2 椎間-L4

lumbar spine modifier
A：CSVL が両側椎弓根の間を通る。
B：CSVL が頂椎椎体に接する。
C：CSVL が完全に内側を通る。

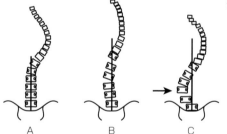

thoracic sagittal profile (T5/12)
− (hypo)　＜10°
N (normal)　10〜40°
＋ (hyper)　＞40°

curve type (1〜6) + lumbar spine modifier (A, B, or C) + thoracic sagittal modifier (−, N, or ＋)
例：1B＋

上であれば構築性カーブとみなす．例えば，腰椎カーブが立位あるいは側屈で 25°未満でも T10/L2 の胸腰椎部後弯が＋20°以上あれば構築性カーブとみなされる．

● **lumbar modifier の同定**

CSVL（center sacral vertical line）が腰椎部の頂椎両側椎弓根の間を通れば lumbar modifier A，凹側の椎弓根内縁と頂椎椎体外縁の間を通れば（椎弓根に接している）lumbar modifier B，完全に椎体外縁の内側を通れば lumbar modifier C とする．A か B か迷う場合や B か C か迷う場合は B を選択する．頂椎が椎間の場合は，そのすぐ頭側と尾側の椎体と CSVL との関係で判定する．

● **sagittal thoracic modifier の同定**

T5/12 間の後弯角を測定し，＋10°未満は hypokyphotic とみなし（−），＋10°〜40°までを正常として（N），＋40°以上は hyperkyphotic とみなし（＋）と定義する．図 II-11-25〜33 に症例を示す．

1 Lenke type 1（図 II-11-21, 25, 26）

最も多い変形である．胸椎単独カーブ（King

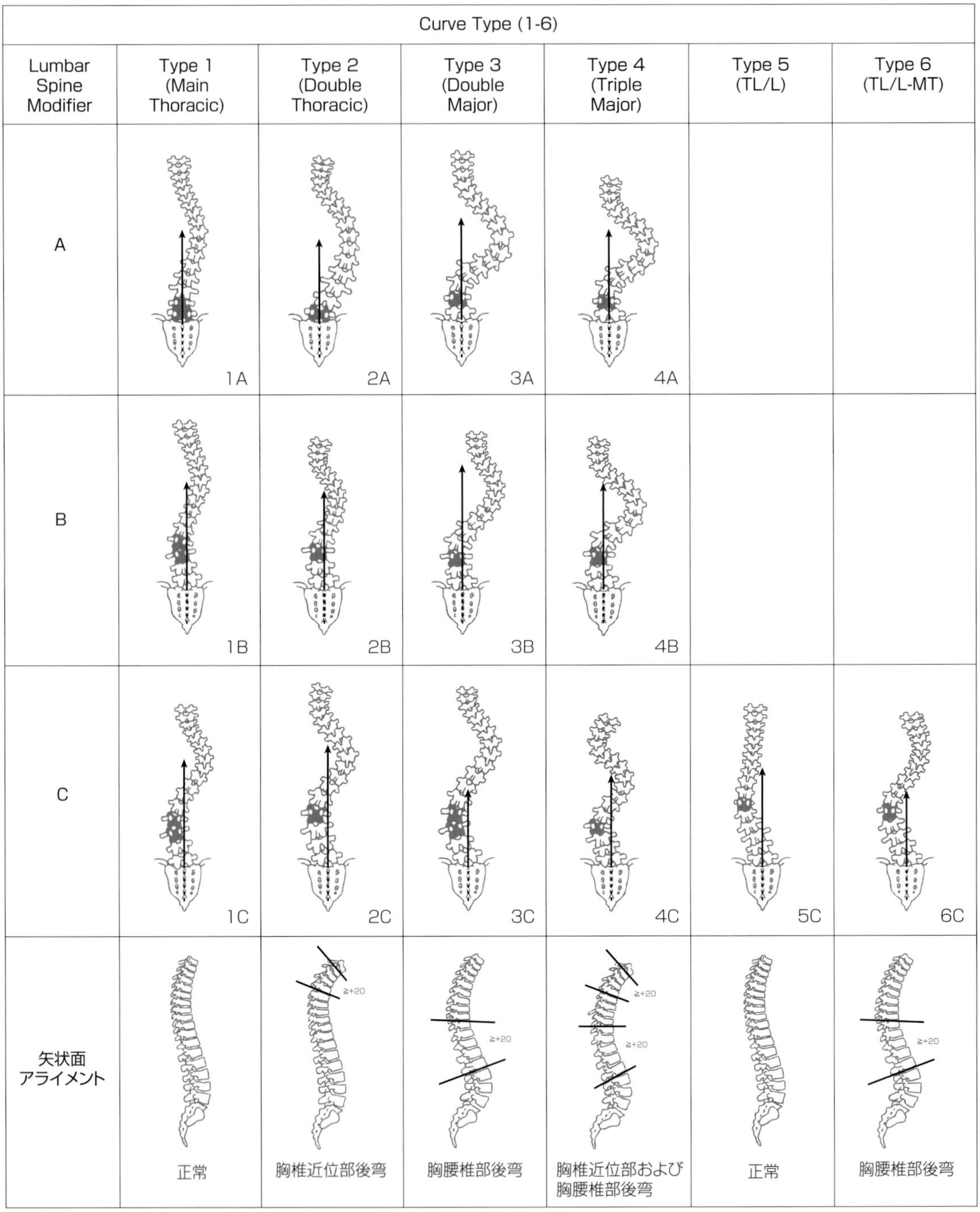

Lumbar Spine Modifier	Curve Type (1-6)					
	Type 1 (Main Thoracic)	Type 2 (Double Thoracic)	Type 3 (Double Major)	Type 4 (Triple Major)	Type 5 (TL/L)	Type 6 (TL/L-MT)
A	1A	2A	3A	4A		
B	1B	2B	3B	4B		
C	1C	2C	3C	4C	5C	6C
矢状面アライメント	正常	胸椎近位部後弯	胸腰椎部後弯	胸椎近位部および胸腰椎部後弯	正常	胸腰椎部後弯

図Ⅱ-11-24 Lenke 分類のまとめ（文献 20 より）

type Ⅲ）のため，胸椎主カーブ（MT）の固定が原則である．術前の肩バランスを評価して UIV を決定する．すなわち術前に肩が水平の場合は T3，左肩下がりの場合は T4 または T5 を UIV とする（右凸カーブの場合）．上位胸椎カーブ（PT）に可撓性があっても右肩下がりを認める場合は，UIV を T2 とするか，固定範囲をあえて短くすること（MT の終椎よりも 1 椎下位を UIV とする）で肩バランスを保つことが可能である[40]（図Ⅱ-11-28）．LIV は下位終椎か last touching vertebra（LTV）が原則（通常 T12-L2）である．側面で胸腰椎部に 20° 以上の後弯を認める場合

は，type 3（double major curve）となり腰椎までの固定（通常 L3 まで）が必要になるので術前の側面像には注意が必要である．胸椎後弯が正常か後弯減少（hypokyphosis）の場合は前方固定も選択肢となるが，後弯が強い場合は後弯が悪化しやすいので勧められない．

2 Lenke type 2（図Ⅱ-11-23, 27, 28）

胸椎の double curve（King type Ⅴ）で，両方のカーブを固定する必要がある．UIV は T1-3 が原則である．すなわち術前の肩バランスを評価し，右肩下がりの場合は T2（あるいは T1）までの固定が必要で，肩が水平の場合は T2 または T3，左肩下がりの場合は T3 を UIV とする．LIV は MT の下位終椎か LTV が原則（通常 T12-L2）である．

PT カーブを見誤ると肩のバランスが悪くなるので注意が必要である．

3 Lenke type 3（図Ⅱ-11-29）

double major curve のため，胸椎と腰椎の両方を原則後方から矯正する必要がある（固定は通常 T4-5〜L3）．腰椎カーブが構築性でなくても立位側面で胸腰椎部（T10-L2）に 20°以上の後弯を認める場合は，type 3（double major curve）となり腰椎まで固定を伸ばし後弯を矯正する必要がある．

4 Lenke type 4（図Ⅱ-11-30）

PT と MT に加えて TL/L カーブを認める triple major curve で上位胸椎から腰椎までの後方固定を要する．TL/L や MT が硬ければ，前方からの解離を要することもある．

5 Lenke type 5（図Ⅱ-11-31, 32）

TL/L カーブで，前方固定の良い適応ではあるが，LIV が同じであれば後方固定でも十分な矯正が得られる．固定範囲は終椎から終椎までが原則である．L3 が下位終椎であって stable vertebra でなくても，最大右屈あるいは fulcrum bending や push-prone 撮影で（左凸カーブの場合）L3 両側椎弓根間に CSVL が通れば L3 までの固定で対応可能である．しかし，側屈でも L3 両側椎弓根間に CSVL が通らない，L3 椎

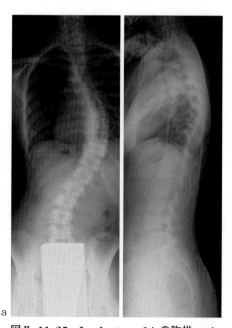 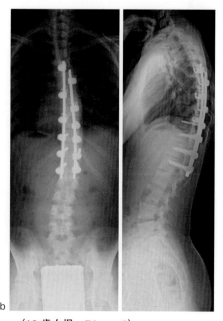

図Ⅱ-11-25 Lenke type 1A の胸椎 main curve（13 歳女児，Risser 2）
a：術前の全脊柱立位 X 線 2 方向像，b：術後 1 年の全脊柱立位 X 線 2 方向像
胸椎 single curve は基本的には終椎から終椎までの固定（T5-L1）で対処可能である．冠状面での側弯矯正だけでなく，矢状面での胸椎後弯を矯正あるいは保持することが重要である．

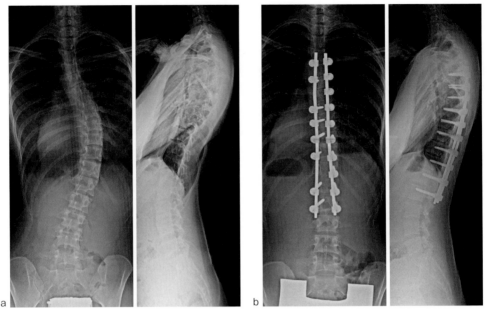

図Ⅱ-11-26　Lenke type 1A(-)の胸椎 main curve(18歳女性)
　a：術前の全脊柱立位X線2方向像，b：術後1年の全脊柱立位X線2方向像
　終椎から終椎までの後方固定(T6-L2)を施行。すべて椎弓根スクリューで矯正した場合は，冠状面での側弯矯正力は優れているが，矢状面で胸椎を意識的に後弯位にすることが重要である。

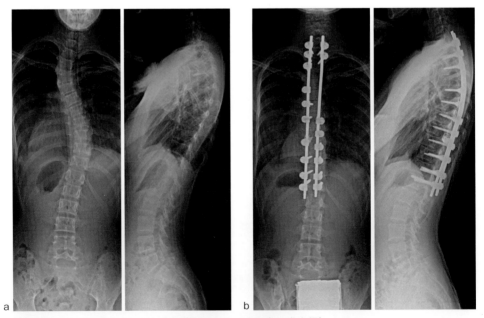

図Ⅱ-11-27　Lenke type 2Aの胸椎 double curve(14歳女児)
　a：術前の全脊柱立位X線2方向像，b：術後1年の全脊柱立位X線2方向像
　胸椎 double curve は基本的には上位胸椎からの固定が必要である。術前右肩下がりの場合が多いので，肩の高さを両側同レベルに保持することが重要である。

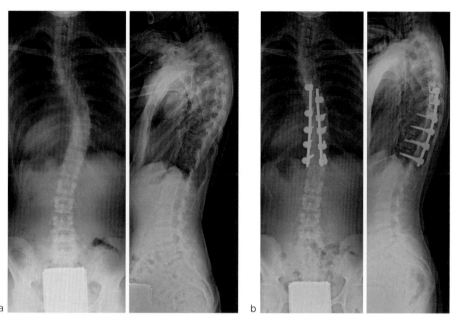

図Ⅱ-11-28 Lenke type 2A の胸椎 double curve（25 歳女性）
a：術前の全脊柱立位 X 線 2 方向像，b：術後 1 年の全脊柱立位 X 線 2 方向像
胸椎 double curve は上位胸椎からの矯正固定が原則だが，肩がほぼ水平なので upper instrumented vertebra（UIV）を意図的に下位にすることによって右肩下がりを予防した．

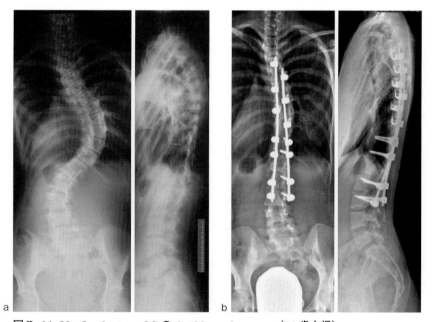

図Ⅱ-11-29 Lenke type 3C の double major curve（14 歳女児）
a：術前の全脊柱立位 X 線 2 方向像，b：術後 5 年の全脊柱立位 X 線 2 方向像

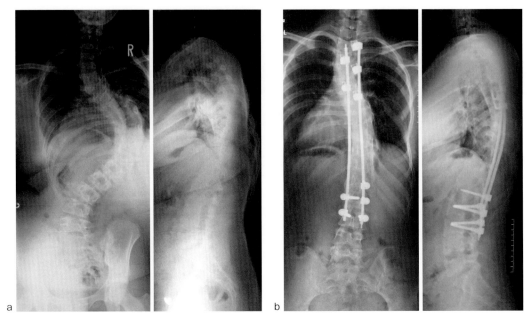

図Ⅱ-11-30：Lenke type 4AN の triple curve（12歳女児）
a：術前の全脊柱立位X線2方向像，b：術後の全脊柱立位X線2方向像

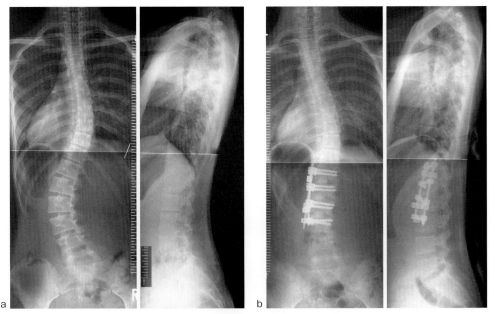

図Ⅱ-11-31 Lenke type 5C の腰椎カーブに対する前方固定（15歳女児）
a：術前の全脊柱立位X線2方向像，b：術後の全脊柱立位X線2方向像
Lenke type 5C（−）の lumbar curve である。T12-L3 前方固定を選択した。

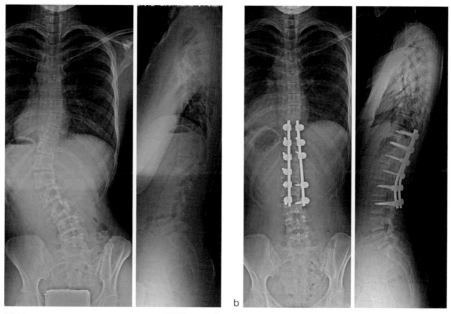

図Ⅱ-11-32　Lenke type 5C の腰椎カーブに対する後方固定（16 歳女児）
a：全脊柱立位 X 線 2 方向像，b：術後 2 年の全脊柱立位 X 線 2 方向像
Lenke type 5CN の lumbar curve である。T10-L3 後方固定（すべて椎弓根スクリューを使用）を施行した。

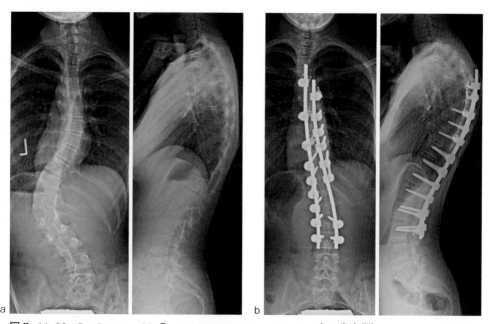

図Ⅱ-11-33　Lenke type 6C の lumbar main thoracic curve（13 歳女児）
a：術前の全脊柱立位 X 線 2 方向像，b：術後 1 年の全脊柱立位 X 線 2 方向像

体の回旋が grade Ⅱ 以上あるなどの症例では L4 までの固定を検討する必要がある[22,23]。

6 Lenke type 6（図Ⅱ-11-33）

MT＜TL/L の double major curve である。固定範囲は基本的に type 3 と同様である。

11-B-7. 側弯症の進行予測[24,25,48]

側弯の程度（Cobb 角）と年齢（growth potential）が進行予測に重要である（表Ⅱ-11-9, 10）。以下を進行予測の目安とする。

1) Risser sign 0～1
2) double curve（胸椎カーブと腰椎カーブ）
3) 50° を超えるカーブ
4) 女児の場合は初潮前，男児の場合は growth spurt 前（女児のほうが進行しやすい）
   peak height velocity（PHV）時に 30° 以上のカーブは，手術を要するほど進行する可能性が高い[4]。
5) 胸椎後弯の消失（ただし，予測因子とはならない）

上記の場合は側弯が進行しやすい。また，腰椎単独の側弯よりも T12 より上位の頂椎のほうが進行しやすい。

側弯症は，成長が止まり成人になってからも進行し続ける危険性がある[26〜29]。

- 骨成熟後でも，68％の患者で側弯は進行するが，30° 未満の側弯はほぼ進行しない[2]。
- 骨成熟後でも，50° 以上の胸椎カーブや 30° 以上の腰椎・胸腰椎カーブは進行しやすい。
- 進行に関しては，腰椎カーブよりも胸椎カーブのほうが進行の危険性が高い。
- 疼痛の訴えは約 6 割に認められ，女性に多い。
- 胸椎カーブでは，30° 以下はほぼ進行しないが，50° 以上は 1 年に平均約 0.5° 進行する。
- 胸腰椎カーブは 1 年に平均 0.5°，腰椎カーブは 1 年に平均 0.24° 進行する。
- 骨成熟時 50° 以上の側弯では息切れなどの呼吸器機能低下に将来影響し，特に 80° 以上の胸椎カーブでは肺活量が低下し呼吸困難などの危険性が有意に増す[30]。
- 思春期特発性側弯症が未治療でも一般的には生命予後に影響しない（ただし，early-onset scoliosis は影響あり）[2]。

11-B-8. 側弯症の基本的治療方針[49〜52]

側弯の程度（Cobb 角）と年齢（growth potential）による進行予測に基づいた今後の方針を本人および家族に対して説明する。側弯症は，後弯変形がなければ高度に進行しても麻痺が出現することはなく，疼痛などの自覚症状をほとんど訴えないので，初診医が側弯の程度と年齢を考慮して将来のことまで予測して方針を決めなければならない重要な役割を担う。

Cobb 角が 10° 以上であっても 20° 未満であれば，成長終了まで定期的な経過観察だけで特に治療は必要ない。Cobb 角 25～30° 以上の成長終了前や進行例では基本的には装具療法の対象となる。20～25° でも成長とともに進行傾向があれば装具療法を考慮する。

側弯症の進行を予防する方法として理論的にある程度証明されている治療法は装具療法だけである。運動療法は単独の治療としては疑問だが，体幹筋力を維持あるいは増強する目的では

表Ⅱ-11-9 初診時側弯角度と年齢に基づく進行予測
（文献 1, 24 より）

初診時 Cobb 角	初診時年齢		
	10-12 歳	13-15 歳	16 歳
＜19°	25%	10%	0%
20-29°	60%	40%	10%
30-39°	90%	70%	30%
＞40°	100%	90%	70%

表Ⅱ-11-10 初診時の Risser sign と側弯角度に基づく側弯進行の危険性（文献 25 より）

Risser sign	Cobb 角	
	5-19°	20-29°
0-1	22%	68%
2-4	1.6%	23%

表Ⅱ-11-11　Cobb角による側弯症の治療方針

- 定期的経過観察：20°未満
- 装具療法　　　：25°以上の成長終了前，進行例
- 手術療法　　　：45～50°以上は基本的には手術を考慮

年齢や成長程度によるが，装具療法の限界を知っておくことが重要．

効果を期待できる。重要なことは，漫然と装具療法を勧めるのではなく，装具の有効性や重要性を本人および家族に十分理解してもらうことと，装具療法の限界を主治医が十分に知っておくことである。

患者の年齢や成長程度にもよるが，Cobb角45～50°以上の変形に対しては基本的には手術療法を考慮する必要がある。診察時点で痛みがなく，変形の程度が許容できる場合でも，将来の変形進行や変性が加わることによる疼痛をいかに予測できるかが，治療のキーポイントとなる（表Ⅱ-11-11）。

治療の目標は，治療直後にとどまらず将来においても痛みがなく安定した脊柱バランスの獲得（冠状面と矢状面の両方）であり，成長終了後の障害を予測することが重要である。つまり，側弯を未治療で放置すると進行する危険性があるだけでなく，背部痛や腰痛，心肺機能障害やさまざまな心理社会的な問題を引き起こす危険性[30,31]があることを主治医が理解し，患者や家族に説明することが必要である。特に，Cobb角80°を超えると拘束性障害による呼吸困難を自覚する危険性が大きいため，正常な心肺機能の獲得維持も治療の目標として重要である。

1　装具療法[49]

側弯の程度（Cobb角）が25～30°以上に達していると装具療法の対象となる。

一般的には，Risser sign 3以下で20°以上のカーブが適応になる。特に20～40°で，Risser sign 0～1の側弯症については装具療法が極めて重要な位置を占める。牽引力と側方圧迫力で矯正するのが理論的には良いが，実際上は骨盤をしっかり保持して凸側の圧迫とカウンターによる3点矯正と，立ち直り反射によって矯正する。

胸椎部では，圧迫は肋骨を介して作用するので，4～5 cm尾側の頂椎部の肋骨を回旋矯正（derotation）を働かせるように後側方から前内側に圧迫する。腰椎側弯では，頂椎から尾側にかけて，傍脊柱筋を後側方から前内側に圧迫する。腰椎部は前弯を減少させると矯正傾向になるため，骨盤を後傾させ腰椎前弯を減少させる。

装具療法中でも体育やスポーツは禁止せず，むしろ体幹の筋力強化のためにも積極的に勧めていくべきである。

●装具療法の有用性

Boston brace（underarm brace）は，骨未成熟（skeletally immature）の患者に対しては有用である。しかし，装具は側弯を矯正するというよりは側弯進行の予防が目的である。

Nachemsonらは286人の女児（10～15歳）の平均4年のprospective studyで，Cobb角25～35°の側弯症に対して，経過観察のみ（129患者），プラスチック製のunderarm brace（111患者），電気刺激療法（nighttime surface electrical stimulation）（46患者）の3種類の治療法を比較した。6°以上の進行を認めたものは，電気刺激と未治療では約2/3と差がなかったが，装具療法では6°以上の進行を認めたものは26％で，未治療に比べて有意に側弯の進行が抑制されたと報告している[32]。また，Weinsteinらは20～40°の側弯症患者（10～15歳，Risser 0～2）を対象とした多施設研究の結果，骨成熟期で50°未満を成功例とした場合，装具装着例に有意に成功例が多く，装具装着時間は長いほうが効果が高いことを報告した[33]。

Roweらのメタ分析でも，23時間の装具着用が他の治療法に比べて最も有効性が高いことが確認されている[34]。

●装具療法のポイント（装着時間）

Wileyらによる35～45°の側弯症に対するBoston braceの効果判定の研究では，1日18時間以上装着したグループに矯正効果が有意に優れていた[35]。

また，Roweらのメタ分析でも，23時間着用が，8時間着用や16時間着用に比べて有効性が高いことが確認されている[34]。

したがって，装具の効果は装着時間依存性で

あることを認識させることが大切である．しかし，Milwaukee brace は昼間よりも夜間就寝時のほうが有効で，どうしてもコンプライアンスが悪いのであれば夜間装具として使用する場合もある．

● 装具療法の限界
・骨成熟期（skeletal maturation）で Risser sign 4 以上は一般的には装具適応がない（可撓性のある男児は別）．
・著しい前弯（胸椎の前弯が強い場合や腰椎の過前弯の症例）では一般的には装具は効果がない．
・上位胸椎カーブでは Milwaukee brace でもほぼ効果がない．
・著しい肋骨隆起を伴った変形には装具は効果がない．
・思春期において 45°を超えるような側弯に対して一般的には装具は無効である．

● 装具の種類
a．CTLSO（Milwaukee brace）
1940 年代に Blount により開発された[36]．neck ring による伸長力が働くが外見上の問題のため受け入れが難しい．乳幼児の側弯に対しては現在でも有用である．
b．TLSO（underarm brace, Boston brace）
頂椎が T8（T7）かそれ以下のときに適応となる．
立位または軽く腰掛けた座位で，左右に側屈させながら矯正位で採型するようにする．基本は骨盤をしっかり保持し，カーブを矯正させるような側屈と回旋を加え，面でブロックするように圧迫とカウンターをかける．圧迫は，頂椎の肋骨（体表では頂椎から 4〜5 cm 尾側）に後側方から回旋をかけて矯正する．大阪医大式（OMC）は，立ち直り反射を確実にするために胸椎凹側に支柱を有するのが特徴である．
c．Charleston bending brace
フルタイムで装具を受け入れられない場合などに用いる夜間装具．20〜25°程度の腰椎カーブには使用できるが，35°以上のカーブや胸椎カーブには効果が少ない．

● 装具療法終了のタイミング
以下の指標を装具療法終了の目安とする．
1）身長の伸びがない，朝と夜の身長差が 2 cm 未満
2）PHV 時から 3〜4 年，女児の場合，初潮後 2〜3 年（半数は中学 3 年）
3）ALP（alkaline phosphatase）値（成人の上限）

Risser sign はあまり有用ではなく，特に男児は Risser sign 3 になっても成長するので装具終了の判断は慎重に行う．
治療終了時に 40°以上の側弯が残存している場合は，その後も緩徐に進行する危険性があるので慎重に観察する必要がある．

● 症例
図Ⅱ-11-34 に装具著効例を示す．

2 手術適応[53]

1）骨未成熟（特に Risser sign 0〜1 で初潮前の女児）で，40〜45°を超えるカーブを認める場合
2）骨成熟が認められても 45〜50°を超えるカーブを認める場合

以前は，骨成熟とともに側弯の進行は起こらないと思われていたが，現実には約 60〜70％で骨成熟後も進行することが報告されている[26,37,38]．
したがって，成人になって 50°を超える胸椎カーブや 40°を超える胸腰椎・腰椎カーブの場合，慎重な経過観察が必要である．特に女性の場合，出産後や中高年期になって疼痛や機能障害が出現してくることが多いので，定期的な X 線による評価が重要である．
体幹の偏位や矢状面でのバランス，椎体の回旋などを考慮に入れる必要がある．
角度だけではなく，カーブのタイプや外見も重要である．例えば，60°/60°の double-major curve よりも 35°の胸腰椎カーブ（thoracolumbar curve）のほうがより悪くみえる．

● 手術療法の変遷
側弯症に対する手術の進歩により，脊椎外科における固定術も進歩してきた．主な手術方法の変遷と先駆者および参考文献を年代別に列挙

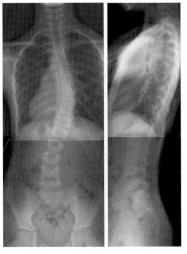
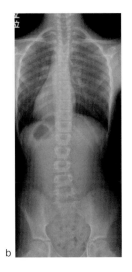

図Ⅱ-11-34　装具療法の著効例
　a：装具開始前（11歳時）の全脊柱立位X線2方向像，b：13歳時の全脊柱立位X線正面像
　11歳時に1日20時間以上の装着を目標に装具療法（underarm brace）を開始した。装具のコンプライアンスは良好で，側弯の進行は認められない。

する。Harrington rodに始まった矯正固定手術だが，矢状面アライメント悪化などの問題点が改善され近年では冠状面だけでなく，回旋も含めた3次元的な矯正が可能になっている。

- 1910年代：**Hibbs** → 1911年，結核性脊椎炎に対して，1914年，側弯症に対して脊椎固定術を施行

> ・Hibbs RA：An operation for progressive spinal deformities. A preliminary report of three cases from the service of the Orthopedic Hospital. N Y State J Med 93：1013-1016, 1911.
> ・Hibbs RA：A report of 59 cases of scoliosis treated by fusion operation. J Bone Joint Surg 6：3-37, 1924.

- 1950年代後半：**Harrington** → 金属（1/4 inch：6.35 mm distraction rod & hook）による内固定（後方）（図Ⅱ-11-35）

> ・Harrington PR：Surgical instrumentation for management of scoliosis. J Bone Joint Surg Am 42：1448, 1960.
> ・Harrington PR：Treatment of scoliosis：correction and internal fixation by spine instrumentation. J Bone Joint Surg Am 44：591-610, 1962.

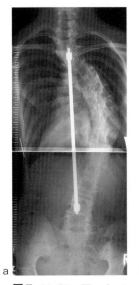
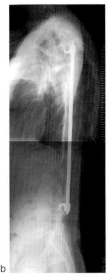

図Ⅱ-11-35　**Harrington rod**（41歳女性）
　a：全脊柱立位X線正面像，b：同，側面像
　中学時代にHarrington rodによる側弯後方手術を受けた。牽引力による冠状面での矯正のため，胸椎・腰椎の矢状面アライメントが直線化（flat back）している。

- 1960年代：**Goldstein, Moe** → 骨移植や椎間関節固定による脊椎固定術の進歩

> ・Goldstein LA：Surgical management of scoliosis. J Bone Joint Surg Am 48：167-196, 1966.

- Moe JH：Methods of correction and surgical techniques in scoliosis. Orthop Clin North Am 3：17-48, 1972.

■ 1964年：**Dwyer** → 前方からの矯正・内固定術（スクリューとケーブルを用いた前方からの矯正システム）

- Dwyer AF, Newton NC, Sherwood AA：An anterior approach to scoliosis—a preliminary report. Clin Orthop 62：192-202, 1969.
- Dwyer AF, Schager MF：Anterior approach to scoliosis：results of treatment in 51 cases. J Bone Joint Surg Br 56：218-224, 1974.

■ 1975～1976年：**Zielke** → 前方からの矯正・内固定術（3 mm径のロッドを用いた前方からの矯正固定）

- Zielke K, Pellin B：Results of surgical management of scoliosis and kyphoscoliosis in adults. Z Orthop Ihre Grenzgeb 113：157-174, 1975.
- Zielke K, Stunkat R, Beaujean FR：Ventrale derotations-spondylodesis. Arch Orthop Unfallchir 85：257-277, 1976.

■ 1980年：**Luque** → sublaminar wiringによるsegmental spinal instrumentation（椎弓下に通したワイヤーを3/16 inchまたは1/4 inchのロッドに締結することにより後方から矯正）

- Luque ER：Segmental spinal instrumentation for correction of scoliosis. Clin Orthop 163：192-198, 1982.

■ 1984年：**Cotrel & Dubousset** → derotationの概念

- Cotrel Y, Dubousset J：Nouvelle technique d'ostéo-synthèse rachidienne segmentaire par voie postérieure. Rev Chir Orthop 70：489-494, 1984.
- Cotrel Y, Dubousset J, Guillaumat M：New Universal instrumentation in spinal surgery. Clin Orthop 227：10-23, 1988.

■ 1989年：**Asher** → ISOLA法（SRS meeting, Minneapolis, MN, 1991）

- Asher MA, Burton DC：A concept of idiopathic scoliosis deformities as imperfect torsion(s). Clin Orthop 364：11-25, 1999.

●手術療法に関しての注意点[54)～57)]

基本は，変形矯正，脊柱バランスの獲得（冠状面と矢状面の両方），脊柱の安定化である。

- 冠状面での矯正（coronal correction）
- 胸椎後弯と腰椎前弯の保持（sagittal contour）
- バランスのとれた脊柱（balanced spine）
- 固定最下位の水平化
- 最少固定椎間（motion segment）をできるだけ残すこと

矯正操作は，以下の組み合わせからなる（**表Ⅱ-11-12**）。すなわち，ロッドの回旋矯正力により冠状面の弯曲を矢状面弯曲に変換すると同時に，各椎体をロッドに引き寄せるtranslation forceを加える。そして，凹側のdistraction forceと凸側のcompression forceによる矯正に加えて，さらに各椎体にdirect vertebral derotationによる回旋矯正を行う。また，ロッドをてこの原理で弯曲を矯正しながら固定するcantilever手技や，フックやスクリューを固定した後にロッドそのものを曲げて矯正していく *in situ* rod contouring手技も症例によって駆使する。

各椎体に椎弓根スクリューを刺入すればdirect vertebral derotationをかけやすいが，胸椎部頂椎凹側では脊髄が椎弓根の内側に寄っているので注意が必要であり，下位胸椎左側では大動脈が椎体側方を走行しているので外側を穿破した場合（**図Ⅱ-11-36**）を想定して短めのスクリュー（25～30 mm）を選択する。椎体の回旋

表Ⅱ-11-12 矯正操作の組み合わせ

◎ translation
◎ cantilever
◎ derotation→rod rotation, direct vertebral derotation
◎ distraction
◎ compression
◎ *in situ* rod contouring

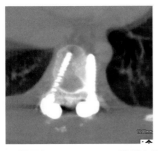

図Ⅱ-11-36　椎弓根スクリューの外側逸脱例
T9左側に刺入した椎弓根スクリューが椎体外側に逸脱して大動脈に接していることが術後CTで判明したため，血管外科のバックアップのもと術翌日スクリューを抜去した．抜去時の大出血や術後の動脈瘤などの合併症は認められなかった．

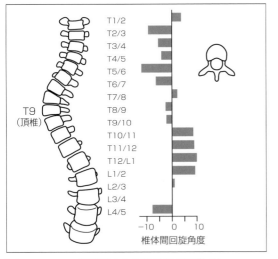

図Ⅱ-11-37　横断面での各椎体間の回旋度
頂椎(T9)周辺での回旋よりも終椎近くのほうが椎体間での回旋が大きいことを示す．

は頂椎部が最も大きいが，椎体間の回旋に注目すると頂椎部周囲よりも終椎部に近い椎体間のほうが回旋が大きくなる[39]（**図Ⅱ-11-37**）．したがって，direct vertebral derotationをかける場合は，頂椎部だけにderotation forceをかけるよりも終椎から頂椎にかけて徐々に回旋を矯正していくほうが有効である．

■ 固定の最頭尾側は，**neutral vertebra**（回旋がない椎体：NV）および **stable vertebra**（CSVLで概ね二分する椎体：SV）を目指す．
　術前の立位および牽引時の立位正面像と側面像で評価する．このとき，椎体の回旋も考慮に入れる必要がある．すなわち，回旋が強いと後方から矯正することは困難で，前方からの解離・固定術が必要なことが多い．ま

た，下位の腰椎の椎間高にも着目する（凸側と凹側の椎間高の差に注意する）．
　ただし例外は，腰椎や胸腰椎カーブで前方固定を選択するときと，終椎がL5であったり，L5がまだ回旋している場合である．

> ▷ **後方固定の一般的な原則**
> a. 頭側のupper instrumented vertebra(UIV)の基本
>   ・終椎から1〜2椎頭側かつC7垂線上のSVであること．
>   ・ダブル胸椎カーブ（Lenke type 2）は，T2が基本（後述）．
> b. 尾側のlower instrumented vertebra(LIV)の基本
>   ・下位終椎の1椎尾側，SVの1〜2椎頭側，牽引位でのSVなどから，左右屈正面像での椎間可動性も考慮し決定する．
>   ・胸椎カーブ（Lenke type 1Aまたは2A）では，LTV（last touching vertebra）またはLSTV（last substantially touched vertebra）が原則[58〜60]．
>   ・後弯を呈している（後方が開いている）．椎間板の上位で決して終わらない．
>   ・少なくとも3椎間以上の motion segmentを残すようにする（通常，L3）．

■ 術前のPTカーブや肩の傾斜に注意しなければ，矯正することにより肩のバランスが術後に悪化することがある（double thoracic curve）．
　この場合の固定上位はT1あるいはT2まで延長し右肩下がりを防止する必要がある．理想の矢状面アライメントに合わせたロッドをまず左側に設置して冠状面を *in situ* bendingなどで矯正し，PTカーブの左凸側に圧迫力，胸椎主カーブの凹側に牽引力をかけて矯正する．上位胸椎カーブに比較的可撓性があれば，固定範囲をあえて短くすること（主カーブのend vertebraよりも1椎下位をUIVとする）でshoulder balanceを保つことが可能である[40]（**図Ⅱ-11-28**）．

■ 後方固定の場合，拘束性換気障害が著しくなければ，肋骨隆起の矯正と骨移植に利用するため胸郭形成術（thoracoplastyあるいはcostoplasty）を同時に行う場合もある．
　凸側の肋骨を4〜5本（通常，第7〜11肋骨の近位部内側3〜5 cm）切除し，移植骨に利用する．

変形が強い場合は，矯正のため凹側の胸郭形成術を施行することもある。
- 前方固定の良い適応は，以下の場合であるが，抜釘が困難であるという欠点は考慮すべきである。
  - 最尾側の固定範囲を1〜2椎少なくできる場合（特に，胸腰椎以下のカーブ）
  - 骨未成熟の場合
- double major curve の場合，固定下端を決めるのが難しいときがあるが，左右側屈位で可動性の残存する motion segment はなるべく固定しない。

ただし，Marfan 症候群や Risser sign 0〜1で骨未成熟の症例では，L3まで固定するほうがよい場合もあるので，個々の症例で検討を要する。

▷ **前方固定の一般的な原則**
- 上下の終椎間を固定するのが原則である（Zielke principle[41]）。
- Cobb 角が60°未満で可撓性を認める胸腰椎カーブの場合，選択的 short fusion を考慮する。頂椎（立位で最も水平）が，椎体の場合は上下1椎間（すなわち3椎体固定），椎間の場合は2椎体ずつ（すなわち4椎体固定）が原則である（Hall principle[42]）。
- CT・MRI で大血管が椎体の側方に寄っている場合はスクリュー刺入に注意が必要である。
- 7椎間以上の固定では，double thoracotomy が必要である（通常，第4〜5肋間と第8〜9肋間）。
- 凸側への側屈位で開く椎間（reverse wedging）は固定しない。
- 椎体のスクリューが後方寄りであれば前弯化しやすく，前方寄りであれば後弯化しやすい。

- 胸椎部にも椎弓根スクリューを刺入することによって後方からでもかなり矯正を獲得できるようになり，前方固定術や後述のような前方・後方手術は少なくなってきた。

しかし，胸椎の各椎体に椎弓根スクリューを刺入することが難しいと判断した場合，頂椎凸側には比較的安全に刺入できることが多いため，頂椎凸側の椎弓根スクリューによる回旋矯正と，フックや sublaminar wiring（あるいはネスプロン®ケーブルシステム）を用いて矯正する選択肢もあり得る。また，胸腰椎下位では椎弓根径に問題がなくても大動脈が椎体左側に寄っている場合は，椎弓根スクリューが椎体外側へ抜ける危険性を考慮して，左側は短めのスクリューを刺入する（図Ⅱ-11-36）。
- 前方解離＋後方固定術の一般的な適応
  - 75°以上の側弯を認める場合や，側屈でも50°以上の側弯を認める場合
  - 胸椎では70°以上，腰椎では0°以上の過後弯を認める場合
  - 胸椎前弯を認める場合
  - crankshaft phenomenon（後述）の危険が高い小児（10歳未満），特にY軟骨（triradiate cartilage）が開いている小児
- 矯正に関与する因子
  - 椎間関節
  - 肋椎関節
  - 椎間板

前方手術の場合，肋骨頭は固定範囲すべてを切除するほうが椎間板を処理しやすい（頂椎周囲を4〜6本，2〜3 cm 切除する）。

前縦靱帯は，高度側弯症では切離したほうがよい。
- 骨癒合が完成すれば，癒合脊椎の範囲内では成長は期待できない。

したがって，10歳未満で後方固定のみ行った場合は，crankshaft phenomenon（後方固定後の前方成長による回旋変形の悪化）による頂椎の回旋と偏位が起こり，成長に伴い悪化する危険性がある[43]。

▷ **crankshaft phenomenon の危険因子**
- Risser sign 0（10歳未満）
- Y軟骨（triradiate cartilage）が残存している
- peak growth age（PGA）までの手術：1年毎の身長の伸びをプロットしていく
- Cobb 角30°以上の遺残カーブ

- 矯正操作による脊髄機能の悪化をモニターする意味から術中に脊髄モニタリングを行う。

運動誘発電位：MEP によるモニタリングが推奨される。脊髄モニタリングができない，あるいは波形がうまく導出できない場合は少なくとも，Stagnara の wake-up テスト[44]を行うのが望ましい。

▷ankle clonus test[45]

全身麻酔からの覚醒途中に cortical inhibitory impulse が遅れ，下位運動ニューロン機能が先に回復するので，覚醒時には認められない足間代（ankle clonus）が患者の随意運動回復以前に認められる．wake-up テストほど完全に覚醒する必要がなく，感受性が高いので矯正操作後に麻酔深度を浅くして両側とも調べる．両側とも認められれば，spinal shock ではないと判断できる．片側でも認められなければ，wake-up テストを施行し下肢の運動機能をチェックするほうがよい．

引用文献

1) Weinstein SL, Dolan LA, Danielsson A, et al：Adolescent idiopathic scoliosis. Lancet 371：1527-1537, 2008.
2) Weinstein S, Dolan L：The evidence base for the prognosis and treatment of adolescent idiopathic scoliosis. J Bone Joint Surg Am 97：1899-1903, 2015.
3) Ueno M, Takaso M, Nakazawa T, et al：A 5-year epidemiological study on the prevalence rate of idiopathic scoliosis in Tokyo：school screening of more than 250000 children. J Orthop Sci 16：1-6, 2011.
4) Zorab PA ed：Scoliosis and Growth. Proceedings of the Third symposium held at the Institute of Diseases of the Chest, Brompton Hospital, London, November 13, 1970, Churchill Livingstone, London, 1971.
5) Little DG, Song KM, Katz D, et al：Relationship of peak height velocity to other maturity indicators in idiopathic scoliosis in girls. J Bone Joint Surg Am 82：685-693, 2000.
6) Kesling KL, Reinker KA：Scoliosis in twins. A meta-analysis of the literature and report of six cases. Spine 22：2009-2014, 1997.
7) Takahashi Y, Kou I, Takahashi A, et al：A genome-wide association study identifies common variants near LBX1 associated with adolescent idiopathic scoliosis. Nature Genetics 43：1237-1240, 2011.
8) Kubota K, Doi T, Murata M, et al：Disturbance of rib cage development causes progressive thoracic scoliosis：the creation of a nonsurgical structural scoliosis model in mice. J Bone Joint Surg Am 95：e130, 2013.
9) Metha MH：The rib-vertebral angle in the early diagnosis between resolving and progressive infantile scoliosis. J Bone Joint Surg Br 54：230-243, 1972.
10) Mehta MH：Growth as a corrective force in the early treatment of progressive infantile scoliosis. J Bone Joint Surg Br 87：1237-1247, 2005.
11) Robinson CM, McMaster MJ：Juvenile idiopathic scoliosis. Curve patterns and prognosis in one hundred and nine patients. J Bone Joint Surg Am 78：1140-1148, 1996.
12) Dimeglio A：Growth of the spine before age 5 years. J Pediatr Orthop B 1：102-107, 1992.
13) Dimeglio A, Canavese F：The growing spine：how spinal deformities influence normal spine and thoracic cage growth. Eur Spin J 21：64-70, 2012.
14) Marks DS, Iqbal MJ, Thompson AG, et al：Convex spinal epiphysiodesis in the management of progressive infantile idiopathic scoliosis. Spine 21：1884, 1996.
15) Pratt RK, Webb JK, Burwell RG, et al：Luque trolley and Convex epiphysiodesis in the management of infantile and juvenile idiopathic scoliosis. Spine 24：1538-1547, 1999.
16) McCarthy RE：Growth Guided Instrumentation：Shilla Procedure. The Growing Spine（Akbarnia BA, et al eds），Springer Verlag, pp593-600, 2011.
17) King HA, Moe JH, Bradlord DS, et al：The selection of fusion levels in thoracic idiopathic scoliosis. J Bone Joint Surg Am 65：1302-1313, 1983.
18) Ibrahim K, Benson L：Cotrel-Dubousset instrumentation for double major right thoracic left lumbar scoliosis. The relation between frontal balance hook configuration and fusion levels. Orthop Trans 15：114, 1991.
19) Asher MA, Burton DC：A concept of idiopathic scoliosis deformities as imperfect torsion(s). Clin Orthop 364：11-25, 1999.
20) Lenke LG, Betz RR, Harms JH, et al：Adolescent idiopathic scoliosis. A new classification to determine extent of spinal arthrodesis. J Bone Joint Surg Am 83：1169-1181, 2001.
21) Lenke LG, Betz RR, Bridwell KH, et al：Spontaneous lumbar curve coronal correction after selective anterior or posterior thoracic fusion in adolescent idiopathic scoliosis. Spine 24：1663-1672, 1999.
22) Chang DG, Suk SI, Song KS, et al：How to avoid distal adding-on phenomenon for rigid curves in major thoracolumbar and lumbar adolescent idiopathic scoliosis? Identifying the incidence of distal adding-on by selection of lowest instrumented vertebra. World Neurosurg 132：e472-e478, 2019.
23) Zhuang Q, Zhang J, Wang S, et al：How to select the lowest instrumented vertebra in Lenke type 5 adolescent idiopathic scoliosis patients? Spine J 21：141-149, 2021.
24) Nachemson A, Lonstein J, Weinstein S：Report of the SRS Prevalence and Natural History Committee 1982. Presented at the Scoliosis Research Society Meeting, Denver, 1982.
25) Lonstein JE, Carlson JM：The prediction of curve progression in untreated idiopathic scoliosis during growth. J Bone Joint Surg Am 66：1061-1071, 1984.
26) Ascani E, Bartolozzi P, Logroscino CA, et al：Natural history of untreated idiopathic scoliosis after skeletal maturity. Spine 11：784-789, 1986.
27) Robin GC, Span Y, Steinberg R, et al：Scoliosis in the elderly：a follow-up study. Spine 7：355-359, 1982.
28) Weinstein SL, Zavala DC, Ponseti IV：Idiopathic scoliosis：Long-term follow-up and prognosis in untreated patients. J Bone Joint Surg Am 63：702-712, 1981.
29) Weinstein SL, Ponseti IV：Curve progression in idio-

pathic scoliosis. J Bone Joint Surg Am 65：447-455, 1983.
30) Weinstein SL, Dolan LA, Spratt KF, et al：Health and function of patients with untreated idiopathic scoliosis：a 50-year natural history study. JAMA 289：559-567, 2003.
31) Makino T, Kaito T, Kashii M, et al：Low back pain and patient-reported QOL outcomes in patients with adolescent idiopathic scoliosis without corrective surgery. Springer Plus 4：397-402, 2015.
32) Nachemson AL, Peterson LE：Effectiveness of treatment with a brace in girls who have adolescent idiopathic scoliosis. A prospective, controlled study based on data from the brace study of the Scoliosis Research Society. J Bone Joint Surg Am 77：815-822, 1995.
33) Weinstein SL, Dolan LA, Wright JG, et al：Effects of bracing in adolescents with idiopathic scoliosis. N Engl J Med 369：1512-1521, 2013.
34) Rowe DE, Bernstein SM, Riddick MF, et al：A meta-analysis of the efficacy of non-operative treatments for idiopathic scoliosis. J Bone Joint Surg Am 79：664-674, 1997.
35) Wiley JW, Thomson JD, Mitchell TM, et al：Effectiveness of the Boston brace in treatment of large curves in adolescent scoliosis. Spine 25：2326-2332, 2000.
36) Blount WP, Schmidt AC, Bidwell RG：Making the Milwaukee brace. J Bone Joint Surg Am 40-A：526-528, 1958.
37) Duriez J：Evolution de la scoliose idiopathique chez l'adulte. Acta Orthop Belg 33：547-550, 1969.
38) Weinstein SL：Idiopathic scoliosis：Natural history. Spine 11：780, 1986.
39) Hattori T, Sakaura H, Iwasaki M, et al：In vivo three-dimensional segmental analysis of adolescent idiopathic scoliosis. Eur Spine J 20：1745-1750, 2011.
40) Matsumoto M, Watanabe K, Ogura Y, et al：Short fusion strategy for Lenke type 1 thoracic curve using pedicle screw fixation. J Spinal Disord Tech 26：93-97, 2013.
41) Zielke K：Derotation and fusion-anterior spinal instrumentation. Orthop Trans 2：270, 1978.
42) Bernstein RM, Hall JE：Solid rod short segment anterior fusion in thoracolumbar scoliosis. J Pediatr Orthop B 7：124-131, 1998.
43) Dubousset J, Herring JA, Schufflebarger H：The crankshaft Phenomenon. J Pediatr Orthop 9：541-550, 1989.
44) Vauzelle C, Stagnara P, Jouvinroux P：Functional monitoring of spinal cord activity during spinal surgery. Clin Orthop 93：173-178, 1973.
45) Hoppenfield S, Gross A, Andrew C, et al：The ankle clonus test for assessment of the integrity of the spinal cord during operations for scoliosis. J Bone Joint Surg Am 79：208-212, 1997.

参考文献

46) Parent S, Newton PO, Wenger DR：Adolescent idiopathic scoliosis：etiology, anatomy, natural history, and bracing. Instr Course Lect 54：529-536, 2005.
47) Lowe TG, Edgar M, Margulies JY, et al：Etiology of idiopathic scoliosis：current trends in research. J Bone Joint Surg Am 82：1157-1168, 2000.
48) Peterson LE, Nachemson AL：Prediction of progression of the curve in girls who have adolescent idiopathic scoliosis of moderate severity. Logistic regression analysis based on data from the brace study of the Scoliosis Research Society. J Bone Joint Surg Am 77：823-827, 1995.
49) Dickson RA, Weinstein SL：Bracing(and screening)：Yes or no？ J Bone Joint Surg Br 81：193-198, 1999.
50) Weinstein SL, Dolan LA, Spratt KF, et al：Natural history of adolescent idiopathic scoliosis：Back pain at 50 years. Presented at the annual meeting of the Scoliosis Research Society, Sep. 1998, New York.
51) Weinstein SL：Natural history. Spine 24：2592-2600, 1999.
52) 岩﨑幹季：脊柱側弯症検診の方法，診断後の対処は？ 整形外科研修なんでも質問箱145(冨士武史，加藤泰司 編)，南江堂，pp60-61，2007.
53) Dickson LH, Mirkovic S, Noble MS, et al：Results of operative treatment of idiopathic scoliosis in adults. J Bone Joint Surg Am 77：513-523, 1995.
54) Burton DC, Ascher MA, Lai S：The selection of fusion levels using torsional correction techniques in the surgical treatment of idiopathic scoliosis. Spine 24：1728-1739, 1999.
55) Bridwell KH：Surgical treatment of idiopathic adolescent scoliosis. Spine 24：2607-2616, 1999.
56) Burton DC, Ascher MA, Lai S：Scoliosis correction maintenance in skeletally immature patients with idiopathic scoliosis：Is anterior fusion really necessary？ Spine 25：61-68, 2000.
57) Girardi FP, Boachie-Adjei O, Burke SW, et al：Surgical treatment of adolescent idiopathic scoliosis：A comparative study of two segmental instrumentation systems. J Spinal Disord 14：46-53, 2001.
58) Matsumoto M, Watanabe K, Hosogane N, et al：Postoperative distal adding-on and related factors in Lenke type 1A curve. Spine 38：737-744, 2013.
59) Bai J, Chen K, Wei Q, et al：Selecting the LSTV as the lower instrumented vertebra in the treatment of Lenke types 1A and 2A adolescent idiopathic scoliosis. A minimal 3-year follow-up. Spine 43：E390-E398, 2018.
60) Beauchamp EC, Lenke LG, Cerpa M, et al：Selecting the "touched vertebra" as the lowest instrumented vertebra in patients with Lenke type-1 and 2 curves. J Bone Joint Surg Am 102：1966-1973, 2020.

11-C. 先天性側弯症・先天性後側弯症

11-C-1. 先天性側弯症（congenital scoliosis）

椎体や椎弓に発生する先天異常で，形成異常と分節異常に分けられる。

1 分類（図Ⅱ-11-38）

X線で形態異常がわかる場合もあるが，最終診断や詳細な形態を把握するためにはCT（MPR）やMRI検査は必須である。

● **形成異常（failure of formation）**
1) 楔状椎（wedge vertebra）
2) 半椎（hemivertebra）
   ・fully segmented
   ・semi-segmented
   ・incarcerated（上下の椎体にはまりこんだ変形で，上下椎の変形はほとんどない）
   ・non-segmented

● **分節異常（failure of segmentation）**
1) 片側癒合椎（unilateral failure of segmentation，unsegmented bar）
2) 両側癒合椎（bilateral failure of segmentation，block vertebra）

● **合併奇形**
1) 脊柱管内奇形（38％）
   脊髄正中離開（diastematomyelia），係留脊髄（tethered cord）などの脊髄奇形
2) 肋骨癒合（58％）
3) 生殖器・泌尿器系奇形（15～25％）
   停留睾丸（undescended testis），尿道下裂（hypospadias），膀胱外反（exstrophy of the bladder），直腸腟瘻（rectovaginal fistula）
4) 心臓奇形（10％）
5) Klippel-Feil症候群（25％）
6) Sprengel奇形

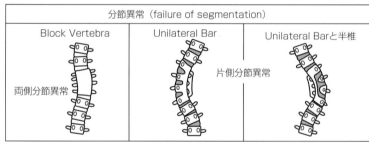

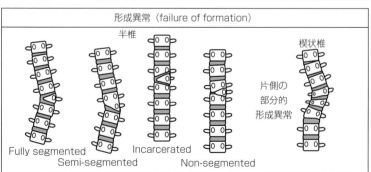

図Ⅱ-11-38 先天性側弯症の分類（文献1より）
半椎を伴ったunilateral barが最も急速に進行する。
fully segmentedの半椎（non-incarcerated）も凸側の成長により進行しやすい。
incarcerated，non-segmentedの半椎は臨床的にあまり問題とならないことが多い。

2 理学所見のポイント

1) 弯曲や肋骨隆起の可撓性
2) 骨盤傾斜，脚長差
3) 殿裂周囲の皮膚陥凹(skin dimple)，脂肪腫による皮膚膨隆，背部剛毛(hair patch)
4) 神経学的欠損，内反足，凹足，垂直距骨，筋萎縮や片側肥大の有無

3 画像検査のポイント

●X線(臥位像，立位像，牽引位像，最大側屈位正面像，前後屈位側面像)

骨盤傾斜や脚長差があるときは，補高を調整して骨盤を水平にした立位で撮影する。
腰椎の過前弯が強いときは，臥位で股関節を屈曲させて側面像を撮影する。

●MRI(脊柱管内異常の評価)

脊柱管内奇形を合併する頻度は20〜58%あり，奇形の部位と脊柱管内異常の高位は必ずしも一致しないので，全脊椎の撮像が必要である。矢状断像と横断像だけでなく，冠状断像は必須である。

●3D-CT(MPR)

3次元的な変形をとらえるために必須の検査である。椎体の半椎でも，後方要素の奇形を伴うものと後方要素が正常なものとがあり，X線では把握が困難である(図Ⅱ-11-39)[2]。

●ミエログラフィとCTミエログラフィ

先天性側弯症の術前検査は，MRIだけでなくミエログラフィとCTミエログラフィを施行することが望ましい。

●腹部超音波検査あるいは静脈性腎盂造影

泌尿器・生殖器系異常の有無を確認する。

4 進行予測[3,13]

先天性側弯症の患児はカーブの凹側は成長する見込み(potential)がほとんどなく，凸側のみが成長する可能性(growth potential)があるので，身長が伸びずに変形のみが増悪する傾向が

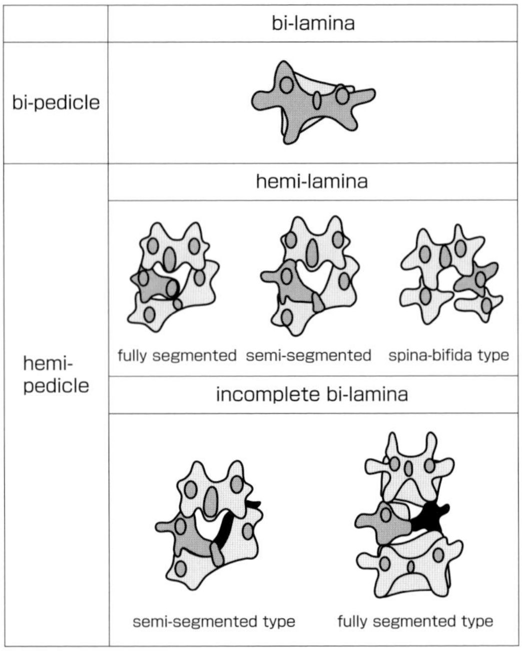

図Ⅱ-11-39 3D-CTから見た奇形椎の後方形態
(文献2より)

椎弓根の数から奇形椎を2つに分類した場合，両側に椎弓根が存在する奇形椎はすべて両側椎弓型(bi-lamina)となり，片側椎弓根型の奇形椎では半椎弓(hemi-lamina)か，反対側に遺残椎弓が存在する不完全両側椎弓(incomplete-bi-lamina)の後方形態となる。

ある(表Ⅱ-11-13)。

●奇形椎の形態

以下の順に進行しやすい。
1) 片側癒合椎(unsegmented bar) + 反対側の半椎
2) 片側癒合椎(unsegmented bar)
3) 2椎の片側性半椎
4) 凸側2椎の半椎
5) 半椎(1椎)
6) 楔状椎

両側癒合椎(block vertebra)は最も進行しにくい。

・unsegmented barは最も進行の危険性が高いので，早期の予防的治療が必要である。
・fully segmented(non-incarcerated)は1〜2°程度進行するので，進行の予防的治療が必要である。
・特に，同側2椎の半椎は進行しやすいので10歳までに手術するのが望ましい。
・semi-segmentedは腰仙椎移行部以外は40°を

表II-11-13 先天性側弯症における奇形椎タイプによる進行予測（1年での進行角度中間値）(文献3より)

Site of Curvature	Type of Congenital Anomaly					
	Block Vertebra	Wedge Vertebra	Hemivertebra		Unilateral Unsegmented Bar	Unilateral Unsegmented Bar and Contralateral Hemivertebrae
			Single	Double		
Upper thoracic	<1°　−1°†	*−2°†	1°　−2°‡	2°　−2.5°§	2°　−4°§	5°　−6°§
Lower thoracic	<1°　−1°†	2°　−2°†	2°　−2.5°‡	2°　−3°§	5°　−6.5°§	6°　−7°§
Thoracolumbar	<1°　−1°†	1.5°　−2°†	2°　−3.5°‡	5°　−*§	6°　−9°§	>10°　−*§
Lumbar	<1°　−*†	<1°　−*†	<1°　−1°‡	*	>5°　−*§	*
Lumbosacral	*	*	<1°　−1.5°§	*	*	*

*：Too few or no curves, †：治療は不要, ‡：脊椎固定術が必要なことが多い, §：脊椎固定術が必要。数字は10歳前後での悪化程度を示す。

超えることはほとんどない。
・incarcerated は 20°を超える可能性は少ない。
・non-segmented は進行する可能性はなく，治療は不要である。
・蝶形椎（sagittal cleft）は側弯が問題になることは少ないが，胸腰椎移行部に多く，後弯が進行しやすいので矢状面バランスに注意する。

●奇形椎の部位
以下の順に進行しやすい。
胸腰椎＞下位胸椎＞上位胸椎＞腰椎あるいは腰仙椎
ただし腰仙椎移行部では，その上位でより回旋を伴った代償カーブが高率に起こるので構築性になる前に治療を要する（手術を考慮する）。
また，上位胸椎部では大きなカーブに進行することは少ないが，肩の高さの差や頭部の傾斜など美容上問題になることがある。

5 装具療法

可撓性が大きく，側屈位X線撮影で50％以上の矯正率が得られる多椎体に及ぶカーブ（8～10椎体以上）または代償性カーブは装具療法の適応になる。
underarm brace の有用性は証明されておらず，唯一 Milwaukee brace のみ有用性がある。

6 手術適応[1,14]

手術療法を適応する場合は，以下のような脊柱の成長を考慮する必要がある。
・座高の70％は5歳頃までに成長する。
・座高の84％は10歳頃までに成長する。
・肋骨の約30％は10歳頃までに成長する。
・胸椎の成長は1年に約1.1 cm，腰椎の成長は1年に約1.6 cmである。
・固定術による身長の予想短縮は，0.07 cm×固定椎間数×成長終了までの年数で表される[4]。

●手術療法の要点[15〜17]
■後方固定術（後方からの椎体骨切り＋short fusion）にするか前方・後方固定術にするか。
　単純な半椎で後弯の程度が軽い症例は後方からだけで対処可能だが，後弯を伴う場合は，前方・後方同時手術が有利である[5〜7]。
■crankshaft phenomenon は後方固定のみの場合，約15％に認める（50°以上のカーブや，若年者ほど危険度が高い）。
■冠状面バランスだけでなく，矢状面バランスも重要である。特に胸椎後弯20°以上にしか矯正できなければ，カーブ全体を固定すべきである。
■進行の危険が高い場合は診断がつき次第，変形が軽度なら後方から in situ fusion（図II-11-40），4歳頃で変形矯正が必要なら subcutaneous lengthening を行う（変形が高度なら前方から線維輪のみを切る場合もある）。
■hemiepiphysiodesis（convex hemiarthrodesis）は，単純な側弯のみに適応となる（5歳以下）。3歳半までに施行するほうが，矯正効果が高い[8]。

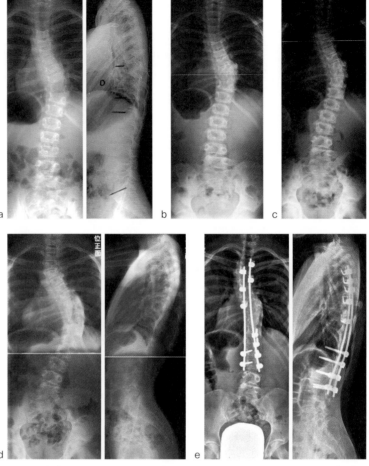

Ⅱ-11-40　6歳時に *in situ* fusion を施行した T10 hemivertebra の症例（6歳女児）
a：術前の全脊柱立位X線2方向像，b：術後1年の全脊柱立位X線正面像，c：術後4年の全脊柱立位X線正面像，d：追加手術前（初回術後6年）の全脊柱立位X線2方向像，e：追加手術後6年の全脊柱立位X線2方向像

T10 hemivertebra による進行性の先天側弯症(a)に対して，6歳時に *in situ* fusion(T7-10 前方・後方固定)を施行(b)。術後しばらくは抑制効果を認めたが，固定頭尾側で変形が徐々に進行(c, d)し hump が悪化したため，13歳時に後方矯正固定術(T3-L3)を追加した(e)。

完成した弯曲には矯正効果はほとんど期待できないので，50°以上の側弯や後弯を伴っていれば原則的には適応はない。
■ 身長 100 cm 未満の小児は，通常の脊椎インストゥルメンテーション使用は困難で，Luque ロッドと sublaminar wiring（あるいはテープ）か小児専用の脊椎インストゥルメンテーションが必要である。

●vertical expandable prosthetic titanium rib（VEPTR）による胸郭形成術
胸，脊柱，肋骨の高度先天奇形を伴う thoracic insufficiency syndrome（胸郭形成不全症候群）では呼吸や肺の成長が妨げられるため，肋骨に VEPTR を埋め込み胸郭を拡大する手術が最近限られた施設で行われるようになっている[9]。

●症例
図Ⅱ-11-41 に L2 の hemivertebra（hemi-pedicle, incomplete bi-lamina 型）の症例，図Ⅱ-11-42 に T12 fully segmented hemivertebra の症例，図Ⅱ-11-43 に先天性側弯症（多発奇形）の症例を示す。

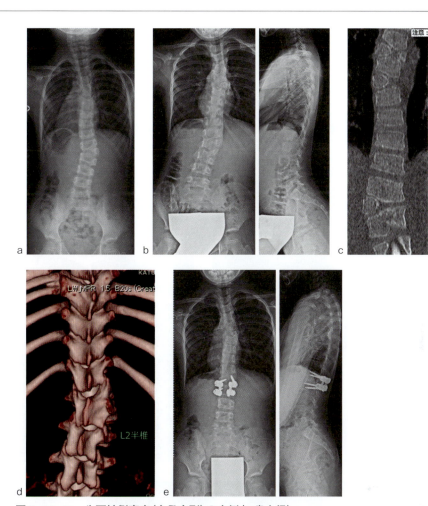

図Ⅱ-11-41　先天性側弯症（多発奇形）の症例（7 歳女児）

a：5 歳時の全脊柱立位 X 線正面像，b：術前（7 歳時）の全脊柱立位 X 線 2 方向像，c：術前の CT 冠状断像，d：術前の 3D-CT（背側から），e：術後 2 年の全脊柱立位 X 線 2 方向像

T5 は蝶形椎，T7 と L2 はいずれも右側の半椎。L2 半椎を後方から切除して L1-3 を TSRH® で固定した。

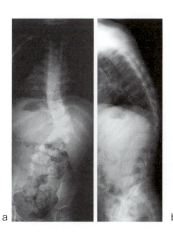
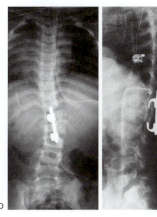

図Ⅱ-11-42　先天性側弯症：形成異常（fully segmented hemivertebra）の症例（3 歳女児）

a：術前の全脊柱立位 X 線 2 方向像，b：術後の全脊柱立位 X 線 2 方向像

術前側弯（53°），後弯（+43°）に対して，後方から半椎亜全摘を施行した。

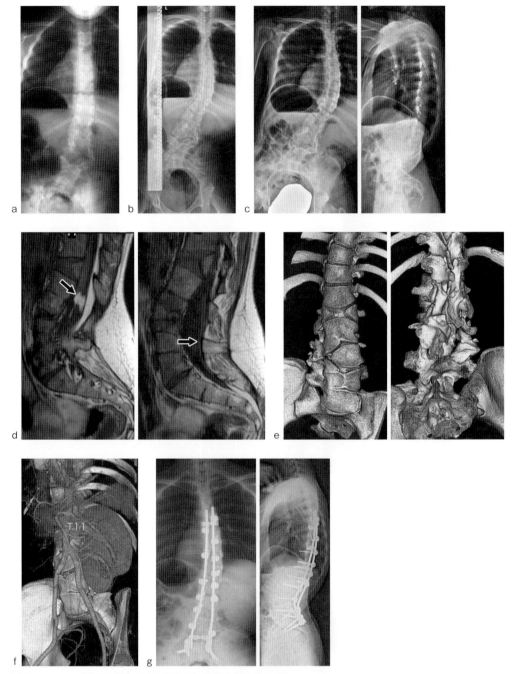

図Ⅱ-11-43　先天性側弯症（多発奇形）の症例（21歳女性）
　a：8歳時の全脊柱立位X線正面像，b：16歳時の全脊柱立位X線正面像，c：術前（19歳時）の全脊柱立位X線2方向像，d：腰仙椎MRI T1強調矢状断像，e：腰仙椎3D-CT（前方・後方），f：腰仙椎造影後の3D-CT，g：術後2年の全脊柱立位X線2方向像

　8歳時に形成異常による多発奇形による側弯と腰椎過前弯を認めるも経過観察。思春期後半から冠状面バランス不良による腰痛が徐々に悪化してきたため，21歳時に前方・後方固定術を施行し症状は改善した。MRIではtight filum terminale（d右図矢印），低位脊髄円錐と円錐部に脂肪腫（d左図矢印）を認めた。造影CTでは右腎は萎縮し，左尿管奇形（重複尿管）を認めた。

11-C-2. 先天性後側弯症（congenital kyphoscoliosis）

1 先天性後側弯症の分類[10]（図Ⅱ-11-44）

- type Ⅰ：前方での椎体形成異常（anterior failure of vertebral body formation）60〜65％
- type Ⅱ：前方での椎体分節異常（anterior failure of vertebral body segmentation）20％
- type Ⅲ：形成異常と分節異常の合併（mixture of failure of formation and segmentation）

2 先天性後弯症の手術適応[11,12]

1) 過伸展位 X 線側面像にて 60°以上の後弯を認める場合
2) 3 歳以下で，過伸展位 X 線側面像にて 40°以上の後弯を認める場合
3) 脊髄圧迫または麻痺症状（type Ⅰ：failure of formation は麻痺を呈しやすい）を認める場合
type Ⅰや type Ⅲの先天性後弯症では 5 歳以

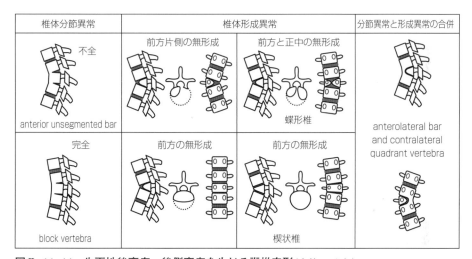

図Ⅱ-11-44　先天性後弯症・後側弯症を生じる脊椎奇形（文献 10 より）

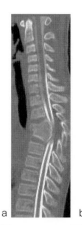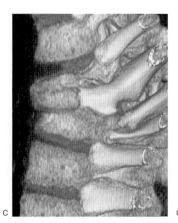

図Ⅱ-11-45　先天性後弯症 type Ⅲ の症例（11 歳男児）
　a：全脊柱 CT ミエログラフィ矢状断像，b：腰椎 3D-CT 背面像，c：腰椎 3D-CT 側面像，d：術後の全脊柱立位 X 線側面像
　T4-5 が半椎，T3〜T6 が前方で癒合し，局所後弯（+35°）を呈しており，痙性歩行が進行したため，後方除圧固定術を施行した。

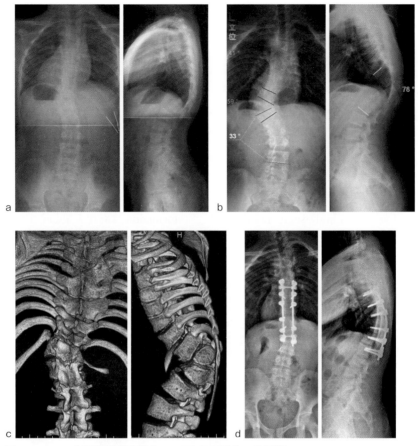

図Ⅱ-11-46 先天性後側弯症(type Ⅲ)の症例(14歳男児)
a:9歳時の全脊柱立位X線2方向像,b:術前の全脊柱立位X線2方向像,c:術前の全脊柱3D-CT(後方・側方),d:術後3年の全脊柱立位X線2方向像
2歳から経過観察していたが,成長とともに後弯が進行し腰痛を自覚するようになった.後方からの椎体骨切りを併用した矯正固定術を施行し,矢状面アライメントは改善し腰痛は消失した.

前,50°を超える前に後方固定を考慮する.
　臥位でも50～60°を超えるような後弯は,前方解離術に続いて後方固定術が必要で,可能なら,インストゥルメンテーションも追加する.
　type Ⅱの後弯はすぐに固定術を行う必要はない.後弯の程度が強いか進行があれば手術を行う.
　固定範囲は後弯の上下椎だけでなく,少なくとも1椎体ずつ上下に延長するべきである.

● 症例
　図Ⅱ-11-45に先天性後弯症(type Ⅲ),図Ⅱ-11-46に先天性後側弯症(type Ⅲ)の症例を示す.
　図Ⅱ-11-47に先天性側弯症(多発奇形)の症例を示す.10歳頃までは大きな進行を認めなかったが,growth spurt後に胸腰椎移行部での後側弯が進行してきたため,15歳時に手術施行.手術は予定二期的手術とし,まず腰椎(L4)半椎部の骨切りを前・後方で行い胸腰椎のスクリューで仮固定した.その後二期目として右前方からT11とL1半椎骨切りを行い,後方から同部位の骨切りを追加して最終固定した.

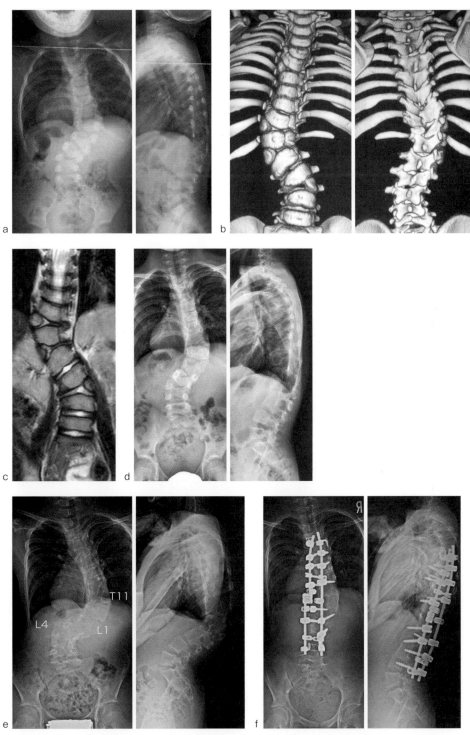

図 II-11-47　先天性側弯症(多発奇形)の症例(2 歳男児，手術時年齢 15 歳)
　a：2 歳時の全脊柱立位 X 線 2 方向像，b：全脊柱 3D-CT(前方・後方)，c：全脊柱 MRI，d：10 歳時の全脊柱立位 X 線 2 方向像，e：15 歳時の術前全脊柱立位 X 線 2 方向像，f：術後 1 年の全脊柱立位 X 線 2 方向像

　X 線(a)では評価困難な椎体の奇形(T6 & 11, L1 & 4 半椎と蝶形椎)と後方要素の状態が 3D-CT で評価可能となる(b)．また，MRI にて椎間板や終板などの状態が評価可能である(c)．10 歳時まで大きな進行を認めなかった(d)が，growth spurt 後に後側弯が進行(e：T10/L2：側弯 95°，T10/L4：後弯 96°)し，15 歳時に手術(二期的前後合併手術)を施行した(f)．

引用文献

1) McMaster MJ：Congenital scoliosis. The Pediatric Spine Principles and Practice(Weinstein SL ed), Lippincott Williams & Wilkins, pp161-177, 2001.
2) Nakajima A, Kawakami N, Imagama S, et al：Three-dimensional analysis of formation failure in congenital scoliosis. Spine 32：562-567, 2007.
3) McMaster MJ, Ohtsuka K：The natural history of congenital scoliosis：A study of 251 patients. J Bone Joint Surg Am 64：1128-1147, 1982.
4) Winter R：Scoliosis and spinal growth. Orthop Rev 6：17-20, 1977.
5) Bollini G, Docquier PL, Viehweger E, et al：Lumbosacral hemivertebrae resection by combined approach：medium-and long-term follow-up. Spine 31：1232-1239, 2006.
6) Bollini G, Docquier PL, Viehweger E, et al：Thracolumbar hemivertebrae resection by double approach in a single procedure：long-term follow-up. Spine 31：1745-1757, 2006.
7) Bollini G, Docquier PL, Viehweger E, et al：Lumbar hemivertebra resection. J Bone Joint Surg Am 88：1043-1052, 2006.
8) Thompson AG, Marks DS, Sayampanathan SR, et al：Long-term results of combined anterior and posterior convex epiphysiodesis for congenital scoliosis due to hemivertebrae. Spine 20：1380-1385, 1995.
9) Campbell RM Jr, Smith MD, Mayes TC, et al：The effect of opening wedge thoracostomy on thoracic insufficiency syndrome associated with fused ribs and congenital scoliosis. J Bone Joint Surg Am 86：1659-1674, 2004.
10) McMaster MJ, Singh H：Natural history of congenital kyphosis and kyphoscoliosis：A study of one hundred and twelve patients. J Bone Joint Surg Am 81：1367-1383, 1999.
11) McMaster MJ, Singh H：The surgical management of congenital kyphosis and kyphoscoliosis. Spine 26：2146-2155, 2001.
12) Kim YJ, Otsuka NY, Flynn JM, et al：Surgical treatment of congenital kyphosis. Spine 26：2251-2257, 2001.

参考文献

13) McMaster MJ, David CV：Hemivertebra as a cause of scoliosis, a study of 104 patients. J Bone Joint Surg Br 68：588-595, 1986.
14) Winter RB, Lonstein JE, Boachie-Adjei O：Congenital spinal deformity. J Bone Joint Surg Am 78：300-311, 1996.
15) Bradford DS, Boachie-Adjei O：One stage anterior and posterior hemivertebra resection and arthrodesis. J Bone Joint Surg Am 72：536-540, 1990.
16) Shono Y, Abumi K, Kaneda K：One-stage posterior hemivertebra resection and correction using segmental segmental posterior instrumentation. Spine 26：752-757, 2001.
17) Blakemore LC, Scoles PV, Poe-Kochert C, et al：Submuscular Isola rod with or without limited apical fusion in the management of severe spinal deformities in young children. Preliminary report. Spine 26：2044-2048, 2001.

11-D. 症候性側弯
syndromic scoliosis

11-D-1. 神経線維腫症[17〜20]

神経線維腫症(neurofibromatosis：NF)は常染色体優性遺伝を呈する疾患で，第17染色体長腕に関連したNF-1(peripheral)と，第22染色体長腕に関連したNF-2(central)に分類される。

多くは，Recklinghausen病として知られるNF-1で，4,000〜5,000人に約1人の罹患率が報告されている。NF-2は脊柱変形とは関連せず，両側性の聴神経(第Ⅷ脳神経)腫瘍が特徴的で，罹患率は50,000人に約1人である。頚椎後縦靱帯骨化症(OPLL)同様に特定疾患に認定されるので手続きが必要である。脊柱変形を合併する率は20〜30%と高いが，側弯症のなかでNF-1を合併するのは2〜3%である。

1 NF-1の診断基準

以下の診断基準のうち，2つ以上存在すれば確定診断がつく。

① 6個以上のカフェオレ斑
　思春期前なら長径5mm以上，思春期以後は15mm以上が90%以上に認められ，日光に曝されていない部位に好発する。
② 2個以上の神経線維腫(neurofibroma)または網状の神経線維腫(plexiform neurofibroma)が皮下に結節として存在することが多いが，深い末梢神経にも認められる。
　約5%は神経肉腫となる。
③ 腋窩または鼠径部の2〜3mm程度の色素沈着(そばかす様斑：freckling)
④ 視神経膠腫(optic glioma)
　視神経膠腫の70%はNF-1である。
⑤ 2個以上の虹彩小結節(iris lisch nodule)
　6歳以上では94%に認められる特異的な所見である。
⑥ 明らかな骨性の異常
　蝶形骨の異形成，長管骨の皮質骨の菲薄化，脛骨偽関節(約12%)が認められる。

⑦ 1親等家族(両親または兄弟)にNF-1が存在する。

●遺伝
常染色体優性遺伝だが，家族歴は45〜48%にしか認められない。

●合併所見
以下のような合併奇形や腫瘍に注意する。
・中枢神経系の腫瘍(聴神経鞘腫，髄膜腫，視神経膠腫など)：16〜26%
・頭蓋・顔面の変形：20%
・脛骨偽関節：12%
・悪性腫瘍(頭蓋外)：11〜20%(加齢とともに上昇)

2 病態

脊柱変形(側弯)が20〜30%に認められるが，パターンは2つ存在する。

●nondystrophic scoliosis
特発性側弯症と区別はつかない。

●dystrophic scoliosis(図Ⅱ-11-48)
短椎間で鋭角に弯曲するカーブで，以下の特徴がある。
・肋骨のpenciling(第2肋骨よりも狭いとき，rib pencilingと呼ぶ)。肋骨のpencilingは約60%に認められ，側弯進行にも関連する。
・頂椎の著明な回旋(45°以上)
・椎体のscalloping。椎体後方に多いが，前方や側方にも認められる。脊柱管内腫瘍，硬膜拡張(dural ectasia)，髄膜瘤(meningocele)と関連している。
・椎体の楔状化(vertebral wedging，50%以上に認められる)
・横突起のspindling
・椎間孔または椎弓根間距離の拡大
・椎体周囲の腫瘍(神経線維腫，神経鞘腫)
・硬膜拡張(dural ectasia)

3 治療

nondystrophicタイプとdystrophicタイプを

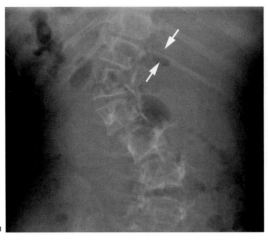
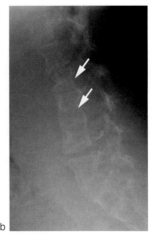

図 II-11-48　dystrophic type における "rib penciling" と椎体の "scalloping"
a：胸腰椎X線正面像，b：同，側面像
侵食性変化で肋骨が鉛筆の先細りのようになった状態を "rib penciling"（a 矢印）と表現し，脊柱変形の強い部分に認められる。この特徴的なX線所見を認める椎体周囲は今後変形が進行する危険性が高く，変形が軽度でも固定に加えることを考慮すべき場合が多い。椎体の侵食性変化を"scalloping"（b 矢印）と表現し，硬膜拡張（dural ectasia）や脊柱管内の腫瘍と関連する。

鑑別することがまず重要である。
しかし，7 歳以前に脊柱変形を指摘された nondystrophic タイプでも約 80% が dystrophic タイプに移行する危険性があるので，将来 dystrophic タイプに移行すると考えて治療する必要がある。

● nondystrophic scoliosis
特発性に準じて，Cobb 角 35° までは装具で治療し，35〜45° を超えれば，後方固定を勧める。
60° を超えれば，前方固定と後方固定が必要である。

● dystrophic scoliosis
装具は無効で，Cobb 角 20〜40° を超えれば，後方固定を勧める。
ただし 6 歳未満の場合は，まずは凸側からの前方固定（ギプス固定）で対処することがある。
40° を超えれば，前方固定と後方固定が一般的には必要となる。
固定範囲は，通常よりも多椎間の固定を要する（通常 T2-3 から neutral vertebra の下位まで）。
rib penciling が下位で認められれば，その椎体まで固定に含めるほうが無難である。

● 後側弯（kyphoscoliosis）
頂椎の angulation，subluxation が 50° 以上の後弯に関与することが多く，麻痺出現の危険がある。前方＋後方手術が必須であるが，必ずしも骨癒合が得られるわけではなく，複数回の手術を要する症例も少なくない。後弯が強い場合は，腓骨の strut grafting も必要である。偽関節率が高いので，術後 6 カ月で画像上骨癒合が疑わしい場合は，後方からの骨移植の追加が必要なこともある。

4 症例

図 II-11-49 に 4 歳女児，図 II-11-50 に 13 歳女児，図 II-11-51 に 13 歳男児の神経線維腫（NF-1）の症例を示す。

11-D-2. Marfan 症候群

Marfan 症候群は第 15 染色体に存在する fibrillin-1 遺伝子（*FBN1*）の突然変異に起因する常染色体優性遺伝を呈する疾患であるが，突発例も約 25% 存在する。男女差はなく，罹患率は 10,000 人に約 1 人である。

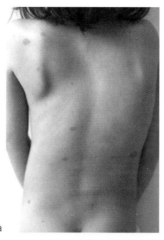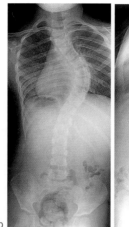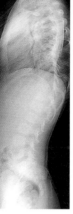
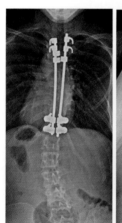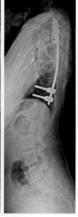

図Ⅱ-11-49 神経線維腫症 NF-1 の症例(4歳女児)
　a：背部外観。背部に点在するカフェオレ斑を認める。b：全脊柱立位X線2方向像，c：前方・後方固定術後18年(22歳時)の全脊柱立位X線2方向像

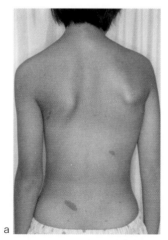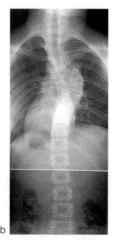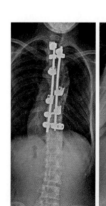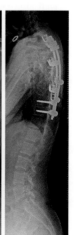

図Ⅱ-11-50 神経線維腫症 NF-1 の症例(13歳女児)
　a：背部外観。背部にカフェオレ斑を認める。b：全脊柱立位X線正面像，c：前方・後方固定術後18年(31歳時)の全脊柱立位X線2方向像

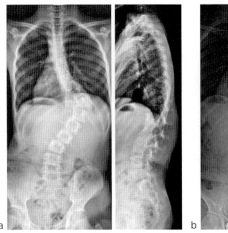
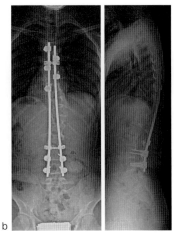

図Ⅱ-11-51　神経線維腫症 NF-1 の症例（13歳男児）
a：術前の全脊柱立位X線2方向像，b：術後7年の全脊柱立位X線2方向像
母親がNF-1で出生時よりNF-1と診断され，8歳頃から側弯が徐々に進行してきたため13歳時に前方・後方同時手術を施行した．右第9および11肋骨を切離して前方固定(T10/11-L1/2)後，後方固定術(T4-L4)を施行した．術後骨吸収抑制目的で，Ca製剤とビタミンD併用でゾメタ®1.5gを2日連続で経静脈的に投与した（注：ゾメタ®は骨形成不全症には適用があるが[1]，本疾患には適用外）．術後良好な骨癒合が得られ，良好なアライメントを維持している．

図Ⅱ-11-52　くも状指（arachnodactyly）に特徴的な臨床的所見
a：thumb sign。母指を中に入れて握ると母指の爪が尺側に突出する．b：wrist sign。手関節を反対側の手で握ると母指と小指の末節部まで重なる．

1 診断

臨床的には以下の2つ以上を満たすことが必要である．

1) 家族歴
2) 眼病変

水晶体の亜脱臼または脱臼（ectopia lentis）．眼科医へのコンサルトが必要となる．

3) 心血管病変（aortic dilatation）

大動脈弁または僧帽弁閉鎖不全や解離性大動脈瘤

4) 側弯

50〜100％に認められるが，パターンは特発性側弯症と基本的には同様である．

5) 漏斗胸（pectus excavatum, funnel chest）または鳩胸（pectus carinatum, pigeon chest）

●身体所見

くも状指（arachnodactyly，図Ⅱ-11-52），靱帯弛緩，側弯，胸椎前弯，胸腰椎部後弯をみる．
特に胸椎前弯，胸腰椎部後弯には注意を要する．

●鑑別診断

a. ホモシステイン尿症

水晶体脱臼，高身長，脊柱変形はMarfan症

候群と類似するが心血管異常は伴わず，知的障害，動静脈血栓症などが鑑別点になる。

b. 先天性くも状指（congenital arachnodactyly：CCA）

関節拘縮，耳介奇形などが Marfan 症候群と異なる。

c. Loeyes-Dietz 症候群

TGF-β のシグナル伝達系の遺伝子変異が原因で，Marfan 症候群に類似する大動脈，骨格系の異常を呈するが水晶体亜脱臼は伴わない。およそ60％で側弯を認め，手術に際しては大動脈の評価と出血のコントロールがポイントとなる[2]。

2 治療

側弯は進行が早く（1年に7〜10°），思春期早期に急激に進行することが多い。

一般的には治療成績は悪いが，Cobb 角 20°を超えれば，装具療法（Milwaukee brace 装着）を開始する。

40〜45°以上の側弯，進行性のカーブ，成人でも50°以上の側弯は手術を勧める。ほとんどの場合は，後方固定術のみで対処可能だが，胸椎前弯と胸腰椎部後弯には注意を要する。

● 注意点

・臥位前後屈位X線側面像にて，胸腰椎または腰椎の後弯頂椎が固定下位にならないようにする。
・double curve の場合は，代償性カーブも固定範囲に含めるほうが無難である。
・Y軟骨（triradiate cartilage）が開いており，かなりの身長の伸びが予想される場合，前方固定追加も考慮する。
・仙骨までの固定は，通常必要ない。

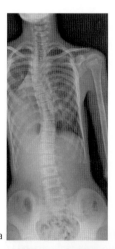 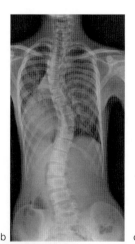 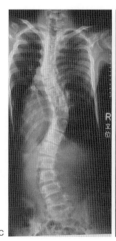 

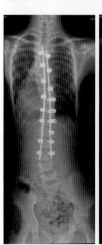 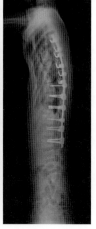

図 II-11-53　Marfan 症候群の症例（16歳男児）
a：14歳時の全脊柱立位X線正面像，b：15歳時の全脊柱立位X線正面像，c：16歳時の術前全脊柱立位X線2方向像，d：術後の全脊柱立位X線2方向像

Marfan 症候群に伴う double thoracic curve（胸腰椎移行部に後弯を認める）。

- 一般的には偽関節の頻度が高いとされているが，明らかな頻度は不明である．

3 症例

図Ⅱ-11-53に16歳男児のMarfan症候群の症例を示す．

11-D-3. Ehlers-Danlos症候群

Ehlers-Danlos症候群は，Marfan症候群と同じく，結合組織の先天性代謝異常に基づく遺伝性疾患である．

1901年にEhlersが，1908年にDanlosが報告した本疾患は，臨床症状，遺伝形式，生化学的検査所見などから10型に分類され，Ⅰ～Ⅲ型が約90％を占める．本症は，細胞外マトリックス蛋白の構造破綻により，全身にわたる特徴的な症状を呈し，各タイプ別に原因遺伝子が特定されている．

Ⅰ型（COL5A遺伝子の異常）は重症型で，関節の過可動性，皮膚の過伸展性と易出血性が問題となり，Ⅲ型はbenign hypermobilityタイプで骨格系の変形を伴わない関節の過可動性が特徴で，皮膚症状は比較的軽微である．Ⅳ型（COL3A遺伝子の異常）は最も予後が悪いタイプで，腸管や大血管の自然破裂が致死的となることがある．重度の後側弯症で治療上問題となるのは，Ⅵ型（lysyl hydroxylase遺伝子の異常）で，通常，常染色体劣性遺伝である．

1 臨床症状

- 皮膚が伸展性に富み，脆弱である．
- 関節異常可動性（generalized joint laxity），反張膝を呈する．
- 出血性素因を有する．

Ⅵ型では，幼少時から重度側弯症，反復性関節脱臼，皮膚過伸展性を呈し，角膜や眼球の脆弱性，網膜の部分的剥離などの眼症状も呈することから，眼-側弯型（oculo-scoliosis type）と呼ばれる．Ⅲ型でも約50％に側弯症が生じる．

2 治療[21]

幼時期に後側弯が進行し，Milwaukee braceやギプス固定で進行を抑えることができない場合は手術療法（instrumentation without fusion）が必要である．しかし，血管合併症（血管脆弱性による血管損傷や破裂），神経合併症などの重度な合併症の報告がある．本疾患の血管脆弱性は特徴的で，特に前方アプローチでは注意する必要がある．

McMasterは，本症5例全例が成長期に急速進行し，Cobb角平均88°（66～115°）で，平均11歳9カ月にて手術を要し，創の血腫や離開に対して再縫合が必要であったが，矯正率は平均58％（35～78％）で，満足な固定が得られたとしている[3]．VogelとLubickyは4例中3例で神経学的合併症があり，1例に血管合併症があったと報告し[4]，Akpinarらは5例全例で装具療法が無効であったため，腰椎が平均69.7°（38～106°），胸椎が平均46.4°（25～82°）の側弯に対して平均14歳2カ月にて手術を行った．4年の経過観察にて合併症はなく，矯正率は腰椎が52.6％，胸椎が42.2％であったと報告している[5]．

3 症例

図Ⅱ-11-54にEhlers-Danlos症候群の症例を示す（0～8歳時）．

11-D-4. 神経・筋原性側弯症

神経・筋原性側弯症（neuromuscular scoliosis）は，いったん脊柱変形が起こると保存的には治療困難で，急激に進行することが多い．したがって，早期から固定術を考慮しなければならないが，立位バランス不良または車椅子生活の場合は，座位バランス保持や座位保持が可能かどうかがポイントになる．さらに，手術決定には上肢が使えるかどうか，精神発達遅滞の有無，生命予後や家族の希望を考慮する必要がある．

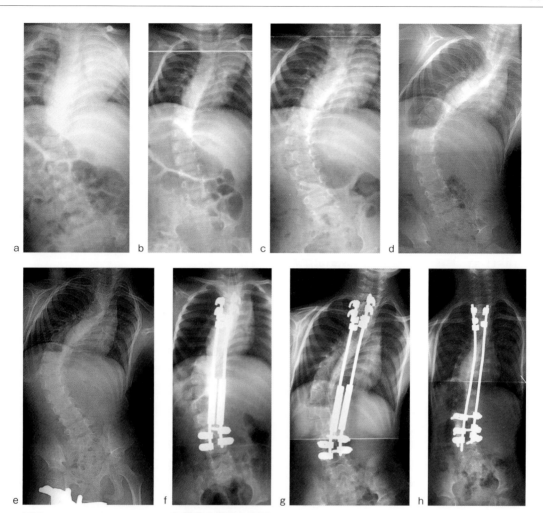

図Ⅱ-11-54 Ehlers-Danlos症候群の男児の症例
 a：0歳, b：1歳, c：3歳, d：4歳時の全脊柱立位X線正面像, e：術前（5歳時）, f：instrumentation without fusion術後, g：最終固定術前（7歳時）, h：最終固定術後（8歳時）
 生直後Ⅵ型と診断され, 紹介受診。初診時3歳にてCobb角62°の側弯症を呈していた。ギプスおよび装具療法（Milwaukee brace）を交互に行うも進行を認めたため, 5歳時にinstrumentation without fusion（T3-L4）を施行し, Cobb角85°を56°に矯正した。

1 病態

●神経原性

1) 上位ニューロン性
 脳性麻痺（spastic quadriplegia）, 脊髄空洞症, 脊髄腫瘍, 脊髄損傷
2) 下位ニューロン性
 ポリオ, 二分脊椎, 脊髄髄膜瘤, 脊髄性筋萎縮症（spinal muscular atrophy）

●筋原性

筋ジストロフィー, 多発性関節拘縮症, 低緊張症候群

2 症例

図Ⅱ-11-55に11歳女児の神経原性側弯症の症例を示す。

11-D-5. デュシェンヌ型筋ジストロフィー[22,23]

デュシェンヌ型筋ジストロフィー（Duchenne muscular dystrophy：DMD）は, X染色体短腕p21の障害により筋肉の細胞膜を構成するジス

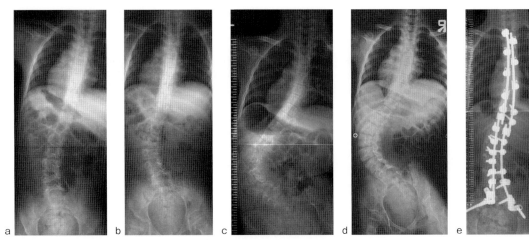

図Ⅱ-11-55　神経原性側弯症（脳性麻痺）の症例（11歳女児）
　a：9歳時の全脊柱臥位X線正面像，b：10歳時の全脊柱臥位X線正面像，c：11歳時の術前全脊柱座位X線正面像，
d：11歳時の術前全脊柱臥位X線正面像，e：術後の全脊柱座位X線正面像
　脳性麻痺（spastic quadriplegia）で歩行不能．術前座位X線で110°，臥位X線で83°（T11/L4）の側弯を認める．

トロフィン蛋白（dystrophin）の欠損が生じ，筋肉が徐々に崩壊する疾患である．
　一般に乳児期には明らかな症状を認めず，処女歩行も平均1歳半で大きく遅れることはないが，3歳頃に歩容異常や走れないことを主訴に医療機関を受診し，5歳頃までに診断がつく．筋力低下の範囲が近位筋優位に対称的に広がり，特徴的な登攀性起立（Gowers徴候）を示す．筋偽性肥大も腓腹筋や三角筋で特徴的に起こるが，これは筋組織の崩壊後に脂肪や結合織に置き換わることによる仮性肥大である．10歳頃までに車椅子生活となり，その後，脊柱変形の進行に伴い座位保持が困難となり，胸郭変形や心筋障害に伴って心肺機能が低下し，20歳前後で肺炎，呼吸不全，心不全で死亡する．これまでDMDの平均寿命は20歳までであったが，二層性陽圧人工呼吸器（biphasic positive airway pressure：BiPAP）や夜間の人工呼吸器により生存率が上昇している．

1　病態・臨床症状

　DMDでは初期には脊柱変形をほとんど生じないが，歩行不能となり車椅子生活となると変形が生じ，成長期と重なって急速に進行する場合が多い．したがって，歩行不能となれば半年毎に座位X線正面像にて脊柱変形の評価をすべきである．
　DMDでは80～95%に脊柱変形が生じ，その多くは体幹を支持できないcollapsing spineによる寝たきり状態となり，10歳代後半のQOL（quality of life）評価が著しく低下する原因となる．
　副腎皮質ステロイドの投与にて，歩行可能な期間を延長できたとの報告や側弯症の発生を抑制できたとの報告があり，脊柱変形の予防には有用となり得る[6,7]．しかし，肥満や骨量減少などの副作用が懸念され，欧米で使用される副作用の少ないdeflazacortはわが国で認可されていないため，ほとんど投与されていない．

2　治療

　側弯の進行はほぼ回避不能で，装具を装着しても90%以上は進行する．一般的な予防や治療法として，装具や座位保持装置あるいは拘縮緩和などの理学療法がなされるが，これらの治療は側弯進行を遅らせても防ぐことはできない．したがって，現在，本症のような難治な脊柱変形に対して確実な治療効果が期待できるのは脊柱固定術のみである．
　DMDの脊柱変形に対する手術の最大意義は，脊柱支持性の確保により座位バランスを改善させることである．DMDでは，呼吸筋の変性により肺機能が年齢とともに低下し，死因に結びつくが，歩行能力を失うと肺活量は低下

し，側弯の進行に伴い，さらに低下してくる．肺機能が低下するほど手術の危険性が高くなること，脊柱変形が軽いほど矯正が容易かつ手術時間や出血量を少なくできることから，可能な限り早期の手術が望ましい．

手術の有無にかかわらず，いずれ人工呼吸器は必要となるが，手術により安定した座位を保持できることは，介護面でも本人のQOL面でも意義があるので，車椅子生活となってからのCobb角が20〜30°以上の場合は手術を考慮すべきである．

固定範囲は，上位は後弯変形の危険性を考慮し，上位胸椎（T2-3）からの固定が推奨される．下位は，L5までの固定がよいか，仙骨あるいは骨盤までの固定が必要か，いまだ論議のあるところであるが，骨盤傾斜がある程度存在してもL5までの固定で対処可能なことが多い．

3 症例

図Ⅱ-11-56に13歳男児のデュシェンヌ型筋ジストロフィーの症例を示す．

11-D-6. キアリ奇形・脊髄空洞症[24〜33]

キアリ奇形（Chiari malformation）はChiariが1891年に大後頭孔（foramen magnum）を越えての小脳扁桃の下垂を報告したのち，1907年にArnoldらがその亜型を報告しているため，Arnold-Chiari奇形とも呼ばれる．

脊髄空洞症（syringomyelia）を伴った20歳以下の患者では約82％で側弯症を合併する[8]．

キアリ奇形Ⅰ型の28％，脊髄空洞症を伴ったキアリ奇形Ⅰ型の49％が側弯症を合併する．

キアリ奇形の12％が脊髄空洞症やキアリ奇形Ⅰ型などの家族歴を有する[9]．

カーブパターンは，通常の右胸椎カーブが53％，左側の胸椎カーブは18％にすぎない[10]．

1 診断

- **キアリ奇形Ⅰ型**：大後頭孔を越えての小脳扁桃（cerebellar tonsil）の下垂（3 mm以上），50〜76％に脊髄空洞症を認める．延髄の下垂を伴ってもよい．
- **キアリ奇形Ⅱ型**：小脳下部（主に虫部：cere-

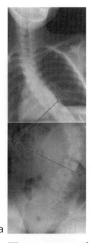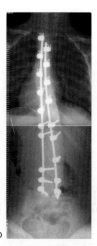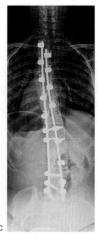

a　　　　　　b　　　　　　c

図Ⅱ-11-56　デュシェンヌ型筋ジストロフィーの症例（13歳男児）

a：術前の全脊柱座位X線正面像（T10/L4：70°），b：T2〜L6後方固定術後2カ月の全脊柱座位X線正面像，c：術後6年の全脊柱座位X線正面像

70°（座位）の側弯による座位バランス不良が術後改善し，術後6年でも骨盤傾斜は残存するものの良好な座位バランスを保っている．

bellar vermis）と延髄が大後頭孔を越えて下垂し，第4脳室も下垂する。脊髄形成異常（myelodysplasia）や脊髄髄膜瘤（myelomeningocele）を原則として伴う。
- **キアリ奇形Ⅲ型**：頸椎の二分脊椎（spina bifida）を伴い，髄膜瘤内に小脳や脳幹部が入り込む状態を認める。
- **キアリ奇形Ⅳ型**：小脳の低形成または無形成を認める。

Ⅰ型とⅡ型が99％で，Ⅰ型は5〜15歳で症状が出現するが，Ⅱ型は通常，幼少時に明らかになることが多い。Ⅲ型はほぼ致死的である。

2 症状・所見（Ⅰ型）

- 頭痛・頸部痛（69％），筋力低下（74％），知覚異常（50％）を認める。
- 上肢の筋萎縮（13％），腱反射低下（38％），腱反射亢進（44％），Babinski反射（28％），眼振（23％），咳に伴う頭痛や嘔吐（15〜75％）を認める。
- 小児期では上記の症状や所見を示すことは少なく，脊柱側弯症として経過観察されていることも少なくない。
- 腹壁反射の左右差や低下は，特に神経学的に重要な所見である[34]。

3 治療

Özerdemogluらは，脊髄空洞症のシャント術では側弯の改善は得られなかったが，後頭下減圧術により側弯や脊髄空洞症が改善することを期待できると報告している（特に10歳以下）[11]。10歳未満で比較的軽い側弯（Cobb角40°未満）の場合は後頭下減圧術が勧められる[12]が，幼児の自然経過で空洞や側弯が改善することも報告されている[13〜15]。したがって，6〜8歳までは基本的には経過観察し，空洞が拡大するか側弯が30°以上に進行する場合は後頭下減圧術を検討する[15]。

また，後頭下減圧術施行前に矯正術を行うと神経合併症の頻度が高く（約8％），注意を要する。患児の年齢や側弯の程度にもよるが，矯正術を要する側弯の場合は先に後頭下減圧術を行い，空洞の縮小を確認してから矯正術を計画するほうが安全である[16]。

4 症例

図Ⅱ-11-57に28歳男性，図Ⅱ-11-58に6歳女児のキアリ奇形の症例を示す。
図Ⅱ-11-59に8歳男児の脊髄空洞症の症例を示す。

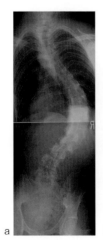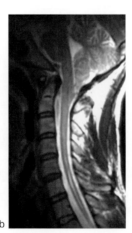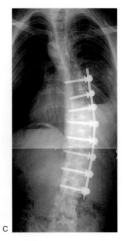

図Ⅱ-11-57　キアリ奇形の症例（28歳男性）
a：術前の全脊柱立位X線正面像，b：頸髄MRI T2強調矢状断像，c：前方固定術後の全脊柱立位X線正面像
水平眼振と腹壁反射の消失以外には神経学的異常所見なし。

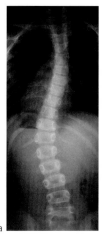 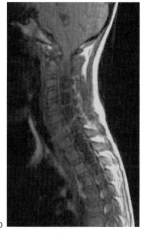 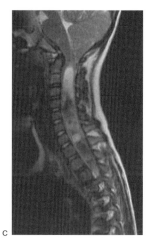

図Ⅱ-11-58　キアリ奇形の症例(6歳女児)
　a：初診時の全脊柱立位X線正面像，b：頚髄MRI T1強調矢状断像，c：頚髄MRI T2強調矢状断像
　学童期特発性側弯症として紹介受診したが，左側腹壁反射の消失と左側下肢腱反射低下を認めたためMRIを撮像し，本症と診断された．

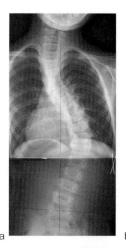 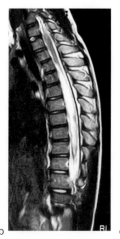 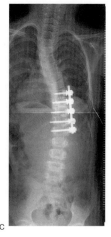

図Ⅱ-11-59　脊髄空洞症の症例(8歳男児)
　a：術前の全脊柱立位X線正面像，b：胸髄MRI T2強調矢状断像，c：前方固定術後の全脊柱立位X線長尺正面像
　学童期特発性側弯症として紹介受診したが，右側腹壁反射の消失と下肢腱反射の亢進を認めたためMRIを撮像し，本症と診断された．キアリ奇形は認めなかったが，胸髄に広範囲の空洞症を認めた．SSシャント術施行後，前方固定術を施行した．

引用文献

1) Vuorimies I, Toiviainen-Salo S, Hero M, et al：Zoledronic acid treatment in children with osteogenesis imperfecta. Horm Res Paediatr 75：346-353, 2011.
2) Bressner JA, MacCarrick GL, Dietz HC, et al：Management of scoliosis in patients with Loeyes-Dietz syndrome. J Pediatr Orthop 37：e492-499, 2017.
3) McMaster MJ：Spinal deformity in Ehlers-Danlos syndrome. Five patients treated by spinal fusion. J Bone Joint Surg Br 76：773-777, 1994.
4) Vogel LC, Lubicky JP：Neurologic and vascular complications of scoliosis surgery in patients with Ehlers-Danlos syndrome. A case report. Spine 21：2508-2514, 1996.
5) Akpinar S, Gogus A, Talu U, et al：Surgical management of the spinal deformity in Ehlers-Danlos syn-

drome type VI. Eur Spine J 12：135-140, 2003.
6) Matthews E, Brassington R, Kuntzer T, et al：Corticosteroids for the treatment of Duchenne muscular dystrophy. Cochrane Database Syst Rev 5：CD003725, 2016.
7) Raudenbush BL, Thirukumaran CP, Li Y, et al：Impact of a comparative study on the management of scoliosis in Duchenne Muscular Dystrophy：are corticosteroids decreasing the rate of scoliosis surgery in the United State? Spine 41：E1030-E1038, 2016.
8) Isu T, Iwasake Y, Akino M, et al：Hydrosyringomyelia associated with a Chiari Ⅰ malformation in children and adolescents. Neurosurgery 26：591-597, 1990.
9) Milhorat TH, Chou MK, Trinidad EM, et al：Chiari Ⅰ malformation redefined：Clinical and radiographic findings for 364 symptomatic patients. Neurosurgery 44：1005-1017, 1999.
10) Eule JM, Erickson MA, O'Brien MF, et al：Chiari Ⅰ malformation associated with syringomyelia and scoliosis. A twenty-year review of surgical and nonsurgical treatment in a pediatric population. Spine 27：1451-1455, 2002.
11) Özerdemoglu RA, Transfeldt EE, Denis F：Value of treating primary causes of syrinx in scoliosis associated with syringomyelia. Spine 28：806-814, 2003.
12) Kelly MP, Guillaume TJ, Lenke LG：Spinal Deformity Associated with Chiari Malformation. Neurosurg Clin N Am 26：579-585, 2015.
13) Tokunaga M, Minami S, Isobe K, et al：Natural history of scoliosis in children with syringomyelia. J Bone Joint Surg Br 83：371-376, 2001.
14) 齊藤敏樹，川上紀明，宮坂和良，他：10歳未満のChiari Ⅰ型奇形を伴う側彎症の検討．J Spine Res 2：1800-1804，2011.
15) 藤本 陽，柳田晴久，山口 徹：Chiari Ⅰ型奇形・脊髄空洞症に合併する脊柱側弯症―幼児期発症例では高率に自然軽快する―．J Spine Res 9：1643-1648, 2018.
16) 松原祐二，川上紀明，金村徳相，他：Chiari 奇形，脊髄空洞症を伴う側弯症に対する手術例の検討．日脊会誌 12：30，2001.

参考文献

17) Winter RB, Moe JH, Bradford DS, et al：Spine deformity in neurofibromatosis. A review of one hundred and two patients. J Bone Joint Surg Am 61：677-694, 1979.
18) Hsu LCS, Lee PC, Leong JCY：Dystrophic spinal deformities in neurofibromatosis. Treatment by anterior and posterior fusion. J Bone Joint Surg Br 66：495-499, 1984.
19) Funasaki H, Winter RB, Lonstein JB, et al：Pathophysiology of spinal deformities in neurofibromatosis：an analysis of seventy-one patients who had curves associated with dystrophic changes. J Bone Joint Surg Am 76：692-700, 1994.
20) Kim HW, Weinstein SL：Spine update. The management of scoliosis in neurofibromatosis. Spine 22：2770-2776, 1997.
21) Pozdnikin IuI, Ryzhakov IuP：Kyphotic-scoliotic deformities of the spine in children and adolescents with Ehlers-Danlos syndrome and their treatment. Ortop Travmatol Protez 11：5-10, 1990（Russian）.
22) Karol LA：Scoliosis in patients with Duchenne muscular dystrophy. J Bone Joint Surg Am 89（Suppl 1）：155-162, 2007.
23) 尾鷲和也：小児脊柱変形治療の現状と今後の展望．筋ジストロフィー．整形外科 55：1379-1385，2004.
24) Phillips W, Hensinger R, Kling T：Management of scoliosis due to syringomyelia in childhood and adolescence. J Pediatr Orthop 10：351-354, 1990.
25) Muhonen M, Menezes A, Sawin P, et al：Scoliosis in pediatric Chiari malformations without myelodysplasia. J Neurosurg 77：69-77, 1992.
26) Arai S, Ohtsuka Y, Moriya H, et al：Scoliosis associated with syringomyelia. Spine 18：1591, 1993.
27) Ghanem I, Londono C, Delalande O, et al：Chiari Ⅰ malformation associated with syringomyelia and scoliosis. Spine 22：1313-1318, 1997.
28) Tubbs RS, McGirt MJ, Oakes WJ：Surgical experience in 130 pediatric patients with Chiari I malformations. J Neurosurg 99：291-296, 2003.
29) Cahan LD, Benson JR：Considerations in the diagnosis and treatment of syringomyelia and the Chiari malformation. J Neurosurg 57：24-31, 1982.
30) Gurr KR, Taylor TK, Stobo P：Syringomyelia and scoliosis in childhood and adolescence. J Bone Joint Surg Br 70：159,1988.
31) Huebert HT, MacKinnon WB：Syringomyelia and scoliosis. J Bone Joint Surg Br 51：338-343, 1969.
32) Raininko R：Syringomyelia in scoliotic patients. Ann Clin Res 18：93-98, 1986.
33) Weber FA：The association of syringomyelia and scoliosis. J Bone Joint Surg Br 56：589, 1974.
34) 岩﨑幹季，坂浦博伸，大島和也，他：側弯症初期診断における腹壁反射の重要性．日脊会誌 19：19, 2008.

付1. 側弯症初診チャート

日時： / /

患者名： DOB： / / 身長： cm 体重： kg

Family history： Arm span： cm

Past history： Menarche：

Symptom: Pain (slight, moderate, severe) Back pain, Low back pain Always, Occasional, None

1. General posture： 　　　　　　　2. General development　　(G, F, P)

　　　Coronal balance (C7 plumb-line)：

　　　Sagittal balance：Thoracic kyphosis (＋, N, －)　　Lumbar lordosis (＋, N, －)

3. High shoulder　　(R, L)　　　　　4. High pelvis　　(R, L)
5. Skin lesion　　(＋, －)　　　　　6. Café au-lait spot　　(＋, －)
7. Funnel chest　　(＋, －)　　　　　8. Arachnodactyly　　(＋, －)
9. Foot deformity　　(＋, －)　　　　10. Joint laxity　　(＋, －)

　　　　　　　　　　　　　　　　　　　　Elbow　　　　　Wrist
　　　　　　　　　　　　　　　　　　　　Thumb　　　　　Ankle
　　　　　　　　　　　　　　　　　　　　Genu recurvatum

11. Forward bending　　FFD　　cm

　　　Thoracic hump　(R, L) [　　/　　cm],　　deg
　　　Lumbar hump　　(R, L) [　　/　　cm],　　deg

12. SMD　　(R=　　cm, L=　　cm)
13. SLR　　(R=　　deg, L=　　deg)
14. Hip ROM　　(Full, Restricted)
15. Abdominal muscle strength (G, F, P), Back muscle strength (G, F, P)
16. Balance
17. Neurological sign　　R　　L　　18. Nystagmus

　　　PTR
　　　ATR
　　　Clonus
　　　Babinski
　　　Abdominal reflex
　　　Sensory

付1. 側弯症初診チャート（つづき）

Radiographical findings

PA view　　1) Proximal thoracic:　　～　（　deg) Apex :　Rotation（0-4）:　AVT:　cm

(standing)　2) Main thoracic:　　　～　（　deg) Apex :　Rotation（0-4）:　AVT:　cm

　　　　　　3) Lumbar:　　　　　　～　（　deg) Apex :　Rotation（0-4）:　AVT:　cm

Supine lateral bending　　Rt bending:

　　　　　　　　　　　　　Lt bending:

　　　　　Supine　　　　　　　　Traction

　　　　　Risser sign:　　　　　　Triradiate cartilage: open or closed

　　　　　Trunk shift:

　　　　　T1 tilt:　　　　　　T1 offset:　　　　　　L4(5) tilt:

　　　　　Stable vertebra（Standing）　　　　　Upper：　　　　Lower：

　　　　　Stable vertebra（Traction or Supine）　Upper：　　　　Lower：

　　　　　Neutral vertebra（Upright）：

Lateral view

　　　　　Thoracic kyphosis:　　T5(4)-T12:　　　　proximal: T2-5

　　　　　Thoracolumbar:　　　 T10-L2:　　　　　（T11-L2）

　　　　　Lumbar lordosis:　　　T12-S1:　　　　　L1-5:

　　　　　SVA (C7 plumb line- posterior corner of the sacrum):　　　　cm

　　　　　Spondylolisthesis (＋, －)　　　　　　Spondylolysis (＋, －)

　　　　　Spina bifida (＋, －)　　　　　　　　Ring apophysis (＋, －)

Congenital deformity (＋, －)

● Classification

　　　　　Lenke Classification:

　　　　　　Curve Type (1-6) + Lumbar Modifier (A, B, or C) + Thoracic Sagittal (－, N, or＋)

● MRI findings：

　　　　　Chiari Malformation：　　　　　Syringomyelia：

● CT findings：

　　　　　Apical vertebral rotation：

● Plan：Conservative, Operative

　　　　　Surgical Options：Anterior　　　　　Posterior　　　　Combined

（兵庫県立のじぎく療育センターの初診チャートより改変）

付2. 側弯症外来経過チャート

患者名：	生年月日：	ID：
装具治療開始年月日：		
手術年月日：	固定範囲：	使用金属：

日時								
学年（年齢）								
身長 装具（＋，－）								
Hump：傾斜角（°） 　　　　高さ（cm）								
Cobb角：近位胸椎カーブ								
胸椎主カーブ								
腰椎カーブ								
Off balance								
T1 tilt								
L4 (L5) tilt								
骨盤傾斜								
Risser sign								
肺機能								
ALP値								
体幹筋力								
装具								
装着時間（1日平均）								
方針								
その他								

11-E. 成人脊柱変形
adult spinal deformity

11-E-1. 病態と分類

成人脊柱変形の主な病態を示す.

●特発性側弯症の遺残変形
思春期から存在した側弯が成人になって発見された場合や思春期側弯症が進行し変性所見を伴ってきた場合[57](図Ⅱ-11-78 参照).変性所見が軽度で矢状面アライメントに問題なければ,通常の特発性側弯症の固定範囲で対応可能である(Ⅱ-11-B 参照).しかし変性が進行し椎間が骨棘で癒合すれば,前方からの骨棘解離あるいは後方からの骨切り術を要することがあり治療に難渋する(図Ⅱ-11-76, 80 参照).

●変性側弯症※(degenerative scoliosis または de novo scoliosis)
40歳まで脊柱変形を認めなかったが,主に加齢に伴う椎間板変性に伴い,後側弯症が出現した場合(図Ⅱ-11-60)

※側弯変形だけでなく後弯を伴う場合もあるため,変性側弯症というよりも"成人脊柱変形"(adult spinal deformity)と呼ぶことが適切と考えられる.

●fixed sagittal imbalance[58,59]
腰椎多椎間固定術後の矢状面バランス不良で,多くは不適切な初回手術の固定範囲や固定アライメントに起因する.後方からのdistraction force(Harrington rod)による矯正術後の flat back syndrome[1~3](p365:図Ⅱ-11-35 参照)や固定隣接椎間障害[4]の結果として起こる場合もある(図Ⅱ-11-61, 81 参照).

●椎体骨折後の変形
多くは骨粗鬆性椎体骨折後の後弯変形で,上記カテゴリーの変形が主として椎間で生じているのに対して,椎体での変形が主因であることと骨量や骨質低下が病因である点が上記カテゴリーと異なる(p283:図Ⅱ-8-15, Ⅱ-8「骨粗鬆症性椎体骨折・椎体圧潰」,図Ⅱ-11-70 参照).

以下に成人脊柱変形の代表的な分類を示す.
- ■腰椎変性側弯の臨床的分類(図Ⅱ-11-62)
- ■変性に伴う脊柱変形(spinal degenerative deformity)としての分類(表Ⅱ-11-14)
- ■成人脊柱変形全般の分類(表Ⅱ-11-15)
- ■SRS-Schwab Adult Spinal Deformity Classification(表Ⅱ-11-16, 図Ⅱ-11-63)[8]

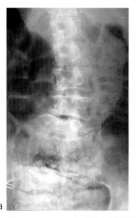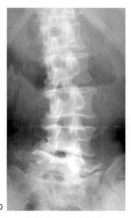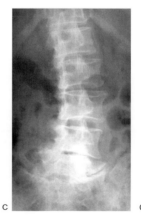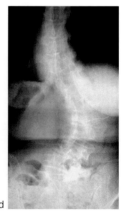

図Ⅱ-11-60 腰椎変性側弯症の症例(63歳女性)
a:57歳時の腰椎臥位X線正面像, b:58歳時の腰椎臥位X線正面像, c:60歳時の腰椎臥位X線正面像, d:63歳時術前の腰椎立位X線正面像
6年間で進行した腰椎変性側弯症(de novo scoliosis).加齢とともに腰椎の変性が急速に進行する症例が存在することは事実だが,その病態は不明で,この症例のように経時的なX線像が得られる例は少ない.

11-E-2. 評価

成人脊柱変形は，側弯の評価ではなく，脊柱骨盤アライメントを中心とした矢状面での評価が重要である．したがって，全脊椎長尺X線（立位・臥位や前後屈位）での動的評価が重要である．

1 立位・歩行バランス

立位（膝・股関節伸展位）および歩行バランスを冠状面と矢状面両方で確認することが重要である．可能なら立位保持の様子や歩容を観察し，動画に記録するか歩行解析を行う．

2 股関節の屈曲拘縮・伸展筋力低下の有無（図Ⅱ-11-64）

股関節に屈曲拘縮を認める場合，矢状面バランスを矯正手術で改善させても必ずしも歩容の改善につながらないこともある．また，骨盤の伸展筋力が弱く，歩行時に骨盤が著しく前傾する場合（図Ⅱ-11-64 の Group Ⅱ）は，矯正術後も前傾（stooping）が残存するので手術適応自体が問題となる．

3 X線評価

●**全脊柱立位長尺2方向像と臥位2方向像（C7から大腿骨頭中心まで）**
　■さらに，最大左右屈正面像，最大前後屈側

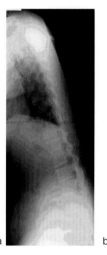

図Ⅱ-11-61 固定術後の fixed sagittal imbalance の症例（35歳女性）
a：PSO 術前の全脊柱立位X線側面像，b：PSO 術後13年の全脊柱立位X線側面像
腰仙椎固定（L3/4 PLF，L4-S PLIF）術後9年で矢状面アライメント不良に伴う立位保持困難と腰痛が主訴．35歳時にL4で椎体骨切り（PSO）を施行し，術後20年以上経過しているが隣接障害は生じていない．

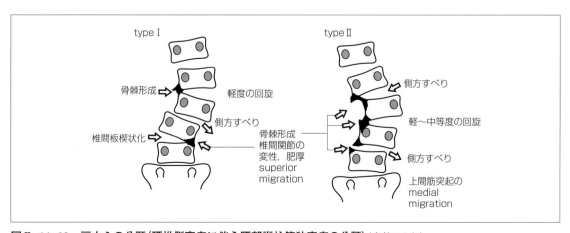

図Ⅱ-11-62 戸山らの分類（腰椎側弯症に伴う腰部脊柱管狭窄症の分類）（文献5より）
type Ⅰ：L4-5 の椎間板変性に基づく楔状化と，その上位椎間での側方すべり，および代償性側弯．
type Ⅱ：中位腰椎の多椎間板変性に伴う側弯変形で，L4-5 での側方すべりを伴い，回旋と側弯変形が大きくなる．

表Ⅱ-11-14 変性に伴う脊柱変形(spinal degenerative deformity)としての分類 (Suk の分類)(文献6より)

```
Ⅰ．変性側弯症(degenerative scoliosis)(＞10°)
      typeⅠ：神経脱落症状あり       ⅠA：balanced      ⅠB：imbalanced
             手術リスク(＋)か(－)
      typeⅡ：神経脱落症状なし       ⅡA：balanced      ⅡB：imbalanced
             手術リスク(＋)か(－)
Ⅱ．変性後弯症(degenerative kyphosis)
      typeⅠ：balanced
      typeⅡ：sagittal decompensation  ⅡA：胸椎前弯型
                                      ⅡB：胸椎後弯型
                                      ⅡC：股関節伸展筋力低下
Ⅲ．変性すべり症(degenerative spondylolisthesis)
```

表Ⅱ-11-15 SRS Adult Deformity Classification(文献7より)

Primary curve types
- Single thoracic(ST)
- Double thoracic(DT)
- Double major(DM)
- Triple major(TM)
- Thoracolumbar(TL)
- Lumbar "*de novo*"/idiopathic(L)
- Primary sagittal plane deformity(SP)

Adult spinal deformity modifiers
Regional sagittal modifier(include only if outside normal range as listed)
- (PT)Proximal thoracic(T2−T5)：≧＋20°
- (MT)Main thoracic(T5−T12)：≧＋50°
- (TL)Thoracolumbar(T10−L2)：≧＋20°
- (L)Lumbar(T12−S1)：≧−40°

Lumbar degenerative modifier(include only if present)
- (DDD)↓disc height and facet arthropathy based on x-ray include lowest involved level between L1 and S1
- (LIS)listhesis(rotational, lateral antero, retro)≧3 mm include lowest level between L1 and L5
- (JCT)junctional L5−S1 curve≧10° (intersection angle superior endplates L5 and S1)

Global balance modifier(include only if imbalance present)
- (SB)sagittal C7 plumb≧5 cm anterior or posterior to sacral promontory
- (CB)coronal C7 plumb≧3 cm right or left of CSVL

SRS definition of regions
- Thoracic：apex T2−T11−T12 disc
- Thoracolumbar：apex T12−L1
- Lumbar：apex L1−L2 disc−L4

Criteria for specific major curve types
1. Thoracic curves
   - Curve≧40°
   - Apical vertebral body lateral to C7 plumb line
   - T1 rib or clavicle angle≧10° upper thoracic curves
2. Thoracolumbar and lumbar curves
   - Curve≧30°
   - Apical vertebral body lateral to CSVL
3. Primary sagittal plane deformity
   - No major coronal curve
   - One or more regional sagittal measurements(PT, MT, TL, L)outside normal range

表 II-11-16　SRS-Schwab Adult Spinal Deformity Classification（文献 8 より作成）

Coronal Curve Type
- Type T：胸椎カーブ＞30°（頂椎が T9 かそれ以上）
- Type L：胸腰椎カーブ＞30°（頂椎が T10 かそれ以下）
- Type D：double major curve（それぞれ 30°以上のカーブ）
- Type N：30°以上の冠状面変形はなく，矢状面変形が主なもの

Sagittal modifier
- PI-LL
  - pelvic incidence（PI）：S1 頭側終板の中点から S1 頭側終板に直角に線を引き，それと S1 頭側終板の中点と骨頭中心を結んだ線の中点に引いた線との角度
  - lumbar lordosis（LL）：L1 頭側終板と S1 頭側終板の角度
- Global Alignment
  - SVA：C7 椎体中央からの垂線と仙骨後下縁との offset
- Pelvic Tilt（PT）：S1 頭側終板の中点と骨頭中心を結んだ線の中点に引いた線と垂線との角度．PT は大腿骨頭中心の骨盤回旋を表しており，骨盤後傾による代償を意味する．

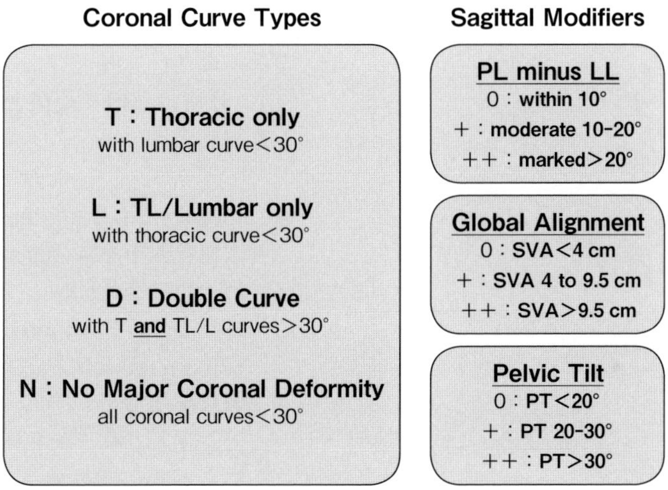

Coronal Curve Types

- T：Thoracic only
  with lumbar curve＜30°
- L：TL/Lumbar only
  with thoracic curve＜30°
- D：Double Curve
  with T and TL/L curves＞30°
- N：No Major Coronal Deformity
  all coronal curves＜30°

Sagittal Modifiers

PL minus LL
- 0：within 10°
- ＋：moderate 10-20°
- ＋＋：marked＞20°

Global Alignment
- 0：SVA＜4 cm
- ＋：SVA 4 to 9.5 cm
- ＋＋：SVA＞9.5 cm

Pelvic Tilt
- 0：PT＜20°
- ＋：PT 20-30°
- ＋＋：PT＞30°

図 II-11-63　SRS-Schwab Adult Spinal Deformity Classification（文献 8 より）

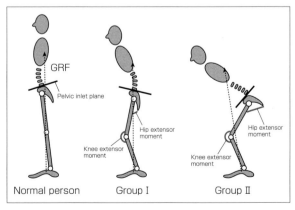

図 II-11-64　degenerative flat back（文献 9 より）
GRF：ground reaction force
Group I：GRF が股関節上あるいはすぐ前方を通る．
Group II：GRF が股関節のはるか前方を通る．これらの差は歩行時に明らかになってくる．

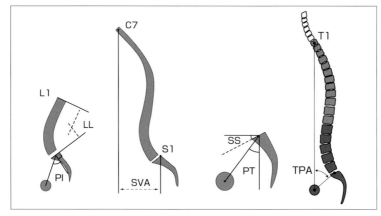

図Ⅱ-11-65　spinopelvic parameter（文献 10, 17, 18 より改変）

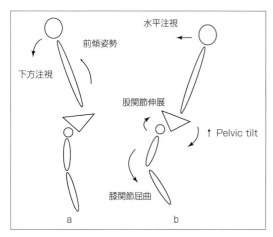

図Ⅱ-11-66　矢状面バランス不良（文献 19 より）
a：非代償性姿勢，b：代償性姿勢
股関節伸展と膝関節屈曲の下肢肢位に注意する．

面像にて，冠状面・矢状面アライメント評価を行う．機能撮影で可動性が乏しければ，椎間関節あるいは椎体間側方で癒合していることがあるので，術前評価にはCTが必要である．

- 腰椎は特に，回旋変形（rotatory subluxation）と側方すべり（lateral listhesis）の程度と動態撮影での動きを評価する．
- 立位と臥位での側弯および腰椎前弯角の変化は不安定性を反映しているので特に重要である．

● **骨盤正面像（両股正面像）と，両下肢立位長尺正面像**

- 股関節や膝関節に痛みや可動制限があるときに行う．

これらにて，仙骨傾斜角（sacral slope：SS），腰椎前弯（LL），PI，PTなどを計測し（PI＝PT＋SS），骨盤の前傾・後傾と脊柱骨盤アライメントを評価する．

● **spinopelvic parameter**（図Ⅱ-11-65）

- 大腿骨頭中心部（hip axis（HA），p344参照）と骨盤の関係は個人で一定として，フランスのDuval-Beaupèreらはpelvic incidence（PI）というパラメータで表現した[11,12]．この重要な骨盤パラメータであるPIは個人で一定とされ，矢状面アライメントを代償するときには骨盤は後傾しSSが低下すると同時にPTが増加する．また，PIは適切な腰椎前弯（LL）を評価するための重要な指標である（適切なLL＝PI±9）[13]．PIの正常値は，およそ50〜55°（平均値）であるが，欧米人に比して日本人では小さい傾向がある[10]．
- pelvic tilt（PT）は立位を適切に保持するための骨盤の代償を表し，前傾姿勢を代償するための骨盤後傾を評価する指標である[13,14]（図Ⅱ-11-66）．PTの正常値は年齢とともに少し増加傾向があるが，およそ15〜25°（平均値）である[10,15]．
- sagittal vertical axis（SVA）はC7椎体中央からの垂線（C7 plumb line）と仙骨後縁の距離で，前傾姿勢の程度を表す．しかし，前傾姿勢が悪化すると骨盤を後傾させて代償し，みかけ上のSVAは増加しない（図Ⅱ-

11-66)．したがって，矢状面バランスを評価するときはSVAだけでは不十分で，PTとともに評価しなければ骨盤後傾による代償機能を見逃す危険性がある。

- Schwabらは，PT>25°，SVA>50 mm，PI-LL mismatch（PI-LL>11°）の3因子が腰痛や機能障害に強く関連し，手術により考慮可能なPI-LL mismatchの重要性を強調している[10,16]．
- T1 pelvic angle（TPA）は骨頭中心を結んだ線の中点（HA）からT1椎体中央を結ぶ線とHAからS1頭側終板の中点を結ぶ線との角度で，前傾姿勢（SVA）と骨盤後傾（PT）を同時に評価する指標である（図Ⅱ-11-65）．前傾姿勢を代償するため骨盤が後傾（PTは増加）するとSVAは見かけ上減少するが，TPAは通常は変化しない．TPAの正常値はおよそ12°であり，20°以上はQOL健康関連指標の低下と関連する[17,18]．
- 矢状面でのバランス不良が生じると，非代償性の前傾姿勢では下方注視となるが，前方注視できるように代償するためには，胸椎後弯の減少，骨盤が後傾し股関節は伸展位，膝関節は屈曲位をとる[19]（図Ⅱ-11-66）．
- 健常ボランティアの立位長尺X線写真を解析した報告[20]によると，胸椎後弯角（T4-12）平均は40.6°，LL（L1-5）平均43°，SS平均41.2°，PT平均13.2°である．
- Roussoulyらは健常者の矢状面アライメントを3Dモデルを用いたコンピュータ解析から4つのタイプに分類した[19,21]（図Ⅱ-11-67）．
  - Type Ⅰ lordosis：inflexion point（図Ⅱ-11-68）がL3/L4レベルで，SSは35°未満でPIは小さい．長い胸椎後弯と短い腰椎前弯が特徴的である．腰椎前弯の頂椎はL5椎体中央である．
  - Type Ⅱ lordosis（最も少ないパターン）：inflexion pointがL1-L2レベルで，SSは35°未満でPIは小さい．短く小さな胸椎後弯と長くflat-back気味の小さな腰椎前弯が特徴的である．腰椎前弯の頂椎はL4椎体基部である．
  - Type Ⅲ lordosis（最も多いパターン）：inflexion pointがT12-L1レベルで，SSは35°～45°でPIは大きい．胸椎後弯と腰椎前弯がほぼ同じ長さでバランスの良いアライメントが特徴的である．腰椎前弯の頂椎はL4椎体中央である．

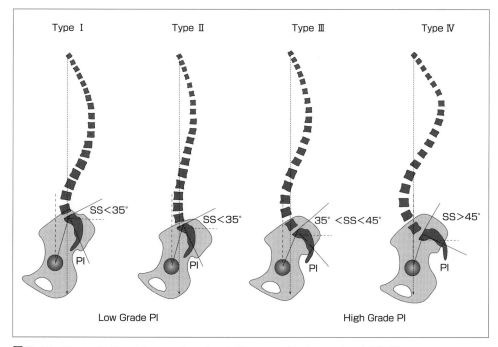

図Ⅱ-11-67　variation of normal sagittal alignment（Dr. Roussouly Pより提供）

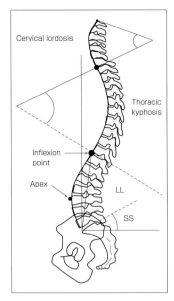

図Ⅱ-11-68 矢状面脊柱アライメント(文献22より)
Roussoulyらによるとinflexion pointは前弯から後弯に変わる変曲点で，そのレベルを終椎として胸椎後弯と腰椎前弯を評価する必要があるとしている。

- Type Ⅳ lordosis：inflexion pointがT9-T10レベルで，SSは45°より大きくPIは大きい。短い胸椎後弯と長い腰椎前弯が特徴的である。腰椎前弯の頂椎はL3椎体基部である。
- 無症状の成人(平均年齢51歳)を対象とした研究では，腰椎前弯(LL)の62%は下位腰椎(L4-S)が寄与し，残り38%は上位腰椎(L1-4)が寄与していた。しかし，LLのおよそ2/3を占めるL4-Sの前弯角はPIによらずほぼ一定で，PIに関与して増加するのは上位腰椎(L1-4)としている[23]。

4 その他の評価

●ミエログラフィ
一般的には加齢変性を伴った変性側弯症に脊柱管狭窄所見があることが多いが，下肢症状を伴うときには行うべき検査である。

●下肢の関節症評価
股関節や膝関節の屈曲拘縮の有無と程度を評価する。

●全身評価
胸部X線評価，心電図，心エコー(必要に応じて)，呼吸機能，腎機能など全身評価を行う。

●骨シンチグラフィ断層撮影(single photon emission computed tomography：SPECT)
変形性関節症と同様，どの部分に負担がかかっているかを画像的にとらえられる。

●骨粗鬆症の評価(p23「骨粗鬆症の評価」参照)
- ステロイド・精神科薬剤など薬剤性骨粗鬆症に関与する薬剤の服用や服用歴を確認する。
- 骨密度検査(DXA法)により，骨塩定量(腰椎では変形や骨棘形成により正確な評価が困難なため大腿骨近位部の計測が必須)の評価を行う。
- 骨吸収および骨形成マーカーの計測を行う。

11-E-3. 疫学と進行予測

- 疫学調査：骨密度検査(DXA法)によるコホート解析では11°以上の側弯は40歳以上の8.85%に認められ，年代別にみると60歳代で10.95%，70歳代では14.67%と年齢に比例して側弯を認める頻度は増すとしている[24]。また，平均10年以上のコホート解析によると腰椎変性側弯症は10～36.6%に変性進行に伴って生じるが，一般的には20°未満の側弯変形

である[25~27]。
- わが国からの報告では，左右非対称の椎間板変性[26]，L3椎体の回旋変形や側方すべり[27]が変性腰椎側弯症の進行に関与する危険因子とされている。
- Cobb角30°以下の側弯はほとんど進行しないが，胸椎カーブで60°以上，腰椎カーブで50°以上の側弯は進行の危険性が高い[28]。
- Cobb角30°以上，椎体回旋がgrade 2またはgrade 3，側方すべり6mm以上，Jacoby線がL5を通る症例は危険因子となる[29]。
- 女性，立位から臥位で側弯が7°以上の変化，X線正面像でのL4椎体傾斜角15°以上が危険因子となる[30]。
- 思春期側弯症が成長終了後も徐々に進行し続けるタイプ（図Ⅱ-11-69のtype A）の進行は1年に平均0.82°であるが，遅い時期に進行する変性側弯（図Ⅱ-11-69のtype B）の進行は1年で平均1.64°と有意に進行が早い（図Ⅱ-11-69, 70）[31]。

11-E-4. 装具療法

成人側弯症に対する装具療法は，疼痛に対しては有効だが，変形に対してはほとんど無効である。ただし，ギプス包帯を巻いて固定することで疼痛が改善するかどうか（castテスト）は，固定手術の適応決定の助けにはなる。

11-E-5. パーキンソン病※に伴う脊柱変形[61]
（図Ⅱ-11-75, 77参照）
※ p93参照

パーキンソン病（PD）患者にみられる姿勢としては，肘や膝を軽く屈曲し，頸部は前方に突き出して背部を前屈させた前傾前屈姿勢（stooped position）が特徴的である。また，脊柱伸展筋力低下による高度な姿勢異常を呈することがあり，camptocormia（高度前屈姿勢で臥位

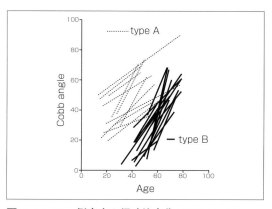

図Ⅱ-11-69　側弯症の経時的変化（文献31より）
（type A, type Bは本文参照）

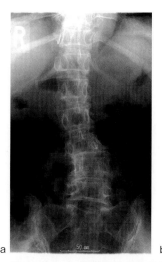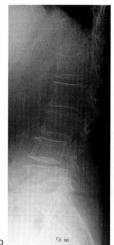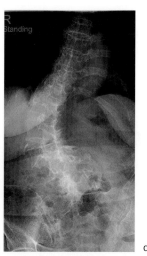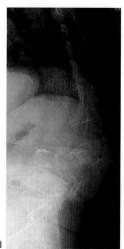

図Ⅱ-11-70　腰椎（L3）椎体骨折後に腰椎の後側弯が進行した症例（71歳女性）
椎体骨折前（62歳時）の腰椎臥位X線正面像(a)，同，側面像(b)，9年後の腰椎立位X線正面像(c)，同，側面像(d)

では矯正されるのが特徴），側屈姿勢（Pisa症候群），首下がり（p153参照）などが該当する。PD患者のうち約33.5％がこのような姿勢異常を呈すると述べられている[32]。一般的にPDに伴う姿勢異常は薬物療法抵抗性であり視床下核部への脳深部刺激（deep brain stimulation：DBS）が有効であるとの報告があるが，重度の姿勢異常では改善が得られない場合があり，また罹病期間が長くなり椎体骨折などを合併することで構築的な後弯や側弯変形が生じることも少なくない。特にPD患者の場合，その重症度と腰痛程度が相関するとの報告もある[33]。PDの非運動症状としてうつ症状や慢性痛（腰痛）を伴うことも多いが，オピオイドはMAOB阻害薬との相互作用があるので注意が必要である。

　PDに伴う脊柱変形に対する手術療法は，術後初期および晩期合併症の発生率が非常に高いと報告されている[32]。Babatらは14例（平均年齢71歳）のPD患者に対する脊椎手術で再手術率は86％と報告している[34]。再手術の原因は，後側弯の悪化やinstrumentation failureが多くを占め，初回手術固定例の予後は比較的良好であったと報告している。UpadhyayaらはPD患者へのlong-fusionの合併症率は100％と報告しており，腰痛を主訴とする前屈姿勢にはまずDBSを検討し，手術についてはDBSで改善が得られない症例，治療へのモチベーションが高い症例に限って行うべきであると強調している[32]。手術合併症が多い理由のひとつに，PD患者はビタミンDやビタミンK不足によると思われる高代謝回転型の骨量減少がある[33,35~37]。そのような問題から，高度の変形を伴ったPD患者の手術療法ではT2から仙骨までの固定を提案する報告[38]もある。

11-E-6. 手術療法[61~68]

　思春期側弯症では，Cobb角45~50°以上なら疼痛などを伴わなくても将来のさまざまな問題を考慮して手術療法を勧めるが，成人側弯症では手術適応はより慎重に決定する必要がある。具体的には，以下が手術適応の目安である。
- 保存療法（薬物療法およびブロック療法）に抵抗する疼痛
- 症状や機能障害を伴う進行性の脊柱変形：側弯>30°，あるいは腰椎部後弯

したがって，手術の目的は，疼痛の緩和，脊柱バランスの改善にある。

●術式選択における重要因子
- 変形の程度
  ・側弯変形だけでなく腰椎後弯や骨盤を含めた矢状面アライメントの評価が重要
  ・立位・歩行バランス不良（冠状面および矢状面）
- 椎間不安定性
  ・すべり：前方すべりと側方すべり
  ・回旋変形
- 脊柱管狭窄
  ・下肢症状や神経症状の有無
- 骨粗鬆症の程度（骨量と骨質の評価）

●矢状面バランスと疼痛やQOL健康関連指標との関連

　側弯変形の冠状面矯正はもちろん重要ではあるが，最近の研究により前述したspinopelvic parameterを中心とした矢状面アライメントが術後の疼痛や機能障害により強く関連することがわかってきた。つまり，GlassmanやLafageらによると冠状面バランスは術前では疼痛や機能に関連するが，術後の疼痛や機能障害には関連しないと報告している[14,39]。さらに彼らの報告から，矢状面バランスが前方に移動すれば，それに比例して疼痛や機能障害が悪化するとしており，SVAや骨盤後傾による代償を表すPTが重要なパラメータであることを証明した[14,39,40]。しかし，重要なパラメータであるSVAやPTを術前の矯正指標にすることは困難で，患者固有のPIにマッチした腰椎前弯に矯正することが重要である。つまり，PI±10°以内が目標とすべき理想的な腰椎前弯（LL）とされている[10,16]。ただし，PIの値に応じて理想的なPTやLLの値が異なるとの報告もあり，PIが小さいと骨盤後傾による代償機能が少なく，PIにマッチしたLLがより厳密に必要となる。逆に，PIが大きい場合はより大きなPI-LLが許容されることになる[41]。また，日本人高齢者を対象にした疫学調査では，PI-LL 20°，SVA 91 mm，PT

24°まではQOL障害の境界として許容でき，理想的なLLは0.45×PI+31.8であるとしている[42,43]。これらのことから，PI±10°が絶対的なLLの目標値ではなく，PIや患者年齢[44]などを考慮してPI−10°〜PI−20°を目標に矢状面アライメントを保持あるいは矯正することが重要である。

TPAはSVAとPTを同時に評価する指標として報告され，臥位でも評価できることから術中に適切なアライメントを評価できる可能性がある。TPAは20°以上でQOLが悪化するので，14°未満を目標として矯正することが推奨されている[17]。

1 手術の基本方針[69]

術前の主訴が下肢症状なのか，変形に伴う症状なのか，術前に十分評価することが成人脊柱変形へのアプローチとして最も重要である[45〜47]。

下肢痛が主訴の場合は，多椎間固定よりも除圧・固定術のみで対処するのが基本である。固定が必要な場合でも，下肢症状を主訴とする脊柱管狭窄症型脊柱変形の大部分，特に20°未満の変性側弯症では圧迫椎間での除圧・固定術で対処可能である。しかし，臥位で20°以上あるいは立位で30°以上の側弯が認められる場合は，下肢症状が主訴であっても単椎間の固定術では限界があり[46]，変形としての術前評価と手術計画が必要である。

腰痛が主訴の場合は適応が難しいが，進行が明らかな症例や腰椎後弯が目立つ症例は矯正固定術に何らかの反応を示すことが期待できる。腰椎側弯症や後弯症などの成人脊柱変形に対する矯正固定術の適応は，姿勢異常とそれに伴う腰背部痛であり，画像的には30〜40°以上の側弯あるいは腰椎後弯による矢状面バランス不良である。

冠状面における固定の最頭尾側はneutral vertebraおよびstable vertebraでなければならない。固定は側弯あるいは後弯頂椎を固定上位端に設定しないようにする。冠状面でのバランス不良の有無を考慮し，C7 plumb lineを仙骨中央部に維持する。固定上端（upper instrumented vertebra：UIV）はT9-12までか，T3-5くらいまで延ばすことも多いが，統一した指針はない[48]。

矢状面における腰椎前弯獲得あるいは改善には特に留意する。後弯の頂椎で固定を止めると局所後弯（junctional kyphosis）の危険が高い。近年，矢状面アライメントやspinopelvic parameterが疼痛やADL障害にとって重要であることが明らかになってきた[8,13,19,39,49]。筆者らの検討では，成績良好群では有意にPTが低値でPTと手術成績に有意な関連を認めた。また，固定下端（lower instrumented vertebra：LIV）で検討すると仙骨・骨盤まで固定した症例では有意にPTが低値であった[69]。

L5/Sを固定するかしないかの明確な指針はないが，固定しなければ将来L5/Sの変性が進行しやすく，固定する場合は偽関節率などの合併症率が高くなる[50〜54]。骨盤後傾による遺残疼痛や固定下位での隣接椎間障害を考慮すれば，関節リウマチなど骨質不良の症例では仙骨・骨盤まで固定し，骨盤後傾を有効に矯正するほうが有利である[49,69]。さらに，L5/Sを後方から固定する場合は椎体間固定術（PLIF）が有利であり，固定には工夫が必要である（sacral ala iliac screw, iliac screwなど[55]）。

大きな侵襲を要する成人脊柱変形に対する矯正手術では，多椎間PLIFによる後方単独アプローチによる矯正固定では限界がある[4,56]。わが国では2013年以降XLIF（extreme lateral interbody fusion）やOLIF（oblique lateral interbody fusion）などの側方椎体間固定術（lateral interbody fusion：LIF）が行えるようになり，従来の前方手術に比して冠状面および矢状面での変形矯正がより低侵襲に行えるようになってきた。さらに，後方固定時に椎間関節を切除してPI−10°〜PI−20°を目標に理想的な腰仙椎アライメントに弯曲させたロッドをcantilever techniqueを駆使して矯正し，十分な腰椎前弯を獲得することが重要である。PT≧40°の骨盤後傾や腰椎部の矯正だけでは理想的な腰仙椎矢状面アライメントを獲得することが困難な症例では，L5/Sの椎体間固定を併用しPT<20〜30°を目標に仙骨・骨盤まで固定して矯正することが成績向上につながると考えられる[69,70]。

したがって，以下の場合には仙骨あるいは骨盤までの固定（可能な限り椎体間固定を併用）を考慮すべきである。

- 骨盤後傾の矯正を要する症例（PT≧40°）
- 関節リウマチなど骨質不良の症例
- L5/S レベルの椎間板変性や椎間孔部狭窄がすでに認められる症例

2 術式選択

比較的年齢が若く除圧術を必要としない腰椎側弯症に対しては，前方固定術を考慮できる。

前方固定術の利点は，1）固定範囲が少ない，2）骨癒合が得られれば各椎体間に確実な前方支持が得られることである。一方，前方固定術の欠点は，1）神経根の直接除圧ができない，2）凸側からのアプローチでは L5/S1 あるいは L4/5 へのアプローチが困難，3）後方固定術に比べて固定力が劣り矯正損失が起こりやすいなどである。したがって，これらの利点と欠点を考慮して術式選択を行う[68]。

術式の選択肢を以下に示す。

●除圧術のみ

変形が硬く，馬尾や神経根圧迫による下肢症状が主訴の場合（図Ⅱ-11-71）

●前方固定術

前方固定術を施行して腰痛や固定下位での自然矯正の経過をみてから，後方固定術の追加を考慮する選択肢もあり得る。しかし，変形の程度や可撓性および脊柱全体の矢状面バランスから固定範囲を延長する必要のある症例では，後方固定術の追加は必須となる（図Ⅱ-11-72, 73）。

●後方（除圧）固定術（図Ⅱ-11-74, 75）

●前方・後方固定術

側方椎体間固定術（lateral interbody fusion：LIF）で冠状面および矢状面の矯正を行ってから，一期的あるいは二期的に広範囲の後方矯正固定を追加する方法と，先に後方から冠状面および矢状面の矯正固定を行ってから，椎間が開いたレベルに二期的に LIF を追加する方法がある。instrumentation failure や矯正損失を考慮すると，ステロイド服用歴など骨脆弱性が危惧される症例や骨粗鬆症合併例に対しては，前方はインストゥルメンテーションを併用せず，側方椎体間固定術を併用するほうがよい（図Ⅱ-11-76〜79）。また，椎間が骨棘で癒合している場合でも椎間高が保たれていれば LIF の際に癒合している凹側の骨棘を解離すれば椎体の骨切りまで行わなくても矯正は可能である（図Ⅱ-11-76, 80 参照）。

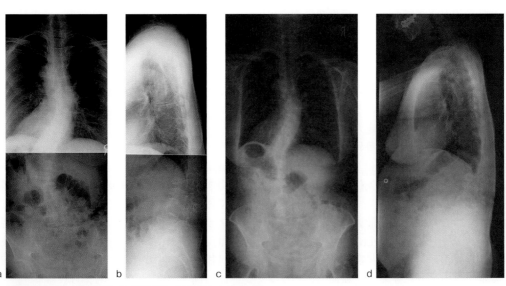

図Ⅱ-11-71　除圧術のみを選択した症例（59歳女性）
a：術前の全脊柱立位X線正面像，b：同，側面像，c：術後5年の全脊柱立位X線正面像，d：同，側面像
立位で 60°（T11/L3）の側弯を呈するも可動性が少ないことと腰痛よりも下肢痛（L5 根性痛）が強かったため，L4/5 除圧術のみを施行した。術後5年の経過で側弯は軽度進行（64°）するも経過は良好である。

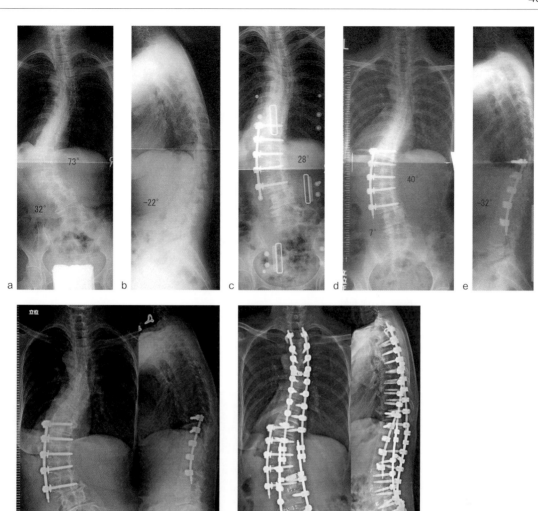

図Ⅱ-11-72　前方固定術の症例（初回手術時 44 歳女性）
　a：術前の全脊柱立位X線正面像，b：術前の全脊柱立位X線側面像，c：術直後の全脊柱立位X線正面像，d：術後5年の全脊柱立位X線正面像，e：術後5年の全脊柱立位X線側面像，f：術後17年の全脊柱立位X線2方向像，g：追加手術後の全脊柱立位X線2方向像（三楽病院：中尾祐介先生から提供）
　腰痛が主訴の成人側弯症に対して前方固定術を選択した。術後側弯の矯正損失を認めるが，術後17年経過し，動作時の腰痛が強くなり最終的に62歳時に他院で追加手術を施行した。

● 矯正骨切り術

　固定術後の fixed sagittal imbalance や特発性側弯症の遺残変形など rigid な変形症例では，PSO や VCR などの椎体の矯正骨切り術が必要となる（Ⅰ-9-3-7参照）。骨切りレベル周囲および L5/S 間では2本ロッドのみだと折損の危険性が高いので，可能な限り3〜4本のロッドで固定する（図Ⅱ-11-81〜84参照）。

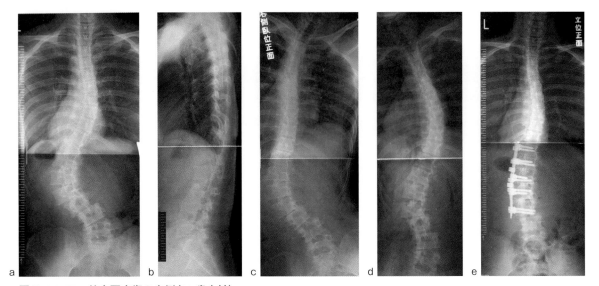

図Ⅱ-11-73 前方固定術の症例(31歳女性)
a：術前の全脊柱立位X線正面像，b：術前の全脊柱立位X線側面像，c：術前の全脊柱臥位X線右屈像，d：術前の全脊柱X線左屈正面像，e：術後の全脊柱立位X線正面像
成人側弯症。側弯の既往や治療歴などがなく，出産後に腰痛を自覚。術後L3の側方すべりが自然矯正されている。

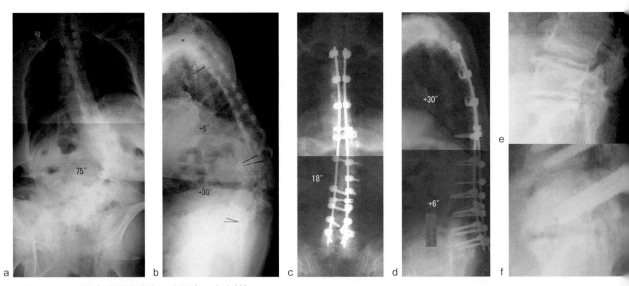

図Ⅱ-11-74 後方除圧固定術の症例(73歳女性)
a：術前の全脊柱立位X線正面像，b：術前の全脊柱立位X線側面像，c：術後3年の全脊柱立位X線正面像，d：術後3年の全脊柱立位X線側面像，e：術前のL5/S1 X線側面像，f：術後6年のL5/S1 X線側面像
腰痛・右下肢痛が主訴の変性後側弯症に対して後方除圧固定術(T3-L5)を選択した(L3/4, L4/5レベルにはPLIF施行)。術後L5スクリューが背側へ抜けて腰椎前弯の矯正損失が生じ，徐々にL5/Sの変性が進行し骨盤後傾が悪化した(術後6年でPT＝53°, PI-LL＝56°)。

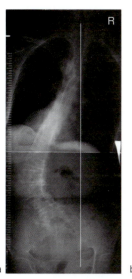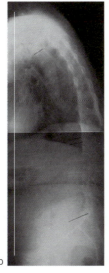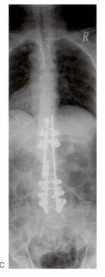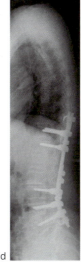

図Ⅱ-11-75　後方除圧固定術の症例（72歳女性）

a：術前の全脊柱立位X線正面像,
b：術前の全脊柱立位X線側面像,
c：術後の全脊柱立位X線正面像,
d：術後の全脊柱立位X線側面像

腰痛と姿勢異常が主訴のパーキンソン病に伴う成人脊柱変形に対して後方除圧固定術(T10-L5)を選択した(L3/4, L4/5レベルにはPLIF施行)。矯正不足あるいはパーキンソン病に伴うものかは不確定だが，腰痛はNRSで術前8から術後5程度に遺残した（術後5年でPT＝33°，PI-LL＝12°）。

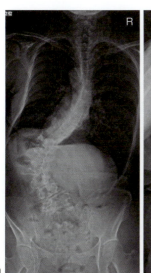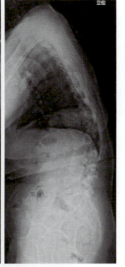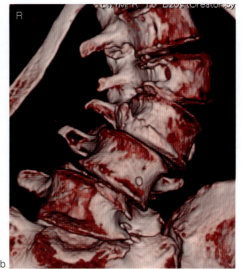

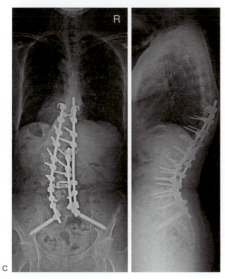

図Ⅱ-11-76　特発性側弯症の遺残変形に対する前方・後方固定術（58歳女性）

a：術前の全脊柱立位X線2方向像，b：術前の3D-CT，
c：術後の全脊柱立位X線2方向像

動作時の腰痛が主訴で肋骨が食い込むことによる側腹部痛と胃部不快感もあった（術前T4/11側弯63°，PI＝48°，PT＝33°，LL＝-1°）。右凹側からアプローチして骨棘を解離しXLIF(L1/2-4/5椎間)，1週後2期的に後方固定(T9-骨盤：L5/SはPLIF)を施行した。術後2年で腰痛なく経過は良好で患者満足度は高い。側弯は残存するも，矢状面アライメントは著明に改善した（術後T4/11側弯39°，PT＝16°，LL＝58°）。

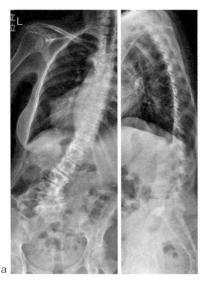
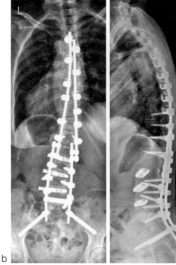

図Ⅱ-11-77 PDに伴う脊柱変形に対して前方・後方固定術を施行した症例(75歳女性)

a：術前の全脊柱立位X線2方向像，
b：術後の全脊柱立位X線2方向像
　左凸側からのXLIF(L2/3-4/5)術後，二期的に後方固定(L4〜骨盤まで)を施行(PT＝15°，PI-LL＝8°)。

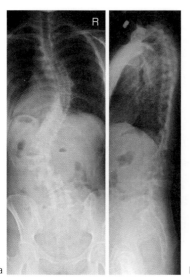
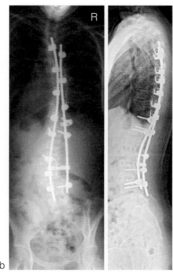

図Ⅱ-11-78 特発性側弯症の遺残変形に対して前方・後方固定術を施行した症例(41歳女性)

a：術前の全脊柱立位X線2方向像，
b：術後の全脊柱立位X線2方向像
　特発性側弯症の遺残変形に伴う腰痛が悪化。左凸側からのXLIF(L1/2-3/4)後，一期的に後方固定(T4-L4)を施行。側弯が改善するとともに，胸椎前弯が改善し，腰椎の前弯も獲得できている(術後PT＝22°，PI-LL＝1°)。

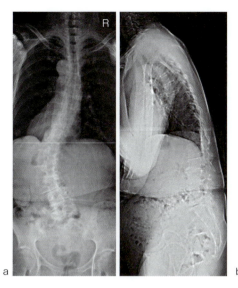
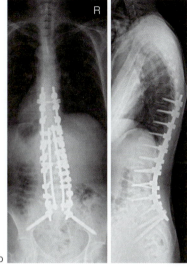

図Ⅱ-11-79　腰椎変性側弯症に対して前方・後方固定術を一期的に施行した症例（62歳女性）

a：術前の全脊柱立位X線2方向像，b：術後の全脊柱立位X線2方向像

右凹側からのXLIF(L2/3-4/5)後，一期的に後方固定(T9～骨盤)を施行し，立位バランス不良と腰痛は改善した．

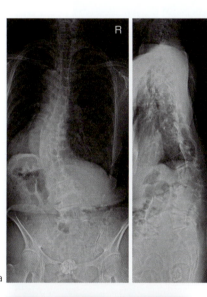
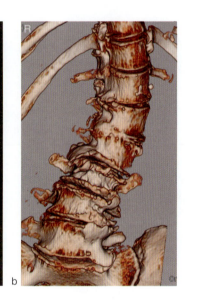
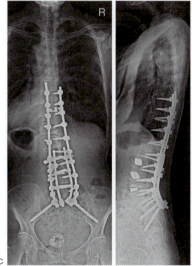

図Ⅱ-11-80　特発性側弯症の遺残変形（腰椎後側弯）に対して前方・後方固定術を施行した症例（66歳女性）

a：術前の全脊柱立位X線2方向像，b：腰椎3D-CT，c：術後の全脊柱立位X線2方向像

術前T9/L3：側弯52°，PI＝50°，PT＝34°，LL＝－11°，TK＝－21°，SVA＝11 cm．右凹側から癒合したL2/3椎間の骨棘(b)を解離して，XLIF(L2/3-4/5)後，二期的に癒合した椎間関節を骨切り解離して後方固定(T9～骨盤まで)を施行した．矢状面アライメントは著明に改善し，術前の腰痛は改善した（術後PT＝13°，LL＝51°，TK＝7°，SVA＝3.8 cm）．

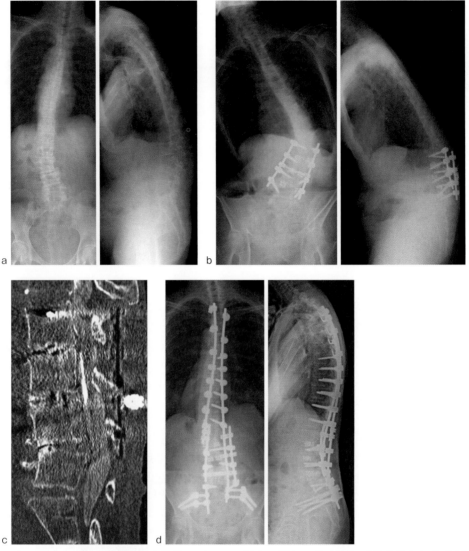

図Ⅱ-11-81 腰椎多椎間固定術後のバランス不良に対して後方骨切り術を施行した症例（60歳女性）

a：術前の全脊柱立位X線2方向像，b：3椎間PLIF後（骨切り術前）の全脊柱立位X線2方向像，c：骨切り術前の腰椎CT矢状断像，d：骨切り術後の全脊柱立位X線2方向像

L2/3-3/4-4/5 PLIF術後のバランス不良と腰痛に対してL5でPSOを施行（術後PT＝25°，PI-LL＝12°）。固定範囲と後弯位に固定されたことが問題である。

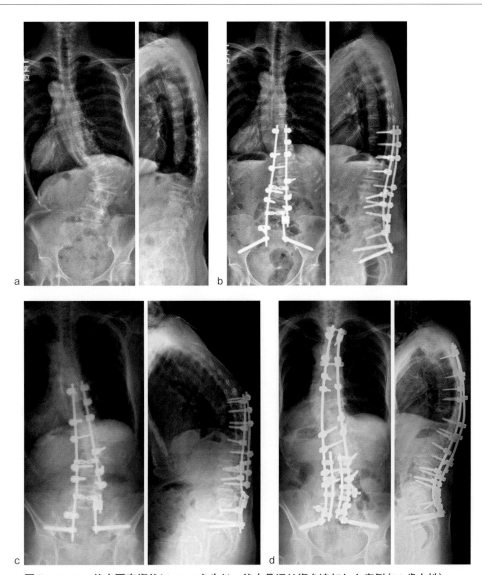

図Ⅱ-11-82　後方固定術後にPJKを生じ，後方骨切り術を追加した症例(76歳女性)
　a：術前の全脊柱立位X線2方向像，b：後方固定術後の全脊柱立位X線2方向像，c：骨切り術前の全脊柱立位X線2方向像，d：骨切り術後の全脊柱立位X線2方向像
　術後固定頭側端での椎体骨折によるproximal junctional kyphosis(PJK)とL5/S偽関節に伴うロッド折損により骨盤後傾が進行したため，初回手術後2年半でL5でのPSOと固定延長を行った。

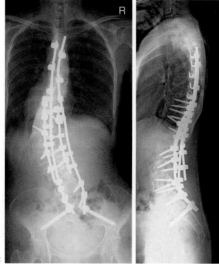
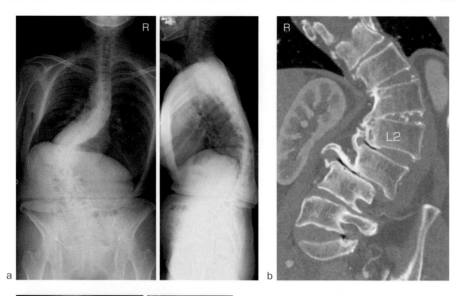

図Ⅱ-11-83 腰椎変性後側弯症に対して前方固定術後に後方骨切り術を施行した症例(56歳女性)

a：術前の全脊柱立位X線2方向像，b：術前の腰椎CT冠状断像，c：術後の全脊柱立位X線2方向像

rigidな側弯(T11/L4：立位103°，側屈65°)と後弯(T12/L3：50°)に対して，左側からのOLIF(L3/4-5/S)後，二期的にL1でのPSOと後方固定術(T4〜骨盤)を施行。側弯が改善するとともに腰椎前弯も獲得でき，術前の腰痛と姿勢異常は著明に改善した。

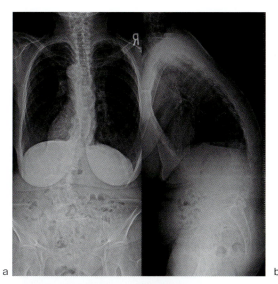

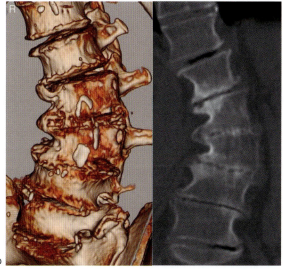

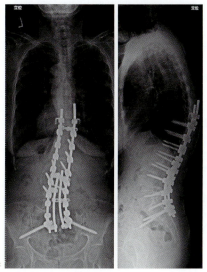

図 II-11-84　変性後側弯症に対して後方骨切り(PSO)を施行した症例(69 歳女性)

a：術前の全脊柱立位 X 線 2 方向像，b：腰椎 3D-CT と冠状断像，c：術後の全脊柱立位 X 線 2 方向像

術前 L1/4：側弯 44°，PI = 56°，PT = 40°，LL = 2°，TK = 31°，T10/L2 = + 48°，SVA = 19.4 cm。L2/3-4/5 椎間の骨棘が癒合し椎間高がほぼ消失し(図 b)，rigid な後側弯変形のため LIF による矯正は諦め，L4 での PSO と後方固定(T9〜骨盤まで)を選択した。胸腰椎移行部を含め矢状面アライメントは著明に改善し，術前の腰痛・左臀部痛は改善した(術後 L1/4：側弯 22°，PT = 23°，LL = 50°，T10/L2 = + 20°，SVA = 1.4 cm)。

引用文献

1) Lagrone MO, Bradford DS, Moe JH, et al：Treatment of symptomatic flatback after spinal fusion. J Bone Joint Surg Am 70：569-580, 1988.
2) Farcy JP, Schwab FJ：Management of flatback and related kyphotic decompensation syndromes. Spine 22：2452-2457, 1997.
3) Berven SH, Deviren V, Smith JA, et al：Management of fixed sagittal plane deformity：outcome of combined anterior and posterior surgery. Spine 28：1710-1715, 2003.
4) Okuda S, Oda T, Yamasaki R, et al：Repeated adjacent-segment degeneration after posterior lumbar interbody fusion. J Neurosurg Spine 20：538-541, 2014.
5) 戸山芳昭, 平林 洌, 若野紘一, 他：腰椎側弯 (degenerative scoliosis) に伴う腰部脊柱管狭窄症の病態と手術法について. 中部整災誌 30：54-56, 1987.
6) Société Internationale de Chirurgie Orthopédique et de Traumatologie (SICOT) 21st triennial world congress, Sydney, Australia, April, 1999.
7) Lowe T, Berven SH, Schwab FJ, et al：The SRS classification for adult spinal deformity. Building on the King/Moe and Lenke classification systems. Spine 31：S119-S125, 2006.
8) Schwab F, Ungar B, Blondel B, et al：Scoliosis Research Society-Schwab adult spinal deformity classification：A validation study. Spine 37：1077-1082, 2012.
9) Lee CS, Lee CK, Kim YT, et al：Dynamic sagittal imbalance of the spine in degenerative flat back. Significance of pelvic tilt in surgical treatment. Spine 26：2029-2035, 2001.
10) Schwab F, Blondel B, Bess S, et al：Radiographical spinopelvic parameters and disability in the setting of adult spinal deformity. Spine 38：E803-E812, 2013.
11) Duval-Beaupère G, Schmidt C, Cosson P：A barycentremetric study of the sagittal shape of spine and pelvis：the condition required for an economic standing position. Ann Biomed Eng 20：451-462, 1992.
12) Legaye J, Duval-Beaupère G, Hecquet J, et al：Pelvic incidence：a fundamental pelvic parameter for three-dimensional regulation of spinal sagittal curves. Eur Spine J 7：99-103, 1998.
13) Schwab F, Lafage V, Patel A, et al：Sagittal plane considerations and the pelvis in the adult patient. Spine 34：1828-1833, 2009.
14) Lafage V, Schwab F, Patel A, et al：Pelvic tilt and truncal inclination：two key radiographic parameters in the setting of adults with spinal deformity. Spine 34：E599-E606, 2009.
15) Lafage R, Schwab F, Challier V, et al：Defining Spino-Pelvic Alignment Thresholds Should Operative Goals in Adult Spinal Deformity Surgery Account for Age? Spine 41：62-68, 2016.
16) Schwab F, Patel A, Ungar B, et al：Adult spinal deformity-postoperative standing imbalance：how much can you tolerate? An overview of key parameters in assessing alignment and planning corrective surgery. Spine 35：2224-2231, 2010.
17) Protopsaltis T, Schwab F, Bronsard N, et al：The T1 pelvic angle, a novel radiographic measure of global sagittal deformity, accounts for both spinal inclination and pelvic tilt and correlates with health-related quality of life. J Bone Joint Surg Am 96：1631-1640, 2014.
18) Ryan DJ, Protopsaltis T, Ames CP, et al：T1 pelvic angle (TPA) effectively evaluates sagittal deformity and assesses radiographical surgical outcomes longitudinally. Spine 39：1203-1210, 2014.
19) Roussouly P, Nnadi C：Sagittal plane deformity：an overview of interpretation and management. Eur Spine J 19：1824-1836, 2010.
20) Vialle R, Levassor N, Rillardon L, et al：Radiographic analysis of the sagittal alignment and balance of the spine in asymptomatic subjects. J Bone Joint Surg Am 87：260-267, 2005.
21) Roussouly P, Gollogly S, Berthonnaud E, et al：Classification of the normal variation in the sagittal alignment of the human lumbar spine and pelvis in the standing position. Spine 30：346-353, 2005.
22) Roussouly P, Pinheiro-Franco JL：Sagittal parameters of the spine：biomechanical approach. Eur Spine J 20 (Suppl 5)：S578-S585, 2011.
23) Pesenti S, Lafage R, Stein D, et al：The amount of proximal lumbar lordosis is related to pelvic incidence. Clin Orthop 476：1603-1611, 2018.
24) Kebaish KM, Neubauer PR, Voros GD, et al：Scoliosis in adults aged forty years and older. Prevalence and relationship to age, race, and gender. Spine 36：731-736, 2011.
25) Robin GC, Span Y, Steinberg R, et al：Scoliosis in the elderly：a follow-up study. Spine 7：355-359, 1982.
26) Kobayashi T, Atsuta Y, Takemitsu M, et al：A prospective study of de novo scoliosis in a community based cohort. Spine 31：178-182, 2006.
27) Watanuki A, Yamada H, Tsutsui S, et al：Radiographic features and risk of curve progression of de-novo degenerative lumbar scoliosis in the elderly：a 15-year follow-up study in a community-based cohort. J Orthop Sci 17：526-531, 2012.
28) Weinstein SL, Ponseti IV：Curve progression in idiopathic scoliosis. J Bone Joint Surg Am 65：447-455, 1983.
29) Pritchett JW, Bortel DT：Degenerative symptomatic lumbar scoliosis. Spine 18：700-703, 1993.
30) 戸山芳昭, 千葉一裕, 松本守雄, 他：腰椎変性側弯に対する Instrumentation Surgery. 日整会誌 73：S282, 1999.
31) Marty-Poumarat C, Scattin L, Marpeau M, et al：Natural history of progressive adult scoliosis. Spine 32：1227-1234, 2007.
32) Upadhyaya CD, Starr PA, Mummaneni P：Spinal

33) Watanabe K, Hirano T, Katsumi K, et al：Characteristics and exacerbating factors of chronic low back pain in Parkinson's disease. Int Orthop 39：2433-2438, 2015.
34) Babat LB, McLain RF, Bingaman W, et al：Spinal surgery in patients with Parkinson's disease：construct failure and progressive deformity. Spine 29：2006-2012, 2004.
35) Ishizaki F, Harada T, Katayama S, et al：Relationship between osteopenia and clinical characteristics of Parkinson's disease. Mov Disord 8：507-511, 1993.
36) Kao CH, Chen CC, Wang SJ, et al：Bone mineral density in patients with Parkinson's disease measured by dual photon absorptiometry. Nucl Med Commun 15：173-177, 1994.
37) Sato Y, Kikuyama M, Oizumi K：High prevalence of vitamin D deficiency and reduced bone mass in Parkinson's disease. Neurology 49：1273-1278, 1997.
38) Bourghli A, Guérin P, Vital JM, et al：Posterior spinal fusion from T2 to the sacrum for the management of major deformities in patients with Parkinson disease. A retrospective review with analysis of complications. J Spinal Disord Tech 25：E53-E60, 2012.
39) Glassman SD, Berven S, Bridwell K, et al：Correlation of radiographic parameters and clinical symptoms in adult scoliosis. Spine 30：682-688, 2005.
40) Glassman SD, Bridwell K, Dimar JR, et al：The impact of positive sagittal balance in adult spinal deformity. Spine 30：2024-2029, 2005.
41) 稲見　聡, 森平　泰, 竹内大作, 他：手術で目指すべきアライメントとは　PI-LLの検証から目指すべき腰椎前弯を探る. 臨整外 50：1065-1068, 2015.
42) 戸川大輔, 安田達也, 大和　雄, 他：疫学・自然経過；高齢者運動器検診者における立位全脊柱・骨盤アライメントとQOL(TOEI study). MB Orthop 28(2)：7-14, 2015.
43) Yamato Y, Hasegawa T, Kobayashi S, et al：Calculation of the target lumbar lordosis angle for restoring an optimal pelvic tilt in elderly patients with adult spinal deformity. Spine 41：E211-E217, 2016.
44) Lafage R, Schwab F, Challier V, et al：Defining spinopelvic alignment thresholds：should operative goals in adult spinal deformity surgery account for age? Spine 41：62-68, 2016.
45) 岩﨑幹季, 奥田真也, 坂浦博伸, 他：Cobb角50°以上の腰椎変性側弯症に対する手術成績：術式選択と固定範囲に関する考察. 臨整外 43：779-787, 2008.
46) 山崎良二, 奥田真也, 松本富哉, 他：成人脊柱変形を伴った腰部脊柱管狭窄症に対する単椎間固定術の限界. 臨整外 50：339-345, 2015.
47) Zeng Y, White AP, Albert TJ, et al：Surgical Strategy in adult lumbar scoliosis. Spine 37：E556-E561, 2012.
48) Fujimori T, Inoue S, Le H, et al：Long fusion from sacrum to thoracic spine for adult spinal deformity with sagittal imbalance：upper versus lower thoracic spine as site of upper instrumented vertebra. Neurosurg Focus 36：E9, 2014.
49) 岩﨑幹季, 山崎良二, 奥田真也, 他：高齢者脊柱変形に対する矯正固定術の治療成績と問題点. 中部整災誌 58：13-14, 2015.
50) Edwards Ⅱ CC, Bridwell KH, Patel A, et al：Thoracolumbar deformity arthrodesis to L5 in adults：the fate of the L5-S1 disc. Spine 28：2122-2131, 2003.
51) Edwards Ⅱ CC, Bridwell KH, Patel A, et al：Long adult deformity fusions to L5 and the sacrum. A matched cohort analysis. Spine 29：1996-2005, 2004.
52) Kim YJ, Bridwell KH, Lenke LG, et al：Is the T9, T11, or L1 the more reliable proximal level after adult lumbar or lumbosacral instrumented fusion to L5 or S1? Spine 32：2653-2661, 2007.
53) Kuhns CA, Bridwell KH, Lenke LG, et al：Thoracolumbar deformity arthrodesis stopping at L5：fate of the L5-S1 disc, minimum 5-year follow-up. Spine 32：2771-2776, 2007.
54) Polly DW, Hamill CL, Bridwell KH：Debate：To fuse or not to fuse to the sacrum, the fate of the L5-S1 disc. Spine 31(Suppl 19)：S179-S184, 2006.
55) Harimaya K, Mishiro T, Lenke LG, et al：Etiology and revision surgical strategies in failed lumbosacral fixation of adult spinal deformity constructs. Spine 36：1701-1710, 2011.
56) Okuda S, Oda T, Miyauchi A, et al：Surgical outcomes of posterior lumbar interbody fusion in elderly patients. Surgical technique. J Bone and Joint Surg Am 89：310-320, 2007.

参考文献

57) Ascani E, Bartolozzi P, Logroscino CA, et al：Natural history of untreated idiopathic scoliosis after skeletal maturity. Spine 11：784-789, 1986.
58) Bridwell KH, Lenke LG, Lewis SJ：Treatment of spinal stenosis and fixed sagittal imbalance. Clin Orthop 384：35-44, 2001.
59) Savage JW, Patel AA：Fixed sagittal plane imbalance. Global Spine J 4：287-296, 2014.
60) 柏井将文, 岩﨑幹季：姿勢異常と腰痛. MB Orthop 26(12)：33-41, 2013.
61) Kostuik JP：Current concepts review：Operative treatment of idiopathic scoliosis. J Bone Joint Surg Am 72：1108-1113, 1990.
62) 戸山芳昭：高齢者にみられる腰椎変性側弯症の病態と治療. 整・災外 37：257-267, 1994.
63) Simmons ED：Surgical treatment of patients with lumbar spinal stenosis with associated scoliosis. Clin Orthop 384：45-53, 2001.
64) Swank S, Lonstein JE, Moe JH, et al：Surgical treatment of adult scoliosis：A review of two hundred and twenty-two cases. J Bone Joint Surg Am 63：268-287, 1981.

65) Simmons ED Jr, Kowalski JM, Simmond EH：The results of surgical treatment for adult scoliosis. Spine 18：718-724, 1993.
66) Grubb SA, Lipscomb HJ, Suh PB：Results of surgical treatment of painful adult scoliosis. Spine 19：1619-1627, 1994.
67) Bradford DS, Tay BK, Hu SS：Adult scoliosis：Surgical indications, operative management, complications, and outcomes. Spine 24：2617-2629, 1999.
68) 岩﨑幹季，奥田真也，坂浦博伸，他：Cobb 角 50°以上の腰椎変性側弯症に対する手術成績―術式選択と固定範囲に関する考察．臨整外 43：779-787，2008.
69) 岩﨑幹季，奥田真也，松本富哉，他：成人脊柱変形に対する矯正手術　手術成績と今後の治療戦略．臨整外 50：1077-1083，2015.
70) 前野考史，岩﨑幹季，奥田真也，他：成人脊柱変形に対する固定下端の検討―固定下端を L5 とした症例の中長期経過観察より．J Spine Res 7：320, 2016.

12 脊椎腫瘍
spinal tumor

12-1. 原発性脊椎腫瘍（primary spinal tumor）

1 疾患の概説

脊椎に発生する原発性腫瘍は稀で，60～70％は転移性である。

脊椎腫瘍の診断に際しては，嚢腫などの腫瘍類似疾患を常に念頭に置く必要がある。

●脊椎腫瘍および腫瘍類似疾患の頻度

1972 年から 2003 年の全国骨腫瘍登録によると，脊椎腫瘍は計 3,527 例で，転移性脊椎腫瘍が 63％を占めている（表Ⅱ-12-1～3）。

原発性腫瘍の鑑別において，発症年齢や発症部位，横断面での局在は診断の参考となる（図Ⅱ-12-1，表Ⅱ-12-4）。

▷仙骨腫瘍（仙骨原発性腫瘍）は，10 歳代であれば Ewing 肉腫，比較的若い年齢では巨細胞腫，成人であれば脊索腫か軟骨肉腫を考える。

2 画像診断[39～41]

画像診断のアプローチを以下に示す。

● step 1：疼痛部位の X 線，CT（必要に応じて造影も），MRI（必要に応じて造影も）

以下の所見を確認する（表Ⅱ-12-5）。
・骨硬化性か溶骨性か，その混在か。
・単椎体に限局しているか，2 椎体以上に及ん

表Ⅱ-12-1　全国骨腫瘍登録（文献 1 より作成）

原発性	1,097 例（31％）	良性 496 例	悪性 601 例
転移性	2,222 例（63％）		
骨腫瘍類似疾患	208 例（6％）		

表Ⅱ-12-2　脊椎腫瘍および腫瘍類似疾患の頻度（文献 1 より作成）

全国骨腫瘍登録による脊柱発生例	1,305 例[注]（1972～2003 年）		
良性	704 例	悪性	601 例
骨巨細胞腫	144 例（20％）	脊索腫	247 例（41％）
*好酸球性肉芽腫	91 例（13％）	骨髄腫	103 例（17％）
血管腫	88 例（12.5％）	軟骨肉腫	70 例（12％）
骨軟骨腫	70 例（10％）	骨肉腫	54 例（9％）
類骨骨腫	56 例（8％）	悪性リンパ腫	44 例（7％）
*動脈瘤様骨嚢腫	51 例（7％）	ユーイング肉腫	33 例（5％）
骨芽細胞腫	49 例（7％）	悪性線維性組織球腫	15 例（2％）
神経鞘腫	36 例（5％）	血管肉腫	9 例（1％）
*骨嚢腫	35 例（5％）	その他	26 例
*線維性骨異形成症	20 例（3％）		
その他	64 例		

[注]原発性骨腫瘍（1,097 例）に*骨腫瘍性疾患（208 例）を加えた。

表Ⅱ-12-3　原発性脊椎腫瘍（自験例60例）（大阪大学＋大阪労災病院）

全60例（男29例，女31例）
手術時年齢：1〜78歳（平均39歳）
腫瘍：良性33例，1〜67歳（平均32歳）
　　　悪性27例，12〜78歳（平均52歳）

良性 33例		平均年齢	悪性 27例		平均年齢
骨巨細胞腫	10例（30%）	36歳	**脊索腫**	10例（37%）	60歳
好酸球性肉芽腫	5例（15%）	21歳	**悪性リンパ腫**	5例（19%）	48歳
血管腫	3例（9%）	54歳	**骨髄腫**	4例（15%）	54歳
骨軟骨腫	3例（9%）	25歳	軟骨肉腫	2例（7%）	36歳
骨芽細胞腫	3例（9%）	20歳	傍神経節細胞腫	1例（4%）	
動脈瘤様骨嚢腫	1例（3%）	19歳			

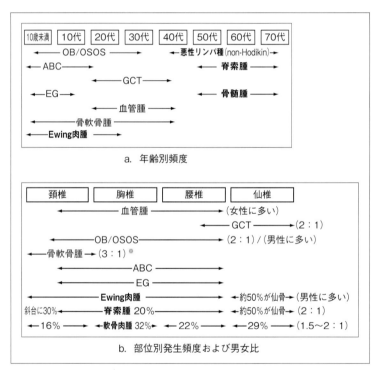

図Ⅱ-12-1　原発性脊椎腫瘍の頻度（文献2,3より，※は文献4より）
　太字は悪性．GCT：giant cell tumor, OB：osteoblastoma, OSOS：osteoid osteoma, ABC：aneurysmal bone cyst, EG：eosinophilic granuloma

表Ⅱ-12-4　横断面での局在

前方要素：巨細胞腫（GCT），血管腫（hemangioma），
　　　　　多発性骨髄腫（myeloma），悪性リンパ腫
　　　　　（lymphoma），軟骨肉腫（chondrosarcoma），
　　　　　骨肉腫（OS）
後方要素：類骨骨腫（osteoid osteoma），骨芽細胞腫
　　　　　（osteoblastoma），動脈瘤様骨嚢腫（ABC），
　　　　　骨軟骨腫（osteochondroma）

表Ⅱ-12-5　特徴的X線像

・類骨骨腫，骨芽細胞腫：　　しばしば，椎弓根の骨硬化像
・動脈瘤様骨嚢腫，巨細胞腫：膨隆して溶骨性
・血管腫：　　　　　　　　　すだれ状の骨梁
・好酸球性肉芽腫：　　　　　扁平椎
　良性か悪性かの推測をするが，最終診断は生検による．

でいるか，広範囲の病変か．
- 椎体が圧潰しているか，椎体高は保たれているか，椎間板腔にも及んでいるか．
- 椎体外に腫瘍(paravertebral mass)は広がっているか．

● step 2：骨シンチグラフィ(99mTc-MDP)
転移性のスクリーニングになる．
病巣は単発性か多発性かを確認し，老・壮年者で多椎体に及んでいれば，まず転移性脊椎腫瘍を疑う(p436参照)．
骨シンチグラフィにおける留意点は以下の通りである．
- 外傷(圧迫骨折)，炎症，変形性脊椎症，椎間関節症でも病巣に集積することがある．
- **骨髄腫**の半数と，**甲状腺がん**および**乳がん**，**肺がん**，**腎がん**，**肝がん**の脊椎転移の一部に陰性所見がある．
- 頭頸部がんや消化器がん(特に胃がん)などの骨梁間型の骨転移は陰性所見が多い．
- 類骨骨腫，骨芽細胞腫では偽陽性の報告はない．
- 血管腫は，骨シンチグラフィでは通常，病巣には集積しない．
- 副甲状腺機能亢進症や高カルシウム血症の場合，骨へのびまん性の集積亢進を認め腎臓が描出されない(absent kidney sign)．

● step 3：異常集積を認めた脊椎病巣の評価
横断面および矢状面の評価を詳細に行い，鑑別診断を行う．
造影CTで造影効果が明らかな場合，血管造影検査を考慮する．
血管造影検査の目的は以下の通りである．
- 腫瘍と主な大血管との関係を把握する．
- 腫瘍の血管分布の程度と栄養動脈の同定を行う．
- 塞栓術(術中出血の軽減，疼痛の緩和を期待)や，動注化学療法などの治療を目的とする．

● step 4：生検による確定診断
上記ステップで診断が困難な場合，確定診断には生検が必要である．
まずは，針生検を考慮するが，解剖学的理由で針生検が困難な場合や，針生検でも診断がつかない場合は，直視下切開生検術を行う．
上位胸椎や頸椎部では解剖学的理由で針生検が困難であるが，腰仙椎では透視下あるいはCTガイド下での生検が良い適応である．

3 鑑別診断

以下の疾患を鑑別することが重要となる．
- ■ 炎症性疾患(結核性脊椎炎，化膿性脊椎炎)
これらは，早期から椎間腔の狭小化をきたす．脊椎腫瘍で椎体の圧潰をきたしても，一般には後まで椎間腔は保たれる．
- ■ 骨粗鬆症性椎体骨折(扁平椎)
- ■ 副甲状腺機能亢進症(椎体上下縁の骨硬化：rugger jersey appearance)
- ■ 骨 Paget 病(日本では少ないが念頭には置いておく)

4 原発性良性脊椎腫瘍の治療

表Ⅱ-12-6 に，各良性脊椎腫瘍の臨床経過によるステージ分類を示す．

表Ⅱ-12-6　良性脊椎腫瘍の臨床経過によるステージ分類(文献5より)

stage 1：latent(無症状のもの) 　　　　骨軟骨腫，血管腫など	⇨ 治療を要さない
stage 2：active(神経症状あり) 　　　　骨軟骨腫，類骨骨腫，血管腫， 　　　　好酸球性肉芽腫，動脈瘤性骨囊腫など	⇨ en bloc excision または病巣掻爬(＋骨移植)
stage 3：aggressive 　　　　巨細胞腫，骨芽細胞腫など	⇨ 広範囲切除が必要

●良性腫瘍に対する放射線療法

a. 放射線療法によく反応する腫瘍

血管腫では30〜40 Gyは必要である。30 Gy以下だと治癒が不完全な症例が増える。

b. 放射線療法にある程度反応する腫瘍

巨細胞腫では放射線療法による巨細胞腫の悪性化(10%)が報告されており,手術で掻爬しきれなかった部位に対して補助的に用いるべきである。

c. 放射線療法に抵抗性の腫瘍

骨芽細胞腫に対する放射線療法は,腫瘍の急な拡大による神経症状があり,除圧手術をすぐに施行できないときに勧められる。

●放射線療法の危険性

脊柱側弯症や悪性化の危険性を考慮する。

二次性に骨肉腫様変性を起こす危険性があるので,30 Gyが境界である。

5 原発性良性脊椎腫瘍の再発

骨芽細胞腫,巨細胞腫では,切除後も再発を認めることがある。骨芽細胞腫では10〜20%に再発を認める。巨細胞腫では約50%に再発を認める。

骨軟骨腫,骨芽細胞腫,巨細胞腫では,悪性化が報告されている。良性の経過にもかかわらず,巨細胞腫の約10%で悪性化・転移が起こる。

12-2-A. 原発性脊椎腫瘍各論 ─良性腫瘍[2)]

1 骨軟骨腫,骨軟骨性外骨腫(osteochondroma)

- 単発性,多発性がある。
- 遺伝性多発性外骨腫(hereditary multiple exostosis)の患者の約8%に脊椎発症を認める。
- 症状を有する患者の約50%は,20歳以下である。

●病理像

- 表面を覆う骨膜下に軟骨帽(cartilage cap)が存在し,悪性化して軟骨肉腫になることがある。
- 好発部位は,椎体・椎弓・横突起である。症状を有するものは,頸椎・上位胸椎に好発する。

●症状

- 0.5〜1%で症状が生じる。mass effectとして症状が発現する。脊髄症状が最も多く約47%で起こる。
- 一般には骨端線の閉鎖で腫瘍の成長は止まるが,加齢で脊柱管狭窄が起こる。
- 成人で成長し続ける骨軟骨腫は,軟骨肉腫を疑わねばならない。

●治療

- 上記の症状を有する,骨成熟後も成長する病変が手術の対象となる。手術は局所の完全切除で十分である。再発防止に軟骨帽の完全切除を心がける。
- 予後は良好である。

●症例

図Ⅱ-12-2 に41歳女性の頸椎外骨腫の症例を示す。

2 動脈瘤様骨囊腫(aneurysmal bone cyst:ABC)

- ABCの11%に脊椎への発生が報告されている。80〜90%が20歳以下で,性差はない。
- 脊椎のどの部位にも発生するが,後方要素が好発部位である。

●鑑別診断

- 巨細胞腫,結核,線維性異形成,好酸球性肉芽腫,Ewing肉腫と鑑別診断を要する。

●治療

- intralesional excisionで多くは治癒する。放射線療法は有効性に限界があるだけでなく,小児に対する副作用などから用いない。

● 症例

図Ⅱ-12-3 に 19 歳男性の L5 椎体発生 ABC の症例, 図Ⅱ-12-4 に 40 歳男性の T2 発生 ABC の症例を示す.

3 巨細胞腫 (giant cell tumor：GCT)[42]

- 仙骨に発生する良性腫瘍の中では多く報告されている.

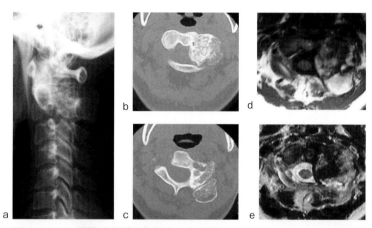

図Ⅱ-12-2　頚椎外骨腫の症例 (41 歳女性)
a：頚椎 X 線側面像, b, c：頚椎 CT 横断像, d：頚椎 MRI T1 強調横断像, e：頚椎 MRI T2 強調横断像

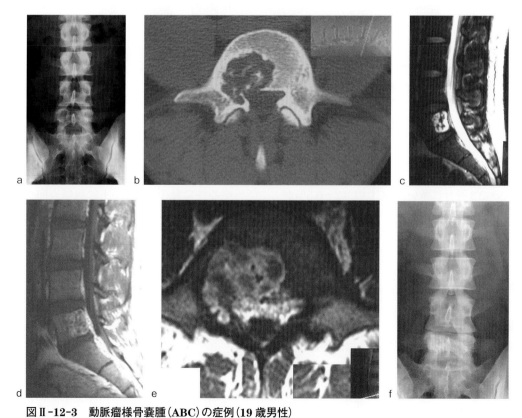

図Ⅱ-12-3　動脈瘤様骨嚢腫 (ABC) の症例 (19 歳男性)
a：腰椎 X 線正面像, b：腰椎 CT 横断像 (L5 レベル), c：腰椎 MRI T2 強調矢状断像, d：Gd 造影後腰椎 MRI T1 強調矢状断像, e：Gd 造影後腰椎 MRI T1 強調横断像, f：術後 10 年の腰椎 X 線正面像

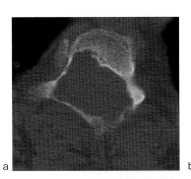
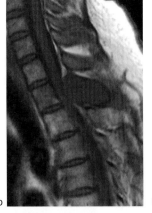
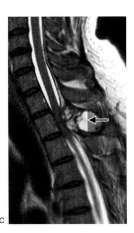

図Ⅱ-12-4 T2 動脈瘤様骨囊腫(ABC)の症例(40歳男性)
a：胸椎 CT 横断像，b：胸椎 MRI T1 強調矢状断像，c：胸椎 MRI T2 強調矢状断像
液体貯留による fluid level(矢印)を示す。

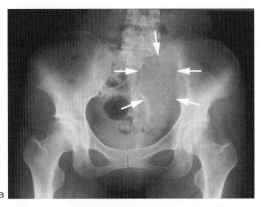
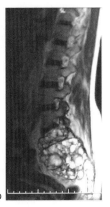

図Ⅱ-12-5 仙骨巨細胞腫の症例(40歳女性)
a：骨盤 X 線正面像(骨透亮像，矢印)，b：腰仙椎 MRI T2 強調矢状断像
腰痛と左殿部痛が主訴。切開生検で巨細胞腫と診断後，塞栓療法を計4回施行した。

- 神経学的異常をおよそ1/3で伴う。
- GCTの発生部位では，脊椎が長管骨の骨幹端に次いで2番目に多い。GCTの3.2～6.5%が脊椎に発生する。
- 20～50歳が好発年齢で，骨成熟前の患者には稀である。19歳以下での発症は10%未満である。
- 良性だが，1～11%に転移する(肺に多い)。

● **診断**
・X線上，椎体に多い。典型的には，膨隆，溶骨性，内部に隔壁がある。
・辺縁硬化を伴わない骨透亮像を認める。
・およそ50%以上で椎体のみに発生するが，前方・後方ともに発生することも稀にある。
・仙骨では近位寄りに，中心から離れて発生する傾向(偏心性)がある。また，背側へ進展することが多い。これは，脊索腫(仙骨の遠位，中心性に発生する)が主に腹側方向へ進展するのに比べ対照的である。
・骨シンチグラフィは，集積する場合としない場合がある。

● **鑑別診断**
・ABC，骨芽細胞腫，転移性腫瘍などと鑑別診断を要する。

● **治療**
・できるだけ全切除を行うのが原則だが，仙骨部の巨大GCTなど全切除が困難な場合は塞栓術や抗RANKL(receptor activator of NF-κB ligand)抗体(デノスマブ)による骨吸収抑制[6]

で，良好な成績が報告されている[7]（図Ⅱ-12-5）。
- 術前の塞栓術が勧められる。
- 再発率が高い（10〜50％）。特に，若年者の再発率が高い。
- 放射線療法については，肉腫変化が10％との報告があり，適応には疑問視もある。

●症例

図Ⅱ-12-5に40歳女性の仙骨GCTの症例，図Ⅱ-12-6に35歳女性の腰椎原発GCTの症例，図Ⅱ-12-7に30歳女性の仙骨GCTの症例を示す。

4 ランゲルハンス細胞組織球症（Langerhans cell histiocytosis）・好酸球性肉芽腫（eosinophilic granuloma）[8,9]

- 良性の孤立性病変で，histiocytosis X，Letterer-Siwe病，Hand-Schüller-Christian病ともいわれてきた。
- 画像所見のわりに臨床症状が軽微なことが特徴である。

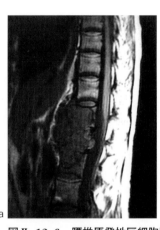
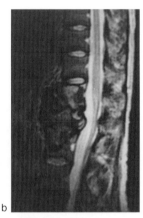
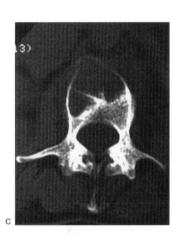

図Ⅱ-12-6　腰椎原発性巨細胞腫の症例（35歳女性）
a：胸腰椎MRI T1強調矢状断像，b：胸腰椎MRI T2強調矢状断像，c：腰椎CT横断像

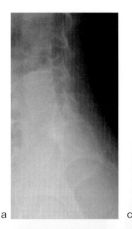
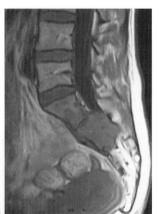
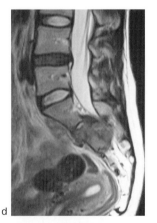
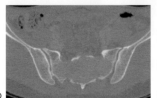

図Ⅱ-12-7　仙骨巨細胞腫の症例（30歳女性）
a：骨盤X線側面像，b：骨盤CT横断像，c：骨盤MRI T1強調矢状断像，d：骨盤MRI T2強調矢状断像
　殿部痛が主訴。切開生検で巨細胞腫と診断後，塞栓療法を選択するも腫瘍は増大し膀胱直腸障害が進行した。

- 7～15％が脊椎(胸椎)に起こる。20歳以下(小児に多い)が好発年齢だが，成人例も珍しくない。
- 小児の場合，全身症状(発熱，体重減少)を伴うことがある。

● 診断
- X線上，隣接椎間板に浸潤しない扁平椎で，境界明瞭な溶骨性変化を認める。
- 骨シンチグラフィでは集積を認めない。
- MRIでは，骨髄と軟部組織の周囲にT2高輝度領域がある。
- 免疫組織染色でCD1a陽性，S100蛋白陽性が病変の主たる細胞である。

● 鑑別診断
- Ewing肉腫，ABC，脊椎炎，白血病，神経芽細胞腫と鑑別診断を要する。

● 治療
- 腫瘍の自然退行があり，積極的に手術を行うのは不安定性と，神経症状のあるときに限る。
- 扁平椎は単発であれ，痛みを伴うものであれ，装具や鎮痛薬で対処してよい。
- 放射線療法は無効である[9,10]。
- ステロイドが有効である。

● 症例
図Ⅱ-12-8に6歳男児のランゲルハンス細胞組織球症の症例，図Ⅱ-12-9に52歳女性のランゲルハンス細胞組織球症の症例を示す。

5 血管腫(hemangioma)[43]

- 一般的に臨床的には無症状である。症状出現の原因は，1)病的骨折，2)血腫，3)軟部組織の拡大，4)椎体の膨隆である。
- 病変部位は，椎体(前方要素)が一般的だが，約40％で後方要素に発生する。特に胸椎に好発する。

● 診断
- X線上では，すだれ状の骨梁が特徴的である。
- CT上では，polka-dots sign(病巣内に点状に骨梁が残存した像)を認める(図Ⅱ-12-10)。
- 骨シンチグラフィでは集積を認める場合と認めない場合がある。
- MRIでは，T1強調像で高輝度(二次的な腫瘍内脂肪組織による)，T2強調像で高輝度を示す。
- 鑑別診断としては，骨Paget病があるが，皮質骨の肥厚を認め，多くは椎体全体に広がる。

● 治療
- 放射線療法が効果的で，計30～40 Gyを6～8週で照射するのが勧められる。30 Gy以上の照射で50～80％の患者が完全治癒する。
- 手術で完全切除できなかった際，放射線療法

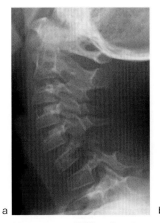 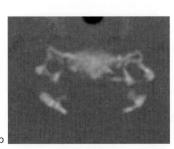 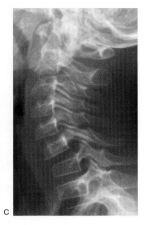

図Ⅱ-12-8　頸椎に生じたランゲルハンス細胞組織球症(6歳男児)
a：頸椎X線正面像，b：頸椎CT横断像，c：7カ月後の頸椎X線側面像
頸部痛を主訴に来院。X線およびCTにて第6頸椎棘突起を中心に骨融解像を認めた。ステロイド経口にて治療開始後，頸部痛は消失し，徐々に骨形成が認められた(竹中　聡先生より提供)。

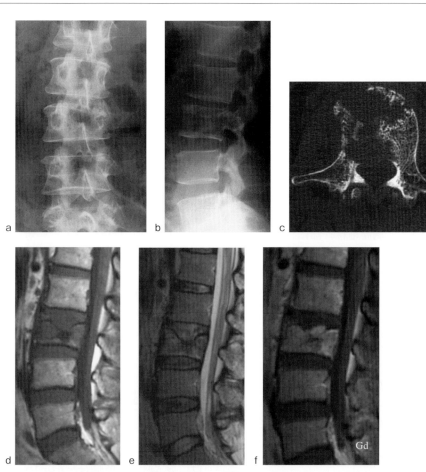

図Ⅱ-12-9　腰椎に生じたランゲルハンス細胞組織球症の症例（52歳女性）（文献8より）
a：腰椎X線正面像，b：腰椎X線側面像，c：腰椎CT横断像，d：腰椎MRI T1強調矢状断像，
e：腰椎MRI T2強調矢状断像，f：Gd造影後腰椎MRI T1強調矢状断像
　主訴は腰背部痛。転移性脊椎腫瘍が疑われたが，針生検にてL3好酸球性肉芽腫と診断された。プレドニゾロン10 mg/日を3カ月間投薬し漸減したところ，疼痛はほぼ消失し，半年後のX線撮影およびCTにて骨硬化を伴った骨新生像が確認できた。

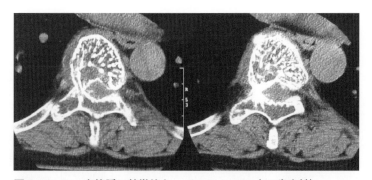

図Ⅱ-12-10　血管腫に特徴的なpolka-dots sign（65歳女性）

の併用も勧められる。
・塞栓術は急速に神経症状が進むときに勧められる。
・手術療法は神経症状があるときや，病的骨折を起こし神経症状が危惧されるときに適応となる。

6 骨芽細胞腫(osteoblastoma)・類骨骨腫(osteoid osteoma)[44]

- 組織学的に両者は類似疾患で，長径 1.5 cm 以下の腫瘍を類骨骨腫としている．
- 骨芽細胞腫では，血管豊富な結合織中に骨芽細胞が増殖し，骨・類骨の形成がみられる．
- 類骨骨腫では，nidus に一部石灰化した類骨と，それを囲む骨芽細胞の増殖がある．
- 原発性脊椎腫瘍の 10% を占め[11]，骨芽細胞腫の 32% が脊椎に発生する[12]．脊椎好発を示す唯一の腫瘍である．胸腰椎移行部に好発する（約 50%）．
- 20〜30歳代に好発し，男女比は2対1である．
- 後方要素（椎弓）に好発し，約 30% の患者が根性痛を訴える．

●症状
- 痛みを伴う側弯変形で，特発性側弯症でみられるような椎体の回旋はない．典型的には，腫瘍は頂椎に存在する．下位腰椎の病変があるときは例外で，このときはそれより上位に頂椎が存在する．
- 頸椎での発症では，斜頸が認められる．
- 約 80% の患者が夜間痛を訴える（約 30% にアスピリンなどの鎮痛薬が奏効する）．

●診断
- X 線上，椎弓内に骨硬化像，ときに，中心に透亮像の nidus を認める．
- 骨シンチグラフィが診断に有用である．
- 脊椎炎，Ewing 肉腫，リンパ腫，ABC と鑑別診断を要する．

●治療
- できるだけ切除することが勧められるが，最近ではラジオ波焼灼術による低侵襲手術の報告もある．
- 摘出できなかった例に，10〜20% の再発の報告がある．
- 放射線療法は抵抗性を示し，効果はない．

●症例
図II-12-11 に 12 歳女児の類骨骨腫の症例，図II-12-12 に 14 歳男児の骨芽細胞腫の症例を示す．

12-2-B. 原発性脊椎腫瘍各論 —悪性腫瘍[3]

1 多発性骨髄腫(multiple myeloma)・孤立性形質細胞腫(solitary plasmacytoma)[45]

- 多発性骨髄腫は，脊椎原発悪性腫瘍の中で最も多い．

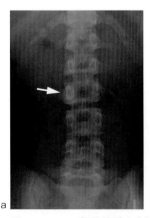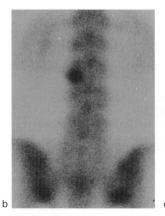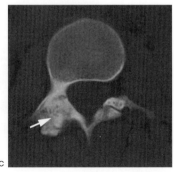

図II-12-11 類骨骨腫の症例(12歳女児)
a：腰椎 X 線正面像，b：骨シンチグラフィ，c：腰椎 CT 横断像
腰椎 X 線正面像にて L2 右椎弓根の骨硬化と拡大（矢印）を認め，骨シンチグラフィにて同部に強い集積を認める．

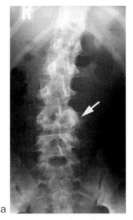
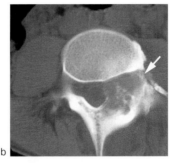

図 II-12-12　骨芽細胞腫の症例（14 歳男児）
a：腰椎 X 線正面像，b：腰椎 CT 横断像
軽い側弯を認める。L4 左椎弓根の骨硬化と拡大（矢印）を認める。

表 II-12-7　骨髄腫診断事象（IMWG 2014 年改訂[13]）から一部改変引用）

- ●形質細胞腫瘍に関連した臓器障害
  - ・高カルシウム血症：血清カルシウム＞11 mg/dL，もしくは基準値上限より＞1 mg/dL 高い。
  - ・腎障害：クレアチニンクリアランス＜40 mL/分，もしくは血清クレアチニン＞2 mg/dL。
  - ・貧血：ヘモグロビン＜10 g/dL，もしくは正常下限より＞2 g/dL 低い。
  - ・骨病変：全身 CT で溶骨性骨病変を 1 カ所以上認める*。
- ●進行するリスクが高いバイオマーカー
  - ・骨髄のクローナルな形質細胞割合≧60％。
  - ・血清遊離軽鎖（FLC）比（M 蛋白成分の FLC と M 蛋白成分以外の FLC の比）≧100。
  - ・MRI で局所性の骨病変（径 5 mm 以上）＞1 カ所。

*骨髄中形質細胞比率が 10％ 未満の場合は，孤発性形質細胞腫との鑑別のために 2 つ以上の溶骨性病変が必要である。

- 50～75 歳の中高年に多く，男女差はない。
- 画像上，溶骨性の"punched out lesion"を呈する（特に頭蓋）。びまん性の osteopenia も特徴的である。
- solitary plasmacytoma の場合，扁平椎（vertebra plana）が生じ得るため，好酸球性肉芽腫（eosinophilic granuloma），形質細胞腫（plasmacytoma），転移性腫瘍（metastasis），骨粗鬆症性椎体圧潰（osteoporosis）などと鑑別診断する必要がある。稀に ABC で扁平椎を呈することがある。
- 骨シンチグラフィでは，病的骨折の部位には集積するが，溶骨性変化が強い場合の検出率は低く，診断価値が少ない（**図 II-12-14c, 15j** 参照）。
- 血沈値亢進，血清および尿中の電気泳動での単クローン性免疫グロブリン増加が特徴的である（IgG 型が約 55％，IgA 型が約 25％）。ただし，solitary plasmacytoma の場合，上記の検査の陽性率は 25％ しかない。
- solitary plasmacytoma の最終診断は，骨髄生検または組織中の形質細胞の増加で判断する。
- 全身合併症としては腎不全，高カルシウム血症，貧血がある。
- 治療は化学療法と放射線療法が基本である。
- solitary plasmacytoma は，放射線感受性が良好で，多発性骨髄腫に比べ予後良好である。

●診断

多発性骨髄腫の診断には，骨髄または骨・髄外に形質細胞腫にクローナルな形質細胞を組織学的に確認することが必須となる（M 蛋白の有

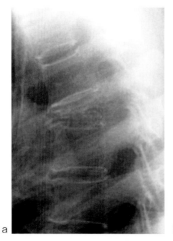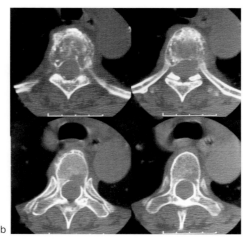

図Ⅱ-12-13　solitary plasmacytoma の症例（54歳女性）
　a：胸椎X線側面像，b：胸椎CT横断像

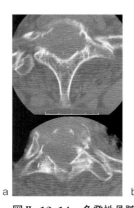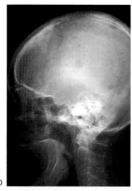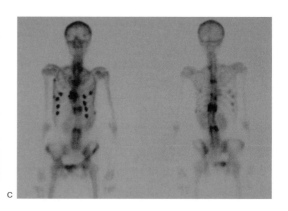

図Ⅱ-12-14　多発性骨髄腫の症例（73歳女性）
　a：上位胸椎CT横断像，b：頭蓋X線側面像，c：骨シンチグラフィ
　骨折を認めた胸腰椎移行部と肋骨には骨シンチグラフィで強い集積を認めたが，麻痺の原因となった溶骨性変化の強い上位胸椎や頭蓋にはあまり集積を認めない．

無は問わない）．骨髄にクローナルな形質細胞の増加（≧10%），または骨もしくは髄外に形質細胞を認め，かつ骨髄腫診断事象（表Ⅱ-12-7）を1項目以上満たすものを多発性骨髄腫と診断する．

●症例

図Ⅱ-12-13に54歳女性の切開生検にて solitary plasmacytoma と診断された症例，図Ⅱ-12-14に73歳女性の急激な両下肢麻痺で発症した多発性骨髄腫の症例，図Ⅱ-12-15に73歳男性の solitary plasmacytoma の症例を示す．

2　骨肉腫（osteosarcoma：OS）

- すべての骨肉腫の約3%が脊椎・仙骨に発生する．男女比は1対1で長管骨，四肢発生のOSが男性に好発するのとは対照的である．骨Paget病，軟骨肉腫，放射線療法後などに続いて発生するものがある．
- 脊椎発生OSには，四肢発生のOSにみられるCodman三角や外骨膜反応などはない．
- 骨形成性，溶骨性，それらの混合型がある．
- 前方要素はたいてい侵される．後方にも浸潤があり得る．後方要素に限局したOSはほとんどないが，良性の骨芽細胞腫との鑑別は困難である．

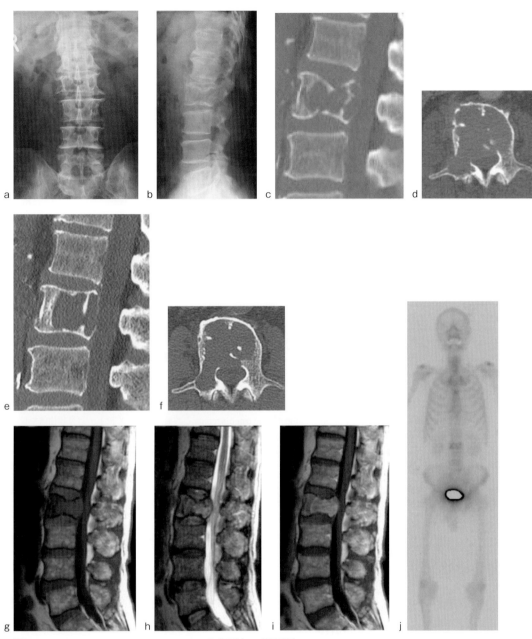

図 II-12-15　solitary plasmacytoma の症例（73 歳男性）
　a：術前の腰椎 X 線正面像，b：術前の腰椎 X 線側面像，c：術前の腰椎 CT（MPR 矢状断像），d：術前の腰椎 CT 横断像，e：半年前紹介時の腰椎 CT（MPR 矢状断像），f：半年前紹介時の腰椎 CT 横断像，g：術前の腰椎 MRI T1 強調矢状断像，h：術前の腰椎 MRI T2 強調矢状断像，i：Gd 造影後腰椎 MRI T1 強調矢状断像，j：術前の骨シンチグラフィ

　他院から L2 椎体腫瘍にて紹介受診したときには症状が軽微なため，経過観察していた．数カ月後，転倒を契機に腰痛が増悪したため精査するも確定診断に至らず（CT では半年で L2 椎体の圧潰が進行した）．生検を兼ねて後方固定術を施行し，その病理組織像にて形質細胞腫（plasmacytoma）と診断され，放射線療法を行った．骨髄穿刺あるいは免疫電気泳動検査から，多発性骨髄腫は否定的であった．

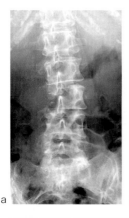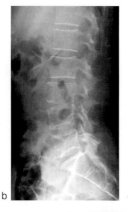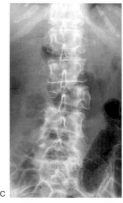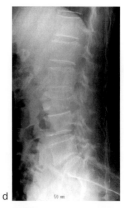
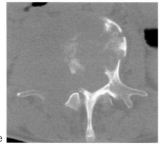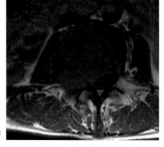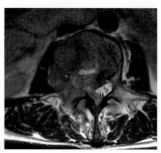

図Ⅱ-12-16 骨肉腫の症例(54歳女性)
a：腰椎X線正面像, b：腰椎X線側面像, c：1週間後の腰椎X線正面像, d：1週間後の腰椎X線側面像, e：腰椎CT横断像(L3), f：腰椎MRI T1強調横断像, g：腰椎MRI T2強調横断像
L3に溶骨性変化を認め, CTガイド下生検にてfibroblastic osteosarcomaと診断された。X線上, 辺縁硬化像や骨形成を伴わない不明瞭な骨透亮像を認め, 1週間で椎体の圧潰が進行し疼痛が増強した。MRIではT1強調像で椎体に比してやや低輝度, T2強調像で等輝度の腫瘍が椎体から後方に進展している。

- 胸部CTは肺転移のスクリーニングに重要である。

● 症例

図Ⅱ-12-16に54歳女性の骨肉腫の症例を示す。

3 悪性リンパ腫(malignant lymphoma)

- 15％が脊椎に発生する(多くは前方要素)。Non-Hodgkinリンパ腫の頻度が高く, Hodgkinリンパ腫は稀である。
- 血清LDHの上昇(陽性率約40％)や, soluble-IL 2 receptorの上昇(陽性率約60％)が診断に有用であるが, 疾患特異性は低い。
- 治療は化学療法と放射線療法が基本である。

● 症例

図Ⅱ-12-17に68歳男性の悪性リンパ腫の症例を示す。

4 脊索腫(chordoma)[46,47]

- 男女比2対1で, 50〜70歳に多い。幼小児にも報告がみられる。
- 仙尾骨に50％, 後頭骨に30％, 頚椎・胸椎・腰椎に20％の割合で好発する。

● 画像診断

- X線上に石灰化部の散在する多発性成分を含んだ溶骨性変化を認める。
- MRI：仙骨部の場合, 通常腹側に進展する(GCTが主に背側へ進展するのと対照的)。
- 軟部組織に浸潤した腫瘍は局所再発の原因となるので, 術前にチェックが必要である。
- シンチグラフィではテクネシウム(Tc)もガリウム(Ga)も通常, 集積は認めない。

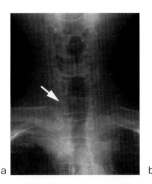
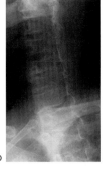
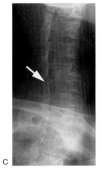
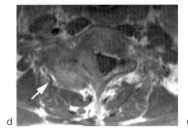
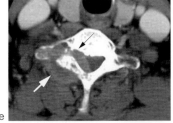

図Ⅱ-12-17　悪性リンパ腫の症例（68歳男性）

a：頚椎X線正面像，b：頚椎X線斜位像（RAO），c：頚椎X線斜位像（LAO），d：頚椎MRI T1強調横断像，e：頚椎造影CT横断像

右肩甲部痛が出現した後に右上肢脱力が出現し，近医にてX線像と症状のみから頚椎症性神経根症と診断された．牽引などの保存療法を受けるも右上肢痛と筋力低下が改善せず，MRI検査にて頚椎腫瘍が発見された．画像上，転移性腫瘍も考えられたため切開生検を施行し，diffuse large B cell lymphomaとの診断が確定した．C7右横突起の溶骨像と右椎弓根陰影の消失を認める（a矢印）．右C7椎弓根が消失し，C6/7とC7/T1の椎間孔が連続している（c矢印）．椎弓根・横突起・右椎弓背側・椎間孔・脊柱管内へ進展する腫瘍を認める（d矢印）．椎弓根と横突起の骨破壊を認め，造影される軟部組織陰影は椎弓の背側と脊柱管側に広がっている（e矢印）．このように骨や関節を越えて広がる軟部組織腫瘍像は悪性リンパ腫に特徴的な画像である．

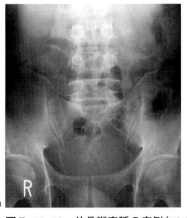
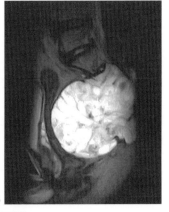

図Ⅱ-12-18　仙骨脊索腫の症例（59歳男性）
a：骨盤X線正面像，b：仙骨MRI T2強調矢状断像

●症例

図Ⅱ-12-18に59歳男性の仙骨脊索腫の症例を示す．

●治療

・化学療法の効果は期待できない．
・仙骨発生例は，ほとんどの症例が巨大な腫瘤を形成し，照射範囲が広くなるので，通常の放射線療法では効果を期待できない．一般的には，仙骨腫瘍切除後に，50〜70 Gyの照射をすることが多いが，その有効性は不明である．術前照射が有用との報告はある（50 Gy）．完全切除が困難な症例では，重粒子線（炭素イオン線）による治療が有効とされており，今後の有力な治療法として期待できる．
・手術療法は，仙骨発生例では，S2/3を境界に近位と遠位に分けて考える[14,46]．

■近位（腫瘍がS2よりも近位に及んでいる場合）

・腫瘍がS2以下に限局している場合，後方進入法による高位仙骨切断術も検討可能だが，完全切除と非侵襲の神経根の保存には前後合併進入法が必要である．
・腫瘍がS1まで及んでいる場合，前方進入法

表Ⅱ-12-8 仙骨切除と予測機能障害

①神経機能障害[14]
　L5/S1 レベルで切断→足底屈筋以下の神経機能の全廃。
　S1/2 レベルで切断（S2 根以下犠牲）→神経因性膀胱＋性機能障害
　S2/3 レベルで切断（S3 根以下犠牲）→性機能の喪失
　片側の S2-3 根が温存できれば，神経因性膀胱が残らない可能性がある。
②支持機能障害（仙腸関節を温存できるかどうかで左右される）[15]
　S1 椎体中央部：安定性喪失 50％で，強度的に立位の体幹荷重に問題はない。
　S1/2 レベル：安定性喪失 30％（仙腸関節の 1/3 を失うため）
　S2/3 レベル：安定性に問題はない

表Ⅱ-12-9　仙骨切除 53 例の調査（文献 4 より）

両側 S2 以下で切断（両側 S1 温存）	⇒ 膀胱・直腸障害は必発
両側 S3 以下で切断（両側 S2 温存）	⇒ 膀胱障害 75％（9/12）・直腸障害 40％（3/5）
両側 S4 以下で切断（両側 S3 温存）	⇒ 膀胱障害 31％（4/13）・直腸障害 0％
片側の S3 温存	⇒ 膀胱障害 40％（2/5）・直腸障害 33％（1/3）
片側 S1 以下で切断（健側の S1-5 温存）	⇒ 膀胱障害 11％（1/9）・直腸障害 13％（1/8）

から後方進入法による完全仙骨摘出術を計画する。
・前方進入法は，腹部縦正中切開法（臍直下から恥骨結合直上）にて内腸骨動脈・正中仙骨動静脈の結紮切離を行い，直腸と腫瘍とを剥離する。
　→L5 根と腰仙骨神経幹を確認し，それに合流する仙骨神経を切離する。
　→L5/S1 椎間板レベルで切断・仙腸関節切断し，腹腔を閉鎖する。
・膀胱直腸障害必発の場合，人工肛門造設を考慮する。
■**遠位**（腫瘍が S3 以下に限局している場合）
・後方進入法による全摘出（en bloc resection）での再発率は 25％未満とされている。

●予後
・転移は遅いとされるが，1〜10 年で肺，肝，他の脊椎レベルに転移する。
・頻度は少ないが，脳や骨にも転移する。稀に，皮膚や心臓にも転移する。
・局所再発率は，28〜64％と高率である。
・5 年生存率はおよそ 70〜75％，10 年生存率は 30〜50％である。
・全生存期間は，診断からおよそ 10 年である。
・仙骨切除は，その高位により予想される機能障害が異なってくるので，予想される機能障害が高度な場合では，前述した重粒子線（炭素イオン線）による治療も選択肢になり得る（**表Ⅱ-12-8**）。

●症例
　表Ⅱ-12-9 に Todd らの 53 例の調査結果を示す。

5 軟骨肉腫（chondrosarcoma）

■成人（30〜70 歳代）の脊椎のどの部位にも発生する。
■画像診断により腫瘍内に斑状の石灰化を認める。
■化学療法の効果はあまり期待できない。
■放射線療法は抵抗性であるが，重粒子線（炭素イオン線）の効果は期待できる。

●症例
　図Ⅱ-12-19 に 18 歳男性の腰椎軟骨肉腫の症例，図Ⅱ-12-20 に 53 歳女性の胸椎軟骨肉腫の症例を示す。
　その他，図Ⅱ-12-21 に 8 歳男児の背部軟部悪性腫瘍の症例を示す。

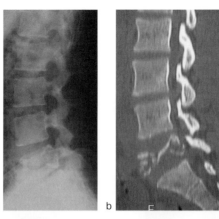
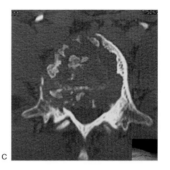
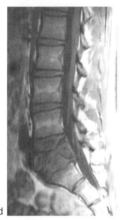
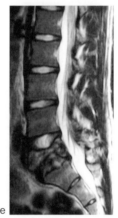

図Ⅱ-12-19 腰椎軟骨肉腫（L5）の症例（18歳男性）

a：腰椎X線側面像，b：腰椎MPR矢状断像，c：腰椎CT横断像，d：腰椎MRI T1強調矢状断像，e：腰椎MRI T2強調矢状断像

針生検にてL5の軟骨肉腫と診断され，重粒子線（炭素イオン線）治療を選択した。

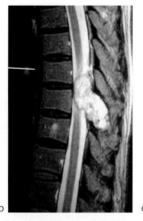
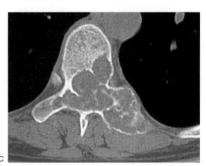

図Ⅱ-12-20 胸椎軟骨肉腫（T8）の症例（53歳女性）

a：胸椎MRI T1強調矢状断像，b：胸椎MRI T2強調矢状断像，c：胸椎CT横断像

T8レベルの腫瘍による下肢不全麻痺にて発症した。

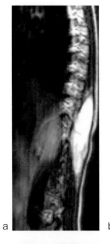
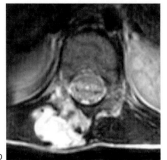
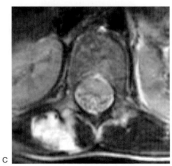
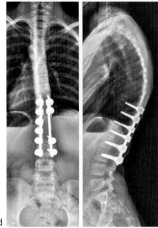

図Ⅱ-12-21　背部軟部悪性腫瘍（malignant peripheral nerve sheath tumor：MPNST）の症例（8歳男児）

a：腰椎 MRI T2 強調矢状断像，b：腰椎 CT 横断像（T12 レベル），c：腰椎 CT 横断像（L1 レベル），d：術後 4 年の全脊柱立位 X 線 2 方向像

化学療法施行後，広範切除術を施行した．手術は左側臥位にて開胸し第 12 肋骨と T12/L1 の後方要素を切離してから，腹臥位に体位変換し T12/L1 の左椎弓を切離し腫瘍と第 12 肋骨，T12/L1 後方要素を一塊にして摘出し T10〜L2 まで後方固定を行い皮膚欠損部に筋膜付き局所皮弁を移植した．

12-3. 転移性脊椎腫瘍（spinal metastasis）

1 疾患の概説

脊椎に発生する悪性腫瘍としては，転移性脊椎腫瘍が頻度としては最も多いので，日常診療では多く遭遇する脊椎腫瘍である．原発部位はさまざまだが，頻度としては肺がん，乳がんがそれぞれ 15％前後で最も多く，次いで悪性リンパ腫や骨髄腫などの血液・リンパ球系悪性腫瘍，前立腺がん，腎がんがそれぞれ 5〜10％程度で，原発不明の脊椎転移も 10〜15％認められる[16]．

2 症状

●疼痛

転移性脊椎腫瘍の疼痛は**夜間痛**や**安静時痛**が特徴であり，進行すると焼け付くような痛み，針で刺すような痛みを訴えるようになる．頸椎・腰椎の転移性腫瘍では，神経症状が出現するまで数カ月かかることがあるが，胸椎の転移性脊椎腫瘍では痛みが出現すると比較的早期に神経症状が出現する．

●神経症状

- 運動障害（脱力）
- 知覚障害
- 交感神経障害
- 膀胱直腸障害

腫瘍の浸潤が緩徐な場合は上記のような症状が順番に出現するが，急速に浸潤した場合はす

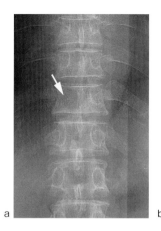
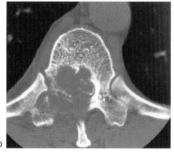

図Ⅱ-12-22 腎がん転移の症例(67歳)
a:胸椎X線正面像, b:胸椎CTミエログラフィ横断像(T11)
T11右側の椎弓根陰影に欠損(a矢印)を認める。椎弓根だけでなく椎体から椎弓に骨吸収を認め, 右側から脊髄が圧迫されている(b)。

べての症状が同時期に出現する。脊髄が後方から圧迫された場合, 筋力は比較的保たれているにもかかわらず, 後索障害として位置覚や振動覚異常が起こり, 立位・歩行障害が先行することもある。

3 診断[48]

●X線
a. winking owl sign(pedicle sign)(図Ⅱ-12-22)
椎弓根陰影の消失は, 転移性脊椎腫瘍の典型的所見である。
b. 骨硬化
原発を予測するのに有用で, 男性なら前立腺がん, 女性なら乳がんが多い。
c. 椎体圧潰
転移性脊椎腫瘍に特異的ではなく, 骨粗鬆症性椎体骨折との鑑別が必要である。

●CT
腎機能低下などがなければ, 造影CTが望ましい。スクリーニングとしての有用性は高く, 全身検索に有用である。

●骨シンチグラフィ(99mTc-MDP)
転移巣の広がりを全身的に評価するのに有用で, 集積する理由は2つ考えられる。
1つは, 前立腺がんのように骨増殖が生じている場合, もう1つは, 腫瘍によって破壊された骨が新生している場合である。したがって, **急速に骨破壊が起こる転移性脊椎腫瘍(腎がんや肺がん, 多発性骨髄腫)の場合や甲状腺がん・乳がんの一部で集積が認められないことがある。また, 肝がんでは偽陽性が多いことも認識する。**原発不明で多発性の場合は, 最も生検しやすい部位を確定するのに役立つ。

骨シンチグラフィによる転移巣診断における偽陽性および偽陰性率はいずれも数%以下である。骨シンチグラフィによる骨転移の検索により, 原発巣として最も頻度の高いものとしては, 乳がん, 肺がん, 前立腺がんであったと報告されている[17]。

喉頭がんや胃がんなど, 骨梁間転移は陰性所見が多い。また, 前立腺がんや副甲状腺機能亢進症, 高カルシウム血症などは, "superscan" や "beautiful bone scan" と呼ばれる骨へのびまん性の集積亢進を認める場合がある。

●PET/CT(FDG-PET)
骨シンチグラフィに比し, 高い感度と特異度を有する検査である。特に, 溶骨性転移における正診度が高い。転移の頻度が高いがんや他の画像検査にて転移の有無が不明確な症例において有用である。

●MRI
MRIは, 転移性脊椎腫瘍を評価するうえで最も有用な検査である。T1強調像は低〜等輝度, T2強調像は高輝度が特徴的である。T1強調像では脊髄への圧迫病変の描出に優れており, T2強調像ではくも膜下腔への圧迫病変の描出に優れている。Gd造影は, 治療の反応を評価することができる。

●生検

生検は原発不明の場合や確定診断が困難なときに行う。CTガイド下針生検は有用で，経皮的針生検によって75％の確率で転移性骨腫瘍と診断できる。合併症としては，神経損傷，気胸，血胸，過度の出血などがある（およそ0.2〜0.7％）。部位的に経皮的針生検が困難な場合は，切開生検術をためらうべきではない。

●血液データ

アルカリホスファターゼ(ALP)や血性骨型ALP(BAP)は骨増殖性の腫瘍で上昇し，NTxや尿中デオキシピリジノリン(DPD)などの骨吸収マーカーは溶骨性の腫瘍で上昇する。表Ⅱ-12-10に，特徴的な腫瘍マーカーを列挙する。

●鑑別診断

原発性腫瘍との鑑別も重要だが，脊椎関節炎(spondyloarthritis：SPA)や血清反応陰性脊椎関節症(seronegative spondyloarthropathy：SNSA)などとの鑑別に苦慮することもある。特に，掌蹠膿疱症・乾癬・ざ瘡を合併するSAPHO症候群(synovitis, acne, pustulosis, hyperostosis, osteitisの頭文字)では高率に皮膚病変を有するので，手足や胸鎖・胸肋関節部の観察は重要である。

●症例

図Ⅱ-12-23にPancoast腫瘍の症例を示す。

4 治療

転移性脊椎腫瘍は根治は困難な場合が多いが，表Ⅱ-12-11に挙げる情報を収集してから以下のことを治療目的に治療方針を決定していく。

- 除痛
- impending fractureの予防
- 麻痺の改善

表Ⅱ-12-10 主な腫瘍マーカー

PSA	前立腺がん
PIVKA Ⅱ，AFP	肝細胞がん
CEA	肺がん，胆道がん，膵がん，大腸がん，乳がん，胃がん
CA19-9	胆道がん，膵がん
CA-125	肺がん，乳がん，膵がん，卵巣がん
SCC	食道がん，子宮がん
s-IL2 receptor	悪性リンパ腫
ProGRP	肺小細胞がん

> ▷ **NOMS Framework**
> 脊髄圧迫の程度と麻痺の有無（特に，立位の可否），腫瘍の放射線感受性，脊椎破壊や不安定性の程度，全身状態（手術に耐えれるか否か）などを参考に総合的に判断する[19〜22]。
> ・Neurologic：脊髄圧迫の程度と麻痺の有無
> ・Oncologic：腫瘍の放射線感受性

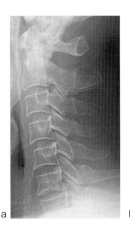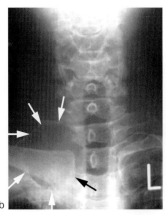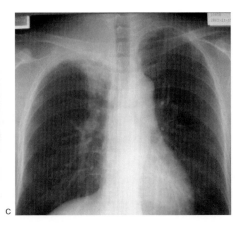

図Ⅱ-12-23 肺がん(Pancoast腫瘍)の症例(60歳男性)
a：頸椎X線側面像，b：頸椎X線正面像，c：胸部X線正面像
右前腕の疼痛としびれで来院した。頸椎X線側面像(a)では異常を指摘できないが，頸椎X線正面像(b)と胸部X線正面像(c)において，右肺尖部の異常陰影および上位胸椎右横突起の骨融解像(矢印)に着目する。最終診断は肺がん(Pancoast腫瘍)であった。

表Ⅱ-12-11　治療方針決定のための情報収集（文献18より）

●原発巣に対して
　1）原発巣の種類とステージ
　2）原発巣に対する処置（根治的切除か姑息的切除か）
　3）切除後経過年数（予想された生存期間を過ぎているか）
　4）他臓器への転移（特に肺，肝，脳）
　5）原発巣の治療を担当した医師の今後の治療方針および見通し
　6）予想生命予後
●脊椎転移巣に対して
　1）転移は単発（限局）性か多発性か
　2）転移巣の広がり（MRI，CT，骨シンチグラフィ）
　3）疼痛の程度
　4）脊髄麻痺の程度
　5）脊椎の破壊程度，不安定性の程度
●インフォームド・コンセント
　1）患者本人に話せばどう受け止めるか
　2）家族はどう受け止め，どう希望するか

・Mechanical：不安定性の程度→SINスコア（後述）
・Systemic：全身状態（手術に耐えれるか否か）

●保存療法

保存療法では，除痛，QOLの向上，転移における合併症を防ぐことが重要である。

ホルモン療法，化学療法，ステロイド療法，放射線療法，ビスホスフォネート製剤，免疫療法，オピオイド投与療法などがあり，複数を併用し治療を行うこともある。

神経症状を改善するには，ステロイド療法が効果的である。

a. ステロイド療法

デキサメタゾン大量療法が神経損傷に対して有効である[23]。

脊髄の浮腫は，機械的な圧迫によるblood-spinal cord barrierの崩壊，または硬膜外静脈層の鬱血により起こると考えられている。デキサメタゾンはこれらを防止する効果がある。

デキサメタゾン（デカドロン®）かベトメタゾン（リンデロン®）16 mg（プレドニン®換算約100 mg）分2/日から静注で開始する。その後，静注あるいは経口で3〜4日毎に1/3ずつ漸減し，約2週間で中止する。

b. 放射線療法

原発性腫瘍の組織型により治療効果は大きく異なるので，放射線療法のプロトコールもさまざまである。一般的には，30 Gy/10回/2週が標準的な照射線量であるが，8 Gy1回照射でも疼痛緩和効果は同等との報告もある。脊髄レベルでは脊髄の耐用線量としては，一般的には40〜50 Gyとされており，それ以上の照射は困難である。しかし，近年脊髄を避けて転移巣に精密かつ正確に照射できるようになり，根治的な放射線療法が可能になりつつある（表Ⅱ-12-12）。

c. 薬物療法

骨破壊には破骨細胞が深く関与しており，破骨細胞を直接抑制するビスホスフォネート（ゾレドロン酸水和物），破骨細胞の形成を抑制する抗RANKL抗体（デノスマブ）などの骨修飾薬が骨転移を抑制すると考えられ，骨転移の世界的な標準治療薬となっている[25〜27]。安全性の高い薬剤だが，発現率は低いものの注意すべき副作用として，腎障害（0.4〜6.1%），顎骨壊死（1〜10%），低カルシウム血症（1.0〜5.1%），急性期反応（発熱，骨痛など），非定型骨折がある。

●手術療法

適応は以下の通りである。
- ホルモン療法，化学療法，放射線療法に抵抗性の耐えがたい疼痛
- 病的骨折，進行性の変形，神経症状を伴った脊椎不安定性
- 明白な神経圧迫

表II-12-12 各腫瘍に対する放射線療法の相対的感受性(文献24より)

Tumors	Relative radiosensitivity	Tissues
Lymphoma, leukemia, seminoma, dysgerminoma, granulosa cell carcinoma	High	Lymphoid, hemopoietic (marrow), spermatogenic epithelium, ovarian follicular epithelium, intestinal epithelium
Squamous cell cancer of the oropharyngeal, esophageal, bladder, skin, and cervical epithelia ; adenocarcinoma of bowel epithelium	Fairly high	Oropharyngeal stratified epidermal epithelium, hair follicle epithelium, sebaceous gland epithelium, urinary bladder epithelium, esophageal epithelium, optic lens epithelium, gastric gland epithelium, ureteral epithelium
Vasculature and connective tissue elements of all tumors ; secondary neovascularization ; astrocytomas	Medium	Ordinary interstitial connective tissue ; neurologic tissue (connective tissue of the nervous system), fine vasculature, growing cartilage or bone tissue
Adenocarcinoma of breast epithelia, serous gland epithelium, salivary gland epithelium, hepatic epithelium, renal epithelium, pancreatic epithelium, thyroid epithelium, adrenal gland epithelium, colon epithelium, squamous cell cancer of the lung ; liposarcoma ; chondrosarcoma ; osteogenic sarcoma	Fairly low	Mature cartilage of bone tissue, mucous or serous gland epithelium, salivary gland epithelium, sweat gland epithelium, nasopharyngeal simple epithelium, pulmonary epithelium, renal epithelium, hepatic epithelium, pancreatic epithelium, pituitary epithelium, thyroid epithelium, adrenal epithelium
Rhabdomyosarcoma, leiomyosarcoma ; ganglioneurofibrosarcoma	Low	Muscle tissue, neuronal tissue

　ただし，**播種性骨髄がん症(disseminated carcinomatosis of bone marrow)**は予後が非常に悪く手術効果は通常期待できないので，手術禁忌と考えられる。
・pre-DIC状態(FDP高値，血小板数減少)，LDH高値，ALP高値，貧血などを示すが，確定診断は骨髄生検により骨髄内にがん細胞を証明することによる。
・骨髄がん症を生じる原発がんとしては，胃がん，大腸がん，前立腺がん，乳がんなどの一部がある。
・腎がんなど転移に対する化学療法や放射線療法が有効でない腫瘍は，単発性であれば基本的には手術療法を考慮する。
・麻痺症例に対しては，放射線単独療法に比べて手術療法に放射線療法を併用するほうが歩行能力の回復に関して有効であったとのランダム化比較試験(RCT)がある[28]。
・根治的手術は，TES(total en bloc spondylectomy)あるいは前後合併手術による摘出術を行う。
・姑息的手術としては以下の選択肢が考えられ

るが，今後，高精度放射線療法の発達により術後の根治的な放射線療法も可能になりつつある。その場合，IGRT(image guided radiotherapy)の妨げにならないような脊椎インストゥルメンテーションが必要で，今後の開発が望まれる。
1) 腫瘍内切除＋後方インストゥルメンテーションあるいは人工椎体置換術
2) 除圧固定術(後方除圧)＋後方インストゥルメンテーション
3) 後方インストゥルメンテーションのみ

●症例
　図II-12-24に72歳女性の頭蓋骨に発生した血管周囲細胞腫(meningeal hemangiopericytoma)の症例を示す。
　図II-12-25に70歳男性の形質細胞腫の症例を示す。

●治療戦略のための分類
　治療計画を立てるにあたり，脊椎不安定性の評価と生命予後の推定は不可欠である。予後が

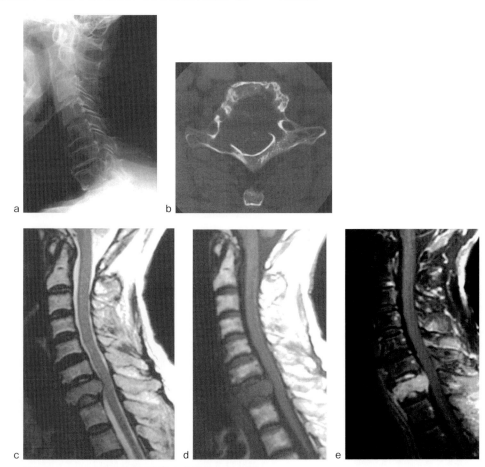

図Ⅱ-12-24 血管周囲細胞腫の症例(72歳女性)
a：頸椎X線側面像，b：頸椎CT横断像，c：頸椎MRI T2強調矢状断像，d：頸椎MRI T1強調矢状断像，e：Gd造影後頸椎MRI T1強調矢状断像

頭蓋骨の腫瘍を摘出後に頸椎(C7)に転移して，激しい頸部痛と上肢痛が出現した．前方からできるだけ摘出した後に腓骨移植＋後方固定を行い，症状は改善した．血管周囲細胞腫は，髄膜腫の一種として分類され，hemangiopericytic meningiomaと呼ばれていた腫瘍である．

短いと考えられた場合に侵襲度の高い手術療法を行うことはためらわれる．逆に予後の長い場合，いたずらに臥床や入院を強いる治療を行えば，限られた余命の質を低下させてしまう．しかし，生命予後に影響する因子は多く，その推定は容易ではない．

また，転移性脊椎腫瘍において，がん取扱い規約のような確立したものはなく，さまざまな分類が報告されている．以下に参考にすべき転移性脊椎腫瘍の諸分類やスコアリングを示す．

a. 富田分類(図Ⅱ-12-26)
■原発巣の悪性度 （成長速度と関係がある）
　1点：slow growth　（乳がん，前立腺がん，甲状腺がんなど）
　2点：moderate growth　（腎がん，子宮がんなど）
　4点：rapid growth　（肺がん，肝細胞がん，胃がん，大腸がん，原発不明など）
■重要臓器(肺，肝，腎，脳)への転移
　0点：転移なし
　2点：治療可能
　4点：治療不可能
■脊椎を含む骨転移
　1点：単発性
　2点：多発性

3つの要素でそれぞれ点数を付け，合計する．2点から10点まで点数が付けられ，点数により

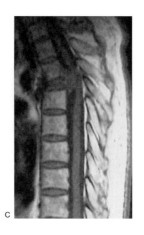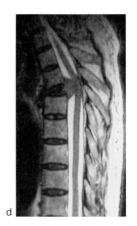
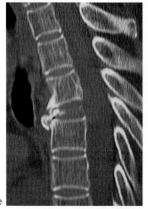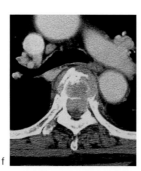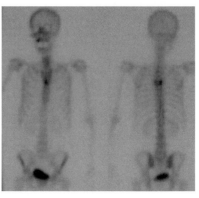

図Ⅱ-12-25　転移性脊椎腫瘍との鑑別が難しかった症例（70歳男性）
　a：胸椎X線正面像，b：胸椎X線側面像，c：胸椎MRI T1強調矢状断像，d：胸椎MRI T2強調矢状断像，e：胸椎MPR矢状断像，f：胸椎CTミエログラフィ横断像，g：骨シンチグラフィ

　ゴルフプレー後に背部痛を自覚し，約1カ月の経過で両下肢麻痺による歩行困難が出現した．MRIにてT5椎体病的骨折を指摘され，転移性脊椎腫瘍を疑われるも，各腫瘍マーカーは陰性，PETではT5-6に軟部濃度病変（SUV-max＝2.413）を認めるも原発巣は特定できず．血液検査では白血球数8,200，血沈103↑，ALP値339↑であった．骨髄穿刺を行うも，形質細胞は1.6％のみで多発性骨髄腫の確定診断に至らず．麻痺が進行したため，生検と後方固定術を施行した結果，形質細胞腫との診断がついた．放射線療法を選択し，麻痺は改善した．
　　　（柏井将文先生より提供）

治療のゴール設定，手術方法が異なる．

b. 徳橋スコア

　全身状態，脊椎転移以外の骨転移の数，転移した脊椎の数，重要臓器への転移，原発巣の種類，神経麻痺の有無について，0～2点まで点数を付ける．6つの項目を合計し，0～12点（改訂版では15点：後述の**表Ⅱ-12-16**参照）までの採点を行う[30~32]．

c. 山下らによるstage分類

　山下らは，骨転移を有する乳がん患者を対象にして，生命予後を判定した[33]．
　まず，骨シンチグラフィを用いて骨転移巣進展の様式を以下の3つに分類した（**表Ⅱ-12-13**）．

- stage 1（C）：転移巣が胸椎・腰椎・肋骨のいずれかに限局する時期
- stage 2（C＋M）：骨盤・頚椎・頭蓋・胸骨に進展した時期
- stage 3（C＋M＋P）：さらに四肢長管骨にも進展した時期

　骨転移の広がりはほとんどの場合，C→C＋M→C＋M＋Pと進展するため，乳がん骨転移のstage分類とした．このstage分類により生存期間が有意に異なる（後述，**図Ⅱ-12-27**参照）．

a. 分類

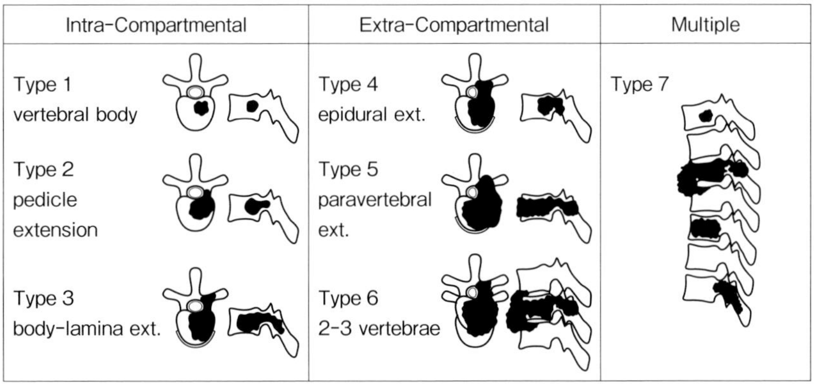

Intra-Compartmental	Extra-Compartmental	Multiple
Type 1 vertebral body	Type 4 epidural ext.	Type 7
Type 2 pedicle extension	Type 5 paravertebral ext.	
Type 3 body-lamina ext.	Type 6 2-3 vertebrae	

b. スコア表

Scoring system			
	Prognostic factors		
Point	Primary tumor	Visceral mets.*	Bone mets.**
1	slow growth (breast, thyroid, etc.)		solitary or isolated
2	moderate growth (kidney, uterus, etc.)	treatable	multiple
4	rapid growth (lung, stomach, etc.)	un-treatable	

Prognostic Score	Treatment goal	Surgical strategy
2	long-term local control	wide or marginal excision
3		
4	middle-term local control	marginal or intralesional excision
5		
6	short-term palliation	palliative surgery
7		
8	terminal care	supportive care
9		
10		

*No visceral mets = 0 point, **Bone mets = including spinal mets

図 II-12-26 富田分類（文献 29 より）

表 II-12-13　relationship of three skeletal groups to the presumptive time sequence of tumor spread and contents of active bone marrow
（文献 33 より）

Skeletal groups		Presumptive time sequence of tumor spread	Contents of active bone marrow (range ; average)
Central (C)	lumbar spine, thoracic spine, ribs	early	plentiful (12.3-16.4% ; 14.8%)
Mid (M)	pelvis, skull, cervical spine, sternum	intermediate	intermediate (3.3-26.1% ; 10.8%)
Peripheral (P)	femora, humeri, clavicles, scapulae	late	scarce (0.8-6.7% ; 3.1%)

d. 片桐らによる骨転移の予後予測

脊椎転移に限ったスコアリングではないが，骨転移全般に対して広く用いられている。この予後予測スコアは，原発巣の種類を分子標的薬の適応やホルモン療法に対する感受性の概念も取り入れたもので，さらに採血データを参考にCRP上昇，LDH上昇，低アルブミン血症のいずれかを認める場合を"abnormal"，血小板低下，高カルシウム血症，総ビリルビン上昇のいずれかを認める場合を"critical"として加えていることが特徴である。6項目の合計点(0～10点)で予後を予測する(表Ⅱ-12-14)。

performance status は Eastern Cooperative Oncology Group performance status(ECOG PS)(表Ⅱ-12-15)を使用する。

e. Spinal Instability Neoplastic score：SINスコア[22]

骨破壊による脊椎の不安定性評価に有用で，13点以上は不安定と評価される(7～12点：軽度不安定)。

- spine location
  - 3点：junctional(Oc-C2，C7-T2，T11-L1，L5-S1)
  - 2点：mobile spine(C3-C6，L2-4)
  - 1点：semi-rigid(T3-10)
  - 0点：rigid(S2-5)
- mechanical pain
  - 3点：pain relief with recumbency and/or pain with movement/loading of the spine
  - 1点：occasional pain without mechanical characteristics
  - 0点：pain free lesion
- bone lesion quality
  - 2点：lytic
  - 1点：mixed(lytic/blastic)
  - 0点：blastic

表Ⅱ-12-14 片桐らによる骨転移の予後予測(文献34より)

Prognostic factor			Regression coefficient	Score
Primary site				
Slow growth		Hormone-dependent breast and prostate cancer, thyroid cancer, multiple myeloma, and malignant lymphoma		0
Moderate growth		Lung cancer treated with molecularly targeted drugs, hormone-independent breast and prostate cancer, renal cell carcinoma, endometrial and ovarian cancer, sarcoma, and others	0.99	2
Rapid growth		Lung cancer without molecularly targeted drugs, colorectal cancer, gastric cancer, pancreatic cancer, head and neck cancer, esophageal cancer, other urological cancers, melanoma, hepatocellular carcinoma, gallbladder cancer, cervical cancer, and cancers of unknown origin	1.70	3
Visceral metastasis		Nodular visceral or cerebral metastasis	0.65	1
		Disseminated metastasis[1]	1.11	2
Laboratory data		Abnormal[2]	0.64	1
		Critical[3]	1.04	2
ECOG PS		3 or 4	0.73	1
Previous chemotherapy			0.32	1
Multiple skeletal metastasis			0.43	1
Total				10

[1]Disseminated metastasis：Pleural, peritoneal, or leptomeningeal dissemination.
[2]Abnormal：CRP≧0.4 mg/dL, LDH≧250 IU/L, or serum albumin＜3.7 g/dL.
[3]Critical：platelet＜100,000/μL, serum calcium≧10.3 mg/dL, or total bilirubin≧1.4.

表Ⅱ-12-15 Eastern Cooperative Oncology Group performance status（ECOG PS）日本語版（文献35, 36より）

Score	定義
0	全く問題なく活動できる。発病前と同じ日常生活が制限なく行える。
1	肉体的に激しい活動は制限されるが，歩行可能で，軽作業や座っての作業は行うことができる。例：軽い家事，事務作業
2	歩行可能で自分の身の回りのことはすべて可能だが作業はできない。日中の50％以上はベッド外で過ごす。
3	限られた自分の身の回りのことしかできない。日中の50％以上をベッドか椅子で過ごす。
4	全く動けない。自分の身の回りのことは全くできない。完全にベッドか椅子で過ごす。

- radiographic spinal alignment
  - 4点：subluxation/translation（＋）
  - 2点：de novo deformity（kyphosis/scoliosis）
  - 0点：normal alignment
- vertebral body collapse
  - 3点：＞50％ collapse
  - 2点：＜50％ collapse
  - 1点：no collapse with＞50％ body involved
  - 0点：no vertebral body involvement
- posterolateral involvement of spinal elements（facet, pedicle or costovertebral joint fracture or replacement with tumor）
  - 3点：bilateral
  - 1点：unilateral
  - 0点：no tumor involvement of posterior elements

●手術選択

富田のスコア表（図Ⅱ-12-26b）では，以下のように治療戦略を示している。
- 2点，3点の患者にTESまたはmarginal excision。
- 4点，5点の患者にmarginal excisionまたはintralesional excision。
- 6点，7点の患者にdecompression and stabilization。
- 8点，9点，10点の患者には手術適応はない。

徳橋スコア（表Ⅱ-12-16）では，12〜15点の患者に根治術（腫瘍摘出），9〜11点の患者には姑息術（除圧固定術）を行うことを提唱している。

●生命予後

富田らはスコア表（図Ⅱ-12-26b）によってゴールを4つに分けている（retrospective study）[29]。
- 2点，3点の患者には長期間の局所コントロール。
- 4点，5点の患者には中期間の局所コントロール。
- 6点，7点の患者には短期間の姑息的治療。
- 8点，9点，10点の患者には，ターミナルケア。

それぞれの平均生存期間は，次のように示している（prospective study）。
- 長期間：38.2カ月
- 中期間：21.5カ月
- 短期間：12カ月
- ターミナル：5.3カ月

徳橋らの予後判定点数（表Ⅱ-12-16）では，次のように示している。
- 総計0〜8点：85％が生存期間6カ月以内
- 総計9〜11点：73％が生存期間6カ月以上
- 総計12〜15点：95％が生存期間1年以上

Tatsuiらによる予後予測（表Ⅱ-12-17）によると，原発巣別生存率は乳がん，前立腺がんで

表Ⅱ-12-16 転移性脊椎腫瘍に対する術前予後判定点数（1998年改訂の徳橋スコア）（文献32より）

			点数
1.	全身状態 (performance status)	不良（PS 3, 4）	0
		中等度（PS 2）	1
		良好（PS 0, 1）	2
2.	脊椎以外の他の骨転移数	3≧	0
		1～2	1
		0	2
3.	脊椎転移の数	3≧	0
		2	1
		1	2
4.	原発巣の種類	肺，食道，胃，膀胱，膵，骨肉腫	0
		肝，胆嚢，不明	1
		その他	2
		腎，子宮	3
		直腸	4
		乳，前立腺，甲状腺，カルチノイド	5
5.	主要臓器転移の有無	切除不能	0
		切除可能	1
		転移なし	2
6.	麻痺の状態	Frankel A, B	0
		Frankel C, D	1
		Frankel E	2
			計15点

予想予後：総計0～8点→6カ月＞，9～11点→6カ月≦，12～15点→1年≦

表Ⅱ-12-17 survival rate from initial accumulation in the spine（%）（文献37より）

Primary Lesion	6 months	1 year	3 years
Pulmonary cancer	49.9	21.7	3.3
Breast cancer	89.0	77.7	48.3
Prostatic cancer	98.2	83.3	56.8
Cervical cancer	63.3	44.6	25.8
Renal cancer	51.2	51.2	39.5
Gastric cancer	15.3	0.0	0.0

は予後良好だが，肺がん，胃がんでは予後不良である．1年生存率で比べると乳がんが77.7%，前立腺がんが83.3%，肺がんが21.7%，胃がんは0%である．

山下らによる予後予測では，前述のstage分類により生存期間が有意に異なり，生存期間の中間値はstage 1で43カ月，stage 2で32カ月，stage 3で16カ月であった（図Ⅱ-12-27）．

さらに生命予後に影響する因子として，1）骨転移の広がり，2）腫瘍の広がりが進行性かどうか，3）骨硬化像がみられるかどうか，の3つの要素に0点または1点の点数を付け，1点は予後良好，0点は予後不良である（表Ⅱ-12-18）．

片桐スコアによる予後予測（表Ⅱ-12-19）では，次のように示している．

- 0～3点：6カ月生存率98%，1年生存率91%，2年生存率78%
- 4～6点：6カ月生存率74%，1年生存率49%，2年生存率28%
- 7～10点：6カ月生存率27%，1年生存率6%，2年生存率2%

それぞれの生存期間の中央値は，0点（16カ

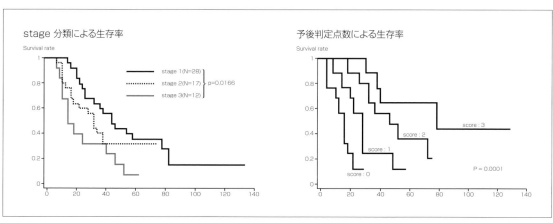

図Ⅱ-12-27 骨転移を有する乳がん患者の予後（文献33より）

表Ⅱ-12-18 乳がん骨転移における予後因子の特長（文献33より）

Prognostic factor	Favorable (score：1)	Unfavorable (score：0)
extent of tumor spread on bone scan	stage 1	stage 2, 3
progression of tumor spread on serial bone scans	no	yes
evidence of ostesclerosis on bone X-ray*	yes	no

*when bone metastases first presented or after systemic therapy

表Ⅱ-12-19 片桐スコアによる6カ月，12カ月，24カ月生存率（文献34より）

Prognostic score	Survival rate (95%confidence interval)		
	6 months	12 months	24 months
0-3	0.981 (0.956-1.000)	0.914 (0.859-0.969)	0.778 (0.698-0.858)
4-6	0.740 (0.693-0.787)	0.493 (0.440-0.546)	0.276 (0.229-0.323)
7-10	0.269 (0.222-0.316)	0.060 (0.035-0.085)	0.021 (0.005-0.037)

月），1点（27カ月），2点（45カ月），3点（77カ月）であった．ただし，臨床的に骨外の転移巣が存在しない患者を対象とした（図Ⅱ-12-27）．

5 各論

●肺がん

肺がんは約80％を占める非小細胞肺がんと小細胞肺がんに大別される．小細胞肺がんは早期から転移傾向が強く悪性度は高いが，化学療法や放射線に対する感受性が高い．非小細胞がんは腺がんが大半を占めるが，扁平上皮がん，大細胞がん等に対してもⅠ～Ⅲ期までは手術，放射線，化学療法による治療が行われ，多臓器に転移を認めるⅣ期と再発例では化学療法が主である．切除不能かつ根治的放射線治療が不能な場合，ドライバー遺伝子（EGFR，ALK，ROS-1，BRAF）変異陽性ならプラチナ製剤のほか，対応する分子標的薬も用いられる．分子標的治療薬，抗PD-L1抗体等による免疫療法により治療成績は向上しているが，同時に間質性肺炎や大腸炎，皮膚・神経障害などの重篤な副作用も少なくない．

●乳がん

10年生存率が80％を超え比較的予後が良好

なため，定期的な骨シンチグラフィによる検索や，背部痛などが出現すれば早期に全脊柱MRIにて転移を検索し，早い時期に手術あるいは放射線療法などの脊椎転移に対する治療方針を決定することが重要である．原発巣治療後10年以上経過して，骨や脊椎転移を発症することがあるので注意を要する．

脊椎転移には，3つのタイプがある．すなわち，1)溶骨型(63％)，2)骨硬化型(7％)，3)混合型(30％)で，溶骨型が脊椎変形，脊髄圧迫を最も引き起こしやすい．

原発巣だけでなく，脊椎転移巣にもホルモン療法，化学療法，放射線療法は効果がある．ただし，estrogen receptor感受性のない乳がん(約10％)には，ホルモン療法は効果がない．骨シンチグラフィで集積を認め，X線上骨融解像が存在するか，CTやMRIにて転移が明らかな場合は，ゾレドロン酸水和物やデノスマブなどの骨修飾薬の使用が推奨されている．

●前立腺がん

剖検において，50歳以上の男性の24～46％にみられる．リンパ節転移が最も多く，次に骨転移が多い．前立腺がんのおよそ90％は，骨転移すると骨硬化病変としてとらえられる．

ホルモン療法が効果的で，抗男性ホルモン剤が用いられる．前立腺がんの脊椎転移に対しては放射線療法が有効であり，手術を要することは少ない．麻痺が強くても未治療の前立腺がんによる脊椎転移であればホルモン療法と放射線療法による保存治療が有効なので，まずは泌尿器科に相談する[38]．

一般的には予後は良好だが，急速に全身状態が悪化するタイプや，凝固系の異常を呈してくる予後の悪いタイプ(骨髄がん症)があるので注意する．

●腎がん

男女比はおよそ2対1で男性に多い．約80％は近位尿細管に由来する上皮性悪性腫瘍である．10～50％の患者で骨転移が認められる．5年生存率はおよそ10～75％である．C反応性蛋白(C-reactive protein：CRP)と乳酸脱水素酵素(lactate dehydrogenase：LDH)がともに高値な転移例は予後不良である．骨転移の部位としては，肋骨・胸椎・腰椎・腸骨などが挙げられる．

ホルモン療法，化学療法，放射線療法には抵抗性なので，分子標的治療薬には術前治療を考慮したうえで，可能ならば手術療法を考慮する．腎細胞がんはhypervascularの腫瘍であり，血行性転移が主である．脊椎転移巣においても血行が豊富であり，出血コントロールのため可能な状態なら手術前48時間以内に塞栓術(transcatheter intraarterial embolization：TIE)を行ってから手術を計画する．

図Ⅱ-12-28に74歳男性の腎がん胸椎転移の症例を示す．

●受診時原発不明の脊椎転移

肺がん，腎がん，多発性骨髄腫，前立腺がん，肝がん，悪性リンパ腫などが多いので，まずは早期に胸腹部CTと，各腫瘍マーカー(PSA，CEA，CA15-3，s-IL2レセプター)や，免疫電気泳動のチェックを行うと同時に，甲状腺，乳房の触診，直腸指診を行うことが重要である．次に，消化器系，婦人科・泌尿器科系の悪性腫瘍検索を行う．PET検査も可能なら行う．前述したように未治療の前立腺がんによる脊椎転移であれば，ホルモン療法と放射線療法による保存治療が非常に有効である[38]．

図Ⅱ-12-29に稀な転移性脊椎腫瘍の症例を示す．

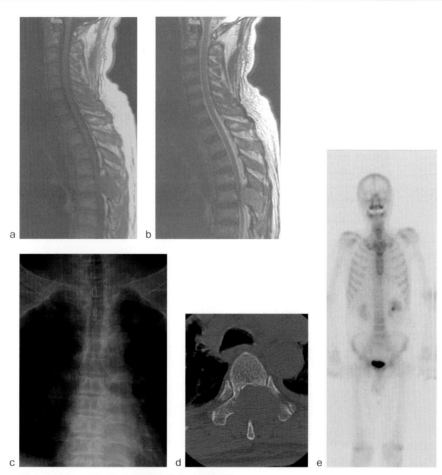

図 II-12-28　腎がんの胸椎転移(74 歳男性)
　a：頚胸椎 MRI T1 強調矢状断像, b：頚胸椎 MRI T2 強調矢状断像, c：胸椎 X 線正面像, d：胸椎 CT 横断像(T5), e：骨シンチグラフィ
　腎がんの診断にて左腎摘出術後に急速に両下肢麻痺が進行した. 緊急 MRI(a, b)にて T5 後方要素への転移と診断し, 緊急除圧固定術により麻痺は改善した. X 線(c)では気管陰影と重なり, 椎弓と椎弓根の骨透亮像がはっきりせず, 腎摘出術前の骨シンチグラフィ(e)では骨転移が診断できなかったが, CT(d)にて骨破壊が明白である.

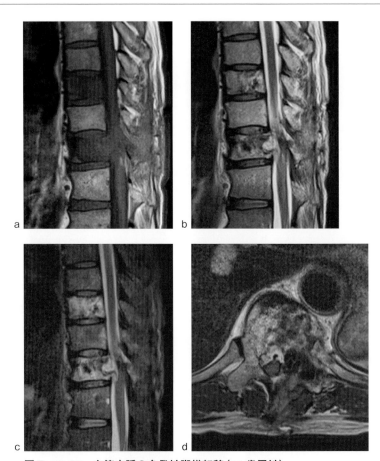

図II-12-29　血管肉腫の多発性脊椎転移（60歳男性）
　a：胸椎MRI T1強調矢状断像，b：胸椎MRI T2強調矢状断像，c：胸椎MRI STIR矢状断像，d：胸椎MRI T2強調横断像（T11）

　腰痛が主訴で，神経学的異常は認めず．MRIにてT9, 11に転移病巣を疑う所見あり，T2強調像およびSTIR像にて椎体の不均一な高輝度変化を認め血流に富む腫瘍であることが覗われる（a～d）．腫瘍マーカーなどの血液検査，原発巣検索のPET/CTで原発巣不明．生検にて1,300 mLの出血を認めたが，組織採取するも病理診断は得られず．生検後，徐々に下肢麻痺が進行してきたため放射線療法を選択した．その後，心囊病巣からの出血により心タンポナーデ，胸腔内出血を繰り返し死亡に至った．病理解剖にて肝臓原発の血管肉腫と診断した（術前CTでは肝臓病変は血管腫と判断されていた）．

引用文献

1) 日本整形外科学会骨軟部腫瘍委員会 編：全国骨腫瘍登録一覧表（平成18年度）．国立がんセンター，2006．
2) Gelb DE, Bridwell KH：Benign tumors of the spine. The Textbook of Spinal Surgery 2nd ed, Lippincott-Raven, Philadelphia, pp1959-1981, 1997.
3) Levine AM, Crandall DG：Treatment of Primary Malignant Tumors of the Spine and Sacrum. The Textbook of Spinal Surgery 2nd ed, Lippincott-Raven, Philadelphia, pp1983-2006, 1997.
4) Todd LT Jr, Yaszemski MJ, Currier BL, et al：Bowel and bladder function after major sacral resection. Clin Orthop 397：36-39, 2002.
5) Enneking WF：Spine. Musculoskeletal tumor surgery, Churchill Livingstone, New York, pp303, 1983.
6) Chawla S, Henshaw R, Seeger L, et al：Safety and efficacy of denosumab for adults and skeletally mature adolescents with giant cell tumour of bone：interim analysis of an open-label, parallel-group, phase 2 study. Lancet Oncol 14：901-908, 2013.
7) Hosalkar HS, Jones KJ, King JJ, et al：Serial arterial embolization for large sacral giant-cell tumors. Mid- to long-term results. Spine 32：1107-1115, 2007.
8) 中井健一郎，宮内　晃，鈴木省三，他：成人の脊椎に発生した好酸球性肉芽腫症の1例．大労医誌 24：45-49，2000．

9) Dickinson LD, Farhat SM：Eosinophilic granuloma of the cervical spine. A case report and review of the literature. Surg Neurol 35：57, 1991.
10) Silberstein MJ, Sundaram M, Akbarnia B, et al：Eosinophilic granuloma of the spine. Radiologic case study. Orthopedics 8：164, 1985.
11) Boriani S, Capanna R, Donati D, et al：Osteoblastoma of the spine. Clin Orthop 278：37, 1992.
12) Nemoto O, Moser RP Jr, Van Dam BE, et al：Osteoblastoma of the spine. A review of 75 cases. Spine 15：1272, 1990.
13) Rajkumar SV, et al：International Myeloma Working Group updated criteria for the diagnosis of multiple myeloma. Lancet Oncol 15：e538-548, 2014.
14) 富田勝郎：OS NOW No. 22 胸腰椎・腰椎・仙椎疾患の手術療法, メジカルビュー社, pp188-196, 1996.
15) Gunterberg B, Romanus B, Stener B：Pelvic strength after major amputation of the sacrum. An experimental Study. Acta Orthop Scand 47：635-642, 1976.
16) Brithaye J, Ectors P, LeMort M, et al：The management of spinal epidural metastases. Adv Tech Stand Neurosurg 16：121-176, 1988.
17) Tofe AJ, Francis MD, Harvey WJ：Correlation of neoplasmas with incidence and localization of skeletal metastasis：An analysis of 1355 diphosphonate bone scans. J Nucl Med 16：986-989, 1975.
18) 富田勝郎, 川原範夫, 土屋弘行：転移性脊椎腫瘍の手術治療方針. 日脊会誌 6：25-33, 1996.
19) Laufer I, Rubin DG, Lis E, et al：The NOMS framework：approach to the treatment of spinal metastatic tumors. Oncologist 18：744-751, 2013.
20) Gerszten PC, Mendel E, Yamada Y：Radiotherapy and radiosurgery for metastatic spine disease：what are the options, indications, and outcomes? Spine 34 (22 Suppl)：S78-S92, 2009.
21) Yamada Y, Katsoulakis E, Laufer I, et al：The impact of histology and delivered dose on local control of spinal metastases treated with stereotactic radiosurgery. Neurosurg Focus 42：E6, 2017.
22) Fisher CG, DiPaola CP, Ryken TC, et al：A novel classification system for spinal instability in neoplastic disease：an evidence-based approach and expert consensus from the Spine Oncology Study Group. Spine 35：E1221-E1229, 2010.
23) Greenberg HS, Kim JH, Posner JB：Epidural spinal cord compression from metastatic tumor：results with a new treatment protocol. Ann Neurol 8：361-366, 1980.
24) Rubin P, Casarett GW：Radiopathologic basis of the radiosensitivity and radioresistance of tumors. Clinical radiation pathology, WB Saunders, Philadelphia, 1968.
25) Hortobagyi GN, Theriault RL, Porter L, et al：Efficacy of pamidronate in reducing skeletal complications in patients with breast cancer and lytic bone metastases. Protocol 19 Aredia Breast Cancer Study Group. N Engl J Med 335：1785-1791, 1996.
26) Theriault RL, Lipton A, Hortobagyi GN, et al：Pamidronate reduces skeletal morbidity in woman with advanced breast cancer and lytic bone lesions：a randomized, placebo-controlled trial. Protocol 18 Aredia Breast Cancer Study Group. J Clin Oncol 17：846, 1999.
27) Diel IJ, Solomayer EF, Costa SD, et al：Reduction in new metastasis in breast cancer with adjuvant clodronate treatment. N Engl J Med 339：357-363, 1998.
28) Patchell RA, Tibbs PA, Regine WF, et al：Direct decompressive surgical resection in the treatment of spinal cord compression caused by metastatic cancer：a randomised trial. Lancet 366：643-648, 2005.
29) Tomita K, Kawahara N, Kobayashi T, et al：Surgical strategy for spinal metastases. Spine 26：298-306, 2001.
30) Tokuhasi Y, Matuzaka H, Toriyama S, et al：Scoring System for the Preoperative Evaluation of Metastatic Spine Tumor Prognosis. Spine 15：1110-1113, 1990.
31) Tokuhashi Y, Matsuzaki H, Oda H, et al：A revised scoring system for preoperative evaluation of metastatic spine tumor prognosis. Spine 30：2186-2191, 2005.
32) 徳橋泰明：転移性脊椎腫瘍に対する手術治療の最前線. 脊椎脊髄 12：497-506, 1999.
33) 山下和夫：乳癌の骨転移における予後因子の研究. 日整会誌 62：191-203, 1988.
34) Katagiri H, Okada R, Takagi T, et al：New prognostic factors and scoring system for patients with skeletal metastasis. Cancer Medicine 3：1359-1367, 2014.
35) Oken M, Creech R, Tormey D, et al：Toxicity and response criteria of the Eastern Cooperative Oncology Group. Am J Clin Oncol 5：649-655, 1982.
36) ECOG Performance Status 日本語訳 http://www.jcog.jp/doctor/tool/C_150_0050.pdf
37) Tatsui H, Onomura T, Morisita S, et al：Survival rates of Patients With Metastatic Spinal Cancer After Scintigraphic Detection of Abnormal Radioactive Accumulation. Spine 21：2143-2148, 1996.
38) Kato S, Hozumi T, Yamakawa K, et al：Hormonal therapy with external radiation therapy for metastatic spinal cord compression from newly diagnosed prostate cancer. J Orthop Sci 18：819-825, 2013.

参考文献

39) 松井宣夫：脊椎腫瘍の診断と治療. 日整会誌 59：85-99, 1985.
40) 富田勝郎：脊椎腫瘍の画像診断の進め方. 整形外科 MOOK No. 65 脊椎・脊髄画像診断, 金原出版, pp192-201, 1993.
41) 松井宣夫 監：骨・軟部腫瘍. Atlas Now 骨・関節疾患の画像診断, 診断と治療社, pp36-38, 1997.
42) Sanjay BK, Sim FH, Unni KK, et al：Giant cell tumors of the spine. J Bone Joint Surg Br 75：148, 1993.
43) Schild SE, Buskirk SJ, Frick LM, et al：Radiotherapy for large symptomatic hemangiomas. Int J Radiat

Oncol Biol Phys 21：729, 1991.
44) Pettine KA, Klassen RA：Osteoid-osteoma and osteoblastoma of the spine. J Bone Joint Surg Am 68：354, 1986.
45) 白　隆光，宮内　晃，奥田真也，他：Spinal lesion of multiple myeloma. 日脊会誌 16：298，2005.
46) Yonemoto T, Tatezaki S, Takenouchi T, et al：The surgical management of sacrococcygeal chordoma. Cancer 85：878-883, 1999.
47) Fourney DR, Rhines LD, Hentschel SJ, et al：En bloc resection of primary sacral tumors：classification of surgical approaches and outcome. J Neurosurg Spine 3：111-122, 2005.
48) 佐藤啓二，他：骨転移癌の画像診断．MB Orthop 8（12）：3-8，1995.

13 脊髄腫瘍
spinal cord tumor

13-1. 疾患の概説

　脊髄腫瘍全体からみた組織別頻度は，神経鞘腫が40〜50％，髄膜腫が10〜15％，上衣腫，星細胞腫，血管系腫瘍，囊腫（類上皮囊腫，類皮腫）がそれぞれ5％前後を占める[1]。硬膜内腫瘍が過半数を占め，その多くは硬膜内髄外腫瘍である。

　脊髄円錐部に発生する脊髄腫瘍は，頻度としては硬膜内髄外腫瘍の神経鞘腫が約半数を占めるが，上衣腫（粘液乳頭状上衣腫）や血管性腫瘍，脊髄動静脈奇形を常に念頭に置いて鑑別する必要がある。

　髄内腫瘍は脊髄腫瘍のおよそ5〜15％で，上衣腫と星細胞腫がその大部分を占める。

13-2. 症状

　髄外腫瘍の主訴は疼痛が多いが，知覚障害は下肢から上行性のことが多い。それに対して，髄内腫瘍は下行性に知覚障害や運動障害が進展することが多い（図Ⅱ-13-1）。

13-3. 診断

　脊髄腫瘍の診断にはMRIが有用で，単純MRIと造影MRIは必須の検査である。術前に腫瘍の局在が明白に診断できない場合は，ミエログラフィやCTミエログラフィも有用な検査である（図Ⅱ-13-2）。脊髄腫瘍はときに，後述の脊髄炎や血管障害，脊髄脱髄疾患との鑑別が困難なことがある。その場合は，症状や画像の時間的経過も重要な参考所見となる。

　脊髄腫瘍の確定診断は病理組織によるが，脊椎腫瘍や四肢の軟部腫瘍と異なり，生検を行うことが困難なため，臨床的には摘出後の摘出標本による診断となる。

　表Ⅱ-13-1に脊髄髄内腫瘍と鑑別すべき疾患を示す[12〜17]。

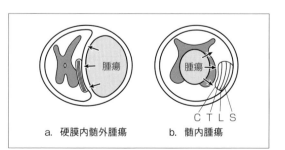

図Ⅱ-13-1　脊髄腫瘍の部位別症状進展
　C：cervical，T：thoracic，L：lumbar，S：sacral
　a：温痛覚の上行路である脊髄視床路（spinothalamic tract）と脊髄下行路である皮質脊髄錐体路（corticospinal pyramidal tract）は仙骨部が外側，頚椎部が内側を通るので，上行性に知覚運動障害が進展しやすい。b：髄内腫瘍の場合，腫瘍の存在する髄節から下行性に知覚運動障害が進展する。

表Ⅱ-13-1　脊髄髄内腫瘍の鑑別診断

1）脱髄疾患（MS，SLE，ADEM）
2）脊髄サルコイドーシス：脊髄浮腫が生じ得る。
3）脊髄炎
4）脊髄梗塞：MRI T2強調画像で脊髄がびまん性高信号を示す。
5）脊髄動静脈奇形：type Ⅰ（dural AVM）が最も多い。
6）白血病，悪性リンパ腫

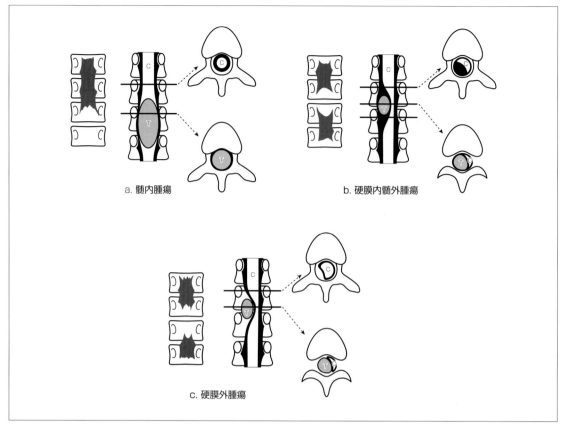

図Ⅱ-13-2　脊髄腫瘍のミエログラフィ・CTミエログラフィ所見
　a：造影剤のリングは細くなり，脊髄は全体に太く腫大して見える（腫大像）。b：ミエログラフィでは特徴的な騎跨状（capping）を呈する。脊髄は片側へ圧迫されるため腫瘍の直上では造影剤のpoolingが認められる。腫瘍レベルでは造影剤リングは大きく，腫瘍で圧排された脊髄が見える。c：ミエログラフィでは特徴的な先細り停留像（tapering）を呈する。造影剤のリングは徐々に片側へ圧排され，腫瘍の直上でも造影剤のpoolingは認められない。腫瘍レベルでは脊髄と造影剤リングがともに片側へ偏位して見える（C：脊髄，T：腫瘍）。

a. 多発性硬化症（multiple sclerosis：MS）
　詳細はp93参照。

b. 急性散在性脳脊髄炎（acute disseminated encephalomyelitis：ADEM）
　詳細はp95参照。

c. 脊髄サルコイドーシス（sarcoidosis）
　詳細はp95参照。図Ⅰ-8-3（p96）に60歳男性の症例を示す。

d. 脊髄梗塞・出血
　詳細はp96，97参照。図Ⅱ-13-3に73歳男性の脊髄髄内出血の症例，図Ⅱ-13-4に75歳女性の硬膜下血腫の症例を示す。

e. 動静脈奇形（AVM）
　硬膜内AVMと硬膜AVMに大別される。硬膜内髄内AVMはnidusが髄内に存在し，流入動脈は前脊髄動脈の中心溝動脈が主体で髄内静脈を経て脊髄静脈へ還流する。硬膜内髄外AVMでは，流入動脈は前・後脊髄動脈で髄内静脈を経て脊髄辺縁の軟膜動静脈吻合（動静脈瘻：pial AVF）があり脊髄静脈へ還流する。硬膜AVMは根動脈の硬膜枝と根静脈間の直接吻合（dural AVF）で吻合部が椎間孔付近の硬膜上（または硬膜間）に存在する。硬膜内AVMは小児や若年者（平均約25歳）に多く，硬膜AVMは胸腰髄レベルに多く中高年に多い（平均約45歳）。髄内出血は硬膜内AVMに多い。髄内MRI T2高信号や異常増強像の頻度は硬膜AVMに多い（静脈うっ滞による二次的変化）。

f. 脊髄ヘルニア
　図Ⅱ-13-5に69歳女性の脊髄ヘルニアの症例を示す。

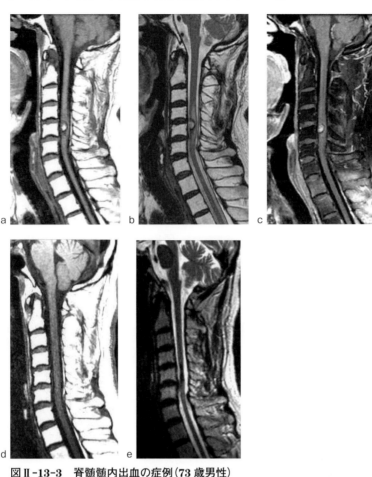

図Ⅱ-13-3 脊髄髄内出血の症例(73歳男性)
a：頸椎MRI T1強調矢状断像，b：頸椎MRI T2強調矢状断像，c：Gd造影後頸椎MRI T1強調矢状断像，d：半年後の頸椎MRI T1強調矢状断像，e：半年後の頸椎MRI T2強調矢状断像
左手握力低下と右下肢のしびれで発症するも半年で症状は自然消退した。

g. 腫瘍類似疾患

- **囊腫性病変**：juxta-facet cyst, epidermoid cyst, enterogenous cyst
- 歯突起後方腫瘤(retro-odontoid pseudotumor)[18〜25]

RAによる上位頸椎病変(前述)ではしばしば認められるが，環軸椎不安定性あるいは環軸関節の関節症性(OA)変化に伴って歯突起後方に硬膜外軟部腫瘤を認めることがある。後頭環椎関節あるいは環軸関節の関節症性変化に起因すると考え，筆者らは固定術を選択してきた。固定範囲は，環軸関節のみの変化であれば環軸椎固定(図Ⅱ-13-6)を，後頭環椎関節にも変化を認める場合(図Ⅱ-13-7)は後頭骨から軸椎までの固定を行う。腫瘤の切除は不要で，固定術後数カ月で腫瘤は消退する。Kobayashiらは固定した群と固定していない群を比較検討し，全体としての成績に有意な差はないものの固定群では有意に歯突起後方腫瘤の消退が認められたと報告している。しかし，環椎椎弓切除のみで良好な成績の報告もあり，固定術の是非に関しては結論が出ていない。

図Ⅱ-13-8に79歳女性のjuxta-facet cyst，図Ⅱ-13-9に66歳男性の類上皮囊腫，図Ⅱ-13-10に9歳女児の腸原発性囊腫(enterogenous cyst)，図Ⅱ-13-11に48歳男性の髄内囊腫の症例を示す。

- **肉芽性病変**：感染性，非感染性[26〜28]

図Ⅱ-13-12に34歳男性の髄内肉芽腫(結核腫)の症例を示す。

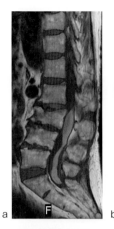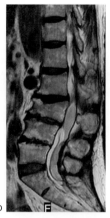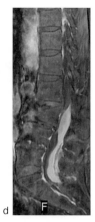
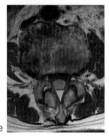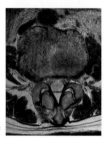

図Ⅱ-13-4　硬膜下血腫の症例（75歳女性）
a：腰椎 MRI T1 強調矢状断像，b：腰椎 MRI T2 強調矢状断像，c：腰椎 MRI 脂肪抑制像，d：Gd 造影後腰椎 MRI T1 強調矢状断像，e：MRI T1 強調横断像，f：MRI T2 強調横断像

右下肢痛と急性の筋力低下で発症し，腫瘍疑いにて紹介受診．特徴的な画像所見と約1カ月の経過観察で症状が消失し占拠病変も消失したことから硬膜下血腫と診断した．

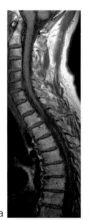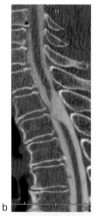
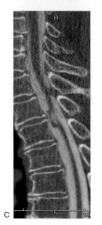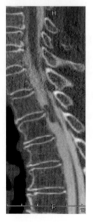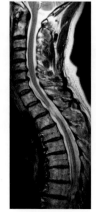

図Ⅱ-13-5　脊髄ヘルニアの症例（69歳女性）
a：頚胸椎 MRI T2 強調矢状断像，b：頚胸椎 MRI T1 強調矢状断像，c：頚胸椎 CT ミエログラフィ矢状断像

胸髄圧迫病変として紹介受診．画像的特徴から特発性脊髄ヘルニア（T2/3レベル）と診断し手術施行．

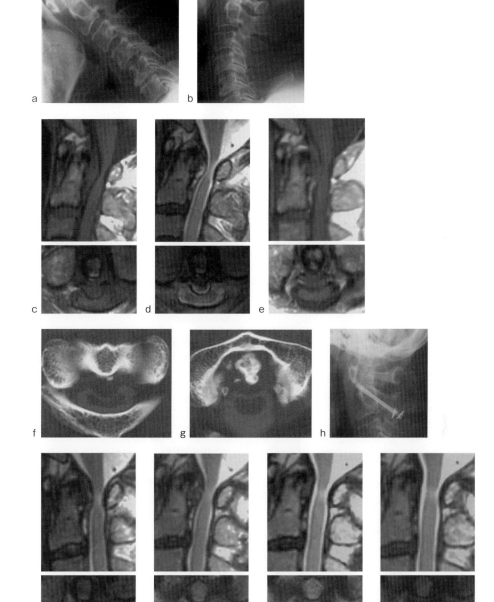

図II-13-6 歯突起後方腫瘤(retro-odontoid pseudotumor)(65歳男性)
　a：頸椎前屈位X線側面像，b：同，後屈位像，c：頸椎MRI T1強調像，d：同，T2強調像，e：同，Gd造影像(c, d, eは上段が矢状断像，下段が横断像)，f, g：頸椎CTミエログラフィ横断像，h：術後の頸椎X線側面像，i：術後経過MRI，術後1カ月，j：同，3カ月，k：同，6カ月，l：同，9カ月(i, j, k, lは上段がT2強調矢状断像，下段がT2強調横断像)

　右手の巧緻性障害と右上肢のしびれが主訴。歩行障害の訴えはなく，下肢腱反射も亢進を認めなかった。頸椎前屈位X線側面像でADI 7 mmの環軸椎不安定性を認めた。MRIにて歯突起後方に周囲が造影される腫瘤が存在し，髄内輝度変化も認めた。CTにて硬膜外腫瘤と環軸関節のOA変化を認めた。手術は環軸椎をMagerl法に準じてスクリュー固定し腸骨骨移植を行い腫瘤は放置したが，歯突起後方の腫瘤は術後徐々に縮小していき症状はほぼ消失した。

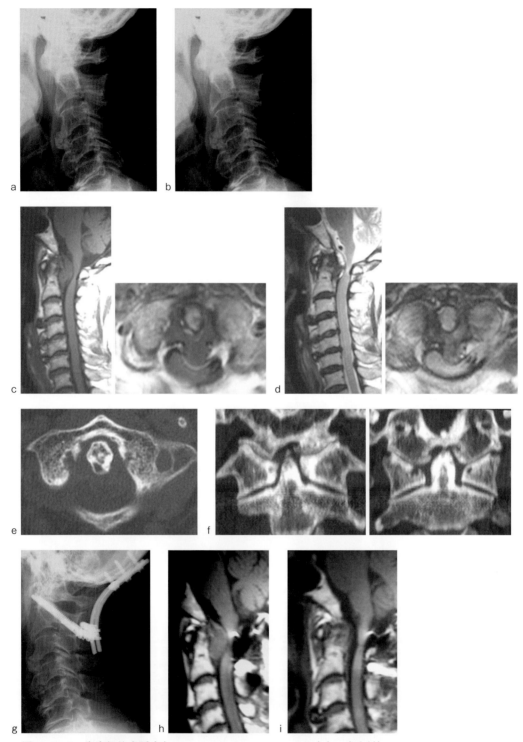

図 II-13-7　歯突起後方腫瘤（retro-odontoid pseudotumor）（77歳女性）
　a：頚椎前屈位 X 線側面像，b：同，後屈位像，c：頚椎 MRI T1 強調像（右が矢状断像，左が横断像），d：同，T2 強調像，e：頚椎 CT 横断像歯突起レベル，f：頚椎 MPR 冠状断像，g：術後の頚椎 X 線側面像，h：術後経過頚椎 MRI T1 強調矢状断像（術後 3 カ月），i：同，矢状断像（術後 6 カ月）

　左手の巧緻性障害と左上肢のしびれが主訴。左優位に上下肢腱反射の亢進を認めるも歩行障害は軽度であった。頚椎前屈位 X 線側面像で ADI 4 mm の軽度環軸椎不安定性を認め，MRI にて歯突起後方に軟部腫瘤が存在し，髄内輝度変化も認めた。CT にて環軸関節だけでなく後頭環椎関節にも OA 変化を認めたため，手術は後頭骨から軸椎まで固定した。術後は 3 カ月以降で歯突起後方の腫瘤は縮小していき症状はほぼ消失した。

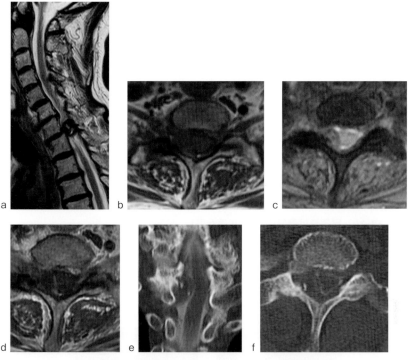

図Ⅱ-13-8　頚胸椎移行部に発生した juxta-facet cyst（79歳女性）
　a：頚胸椎 MRI T2 強調矢状断像，b：頚胸椎 MRI T1 強調横断像，c：頚胸椎 MRI T2 強調横断像，d：Gd 造影後頚胸椎 MRI T1 強調横断像，e：CT ミエログラフィ冠状断像，f：CT ミエログラフィ横断像（C7/T1）
　右肩甲部と右肘痛を主訴に来院。明らかな麻痺はなく，根ブロックにより一時的除痛が得られたので，C7/T1 右側椎間関節から発生した juxta-facet cyst による C8 神経根症と診断した。

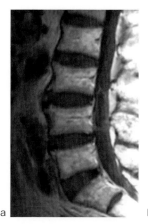
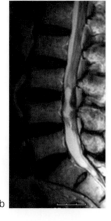

図Ⅱ-13-9　類上皮囊腫の症例（66歳男性）
　a：Gd 造影後腰椎 MRI T1 強調矢状断像，b：腰椎 MRI T2 強調矢状断像
　馬尾腫瘍（病理診断：epidermoid cyst）。

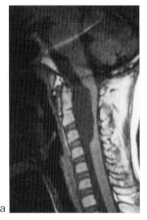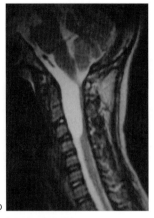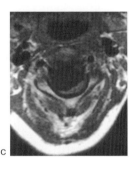

図 II-13-10　腸原発性嚢腫の症例（9 歳女児）
a：頚椎 MRI T1 強調矢状断像，b：頚椎 MRI T2 強調矢状断像，c：頚椎 MRI T1 強調横断像
発熱とともに後頚部痛が出現，硬膜内髄外腫瘍を疑われ受診した．術前 MRI にて脊髄前方に位置する嚢腫と診断し，後方から摘出した（病理診断：enterogenous cyst）．

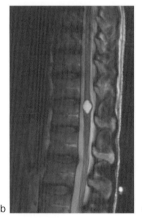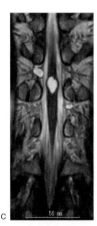

図 II-13-11　髄内嚢腫の症例（48 歳男性）
a：胸腰椎 MRI T1 強調矢状断像，b：胸腰椎 MRI T2 強調矢状断像，c：胸腰椎 MRI T2 強調冠状断像
34 歳時に T12 上縁レベルの髄内に嚢腫病変が発見されて以来，10 年以上大きさに変化はないが，ときに発作的に大腿部の痛みが出現する（ステロイド服用で疼痛は軽快する）．MRI では髄内腫瘤は T1 強調像にて低輝度，T2 強調像にて高輝度を示す（造影効果なし）．髄内の嚢腫と診断し，定期的に観察中である．

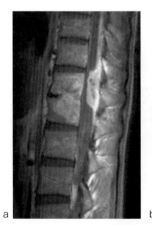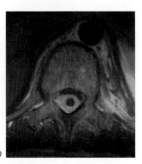

図 II-13-12　髄内肉芽腫（結核腫）の症例（34 歳男性）
a：胸椎 MRI T2 強調矢状断像，b：胸椎 MRI T2 強調横断像
結核性脊椎炎に合併した髄内肉芽腫（結核腫）．

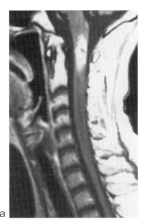
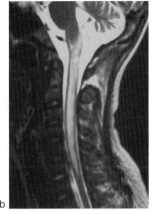

図 II-13-13　放射線性脊髄症の症例
a：頚椎 MRI T1 強調矢状断像，b：頚椎 MRI T2 強調矢状断像
8 歳時に急性白血病（ALL）を発症し，その後 2 度の再発に対して骨髄と中枢神経系に合計 48 Gy の放射線療法を施行した。15 歳時から左側の痙性不全麻痺が出現した。

■その他

図 II-13-13 に放射線性脊髄症（radiation myelopathy）の症例を示す。

13-4. 脊髄腫瘍各論

1 神経鞘腫〔schwannoma（=neurilemmoma, neurinoma）〕

- 神経鞘腫と神経線維腫（neurofibroma）で脊髄腫瘍の 1/2〜1/3 を占める。
- 硬膜内髄外腫瘍の約 50％を神経鞘腫と神経線維腫が占める（その他は，髄膜腫，神経芽腫，血管芽細胞腫，転移性腫瘍）。
- 神経鞘腫と神経線維腫を画像上鑑別することは不可能である。
- 40〜50 歳代に多く，20 歳以下の発症は少ない。50〜60 歳代では女性，40 歳代では男性の発症がやや多いが基本的には性差はない。
- 発生部位は，胸椎レベルが 40〜50％，腰仙椎レベルが 25〜35％，頚椎レベルがおよそ 25％である。
- 硬膜内発生の約 90％が後根（dorsal root, sensory root）から発生する（約 10％が ventral に存在する）。
- 50〜70％の症例が硬膜内で，硬膜内外両方に至っているのは 10〜25％である。
- 疼痛が患者の 75％に存在し，腫瘍が尾側に向かうに従って頻度は増す。
- MRI では一般的には，T1 強調像で低信号，T2 強調像と造影像で高信号を示すが，嚢腫状やリング状を呈し不均一に造影されることが多い。
- カフェオレ斑や聴神経鞘腫がなく，神経線維腫症（neurofibromatosis：NF）が否定されても，多発性の神経鞘腫症はときに存在する[29]。
- 大きな砂時計型神経鞘腫の場合，あくまでも全摘出すべきか核出に止めるかは結論が得られていない。ただし，部分摘出の残存腫瘍の 74％は増大せずに経過しているとの報告がある[2]。
- 頚椎発生の神経鞘腫の場合，椎体破壊がなければ，C2 棘突起停止の筋群を温存すれば固定を要することはほとんどない[3]。

図 II-13-14 に 54 歳女性の神経鞘腫の症例を示す。

2 髄膜腫（meningioma）

- 40〜70 歳が好発年齢で 50 歳代が多い（およそ 80％が女性である）。しかし，部位による性差もあり，胸椎レベルでは女性が 87％を占めるが，頚椎レベルでは女性が 61％，腰椎レベルでは性差はほとんどない[4]。

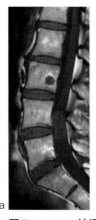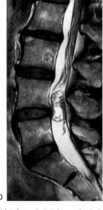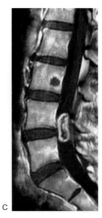

図Ⅱ-13-14　神経鞘腫の症例(54歳女性)
　a：腰椎 MRI T1 強調矢状断像，b：腰椎 MRI T2 強調矢状断像，
c：Gd 造影後腰椎 MRI T1 強調矢状断像
　馬尾腫瘍(病理診断：神経鞘腫)。

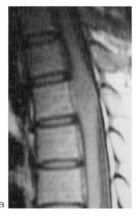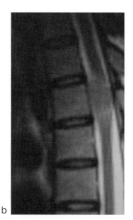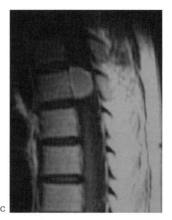

図Ⅱ-13-15　髄膜腫の症例(40歳女性)
　a：胸椎 MRI T1 強調矢状断像，b：胸椎 MRI T2 強調矢状断像，c：Gd 造影後胸椎 MRI T1 強調矢状断像
　胸髄硬膜内髄外腫瘍(病理診断：髄膜腫)。

- 大部分が良性だが，稀に悪性もある。また，悪性化の危険性もある。
- 硬膜内髄外腫瘍の中では神経鞘腫に次いで多い。
- 神経鞘腫との画像上の鑑別ポイント：ともに MRI T1 強調像で低信号，T2 強調像で高信号を示すが，神経鞘腫でより T2 強調像で高信号の傾向が強い。神経鞘腫のほうがより鮮明に造影され，造影効果は不均一の傾向がある。形態的に神経鞘腫は丸く，髄膜腫は造影したときに硬膜側が直線の半円状が多く，硬膜にベッタリ張り付いているように見える（marginal dural thickening あるいは dural tail sign）(図Ⅱ-13-15c, 16c, 17c 参照)。
- 発症部位は，胸椎がおよそ60～80%，次いで頸椎に多く，円錐部～馬尾レベルは稀である。後外側が全体の約半数を占めるが，胸椎では後外側に多く，頸椎では前外側に多い。腫瘍の硬膜付着部が歯状靱帯の腹側に位置するものが73%で，背側に位置するものが27%と報告されている[5]。
- 再発率は数%との報告が多い[5]。しかし，Mirimanoff によると10年で13%に再発を認めているとの報告もある[6]。歯状靱帯から発生し，硬膜の処置が再発に関与するとされる。図Ⅱ-13-15～17に髄膜腫の症例を示す。

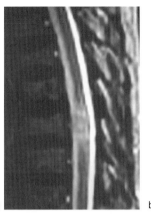

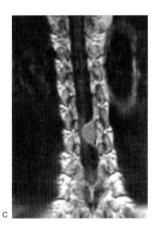

図Ⅱ-13-16　髄膜腫の症例（75歳女性）
　a：胸椎MRI T2強調矢状断像，b：Gd造影後胸椎MRI T1強調矢状断像，c：Gd造影後胸椎MRI T1強調冠状断像
　胸髄硬膜内髄外腫瘍（病理診断：髄膜腫）。Gd造影後胸椎MRI T1強調冠状断像（c）にてdural tail signがはっきり見える。

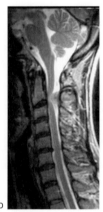

図Ⅱ-13-17　髄膜腫の症例（44歳女性）
　a：頚椎MRI T1強調矢状断像，b：頚椎MRI T2強調矢状断像，c：Gd造影後頚椎MRI T1強調矢状断像
　頚髄硬膜内髄外腫瘍（病理診断：髄膜腫）。Gd造影像にてmarginal dural thickeningが明確に描出されている。

3　砂時計腫（dumbbell tumor）

- Lombardiによると，脊髄腫瘍371例中11%を占め，神経鞘腫が大部分を占めている[7]。
- Ozawaらによる解析でも，砂時計腫は脊髄腫瘍674例中18%を占め，69%が神経鞘腫（神経線維腫も合わせると80%），8.5%が悪性腫瘍であった。神経鞘腫ではC2根からの発生が19%を占めていた[8]。Eden分類ではtype 3が53%で最も多かった[9]。

■ Eden分類
　type 3（硬膜外・脊柱管外）＞type 2（硬膜内外・脊柱管外）
　type 1（硬膜内外）＞type 4（神経孔内・脊柱管外）

　図Ⅱ-13-18に砂時計腫（神経鞘腫）の症例を示す。

4　髄内腫瘍（intramedullary tumor）

　髄内腫瘍は脊髄腫瘍全体の5〜15%である

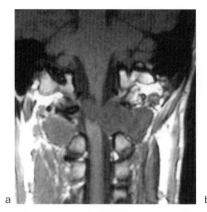
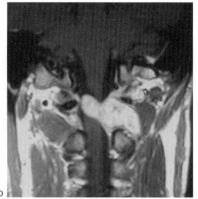

図Ⅱ-13-18　砂時計腫の症例（31歳男性）
a：頚椎 MRI T1 強調矢状断像，b：Gd 造影後頚椎 MRI T1 強調矢状断像
頚髄硬膜外 dumbbell 腫瘍（病理診断：神経鞘腫）．

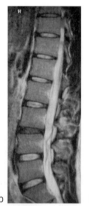
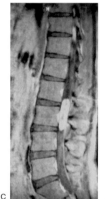
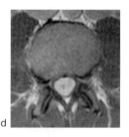

図Ⅱ-13-19　上衣腫の症例（28歳男性）
a：腰椎 MRI T1 強調矢状断像，b：同，T2 強調矢状断像，c：Gd 造影後腰椎 MRI T1 強調矢状断像，d：同，横断像
馬尾腫瘍（病理診断：上衣腫）．

が，ほとんどは上衣腫（ependymoma）や星細胞腫（astrocytoma）など神経膠腫（glial tumor）で，次いで血管芽細胞腫（hemangioblastoma），海綿状血管腫，悪性リンパ腫，転移性腫瘍と続く．成人発症では上衣腫の頻度が高く，小児発症例では星細胞腫の頻度が高くなる．

髄内腫瘍は，上衣腫や血管芽細胞腫などのように全摘出可能な腫瘍だけでなく，悪性度が高く全摘出不可能な星細胞腫も存在するため，術前の診断と治療方針が重要になってくる．自験例では，後述する脂肪腫（subpial lipoma）と術前に硬膜外髄外腫瘍と診断した血管芽細胞腫などの苦い経験があり，術前の画像診断と術中脊髄モニタリングの重要性を強調したい．

●**上衣腫（ependymoma）**

脊髄髄内腫瘍の 35〜60％ を占め，空洞形成や腫瘍内出血が特徴的である．円錐部に多いので，円錐部に発症した神経鞘腫の場合は鑑別が重要である．

図Ⅱ-13-19，20 に上衣腫の症例を示す．

●**星細胞腫（astrocytoma）**

30〜50 歳代，胸椎と頚椎に好発する．脊髄髄内腫瘍の約 25％ を占める．上衣腫に比べて腫瘍の境界が不明瞭で，浮腫による脊髄の腫大を呈することが多い．

図Ⅱ-13-21 に星細胞腫の症例を示す．

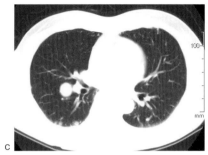

図Ⅱ-13-20 数十年にわたり局所再発を繰り返し，肺に遠隔転移した上衣腫の症例
a：腰椎MRI T2強調矢状断像，b：Gd造影後腰椎MRI T1強調矢状断像，c：胸部CT横断像
28歳時に馬尾腫瘍に対して摘出術を施行(L4/5)，その後経過良好であったが腫瘍再発にて49歳時に後腹膜腫瘍摘出，62歳と63歳時に再発し後方・前方から腫瘍摘出(intralesional excision)，動脈塞栓術と放射線療法(45 Gy)を施行するも，その10年後に再発し右肺門部に転移を認めた。肺転移が急速に広がり，1年後に死亡した[30]。

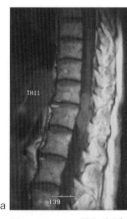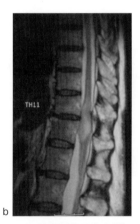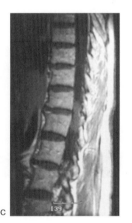

図Ⅱ-13-21 星細胞腫grade Ⅱの症例(67歳女性)
a：胸椎MRI T1強調矢状断像，b：胸椎MRI T2強調矢状断像，c：Gd造影後胸椎MRI T1強調矢状断像
脊髄円錐部の髄内腫瘍(病理診断：星細胞腫grade Ⅱ)。

●血管芽細胞腫(hemangioblastoma)

脊髄の後方に存在し，広範な空洞を形成することがある。腫瘍が髄内から髄外に広がり髄外腫瘍と鑑別を要することもある。

図Ⅱ-13-22に血管芽細胞腫の症例を示す[10]。

●その他

脂肪腫(約10%)や奇形腫，神経芽腫，類皮嚢腫(dermoid cyst)や類上皮嚢腫(epidermoid tumor)などの腫瘍あるいは腫瘍類似疾患も鑑別を要する。特に脊髄軟膜下脂肪腫(subpial lipoma)は完全摘出は不可能で，脊柱管拡大とくも膜切開にとどめるほうが無難なので術前診断は重要である。

図Ⅱ-13-23に60歳女性の胸髄髄内および髄外に及ぶ脊髄軟膜下脂肪腫(subpial lipoma)の症例を示す。

図Ⅱ-13-24に39歳男性の上衣芽細胞腫(ependymoblastoma)の症例を示す。

図Ⅱ-13-25に71歳男性の腸性嚢胞(enterogeneous cyst)の症例を示す[11]。

図Ⅱ-13-26に23歳女性の類上皮嚢腫(epi-

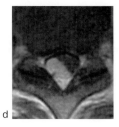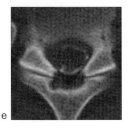

図Ⅱ-13-22 血管芽細胞腫の症例（43歳男性）[10]
　a：胸椎MRI T1強調矢状断像，b：胸椎MRI T2強調矢状断像，c：Gd造影後胸椎MRI T1強調矢状断像，d：Gd造影後胸椎MRI T1強調横断像，e：胸椎CTミエログラフィ横断像
　胸髄髄内および髄外に及ぶ脊髄腫瘍（病理診断：血管芽細胞腫）。

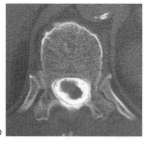

図Ⅱ-13-23 脊髄軟膜下脂肪腫（subpial lipoma）の症例（60歳女性）
　a：胸椎MRI T1強調矢状断像，b：胸椎CTミエログラフィ横断像
　術中可及的切除にとどめるも，術後一過性に神経症状が悪化した。subpial lipomaは，全摘出は不可能で脊柱管拡大とくも膜切開，硬膜パッチにとどめるほうが無難と考える。

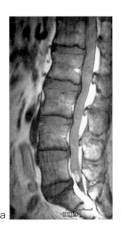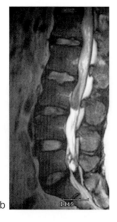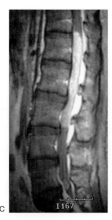

図Ⅱ-13-24 上衣芽細胞腫（ependymoblastoma）の症例（39歳男性）
　a：腰椎MRI T1強調矢状断像，b：腰椎MRI T2強調矢状断像，c：Gd造影後腰椎MRI T1強調矢状断像
　尿閉，両下肢疼痛と脱力で発症。緊急手術による除圧術にて円錐部から発生したependymoblastomaと診断，術後放射線療法を施行した。

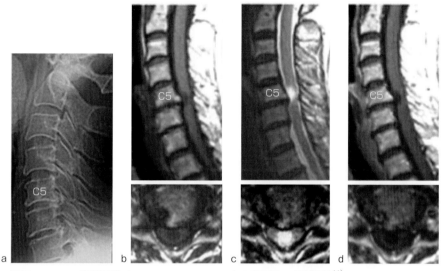

図Ⅱ-13-25　腸性嚢胞(enterogeneous cyst)の症例(71歳男性)[11]
　a：頚椎X線側面像，b：頚椎MRI T1強調矢状断像・横断像，c：頚椎MRI T2強調矢状断像・横断像，d：Gd造影後頚椎MRI T1強調矢状断像・横断像
　四肢のしびれと歩行障害で発症し，頚髄髄内に発生した嚢腫〔病理診断：腸性嚢胞(enterogeneous cyst)〕。C5/6に頚椎後縦靱帯骨化症(OPLL)を認める。

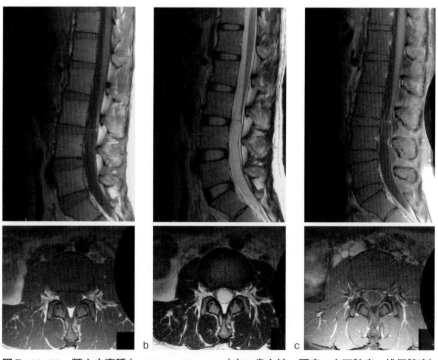

図Ⅱ-13-26　類上皮嚢腫(epidermoid tumor)(23歳女性：腰痛・左下肢痛・排尿障害)
　a：腰椎MRI T1強調矢状断像・横断像，b：腰椎MRI T2強調矢状断像・横断像，c：Gd造影後腰椎MRI T1強調矢状断像・横断像
　造影効果は認められない。

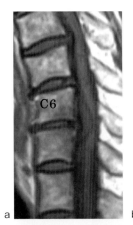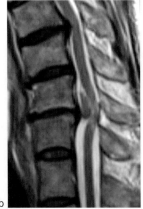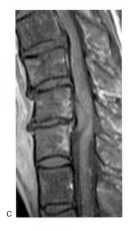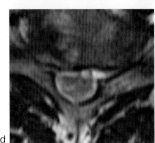

図Ⅱ-13-27　頸椎硬膜内外傷性神経腫（55 歳男性）
　a：頸椎 MRI T1 強調矢状断像，b：頸椎 MRI T2 強調矢状断像，c：Gd 造影後頸椎 MRI T1 強調矢状断像，d：頸椎 MRI T2 強調横断像（C6/7）
　明らかな外傷歴なく両下肢筋力低下による歩行困難が出現。術前は神経鞘腫や硬膜内ヘルニアなどを疑ったが，術後の組織診断にて外傷性神経腫と診断。
（松本富哉先生より提供）

dermoid tumor）の症例を示す[31]。馬尾に発生する類上皮嚢腫（epidermoid tumor）は再発しやすいので摘出には十分な注意が必要である。

図Ⅱ-13-27 に 55 歳男性の頸椎硬膜内外傷性神経腫の症例を示す[32]。

引用文献

1) 稲見州冶：脊髄円錐高位の脊髄腫瘍．脊椎脊髄 15：273-278, 2002.
2) 中村雅也, 石井 賢, 渡辺航太, 他：頸髄砂時計型神経鞘腫の手術成績．日脊会誌 19：39, 2008.
3) 平野 徹, 伊藤拓緯, 菊地 康, 他：頸部砂時計腫瘍手術後の脊柱変形．日脊会誌 19：40, 2008.
4) Solero CL, Fornari M, Giombini S, et al：Spinal meningiomas：review of 174 operated cases. Neurosurgery 25：153-160, 1989.
5) Sandalcioglu IE, Hunold A, Müller O, et al：Spinal meningiomas：critical review of 131 surgically treated patients. Eur Spine J 17：1035-1041, 2008.
6) Marimanoff RO, Dosoretz DE, Linggood RM, et al：Meningioma：analysis of recurrence and progression following neurosurgical resection. J Neurosurg 62：18-24, 1985.
7) Lombardi G, Passerini A：Spinal cord tumors. Radiology 76：381-391, 1961.
8) Ozawa H, Kokubun S, Aizawa T, et al：Spinal dumb bell tumors：an analysis of a series of 118 cases. J Neurosurg Spine 7：587-593, 2007.
9) Eden K：The dumb-bell tumours of the spine. Br J Sur 28：549-570, 1941.

参考文献

10) 高橋信太郎, 宮内 晃, 白 隆光, 他：髄内髄外に発生した脊髄血管芽腫の 1 例．臨整外 41：83-86, 2006.
11) 三輪俊格, 宮内 晃, 奥田真也, 他：頸髄髄内に発生した Neurenteric Cyst の 1 例．中部整災誌 46：766, 2003.
12) 吉良潤一：脱髄性疾患—特に髄内腫瘍との鑑別および治療について．脊椎脊髄 15：201-206, 2002.
13) 山本勇夫：非腫瘍性髄内病変の診断．脊椎脊髄 15：180-185, 2002.
14) Junger SS, Stern BJ, Levine SR, et al：Intramedullary spinal sarcoidosis. Neurology 43：333-337, 1993.
15) Lee M, Epstein FJ, Rezai AR, et al：Non-neoplastic intramedullary spinal cord lesions mimicking tumors. Neurosurgery 43：788-795, 1998.
16) Schwartz TH, McCormick PC：Non-neoplastic intramedullary pathology. J Neurooncol 47：283-292, 2000.
17) 中村雅也, 戸山芳昭：脊髄腫瘍の画像診断と治療．日脊会誌 16：472-486, 2005.
18) Sze G, Brant-Zawadzki MN, Wilson CR, et al：Pseudotumor of the craniovertebral junction associated with chronic subluxation：MR imaging studies. Radiology 161：391-394, 1986.
19) 中村茂子, 宮内 晃, 奥田真也, 他：神経症状を呈した脊柱管内嚢腫性病変（juxta-facet cyst）の 7 例．臨整外 39：85-92, 2004.

20) Yamaguchi I, Shibuya S, Arima N, et al：Remarkable reduction or disappearance of retroodontoid pseudotumors after occipitocervical fusion. Report of three cases. J Neurosurg Spine 5：156-160, 2006.
21) Suetsuna F, Narita H, Ono A, et al：Regression of retroodontoid pseudotumors following C-1 laminoplasty. Report of three cases. J Neurosurg Spine 5：455-460, 2006.
22) Chikuda H, Seichi A, Takeshita K, et al：Radiographic analysis of the cervical spine in patients with retro-odontoid pseudotumors. Spine 34：E110-E114, 2009.
23) 吉田宗人，玉置哲也，川上 守，他：環軸椎不安定症に伴う歯突起後方腫瘤の病態と治療．臨整外 30：395-402，1995．
24) Kakutani K, Doita M, Yoshikawa M, et al：C1 laminectomy for retro-odontoid pseudotumor without atlantoaxial subluxation：review of seven consecutive cases. Eur Spine J 22：1119-1126, 2013.
25) Kobayashi K, Imagama S, Ando K, et al：Post-operative regression of retro-odontoid pseudotumors treated with and without fusion. Eur Spine J 27：3105-3112, 2018.
26) Giovanini MA, Eskin TA, Mukherji SK, et al：Granulomatous angitis of the spinal cord. Neurosurgery 34：540-543, 1994.
27) Hnaci M, Sarioglu AC, Uzan M, et al：Intramedullary tuberculous abscess. Spine 21：766-769, 1996.
28) Ratliff JK, Connolly ES：Intramedullary tuberculoma of the spinal cord. J Neurosurg 90(1 Suppl)：125-128, 1999.
29) 多田昌弘：脊髄神経鞘腫症—臨床像と長期経過観察の重要性．整形外科 57：135-140，2006．
30) Fujimori T, Iwasaki M, Nagamoto Y, et al：Extraneural metastasis of ependymoma in the cauda equine. Global Spine J 3：33-40, 2013.
31) Morita M, Miyauchi A, Okuda S, et al：Intraspinal epidermoid tumor of the cauda equina region. Seven cases and a review of the literature. J Spinal Disord Tech 25：292-298, 2012.
32) 松本富哉，奥田真也，前野考史，他：明らかな外傷歴のない頚椎硬膜内外傷性神経腫の1例．中部整災誌 58：955-956，2015．

14 脊椎感染症
spinal infection

14-1. 化膿性脊椎炎(pyogenic spondylitis)

1 疾患の概説

　脊椎の化膿性炎症であるが，椎体，椎間板ともに侵されているのが通常である。血行性に発生するため必ず一次感染巣がある。椎間板は血行がないために感染に弱く(小児のときは血行が存在する)，椎体にさして変化を認めずに椎間板の破壊，消失が主なときは椎間板炎(discitis)という表現を使うが，椎体に全く病変が生じていない確率は低く，より包括的に脊椎・椎間板炎(spondylodiscitis)としてとらえるべきである(純粋な椎間板炎は血行が残存する幼少時期や，椎間板造影，髄核摘出術後などの感染では起こり得る)。
　疫学的には，50歳以上の中高齢者や，糖尿病などの基礎疾患を有し免疫能の低下した人(compromised host)に多い。

2 病態[17]

　一次感染巣から菌血症となり，血行感染として脊椎へ波及するのが一般的感染経路である。
　下大静脈への血行が何らかの原因で障害されると，泌尿器科疾患や腹部疾患からの細菌は肺へ達せず，無弁で圧の低い傍脊柱静脈叢(Batson静脈叢)を介して椎体に達するとされている。
　上位頚椎部は特異な静脈叢をもつ。歯突起周囲は咽頭椎体静脈と呼ばれ，静脈とリンパが吻合していて，これが血行性の感染波及に関与している。

●菌血症の原因疾患
・原因不明がおよそ1/3
・泌尿器・生殖器系感染
・軟部組織感染
・呼吸器感染

　また，麻薬などの薬物依存症や免疫抑制状態にある場合(immunocompromised host)は危険性を上げ，糖尿病の患者に多い。AIDSでは細胞性免疫が侵されるため化膿性脊椎炎よりも結核性脊椎炎(脊椎カリエス)になりやすいといわ

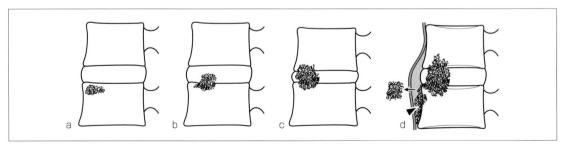

図Ⅱ-14-1　脊椎炎の進展様式(文献1より)
　a：典型的には椎体の軟骨下骨部前方がフォーカスになる。b：感染が終板に及び，椎間腔に到達する。c：隣接椎体に及び，椎間板腔の狭小化が起こる。d：感染は前縦靱帯に及び，椎体前方が破壊されるか(矢頭)，前縦靱帯を穿破して膿瘍を形成する(矢印)。

れている。

起因菌は，グラム陽性菌がおよそ半数であり，大腸菌，緑膿菌，プロテウスなどのグラム陰性菌は泌尿器・生殖器系感染で最も多い。その他，稀ではあるが関係の深いものとしては，薬物依存症患者では緑膿菌が多く，外傷では嫌気性菌に注意する必要がある。サルモネラ菌は腸管感染症でみられる。

●椎体病変の広がり方

感染の波及に関しては，血行供給が良いため，まず椎体軟骨下骨部（vertebral metaphysis）が侵される（図Ⅱ-14-1，2）。いったん椎体軟骨下骨に感染が成立すると，椎間板の末梢から血行性に浸潤するか，終板を突き破って髄核に感染が及ぶ（椎間板は末梢部以外に血行がないので，ひとたび感染すると化膿性関節炎のように急激に病変が広がる）。

治療が行われないと膿瘍を形成し，抵抗の少ない組織内を移動する。頸椎では咽後膿瘍（retropharyngeal abscess），腰椎では腸腰筋膿瘍（psoas abscess）を形成する。

椎体，椎間板の破壊により不安定性，椎体圧潰による後弯を呈し，脊髄・神経根が傷害される。麻痺は，骨性要素，膿瘍，虚血（septic thrombosis），炎症性細胞浸潤（inflammatory infiltration）によって起こる。

3 臨床症状

急性型では発熱とともに，腰・背部の激烈な疼痛で発症し，白血球数の増多，赤沈値亢進，C反応性蛋白（C-reactive protein：CRP）陽性などの急性炎症所見を呈するので比較的診断がつけやすい。しかし，亜急性型や慢性型では，発熱はないか，あっても微熱程度で慢性疼痛が持続するため，早期診断がつけにくい。

●血液検査所見

以下の所見を認める。
・赤沈値は90％以上の患者で上昇する。
・血液培養では約20％の陽性率にすぎない。

血液培養は，熱が上がりきったときにとるのではなく，悪寒があるとき，つまり熱の上がり際にとる。

●画像所見（図Ⅱ-14-2，3）

感染後2〜4週でX線上に変化が現れ，6〜8週で特徴的な所見となる。CTで椎体終板の破壊を明らかにできることが多い。

反応性骨化と骨新生が起こり，骨破壊吸収像と骨形成像とが混在した像となる（起因菌により異なる）。

一般に，結核性脊椎炎は亜急性型で，慢性型では乾酪壊死を起こし，潜在的に腸腰筋膿瘍，

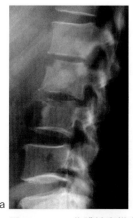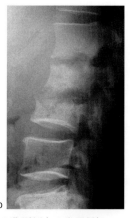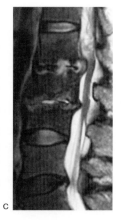

図Ⅱ-14-2　化膿性脊椎炎の典型例（59歳男性）
a：腰椎X線 L2椎体前上縁に不規則な骨破壊があり，椎間板腔の狭小化も認められる。b：腰椎X線 L1-3の終板破壊が顕著になっている。c：腰椎MRI T2強調矢状断像。終板から炎症が波及しているのがわかる。
　胆管炎による敗血症で，治療中腰痛が出現した。1〜2カ月の経過で椎体の破壊が進行した。

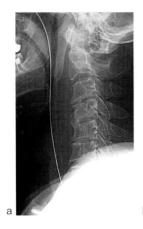
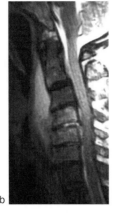

図Ⅱ-14-3　頸椎部化膿性脊椎炎の症状（48歳男性）
a：頸椎X線側面像。後咽頭腔の拡大が著明である。
b：頸椎MRI T2強調矢状断像。椎体の輝度変化と椎体前方の膿瘍を認める。

表Ⅱ-14-1　血液培養のコツ

- 発熱の程度（38.5℃以上）だけでなく，悪寒戦慄も採血のタイミング
- 動脈血か静脈血かは問題ではなく，清潔度と採血量が重要
- 手洗いを敢行して，採血部を2回消毒して乾燥したのち採血する
- 嫌気性と好気性ボトルを2本ずつ（2あるいは3セット）採取する

表Ⅱ-14-2　結核性脊椎炎を疑う所見

- 局所熱感，著しい発熱，拍動性の痛みなど，急性炎症所見を示さないことが多い
- 緩徐に進行する椎体病変，多椎体罹患が認められる場合
- X線またはMRIで，椎間板の残存が認められる場合
- MRIで，椎体前縁の破壊を伴ったsubligamentous spreadが認められる場合
- 骨硬化像が軽微な場合
- 単純CTで，石灰化した傍脊柱膿瘍（paravertebral abscess），腐骨の存在する場合
- 造影CTで，辺縁造影効果（rim enhancement）が認められる場合

脊柱変形そして亀背を起こすことがあるが，化膿性脊椎炎では，急性型は経過が短いのでそれらは起こりにくい。

　MRIでは，感染後2〜3週間でT2強調像での高輝度変化が起こる。また，MRIは病巣の広がりを知るのに有用である。T2強調像において浮腫を反映して高輝度を示すが，肉芽形成とともに低輝度になる。T1強調像における低輝度領域の縮小は，治療効果の判定に有用である。結核性脊椎炎に比べて造影MRIでの辺縁造影効果（rim enhancement）の頻度は低い。

4　診断

臨床症状と血液検査所見から化膿性脊椎炎を疑う。早期診断には前述のようにX線よりMRIが有用である。

- 確定診断は生検による細菌学的検査が必須である。
- 抗菌薬を投与する前に針生検をすることが大切である（オスティーカット®が有用）。
- 血液培養は必須検査である（表Ⅱ-14-1）

高熱が持続するときは，発熱時（夕方以降が多い）に血液（静脈でよい）を採取することが重要である。

●細菌性心内膜炎の除外診断

Moreliらの報告では，細菌性心内膜炎の10%に化膿性脊椎炎を合併している[2]。

化膿性脊椎炎を診たときには，心雑音や胸部X線に注意するとともに，時間的余裕があれば心エコー検査を行うように心がける。

●鑑別診断(表Ⅱ-14-2, 3)

結核性脊椎炎,脊椎圧迫骨折,転移性脊椎腫瘍などと鑑別診断を要する(p277:図Ⅱ-8-4, 5参照)。

発熱,激痛で発症する急性型は比較的容易に診断し得るが,亜急性や慢性に進行するものでは結核性脊椎炎,転移性脊椎腫瘍との鑑別が困難なことが多い。

脊椎腫瘍では通常,椎間高が保たれる。しかし形質細胞腫,脊索腫,そして転移性脊椎腫瘍でもときに椎間板を経由して隣接椎体を侵す。

化膿性脊椎炎では椎間板に石灰化が起こり,架橋が椎体間に形成されることがある。

高齢者の発熱を伴う急性発症の頚部痛の場合,crowned dens 症候群[18,19]も念頭に置く必要がある(図Ⅱ-14-4)。

5 治療[20〜23]

神経症状を伴わない限り,治療の基本は原則として保存療法である。

骨破壊の程度で安静度を決める。起因菌にマッチした抗菌薬を静注するが,糖尿病など compromised host の場合は,まずメチシリン耐性黄色ブドウ球菌(methicillin-resistant Staphylococcus aureus:MRSA)を念頭に置く。抗がん薬や免疫抑制薬を投与中で好中球が減少している場合は,真菌症も考える。

- ブドウ球菌:CEZ(セファゾリン)単独ないし+AMK(アミカシン)
- グラム陰性桿菌:AMK(アミカシン)+CAZ(セフタジジム)など第2・第3セフェム薬

グラム陰性菌の場合には,ニューキノロン系 PZFX(パズフロキサシン)を第一選択薬としてもよい。

血液検査,臨床症状を観察し,薬剤の効果を判定する。赤沈値は,治療効果判定の良い指標である。CRPは細菌感染後6時間で反応するといわれ,治療法に成功したとしても赤沈値に比べ反応期間が短い。

神経症状の存在と,骨破壊の著しい症例や保存療法が奏効しない場合は,病巣掻爬,腐骨切除,椎間板切除を行い,前方固定術を選択する。後弯の矯正および維持を考えれば後方インストゥルメンテーションは有効であるが慎重を要する。術前に起因菌がわかっていて化学療法の

表Ⅱ-14-3 結核性および化膿性脊椎炎の最も特徴的な所見(文献3より)

	結核性	化膿性
1. 骨破壊 grade	≧grade 3	≦grade 2
2. 椎間板への波及程度	正常〜軽度椎間板破壊	中程度〜完全な椎間板破壊
3. 造影剤での椎体辺縁部の造影効果	造影効果良好	造影不良
4. 辺縁部が造影される膿瘍	椎体内に多い	椎間板周囲に多い
5. 椎体の造影パターン	局所的かつ不均一	均一的

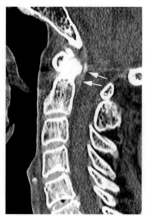

図Ⅱ-14-4 crowned dens 症候群(76歳女性)
激しい頚部痛で救急搬送され,CRP高値(17.6)などから髄膜炎,化膿性脊椎炎など疑うも頚椎CTにて特徴的な歯突起後方の淡い石灰化像(矢印)を認め他に感染所見を認めないことから crowned dens 症候群と診断した。NSAIDs 投薬にて症状は劇的に改善した。

効果が期待できる場合は，一期的に前方＋後方固定術を選択することは可能だが，前方掻爬＋骨移植術をまず行い，細菌学的な検査と治療効果をみてから後方固定術を追加する方法が無難である。

14-2. 結核性脊椎炎（脊椎カリエス）(tuberculous spondylitis)

1 疾患の概説

抗結核薬と脊椎手術の進歩により結核性脊椎炎（tuberculous spondylitis：TB spine）の予防ならびに治療成績は飛躍的に向上したが，いまなお高齢者と若年者の二峰性で散発している。大部分は肺からの二次性感染によるものであり，好発部位は血行が豊富な胸椎や腰椎である。わが国は先進国の中では最も結核罹患率が高いため，結核には特に留意する必要がある。また，近年HIV感染と結核感染の関係が注目されるようになってきている。Wattsらによると，アメリカでは結核患者の1/3がHIV感染者であり，その1/3が肺外結核患者としている[4]。

2 病態

主に肺の原発性結核病巣からの二次感染として発症する。胸椎，腰椎，特に胸腰椎移行部に多く，頸椎，仙椎は稀である。初発感染巣は血管終末に富む椎体前方で軟骨板下骨層に生じ，後方要素には稀である。いわゆる肉芽形成性炎症で，緩徐に進行して局在性の骨破壊と萎縮を示す。

病巣の拡大とともに，結核病変の特徴である局所の阻血と，免疫が背景となって乾酪壊死に陥る。それにより骨新生は抑制され，周辺の骨は阻血性壊死に至り，結核性腐骨となる。病変はやがて軟骨板から椎間板に及ぶ。一方，結核性肉芽は椎体の皮質を破り，前縦靱帯下に限局性の膿瘍（傍脊柱膿瘍：paravertebral abscess）を形成する。そして，病巣は隣接する椎体にも及び，椎体は次々と圧潰し，亀背（Pott's kyphosis）を形成する。小児の結核性脊椎炎では，亀背は進行性で，角状突背（gibbus）となることが稀ではない。

病変の進展が椎体後方へ向かっていくと，脊柱管内に肉芽や膿瘍を形成し，また破壊された椎間板組織片などが脱出して脊髄を圧迫する。胸椎部では対麻痺を生じるが，腰椎部の場合では馬尾や神経根を圧迫して腰痛や下肢痛を引き起こす。この麻痺は，しばしば急速に完成し，非可逆性のものとなる。他方，膿瘍が巨大化していくと組織間隙や腸腰筋筋膜下を伝って下方へ流れ，抵抗の弱い部位の皮下に腸腰筋膿瘍や流注膿瘍（gravitation abscess）などの膿瘍が膨隆する。

治癒に至れば，罹患椎は互いに癒合し，塊椎を形成する。

3 症状

既往症に肺結核，その他の臓器結核をもつことが多いほか，同居している家族に同様の症状をもつものがいないかどうかのチェックも行う。

● 全身症状

一般に，潜行性に病巣が進展するため，全身症状に乏しい。成人の場合には，盗汗，微熱のほかは特に全身状態に異常を認めないことが多い。ときには，全く自覚症状を欠くこともある。小児の場合は不機嫌，食欲不振，微熱が目立つ。

● 局所症状

a. 鈍痛，重圧感

局所の疼痛としての激痛は稀で，重圧感や鈍痛を認める。安静で寛解し，運動により増悪する。

b. 脊柱変形

進行例では，椎体の圧潰による後弯変形（亀背から角状突背）を呈し，その上下は代償的に前弯が強くなる。

c. 膿瘍形成

結核性膿瘍は，重力により次第に粗な組織間隙を通って下方へ流れ落ちる（流注膿瘍）。

d. Pott麻痺

肉芽組織や乾酪，または膿瘍による脊髄への直接圧迫によって起こる。

4 診断・画像所見

結核性脊椎炎の診断に際して最も重要なことは，化膿性脊椎炎との鑑別である（p472参照）。

Buchelt ら[5]は，122の症例を用いて結核性と化膿性の脊椎炎の比較をしている。有意な違いとして彼らは，発症から診断までの期間，赤沈（ESR），脊柱の変形，椎体の骨硬化像を挙げている。

発症から診断までの期間は，結核性脊椎炎で8.7カ月（±11.8），化膿性脊椎炎で3.5カ月（±3.3）であった。

●ツベルクリン反応（PPD skin test：purified protein derivative of tuberculosis）

BCGワクチンを施行していれば，ツベルクリン反応陽性は結核感染を意味するのかBCGワクチンの影響かを判断することは困難だが，BCGワクチン接種後何年も経過しているのに強陽性であれば，最近の結核感染の可能性は高い。しかし，ツベルクリン反応は結核菌に対する細胞性免疫の有無をみているので，陽性は現在または過去において患者が結核にさらされたことを意味するにすぎない。

以下に**ツベルクリン反応の疑陰性**となるケースを挙げる。

- 重症結核（粟粒結核の半数で陰性）
- 高齢者・新生児
- リンパ組織に影響を与える悪性腫瘍など
- 全身性エリテマトーデス（SLE）などの自己免疫疾患
- 感染症（ウイルス性，細菌性，真菌性，HIV感染症）

ツベルクリン反応に代わる新しい診断技術としてQuantiFERON® TB-（QFT-3G）やTスポット®.TB（T-SPOT）が開発され，結核診断の第一優先検査法と位置づけられている。これは結核性抗酸菌に特異的な抗原（ESAT-6, CFP-10）で全血を刺激し，産生されたインターフェロン-γ量を測定することで結核感染を判定する方法で，BCGワクチン接種の影響を受けないことが特徴である。

●X線

初期には，椎間腔の狭小化と，それに接する椎体縁の不規則な骨破壊と吸収像が認められる。

膿瘍形成期には，正面X線像にて，椎体側方に貯留膿瘍（congestion abscess）の陰影が認められ，腰椎部の結核では流注膿瘍として腸腰筋陰影が非対称に膨隆して見える。

骨破壊として，椎体の楔状変形が認められる。

●CT

脊椎の破壊の部位や範囲，膿瘍の広がりが詳細に描出される。

単純CTだけでなく，造影CTは傍脊柱膿瘍の描出に優れている。

図Ⅱ-14-5に結核性脊椎炎の典型的CT像を示す。

●MRI

発症後早期は，椎体病巣が均一にT1強調像で低信号，T2強調像で高信号にとらえられる。

病勢が進行すると，T2強調像では椎体病巣が肉芽組織，膿瘍を反映した等～高信号像と，骨硬化や腐骨を反映した低～無信号像が混在した不均一で複雑な像を呈する。

傍脊柱膿瘍の存在は，造影にて辺縁造影効果が認められる。

2椎体以上にわたって変化を認め，椎間板は比較的温存されている。

確定診断は，針生検または手術材料にて結核菌が同定されることでなされる。他臓器の感染の有無も検索する。特に活動性の肺結核の有無は重要である。入院後3日間連続で喀痰検査を施行する。痰の喀出が困難な場合は，3%高張食塩水の吸入による誘発喀痰で採取したり，胃液や早朝尿を細菌検査に提出することも重要である。培養検査はPCR法（ポリメラーゼ連鎖反応：polymerase chain reaction）と並行して必ず行うが，従来から用いられている小川培地は判定に8週間を要し，検出率も低い（30～40%）。液体培地を用いたMGIT法（mycobacteria growth indicator tube）が導入され，検出感度は上昇したが判定には6週間を要する。

稀に脊髄髄内結核性膿瘍を呈することもある（p460：図Ⅱ-13-12参照）。そのときは造影MRIでリング状に強く造影される[6]。

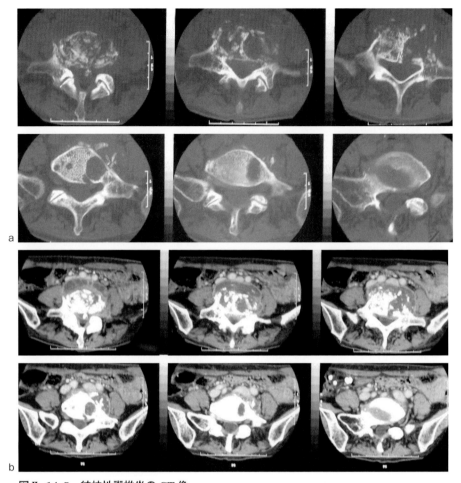

図Ⅱ-14-5 結核性脊椎炎のCT像
a：腰仙椎CT，b：腰仙椎造影CT。造影によりparavertebral abscessが明瞭に描出されている。

5 治療

 抗結核薬と手術手技の進歩は結核性脊椎炎の根治を可能にしたが，あくまでも治療の基本は抗結核薬と，患者の抵抗力(免疫力)を高めることである。保存療法や手術適応については各施設により違いがあるが，脊椎破壊が軽度で神経障害も認めない初期例では抗結核薬による化学療法が選択されてよい。しかし，抗結核薬の長期投与による耐性や副作用の問題のほか，進行例では後弯変形や麻痺の遺残が生じ得る。血行に乏しい膿瘍や乾酪壊死物質を郭清し，病巣を新鮮化することで，薬効を高め感染の鎮静化を図るためにも，病巣郭清(神経障害があれば除圧も)と同時に椎体間固定で支持性を獲得する前方根治手術が一般的である。

●Medical Research Councilによる大規模調査(表Ⅱ-14-4)[7,24〜26]

 パラアミノサリチル酸塩(PAS)＋イソニアジド(INH)による化学療法18カ月±ストレプトマイシン(SM)3カ月に加えて，以下の5群の治療を行った。
 1)安静なし
 2)装具療法
 3)6カ月間のベッド上安静
 4)最小限の病巣掻爬
 5)病巣掻爬＋自家骨移植
 調査結果は，1)〜4)の治療成績は82〜88％が良好で，それぞれの群間に有意差はなかった。ただし，後弯変形に関しては，5)の成績が優れていた。

●結核の化学療法の実際

初回にイソニアジド(INH), リファンピシン(RFP), エタンブトール(EB), ピラジナミド(PZA)の4剤を投与するのが一般的で, 1〜2剤のみによる化学療法はかえって逆効果である(耐性が出現する). EBの代わりにストレプトマイシン(SM)を2カ月間筋注し, その後EBを4カ月間投与することも可能である. PZAは最初の2カ月間投与して終了する. EBはさらに2〜6カ月間投与する. INH, RFPは通常6〜12カ月間投与する. 基本的に抗結核薬は, 1日1回の服薬が望ましい(表Ⅱ-14-5).

肝機能障害などでPZAを使用できない症例や80歳以上の高齢者では, INH 300 mg, RFP 450 mgにEB 750 mgあるいはSMを加えた3剤併用療法を2カ月間行い, その後INHおよびRFPを3剤併用療法開始時から9カ月経過するまで行う.

EB耐性のときは, INH＋RFP＋PZA＋SM(2カ月)からINH＋RFP＋SM(6〜10カ月)に変更する. INH, EB耐性のときは, RFP＋PZA＋SM(2カ月)からRFP＋SM(6〜10カ月)か, さらに

表Ⅱ-14-4 Medical Research Councilによる大規模調査(文献7より)

A. 治療プロトコール

BRITISH MEDICAL RESEARCH COUNCIL PROTOCOL

Location	Number of Patients	Treatment Modality
Masan, South Korea	350 (total)	Inpatient bed rest for 6 months, then outpatient treatment ; or, ambulatory outpatient treatment from the start
Pusan, South Korea	—	Outpatient treatment with a plaster jacket for 9 months, or ambulatory treatment without any support
Bulawayo, Rhodesia	130	Randomly, by débridement of spinal focus or by ambulatory treatment
Hong Kong	150	Randomly, by radical resection of lesion and insertion of autogenous bone grafts, or by débridement

B. 骨癒合率

	0-18 mo	0-5 y	0-10 y	13-15 y
Korea				
Chemotherapy alone	15	46	73	72
Hong Kong				
Débridement alone	52	84	90	94
Débridement plus fusion	85	92	97	94

表Ⅱ-14-5 抗結核薬投与量の目安

INH(細胞壁の合成阻止)	5〜7 mg/kg/日(300〜400 mg)	
RFP(RNA合成阻害)	10 mg/kg/日(450 mg)	
PZA	25 mg/kg/日(1〜1.2 g)	2カ月間
EB(蛋白の合成阻害)	15〜25 mg/kg/日(750 mg)	6カ月間
SM	1 g/日, 週2〜3回筋注(毎日も可能だが極量は90〜100回)	1〜3カ月間

強力なメニューとして，RFP＋PZA＋SM＋LVFX（レボフロキサシン®：6カ月）からRFP＋LVFX（＋SM：6カ月）に変更する。

●**抗結核薬の主な副作用**

代表的な抗結核薬の副作用について下記に挙げる。

a. 肝機能障害

PZA，RFPに多く，INHがそれらに次ぐ。GOT，GPTが150 U/L以上の上昇や自覚症状があれば中止し，改善すれば再投与する。PZAは肝毒性が強いので，肝機能障害を有する症例では使用を避ける。中程度の肝機能障害例では，INH 200 mg，EB 750 mg，SMの組み合わせで投与を開始し，肝機能が正常化したらRFPを追加する。

b. 胃腸障害

RFP，PZAは胃部不快感，嘔気などをきたすが，重症例は稀である。食後投与や胃腸薬で対処する。制酸薬はINHの吸収を抑制するので投与しない。

c. 末梢神経炎

INHに特徴的な副作用で，予防的にビタミンB_6製剤（ピリドキサール）を併用投与する。

d. 視神経障害

EBでは視神経炎による視力障害をきたし，進行すると不可逆性である。予防的に1カ月に1回視力検査を行うほうがよい。視野のちらつき，活字や物が見えにくいなどの症状に注意する。

e. 聴力障害

アミノグリコシド系のSMに特徴的な副作用で，不可逆性であることから予防的に1カ月に1回程度の聴力検査を行うほうがよい。

f. 高尿酸血症

PZAの特徴的な副作用であるが，投与を中止する必要はない。発作がなければ尿酸産生抑制薬を投与する。

●**最近の抗結核化学療法**

結核菌は耐性を作りやすい菌であることから，必ず3剤以上の抗結核薬を投与することが重要である。1986年に結核医療の基準が改定され，イソニアジド（INH）・リファンピシン（RFP）を中心とする初回標準治療方式が採用された。この治療方式は強力な処方であり，治療期間の短縮を含め，わが国の結核医療の標準化，適正化に大いに貢献した。一方，世界的には治療初期の2カ月間にピラジナミド（PZA）を加える初期強化短期化学療法が広く受け入れられ，わが国でも1996年4月より新たな基準が採用された。

PZAは，他の薬剤では無効のpH5.0～5.5の酸性環境下で強い抗菌力を示し，また細胞膜浸透性が強く，代謝の障害された菌に対し滅菌的に作用する。PZAにエタンブトール（EB）を加えた初期強化短期化学療法により，治療期間は6カ月間に短縮することが可能となった（化学療法を支持するデータ）。

Barclay，Lindbergは，放射性同位元素で標識した抗結核薬が骨や膿瘍内，乾酪組織など，すべての組織に浸透することを示した[8,9]。

●**手術療法**[27～29]

手術の適応を以下に示す[10]。

・15歳以下で，後弯が30°以上の症例
・進行性の後弯変形が認められる場合
・椎体破壊を認める10歳以下の小児でgrowth spurtになっても癒合を認めない場合
・脊髄圧迫による神経症状の悪化が認められる場合
・保存療法が無効な症例

病巣へのアプローチは脊柱後方要素の弱化をきたさないように前方からの進入路を基本とし，胸膜および腹膜外前方進入が原則である。病巣を直視下に展開し，十分に郭清したのち，骨移植を行う。病巣は完全に掻爬することは不可能で，移植母床となり得る強度の椎体は残して母床として利用して構わない。移植骨に関して成人の場合は肋骨のみでは不十分で，32％に移植骨の骨折や20％に後弯進行の報告がある[11]。したがって，腸骨か腓骨移植が望ましい。

後療法として，抗結核薬の投与は最低6～9カ月間続ける。その間，眼科と耳鼻咽喉科による定期的な副作用検診は必須である。局所の安静のため，胸椎・腰椎では体幹ギプスか硬性コルセット，固定が仙椎に及ぶ場合は片脚を含めたhip spica castまたはbraceとし，最低3カ月間臥床させる（インストゥルメンテーションを使

用しない場合)。膿瘍のドレナージは，股関節の屈曲拘縮などの問題がない限り通常不要であり，化学療法に反応すれば縮小してくる[12]。

● 脊椎インストゥルメンテーションの応用

前述のような，厳重な外固定による一定の臥床期間にもかかわらず，偽関節や後弯進行の発生が少なくない。Rajasekaran らによると，2 椎間以上に及ぶ固定の場合は後弯進行の危険性から後方固定術の追加を勧めている[13]。後方固定には脊椎インストゥルメンテーション併用が有用である。その意義は，
 ・変形の矯正と矯正位の保持，
 ・外固定の簡略化，
 ・早期離床，
 ・骨癒合率の向上，
にある。

従来，感染性疾患に対する内固定金属の使用は禁忌と考えられてきた。しかし，Oga らにより，内固定金属周囲のバイオフィルム形成が結核菌では他の細菌に比べて著しく少なく，抗結核薬の作用が内固定金属周囲でも妨げられないことが実験的に明らかにされ[14]，安全性も確立されたといえる。

● 前方インストゥルメンテーションか後方インストゥルメンテーションかの比較検討

後方インストゥルメンテーションでは pedicle screw system，hook and rod system，sublaminar wiring などがある。後方インストゥルメンテーション手術は前方手術後に二期的に行うこともあるが，待機期間中の種々の問題を考慮すると，後方矯正固定してから一期的に前方根治術に移るほうがトータルの手術侵襲も少なく，術後早期からの離床も可能である[15]。

確実に感染の持続や再燃を除去できれば，前方根治術と同時に前方インストゥルメンテーションを併用することは，手術時間や出血量などの手術侵襲の軽減に極めて有用である。Yilmaz らは，本症に対する前方インストゥルメンテーション併用も安全かつ有用であると報告している[16]。感染巣の十分な郭清と新鮮な移植骨による固定，抗結核薬の的確な使用を条件に，本症に対しての前方インストゥルメンテーション併用も可能である。

引用文献

1) Bridwell D：The Textbook of Spinal Surgery, Lippincott Williams & Wilkins, pp2141-2160, 1997.
2) Moreli S, Carmenini E, Caporossi AP, et al：Spondylodiscitis and infective endocarditis：case studies and review of the literature. Spine 26：499-500, 2001.
3) Chang MC, Wu HTH, Lee CH, et al：Tuberculous spondylitis and pyogenic spondylitis. Comparative magnetic resonance imaging features. Spine 31：782-788, 2006.
4) Watts HG, Lifeso RM：Current concepts review. Tuberculosis of bones and joints. J Bone Joint Surg Am 76：288-296, 1996.
5) Buchelt M, Lack W, Kutschera HP, et al：Comparison of tuberculous and pyogenic spondylitis. An analysis of 122 cases. Clin Orthop 296：192-199, 1993.
6) Hanci M, Sarioglu AC, Uzan M, et al：Intramedullary tuberculous abscess. Spine 21：766-769, 1996.
7) Medical Research Council Working Party on Tuberculosis of the Spine：A 15-year assessment of controlled trials of the management of tuberculosis of the spine in Korea and Hong Kong. J Bone Joint Surg Br 80：456-462, 1998.
8) Barclay WR, Ebert RH, LeRoy GV, et al：Distribution and Excretion of radioactive isoniazid in tuberculous patients. J Am Med Assoc 151：1384-1388, 1953.
9) Lindberg L：Experimental skeletal tuberculosis in the guinea pig. A method for producing local lesions and an autoradiographic study of their accessibility to tritium-labelled dihydrostreptomycin. Acta Orthop Scand 98：11-80, 1967.
10) Parthasarathy R, Sriram K, Santha T, et al：Short-course chemotherapy for tuberculosis of the spine. A comparison between ambulant treatment and radical surgery-ten-year report. J Bone Joint Surg Br 81：464-471, 1999.
11) Kemp HB, Jackson JW, Jeremiah JD, et al：Anterior fusion of the spine for infective lesions in adults. J Bone Joint Surg Br 55：715-734, 1973.
12) Bhojraj S, Nene A：Lumbar and lumbosacral tuberculous spondylodiscitis in adults. Redefining the indications for surgery. J Bone Joint Surg Br 84：530-534, 2002.
13) Rajasekaran S, Soundarapandian S：Progression of kyphosis in tuberculosis of the spine treated by anterior arthrodesis. J Bone Joint Surg Am 71：1314-1323, 1989.
14) Oga M, Arizono T, Takashita M, et al：Evaluation of the risk of instrumentation as a foreign body in spinal tuberculosis. Clinical and biologic study. Spine 18：1890-1894, 1993.
15) 佐藤栄修：結核性脊椎炎. OS NOW No.22 胸腰椎・腰椎・仙椎疾患の手術療法(金田清志 編)，メジカルビュー社，1996.
16) Yilmaz C, Selek HY, Grkan I, et al：Anterior Instrumentation for the treatment of spinal tuberculosis. J

参考文献

17) Resnick D : Diagnosis of bone and joint disorders 3rd Edition, WB Saunders, pp2417-2436, 1995.
18) Bouvet JP, le Parc JM, Michalski B, et al : Acute neck pain due to calcifications surrounding the odontoid process : the crowned dens syndrome. Arthritis Rheum 28 : 1417-1420, 1985.
19) Goto S, Umehara J, Aizawa T, et al : Crowned dens syndrome. J Bone Joint Surg Am 89 : 2732-2736, 2007.
20) Eismont FJ, Bohlman HH, Soni PL, et al : Pyogenic and fungal vertebral osteomyelitis with paralysis. J Bone Joint Surg Am 65 : 19-29, 1983.
21) Klockner C, Valencia R : Sagittal alignment after anterior debridement and fusion with or without additional posterior instrumentation in the treatment of pyogenic and tuberculous spondylodiscitis. Spine 28 : 1036-1042, 2003.
22) 青野博之, 岩﨑幹季, 宮内 晃, 他：高度麻痺を呈した化膿性脊椎炎に対する手術成績. 日脊会誌 14：157, 2003.
23) 青野博之, 岩﨑幹季, 宮内 晃, 他：化膿性脊椎炎に対する治療成績. 日整会誌 77：S181, 2003.
24) Medical Research Council Working Party on Tuberculosis of the Spine : A five year assessment of controlled trials of in-patient and out-patient treatment and of plaster-of-Paris jackets for tuberculosis of the spine in children on standard chemotherapy : studies in Masan and Pusan, Korea. J Bone Joint Surg Br 58 : 399-411, 1976.
25) Medical Research Council Working Party on Tuberculosis of the Spine : A 10-year assessment of a controlled trial comparing debridement and anterior spinal fusion in the management of tuberculosis of the spine in patients on standard chemotherapy in Hong Kong. J Bone Joint Surg Br 64 : 393-398, 1982.
26) Medical Research Council Working Party on Tuberculosis of the Spine : A 10-year assessment of controlled trials of inpatient and outpatient treatment and of plaster-of-Paris jackets for tuberculosis of the spine in children on standard chemotherapy. Studies in Masan and Pusan, Korea. J Bone Joint Surg Br 67 : 103-110, 1985.
27) Seddon HJ : The choice of treatment in Pott's disease. J Bone Joint Surg Br 58 : 395-397, 1976.
28) Sai Kiran NA, Vaishya S, Kale SS, et al : Surgical results in patients with tuberculosis of the spine and severe lower-extremity motor deficits : a retrospective study of 48 patients. J Neurosurg Spine 6 : 320-326, 2007.
29) Kotil K, Alan MS, Bilge T : Medical management of Pott disease in the thoracic and lumbar spine : a prospective clinical study. J Neurosurg Spine 6 : 222-228, 2007.

15 透析脊椎症・破壊性脊椎関節症
destructive spondyloarthropathy：DSA

15-1. 病態

慢性腎不全により，靱帯付着部に$β2$-microglobulin（$β2$-MG）を前駆蛋白とする透析性アミロイドが沈着し，靱帯付着部炎（enthesopathy）が生じる。前・後縦靱帯を中心とした靱帯付着部骨侵食から椎体の不安定性を生じる。次いで椎体終板侵食と椎間板腔狭小化が生じ，破壊性脊椎関節症へと進行する。この際，加齢変化や機械的ストレスが増悪因子となる。また，硬膜外にアミロイド沈着による圧迫所見を認めたり，軸椎歯突起周辺にアミロイドが沈着し，偽腫瘍（pseudotumor）を呈したりすることもある。

透析期間が長いほど本症の発症頻度が高い。

1 X線所見の特徴

以下のような所見が特徴だが，特異的な所見はなく，ときには脊椎炎に類似した所見を示す。
- 椎体終板の侵食や骨破壊
- 骨棘形成を伴わない椎間板腔の狭小化

好発部位としては頚椎部が多く，腰椎部，胸椎部がこれに次ぐ。頚椎部ではC5, 6などの下位頚椎，腰椎部でもL4, 5の下位腰椎，胸椎部ではT9, 10などの後弯部に多い。

2 症状

本症は，たとえX線上での変化が著明でも，その症状は局所の鈍痛程度の軽いものが多く，大部分は経過観察または外固定などの保存療法で対処し得る。しかし手術療法を要する場合もあり，頚椎部では耐え難い疼痛や脊髄症を，腰椎部では耐え難い腰痛や根性痛とともに，起立・歩行困難などの馬尾症状をきたすこともある。

3 鑑別診断

化膿性脊椎炎，結核性脊椎炎，関節リウマチ，転移性脊椎腫瘍と鑑別診断を要する。

15-2. 治療

長期透析患者の脊椎病変が全患者の約10〜20％に起こるとしても，その大部分は保存療法で対応し得る。しかし，できればさらに透析アミロイドーシスを減少させたいという願いから，$β2$-MGの除去能をもつ吸着器としてのリクセル®が誕生している。

1 保存療法

疼痛や不全麻痺症状に対しては，体幹装具による外固定を行う。

頚椎部にはカラー固定法がある。不安定性があればhalo vest固定も考慮するが，整復位の保持が困難なときには固定手術の適応となる。

2 手術療法

不安定性または後弯位で神経圧迫症状を呈するものには脊椎固定術が必要で，神経圧迫症状がある場合は適宜除圧術も追加する。骨破壊性変化がなく，脊柱管狭窄症状を呈するものには椎弓切除術，椎弓形成術，部分椎弓切除術などの後方除圧術のみで対応し得る。固定術を併用する場合の問題点としては骨母床の脆弱性，低回転骨などの問題により移植骨の生着に時間を

要することで，腰椎の後方固定で偽関節率は高くなる．特に前方固定の場合，遷延治癒となる危険性が高い．腰椎の場合は，除圧術のみを施行すれば術後に再狭窄・不安定性が危惧され，固定術を選択しても偽関節や固定隣接椎間障害が危惧され，多数回手術を要する危険性が20〜35％程度存在する．

副甲状腺ホルモン（parathyroid hormone：PTH）は骨吸収促進作用があるので，骨移植による固定術を予定する場合には術前のintact-PTH測定による内分泌的評価が必須である．血液透析患者の骨代謝回転を正常に保つintact-PTHの至適値は150〜360 pg/mL（Kidney Disease Improving Global Outcomes：KDIGO では健常者基準値上限の2〜9倍としている）とされている[1,2]．Kanayaらによると，術前intact-PTHが100 pg/mL以下では骨癒合不良例が多く無形成骨症の状態と考えられるので特に注意を要すると報告している[2]．

3 周術期管理

術前の心エコーによる心機能評価は必須で，虚血や梗塞を疑う場合は心筋シンチグラフィや心臓カテーテル検査を要することもある．術前・術後（可能なら術後2週間）にヘパリンからナファモスタットメシル酸塩（フサン®）や，アルガトロバン（ノバスタン®）へ変更することが必要である．術前から電解質，特に血清カリウム値とカルシウム値の補正にも注意する．

引用文献

1) Kidney Disease Improving Global Outcomes（KDIGO）CKD-MBD Work Group：KDIGO clinical practice guideline for the diagnosis, evaluation, prevention, and treatment of chronic kidney disease-mineral and bone disorder（CKD-MBD）. Kidney Int Suppl 113：S1-S130, 2009.
2) Kanaya K, Kato Y, Murata Y, et al：Low parathyroid hormone levels in patients who underwent/would undergo hemodialysis result in bone graft failure after posterolateral fusion. Spine 39：327-331, 2014.

参考文献

加藤義治：わが国における慢性透析療法の現況と透析脊椎症手術の問題点．日脊会誌16：461-471, 2005.

Surgical Anatomy

　脊椎は脊髄を保護する機能に加えて，支持性と可動性という相反する機能を併せ持った構造体である。脊柱は通常，頭蓋骨に続き7個の頚椎，12個の胸椎，5個の腰椎，5個の椎骨が癒合して一体となった仙椎，および尾椎で構成される。全体として脊柱のアライメントは冠状面で直線状，矢状面では頚椎で前弯，胸椎で後弯，胸椎で前弯を呈しており，これらの弯曲は人類の2足歩行への進化の過程で生じたものである。脊柱にはこれら3つの弯曲が存在することで，長軸方向に加わる圧力に対する抵抗性が，まっすぐな柱と比較して10倍にも増すといわれる[1]。

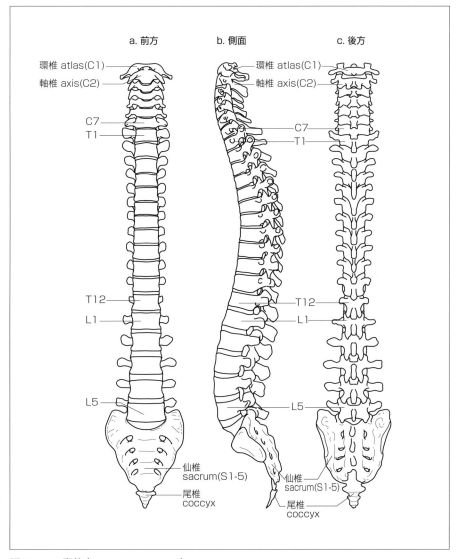

図 SA-1　脊柱（vertebral column）

歯突起後面には十字靱帯が張り，横靱帯と縦靱帯からなる。横靱帯は両側の環椎外側塊から起始し，上位頚椎部で最も強靱な靱帯であり，環軸関節の最も重要な安定要素である（**図 SA-2a, b**）。縦靱帯は軸椎椎体後面から後頭骨斜台につながっている。歯突起先端には翼状靱帯，歯尖靱帯が付着する。翼状靱帯は両側後頭顆の内側に走る強靱な靱帯で，歯尖靱帯は大後頭孔の前縁に至る。上位頚椎には黄色靱帯がなく，後頭骨-環椎間，環椎-軸椎間にはそれぞれ，後環椎後頭間膜，後環椎軸椎間膜が張っている。

頚椎横突孔を上行してきた椎骨動脈は，軸椎では椎体内へ尾側から進入し，椎体内で屈曲して外側に向きを変えた後，横走して横突孔をくぐり外に出てさらに上行する。環椎では椎骨動脈は，横突孔通過後に屈曲し後弓に沿って横走（椎骨動脈溝），後弓傍正中で再び上行し，脳底動脈に合流する。椎骨動脈の走行にはさまざまなバリエーションがあり，なかでも軸椎椎体内のループの角度や高位は個人差が大きく，ループ部が高い位置にあるものを high riding VA と呼ぶ[2,3]（**図 SA-2c**）。Magerl法など環軸関節を貫通するスクリュー固定の際には，椎骨動脈損傷を避けるために，症例毎に造影CTによる椎骨動脈の注意深い評価が必要である。

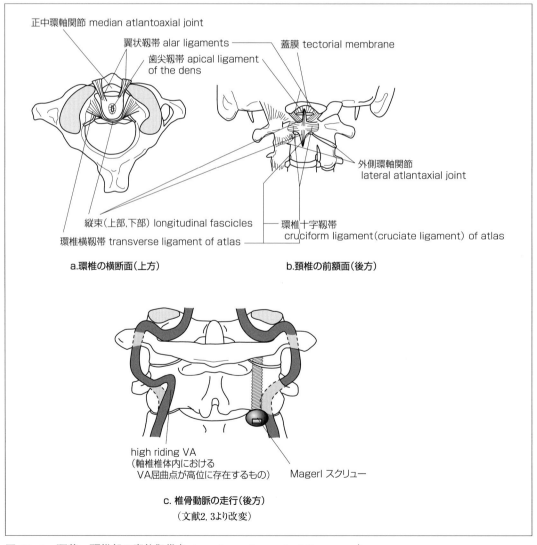

図 SA-2 頭蓋〜頚椎部の脊柱靱帯（**internal craniocervical ligaments**）

上位頚椎は環椎，軸椎からなり，脊椎のなかでは独特の形態と大きな可動域を有する．後頭骨-環椎間，環椎-軸椎間には椎間板はなく，椎間は滑膜関節と靱帯により連結されている．環椎は前弓，後弓と左右の外側塊からなり，環状構造を有するのが大きな形態的特徴である．環椎は上関節窩と後頭骨後頭顆との間に環椎後頭関節を有するが，強固な靱帯性結合により生体内3次元動態解析の結果では前後屈方向にわずかな可動域を認める程度である[4]．軸椎は歯突起を有するのが大きな形態的特徴で，歯突起の前関節面は環椎前弓と後関節面は横靱帯と関節を形成し，外側環軸椎関節とともに頚椎回旋運動の中心となっており，頚椎全回旋の約6割を同部でこなす．棘突起は環椎にはないが，軸椎では大きく頚半棘筋など多くの筋が停止し，これらの筋群は頚椎の前弯アライメント保持に重要と考えられているため，頚椎後方手術の際には温存することが望ましい．

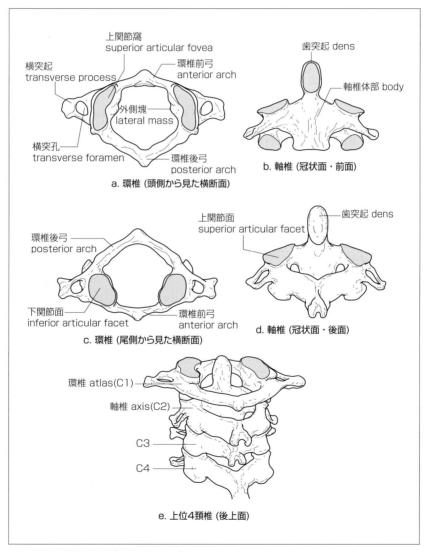

図 SA-3　環椎（atlas）と軸椎（axis）

C3 以下の頚椎を sub-axial cervical vertebrae と呼ぶ。椎体上面は冠状面で凹状を呈し，両側外縁は隆起して鉤状突起を形成する。椎体下面は冠状面で凸状を呈し，椎体上面の形態に適合して互いに鉤状椎体関節（Luschka 関節）を形成している。椎間関節は上下の関節突起によって形成され，下関節突起の関節面は平面に近いゆるやかな凸面で，水平面に対して 30～50°の傾斜をもつ。椎弓根は C3 が横径，長径ともに最も小さく，C7 にかけてともに漸増していく。棘突起は C3-C5 までは短く，先端は 2 つに分かれている。一方，C7 は分岐せず一直線に後方に突き出し比較的体表から触知しやすい。

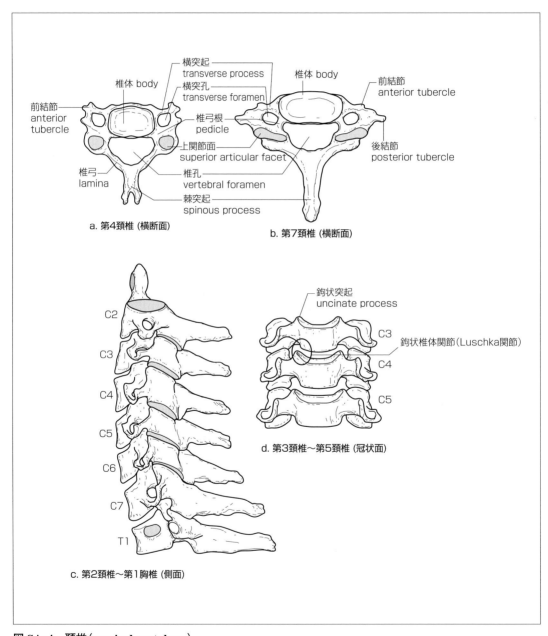

図 SA-4　頚椎（cervical vertebrae）

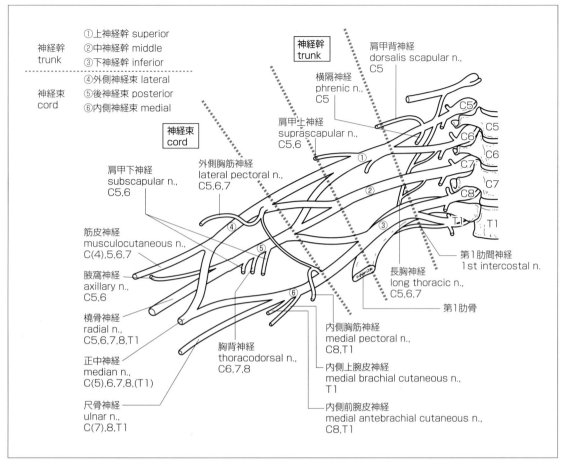

図 SA-5　腕神経叢（右側）

胸椎では，肋骨との間に関節，すなわち肋椎関節を形成する．肋椎関節は，肋骨頭関節と肋横突関節からなり，前者は上下2椎体にわたって存在し，椎体にある上下の肋骨窩と肋骨頭の間で関節面を形成し，その周囲は放射状肋骨頭靱帯で強固に固定されている．後者は，横突起先端の前下面と肋骨との間で関節面を形成し，周囲は横肋突靱帯によって強固に固定されている．胸椎の椎間関節は，下関節突起関節面は頸椎同様，平面に近い凸面をもっているが，矢状面での傾きはさらに鋭く，関節面の向きはさらに冠状面方向を向いている．さらに，胸椎の椎間関節は out-turned facet の形状をしており[5]，特に上位〜中位胸椎においては回旋可動域を大きく許容するが，前後屈可動域は強固な胸郭との結合により大きく制限されている．胸椎の椎弓根は，頸椎や腰椎に比べ椎体に対して頭側にある．椎弓根の長径はT1-T12に向かって漸増し，横径はT3-T6まで漸減した後，T12に向かって漸増する[6]．胸椎の棘突起は長く，水平面から40〜60°の鋭い角度をつけて尾側へ向かい，先端は下位の motion segment に至る．特に中位頸椎で棘突起の傾斜が強く，体表からの触知では高位の誤認に注意が必要である[11]．

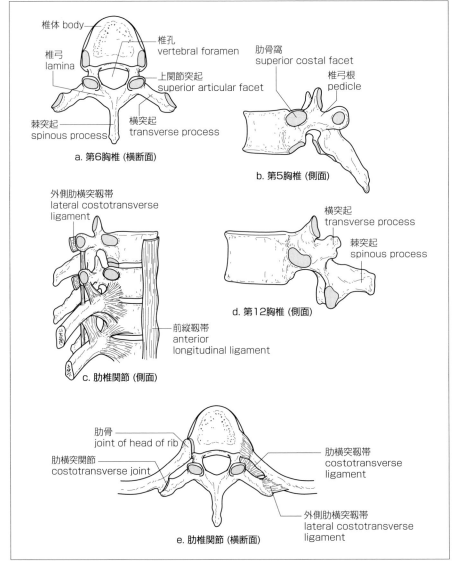

図 SA-6　胸椎(thoracic vertebrae)

腰椎は脊柱の中で最も大きい。椎体上下面はいずれも平坦であり，軟骨終板を介して椎間板と連結している。椎間関節は，下関節突起関節面では頸胸椎とは異なり凹面形状を示して矢状面を向く，in-turned facet を呈する[5]。これにより腰椎は前後屈方向へは大きな可動性を有するものの，回旋運動は強く制限され可動域が少ない[7,8]。体幹を 45°回旋させた場合でも，各椎間ではわずか 1.2〜1.7°しか回旋しない[8]。椎弓根は，横径，長径ともに下位に向け漸増し，その断面形態は，L1，2 では楕円形，L3，4 では円形，L5 では平行四辺形に近くなる。横突起は L4 で一般に最も小さく，L3 でその長さが，L5 でその幅が，それぞれ最も大きくなる。腰仙椎移行部は比較的変異が多く，最も頻度が高いのは L5 横突起の変異であり，仙骨翼との間に関節を形成したり，骨性癒合したりするものが存在し，しばしば far-out syndrome（椎間孔外部での第 5 腰椎神経根障害）の原因となる。また，腰仙部移行椎も頻度の高い変異で，一般に X 線上で肋骨を認めない椎体数で数えて腰椎が 1 つ少ないものを腰椎の仙椎化（sacralization），腰椎が 1 つ多いものを仙骨の腰椎化（lumbarization）と呼ぶが，この変異は必ずしも全脊椎数に反映されるわけではないので，正確に高位を把握する必要がある場合には全脊柱 X 線正面像による評価が必要である[11]。

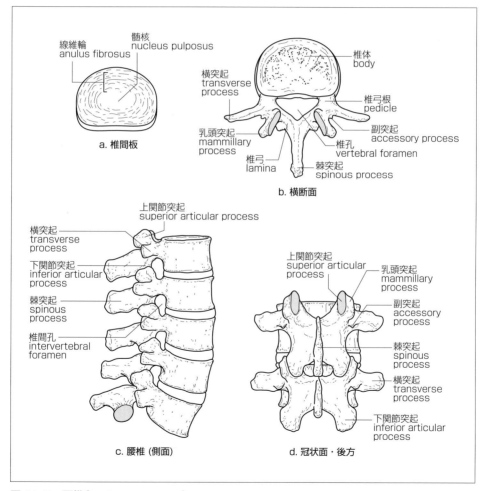

図 SA-7　腰椎（lumbar vertebrae）

仙腸関節は骨盤輪の後方に存在し，仙骨の両外側面で腸骨と関節を形成している。その関節面表面は不整で，仙骨側は硝子軟骨で，腸骨側は線維軟骨で覆われている。仙腸関節は，前方を前仙腸靱帯で，後方を強靱な骨間仙腸靱帯および後仙腸靱帯で結合されており（図 SA-8b），関節周囲に作動筋が停止していないため従来無動関節と考えられていたが，実際には動きは小さいが明らかな可動関節である。Sturesson ら[9]，さまざまな体幹や下肢の運動時の仙腸関節の動きを生体内3次元動作解析法により計測した結果，仙腸関節で認められる最大の運動は関節面での回転運動であり，それ以外の方向への回転運動はほとんど認められなかった。一方，並進運動についてはすべての運動ですべての方向において 1 mm 未満とほとんど動きは認められなかった。最大の動きが認められたのは，立位から片脚を過伸展して腹臥位となる動きをとった際であったが，それでもせいぜい関節面で 2.2° の回転運動を認めたのみであった。Nagamoto ら[10]，腰椎変性疾患患者の仙腸関節の可動域を計測し，健常者と比較した。Sturesson らと同様に最大の運動は関節面での回転運動であり，健常者の可動域は 0.38°（腰椎伸展時に仙骨が腸骨に対して 0.38° 伸展）とわずかであったが，高齢女性では 0.68° と有意に増加しており，なかには 4° 近くの可動域を有する例が存在した。また，仙腸関節の可動性と骨盤周囲筋量の間には有意な負の相関が認められ，骨盤周囲筋量が少ないほど仙腸関節の可動性は大きかった。以上の結果から，骨盤周囲筋は仙腸関節の安定性を維持するのに重要な役割を果たしていると考えている。

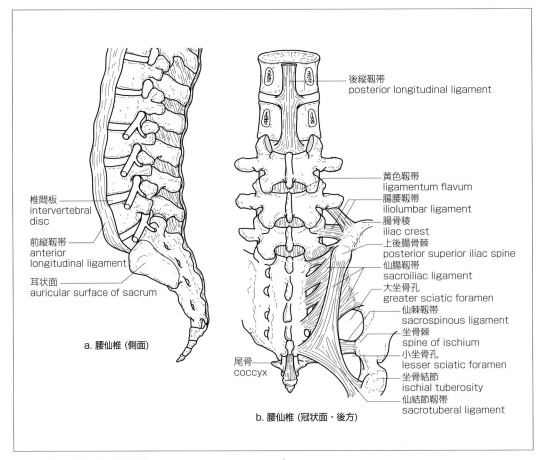

図 SA-8　骨盤・仙腸関節（pelvis and sacroiliac joint）

引用文献

1) Kapandji AI 著，塩田悦二 訳：カパンディ 関節の生理学 Ⅲ脊椎・体幹・頭部（原著第6版），医歯薬出版，pp14-15，2008.
2) 根尾昌志，伊藤 宣，竹本 充：各種頸椎後方固定術の実際 Magerl法（後方環軸関節貫通螺子固定術）．脊椎脊髄 23：576-584，2010.
3) Neo M：Course of the vertebral artery in C2. Spine J 9：430, 2009.
4) Ishii T, Mukai Y, Hosono N, et al：Kinematics of the upper cervical spine in rotation：in vivo three-dimensional analysis. Spine 29：E139-E144, 2004.
5) Milne N：The role of zygapophysial joint orientation and uncinated process in controlling motion in the cervical spine. J Anat 178：189-201, 1991.
6) Scoles PV, Linton AE, Latimer B, et al：Vertebral body and posterior element morphology：the normal spine in middle life. Spine 13：1082-1086, 1988.
7) White AA, Panjabi MM：Clinical biomechanics of the spine. JB Lippincott, Philadelphia, pp61-90, 1978.
8) Fujii R, Sakaura H, Mukai Y, et al：Kinematics of the lumbar spine in trunk rotation：in vivo three-dimensional analysis using magnetic resonance imaging. Eur Spine J 16：1867-1874, 2007.
9) Sturesson B, Uden A, Vleeming A：A radiostereometric analysis of the movements of the sacroiliac joints in the reciprocal straddle position. Spine 25：214-217, 2000.
10) Nagamoto Y, Iwasaki M, Sakaura H, et al：Sacroiliac joint motion in patients with degenerative lumbar spine disorders. J Neurosurg Spine 23：209-216, 2015.

参考文献

11) 長本行隆，岩﨑幹季：Section 1 脊椎・脊髄の構造と機能．カラーアトラス脊椎・脊髄外科（山下敏彦 編著），中外医学社，pp2-26，2013.

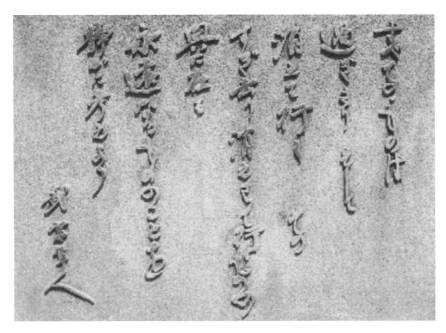

すべてのものは

過ぎさり　そして

消えて行く　その

すぎ去り消えさって行くものの

奥に在る

永遠なるもののことを

静かに考えよう

　　　　　　　　　　　　六甲学院初代校長　武宮隼人　神父

あとがき

　本書は著者自身が定着させた記憶あるいは発展させた思考に基づいて「脊椎脊髄病学」をとらえるため，分担執筆ではなくあくまでも一人での執筆にこだわった．しかし，多くの先輩や同僚・後輩の手助けなくしてはこの執筆は不可能であった．人を教える過程で自分自身が逆に学ばせてもらうことも多かった．自ら学ぶことを楽しみながら執筆に打ち込んだ結果，達成感も感じることができ，感謝の気持ちで一杯である．

　初版では大阪大学整形外科（当時）の小田剛紀君，宮本紳平君，和田英路君，金澤淳則君の助けを借り，さらに大阪労災病院整形外科（当時）の宮内　晃君，奥田真也君，青野博之君，森田雅博君，西川昌孝君，北　圭介君，許　太如君，多田昌弘君，河村光廣君，木澤卓嗣君，岩橋武彦君，長尾絵奈君の論文やレポートを引用あるいは参考にさせていただいた．また，校正段階では玉井宣行君，坂浦博伸君，長本行隆君，大島和也君の助言や訂正に助けていただいた．小野啓郎先生からも貴重なご指導をいただいた．そして本書の出版にあたっては，冨士武史先生から金原出版を紹介していただき，大変お世話になりました．

　第2版でも多くの先生方の助言が大きな力になった．牧野孝洋君には胸腰椎移行部神経障害の項目配置や内容に関して貴重な意見をいただいた．柏井将文君には骨粗鬆性椎体骨折，大島和也君には脊椎腫瘍，藤森孝人君には頸椎後縦靱帯骨化症に関して各々貴重な助言をいただいた．長本行隆君には Surgical Anatomy の項目に関して，彼の論文や執筆を参考にさせていただいた．また，第3版では最新の肺がん治療概略を太田三徳先生（大阪労災病院呼吸器外科部長）から教えていただいた．第2版・3版を通して大阪労災病院（当時）の奥田眞也君，前野考史君，松本富哉君，高橋佳史君，古家雅之君には参考になる貴重な意見をいただいた．ご指導，ご尽力をいただいたすべての先生方に深く感謝します．

　第2版の改訂作業を進めているなか，私の娘が事故に遭遇した．娘にとってはもちろんであるが，我々家族にとっても大きな衝撃であった．彼女が経験したのは私の専門分野である頸椎・頸髄損傷であったからでもある（図Ⅱ-9-10参照）．幸い不全損傷で日々回復し障害を克服し今年には第1子を出産予定だが，脊髄損傷という過酷な現実に自分の無力さを痛感した．以下に，頸椎・頸髄損傷を乗り越え笑顔をたやさず立派に生きている娘の言葉を引用する．

　事故から半年が過ぎ当時を振り返ってみると，自分の状態がどれほど改善したかがあらためてわかる．事故当初わずかなデータのみしかないなかで，父（著者）が希望的に示唆してくれた通りにまで順調に回復することができた．苦しいリハビリの中，たくさんの友人達や先生方，家族が「前向きに頑張れ」と励まし続けてくれたことに感謝している．それが原動力になったことは確かだ．しかし，ときに自分の体調が最低な時は少し休んでみることも大切だと感じた．加えて，それまでやり遂げ，上達したことに対して

感謝すること，さらに自分が独りではないということを自覚するのも大切だ。SNS などで自分と同じような経験をした人やもっと悪い状態の人と交流することにより，なぜ自分だけがこのような経験をしなければいけないのかという「疑問」から，自分は「まだ生きている」という感謝の気持ちに変わるからだ。生かされていること，支えてくれている人達への感謝の気持ちが，自身の貴重な人生で何を成し遂げたいのか，どうで在りたいのか，といった問いかけを自らに与え続け，その自問に応えていくことが完治への前進につながると確信している。

　大きな障害を克服した娘を誇りに思うとともに，助けていただいた先生方や優しいお言葉をかけてくださった人々の親切に深謝します。
　最後に，初版から第 2 版の出版に向けて大きな力になっていただいた金原出版株式会社の鈴木素子様と第 3 版での校正作業で大変お世話になった山下眞人様に深くお礼を申し上げます。

岩﨑　幹季

INDEX
索 引

（太字は主要ページ）

和文索引

あ

亜急性連合性脊髄変性症　49, **97**, 168
亜急性連合性変性症　18
アキレス腱反射　**45**, 47
悪性リンパ腫　**432**, 433
足の内がえし　**41**
足の外がえし　41
アセトアミノフェン　67
圧迫性頚髄症　57
圧迫性頚部脊髄症　160
アナフラニール　84
アミトリプチリン　84
アミロイドーシス　48
アルドラーゼ　26
アルベカシン　77, **78**
アレビアチン　67

い

育成医療　55
移行椎　226, 227
異所性骨化　104
イミプラミン　85
咽後膿瘍　471
インストゥルメンテーション　113, **266**
インスリン　72

う

内がえし　41
運動ニューロン疾患　43, **87**, 167
運動療法　**195**, 233

え

エアートーム　104
会陰部の異常知覚　223
腋窩神経　31, 38
エリスロポエチン　64
遠位指節間関節　34
円回内筋　33
嚥下障害　332
塩酸ケタミン　27
延髄外側症候群　99

延髄頚髄移行部障害　99
延髄頚髄角　327
延髄交叉部障害　99
円錐上部　57
延髄部病変　99

お

横位診断　60
横隔神経　487
黄色靱帯　490
黄色靱帯骨化症　23
横突起　485, 486, 489
横突孔　485, 486
小川培地　475
オピオイド　67, 81, **82**
温痛覚　49

か

下位運動ニューロン　62
下位運動ニューロン徴候　87
回外筋　33
開口障害　332
外骨腫　423
外傷後脊柱変形　**307**
外傷性後弯　307
外傷性すべり　258
回旋変形　400
開窓術　**105**, 116, 252
外側胸筋神経　487
外側神経束　487
外側脊髄視床路　49, 61, 298
外側大腿皮神経　113
外側皮質脊髄路　61, 298
外側部狭窄　245
外側ヘルニア　52, 230
外側肋横突靱帯　488
回転運動　490
外転徴候　**26**, 27
蓋膜　142, 484
解離性大動脈瘤　225
カイロプラクティック　203
下顎反射　44

下関節突起　489
下関節突起部の形態　248
角状後弯　338
角状突背　474
学童期側弯症　349
下肢
・筋力評価　**38**, 303
・しびれ　161
・神経学的検査　224
・伸展挙上テスト　19, 223
下肢痛　225, 246
下神経幹　487
過伸展損傷　286, 308
下垂指　35
下垂手　32
下垂足　40, **42**, 250
下垂体腺腫　278
ガス産生菌　277
過成長症候群　147
家族性痙性対麻痺　18, **92**
下大静脈フィルター　73
肩関節周囲炎　191
肩腱板断裂　191
活性化部分トロンボプラスチン時間　16
合併症　16, 17, 64
合併症・死亡症例検討会　76
滑膜囊腫　253
下殿神経　38
化膿性脊椎炎　26, **470**, 472
・画像所見　471
・鑑別診断　473
・血液検査所見　471
・治療　473
カルシウム代謝異常　200
感覚障害　47
間欠跛行　18, **246**
環軸関節亜脱臼　23, **323**
環軸関節変形　289
環軸椎亜脱臼　99, 163, 327
環軸椎回旋位固定　**288**, 289, 290
環軸椎間傾斜角　330

環軸椎関節脱臼　288
環軸椎の靱帯損傷　287
環軸椎不安定性　**141**, 142
環状骨端　235
冠状面評価　342
がん性疼痛　81
関節弛緩症　340
関節リウマチ　23, 323
　・X 線計測法　324
　・画像検査　327
　・合併症　332
　・頚椎病変　323
　・自然経過　324
　・手術療法　329
　・術式選択　329
　・症状　326
　・治療成績　332
　・病型分類　324
　・保存療法　328
感染性椎体骨髄炎　277
完全麻痺　298
環椎　483, 485
環椎横靱帯　484
環椎奇形　144
環椎形成不全症　140
環椎後弓　485
環椎骨折　286
環椎歯突起間距離　19
環椎前弓　485
環椎破裂骨折　287
冠名徴候　49
顔面肩甲上腕型筋ジストロフィー　94

き

キアリ奇形　390
気管後腔幅　310
気管切開　310
奇形椎　372
基底点　143
輝度変化　70, 209
亀背　474
偽膜性大腸炎　68
球海綿体反射　47, **302**
求心路遮断性疼痛症候群　83
急性炎症性脱髄性多発ニューロパチー　92
急性横断性脊髄炎　95
急性散在性脳脊髄炎　**95**, 454
急性麻痺　122
球脊髄性筋萎縮症　91
球麻痺症状　87
橋　44
胸郭形成術　102, 367, **374**
胸腔ドレーン　71
強剛　28
胸鎖乳突筋　28

胸髄障害　57
矯正操作　366
強直性脊椎炎　212
強直性脊椎骨増殖症　23, 198, **212**
胸椎　488
胸椎 pedicle screw　110
胸椎カーブ　351
胸椎後方手術　**106**, 117
胸椎後弯　23
胸椎手術における術後麻痺　130
胸椎前方固定術　**106**, 117
胸椎部側弯　351
胸背神経　487
胸腰椎移行部　102
胸腰椎移行部障害　57
胸腰椎移行部破裂骨折　311
　・合併症　318
　・手術療法　315
　・評価　312
　・保存療法　312
胸腰椎移行部病変　42
胸腰椎損傷　**294**, 296
棘下筋　31
局在診断　56
棘上筋　29
棘突起　486, 488, 489
虚血性心疾患　16
虚血性ニューロパチー　18
挙睾筋反射　47
巨細胞腫　**423**, 424, 425
筋萎縮　19, **26**, 161
筋萎縮性側索硬化症　18, 43, **90**, 161, 168
緊急再手術　123
緊急手術　121
筋強剛　93
筋緊張亢進　28
筋緊張低下　28
筋原性酵素　26
筋ジストロフィー　**26**, 387
筋節　30, **57**
筋電図　26
筋トーヌス　28
筋皮神経　32, 38
筋紡錘　43
筋力低下　**26**, 43
筋力テスト　191
筋力評価　28

く

クイックトラック　115, 127
口尖らし反射　47
屈曲肢異形成症　150
屈曲伸延損傷　296, 311
首下がり　**153**, 404
くも状指　340
くも膜嚢腫　**237**, 238

クリンダマイシン　68
グルココルチコイド　24
くる病　23, 25
クロミプラミン　84

け

経胸腔アプローチ　102
頚胸椎移行部　102
経口進入前方固定術　331
痙縮　28
頚神経根の走行　188
頚髄圧迫　154
頚髄障害　57
頚髄損傷高位判定基準　302
痙性　306
形成異常　371
痙性対麻痺　18, 167
痙性歩行　18
痙直　28
頚椎　486
頚椎 OPLL　159, **198**
頚椎アライメント　**175**, 209
頚椎後縦靱帯骨化症　159, **198**
頚椎後方除圧術後の頚椎後弯症　151
頚椎硬膜内外傷性神経腫　468
頚椎後弯症　**150**, 153
頚椎後弯変形　150, **154**
　・手術療法　155
　・保存療法　155
頚椎矢状面アライメント　21
頚椎疾患の X 線評価　19
頚椎手術における術後麻痺　129
頚椎症　163, 188, 243
頚椎症性筋萎縮症　161
頚椎症性神経根症　192
頚椎症性脊髄症　165
頚椎神経根　38
頚椎神経根症　52, **188**
　・画像診断　191
　・鑑別　37
　・自然経過　193
　・手術療法　195
　・保存療法　192
頚椎人工椎間板置換術　**104**
頚椎脊柱管前後径　**20**, 140
頚椎前方固定術　**103**, 115
頚椎前弯　21, **175**
頚椎装具　65
頚椎損傷　286
頚椎椎間板ヘルニア　163
頚椎椎弓形成術　105
頚椎の成長　139
頚椎変形　**150**
頚椎弯曲指数　21
経皮的くも膜下ドレナージ　70
経皮的髄核摘出術　234
経皮的電気神経刺激療法　233

索 引 497

頚部圧迫テスト　189
頚部筋力評価　28
経腹膜アプローチ　103
頚部脊髄症（頚髄症）　159
　・画像診断　166
　・高位診断　163
　・自然経過　169
　・手術療法　170
　・術前評価票　181
　・保存療法　169
　・予後因子　176
頚部痛をきたす疾患　190
鶏歩　**18**, 41
係留脊髄　371
ケタラール　27
血液培養　26, **472**
結核腫　460
結核性脊椎炎　277, 472, **474**
　・画像所見　475
　・手術療法　478
血管芽細胞腫　464, **465**, 466
血管腫　426
血管周囲細胞腫　440
血腫　69
楔状束　298
楔状椎　371
結節性動脈周囲炎　18, 43
原因不明の麻痺　26
牽引療法　194, **233**, 251
肩甲下筋　31
肩甲下神経　487
肩甲挙筋　28
肩甲骨　28
肩甲骨烏口突起　32
肩甲上神経　29, 487
肩甲上腕反射　44
肩甲背神経　487
原始髄膜　138
幻肢痛　83
原発性脊椎腫瘍　420

こ

抗 Jo-1 抗体　94
抗 RANKL 抗体　282, 424
高位診断　**56**, 88, 163, 165
後咽頭腔幅　310
抗うつ薬　82, **84**
抗エストロゲン薬　24
抗凝固療法　16
抗痙攣薬　67
抗結核化学療法　478
後結節　486
抗血栓薬　16
膠原病　48
後骨間神経麻痺　34
抗コリン作用　85
後索　60, 298

後索障害　61
好酸球性多発血管炎性肉芽腫症　**98**
好酸球性肉芽腫　425
後縦靱帯　490
後縦靱帯骨化症　17, 23, **198**
甲状腺機能亢進症　25, 26
甲状腺機能低下症　**26**, 48
鉤状椎体関節　486
甲状軟骨　102
後神経束　487
抗スクレロスチン抗体　282
更生医療　55
後側方固定術　253
後側弯　382
構築性側弯　338
後腸骨稜　113
後天性脊柱管狭窄　244
後頭下穿刺法　51
後頭骨・環椎間異常可動性　143
後頭骨・環椎間回旋異常　290
後頭骨・環椎間不安定性　142
後頭骨軸椎間固定術　331
後頭点　143
広背筋　32
公費負担医療制度　55
抗不安薬　85
後腹膜アプローチ　103
項部硬直　70
高プロラクチン血症　24
後方経路腰椎椎体間固定術　253, **263**
後方固定術　106, 117, 315, 316
後方除圧固定術　263
硬膜外血腫　50, 122, 123
硬膜外注射　**50**, 232, 251
硬膜外膿瘍　50, 122
硬膜外ブロック　16, **251**
硬膜拡張　381
硬膜内ヘルニア　227, 230
肛門反射　47
絞扼性神経障害　19
後弯計測法　21
後弯変形　318
　・矯正　156
股関節　38
股関節の屈曲拘縮　397
股関節の伸展筋力低下　397
呼吸器リハビリテーション　307
極超短波療法　195
固縮　28
骨移植　113
骨化形態　209
骨芽細胞腫　**428**, 429
骨化占拠率　199, **209**
骨型アルカリホスファターゼ　24
骨吸収マーカー　24
骨棘　159

骨形成不全症　25, 55
骨形成マーカー　24
骨シンチグラフィ　421
骨成熟の評価　341
骨粗鬆症　23
骨粗鬆症性椎体圧潰　275
骨粗鬆症性椎体骨折　275
　・保存療法　275
骨代謝マーカー　24
骨軟化症　25
骨軟骨腫　422
骨軟骨性外骨腫　422
骨肉腫　**430**, 432
骨パジェット病　245
骨盤側傾　338
骨盤の後傾　343
骨盤の前傾　343
骨片転位　318
骨未成熟　363
固定術　**253**, 405
小指離れ　19
孤立性形質細胞腫　428
コルセット　251
混合性障害　245

さ

細菌性心内膜炎　472
採骨部位　113
サインバルタ　85
索路徴候　**60**, 160
坐骨棘　490
坐骨神経腫瘍　225
坐骨神経痛　221
三角筋　**29**, 165, 388
三叉神経　44
酸素化ヘモグロビン　69
残尿測定　23

し

弛緩性　28
子宮内膜症　225
軸症状　193
軸椎　483
軸椎下亜脱臼　23, **323**
軸椎骨折　287
軸椎歯突起　287
軸椎歯突起骨折　288
軸椎垂直亜脱臼　20, **323**
軸椎すべり症　288
軸椎体部　485
自己血貯血　64
四肢麻痺　26, **43**, 94
思春期特発性側弯症　345
耳状面　490
矢状面アライメント　22
矢状面骨化パターン　199
矢状面評価　23, **343**

指伸筋　34	小指外転筋　36	深部知覚　49
持続吸引　70	上肢筋力　28	深部痛覚　48
膝蓋腱反射　**45**, 46	上肢腱反射　165	**す**
失調性歩行　18	上肢痛をきたす疾患　190	
歯突起　485	上神経幹　29, 487	髄液　70
歯突起奇形　144	上前腸骨棘　113, **114**	髄液漏　70
歯突起後方腫瘍　457	掌側外転　36	髄核　489
歯突起骨　**139**, 141	掌側骨間筋　36	髄核摘出術　105, 116, **234**
歯突起骨折　**287**, 288	小殿筋　40	髄節　38, 56
脂肪腫　465	上殿神経　113	髄節障害　43
斜角筋　28	小児の睡眠薬　28	髄節徴候　61, **62**, 160
尺側手根屈筋　34	小児の麻酔薬　28	錐体路　60
尺側手根伸筋　33	小菱形筋　28	錐体路障害　43, 47, **162**
斜台　143	上腕筋　32	錐体路徴候　60
尺骨鉤状突起　33	上腕骨外顆　33	垂直性亜脱臼　23
尺骨神経　34, **38**, 487	上腕三頭筋　33	髄内輝度変化　209
周期性四肢麻痺　94	上腕三頭筋反射　45	髄内腫瘍　453, **463**
終椎　338	上腕二頭筋　32, 33	髄内肉芽腫　460
終板障害　236	上腕二頭筋反射　**44**, 88, 164	髄内囊腫　460
手関節　33, **34**	褥瘡　79	髄膜炎　50, 70
手根管症候群　190	触覚　49	髄膜刺激症状　70
手指屈曲反射　45, 162	自律神経過反射　306	髄膜腫　453, **461**, 463
手指巧緻障害　161	心因性疼痛　83	髄膜囊腫　**237**
術後安静度　115	腎がん　**448**, 449	髄膜瘤　381
術後感染症　68	・転移　437	睡眠薬　86
術後感染予防　67, **77**	神経・筋原性側弯症　386	ステロイド性骨粗鬆症　24
術後管理　**67**, 115	神経学的評価法と分類法　299	ステロイド療法　439
術後血腫形成　115	神経幹　487	砂時計型神経鞘腫　461
術後髄液漏　70	神経弓椎体軟骨結合　139	砂時計腫　**463**, 464
術後全身管理　68	神経原性側弯症　387	すべり角　258
術後疼痛　81	神経根　56	すべり度　258
術後疼痛管理　67	神経根憩室　237	スルファメトキサゾール　78
術後麻痺　129	神経根除圧術　195	スルファメトキサゾール・トリメトプリム　78
術式選択　101, 104, **122**	神経根症　161	
術前重症度　209	神経根障害　222, 245	**せ**
術前評価　**16**	神経根症状　**223**, 228	
腫瘍性骨軟化症　23, 25	神経根造影　227	生検　421
腫瘍マーカー　275, 438	神経根ブロック　**52**, 251	星細胞腫　167, 453, **464**, 465
腫瘍類似疾患　455	神経障害性疼痛　83	正常圧水頭症　98
除圧術　156, 169, 196, 203, 227, **252**, 262, 266, 405, 481	神経鞘腫　453, **461**, 462	成人脊柱変形　**396**
上位運動ニューロン徴候　87	神経線維腫症　151, **381**, 383	・X線評価　397
上衣芽細胞腫　465, 466	神経束　487	・手術療法　404
上位胸椎　102	神経痛性筋萎縮症　**95**, 161, 190	・術式選択　406
上位頸椎損傷　286	神経内科的疾患　87	・進行予測　402
上位頸椎病変　145, 323, **324**, 331	神経板　138	・装具療法　403
上衣腫　167, 453, **464**	神経ブロック　194, 232, **251**	成人側弯症　407, 408
小円筋　31	進行性筋ジストロフィー　94	性腺機能不全　24
障害者自立支援法　55	人工椎体　**106**, 117	正中神経　38, 487
上関節窩　485	深指屈筋　35	成長抑制　350
上関節突起　488	振戦　93	静的因子　159
少関節破壊型　323, **325**	靱帯骨化症　23	脊索　138
上関節面　486	靱帯付着部炎　481	脊索腫　**432**, 433
症候性側弯　381	深腓骨神経　40, 43	脊髄炎　122, **167**
症候性側弯の治療　381	深部感覚　47	脊髄円錐部　57
小坐骨孔　490	深部感染　123	脊髄空洞症　18, 47, 190, 308, 389, 391
上肢運動麻痺　115	深部腱反射　43	脊髄血管障害　168
	深部静脈血栓症　306	脊髄高位差　163

索引　499

脊髄後索障害　49
脊髄梗塞　**96**, 97, 454
脊髄サルコイドーシス　**95**, 168, 454
脊髄視床路障害　61
脊髄出血　**97**, 454
脊髄腫瘍　167, 453, **461**
脊髄髄内出血　455
脊髄髄内腫瘍　453
脊髄性筋萎縮症　91
脊髄性進行性筋萎縮症　**91**, 161
脊髄造影　50
脊髄損傷　286
・合併症　306
・高位診断　302
脊髄中心症候群　62
脊髄伝導路　61, 160
脊髄軟膜下脂肪腫　466
脊髄半切症候群　48, **161**, 298
脊髄浮腫　72
脊髄ヘルニア　237
脊髄面積　210
脊髄瘻　49
脊柱　483
脊柱アライメント　343
脊柱安定性の確保　156
脊柱管拡大術　105, **115**, 170
脊柱管狭窄　159
脊柱管狭窄症　254
脊柱管前後径　19
脊柱管内嚢腫性病変　**253**, 254
脊柱矢状面　344
脊柱矢状面パラメータ　344
脊柱靱帯　484
脊柱靱帯骨化症　**198**
脊柱側弯症　339
脊柱の可動域評価　19
脊柱変形　**336**, 398
・術式選択　307
・診断　339
・評価　22
・用語　338
脊椎・脊髄損傷　**286**
・神経学的診断　302
・治療　304
・リハビリテーション　306
脊椎・椎間板炎　470
脊椎インストゥルメンテーション　109, 479
脊椎カリエス　**474**
脊椎感染症　470
脊椎骨端骨異形成症　140, **145**, 146
脊椎固定　113
脊椎固定術　351
脊椎手術　101
脊椎腫瘍　**419**, 421
・画像診断　419
・鑑別診断　421

・頻度　420
脊椎症　243
脊椎前方アプローチ　101
脊椎損傷　286
脊椎転移　448
脊椎の発生　138
舌骨　102
セファゾリン　67
セロトニン・ノルアドレナリン再取り込み阻害薬　85
線維自発電位　26
線維束攣縮　26
線維輪　489
前鋸筋　29
仙棘靱帯　490
前屈テスト　340
前脛骨筋　40
前結節　486
仙結節靱帯　490
前後合併同時固定術　316
前骨間神経麻痺　36
仙骨傾斜角　343, 400
仙骨骨折　**295**, 297
仙骨切除　434
仙骨中心線　342
仙骨嚢腫　**237**
仙骨の腰椎化　489
浅指屈筋　35
前縦靱帯　488, 490
前脊髄視床路　61, 298
前脊髄動脈症候群　**62**, 97
尖足　42
選択的セロトニン再取り込み阻害薬　85
仙腸関節　490
前腸骨稜　113
仙腸靱帯　490
仙椎　483
前庭（迷路）障害　49
前庭神経炎　98
先天性（発育性）脊柱管狭窄　244
先天性くも状指　385
先天性頚椎後弯症　150
先天性頚椎後弯変形　154
先天性後側弯症　371, **377**
先天性すべり　258
先天性側弯症　**371**, 375
・画像検査　372
・手術適応　373
・進行予測　372
・装具療法　373
・分類　371
・理学所見　372
先天性代謝異常　386
浅腓骨神経　43
前皮質脊髄路　61
前方骨化浮上術　205

前方固定術　264
前方除圧固定術　**172**, 315
前方除圧固定術後の偽関節　315
せん妄　73
前立腺がん　448
前立腺特異抗原　23
前腕　33
前弯計測法　21

そ

造影検査　50
装具療法　232, 251, 363, **363**
総指伸筋　34
僧帽筋　28
足関節　40, 42
側頭動脈炎　94
側方すべり　400
側弯矯正手術　117
側弯症　336
・X線計測　**340**, 342
・外来経過チャート　395
・重症度　341
・初診チャート　393
・進行予測　362
・治療　362
・分類　337
組織掻爬　79
ソフトカラー　65, 194

た

ダーメンコルセット　65
第1肋間神経　487
第XIII因子　69
大円筋　32
大胸筋　32
大後頭孔　389
大坐骨孔　490
代償性カーブ　338
代償不全　338
帯状疱疹　225
体節　138
大腿筋膜張筋　40
大腿屈筋群　40
大腿四頭筋　40
大腿神経　38
大腿神経伸展テスト　19
大腿二頭筋　40
大殿筋　38
大腰筋　38
大菱形筋　28
ダウン症　140
ダウン症候群　141
多関節破壊型　323, **326**
多系統萎縮症　153
多シナプス性反射　46
多相性電位　26
脱臼骨折　311

脱酸素化ヘモグロビン　69
脱神経電位　26
多発筋炎　94
多発性硬化症　18, **93**, 168, 454
多発性骨髄腫　23, 94, 225, 278, **428**
多発性神経障害　48
多発性ニューロパチー　18, 43, 45
多発性破裂骨折　316
多発ニューロパチー　**92**, 168
タモキシフェン　24
単シナプス反射　45
短縮矯正骨切り術　108, 279
弾性ストッキング　73
短橈側手根伸筋　34
ダントロレン　306
蛋白免疫電気泳動　23
短腓骨筋　41
短母指外転筋　36
短母指伸筋　35
単麻痺　43

ち

中下位胸椎　102
中下位頚椎損傷　289
中下位頚椎病変　**326**, 331
中手指節間関節　34
中神経幹　487
中心性脊髄損傷　310
中殿筋　40
中胚葉　138
肘部管症候群　190
虫様筋　35
長胸神経　29, 487
腸脛靱帯　38
腸原発性囊腫　460
腸骨筋　38
腸骨稜　490
長掌筋　34
腸性囊胞　467
頂椎　338
頂椎回旋の評価　341
長橈側手根伸筋　34
長腓骨筋　41
長母指外転筋　36
長母指伸筋　35
長母趾伸筋　42
腸腰筋　38
腸腰筋膿瘍　225, 471
腸腰靱帯　490
貯血準備　64
鎮痛補助薬　82

つ

椎間関節傾斜角　248
椎間関節症候群　251
椎間関節切除術　252
椎間関節囊腫　253

椎間関節ブロック　251
椎間孔　489
椎間孔外ヘルニア　222
椎間孔拡大術　252
椎間孔狭窄　**189**, 246, 249, 250
椎間孔ヘルニア　222
椎間板　490
椎間板症　243
椎間板性腰痛　52
椎間板穿刺　52
椎間板造影　**52**, 227
椎間板内圧　221
椎間板内酵素注入療法　234
椎間板囊腫　255
椎間板ヘルニア　234, **236**
椎間板変性　221
椎弓　486, 488
・形態　248
・水平化　263
椎弓角　247
椎弓形成術　105, 115, 171, **175**, 205, 331
椎弓根　486, 488, 489
椎弓根スクリューの外側逸脱　367
椎弓根の横径　111
椎弓切除術　**106**, 117, 252
椎弓切除術後　151
椎孔　486, 488, 489
椎骨動脈　109
・走行　328
・評価　304
・不全症状　326
椎骨脳底動脈系　328
椎骨脳底動脈血栓塞栓症　99, 327
椎体　486, 488, 489
・すべり　160
椎体間固定術　108
椎体間の回旋度　367
椎体形成術　279
椎体骨切り術　282
椎体粉砕　318
椎体レベル　56
椎板　138
対麻痺　43
痛覚過敏　49
つぎ足歩行　17, 161
ツベルクリン反応　475

て

低カリウム血性周期性四肢麻痺　26
低骨量　25
テイコプラニン　77, **78**
定量的評価法　275
低リン血症性くる病　23
低リン血症性骨軟化症　23
デオキシピリジノリン　24
デカドロン　**72**, 439

デキサメタゾン　72
鉄欠乏性貧血　26
デノスマブ　282
デュシェンヌ型　94
デュシェンヌ型筋ジストロフィー　**387**, 389
デュロキセチン　85
テリパラチド　282
転移性脊椎腫瘍　23, **436**, 442
・手術選択　445
・手術療法　439
・診断　437
・保存療法　439

と

頭蓋環椎癒合症　140
頭蓋陥入症　140
頭蓋頚椎移行部奇形　140
頭蓋頚椎移行部病変　141
頭蓋直達牽引　169
橈骨神経　32, **38**, 487
橈骨神経麻痺　32
橈骨粗面　32
動静脈奇形　97, **454**
透析脊椎症　481
洞脊椎神経　221
橈側外転　37
橈側手根屈筋　34
疼痛回避歩行　18
動的因子　159
糖尿病　16, 48, **72**
・周術期管理　72
動脈瘤様骨囊腫　**422**, 423
特定疾患　55
徳橋スコア　**442**, 445, 446
特発性頚椎後弯症　155
特発性硬膜外血腫　122
特発性側弯症　**347**, 351
徒手筋力テスト　28
突発性難聴　98
トフラニール　85
富田分類　**441**, 443
トリプタノール　84
トリメトプリム　78

な

内側胸筋神経　487
内側広筋　41
内側上腕皮神経　487
内側神経束　487
内側前腕皮神経　487
軟骨結合　139
軟骨腫　221
軟骨肉腫　**434**
軟骨無形成症　140
難治性疼痛　83

に

二次性骨粗鬆症　24
二次ニューロン　49
日本整形外科学会頸部脊髄症治療成績判定基準　177
日本整形外科学会頸部脊髄症評価質問票　176, 179
日本整形外科学会腰痛評価質問票　273
乳がん　448
ニューキノロン系抗菌薬　81
乳頭突起　489
乳幼児側弯症　**348**, 349
ニューロパチー　92
妊娠授乳後骨粗鬆症　278

ね

ネスプロンケーブルシステム　368
捻曲性骨異形成症　150

の

脳脊髄液　70
ノリトリプチリン　84
ノリトレン　84

は

パーキンソン症候群　93
パーキンソン病　93
バイオメカニクス　175
肺血栓塞栓症　74
背側骨間筋　36
肺塞栓症　306
排尿障害　23
背部痛　17
破壊性脊椎関節症　481
・周術期管理　482
パキシル　85
白質ジストロフィー　18
薄束　298
跛行　18, 161
はさみ脚歩行　18
播種性骨髄がん症　440
発育性脊柱管狭窄　159
発熱　26
鳩胸　384
馬尾障害　**59**, 245
馬尾症状　**223**, 228
破裂骨折　311, 313, 317
・AO分類　312
・Denis分類　311
・PLIF　316
パロキセチン　85
半腱様筋　40
バンコマイシン　68, **77**
反射　57
半椎　371

半膜様筋　40

ひ

ビーバー徴候　50
非がん性疼痛　81
非器質的腰痛　226
尾骨　490
腓骨　114
非骨傷性脊髄損傷　286, **308**
腓骨神経麻痺　18, **42**
ヒステリー　26
非ステロイド性抗炎症薬　16, 67, **81**, 251
ビスホスフォネート製剤　24, 282
ビタミンB$_{12}$　49
ビタミンD　24
ビタミンK$_2$　16
ビタミン欠乏症　48
尾椎　483
皮膚筋炎　94
腓腹筋　42
皮膚分節　48, **57**
びまん性特発性骨増殖症　23, 198, **211**
表在感覚　47
表在反射　46
ヒラメ筋　42
平山病　167
貧血　26

ふ

フィラデルフィアカラー　65
フーバー徴候　49
フェニトイン　67
副甲状腺機能亢進症　421
副甲状腺ホルモン　482
副作用　81, 478
副突起　489
腹壁反射　47
腐骨　474
不全麻痺　298
フック　368
フッ素中毒　245
フットポンプ　73
物理療法　233
プレドニン　24
プロスタグランジンE1製剤　251
ブロック注射　50
プロトロンビン時間　16
プロトンポンプ阻害薬　81
フロマン徴候　191
分節異常　371
分離症　259
分離すべり症　258

へ

平均赤血球容積　26
並進運動　490

閉塞性動脈硬化症　225
ベーラーギプス　305
ベタメタゾン　72
ベッカー型　94
ベトメタゾン　439
ヘルニア摘出術　234
ヘルニアの退縮　196
辺縁造影効果　475
弁機構サイン　237
変性すべり症　248, 258, **262**, 265
・手術療法　262
・術式選択　262
変性側弯症　**396**, 411
片側椎間関節脱臼　293
片側癒合椎　371, **372**
ベンゾジアゼピン　85
扁平椎　429
片麻痺　43

ほ

方形回内筋　33
膀胱機能の評価　23
放射線性脊髄症　461
放射線療法　**422**, 439
傍脊柱膿瘍　474
歩行障害　**17**, 161
歩行バランス　397
母指　35
母趾　42
母指球筋　37
母指探し試験　49
ボツリヌス毒素　306
ホモシステイン尿症　384
ホルモン代謝異常　200

ま

麻酔　124
麻酔薬　28
末梢神経支配　39
末梢神経障害　168
・鑑別　37
末梢動脈疾患　246
マニプレーション　203
麻痺　43, 94, 121, 167, **298**
慢性炎症性脱髄性多発根神経炎　92
慢性腎不全　481
慢性疼痛　81

み

ミエログラフィ　249, 454
ミオパチー　26
水野テスト　19, 189
ミニトラック　310
ミニトラックⅡ　115, 127
ミノサイクリン　68, 79
ミュゾー鉗子　105

む

ムコ脂質症　145
ムコ多糖症　145
ムチランス型　323, **326**

め

メイフィールド　105
メチシリン耐性黄色ブドウ球菌　26, 473
メトトレキサート　81
メトヘモグロビン　69
メニエール病　98
めまい　98

や

薬物療法　251, 439

ゆ

有効脊柱管前後径　20

よ

腰股伸展強直　236
陽性鋭波　26
腰仙椎 pedicle screw　111
腰仙椎移行部　103
腰椎　**103**, 489
　・仙椎化　489
腰椎カーブ　351
腰椎後方手術　**105**, 116
腰椎症　243
腰椎すべり症　258
腰椎前方固定術　**106**, 116
腰椎前弯　23
腰椎椎間板ヘルニア　**221**, 222
　・画像診断　226
　・自然経過　230
　・手術療法　**234**, 236
　・消退　231
　・診断手順　223
　・治療選択　227
　・保存療法　**232**, 236
腰椎変性すべり症　265
腰痛　17, 225, 229, **246**
腰部硬膜外注射　232
腰部脊柱管狭窄症　**243**, 265
　・圧迫形態　245
　・画像診断　247
　・鑑別診断　250
　・自然経過　250
　・手術療法　251
　・術式選択　252
　・診断　246
　・椎弓切除　252
　・分類　243
　・保存療法　251
腰部隆起　340
　・計測　341
翼状肩甲　29
翼状靱帯　142
予防的抗菌薬　77

ら

螺子固定法　329
ラセーグ徴候　50
ランゲルハンス細胞組織球症　425

り

リウマチ頚椎の評価　23
リウマチ性多発筋痛症　94
立位バランス　17, 397
リネゾリド　77, **78**
リファンピシン　**78**
硫酸アトロピン　27
硫酸プロタミン　16
菱形筋　28
良性脊椎腫瘍　422
　・治療　421
良性発作性頭位性めまい　98
両側椎間関節脱臼　293

両側癒合椎　371
両麻痺　43
輪状軟骨　102
隣接障害　174
隣接椎間　174, 263
隣接椎間障害　263, 332
リンデロン　50, 72, 439

る

類骨骨腫　**428**
類上皮囊腫　453, 459, 465, 467
類皮囊腫　465
流注膿瘍　474

れ

レルミット徴候　49

ろ

漏斗胸　384
肋横突関節　488
肋横突靱帯　488
ロッキング　293
肋骨　**114**, 488
肋骨移植　114, **144**
肋骨窩　488
肋骨隆起　339
肋骨隆起の計測　341
ロモソズマブ　282
ロンベルグ徴候　49

わ

鷲手　190
ワルファリン　16
腕神経叢　29, 487
腕神経叢神経幹　29
腕橈骨筋　32
腕橈骨筋反射　**44**, 162
　・広汎化　45

欧文索引

数字

Ia 求心線維　43
Ⅰ型コラーゲン架橋 N-テロペプチド　24
1st intercostal n.　487
10秒テスト　19, **162**
25-(OH) ビタミン D　25
75gOGTT　72
99mTc-MDP　421

A

α 運動ニューロン　43
AARF　**288**, 289
Aaro 法　341
AAS　**23**, 323
ABC　422, 424
abdominal reflex　47
abductor digiti minimi　36
abductor pollicis brevis　36
abductor pollicis longus　36
ABK　77, **78**
accessory process　111, 489
ACCF　103
ACDF　103, 195
Achilles tendon reflex　45
achondroplasia　140
acquired stenosis　244
active bilateral SLR　247
acute disseminated encephalomyelitis　**95**, 454
acute inflammatory demyelinating polyradiculoneuropathy　92
acute motor axonal neuropathy　92
acute transverse myelitis　95
Adamkiewicz 動脈　97
Adams test　340
ADD　19
adding-on　339
ADEM　**95**, 454
ADI　19
ADL 予後予測　302
ADM　36
adult spinal deformity　396
AIDP　92
alar ligament　142
allodynia　48
ALS　18, 43, **90**, 161, 168
AMAN　92
amyotrophic lateral sclerosis　43, **90**, 161, 168
amyotrophic myelopathy　161
anal reflex　47
anatomical snuff box　35, 36

Anderson & D'Alonzo 分類　288
aneurysmal bone cyst　422
ankle clonus test　369
ankylosing spinal hyperostosis　198
antalgic gait　18
anterior arch　485
anterior cervical corpectomy and fusion　103
anterior cervical discectomy and fusion　103, 195
anterior column　294
anterior cord 症候群　298
anterior iliac crest　113
anterior interosseous n.　36
anterior longitudinal ligament　488, 490
anterior radiculomedullary artery　97
anterior screw　113
anterior spinal artery syndrome　62
anterior spinal fusion　103, 172
anterior superior iliac spine　114
anterior tubercle　486
anular defect　235
anulus fibrosus　489
AO 分類　**295**, 296, 312
APB　36
apex　338
apical vertebra　338
apical vertebral translation　342
APL　36
apposition of fragment　318
APTT　16
arachnodactyly　340
arachnoid cyst　237
arm span　340
Arnold-Chiari 奇形　18, 389
Arnoldi らによる国際分類　244
ASF　103
ASH　23, 198, **212**
ASIA impairment scale　298
ASIA 分類　75, **298**
ASIS　113, 114
assimilation　**139**, 140
astrocytoma　167, **464**
ataxic gait　18
atlanto dental distance　19
atlanto dental interval　19
atlanto-axial angle　330
atlanto-axial rotatory fixation　**288**
atlanto-occipital translation　143
atlantoaxial subluxation　**23**
atlas　483, 485
ATR　45, 47

auricular surface of sacrum　490
autonomic dysreflexia　306
AVM　97, **454**
AVT　342
axial symptom　193
axillary n.　487
axis　483, 485

B

β-ラクタム薬　77
Babinski 反射　**47**, 162, 166
BAP　24
Barton tong　169
basilar impression　140
basilar invagination　140
basion　143
BCR　47
Beevor 徴候　50
biceps brachii　32, 33
biceps femoris　40
biceps tendon reflex　44
bicycle test　247
BMP　113
bone graft　113
bone morphogenetic protein　113
Boston brace　363, **364**
brachial plexus neuritis　**95**, 190
brachioradialis　32
brachioradialis reflex　**44**
Brooks 法　329
Brown-Séquard 型　290
Brown-Séquard 症候群　48, **62**, 161, 298
BRR　**44**, 162
BTR　**44**, 88, 162
・偽亢進　**44**, 88, 164
bulbocavernosus reflex　**47**, 302
Bull's atlantal line　143
burst fracture　311

C

C. difficile　68
C/M 比　153
C2 pedicle screw　109
C2-7 sagittal vertical axis　154
C7 plumb line　**23**, 154, 342, 400
campomelic dysplasia　150
canal stenosis　159
carpal height ratio　327
cauda equina symptom　223
CCA　385
CDA　104
CDR　104
center of gravity　154

center sacral vertical line　342
central cord injury　310
central cord syndrome　62
central cord 症候群　298
central (center) sacral vertical line　338
cerebrospinal fluid　70
cervical deformity　**150**
cervical disc arthroplasty　104
cervical disc replacement　104
cervical kyphosis　150
cervical line　49
cervical myelopathy　159
cervical radiculopathy　188
cervical spondylosis　243
cervical spondylotic amyotrophy　161
cervical vertebrae　486
cervicomedullary angle　327
CEZ　67
CE 損傷　**292**, 293
CF 損傷　**290**, 291
Chance 骨折　**295**, 296
Charcot spine　308
Charcot-Marie-Tooth 病　18, 43, **92**
Charleston bending brace　364
Chiari malformation　389
chin-chest distance　19
chondroma　221
chondrosarcoma　434
chordoma　432
CHR　327
chronic inflammatory demyelinating polyradiculoneuropathy　92
CIDP　92
claw hand　**37**, 190
CLDM　68
clivus　143
Cloward 開創器　105
CM 関節　36
Cobb 角　**341**, 362
Cobb 法　341, 342
coccyx　483, 490
COG　154
collapsed union　264
comminution　318
compensatory curve　338
complex regional pain syndrome　83
compression force　366
compressive extension injuries　**292**
compressive extension 損傷　293
compressive flexion injuries　**290**
compressive flexion 損傷　291
compromised host　26, 470
concave　338
congenital arachnodactyly　385
congenital kyphoscoliosis　377

congenital scoliosis　371
congenital-developmental stenosis　244
contained type　222
contralateral sign　223
conus medullaris　57
convex　338
convex hemiepiphysiodesis　350
cord　487
coronal decompensation　338
costotransverse joint　488
costotransverse ligament　488
CPK　26
crankshaft phenomenon　368
cremasteric reflex　47
cross SLRT　223
crowned dens 症候群　473
CRP　68
CRPS　83
Crutchfield tong　169
CSF　70
CSVL　338
CTLSO　364
CTM　69
CT ミエログラフィ　454
cuneatus fasciculus　298
Cushing 症候群　25
Cushing 病　278

D

D-dimer　73
de novo scoliosis　396
deafferentation pain　49
deafferentation pain syndrome　83
decompensation　338
deep pain　48
degenerative scoliosis　396
delayed union　264
deltoid　29
denervation potential　26
Denis 分類　295, 311
dens　485
dermatome　48, **57**
dermatomyositis　94
dermoid cyst　465
destructive spondyloarthropathy　481
developmental canal stenosis　159
developmental segmental sagittal diameter　19, **20**
DE 損傷　**292**, 293
DF 損傷　291
diastrophic dysplasia　150, 154
diffuse idiopathic skeletal hyperostosis　198, **211**
diplegia　43
DIP 関節　34

direct vertebral derotation　366
disc herniation　235
discal cyst　255
discitis　470
discogenic pain　52
discography　52
discopathy　243
DISH　23, 198, **211**
disseminated carcinomatosis of bone marrow　440
distal adding-on　339
distraction force　366
distractive extension injuries　**292**
distractive flexion injuries　291
DM　94
dorsal interossei　36
dorsalis scapular n.　487
double jeopardy　144
double-major scoliosis　338
drop finger　35
drop foot　42
drop hand　32
DSA　481
DSSD　19, **20**
dual growing rod technique　350
Duchenne 徴候　32
Duchenne 跛行　18
dumbbell tumor　463
dumbbell 型脊髄腫瘍　166
dural ectasia　381
dural tail sign　462
DVT　306
dynamic canal stenosis　21, **160**, 166
dynamic factor　21, **159**
dysesthesia　49
dysplastic　258
dystrophic scoliosis　**381**, 382

E

early-onset scoliosis　350
ECRB　33
ECRL　33
ECU　33
ED　34
EDC　34
EGPA　98
EHL　42
Ehlers-Danlos 症候群　55, **386**
EMG　26
emphysematous osteomyelitis　277
end vertebra　338
enterogeneous cyst　**465**, 467
enthesopathy　481
entrapment neuropathy　19
eosinophilic granuloma　425
eosinophilic granulomatosis with polyangiitis　98

EPB 35	flexor carpi ulnaris 34	heterotopic ossification 104
ependymoblastoma 465, 466	flip test 226	high riding VA 328
ependymoma 167, **464**	floppy infant 91	HLA ハプロタイプ 199
epiconus 57	fluorosis 245	Hoffmann 反射 45, 162
epidermoid tumor 465, 467	FNST 19, **223**	Homans 徴候 73
EPL 35	foramen magnum 389	Hoover 徴候 26, **49**
equinus foot 42	foraminal disc herniation 222	Horner 症候群 **62**, 191
equivocal 47	foraminal stenosis 189, 246, 249, 250	HTLV-1 18, **98**, 168
eversion 41	foraminotomy 195, 252	Hüftlendenstrecksteife 236
extensor carpi radialis brevis 33	fracture dislocation 311	hump 340, 341
extensor carpi radialis longus 33	Frankel 分類 75, 298, 313, 317	hyperalgesia 49
extensor carpi ulnaris 33	Froment's sign 191	hyperpathia 48
extensor digitorum 34	FSHD 94	hypertonus 28
extensor digitorum communis 34	FSP 18, 92	hypoalgesia 48
extensor hallucis longus 42	fulcrum bending 340	hypotonus 28
extensor pollicis brevis 35	fully segmented hemivertebra 375	
extensor pollicis longus 35	funnel chest 384	**I**
extra-foraminal 52		I-cell 病 145
extraforaminal disc herniation 222	**G**	idiomuscular contraction 43
extreme lateral interbody fusion 103	Gallie 法 329	idiopathic scoliosis 347
	gastrocnemius 42	iliac crest 490
F	GCT 423	iliac screw 111
facet angle 249	giant cell tumor 423	iliacus 38
facet cyst 253	giant spike 26	iliolumbar ligament 490
facet syndrome 251	gibbus **338**, 474	iliopsoas 38
facet tropism 264	Gill's operation 260	impending fracture 439
facetectomy 252	glial tumor 464	in situ rod contouring 366
failure of formation 371	Glisson 係蹄 169	incarcerated 371
failure of segmentation 371	gluteus maximus 38	indifferent 47
Fajersztajn's test 223	gluteus medius 40	infantile scoliosis 348
familial spastic paraplegia 18, 92	gluteus minimus 40	inferior articular facet 485
far-out syndrome 489	goose gait 18	inferior articular process 489
fasciculation 26	Gotton's sign 94	inflexion point 402
fasciculus gracilis 298	Gowers 徴候 388	infraspinatus 31
FCR 34	gravitation abscess 474	instrumentation without fusion 113, **350**
FCU 34	greater sciatic foramen 490	intermittent claudication 18
FDP 35	grip and release test 162	internal craniocervical ligaments 484
FDS 35	growth arrest 350	intervertebral disc 490
femoral nerve stretching test **223**	growth spurt 347	intervertebral foramen 489
fenestration 252	Guillain-Barré 症候群 92	intra-sacral fixation 260
FES 19, **162**		intramedullary tumor 463
FGF23 23, 25	**H**	inversion 41
fibrillation potential 26	H2 受容体拮抗薬 81	IOD 36
fibroblast growth factor 23 23	halo vest 65, **71**	ischial tuberosity 490
fibula 114	HAM 18, **98**, 168	isthmic spondylolisthesis 259
Fielding 分類 289	hamstrings 38	
filling defect sign 237	hangman 骨折 **287**, 288	**J**
finger escape sign 19, **162**	hard disc 188	Jackson technique 260
finger flexion reflex 45	Harrington rod 365	Jackson test 189
finger-floor distance 19	HbA1c 64, 72	Jacoby 線 50
fixed sagittal imbalance 396	heliotrope rash 94	jaw jerk 44
flaccid 28	hemangioblastoma 464, **465**	Jefferson 骨折 286, 287
flat back syndrome 396	hemangioma 426	Jendrassik 法 43
flexibility index 342	hemiplegia 43	JOABPEQ 273
flexion myelopathy 167	hemivertebra 371	JOACMEQ 176, 179
flexor carpi radialis 34	herniated nucleus pulposus 221	
	herniotomy 234	

JOA スコア　176
joint laxity　340
joint of head of rib　488
juvenile scoliosis　349

K-line　209
Kennedy-Alter-Sung disease　91
King 分類　351
Kirkaldy-Willis 説　244
KL-6　16
Klippel-Feil 症候群　140, **141**
Kugelberg-Welander 病　91
kyphoscoliosis　382

lamina　486, 488
laminectomy　252
laminectomy membrane　175
laminoplasty　**115**, 170
Langerhans cell histiocytosis　425
Larsen 症候群　**140**, 150, 151
Lasègue test　223
Lasègue 徴候　50
last touching vertebra　338
lateral corticospinal tract　298
lateral costotransverse ligament　488
lateral disc herniation　222
lateral femoral cutaneous nerve　113
lateral listhesis　400
lateral pectoral n.　487
lateral spinothalamic tract　298
latissimus dorsi　32
lavator scapulae　28
least erosive subset　323
LES　323, **325**, 330
lesser sciatic foramen　490
Lhermitte 徴候　**49**, 93
ligamentum flavum　490
light touch　49
LIV　338
load sharing 分類　318
long thoracic n.　487
long tract sign　**60**, 160
Love 変法　234
lower or lowest instrumented vertebra　338
LTV　338
lumbar disc herniation　221
lumbar modifier　355
lumbar spinal stenosis　243
lumbar spondylolisthesis　243
lumbar spondylosis　243
lumbar vertebrae　489
lumbarization　489
lumbricales　35

Luschka 関節　159, 486
LZD　77, **78**

M & M カンファレンス　76
Magerl 法　109, **144**, 329
magnetically controlled growing rod　351
malignant lymphoma　432
mammillary process　489
Mann 試験　**17**, 161
manual muscle testing　28
Marfan 症候群　25, 382, 385
　・診断　384
　・治療　385
marginal dural thickening　462
Marshall-Smith 症候群　147
MCGR　351
McGregor 線　**20**, 23
MCV　26
medial antebrachial cutaneous n.　487
medial brachial cutaneous n.　487
medial pectoral n.　487
median n.　487
meningeal cyst　237
meningioma　461
meningocele　381
meninx primitiva　138
MES　323, **326**, 331
mesoderm　138
methicillin-resistant *Staphylococcus aureus*　473
methylprednisolone sodium succinate　305
MGIT　475
Mi-2 抗体　94
microwave diathermy　195
middle column　295
Milwaukee brace　364
MINO　79
MMT　28
MND　87
monoplegia　43
morbidity and mortality conference　76
more erosive subset　323
morning stiffness　327
Morquio 症候群　140, **145**, 146
motor neuron disease　43, 87, 167
MPSS　305
MP 関節　34
MRSA　27, 473
MRSA 感染　68, 77
MS　18, **93**, 168, 454
MSA　153
MTX　25, 81

mucolipidosis　145
mucopolysaccharidosis　145
MUD　323, **326**
multiple myeloma　428
multiple sclerosis　**93**, 168, 454
multiple system atrophy　153
musculocutaneous n.　487
mutilating disease　323
mycobacteria growth indicator tube　475
myelography　50
myelopathy hand　19, **162**
myotome　57

Nash 法　342
nerve root block　51
neural plate　138
neuralgic amyotrophy　**95**, 161, 190
neurilemmoma　461
neurinoma　461
neurocentral synchondrosis　139
neurofibromatosis　381
neuromuscular scoliosis　386
neuropathic pain　83
neuropathic spine　308
neuropathy　92
neutral vertebra　338
NF　381
nidus　428
non-contained type　222
nondystrophic scoliosis　381, 382
normal pressure hydrocephalus　98
notochord　138
NPH　98
NSAIDs　16, 67, **81**, 251
NTX　24
nucleotomy　234
nucleus pulposus　489
Nurick grade　176, 178

oblique lumbar interbody fusion　103
occipitalization　139
occipitoatlantal hypermobility　143
occipitoaxial hypermobility　143
OLF　23
OLIF　103
opisthion　143
OPLL　17, 23, 159, **198**
OS　430
os odontoideum　139
ossiculum terminale　139
ossification of posterior longitudinal ligament　**198**
ossification of spinal ligament　**198**

osteoblastoma 428
osteochondroma 422
osteoid osteoma 428
osteophyte 159
osteosarcoma 430
overgrowth syndrome 147

P

PAD 246
Paget's disease 245
palmar interossei 36
palmaris longus 34
Pancoast 腫瘍 190, **191**, 438
paraplegia **43**, 298
parasagittal reconstruction 像 145
parathyroid hormone 482
paravertebral abscess 474
paresthesia 49
patellar tendon reflex **45**
pathologic 258
PCR 法 475
PE **74**, 306
peak height velocity 347
pectoralis major 32
pectus carinatum 384
pectus excavatum 384
pedicle 486, 488, 489
pedicle sign 437
pedicle subtraction osteotomy 108, 279
pelvic incidence 400
pelvic obliquity **338**
pelvic tilt 400
penciling 381
pentaplegia 43
percutaneous nucleotomy 234
perfect O テスト 36
perineal numbness 223
perineural sacral cyst 237
periodic paralysis 94
peripheral arterial disease 246
peroneus brevis 41
peroneus longus 41
phantom pain 83
phrenic n. 487
PHV 347
PI 400
pigeon chest 384
pincers mechanism 21
PIP 関節 35
PJK 413
PL 154
PLF 116
PLIF 105, 107, 116, 253, **263**
plumb line 338
PM 94
PMD 94

PMR 94
PN 234
polymyalgia rheumatica 94
polymyositis 94
polyneuropathy 48, 92
polyphasic potential 26
pons 44
positive sharp wave 26
posterior arch 485
posterior column **295**, 298
posterior cord 31
posterior iliac crest 113
posterior interosseous n. 34
posterior longitudinal ligament 490
posterior lumbar interbody fusion 253, **263**
posterior superior iliac spine 490
posterior tubercle 486
posterior vertebral column resection 282
postlaminectomy membrane 175
posttraumatic kyphosis 307
posttraumatic spinal deformity 307
Pott 麻痺 474
Powers ratio **143**
Prader-Willi 症候群 55
primary spinal tumor 419
progressive muscular dystrophy 94
pronator quadratus 33
pronator teres 33
prostate specific antigen 23
protrusion 221
proximal junctional kyphosis 413
PSA 23
pseudo-pseudo-ulnar claw hand 37
pseudotumor 455
PSO 108, 279
psoas abscess 471
psoas major 38
psychogenic pain 83
PT 400
PTE **74**
PTH 482
PTH 製剤 282
PTR **45**, 46
pulmonary thromboembolism **74**
push-prone 340
PVCR 282
pyogenic spondylitis 470
pyramidal sign 60
pyramidal tract sign 61

Q

QM 法 275
quadriceps femoris 40
quadriplegia **43**, 298
QuantiFERON 475

quantitative measurement 275
Queckenstedt 検査 51

R

RA 23, 323
radial n. 487
radiculography 51
radiculopathy 161, **223**
Ranawat 値 **20**, 23
Ranawat の評価基準 326
Ranawat 法 323
RA 頚椎手術後の生存曲線 332
receptor activator of NF-κB ligand 424
Recklinghausen 病 381
Redlund-Johnell 値 **20**, 23
Redlund-Johnell 法 323
reflex sympathetic dystrophy 83
regression 196
resolving scoliosis 349
retro-odontoid pseudotumor 457
retroperitoneal approach 103
retropharyngeal abscess 471
retropharyngeal space 310
retrotracheal space 310
Rett 症候群 55
review of systems 17, **19**
RFP 78, **78**
rheumatoid arthritis 23, 323
rhomboideus 28
rib 114
rib-vertebral angle 349
rigidity **28**, 93
ring apophysis 235
Risser sign **341**, 362
Romberg 徴候 17, **49**, 161
ROS 17, **19**
rotatory subluxation 400
RSD 83
rugger jersey appearance 421
RVA 349
RVAD 348

S

SAC **20**
sacral slope 400
sacral sparing 61, 303
sacralization 489
sacroiliac ligament 490
sacrospinous ligament 490
sacrotuberal ligament 490
sacrum 483
sagittal balance 23
sagittal diameter 20
sagittal thoracic modifier 355
sagittal vertical axis 23, 400
SAPHO 症候群 438

sarcoidosis **95**, 454
SBMA 91
scalenus 28
scapulohumeral reflex 44
schwannoma 461
SCI 286
sciatica 221
scissors gait 18
sclerotome 138
screw trajectory reconstruction 像 144
SEA 166
seat belt fracture 311
SED 140, **145**, 146
segmental sign 61, **62**, 160
selective serotonin reuptake inhibitor 85
semi-quantitative method 275
semimembranosus 40
semitendinosus 40
sequestration 221
serotonin noradrenaline reuptake inhibitor 85
serratus anterior 29
shh 138
SHR 44
SIC test 26
simple walking test 161
sinovertebral nerve 221
skeletally immature 363
SLRT 223
SMA 91
SMN 91
SMX 78
snake-eyes appearance 166
snout reflex 47
SNRI 85
soleus 42
solitary plasmacytoma **428**, 431
somite 138
SOMI 装具 328
sonic hedgehog 138
SP-A 16
SP-D 16
space available for spinal cord **20**
spastic gait 18
spasticity **28**, 306
spinal and bulbar muscular atrophy 91
spinal cord injury 286
spinal cord tumor 453
spinal degenerative deformity 398
spinal infection 470
spinal injuries center test 26
spinal metastasis 436
spinal muscular atrophy 91
spinal neuroarthropathy 308

spinal progressive muscular atrophy **91**, 161
spinal segment 56
spinal shock 28, 47
spinal tumor 419
spine of ischium 490
spinopelvic parameter 400, 404
spinous process 486, 488, 489
split hand 91
SPMA **91**, 161
spondylodiscitis 470
spondyloepiphyseal dysplasia 140, **145**
spondylolysis 259
spondylosis 188, 243
spondylotic segmental sagittal diameter 19, **20**
Spurling テスト 19, 189
SQ 法 275, 276
SRS 398
SRS-Schwab Adult Spinal Deformity Classification 399
SS 23, 331, 400
SSRI 85
SSSD 19, **20**
SS の評価 324
stable vertebra **338**, 353
stable zone **338**
stage 分類 442
static factor 159
steppage gait **18**, 41
sternal occipital mandibular immobilizer 328
sternocleidomastoideus 28
stoop test 247
straight leg raising test 223
structural scoliosis 338
ST 合剤 77, **78**
subaxial subluxation 23
sublaminar wiring 368
subligamentous extrusion 221
subpial lipoma 466
subscapular n. 487
subscapularis 31
superior articular facet 485, 486, 488
superior articular fovea 485
superior articular process 489
superior cluneal nerve 113
superior costal facet 488
supinator 33
suprascapular n. 487
supraspinatus 29
Surgical Anatomy 483
survival motor neuron 91
survival rate 446
SVA 23, 154, 400

synchondrosis 139
synovial cyst 253
syringomyelia 308, 389

T

T1 pelvic angle 401
T1 slope 154
TA 40, 94
tabes dorsalis 49
talipes equinus 42
tandem gait 17
Tarlov cyst 238, 239
Tarlov's perineural cyst 237
TB spine 474
TDR 104
tectorial membrane 142, 484
TEIC 77, **78**
temporal arteritis 94
TENS 233
tension sign 222
teres major 32
teres minor 31
tethered cord 371
tetraplegia **43**, 298
thoracic vertebrae 488
thoracodorsal n. 487
thoracolumbosacral orthosis 305
three column theory **294**, 295
thyroxine 24
tibialis anterior 40
Tinel 徴候 19
TIO 25
TLSO 305, **364**
TMP 78
total disc replacement 104
TPA 401
trans-sacral fixation 260
transarticular screw fixation **144**, 329
transcutaneous electrical nerve stimulation 233
transitional vertebrae 226
translation force 366
transligamentous extrusion 221
transthoracic approach 102
transverse foramen 485, 486
transverse ligament of atlas 484
transverse process 485, 486, 489
trapezius 28
Trendelenburg 徴候 17, **18**
triceps brachii 33
triceps tendon reflex 45
triradiate cartilage 368
Trömner 反射 45, 162
trunk 487
TTR 45
tuberculous spondylitis 474

tumor induced osteomalacia 23, 25
TV 226, 227
two question 法 84

U

UIV 338
ulnar n. 487
underarm brace 363, **364**
unilateral bar 371
unroofing 252
unsegmented bar 372
upper instrumented vertebra 338
upper trunk 29

V

VA 109
Valsalva maneuver 71
VAS 17

VCM 77
VC 損傷 **291**, 292
ventral spinothalamic tract 298
vertebra plana 429
vertebral column 483
vertebral foramen 486, 488, 489
vertical compression injuries **291**
vertical subluxation 23
Visual Analog Scale 17
VS 20, 23, 331

W

Wackenheim's clivus canal line 143
Waddell signs 226
waddling gait 18
waistline 339
wake-up テスト 368
Wallenberg 症候群 **99**, 327

Waller 変性 26
Wartenberg 反射 45, 162
wedge vertebra 371
well leg raising test 223
Werdnig-Hoffmann 病 91
Westermark sign 74
Wiesel and Rothman 法 **143**
William's flexion brace 251
Willis 動脈輪 328
winking owl sign 437

X

X-core 284
XLIF 103

Y

Y 軟骨 368

著者略歴

岩﨑　幹季（いわさき　もとき）

昭和 60 年 3 月	大阪大学医学部卒業
昭和 60 年 7 月	大阪大学医学部附属病院 医員（麻酔科）
昭和 61 年 7 月	大阪警察病院 医員（心臓センター）
昭和 62 年 1 月	大阪大学医学部附属病院 医員（整形外科）
平成 5 年 8 月	大阪大学医学部 整形外科助手
平成 7 年 3 月	日仏整形外科学会交換研修医としてフランス留学
平成 7 年 9 月	University of California, San Francisco Assistant professor
平成 10 年 7 月	大阪労災病院 整形外科医長
平成 17 年 1 月	大阪大学医学系研究科 器官制御外科学助手
平成 18 年 5 月	大阪大学大学院医学系研究科 講師
平成 23 年 4 月	大阪大学大学院医学系研究科 准教授
平成 24 年 4 月	大阪大学医学部附属病院 病院教授
平成 26 年 4 月	大阪労災病院 整形外科部長，大阪大学医学部 臨床教授
平成 27 年 4 月	大阪労災病院 副院長

脊椎脊髄病学　第 3 版

2010 年 4 月 20 日　第 1 版発行
2016 年 9 月 30 日　第 2 版発行
2022 年 4 月 20 日　第 3 版第 1 刷発行

著　者　岩﨑幹季（いわさきもとき）

発行者　福村直樹

発行所　金原出版株式会社
〒113-0034 東京都文京区湯島 2-31-14
電話　編集（03）3811-7162
　　　営業（03）3811-7184
FAX　　（03）3813-0288
振替口座　00120-4-151494
http://www.kanehara-shuppan.co.jp/

© 岩﨑幹季, 2010, 2022
検印省略
Printed in Japan

ISBN 978-4-307-25165-5
印刷・製本／三報社印刷

JCOPY ＜出版者著作権管理機構 委託出版物＞

本書の無断複製は著作権法上での例外を除き禁じられています．複製される場合は，そのつど事前に，出版者著作権管理機構（電話 03-5244-5088, FAX 03-5244-5089, e-mail：info@jcopy.or.jp）の許諾を得てください．

小社は捺印または貼付紙をもって定価を変更致しません．
乱丁，落丁のものはお買上げ書店または小社にてお取り替え致します．

WEB アンケートにご協力ください

読者アンケート（所要時間約 3 分）にご協力いただいた方の中から抽選で毎月 10 名の方に図書カード 1,000 円分を贈呈いたします．

アンケート回答はこちらから ➡
https://forms.gle/U6Pa7JzJGfrvaDof8